# Lontano

**DOĞAN KİTAP TARAFINDAN YAYIMLANAN DİĞER KİTAPLARI**

Kızıl Nehirler
Taş Meclisi
Leyleklerin Uçuşu
Kurtlar İmparatorluğu
Siyah Kan
Şeytan Yemini
Koloni
Ölü Ruhlar Ormanı
Sisle Gelen Yolcu
Kaiken

**LONTANO**

**Orijinal adı:** Lontano

**Yazan:** Jean-Christophe Grangé
**Fransızca aslından çeviren:** Tankut Gökçe


**1. baskı /** Mayıs 2016 / ISBN 978-605-09-3469-4
**Sertifika no:** 11940

**Kapak tasarımı:** YZK
**Kapak görseli:** © Ulstein Bild / Getty Images
**Baskı:** Mega Basım Yayın San. ve Tic. A.Ş.
Cihangir Mah. Güvercin Cad. No: 3/1
Baha İş Merkezi. A Blok Kat: 2
34310 Haramidere-İstanbul
Tel. (212) 412 17 00
Sertifika no: 12026

**Doğan Egmont Yayıncılık ve Yapımcılık Tic. A.Ş.**
19 Mayıs Cad. Golden Plaza No. 1 Kat 10, 34360 Şişli - İSTANBUL
Tel. (212) 373 77 00 / Faks (212) 355 83 16
**www.dogankitap.com.tr / editor@dogankitap.com.tr / satis@dogankitap.com.tr**

# Lontano

Jean-Christophe Grangé

Çeviren: Tankut Gökçe

Ysé ve Kaïto için

Beyaz güneş, kırmızı toz.

Sıcaklığı kırk derecenin üstünde bir şapel.

Her siyasetçi, her subay, önemli zat ve şirketin diğer ileri gelenleri sırayla ilerliyor, birkaç saniye saygı duruşunda bulunuyor, ardından patlayan flaşlarla ve öğlen güneşiyle gözleri kamaşmış bir halde aynı resmi adımlarla yerlerine dönüyorlardı. Arkada, FARDC* askerleri tarafından kordon altına alınmış, az çok düzgün kıyafetler giymiş halk temsilcileri, ölmüş kişinin fotoğrafının basılı olduğu plastik görünümlü küçük bayrakları sallıyorlardı.

Erwan Morvan kendine burada ne aradığını soruyordu. Orada doğmuş olmasına rağmen Kongo'yla hiçbir ilgisi yoktu. İki yaşında Fransa'ya gelmişti, orayla ilgili en ufak bir anısı dahi bulunmuyordu. Babası Grégoire, onu Katanga eyaletinin başkenti Lubumbashi'den "eski dostu" General Philippe Sese Nseko'nun cenaze törenine götürmek istemişti. O da kabul etmişti. Hem babasına olan saygısından hem de çok merak ettiğinden...

İkinci grupta, beyazların arasında yer alan baba-oğul Morvan'lar sıralarını bekliyorlardı. Altında tabutun durduğu sayvan, çiçekleri ve erguvan kırmızısı bayraklarıyla bir diva locasını andırıyordu. Yaldızlı süslerle çevrili Nseko'nun bir portresi, turkuvaz zemin üzerinde diyagonal kırmızı ve sarı bir şerit ile köşesinde yine sarı bir yıldız bulunan, Demokratik Kongo Cumhuriyeti bayrağı örtülmüş tabutun üstüne yerleştirilmişti. Cenaze taşıyıcıları ile bando takımı narçiçeği renginde kıyafetler giymişlerdi. Çok klastı.

Yine de biraz yakından bakınca kusurlar göze çarpıyordu. Toza bulanmış üniformalar kötü dikilmişti. Çadır eğri monte edilmişti. Bando hatalı çalıyordu, her müzik parçası bir osuruk sesi gibi sonlanıyordu. Ziller leğen kapaklarından farksızdı.

* Demokratik Kongo Cumhuriyeti Silahlı Kuvvetleri. (ç.n.)

Ama sıcak en kötüsüydü. Hayatın en küçük molekülünü, tavadaki bir içyağı parçası gibi kavuruyordu.

Erwan kravatını gevşetti. Gömleği tenine yapışmıştı. Ağzında toprak tadı vardı. Gözlerinin altında mor halkalar oluşmuştu. Hayatında ilk kez, bayılacağını düşünüyor ve korkuyordu.

Yanında, bir metre doksan santimlik boyu ve yüz yirmi kilo ağırlığıyla ısmarlama Ermenegildo Zegna takımının içindeki Grégoire'ın ise sanki bu cehennemi sıcağa karşı bağışıklığı vardı. Kolunun altında küçük çelengi, tokalaşıyor, gülücükler dağıtıyor, gözyaşlarına hâkim oluyor, üzüntüsünü belli etmeden gösterisini sergiliyordu.

Erwan onun hareketlerini gözlemliyordu: Babası, deniz serpintisiyle kızarmış yanakları ve fileto bıçağıyla yontulmuş gibi görünen başıyla bir Bröton denizcisine benziyordu. Bir mandayı andıran yüz hatları ve kemerli bir burnu vardı. Bir tutam kıvırcık ve gri saç, galvanizlenmiş çelik bir küreyi andıran kafasını çevreliyordu. Aslında Erwan da onun daha az iri –ve daha merhametli– bir benzeriydi.

– Ali Bongo, Omar'ın oğlu, diye mırıldandı Grégoire, tabuta yaklaşan ufak tefek adamı işaret ederek.

Erwan'ın Afrika siyaseti hakkında en ufak bir bilgisi yoktu, ama en azından şunu biliyordu: Kırk yıldan fazla bir süredir Gabon'un başkanı olan Omar Bongo, Afrika devletlerinin en acımasız liderlerinden biriydi ve Heksagon'u* petrolle suladığından Fransa'nın "vazgeçilmez dostu" olmuştu. Artık meşale oğlu Ali'deydi.

– Arkasındaki, Moïse Katumbi Chapwe, Katanga valisi...

Erwan'a göre hepsi birbirine benziyordu, bereket versin ki bu melezdi ve Texas'lılar gibi bir stetson** şapka takmıştı. Ona anlatılana göre, Katumbi yerel bir figürdü. Milyoner ve insanseverdi, bir futbol kulübünün başkanıydı, Kabila hükümetinin en popüler adamlarından biriydi.

– Richard Muyej, Demokratik Kongo Cumhuriyeti içişleri bakanı. Çok tehlikeli biri.

Önceki gün, akşam yemeğinde, Grégoire Morvan ülkenin yakın tarihinden bahsetmişti. Erwan pek bir şey anlamamıştı, ama bazı olayları aklında tutmuştu. Ruanda'daki katliamdan sonra Tutsiler Hutu milislerini Kongo'ya kadar kovalamıştı. Tutsiler Mobutu'yu iktidardan indirmek ve Laurent-Désiré Kabila'yı baş-

* Heksagon: Coğrafi biçimi altıgeni andırdığından Fransa için kullanılan bir deyim. (ç.n.)

** Stetson: Bir tür kovboy şapkası. 1865'te John B. Stetson Company tarafından üretilmiştir. (ç.n.)

kanlığa getirmek için bu durumdan yararlanmışlardı, fakat Başkan Kabila müttefiklerine cephe almakta gecikmemiş; düzenli ordu, Tutsi milisleri, Hutu sığınmacılar, isyancı milisler ve BM Barış Gücü arasında ikinci bir Kongo savaşı başlatmıştı... 2001 yılında Kabila bir suikast sonucunda öldürülmüş ve hemen yerine oğlu Joseph geçmişti. On yıl sonra bile ülkenin doğusunda savaş sürüyordu ve DKC (Demokratik Kongo Cumhuriyeti), Birleşmiş Milletler insani gelişme indeksinde son sırada yer alıyordu. Dünyaya gelmek için berbat bir ülke...

– O, bu...

Erwan artık dinlemiyordu. Geldiği andan itibaren *hatırlamaya* başlamıştı. Kokular, renkler, sıcaklık. Önceki gün, sabahın beşinde Kinşasa'ya inmişlerdi. Uçaktan inince erimiş kurşunun tonlarını ve ağaran günün kokusunu hatırlamıştı.

"Otoyol"dan (sıradan bir yol) başkente giderlerken güneş doğmuştu. Atmosfer, bir anda tuğlaların ve kötü rafine edilmiş benzinin pis kokularını önüne katıp sürükleyen mutlak bir kuraklığa dönüşmüştü. Bir zamanlar *La Belle* (güzel kadın) olarak adlandırılan Kinşasa, bugün içinde canlı renklerde bubular giymiş kara kafalıların karınca yuvası gibi kaynaştığı, ters çevrilmiş devasa bir çöp tenekesini andırıyordu.

Otele varınca, Erwan kendini odasına atmış, klimayı maksimum soğuğa ayarlamış ve duşa girmişti. Birkaç saat dinledikten sonra babasıyla havuz kenarında aperitif içip öğle yemeği yerken yeniden fritöze dönmek zorunda kalmıştı. Ardından, bir iç hat uçuşu için yeniden yola çıkmışlardı. Havaalanına giderken yağmur başlamıştı. Toz balçığa, renkler de sokakları kaplayan, çatılardan oluk oluk akan, duvarları kirleten erguvan kırmızısı bir nehre dönüşmüştü. "Yağmur mevsimi erken başladı" demişti Morvan, kanser teşhisi koyan bir doktor edasıyla.

Dört saat sonra, "bakır başkenti" Lubumbashi'deydiler, burada da aynı şiddetli yağmur karşılamıştı onları. Erwan, dünyanın amniyon sıvısında yüzüyormuş gibi bir hisse kapılmıştı. Babası omzuna vurarak "Ailemizin beşiği, evlat!" demişti. Hiç de şaka yapıyor gibi değildi. Bu cümle Erwan'ın tuhafına gitmişti: O, soyunun daha çok Bröton aristokrasisine –Morvan-Coätquen– dayanmasıyla övünürdü. Otelde bir kez daha aynı döngü devam etmişti: Aperitif, akşam yemeği, havuz. Gece, artık aralarında olmayan müteveffa Sese Nseko'ya tahsis edilmişti. Adam, bizzat Morvan tarafından kurulmuş maden şirketi Coltano'yu yönetiyordu.

Erwan her şeyi oluruna bıraktı. Gecenin içinden kaygı verici çığlıklar yükselirken, neonların üstünde ızgara olan sinekleri duyuyordu. Arkadan aydınlatılmış havuz ölü yapraklar ve sülüklerle kaplıydı. Afrika'daki Beyazların yaşamının, bir su kaynağı çevresinde vıraklayan kara kurbağalarınınkine benzediğini çoktan anlamıştı.

Ertesi sabah uyandığında hava yeniden kavurucuydu. Klima her an son nefesini verecekmiş gibiydi. Erwan siyah takım elbisesini giydikten sonra koltuğunun altında bir şamandıra gibi tuttuğu küçük çelengiyle bekleyen babasını buldu. Grégoire çelengi sabah kalkar kalkmaz yerel çiçekçilerden birine ısmarlamıştı.

– ... Kengo Buluji...

– Ya Kabila, diye sözünü kesti Erwan. O gelmiyor mu?

Babası kınayan gözlerle ona bakıp başını salladı.

– Dün sana anlattıklarımı hiç dinlememişsin. Kabila ile Nseko aynı etnik gruptan değiller. Papayı striptizciler kongresine davet etmek gibi bir şey olur bu.

Saygı sunma sırası Beyazlara gelmişti.

– Bana yardım et, diye buyurdu Grégoire.

Çelengi tuttular ve kortejde yerlerini aldılar. Morvan alçak sesle açıklamalarını sürdürüyordu, ancak açıklamalar bu kez Fransızlar ve Belçikalılarla ilgiliydi.

– Şu adam, bir mason. Uluslararası işbirliği bakanlığı yaptı ve...

Erwan sadece çilli ve kel kafalar, kırış kırış olmuş boyunlar, gür kaşlar görüyordu. Yaş ortalaması yetmiş ila seksendi. İşlerin devam edeceğinden emin olmak için gelmiş, bir ayağı çukurda filler. Leş yiyicilerin arkasında ise Çinliler, Hintliler yer alıyordu. Nöbet değişimi...

Tam tabutun önüne varmışlardı ki, kocaman bir el Morvan'ın omzuna dokundu.

– Nasılsın dostum?

Babasından daha iri bir Afrikalı tam arkalarında duruyordu. Erwan geriye doğru bir adım attı. Siyah adam bando takımının sesini bastıran bir kahkaha attı ve dökme demiri andıran yüzünün ortasında parlak dişleri gözüktü. Grégoire da kahkahayı bastı ve iki çam yarması kucaklaştılar.

– Sakın bu yaşlı alçak için buraya kadar geldiğini söyleme!

– Minnet duygumu göstermek için.

– Pis herif! Buradaki tek efendi sensin, herkes bunu biliyor!

– Nseko bizim fırtınadaki kaptanımızdı.

– Bekçi köpeği, evet. Ruhu huzur bulsun. (Kızarmış gözlerini Erwan'a çevirdi.) Beni tanıştırmayacak mısın?

– Oğlum, Erwan. General Trésor Mumbanza.

Çam yarması var gücüyle Erwan'ın elini sıktı.

– Seni tanıdığıma memnun oldum! (Parmaklarını Erwan'ın tıraşlı kafasında gezdirdi.) Asker misin?

– Polis. Başımı serin tutmayı severim.

– O zaman burada rahat edeceksin! Ama kafana bir şapka geçirsen iyi olur!

Yeniden bir kahkaha patlattı.

Mumbanza'nın sırtı güneşe dönüktü. Sadece siyah iri gözlerinin akı görünüyordu. Erwan'ın aklına Douanier Rousseau'nun* *Yılan Oynatıcısı* adlı tablosu geldi.

– Dostumuz, Katanga düzenli ordusunun komutanıdır, diye açıkladı Morvan. Bir tür bizim yerel Pinochet'miz.

– Pohpohlamaya gerek yok.

– O olmasaydı, Kivu Savaşı çoktan Lubumbashi'ye ulaşmış olacaktı.

General (koyu renk elbisesinde herhangi bir askeri simge yoktu) tabutu işaret etti ve komplocu bir ses tonuyla konuştu:

– Neden öldüğünü biliyor musun?

– Kalp krizi olduğunu söylediler.

– Evet, Afrika usulü kalp krizi. Kalbini söktüler.

– Kim?

– Tutsiler. Hutular. Maï Maï'ler... Seçim senin. Hatta belki de Banyamulengeler veya kadogolar.** Ya da siz, Beyazlar, gizlice. Kim bilir?

– Bu nerede oldu?

– Villasında. Elektrikli testereyle gövdesini açmışlar ve işlerini halletmişler. Bana sorarsan, kalbini yemek için evden çıkmayı bile beklememişler. (Mumbanza, Erwan'a bakıp buharlı lokomotif gibi puflayarak güldü.) Burası çocuk, gerrrrçek Afrika!

– Saçmalamayı kes, diye bağırdı Morvan. Onu korkutacaksın.

Arkalarında homurtular yükseldi; geçiş yolunu tıkamışlardı. Erwan çelengi koymak için acele etti. Dua etmek için dönüp yeniden tabutun önüne gelmek gerekecekti.

– Nseko'nun yerine kim geçecek? diye sordu Grégoire, açık büfenin yer aldığı çadıra doğru ilerlerken.

– Öğle yemeğinden sonra oylama yapılacak. Genel kurul!

– Şansın yüksek...

* Henri Julien Félix Rousseau: Naif veya primitif üslupta resimler yapan Fransız post-empresyonist ressam. Mesleği yüzünden *Douanier* (gümrük memuru) olarak bilinir. (ç.n.)

** Orta Afrika'da çocuk askerlere verilen ad. (ç.n.)

Mumbanza, tamamen numaradan, bıkkınlık ifade eden abartılı bir hareket yaptı.

– Bütün vekâletleri ben yüklenemem ama kibarca benden talepte bulunurlarsa... (Aniden başını çevirdi, kalabalığın içinde birini fark etmişti.) Sonra görüşürüz. Sıkacak başka eller var.

Morvan'lar, beyaz örtülü masaların dizili olduğu tentenin altına girdiler. Çeşit çeşit alkoller, meyve suları, şişe geçirilmiş sığır etleri, yağda kızartılmış balıklar... Tentenin altına barbekü kokuları hâkimdi.

– Cinayet için mi geldin? diye sordu Erwan, ılınmış portakal suyunu içerken,

– Hayır. Haberim bile yoktu.

– Araştıracak mısın?

Grégoire yere tükürdü; hemen yeniden Afrikalı olmuştu.

– Araştıracak bir şey yok. Zenci meseleleri.

– Ya o? diye sordu Erwan, Mumbanza'yı işaret ederek.

– Nseko'nun yerini alacak. Çok kötü değil... İyi şarap ve beyaz amcık meraklısı.

Erwan babası ne zaman dalga geçiyor, ne zaman ciddi konuşuyor asla anlamazdı.

– Fransa'yı 68 Mayısı'nda kargaşadan kim kurtardı biliyor musun?

– Hayır, diye yalan söyledi Erwan.

Hikâyeyi ezbere biliyordu aslında.

Baba alkol dolu bir kadehi güneşe doğru uzattı.

– Ricard.* Fransa solcuların elinde oyuncak haline geldiğinde, Pasqua ve SAC'deki** hizbi De Gaulle'ü destekleyen bir gösteri düzenledi. Bunu herkes biliyor zaten. İki yüz bin adam Champs-Élysée'ye çıktı ve bir devrim daha başlamadan önlendi! Daha az bilinen ise, Fransa'nın dört bir köşesinde göstericileri ayaklandırmak için Korsikalının Ricard bağlantılarını harekete geçirmiş olmasıydı. O dönemde Ricard markasının temsilcisiydi. Tüm bayiler hemen işe koyuldular ve arabalar kiraladılar. Paris'e vardıklarında, militanların bedava bir kadeh içki, bir dilim jambon hakları vardı ve harekete geçmek için en iyi zamandı! (Hatıraların sağlığına kadeh kaldırdı.) Fransa'da Mao, pastis karşısında ne yapabilir ki?

* Aperitif olarak içilen bir tür pastis. (ç.n.)

** SAC: Service d'Action Civique (Sivil Eylem Hareketi). Fransa'daki 68 Olayları'nda De Gaulle'ü desteklemişlerdi. Charles Pasqua da SAC'de görev almış, daha sonra Chirac ve Balladur hükümetlerinde içişleri bakanlığı yapmıştır. (ç.n.)

Kadehi bir başka tepsiye bıraktı (asla alkol kullanmazdı) ve Erwan'ın sormadığı soruya sonunda cevap verdi:

– Sana neden burada olduğumuzu söyleyeceğim. (Göz kırptı.) Sizin mirasınıza göz kulak olmak için.

# I

# Morvan

## Baba ve oğul

# 1

– Hollande salağın, homonun, ödleğin teki! diye bağırıyordu Morvan. Tanrım, ne zaman taşaklı biri bu ülkede cumhurbaşkanı olacak?

Üç gün sonra Erwan, ailesinin Messine Caddesi'ndeki, Mobilier National tarafından dekore edilmiş büyük dairesinde öğle yemeğindeydi. Aile üyelerinin isteyerek değil, görev olarak katıldıkları bir pazar günü yemeği.

– Sosyalist Parti'yi çekip çevirmekten âciz bir adama ülkenin anahtarlarını teslim ettiler! Ne bekliyorlardı ki? Fransızların hepsi salak, bir anlamda layıklarını buldular!

Erwan derin bir iç çekti. Babanın bu pek saygıdeğer öfkesi pazarları yenmesi zorunlu bir yemekti, tıpkı annesi Maggie'nin tofu ve kinoayla hazırladığı yemekler gibi.

Aslında bu sert eleştiri gösterişten başka bir şey değildi. İhtiyar, kırk yıldan daha uzun bir süredir, hükümet kim olursa olsun, ruh halinde en ufak bir değişiklik olmadan iktidar için çalışıyordu. "Bir sürgü, kapının arkasındakiyle dalga geçer" demeyi âdet edinmişti.

– Biraz daha tabule? diye sordu Maggie, Erwan'a doğru eğilerek.

– Bu yeterli, teşekkür ederim.

En azından, İhtiyar sürekli hükümetlere sövüp saydığından annesine hakaret etmiyordu. Ve öfkesi koca dayağına dönüşmedikçe herkes memnundu. Erwan, Grégoire'ın bir yemeğin tadına bakmadan önce tabancasını masanın üstüne koyduğu ya da dış görünümünü değiştirmediği takdirde karısını pencereden atmakla tehdit ettiği dönemleri de hatırlıyordu.

Erwan masada oturanları inceledi; klanın tüm bireyleri oradaydı. Gaëlle, en sevilen evlat, yirmi dokuz yaşında; SMS'leriyle meşgul. Loïc, ortanca evlat, otuz altı yaşında; tabağının üstünde uyukluyor. Masanın ucunda, çocukları, Milla ve Lorenzo, biri beş, diğeri yedi yaşında; uslu ve sessizler. Boş sandalye ise, klanına tapınırcasına hizmet etmeyi sürdüren Maggie'ye aitti.

Görüntü mükemmeldi: Saygıdeğer bir burjuva ailesi, her pazar olduğu gibi bir araya gelmişti. Arka plan ise pek de parlak değildi. Eski alkolik, bugünün milyoner finansçısı Loïc, kokain bağımlısıydı ve selameti Budizm'de arıyordu. Gaëlle oyuncu olmak istiyor ve "kariyerinde ilerlemek" için sağda solda herkesle yatıyordu. Maggie'ye gelince, eski hippi ve takıntılı anne, tüm ömrünü, hiç şikâyet etmeden ve çareyi boşanmakta aramadan kocasının dayaklarını sineye çekerek geçirmişti.

– Ekonomik gelişme nerede? diye söylev çekiyordu Morvan; tabağına dokunmamıştı. Ya Fransa'yı coşturacak tedbirler? Hiç, hiçbir şey, hava cıva! Hep aynı vaatler, hep aynı aptallıklar...

Erwan başını sallıyor ve bu tiradın tatlılar geldiğinde son bulmasını umut ediyordu. Morvan toplantının anahtar kişisiydi. Altmış yedi yaşında, boğa kadar güçlü ve son derece sağlıklı dev gibi bir adamdı; uzun süre aydın çevreler tarafından Fransa'nın ilk polisi olarak kabul görmüştü. Ve de ağzı en sıkı olanı.

Kendi kendini yetiştirmişti, sıkı solcuydu, 68 Olayları'ndan sonra Afrika'ya sürgün edilmişti. Kariyeri daha başlamadan sona erecek gibiydi, ama Zaire'de, Katanga bölgesindeki bir maden kentinde yaşayan Beyaz toplumuna musallat olmuş Çivi Adam lakaplı bir seri katili tamamen kendi imkânlarıyla tek başına yakalamıştı. Morvan Fransa'ya ün kazanmış bir saygınlıkla geri dönmüştü. Giscard döneminde basamakları birer birer tırmanmış ve Mitterrand döneminde büyük başarılar göstermişti. 36'da[1] komiser olmuş, Tonton[2] için gizli görevlerde bulunmuş, yavaş yavaş dokunulmazlar sınıfına girmişti. "Ne dostum ne de ilişkilerim vardı" diyordu, "sadece dosyalarım vardı."

Erwan babasıyla ilgili hiç araştırma yapmamıştı, ama onun gizli kapaklı faaliyetleri olduğundan hiç kuşkusu yoktu: Morvan öldürmüş, çalmış, entrikalar çevirmiş, şantaj yapmıştı – tabii hep Cumhuriyet'in menfaatleri doğrultusunda. Bu da onu, sıradan alçaklardan farklı kılıyordu.

Chirac'ın gelişiyle bölge dışı vali olarak atanmış, Beauvau Meydanı'ndaki evlerden birinde izleme görevini sürdürmüştü. Sürekli

**1.** Fransa Emniyet Genel Müdürlüğü Paris'te Quai des Orfèvres 36 numaradadır. Bu nedenle 36 olarak adlandırılır. (ç.n.)

**2.** Fransa'nın 21. Cumhurbaşkanı François Mitterrand'ın lakabı. (ç.n.)

kazanan bir ekip değiştirilmezdi. Sarkozy de ondan vazgeçmemişti ve emeklilik yaşını çoktan geçmiş olmasına rağmen Hollande döneminde de hâlâ görev başındaydı; hiçbir örgüt şemasında yer almadan İçişleri Bakanlığı'nda danışmanlık yapıyordu. Uzun süre solcuların Pasqua'sı olarak anılan Morvan, patlamaması için özellikle dokunulmaması gereken toprağa gömülü şu eski mayınlardan birine benziyordu bugün.

Erwan birden tehlike çanlarının çaldığını fark etti.

– Lanet olası aptal, sen buna yemek mi diyorsun!

Soğuk soğuk terlediğini hissetti. Babasının hakaretleri onu hemen çocukluğuna götürdü. Titremeye başlamıştı bile. Yüreği ağzında atıyordu.

Baba, sus.

Morvan homurdanarak tabağına gömüldü. Erwan çevresine göz gezdirdi. Diğerleri duymamıştı bile: Loïc yarı uyur haldeydi, Gaëlle cep telefonuyla oynamaya devam ediyordu, iki çocuk tabaklarıyla meşguldü. Maggie bile, kayıtsız bir şekilde hizmet etmeyi sürdürüyordu.

– Telefonunu unutabilirsin, dedi İhtiyar, Gaëlle'e. Sofradayız.

Genç kadın kafasını kaldırmadı. Beyaza yakın sarı saçlarıyla, uslu bir kız öğrenci gibi görünüyordu. Oval bir yüzü, çıkık elmacıkkemikleri, doğaüstü soluklukta bir teni vardı. Loïc gibi ona da, annesinin eski güzelliği miras kalmıştı. Çok pahalı, marka kıyafetler giyiyordu, ancak bunun farkında değilmiş, umursamıyormuş gibiydi.

– Hey, sana söylüyorum!

– Ne?

– Bu ortama saygı gösterebilirsin ve...

– İşle ilgili.

– Pazar günü?

– Ne yaptığım hakkında hiç fikrin yok.

– *Show-business* konusunda şüphesiz senden daha fazla tecrübem var!

Kalıplaşmış demode sözcüğü küçümseyerek tekrarladı:

– "*Show-business*"...

– Tüm o aktörler, prodüktörler, hepsi seks takıntısı olan orospu çocukları ve...

– Canım, çocukların önünde olmaz!

Maggie masa örtüsünün üzerindeki kırıntıları temizlerken çok şaşırmış gibiydi.

– İştahım kaçtı, dedi Gaëlle, sandalyesini geriye doğru iterken.

– Otur oturduğun yerde!

Gaëlle cevap vermeden ayağa kalktı. Korkacak bir şey yoktu; Morvan çocuklarına hiç el kaldırmamıştı. Küfürler ve dayak anneleri içindi.

– Gaëlle, seni uyarıyorum...

Genç kadın ortaparmağını dimdik yukarı kaldırarak babasına hareket çekti ve masadan kalkıp gitti. Loïc gözleri yarı kapalı, buğulu bir camın ardında duruyormuş gibi sessizce gülüyordu. Maggie yeniden mutfağına döndü. Hâlâ sessizliklerini koruyan ufaklıkların bu gizemli hareketle kafaları karışmış gibiydi.

Erwan oturduğu koltuğun kolçaklarına sıkıca yapışmıştı. Değişen bir şey yoktu: Hep tetikte olan, herkesin yerine yıpranan sadece oydu. Kendi klanı içindeki kötü güçlerle savaşmaya, onlara müdahale etmeye daima hazırdı. O Kerberos'tu, Cehennem'in kapısını bekleyen köpek.

Morvan, bunu teyit edercesine emretti:

– Erwan, çalışma odama.

# 2

İhtiyar'ın ini egzotik mobilyalarla, çoğu Kongo'dan gelmiş, insanı tedirgin eden objelerle doluydu. İçbükey tabureler, örme deriden sırt dayanakları, mızraklardan imal edilmiş yağ kandilleri... Rafların üstünde duran masklar, heykelcikler, nazarlıklar hepsi aynı kâbusun içinde yontulmuş gibiydi. Gözleri maskeli kafalar, sivri dişleri olan ağızlar, öldürücü göğüslü kadınlar...

Koleksiyonun en can alıcı parçası, üzerine çiviler, cam kırıkları yerleştirilmiş, zincir, elyaf, kanlı tüylerle kaplanmış bir dizi heykelcikti: Aşağı Kongo'daki Mayombe bölgesine ait *minkondi*'ler. Bu insan biçimindeki yontular, büyücülere ve onların yaptığı büyülere karşı kullanılan silahlardı. Morvan oğluna bu heykelciklerin işlevini birçok kez anlatmıştı: *Nganga*, şifacı, üzerlerine bir çivi ya da bir cam parçası çakarak onları etkin hale getiriyordu.

Bu küçük yontuların ardında bir başka gerçek daha gizliydi: 1971 yılında Grégoire'ın yakaladığı seri katil bu heykelciklerden ilham almıştı. Yüzlerce çivi, ayna kırığı, metal parçası çakarak kurbanlarını birer dilek yontusuna dönüştürüyordu. Erwan babasının bu heykelcikleri caninin ininden çaldığına inanıyordu...

Grégoire ceketini çıkardı. Pazarları bile her zamanki kıyafetlerini giyiyordu: Beyaz yakalı gök mavisi Charvet gömlek, siyah kravat ve eski tarz, ters Y biçiminde pantolon askısı. Çalışma masasının arkasında, üstünde iki antilop kafası bulunan, yüksek arkalıklı bir koltuğa yerleşti.

– Kaerverec, sana bir şey ifade ediyor mu?

– Hayır.

– Brest yakınlarında bir köy.

– Ailenin kökeniyle ilgili başka bir yer mi?

– Saçmalama. Orada bir deniz havacılığı okulu var. Yarın seni oraya yollayacağım. Bir çaylak vakası.

– Şaka mı yapıyorsun?

– Ölümle sonuçlanan bir çaylak vakası.

Erwan bir sandalye aldı. Babası bir çekmeceyi açarak içinden bir teleks çıkardı.

– Bir öğrenci, dayanıklılık testlerinden kaçmak için bir adadaki sığınağa gizlenmiş. Cumayı cumartesiye bağlayan geceyi orada geçirmiş. Şansı yokmuş anlaşılan; cumartesi sabahı bulunduğu bölge bir eğitim atışı için hedef olarak seçilmiş. Her şey havaya uçmuş, toz olmuş.

– Çocuğa bir füzenin isabet ettiğini mi söylüyorsun?

İhtiyar kâğıdı ona uzattı.

– Şimdilik tüm bilinen bu.

Erwan yazıya hızla bir göz attı. Babasının bu vakalarından hazzetmiyordu. Bu vaka da her zamankilerden çok daha karışık görünüyordu.

– Bununla ilgili hiçbir şey duymadım.

– AFP'nin[1] bile haberi yok. Halka sunulabilir bir açıklama beklerken olayın duyurulmaması konusunda herkes hemfikir.

– Ve bu açıklama için de bana güveniyorsun?

– Doğru.

– Neden Brest adli polisi değil?

– Çünkü hassas bir olay. Kötü sonuçlanan bir çaylak hikâyesi. Genç bir askeri öldüren füze. İçişleri ve Savunma bakanlıkları, cinayet bürosu tarafından sürdürülecek objektif bir soruşturma istiyor. Tabii onlar hakkında şüphe uyandıracak bir sonuç söz konusu olamaz.

– Yani aşağı tükürsem sakal, yukarı tükürsem bıyık!

– Dinle, oraya gidiyorsun, kanıtları topluyorsun, bir rapor yazıyorsun. *Basta*.[2]

– Beni hangi unvanla oraya yolluyorsun?

– Özel görev. Bir merkez ofisle işi halledeceğim. Bırak da işimi yapayım. Yarın sabah yola çıkıyorsun, çarşamba dönüyorsun. Sağlam bir polise gereksinim vardı ve ben de seni seçtim. Askerler CV'ni görünce çenelerini kapayacaklardır.

Eylem adamı geçmişine bir göndermeydi bu: Erwan, Arama ve Müdahale Birimi'nde görev yaparken üç kez silahlı çatışmaya girmişti. Öldürmüştü. Yaralanmıştı. Askerleri etkileyecek olan da buydu.

**1.** Agence France-Presse'in (Fransa Haber Ajansı) kısaltması. (ç.n.)

**2.** "Yeterli, o kadar" anlamında İspanyolca sözcük. (ç.n.)

– En azından olaydan emin misin?

– Ayrıntılarda, hayır. Ancak okul müdürü Albay Vincq'e göre olay bir kaza. Çok aptalca, ama yine de bir kaza. Buram buram karışıklık kokuyor ve bu boktan durum herkese bulaşacak; kuşkusuz bu hiç iyi değil. Senin raporun, sorumluları ortaya çıkarmaya yarayacak.

Erwan, geniş ve yassı kafalı, çok uzun kollu, her tarafı çivilerle dolu bir kadın heykelciğini inceliyordu. Babasına göre, bu heykelcik büyücülerde çırpınmalara ve ölümle sonuçlanan zayıflamalara neden olmakla ünlenmişti. Erwan hep Gaëlle'in anoreksiyasına bu heykelciğin sebep olup olmadığını düşünürdü.

– Ya jandarma?

– Davaya Brest soruşturma birimiyle birlikte bakacaklar, ancak dümen senin elinde olacak. Savcılık bana garanti verdi.

Odada bir uğultu yükseldi. Teleks makinesi. Erwan, Emniyet Genel Müdürlüğü'yle ilgili tüm yazışmaların daima babasının kontrolünden geçtiğini biliyordu. Çocukken babasını trenlerin geliş gidişlerini ve saatlerini kontrol eden bir istasyon şefi olarak düşünürdü; tabii buradaki tren katarları cinayetler, tecavüzler ve her türden başka suçlardı.

Morvan sayfayı makineden kopardı, gözlüğünü taktı, metne hızla bir göz attı ve ekledi:

– Dosyayı bu akşam sana yollatacağım. Erkenden yola çıkarsın. Yanına bir adam al ve masrafları not et.

Erwan bunun anlamını biliyordu: "Harcamalara dikkat et." Ayağa kalktı, ama babası yeniden çekmecesini açtı.

– Bekle. Seninle başka bir şey daha konuşmak istiyorum.

Önüne *post-it*'lerden fazla büyük olmayan küçük etiketler koydu. Erwan bunları hemen tanıdı. İç Güvenlik Genel Müdürlüğü'nün beyaz kâğıtları. Ne kaynağı ne de geldiği yer belli olan anonim bilgiler. Coşkulu olduğunda babası hep aynı şeyi söylerdi: "Küçük su kaynakları büyük nehirleri oluşturur." Gerçekten de babası bir kâğıdın üstündeki birkaç kelimeyle hükümetleri sarsmıştı.

Erwan tekrar yerine oturdu ve kâğıtları eline aldı. İsimler. Paris'te adresler. Tarihler ve saatler...

– Bunlar ne?

– Son iki günde kız kardeşinin gidip geldiği yerler.

– Onu takip mi ettiriyorsun?

Grégoire öfkeli bir hareket yaptı ve tüm verileri ezberden sıralamaya başladı:

– Cuma, saat 17.00, STMS Grubu, Lincoln Sokağı, bir saat. Aynı gün, saat 20.00, Patrick Blanc, Dauphine Sokağı, yine bir saat. Ertesi gün, saat 16.00, Hervé Leroy, Spontini Sokağı 22 numara. Akşam, Plaza Athénée'deydi,[3] sonra Fouquet's Barrière'e[4] gitti.

– Yani?

– Yanisi, kız kardeşin fahişelik yapıyor.

– Belki de iş randevularıdır.

Morvan masanın üstüne doğru eğildi. Erwan, babasının Hermès marka *Eau d'Orange Verte* parfümünün kokusunu duyarken, çene eklemlerinin takırtısını da işitir gibi oldu.

– Sen salak mısın nesin! Leroy ile Blanc yapımcı.

– Doğru.

– Bazen kafanın içinde ne var diye düşünüyorum. Leroy, Versailles'da âlemler düzenliyor, Blanc ise eskort kızlara meraklı. (Öfkeyle masasına vurdu.) Kız kardeşin bir orospu, lanet olsun! Üstelik çok hızlı olduğu da söylenebilir!

Erwan yüzüne tükürülmüş gibi geri çekildi. Babasının bu sertliğini iyi biliyordu. Ancak onu şaşırtan başka bir şeydi.

– Öz kızını İç Güvenlik'e mi izlettin? Devletin imkânları ve parasıyla mı?

– Ailemi korumak zorundayım.

– Gaëlle yirmi dokuz yaşında. İstediğini yapmakta özgür.

Grégoire omuzlarını oynattı, sırtını kamburlaştırdı.

– En iyi paralı okullara yolladığım, en lüks seyahatlere gönderdiğim, en hatırlı kişileri araya sokarak iş bulmaya çalıştığım kız kardeşinin, yapımcıları emen bir telekız olabileceğini öngöremedim.

– Böyle konuşma. Oyuncu olmak istiyor ve bunu başarmak için de her yola başvuruyor...

– Şu an için porno dergilere çırılçıplak pozlar veriyor.

– Porno değil, erotik dergiler. Bu onun kendini tanıtma yöntemi. Onun seçimlerine saygı göstermelisin. Ondan bir suçluymuş gibi bahsediyorsun!

– Tam çağının adamısın. İçerik önemli değil, önemli olan onu söyleyiş *tarzı*. Siyaseten doğruluk hepinizi öldürecek. Kahrolası bobolar![5]

Onun ağzında, bundan daha onur kırıcı bir söz yoktu. Bir dö-

**3.** Paris'in lüks otellerinden biri. (ç.n.)

**4.** İçinde beş barı ve üç restoranı olan Paris'in en lüks otellerinden biri. (ç.n.)

**5.** Fransızca *bohème-bourgeois*'nın (bohem-burjuva) kısaltması; özellikle Fransa'da üst orta sınıftan gelen, ama eski usul bir bohem kültürle paralellik içinde yaşayanlara verilen ad. (ç.n.)

nemin solcusu, daima vicdanlarının sesini dinleyen, konsensüs yanlısı sosyalistlerden, çevrecilerden, alternatif küreselleşmecilerden nefret ediyordu. Onun bakış açısına göre, bu vicdan polisleri mutlak kötülüğü temsil ediyordu: Kendi karşı kültürleriyle entegre olmuş, kendi düşmanlarıyla, yani devrimle beslenmiş burjuvalar. Bir gün boboları, zehirlenmelerine rağmen hayatta kalan ve bağışıklıkları güçlenen şu sıçanlara benzetmişti. Şaka yapmıyordu.

Ayağa kalkıp pencerenin önünde durdu; bir kumandan edasıyla ellerini arkasında birleştirmişti.

– Onunla konuşmanı istiyorum.

– Konuştum bile. Onu ikna etmeye çalıştıkça, o daha çok inat edecektir. Sadece canımızı sıkmak için.

– Öyleyse etrafında kimseyi bırakma. O para babası hovardalara baskı yap. Listeyi sana vereceğim.

– Sen ne diyorsun? Onlara baskı yapmayacağım...

Babası masasına geri döndü, daha sakindi.

– Sayıları o kadar çok değil. Gaëlle, rast gelirse fahişelik yapıyor. Ara ara takılıyor anlayacağın... Eğer kimse onu aramazsa, o da durulacaktır.

– Ya da başkalarını bulacaktır.

– Bu durumda o gerçek bir fahişe demektir ve artık elimizden bir şey gelmez.

Erwan kız kardeşini koruyordu, ama babasıyla aynı öfkeyi duyuyordu. Gırtlağına kadar çamura gömülmüş şımarık bir kız çocuğuydu kardeşi. O da ayağa kalktı.

– Yapımcıları mı korkutacağım, yoksa bir askerin parçalarını mı toplayacağım?

– Öncelik Bretanya'da. Gerisiyle dönünce ilgilenirsin.

Erwan tek kelime etmeden çalışma odasından çıktı, bu yaşlı yırtıcıya karşı tuhaf bir şefkat duyuyordu. Karısına uyguladığı şiddete rağmen, katil geçmişine rağmen çocuklarına kayıtsız şartsız sevgi hasreden bir adamdı.

– Senden ne istedi?

Erwan irkildi; annesi koridorun karanlığında dikiliyordu.

– Senden ne istedi? diye yineledi kadın, alçak sesle.

Ürkmüş gözlerle bakıyordu oğluna. Üstünde hâlâ mutfak önlüğü vardı.

– Hiç, dedi Erwan, kaçamak bir şekilde. İş mevzuu.

– Çocukları annelerine götürebilir misin?

– Ya Loïc?

– Kanepede uyuyakaldı.

Pazarlar birbirini izliyor ve birbirine benziyordu.

– Sofia evde mi?

– Onu arasana. Seni görmek onu memnun edecektir.

Milla ile Lorenzo sırtlarında çantalarıyla –ayrılmış çiftlerin çocuklarının alışılmış yükleri– sofada bekliyorlardı. Maggie kapıyı açtı. Giysisinin yeni yukarı sıyrılınca kolu göründü, ebrulanmış ve morarmıştı.

– Bu ne, ne oldu?

– Hiç. Düştüm.

Erwan'ın biraz önce babasına hissettiği şefkatin yerini kin ve öfke aldı. Bu çok tanıdık, rahatlatıcı ve aileye özgü bir duyguydu. Altmış yedi yaşına gelmiş İhtiyar'ın hâlâ karısını dövüyor olması, nedense onda şaşkınlık yaratmıyordu. Erwan çok basit bir tespitte bulundu: Yaşlandıkça annesinde izler daha net görünüyordu. Morlukları doğum lekelerini anımsatan şarap tortusu rengini alıyordu.

Kapıdan çıktı ve yeğenlerine neşeli bir tavırla seslendi:

– Asansöre ilk kim varacak?

İki çocuk, büyükannelerini öpmeden asansöre doğru koştular.

Erwan tam çocukları geri çağıracaktı ki Maggie onu durdurdu.

– Bırak. Önemli değil.

– Gelecek pazara.

Çocuklar kabinin önünde sabırsızlanıyordu. Erwan onlara gülümsedi, sonra düşüncelere daldı. Çocukluğu boyunca en ufak bir ciddiyetsizlik yaptığını hatırlamıyordu. Hep kaygıyla, sıkıntıyla, annesi ile babasının kavga edeceği korkusuyla yaşamıştı.

Asansörün kapıları açılırken, öğle yemeğinde yaşananları aklından geçirdi: Loïc de, Gaëlle de bu durumdan zarar görmeden çıkabilmişti. Aile içi travmalara, erkek kardeşi uyuşturucuyla, kız kardeşi de seksle cevap vermişti.

Aklına bir anı geldi: Ağabeylerinin kollarına sığınmış dört yaşında küçük bir kız ve on bir yaşında bir oğlan... Üçü de, anne babaları kavga ederken mutfak masasının altına saklanmıştı. Erwan teninde hâlâ yer karolarının soğukluğunu ve solun Pasqua'sının darbeleriyle ince duvarların titreştiğini hissediyordu.

Yalnız değildi; Loïc ile Gaëlle, masanın altında ürkmüş ve korkmuş halde daima onun yanındaydılar. Neredeyse rahatlatan bu düşünceden hüzün duyarak asansöre bindi.

# 3

Ailesinin evinden çıkınca, Gaëlle kusmayı alışkanlık haline getirmişti.

Monceau Sokağı ile Lisbonne Sokağı'nın köşesindeki, tuvaletleri fazla pis olmayan bir kafeye gitti ve kustu. Yeniyetme bir kızken, tuzlu sudan gırtlağına diş fırçası sokmaya kadar, bütün kusma tekniklerini denemişti. Bugün ise bunun için hiçbir şeye gerek duymuyordu. Annesinin berbat yemeklerini düşünmek yeterli oluyor ve kusmaya başlıyordu.

Dışarıda, kendini daha iyi hissetmeye başlamıştı bile. Eylül ayı uzatmaları oynuyordu. Tatsız bir yaz ile erken bir sonbahar arasında, güneşli bir veya iki öğleüzeri lüks değildi. Manzaranın keyfini çıkararak Messine Caddesi'ne indi. Ağaçların gölgesi asfaltın üstünde titreşiyordu. Işık huzmeleri yaprakların arasında parıldıyordu. Cadde, Haussmann Parisi'nin en güzel yerlerinden biriydi. Çınarların geniş yeşil yapraklarının üstünde yükselen katlardaki balkonlar, atlantlar, karyatitler...[1] Gaëlle kendini Versailles'ın ağaçlı yollarında yürüyen bir kraliçe gibi hissediyordu.

Miromesnil Sokağı'ndan sonra sola Penthièvre Sokağı'na saptı ve apartmanına ulaştı. Etraf ıssızdı. Güneşe rağmen, bu dar sokaklarda kasvetli bir şey vardı. Beauvau Meydanı'na –canavarın ini– birkaç metre mesafede olan bu stüdyoyu satın alma konusunda tereddüt etmişti. Sonuçta, canavarı görmezden gelmeye karar vermişti. Düşmanını hiç düşünmemek, onu yenmek demekti.

Kırma tavanlı duvarlar, çatı pencereleri, çıplak ayaklarının altında pürüzsüzlüğünü hissetmekten hoşlandığı geniş latalı parkeler... Hiç dekorasyon yapmamıştı, çünkü burasının kendi hayatı gi-

1. Atlant (Fr. *atlante*): Erkek biçiminde sütun. Karyatit (Fr. *cariatide*): Kadın biçiminde sütun. (ç.n.)

bi –yazacak beyaz bir sayfa– olmasını istiyordu. Muhafaza ettiği tek şey kitaplığıydı. PUF'nin[2] rengârenk kapakları, Gallimard'ın[3] Pléiade dizisinin kahverengi, yeşil ve altın sarısı ciltleri, Freud'un denemelerinin tütün rengi tonlarındaki kapakları... Daha aşağıda, canlı ve alacalı renkte –kendi tutkularıyla benzeşen– sırtlarıyla biyografiler. Gaëlle için Nietzsche ve Wittgenstein vazgeçilmez yazarlardı, ama Shakira'nın, Mylène Farmer'ın, Annette Vadim'in yaşamöykülerini de severek okuyordu. Kendini hem devrimci ve cinsel obje hem de entelektüel ve fingirdek hissediyordu. Tüm bunlar fazla açık değildi.

Kavrulmuş Japon çayı. Yüzde kil maskesi. Çalışma odası. Pazar günkü öğle yemeği ve ekspres kusmanın ardından üçüncü ritüel, profesyonel dünyasını düzene sokmaktı. Sosyal ağlarda güncellemeler yapmak, e-postaları okumak, tweet atmak... Bir aktris için fanlarıyla –kapının önüne toplanmasalar da– düzenli temas halinde olmak önemliydi. Yarın öğleden sonra uğrayacağını haber vermek için ajansına SMS attı; haftalardır bir *casting*'de yer bulamamıştı.

Sonra savaş malzemeleriyle ilgilenmeye başladı: CV, fotoğraflar, basın dosyaları... Bir zanaatkâr gibi masasının arkasında çalışmaya bayılıyordu. Biyografisini özenle hazırlıyor, fotoğraflarını rötuşluyor, demoları kopyalıyor, yönetmenlere yazıyordu...

Meslek kariyeri hepi topu birkaç satırdı. İnternet üzerinden poker yayınları sunmuş, televizyon filmlerinde yardımcı kadın oyuncu olarak yer almıştı. Bir keresinde, uzun metrajlı bir filmde sarışın bir sürtüğü canlandırmış, ama daha sonra onun sahnesi kesilmişti.

Hepsi bu kadar azdı; özellikle de gösterdiği çabalar –yüzlerce *casting*, sözüm ona gözde yapımcılarla akşam yemekleri, gece kulüplerinde geçirilen saatler– göz önüne alındığında. Vardığı bu noktada, kendi hayatını kazanmaktan uzaktı. Oyuncuların Kutsal Kâsesine ulaşmaya ise daha da uzaktı: İşsizlik yardımı talebinde bulunabilmek için yıllık beş yüz yedi saatlik bir çalışma şarttı. Bu yüzden o da işini başka türlü hallediyordu.

Kendisini bu konuda kışkırttıklarında itiraz ediyordu: "Feminizm lezbiyenler ve burjuva kadınları için gerekli. Kadınlar, gerçek kadınlar, cebinde meteliği olmayan kadınlar, bu durumdan kurtulmak için her şeyi yapmaya hazırdır ve parlamentodaki kadın-erkek oranı ya da yazar yerine, 'kadın' yazar denmesi umur-

**2.** PUF: Presses Universitaires de France adlı yayınevinin kısaltması. (ç.n.)

**3.** Fransa'nın en önemli yayınevlerinden biri. (ç.n.)

larında değildir." Ona bir zengin kızı olduğu söylendiğinde de ekliyordu: "Ben, olmaya karar verdiğim kişiyim. Her şeye sıfırdan başladım."

Yalan söylemiyordu. Reşit olduğundan beri babasının tek bir avrosuna el sürmemişti. Hatta bankadaki hesabını kapatmış, bir arkadaşının adına başka bir hesap açmıştı – böylece aşağılık herif ona para yollayamayacaktı.

Kuşkusuz, fahişelik yapıyordu, ama dürüstçe.

Saflığının ve namusunun bu meslekle lekeleneceğini düşünmüyordu. Sanata her zaman gönülden bağlıydı. Brigitte Bardot'yu, Marilyn Monroe'yu, Scarlett Johansson'u kendine örnek alıyordu. Şehvet uyandıran aktrislerdi, ama *aynı zamanda da* büyük oyunculardı. En güçlü yanları vücutlarıydı, ee ne olmuş? Kendini, *Nefret*'te Malaparte villasının terasına uzanmış Camille rolünde ya da *Bazıları Sıcak Sever*'de yatın güvertesinde Tony Curtis'i baştan çıkaran Sugar Kane olarak hayal ediyordu. Sanat, evet, ama vücut hatlarıyla birlikte.

Günün programında, Amerika Birleşik Devletleri için çalışma vizesi başvurusu vardı. Bir aktris, şansının er ya da geç Atlantik ötesinde yüzüne güleceğini düşünürdü. Gaëlle boş hayallere kapılmıyordu, ama inanmak, özellikle de denemek istiyordu. Başarısız olursa üzülmeyecekti.

Dosyasını aldı, konsolosluktaki randevusu için belgelere göz attı. Her şey tamamdı. Onun mesleğe verdiği öneme, ciddiyetine, inandırıcılığına tanıklık eden referanslar toplamıştı. Bedava saksofon çekme ve düzüşmeyle elde edilmiş hatır mektupları. Ayrıca ABD'de iş bulma sözleri de almıştı; bu hiç de zor değildi, çünkü tanıdığı yapımcıların *orada da* şirketleri vardı. Zaten Atlantik'in iki yakası için bu referansları da onlar yazmıştı.

Bu referanslar ve düzmece sözleşmeler karşısında, içini hüzün kapladı. Bu dosya onun hayatının bir suretiydi: Uydurma. Ama yine de bu yalanı, ayaklarının altında açılabilecek uçuruma yeğliyordu, yoksa tüm projeleri boşa giderdi. Hayallerinden vazgeçmek, hayatından vazgeçmek demekti.

Gözü duvar saatine takıldı – üzerine akrep ve yelkovan monte edilmiş bir sinema klaketiydi, Los Angeles'a yaptığı tek seyahatin anısı. 15.15. Yerinden fırladı. Saat 16.00'daki "*casting*" çekimini tamamen unutmuştu. Sekiz yüz avroluk randevularını böyle adlandırıyordu.

Banyoya gitti ve Lut Gölü kilinden maskesini sildi. Adamın Çinli bir finansçı olduğunu hatırlıyordu. Çekim, Hoche Caddesi'ndeki bir mama tarafından ayarlanmıştı. Başını kaldırdı ve aynada kendini inceledi. Oval yüzünü, çıkık elmacıkkemiklerini ve bir Sibirya kurdununkini andıran gözlerini görünce kendini toparladı ve lavabonun üstündeki yumruklarını sıktı.

Bir Çinli. Kafasındaki şeyi gerçekleştirmek için bu çok iyi olacaktı.

# 4

Sofia ona Luxembourg Bahçeleri'nde randevu vermişti.

Erwan arabasını Bonaparte Sokağı'na park ettikten sonra Vaugirard Sokağı'na açılan kapıdan parka girdi. İki çocuğu ellerinden tutarak, petank[1] alanları boyunca ilerledi, sonra tenis sahalarını arkasında bıraktı. İtalyan kadın, onunla biraz daha uzaktaki oyun parkında buluşacaktı. Onu görme düşüncesi, Erwan'ı heyecandan titretiyordu.

Onunla ilk kez karşılaştığında ürpermişti. İkinci seferinde surat asmıştı. Üçüncüsünde bir şeyler geveleyip durmuştu. Doğal davranabilmek için dördüncü veya beşinci görüşmeyi beklemesi gerekmişti. Ancak o zaman onu inceleyebilmişti. Sofia güzel değil, kusursuzdu. Güzelliği magazin dergilerinin kuşe kâğıtlarına, sinema perdelerine layıktı, ama çekiciliği satılık değildi. Milyonerdi ve bu üstün konumu ona ulaşılmaz bir hava veriyordu.

2003 yılında Loïc New York'tan onunla birlikte döndüğünde, Erwan bu enayi dümbeleğinin böyle bir tanrıçayı nasıl baştan çıkarmış olabileceğini merak etmişti. Babası da aynı soruyu kendine sormuştu. İyi polisler olarak, kendi soruşturmalarını yapmışlar ve şaşkınlıkla Sofia'nın Loïc'ten çok daha varlıklı olduğunu öğrenmişlerdi. Ünlü Aldobrandeschi ailesiyle uzaktan akrabalığı olan, ancak her şeyini kaybetmiş bir Balducci kontesiyle evlenmiş, maden ticaretinden servet yapmış, Floransa banliyösünde hurda ticaretiyle uğraşan bir babanın kızıydı. Sofia güzelliğini babasından (asil bir yüz), kibarlığını ise annesinden almıştı; ayrıca annenin kibri, babanın katılığı da ona miras kalmıştı. Geri kalanı ise eğitimi tamamlamıştı. Çocukluğu Saint-Moritz'de Alman

1. Fransızca *pétanque*. Avrupa'nın en popüler açık hava oyunlarından biri. Çelik bilyeleri hedefin en yakın yerine fırlatmaya dayanır. (ç.n.)

dadılarla geçmiş, Milano'da özel okullarda okumuş, sonra Luigi Bocconi Üniversitesi'ne ve IULM'ye (*Università di Lingue e Comunicazione*, Dil ve İletişim Üniversitesi) devam etmişti. Wall Street'te tırnaklarıyla kazıyarak bir yerlere gelmiş ve sonunda aşkı Loïc'in kollarında bulmuştu.

Morvan'lar buna inanamıyordu. Onlar erkek, özellikle de polisti. Loïc gibi bir herifin kadınlar üstündeki cazibesini anlayamıyorlardı. Güzel yüzü, narin elleri, içe dokunan gülüşü, hepsi onlardan çok uzaktı. Uyuşturucu müptelası birinin kızlar üstünde gizemli bir çekim yaratması gibi. Dişilik antenleriyle hissettiklerinden bu kötü alışkanlık kızlara çekici geliyordu; bu, her zaman en güçlü çekim olacaktı. Ölümle oyun oynayan bu büyüleyici umursamazlık halinin yarattığı cazibe de cabasıydı...

Birkaç ay sonra evlilik hazırlıkları başlamıştı. Erwan iki baba arasındaki gizli rekabetin tadını çıkarmıştı. Sağında, yaşlı Afrika tilkisi, Kongo'da gizemli bir şekilde mülkler edinmiş, dalavereci bir süper polis. Solunda, *Condottiere*[2] lakabıyla tanınan, Berlusconi klanına yakın ve şüphesiz mafya bağlantıları da olan Giovanni Montefiori. İki leş yiyici içgüdüsel olarak birbirlerinden tiksiniyorlardı, çünkü aynı çürümüşlüğün iki yüzünü temsil ediyorlardı.

Gençler Zermatt'ta, kar altında ve kızak üstünde evlenmişlerdi. Zengin çocuklarının şımarıklıkları. Montefiori müsait olan bütün dağ evlerini kiralamış, Morvan kayak merkezindeki lüks otellerden birinde büyük bir yemek daveti vermişti.

Bir bekçi kulübesine gönderilmiş olan Erwan o gece, hayat hakkında hiç bilgisi olmayan bu çocuklara göz kulak olmaya karar vermişti. Gitgide onların nezdinde bir koruma görevlisi –diğerleri gibi bir hizmetkâr– meşruiyeti kazanmıştı. Ucuz takım elbisesi içinde iri pazılı, ağzı pek laf yapmayan ve pek de kibar olmayan hödük rolünü seviyordu, ayrıca prenses, "küçüğü" koruma konusunda onunla hemfikirdi.

Zira artık müttefiktiler. Sofia kocasına göz kulak oluyor ve kokain tüketimini sınırlandırıyordu (Loïc artık ne eroine ne de alkole el sürüyordu). Erwan ise kardeşi bütün bir gece –ya da bazen bir hafta– ortadan yok olduğunda onu buluyordu.

Yıllar içinde, Sofia'yı daha iyi tanımıştı. Şık yerlerde yenilen akşam yemekleri, Portofino'da geçirilen hafta sonları, lüks yelkenlilerle çıkılan deniz seyahatleri sayesinde genç kadının sınır-

**2.** İtalyanca *condottiere*. Ortaçağ'da ve Rönesans dönemi boyunca Papalık Devleti de dahil olmak üzere İtalyan şehir devletleri tarafından kullanılan sözleşme usulü çalışan paralı asker liderlerine verilen ad. (ç.n.)

larını keşfetmişti. Sofia, Loïc'i seviyordu, ama sevgisi ait olduğu sosyal sınıfın belirlediği çerçeveyle sınırlıydı. Evliliği rahat hayatının aşamalarından biriydi. Sonuçta ne kollamacı ne de üstünlük taslayan biriydi. Kendi dünyasının ayrıcalıklarına ve uzlaşımlarına bağlı İtalyan burjuvazisinin basit bir ürünüydü. Programlanmış, mükemmel ve cazibeli bir makine, ama en önemli parçası unutulmuştu: Kalbi.

Erwan yanılıyordu. Lorenzo'nun doğumu onun gerçek yüzünü ortaya çıkarmıştı. Sofia'nın en büyük aşkı çocuklarıydı. Loïc sadece bir başlangıç, zorunlu bir geçiş evresiydi. Çocuk sahibi olmak için neden bir uyuşturucu müptelasını seçmişti? Yakışıklı olduğu için mi? Tebessümü için mi? Zekâsı için mi? Daha sonra, Milla'ya hamileyken Sofia gerçek yüzünü kesin olarak göstermişti. Loïc'le aralarında şiddetli tartışmalar yaşanıyordu, ama bu durum onu kaygılandırmıyordu. Loïc görevini yerine getirmişti. Eğer daha sonraki görevlerini yerine getirmezse, çekip giderdi. Ya da Sofia onu yok ederdi. Tıpkı çiftleştikten sonra erkeğini öldüren örümcekler gibi.

– İşte annem, orada!

Sofia oyun alanının tam karşısındaki bir banka oturmuştu. Milla ile Lorenzo amcalarının elini bırakarak koştular. Sofia onları karşılamak için ayağa kalktı, gözleri Erwan'ı aradı. Ona işaret etti, çocukların oyun alanına giriş ücretini ödedi, sonra Erwan'a döndü.

Bir anda, çevredeki gürültü patırtı, yürüyüş yapanların gidiş gelişleri, mevsimin ilk ölü yapraklarının uçuşması, her şey ikinci planda kaldı. Sofia ona bir filmdeymiş gibi göründü; sanki kamera aktrise odaklanmış ve arka plan flulaşmıştı.

Yüzü, her ayrıntıda aynı başarıyı yansıtan altın oranla belirlenmiş gibiydi. Alın, kaşlar, burun, elmacıkkemikleri, hepsi aynı muntazamlıkta, aynı hayranlık uyandırıcı güzellikteydi. Beyaz teni, kaydırak taşlarının parlak ve mükemmel yüzeyini andırıyordu. İnsan, bu beden nasıl nefes alıyor diye düşünebilirdi. Soluk dudakları taştaki sade bir kıvrım gibi görünüyordu. Bu solgunluğunu gidermek gibi bir kaygısı yoktu. Sofia tamamen makyajsızdı ve sade yüz hatlarını gururla taşıyordu. Tabloyu taçlandırmak için, David Hamilton'ın eski fotoğraflarındaki gibi siyah saçları ortadan ayrılmıştı. Sofia işveli bir İtalyan kadından çok bir Amiş[3] çiftçisine benziyordu.

**3.** İngilizce *Amish*'ten. ABD'nin Pennsylvania ve Orta Batı eyaletlerinde (ve Kanada'da) yaygın olan tutucu bir Hıristiyan mezhebi. (ç.n.)

Yine de onun bu sert görünümünü yumuşatan iki ayrıntı vardı. Yanaklarındaki çiller onu yaramaz bir genç kız gibi gösteriyordu. Şaşırtıcı bir başka yüz hattı da Avrasyalı kökenini yansıtan çekik gözkapaklarıydı, ki ona karanlık bir ifade, insanı gevşeten, yorgun ve melankolik bir hava veriyordu.

– Nasılsın?

– İyiyim, dedi Erwan, az da olsa hâlâ ondan etkileniyordu.

– Beş dakikan var mı?

Erwan esas duruştaki bir asker gibi başını salladı.

– Gel. Çocuklara göz kulak olmak istiyorum.

Erwan, gişe memuru tarafından eline damga vurulduktan sonra, oyun alanında onu takip etmeye başladı. Kulakları uğulduyordu, nabzı hızlanmıştı. Parkın içinde, zemin oynuyordu. Bunun heyecandan olduğunu düşündü. Sonra parkın zemininin, çocuklar düştüklerinde yaralanmasınlar diye bir tür köpükten yapıldığını anladı.

– Gevşe biraz, Tanrı aşkına, diye fısıldadı kendi kendine. *Gevşe biraz.*

# 5

Sofia boş bir bank buldu.

– Loïc gelemedi mi?

Sadece eski kocasının kusurunu anımsatmaktan zevk aldığı için bu soruyu sormuştu.

– İşi vardı.

– Kokain içtikten sonra sızmıştır, evet.

İyi başlangıç. Erwan cevap vermeden onun yanına oturdu. Sofia oyun alanındaki hareketliliği üzüntüyle izliyordu.

– Pazar öğleden sonraları parka gelmeyi kim icat etti bilmiyorum, ama bana göre gayrimeşru doğumlar, bu sebeplerden biri.

Örnek anne Sofia, insanları kışkırtmayı seviyordu. Bu kötü huyu Parisli kadınlardan edinmişti. Bir nüktenin vereceği keyif ya da kötü görünmenin anlaşılmaz hazzı için, düşündüğünün tersini söyleyerek mutlu oluyordu.

– En azından, diye devam etti, boşanmanın iyi bir yanı var: Bu acı deneyimi paylaşıyorsun.

Bir *pietà*'yı[1] andıran yüzüyle örtüşmeyen narin bir sesi vardı.

– Sen nasılsın? diye sordu, arkadaşça bir ses tonuyla.

Erwan Afrika seyahatiyle ilgili önemsiz birkaç şey anlattı. Sofia güzel başını, onu dinlermiş gibi yaparak sallıyordu. Erwan da aslında anlattıklarıyla ilgilenmiyordu. Beyninin bir köşesinde hâlâ kendini sorgulamaya devam ediyordu: Sofia kendisine karşı olan duygularını hissetmiş miydi?

Loïc'le birlikteyken onunla arasına mesafe koymuştu. Artık ayrıldıklarına göre ona âşık olma lüksüne sahipti. Önceleri hiç şansı yoktu – belki de hâlâ çok azdı. Ama ona hiçbir şey vaat etmeyen bu umutsuz tutkuyu seviyordu.

**1.** *Pietà*: Hıristiyan resminde ve heykelciliğinde, kucağında ölü İsa Mesih'i tutan Meryem Ana teması. (ç.n.)

– Benim Afrika'da yaşadığımı biliyor muydun? diye sordu Sofia, ifadesiz bir ses tonuyla.

Saçları kestane ağaçlarının yeşil yaprakları altında ışıldıyordu.

– Yeni duyuyorum.

– Babamın orada işleri vardı.

– Ne işi?

– Maden, her zaman olduğu gibi.

– Hangi ülkeler?

– Eski İtalyan sömürgeleri. Etiyopya, Somali, Eritre...

Erwan, onu dev zakkumların dibindeki laterit patikalarda hoplayıp zıplayan küçük bir kız olarak hayal etmeyi denedi, sonra vazgeçti. Sofia alakasız şeyler anlatıyordu; Erwan onun nerede büyüdüğünü ve nerelerde okuduğunu gayet iyi biliyordu.

Genç kadın yeniden arkadaşça bir kahkaha attı.

– Saçmalıyorum, dedi. Oraya ayağımı basmadım. Benimle ilgili bir dosyan var, değil mi?

Erwan cevap vermeden gülümsedi. Sofia'nın yanına yaklaşır yaklaşmaz müthiş bir bitkinlik duyuyordu. Sinir gerginliğine rağmen kendini güçsüz ve çaresiz hissediyordu.

Birden Milla ile Lorenzo oyunlarını bırakıp yanlarına gelerek acıktıklarını söylediler. Erwan dondurma almak için cebinde para ararken, Sofia BN'leri[2] ve Actimel'leri[3] çoktan Balenciaga imzalı vintage çantasından çıkarmıştı. Çocuklar kendilerine verilenleri birkaç saniye içinde yalayıp yuttuktan sonra geldikleri gibi gittiler. Büyükbabalarının evindeki iç karartıcı öğle yemeğinden sonra yeniden canlanmışlardı.

– Hamileyken, diye devam etti Sofia, çocukları gözleriyle takip ederken, bütün güzel kadınlar gibiydim. Hamileliğimin bir an önce bitmesi ve önceki halime dönmek için acele ediyordum. Ne fazladan bir kilo almak ne de gece hayatını kaçırmak istiyordum. Özellikle de her şeyi kontrol altında tutmak istiyordum. Ama karnındaki çocuk senin yerine karar veriyor. Belki de dünyaya gelmeye de kendisi karar veriyor, değil mi?

Bir sigara yaktı. Burası sigara içilecek son yerdi, ama zaten özellikle böyle yapıyordu; umursamaz –ve doğal– hareketlerle kendini dayatma yöntemiydi bu.

Hemen anında, bir anne üstlerine atıldı, yüz hatları gergin, yumrukları sıkılıydı.

**2.** BN: Bir bisküvi markası. (ç.n.)

**3.** Actimel: Probiyotik bir sıvı yoğurt markası. (ç.n.)

– Aklını mı kaçırdın, ha?

Erwan, oturduğu banktan kalkmadan üç renkli kimliğini gösterdi.

– Polis. Uzaklaşın, lütfen.

Kadın birkaç saniye boyunca donup kaldı, verecek cevap bulamadı.

– Uzaklaşın yoksa tüm parkı denetimden geçiririm!

Cadaloz kadın kıpkırmızı oldu, sonra tek kelime etmeden çekip gitti.

– Kadının yüzü düştü! diye kahkahayı bastı Sofia.

Erwan da gülümseyerek karşılık verdi. Bu küçük kahramanlık gösterisinden memnundu, ama konuşarak onu eğlendirmeyi tercih ederdi. Barmaid'leri veya satıcı kızları tavlama konusunda eline kimse su dökemezdi, ama Sofia'nın karşısında bir pizza fırını kadar kuruydu.

– Bize nişanlını ne zaman tanıştırıyorsun? diye sordu Sofia, sanki onun düşüncelerini okumuş gibi.

– Şu an kimse yok.

– Bazen polis misin, yoksa Katolik papazı mı diye merak ediyorum.

Erwan bir kez daha ne cevap vereceğini bilemeyerek, sersemletici bir düzensizlik içinde koşan ve fırıl fırıl dönen çocuk kalabalığını izlemeyi tercih etti. Milla ile Lorenzo iki direk arasına gerilmiş bir ipe asılmışlardı.

Erwan'ın, tahriklerine tepki göstermeyeceğini anlayan Sofia Toscana'daki tatilini anlattı, sonra Milano ile Paris arasında yaptığı farklı yolculuklardan bahsetti. Bir tasarım şirketi kurma projesi vardı – İtalyan mobilyaları konsepti ve dağıtımı. Erwan onu ilgilendiren tek konuya geleceğini biliyordu: Boşanmak ve çocukların velayetini almak için Loïc'e karşı verdiği savaş. Anlaşılmaz bir sebepten ötürü erkek kardeşi ayrılıklarını resmileştirmeyi reddediyordu.

– Sana bir şey getirdim.

A4 formatında kraft bir zarf çıkardı ve zarfı açtı. İçinde Loïc'in karanlık görünümlü tiplerle konuşurken çekilmiş fotoğrafları vardı. Neler döndüğünü anlamak için iki kez bakmaya gerek yoktu: Kardeşi ikinci sınıf torbacılardan koko alıyordu. Her resmin bir köşesinde tarih ve saat yazılıydı.

– Onu takip mi ettiriyorsun?

– Sadece çocuklarımı aldığında.

– Sen kafayı mı yedin?

– Kafayı yiyen o. Hesaplarıma göre günde beş gram kokain kullanıyor. (Fotoğraflardan birini aldı ve Erwan'a gösterdi.) Şunu görüyor musun? Torbacı Halles'deki bir otoparktan gece saat on birde geçiyor. Eğer dikkatli bakarsan arabada uyuyan çocukları görebilirsin.

Erwan fotoğrafları ona geri verdi. Sofia bir sigara daha yaktı. Dudaklarının arasında sigarası, sinirli hareketlerle fotoğrafları zarfa koydu ve yeniden Erwan'a verdi.

– Ne halt etmemi istiyorsun?

– Loïc hakkında soruşturma aç.

– Ben cinayet bürosunda çalışıyorum, dedi Erwan buz gibi bir sesle.

– Narkotikteki arkadaşlarından iste. Beş gram, kişisel kullanım için çok fazla, bu ticari bir stok. Böylece yakayı ele verebilir...

– Kardeşimden söz ediyorsun.

– Ve aynı zamanda da çocuklarımın babasından. İki haftada bir çocuklara bakabileceğini, onları okula götürebileceğini, onların karnını doyurabileceğini, her koşulda onlara özen gösterebileceğini ileri süren, gırtlağına kadar uyuşturucuya batmış bir herif ve...

Erwan birden ayağa kalktı.

– Bana güvenme.

– Dayanışma ha, öyle mi?

– Loïc'in kusurları var ama...

– Kusurları mı? O bir enkaz. Çocuklar onunlayken gözüme uyku girmiyor. Tanrım, bu sadece bir sağduyu!

Kaygı, yengesinin yüz hatlarını gerginleştiriyordu. Çevrelerindeki ışık değişmişti. Gümüş rengi yansımalar dalların ve yaprakların arasında dans ediyordu. Fırtına yaklaşıyordu. Ayaklarının altındaki kaplama maddesi ona hiç olmadığı kadar tekinsiz geliyordu.

– Ne istersen onu yap, dedi sesini sertleştirerek. Fotoğrafların var. Tanıklar bulmak zorundasın. Bunları avukatına ver. O nasıl hareket edeceğini bilir.

– Morvan klanı, en kötüye karşı birleşiyor.

– Çocukların da birer Morvan. Tekrar söylüyorum, bana güvenme.

Zarfı büyük bir öfkeyle Balenciaga'sına tıkıştıran Sofia da ayağa kalktı. O esnada bir çatırtı duyuldu, o denli şiddetliydi ki salıncak direkleri sarsıldı. Çocuklar bağırıştı, bazıları annelerine doğru koştu.

Erwan, vedalaşmak için gözleriyle yeğenlerini aradı, ama ne yazık ki onları göremedi. Bulutlar birden özgürleşerek içlerini boşalttı; sağanak, afeti andıran bir şiddetle yağmaya başladı.

– Bana ihtiyacın olursa ara, dedi Sofia'ya, ama bu tür boktan şeyler için değil.

Genç kadın sigarasını fırlattı ve gözlerini ona dikti. Konsantre olduğunda çekik gözkapaklarının altındaki gözleri sanki hafifçe şehlalaşıyordu. Birkaç saniye boyunca Erwan onu, şiirsellikten ve hayalden uzak, olduğu gibi gördü. Pamuklar içinde, sevgiyle, her türlü tasadan uzak büyümüş, şimdi ise kendini gerçeğin asit banyosunda bulan bir zengin kızı.

Henüz birkaç adım atmıştı ki, tamamen sırılsıklam oldu. Daha iyi. Bu çirkeften temizlenmeye ihtiyacı vardı. Kaç kişiyle iş tuttuğunu hesaplamak için öz kızını izlettiren babası. Kokain kullanımını hesaplamak için erkek kardeşini ispiyonlayan yengesi.

Arabasına ulaşınca, Bretanya'nın kendine iyi geleceğini düşündü.

Hava! İyot yüklü hava!

# 6

Burada olmayı seviyordu.

Bu kokuşmuş köprünün altında, sidik ve yanmış yağ kokularının içinde.

Finans dünyasının harika çocuğu, Paris'in en ünlü *hedge fund*[1] şirketinin yöneticisi, beş bin avroluk takım elbiseler giyen, fiyatı üç yüz bin avrodan yüksek bir Aston Martin V12 Vanquish kullanan Loïc Morvan, bunun gibi çirkef kuyularında, fiks[2] yapılan gizli köşelerde kendini evindeymiş gibi hissediyordu.

Geçmişe basit bir geri dönüş. Geçmişiyle ilgili tek bir şey biliyordu: Uçuş. Bugün, hemen hemen bu durumdan kurtulmuştu – "hemen hemen" doğru bir ifadeydi, çünkü Crimée Sokağı ile Aubervilliers Sokağı'nın köşesinde, bir demiryolunun altında torbacısını bekliyordu– ama gençlik yıllarının o karanlık dönemlerini asla unutmamıştı.

Ailesinin evinde, öğle yemeğinden sonraki uyuşukluk halinden kurtulunca, kimseye söylemediği şu kaygı krizlerinden birine yakalanmıştı. Göğsü sıkışmış, yüzüne ateş basmış, elleri ise buz kalıbına dönmüştü. Milla ve Lorenzo için tasalanmış, annesiyle babasını kucakladıktan sonra evden ayrılmıştı.

Telefonla görüşmüş, randevu vermişti. Bu esnada, hep tek bir korkusu vardı: Mal stokunun azalması. Psikiyatrına göre bu bir süreçti: Artık sadece tek bir kaygı ona acı verecekti ve bu kaygı, mesnetsiz olsa bile (zira ceplerinde, ayrıca arabasının torpido gözünde ve evinde de kok vardı) acilen çözüme kavuşturulmalı, böylece rahatlama sağlanmalıydı.

**1.** *Hedge fund:* Serbest yatırım fonu anlamında İngilizce borsa deyimi. (ç.n.)

**2.** Fiks (İng. *Fix*): Argoda uyuşturucu iğne. (ç.n.)

Köprünün altında hâlâ kimse yoktu.

Arabasının kapılarını kilitledi ve şoför mahallinde büzüldü. Yağmur yavaşlamıştı, ama su, demiryolunun kenarlarından, dev bir serum şişesinden boşalır gibi üstüne damlamaya devam ediyordu. Klimayı sonuna kadar açtı (üşümek istiyordu) ve çevrenin de etkisiyle kendini anıların akışına bıraktı.

Grégoire Morvan, oğullarının gerçek birer Bröton, yani denizci olmalarını çok istiyordu. Oğlanlar altı yaşından itibaren Glénans'a[3] devam etmeye başladılar. Her yaz yoğun kurs gördüler. Erwan dik başlıydı ve bu yoğun kurs programını reddetmişti. Örnek evlat Loïc ise kendi takımının en iyisi oldu. Yelkenliler. Salma omurgalılar. Katamaranlar. Yıllar geçiyor, birbiri ardına kupalar kazanılıyordu...

İhtiyar'ın sevincine diyecek yoktu: Nihayet, ailede bir çocuk dümen tutmayı öğrenmişti! Dalgaları yaran bir Bröton! Loïc kazandığı başarılara rağmen hep mütevazıydı. Yarışları belli belirsiz bir gülümsemeyle kazanıyor, kupaları alçakgönüllülükle karşılıyor, çevresinde caka satan zengin çocuklarının iltifatlarını utanarak kabul ediyordu. Ciddi şeyler başka yerde cereyan ediyordu.

Dümen tutmakla geçirdiği günlerin akşamlarını barlarda sonlandırıyordu. Loïc hızla başka payeler de kazanmaya başladı: Sahilin en genç içkicisi (on iki yaşında), tüm Finistère'in en iyi kafayı bulanı (on üç yaşında), Conquet'nin en uzun süre içki içeni (yetmiş iki saat, on beş yaşında)...

Bu kötü alışkanlıkları Paris'e de beraberinde getirdi. İşler daha da kötüye gidiyor ve hep büyük bir can sıkıntısı yaşıyordu. Bir tek içkiler, şişeler, iki litrelik şişeler... Birkaç dakikanın içinde içkiden sersemleşiyordu. Geceler, kusmalarla paramparça olan etil alkol komalarıydı. O sırada, kokaini, alkolün istenmeyen etkilerini yok eden o mucizevi maddeyi keşfetti. Toz, onun bir gecede yuttuğu içki miktarını artırmasını sağladı. Ve saatlerce içerek sabaha kadar ayakta kalmasını.

On yedi yaşında bakaloryasını aldı ve mucize eseri ekonomi fakültesine kaydoldu. Babası siyasal bilimleri hedefliyordu ya da hiç olmazsa, ENA'yı.[4] Loïc para kazanmak istiyordu ve bunu en hızlı şekilde yapma niyetindeydi. Artık her gün, sokakta yaşayan evsiz-

**3.** Avrupa'nın en önemli yelken ve denizcilik okullarından biri. (ç.n.)

**4.** *Ecole Nationale d'Administration* (Ulusal İdare Okulu): Fransa'da üst düzey devlet görevlileri yetiştiren yüksekokul. Valéry Giscard d'Estaing, Jacques Chirac, François Hollande, Laurent Fabius gibi devlet adamları bu okuldan mezundur. (ç.n.)

ler kadar litrelerce içki içiyordu, ancak kötü şarap yerine votkayı tercih ediyordu. Çevresi onun tarzında çocuklarla doluydu: Çürümüş karaciğer ve süngerleşmiş beyinle etrafta dolanıp duran öğrenci kimliğine sahip, enkaz halinde gençler.

Bretanya'da, denizcilikten kazandığı ödüllerden çok sarhoşluk marifetleriyle tanınır hale gelmişti. Denize açıldığında içmeyi bıraktığını ileri sürüyordu. Bu yalandı; şişelerini ve kokainini gereç ambarına saklıyor, reflekslerini yitirmiş, kafası dumanlı halde tek başına dümen tutuyordu. Kuşkusuz, kazandığı zaferler gitgide azalıyordu, sponsorlar ona sırtını dönmüştü; kendini bir anda kelimenin tam anlamıyla rıhtımda buldu.

Dibe vuruyordu. Yirmi yaşındaydı ve uyuşturucuların çekimine kapılmıştı. *Crack*,[5] haşhaş, datura,[6] *poppers*,[7] buprenofin, trikloretilen... Fethedilmesi gereken o kadar çok alan vardı ki. Kendi tarzında, o bir kâşifti. Yapay cennet avcısı.

Partilerde *ecstasy* kullanmaya başladı. Yeni bir tür akşamdan kalma hali yaşıyordu: İki gün süren bir transın ardından, uçuş sonrası yere iniş çok sert oluyordu; bir tür çöküş yaşıyor ve intiharı düşünüyordu. Bir kez daha, çaresini buldu: Pazartesi sabahları bir doz eroin enjekte etmek. Beyaz sayesinde, hesap temizleniyor ve yeniden başlayabiliyordu. Ama beyaz zararsız bir metres değildi. Birkaç hafta içinde bağımlı hale geldi. Birkaç ayda kendi ölümüne doğru sürüklenmeye başladı.

Ne fakülteye gidebiliyor ne de çalışabiliyordu. Bankadaki hesabı boşalmıştı; babası, kaldığı stüdyonun kirasını ödemiyordu artık. Loïc onunla bununla yatmaya başladı, kadınlarla, erkeklerle; uyuşturucu parası bulmak için bunun fazla bir önemi yoktu.

Bir gün, geçerli bir açıklaması olmaksızın, kimse ona *brown*[8] vermemeye başladı. Her şey *Yaratılan Adam* filmindeki gibiydi, Ray Milland umutsuzca alkol arıyordur, ancak tüm dükkânlar kapalıdır. Kippur günü olduğunu anlar: Yahudiler bu kutsal günde çalışmamaktadır. Loïc içinse bütün günler Kippur'du ve bu felaketin nedenini anlayamıyordu. Bunun açıklamasını, daha sonra babasının ağzından duyacaktı.

Rennes Sokağı'ndaki suç şebekesini dağıtmış veya Doğrudan

**5.** Taş kokain. (ç.n.)

**6.** Boruçiçeği. (ç.n.)

**7.** Bir tür damar genişletici. (ç.n.)

**8.** *Brown:* Kahverengi anlamında İngilizce sözcük. Rengi beyazdan koyu kahverengine kadar değiştiğinden uyuşturucu jargonunda eroine verilen ad. (ç.n.)

Eylem'in[9] adamlarını yakalamış bir polis için, oğlunun birlikte âlem yaptığı kişileri gözetim altında tutmak büyük bir marifet değildi. İlk yıllarda, onu serbest bırakmıştı. Bu gençlik yıllarının geçmesi gerekiyordu. Ancak Loïc'in iyice uyuşturucu batağına sapladığına kanaat getirince, torbacılara tek bir şey söylemesi yetmişti: Her kim oğluna toz satarsa, kendini hapiste bulacaktı. Ya da mezarda.

Loïc dibe vurdu. Uyuşturucu yoksunluğunun tavan yaptığı ve alkol, ilaç, ne bulursa kullandığı bu dönemlerde iyice artan bir çöküş yaşıyor, dayanılmaz bir uyuşturucu açlığı çekiyordu. Bir gün, kendisiyle aynı durumda olan bir kokain kardeşiyle karşılaştı. Beriki devamlı tekrarlayıp duruyordu: "Bir çözüm buldum." Sürekli "Bir çözüm buldum" diye mırıldanarak Loïc'i evine götürdü. Trocadéro yakınındaki büyük aile evinde Loïc çözümün ne olduğunu öğrendi: Keşin, ona tek kuruş bile vermeyen babası. Herif önce babasına yalvardı, sonra onu tehdit etti. Sonunda gidip bir çekiç aldı ve babasının kafasına indirdi. Cebinde ne var ne yok aldı, ardından başka para bulmak için çalışma masasının çekmecelerini kırdı.

Loïc tir tir titreyerek, kramplardan felç olmuş halde, olan biteni hiç kımıldamadan izledi. Her yer kan içindeydi, adamın beyni parkeye saçılmış, duvarlara kemik parçacıkları sıçramıştı. Katil ortadan kaybolmuş, Loïc kız kardeşin odasına saklanmıştı (okullar tatildi). Sonunda, beriki uyuşturucularla geri döndü. Barbie bebeklerin ve pusetlerin arasında birer doz eroin enjekte ettiler ve soluk pembe halının üstünde uyuyakaldılar.

Loïc uyandığında, Morvan başucunda bekliyordu.

– Her şey yolunda tatlım.

Beyaz tulumlar içindeki adamlar halıyı siliyor, her yüzeyi ovarak temizliyor, en küçük toz taneciğini bile makineyle çekiyorlardı. Diğerleri ise hareketsiz haldeki arkadaşına bir fiks yapmakla meşguldü. Kendinden geçmeden önce Loïc, adamların arkadaşını öldürmekte olduğunu anladı.

– Her şey yolunda...

Ertesi gün Morvan ona bir anlaşma önerdi. Cinayetini örtbas etmişti, kelimenin tam anlamıyla üzerine sünger çekmişti. Şimdi, oğlu uyuşturucu kullanmayı bırakacaktı ve Antiller'de tedavi görecekti. Loïc, koşulsuz kabul etti.

Bu kez, saf olan aynasızdı. Morvan tropikal cenneti, sağlıklı ve sade yaşamın hüküm sürdüğü bir yer sanıyordu. Oysa bu yat li-

**9.** Fr. *Action direct*. 1979-1987 yılları arasında Fransa'da silahlı eylemler yapmış anarko-komünist grup. (ç.n.)

manlarında uyuşturucu her yerdeydi. Yelkenci, yakışıklı, biseksüel Loïc, bu tip yelkenli teknelerden biri için ideal bir adaydı. İğneyle yapılan vuruşlar, kokain çekmeler, kamaralarda âlemler ve deniz suyunda makarnalar...

Yeniden cehenneme doğru seyretmeye başladı, bu kez babasının menzili dışındaydı. Rüzgâr ve akıntı onu Andaman'a, sonra Bengal Körfezi'ne kadar sürükledi. Kendini Kalküta'da buldu, bir kez daha sıfırı tüketmişti, kullanılmış bir iğnenin pamuğunu koklamak için her şeyi yapmaya hazırdı.

Ta ki başka bir adam onu kurtarana kadar...

Cama vuruldu. Düşüncelere gömülmüş olan Loïc, oturduğu koltukta sıçradı. Sansar bakışlı bir surat, kaymış gözlerle arabanın içine bakıyordu. Rasta saçlar, çiçekbozuğu sarı bir ten, perişan dişler... Loïc, imkânları ve ilişkileri sayesinde çok daha eli yüzü düzgün bir torbacı bulabilirdi, ama haklı olarak en berbat hilkat garibeleriyle iş yapmak istiyordu. Uyuşturucu iğrenç bir şeydi. İşin özü buydu. Ona saygın bir aldatıcı görüntü vermek söz konusu olamazdı.

Camı indirdi ve küçük banknotlar halinde üç yüz avroluk bir ruloyu adama uzattı. Beriki de ona plastik bir torba verdi. Loïc camını kaldırmak için davranınca zombi ona engel oldu.

– Araban da hiç fena değilmiş.

– Bırak beni.

– Bana bir tur attırmaz mısın, saygıdeğer beyefendi?

Loïc, dünya üzerinde görülebilecek en ödlek kişiydi. Yine de, arabanın çeliği ve sacıyla çevrilmiş olmanın verdiği güvenle saldırganı oynadı.

– Siktir git!

Herif onu boynundan yakalayarak bir maket bıçağı doğrulttu. Loïc, oturduğu meşin koltuğun üzerinde yakıcı bir ishal gibi yayıldığı hissine kapıldı, ama sol ayağıyla debriyaja bastı. Gayriihtiyari ikinci vitese taktı. Sağ ayağıyla gaz pedalını kökledi. Araba, tünelin duvarları arasında yankılanan bir kükremeyle ileri doğru atıldı; torbacı, küfürler yağdırarak arabadan uzaklaştı.

Macdonald Bulvarı'nda, Loïc başını camdan dışarı çıkardı ve yağmurun serinlettiği havayı rahatlamış bir halde ciğerlerine çekti. Porte de Clichy. Porte d'Asnières. Porte de Malesherbes'e kadar trafikte ilerledi ve tamamen ıssız olan Wagram Meydanı'nda durdu.

Kokaini buzdolabı poşetinden çıkardı; elinin üstüne, acelesi olan tüm insanlar gibi bir çizgi hazırladı, sonra tozun idrar koktuğunu ve dokusunun sıkı ve kuru olduğunu fark etti. İyi işaretler...

Burnuna çekti. Bir kez. İki kez. "Gerçek hayat burundadır" demişti ona bir gün, gonzo pornolar çeken bir yönetmen bir gece kulübünde. "Gerisi duygusal bir hayalden başka bir şey değildir."

Kendini daha iyi hissediyordu. Kasları gevşedi, göğüs kafesi açıldı. Tüm bedeni daha fazla hava soluyordu. Hâlâ buz gibi üfleyen klimanın havası, doğrudan Kuzey Kutbu'ndan gelen bir esinti gibi teninin tüm gözeneklerine nüfuz ediyordu. Titredi ve burnuna bir çizgi kokain daha çekti. Gömleği ter içindeki göğsüne yapışmıştı. Gömleğini terli göğsünden çekerek yakasını açtı. Parfümüyle ve kokain kokusuyla karışık ağır bir ter kokusu arabaya yayıldı.

Gecikmeyle de olsa, sıcak gözyaşlarıyla ağlamakta olduğunu fark etti; burnu da akıyor, az önce çektiği tozu dışarı boşaltıyordu. *Kahretsin.* Gözlerini kuruladı, burun delikleri, parmakları kırmızı olmuştu. Dikiz aynasını kendine doğru çevirdi; toz, kan ve gözyaşlarına bulanmış solgun bir palyaço suratıyla karşılaştı.

Bir dirsek hareketiyle (alüminyum ön paneli kirletmek istemiyordu) torpido gözünü açtı ve bir kâğıt mendil paketi çıkardı. İçinden bir tane alarak burun deliklerine tampon yaptı. Birkaç dakika boyunca, kafasını koltuğunun sırt kısmına dayayarak bekledi.

Kanamanın durduğuna kanaat getirince cebinden hidroalkollü bir jel çıkardı, ellerine döktü, küçükken mendile sümkürdükten sonra annesi yüzünü nasıl temizliyorsa o da ellerini yüzünü öyle temizledi.

Sonunda, yol için bir çizgi kokain daha çekti ve birinci vitese taktı.

*Gerçek hayat burundadır...*

Ne zamana kadar bu ritmi sürdürecekti?

# 7

Erwan, 9. Bölge'de, Bellefond Sokağı'ndaki modern bir apartmanın ikinci katında, iki odalı bir evde oturuyordu. Mahalleye karşı kayıtsızdı. Ne Martyrs Sokağı ya da Saint-Georges Meydanı onu büyülüyor, ne de Saint-Lazare Garı'nın ya da Clichy Meydanı'nın çevresindeki o korkunç anayollar rahatsız ediyordu. Onun için önem arz eden şeyler sokağın sakinliği, ortalarda gözükmeyen komşuları ve otoparkın kira bedeline dahil olmasıydı.

Polis tarzında düzenlenmiş, yetmiş metrekare bir evdi: Ofis işlevi gören bir salon, yatakhane işlevi gören bir oda, ayakta yemek yediği, Amerikan tarzı bir açık mutfak. Mobilyası çok azdı, duvarlar da boştu. Tek bir takıntısı vardı Erwan'ın: Temizlik. Haftada iki kez gelen gündelikçi kadına dünyanın parasını ödüyordu, ayrıca kendisi de hafta sonları temizlik yapıyordu. Beş yıldan beri burada yaşıyordu ve daha şimdiden evin duvarlarını iki kez beyaza boyamıştı. Aylarca süren boya kokusunu seviyordu; yeniliğin, yeniden canlanmanın kokusu.

Anahtarını kilidin içinde çevirirken, Sofia'yı unutmuştu bile ve kafasında Bretanya'daki görevinin gerçek nedenlerini sorguluyordu. İhtiyar neden onu oraya yolluyordu? Baştan savma da olsa, çaylak vakasının "kabul edilebilir bir açıklamasına" ulaşmak için mi? Yoksa onu sözüm ona köklerinin kaynağı olan Finistère'in havasını solumaya mı zorlamak istiyordu? Ya da niyeti, onu bir süreliğine Paris'ten uzaklaştırmak mıydı?

Morvan'a göre, Brötonlar işbirliği yapacak ve soruşturma iki gün içinde sonuçlanacaktı. *Palavra.* Deniz havacılığı askerleri kuşkusuz istiridye gibi kapalı olacaklar, jandarmalar onu rakip olarak görecek ve savcı mümkün olduğunca sorumluluktan kaçacaktı. Bu düşman dünyaya meydan okumak için bürokratik işlerle uğraşacak birine ihtiyacı vardı. Ekibin ikinci adamı Philippe Kriesler, namı diğer Kripo, bu iş için biçilmiş kaftandı. Tutanakları, tanık ifadelerini kaleme almakla, gerekli evrakı hazırlamakla, masraf talep dilekçelerini yazmakla, dava süreçlerini takip etmekle görevliydi. Evrak işleri, maharet gerektiriyordu ve Kripo bu işlerde mahirdi.

Erwan telefonunu tuşladı, karşısına telesekreter çıktı. Yardımcısının bugün tatilden döneceğini hatırlayınca, mesaj bıraktı. Çağrıyı zamanında alacak mıydı? Başka bir polisle temasa geçmeden önce birkaç saat beklemeye karar verdi.

Kahve. Dairesinin sessizliğinde, günün kötü anları birer birer aklına geldi. Annesinin morlukları, babasının dayakları, Sofia'nın fotoğrafları... Kaçıklardan oluşan bir aile.

Kendini klanın sağduyulu tek üyesi olarak görüyordu. Ve her halükârda en az kusurlu olanı. Bekârdı, ayda dört bin avro kazanıyordu, bir vergi beyannamesi kadar düzenli bir gündelik yaşamı vardı. Celio marka takımlar giyiyor, *L'Équipe* okuyordu; tek kusuru, zaman zaman içtiği bir şişe biraydı. Çok daha rafine başka tutkuları da vardı –klasik müzik, resim, felsefe...– ama topluluk içinde konuşmaktan âcizdi. Zaten, bunu istemezdi de: *Özel hayat.* Resmi imajından fazlasına ihtiyacı yoktu: Cinayet bürosunun en iyi komiseri, olayları aydınlatma rekortmeni ve ulusal atış müsabakalarında birçok madalya sahibi.

Sofia Montefiori'yi nasıl düşünebilirdi?

Erwan her zaman kadın güzelliği ile parayı ilişkilendirmişti ve mesleki yaşamının her günü Frédéric Beigbeder'nin sözünü doğru çıkarıyordu: "Kadınlar fahişe değildir, ama fakir biriyle birlikte olan hiçbir güzel kadın tanımıyorum." Filmlerde, milyarderin karısı, asgari ücretle çalışan kahraman polisle yatardı. Gerçek hayatta ise, havuzunun kenarında güneşlenmeyi tercih ederdi.

Daha az göz kamaştırıcı, ancak daha sempatik olan avlarla yetinmek zorundaydı: Hizmetçiler, satıcılar, estetikçiler. Hiçbirini kesinlikle küçümsemiyordu, hatta bu kızların gündelik hayatta maruz kaldıkları üstü kapalı aşağılanmaları telafi edercesine saygıyı ve kibarlığı abarttığı da oluyordu. "Küçük meslekler" terimi sadece onu tiksindirmekle kalmıyor, sonu "çi, ci" ekleriyle biten bütün meslek unvanları onu sinirlendiriyordu. Bundan dolayı kendini bu işçi kızların koruyucusu olarak görüyordu.

Ama ne yazık ki, bu hikâyeler asla uzun sürmüyordu. Tıpkı şarkıdaki gibi: "Bir markiz, başka bir markizle buluştuğunda, birbirlerine ne anlatırlar?" Kasiyerler ona fazla heyecanlı olmayan kasiyer hikâyeleri anlatıyor, o da çok daha ilginç, ancak kötücül ve ürkütücü polisiye olaylardan bahsediyordu. Yani aşı bir türlü tutmuyordu.

Önemi yoktu. Hayallerini tercih ederdi. Sofia'yı tercih ederdi. İçten içe sadece aşkı, erişilmez olan gerçek aşkı düşünüyor ve hiçbir şekilde onu cinsellikle ilişkilendirmiyordu.

Bu ilgisizlik ona babasının mirasıydı. İhtiyar kaplan, entrikaların adamı, son derece ilkeliydi. Sadece lolitalardan hoşlanıyordu, ama platonik bir şekilde. Erwan nadir de olsa, neredeyse çocuk denebilecek yaştaki kızların yanında onun heyecanlandığını görmüştü. Bu durum karşısında Erwan şaşkınlıkla kalakalmıştı. Pancar suratlı bu dev gibi adamın, ilgili ve iyiliksever bir Noel Baba'ya dönüştüğünü görmekte ürkütücü bir şeyler vardı. Bir sürü politikacının yataklarına fahişeler sokan, bağımlılara kokain tedarik eden; ahlak bürosunu, arama ve müdahale birimini, cinayet bürosunu kasıp kavuran bu şantajcı, hiçbir art düşüncesi olmadan bu saflık kaynağını içiyordu.

Bu durum, tıpkı oğlu gibi, bu aşağılık dünyada seksin sınırsız gücüne inanmasına engel değildi. Polisliğin ilk dersi: Göt her zaman her yerdeydi. Kültür, söylevler, dinler, üniformalar, bütün bunların cilasının altında hep cinsellik vardı. Memelere dokunma, nemli ve yakıcı bir yarığın içine aletini sokma ihtiyacı. Gerisi lafügüzaftı.

Erwan derin düşüncelerini bir kenara bıraktı ve fincanı ile kahve demliğini alarak çalışma masasına oturdu. Bilgisayarını açtı, İhtiyar'ın yolladığı e-postalara göz attı. İlki, "bir öğrencinin kaza neticesi öldüğü" deniz havacılığı üssüyle ilgiliydi. Adı Kaerverec 76 olan bir pilot okuluydu ve Finistère'in batı kıyısında, yani Fransa'nın en uç noktasında yer alan bir köyün adını taşıyordu; ismin sonundaki sayı ise merkezin açıldığı tarihi belirtiyordu.

Babası okulun internet linklerini de eklemişti. DHPAÖ'ler (deniz havacılığı pilot adayı öğrenciler) burada iki yıl eğitim görüyor, ardından avcı uçağı pilotu formasyonlarını tamamlamak için üçüncü yıl ABD'ye gidiyorlardı. Dönüşlerinde uçak gemisi Charles-de-Gaulle'den havalanan Rafale'leri[1] kullanmaya hazır hale geliyorlardı. Bu son aşamaya da Condor 2012 deniliyordu.

Her yıl, dosya üstünden seçilmiş yirmi kadar aday, ağustos ayı başında üsse geliyordu. Adaylar bir ay boyunca çok dikkatle gözlemleniyordu. Teorik sınavlar, uçuş seçmeleri, psikolojik değer-

1. Fransız hava ve deniz kuvvetleri tarafından kullanılan çok işlevli savaş uçağı. (ç.n.)

lendirmeler, simülasyonlar... Sonunda geriye sadece on iki aday kalıyordu; bunlar eylül ayının ilk haftasında başlayan eğitime tabi tutulacak öğrencilerdi.

Erwan, genelkurmayın Morvan'a yolladığı teleksi bir daha okudu. Brest araştırma bölümünden Jandarma Yarbayı Jean-Pierre Verny tarafından yazılmıştı; olayları birkaç satırda özetliyordu. 7 Eylül Cuma günü, öğle saatlerinde üs tüm ziyaretçilere ve subaylara kapatılmış, öğretmenler üsten çıkarılmıştı. Okul, tek bir amacı –yeni öğrencilere eziyet etmek– olan devasa bir oyun alanına dönüşmüştü. Saat 17.00'de, on iki pilot adayının pistte toplanması için çağrı yapılmıştı. Saat 20.00'ye kadar, çeşitli maddelerle üstlerini "kirletme", fiziksel dayanıklılıklarını ölçme, onur kırıcı sözler gibi kötü muamelelerden sonra çaylaklar, üstleri başları kirlenmiş ve çıplak bir halde, koşulları belli olmayan insan avı için geniş bir fundalık alana dağıtılmıştı. Ertesi sabah bir çaylak, toplanma çağrısına uymamıştı. Wissa Sawiris, yirmi iki yaşındaydı, Mans kökenliydi. Birkaç saat önce, askeri manevralar sırasında, birkaç kilometre açıktaki Sirling Adası'na füze atışı yapılmıştı. Öğle saatlerinde, askeri balistik uzmanları isabet alan sığınağın yıkıntılarını incelemiş ve molozların arasında insan kalıntıları bulmuşlardı. Bu kalıntıların kayıp öğrenciye ait olduğunu anlamak için fazla beklemek gerekmemişti. Kopan kafasından, yanmış olmasına rağmen kimliği hemen tespit edilmişti.

Erwan kahvesinden bir yudum daha aldı ve gözlerini ovuşturdu. Bu son derece inanılmaz bir olaydı. Öğrencilerin, av öncesi sülünler gibi bırakıldığı bir yere birkaç kilometre uzaktaki bir üsten füze atışı yapılması zaten şaşırtıcıydı, ama bu öğrencilerden birinin saklandığı sığınağa bir füzenin isabet etmesi çok daha tuhaftı. Bu olayın ardında başka bir gerçek mi saklıydı?

Telefonu titredi. Kripo.

– Tatilden döndün mü?

– Çantamı bırakıyorum. Haut-Rhin'e ailemi ziyaret gittim. Beni neden aradın?

– Yarın sabah yola çıkıyoruz.

– Nereye?

– Finistère. Kötü sonuçlanmış bir çaylak vakası.

– Jandarma halledemiyor mu?

– Olay bir deniz havacılığı üssünde gerçekleşmiş, cinayet masasının devreye girmesi istenmiş.

– Askerler de aynı fikirde mi?

– Öyle görünüyor.

– Ya basın?

– Henüz haberleri yok. Resmi bir açıklama bulmak için görevlendirildik.

Erwan gazetelerde çıkacak yorumları gözünde canlandırmaya başlamıştı bile: "Ordu içinde yeni bir leke daha", "Çaylak eğitimi: Kırbaç şaklamaya devam ediyor." Parlamentoda eller kalkacak, çekmecelerden yeniden kanun taslakları çıkarılacak, televizyonlardaki programların sayısı çoğalacaktı. Her zamanki maskaralıklar.

Kripo iç çekti.

– Benim için zevk olurdu, ama salı öğlen bir randevum var.

– Erteleyemez misin?

– Zaten iki kez erteledim.

– Randevun kiminle?

– Emniyet Müfettişliği.

Erwan, yardımcısının polislerin polisiyle sıkıntısı olabileceğini hayal etmekte zorlanıyordu. Meslektaşlarının birinin aleyhinde tanıklık edeceğine daha da az ihtimal veriyordu. Elli bir yaşında, emekliliğine birkaç yıl kalmış ihtiyar delikanlı Kripo, bir amatördü. Fazladan nitelikleri olan biriydi, ama hiçbir zaman teğmen rütbesinden öteye geçememişti; polisliği bir hobi olarak görüyor ve zaman geçirmeye yönelik şeylere büyük ilgi duyuyordu: Lavta çalmak, bir Rönesans korosunda şarkı söylemek, erken dönem Ortaçağ hanedanlarını incelemek...

– Hangi sebeple?

– Silahımla ilgili küçük bir sıkıntı.

Altı ay önce, Kripo beylik silahını kaybetmişti. Birimdeki herkes paniklemişti. Sonunda silah lavta kutusunda bulunmuştu. Olay, rapor hazırlanacak ve müfettişlere intikal ettirilecek kadar gürültü çıkarmıştı. Erwan başka bir polisi çağırsa daha uygun olurdu, ama evrak işlerinde mahir adamını tercih ediyordu.

– Salı günü uçakla gider gelirsin.

– Masraflar şirketten mi?

– Ben karşılarım. Paris'te araştırılması gereken bir şeyler de olabilir.

– Nasıl istersen. Kaçta yola çıkıyoruz?

– Şafakta. Öğleden önce orada olmamız gerek.

– Senin araba mı, benimki mi?

– Benimki. Sabah saat beşte sende olurum. Ha bu arada, elimde olayla ilgili ne varsa sana yolluyorum.

Kendine yeni bir kahve koyan Erwan, web'de çaylak eğitimi

hakkında araştırma yapmaya karar verdi. Dışarıda arabaların sesini bastıran gök gürültüsünü, camları kamçılayan yağmurun sesini duyuyordu. Hazdan ürperdi.

Çıktığı tatillerle ilgili hiç anısı olmadığını fark etti. Bir keresinde, Bréhat Adası'nda Morvan'lara katılmayı reddetmiş ve Türkiye için ucuza bir bilet alma konusunda da son dakikada tereddüde düşmüştü. Sonuçta, kitapları ve DVD'leriyle birlikte Bask Bölgesi'nde, küçük bir otelde iki hafta geçirmeye gitmişti. Tatildeki tek değişiklik ise Bidart Plajı'nda sörf tahtası kiralayan genç kadın olmuştu. Adını bile çoktan unutmuştu. Merhaba saygı...

Binlerce sonuca ulaşması için "çaylak deneyimi" yazması yeterli oldu. Genel tanımlar şu şekilde özetleniyordu: Bir okula veya topluluğa yeni katılan kişiye giriş biletini çok pahalıya ödetme geleneği. Gereksiz angaryalar, küçük düşürücü davranışlar, hakaretler, işkenceler ve hırpalamalar... Tüm bunlar sözüm ona şaka olsun diye yapılıyordu. Bu eylem bir zincirleme reaksiyon başlatıyor, kurbanlar gelecek sene kendilerinin de aynı şeyleri yapacaklarını bildiklerinden bundan keyif bile alıyorlardı ve bu şekilde devam ediyordu.

Bu yeni bir şey değildi. Tarihçilere göre, bu gelenek ilkel dönem kabul ayinlerine ve Antikçağ'da geçiş ritüellerine dayanıyordu. Öte yandan evrenseldi. İngiliz kolejlerinde *fagging*'den, ABD'de *hazing*'den, İtalya'da ise *nonnismo*'dan söz ediliyordu... Aptallığın sınırı yoktu.

Farklı olayları incelemeye başladı ve yaşanan kazaların sıklığı karşısında hayrete düştü. Eylül 2011'de, bugünkü deyişiyle, bir "hafta sonu kaynaşması"nda işler çığırından çıkmıştı: Çıplak kızların bedeni kızgın haçla dağlanmıştı... İki ay sonra, Paris-Dauphine Üniversitesi'nde, bir birinci sınıf öğrencisinin vücuduna, bu işi organize eden öğrenci derneğinin baş harfleri kazınmıştı. Ondan önceki yıl ise Nancy Ticaret Enstitüsü'nde bir tecavüz olayı ortaya çıkarılmıştı. 2009'da, Poitiers'deki bir lisede cinsel suiistimal vakaları saptanmıştı. 2008'de, Amiens Tıp Fakültesi'nde birinci sınıf öğrencilerine karşı "özünde cinsellik olan küçük düşürücü hareketler" yapıldığı belirtiliyordu... Her sonbahar başlangıcı, cehennem mevsimi başlangıcını andırıyordu.

Daha da kötüsü, şiddet içeren tüm bu olaylara kurum personelinin göz yummasıydı. Erwan lise müdürlerini, öğretmenleri ve diğer gözetmenleri, binalarının kapılarını kilitlerken, canavarlar içeri girdikten sonra bir kıza tecavüz ederken, bir çete üyesi gibi kapıda erketeye yatarken hayal ediyordu.

Bu tür olaylara alışkın olmayan Erwan'ın midesi bulanmıştı. Ve yalnız da değildi. Bu tür hareketler artık yasaktı. 1998 tarihli bir yasa, her türlü çaylak deneyiminin yasadışı olduğunu belirtiyordu. Dernekler, kurullar bu tür eylemlere karşı bir cephe oluşturmuştu. Ulusal eğitim genelgesi her yıl bu yasağı hatırlatıyordu. Sonuç, yeni çaylak eğitiminde sınama bahanesiyle, yeni gelen öğrencilere bu belgeleri yedirtmek olmuştu. *No comment.*

Erwan bilgisayarını kapattı ve birkaç saat uyumaya karar verdi. Seyahat çantasına gömleklerini, çoraplarını ve külotlarını koydu. Tüm bunları yaparken, gözlerinin önünde hep aynı sahne cereyan ediyordu: Çürük yumurta, un ve bok bombardımanı altında tir tir titrerken maskeli adamların ağza alınmayacak küfürlerini ve hakaretlerini sineye çeken, bir uçak pistine dizilmiş genç çocuklar.

Bu soruşturmanın, ona umduğu bir miktar oksijeni sağlayıp sağlamayacağını düşündü.

# 8

Grégoire Morvan bir kumsalda yürüyordu, kumsalda koyu renkli çakıl taşları, tepesindeyse siyah bir mermeri andıran gökyüzü vardı. Aslında, çakıl taşları birer yumurtaydı, her biri *rugby* topu büyüklüğündeydi ve içlerinde hiç kuşkusuz iğrenç bir yaşamı barındırıyorlardı, bir sürüngenin yaşamını. Onları ezmemek için dikkatle ilerliyordu. Yok, yanılıyordu; bunlar yumurta değil, kafaydı. Tıraşlanmış insan kafaları. Diz çöktü (henüz gençti) ve onları volkanik kumdan çıkarmaya çalıştı.

Saçları tıraş edilmiş, alınlarına gamalı haç kazınmış, boğazlarına kadar kuma gömülmüş kadınlar canlıydı. Bazılarının bembeyaz iri gözleri vardı, ne iris ne de gözbebeği görünüyordu. Diğerlerinin gözleri mongollar gibi çekikti. Bazılarının da kül rengi dillerini kuşatan çok sayıda küçük dişi vardı.

Hayatının kadınları.

Ölümünün kadınları.

İçlerinden biri onu ısırmaya yeltenince, Morvan silkinerek uyandı ve kramptan kurtulmak istercesine hemen ayağa kalktı. Birkaç saniye boyunca sendeledi, sonra odasının duvarına dayanarak kendini toparlamaya çalıştı. Başı dönüyordu. Boğazı kurumuştu. Gün içinde uyanıkken kendini ifade etmediği için bilinçaltının ondan intikam aldığını düşünüyordu hep. Ancak bu teorisi doğru değildi; kâbusu bir rüya değil, bir anıydı.

Saatine baktı, sabahın altısıydı. Yeniden uyuması imkânsızdı. El yordamıyla antidepresanlarını buldu. Su. Haplar. Sudan büyük bir yudum aldı. Onun bu duruma dayanmasını sağlayan bu ilaçlar mı, yoksa sadece ilacı yutmak için yaptığı o alışıldık hareket miydi, artık bilmiyordu.

Karanlığın içinde birkaç adım daha attı. O kadar uzun zamandır odada tek başına yaşıyordu ki, bir odayı iki kişinin paylaşmasıyla ilgili hiçbir şey hatırlamıyordu. Banyo. Nemlendirici krem. Işığı yakmadan, uzun uzun yüzüne krem sürdü. Bu tür şeyleri bir gün yüzüne süreceğini söyleselerdi...

Gidip pencerenin önünde durdu ve perdeyi açtı. Messine Caddesi bu saatte bomboştu. Camdaki yansımasını hayranlıkla seyretti. Hopper'ın[1] bir kompozisyonu. Eylül ayının mavi gecesi. Sokak lambalarının haleleri. Kaldırımların sert köşeleri. Ve o, zayıflamış bedenini tam sarmalamayan Calvin Klein marka jogging kıyafetiyle tablonun tam karşısında ayakta duruyordu.

Gece arkadaşları çöpçüler oradaydı. Tek kelime etmeden, gereksiz tek bir hareket yapmadan şehrin atıklarını toplayan Siyahlar. Sadece çöp konteynerlerini indirip kaldıran mekanik kolların inlemeleri ve frenlerin gıcırtısı çınar ağaçlarının altında yankılanıyordu. Yol kenarında oturanlar, bu çöp toplama işinin öğlene doğru yapılmasını talep ediyorlardı. Her seferinde Grégoire da, onların bu taleplerinin dikkate alınmadığına tanık oluyordu. Bunların kendi çöpleri olduğunu ve bu adamların da bu çöpleri yok etmek için maaş aldığını asla unutmamalıydılar.

Mesleğe başladığında, ona Temizlikçi adını vermişlerdi ve bu ad uzun süre üstüne yapışıp kalmıştı. Cumhuriyet'in kapısının önünü süpürmüştü. Pislik heriflerin arkasını temizlemişti. Ve bunu hep sessizce yapmıştı. Bugün ise, bundan pişmanlık duyuyordu: Skandalların patlaması için, önemli zatların, politikacıların, güçlü kişilerin doğrudan kendileriyle yüzleşmeleri için bu işi olabildiğince gürültülü yapması gerekiyordu. İşte bu yüzden, mahallesindeki tan vakti hayaletleri, Morvan'ın benzerleri, istedikleri gibi gürültü yapabilirlerdi.

Bir suç mahallinden aldığı, Jean Prouvé imzalı çalışma masasına oturdu ve e-postalarına bakmak için bilgisayarını açtı. Kaerverec'le ilgili yeni bir şey yoktu. Oğlu oraya gitmeden önce, özel bir bilgiye ulaşmayı beklemiyordu.

Bu olayı koklayamıyordu. Ya resmi bir yorumda bulunulacak ya da Pandora'nın Kutusu açılacaktı. Her iki durum da, bir sürü büyük sıkıntı demekti. Özellikle olayın kaynağı onu tedirgin ediyordu. Erwan'a tüm gerçeği anlatmamıştı. Telekseten önce bir telefon almıştı; sesi, kötü hatıralarının bir izi gibi çınlayan Amiral Di Greco'dan.

Morvan bu soruşturmaya kendi oğlunu atamak zorunda değildi, ama her zamanki gibi içgüdüleriyle hareket etmişti. Kırk yıldan beri, ona halletmesi için karmaşık olayları, gizli kapaklı plan-

**1.** Edward Hopper (1882-1967), yağlıboya tablolarıyla ünlü ABD'li ressam. (ç.n.)

larını emanet ediyorlardı. Yanılıyorlardı: En ufak bir tereddüt yaşamadan hep anında karar almıştı. Zaten, kıdemli bir memur olarak ona düşen, bu işe en iyi elemanını –kendi kanından olan Erwan'ı– yollamaktı.

Daha ciddi şeylere, gizli mesajlara bakmaya başladı. Eski güzel günlerde, kırmızı telefonu kaldırmak veya gizli ajanının getirdiği yazarı belli olmayan birkaç satırlık yazıyı okumak yeterli olurdu. Bugün ise, Çekoslovakya'daki bir IP adresine kayıtlı kriptolu bir bilgisayara Skype'la bağlanmak, ardından parolayı oluşturduktan sonra bir hesaplayıcının vereceği bir sürü kodu tuşlamak gerekiyordu. Son birkaç yıl içinde, mesleği bilişim ve elektronik mühendisliğinin anlaşılmaz bir dalı haline gelmişti: Gizli ajanlar zamanlarının büyük bir kısmını bunları öğrenmekle veya telefon mağazalarında geçiriyorlardı.

Kara kutusuna girdi. Tek bir mesaj vardı, o da beklediği mesajdı: "Oyunun sonu." Görevin tamamlandığını belirten kısa ve öz bir ifade. Uzun zamandır tanıdığı, Jean-Philippe Marot adlı her işe maydanoz bir herif, genel olarak Fransa Afrikası, özel olarak da onun hakkında bir aydan beri araştırma yapıyordu. Morvan emirler vermişti. Gazetecinin evi altüst edilmiş, bilgisayarının içeriği silinmiş, gazetecinin görüşebileceği kişiler bilgilendirilmişti; Marot eski cesetleri bulup ortaya çıkarmak için doğru yoldaydı. Morvan onu tehdit edebilirdi, ama bu, sadece onu cesaretlendirirdi; satın almayı deneyebilirdi, ama bu da işe yaramazdı: Marot ne paranın ne de gerçeğin peşindeydi, daha ziyade zafer kazanmak ve meslektaşları tarafından kabul görmek istiyor du. Grégoire onu itibarsızlaştırabilirdi, ancak bu da işe yaramazdı. Bir alçağın maskesini bir başka alçaktan daha iyi kim düşürebilirdi ki?

Sonunda, kesin kararını vermişti: "Bütün gerekli yollara başvurarak" sorunu çözmek. Malcolm X'in bu deyişini seviyordu, ancak bir diğerini daha fazla tercih ediyordu: "Sakin olun çocuklar." Bu, Siyahi liderin, kendisine yirmi elden fazla ateş eden katillere söylediği sözdü.

"Oyunun sonu." Bu, tehlikenin bertaraf edildiği anlamına geliyordu. Talihsiz bir kaza veya bırakılan bir notla intihar: Çözüm kesin olmuştu. Pernaud, *odun toplatma*[2] görevini verdiği adamı, hiç kuşkusuz temizlik açısından tüm notları ve el yazılarını yok

**2.** Fr. *Corvée de bois*: Fransa'nın Cezayir Savaşı sırasında Fransız askerler tarafından uygulanan ve bir esiri ateş yakmak için odun toplamaya yollayıp arkasından da kaçıyor bahanesiyle yaylım ateş açarak infaz etme biçimi. (ç.n.)

etmiş, bilgisayardaki tüm izleri de silmişti. Eğer bir editör, bir yakını ya da bir avukat bu araştırmayı biliyor olsa bile, kimse bir şey ispatlayamazdı ve her halükârda korkudan donup kalırlardı.

Morvan infazcısına hiçbir şey sormayacaktı; ayrıntıları öğrenme yaşını çoktan geçmişti. Buna karşılık, Erwan'ı içgüdüsel olarak Bretanya'ya yollama sebeplerinden birinin bu olduğunu anladı: En azından oğlu bir gazetecinin ölümünü araştırmak için burada olmayacaktı.

Dönüp yatağına uzandı ve gözlerini kapattı. Gözkapakları yanıyordu, migren başının arkasını ağrıtıyordu, sırt ağrısı da cabasıydı. Hayatının eşelenmeye teşebbüs edilmiş olması onu rahatsız ediyordu. Gençlik yıllarıyla ilgili olarak yazabileceği bölümü düşünmeye başladı.

Her şey şiddetle başlamıştı. Sol şiddet, elbette.

1966. Yirmi bir yaşındayken, Grégoire Morvan inanmış bir Maocu, bir kızıl komünistti. Mitinglerin düzenini sağlıyor, bildiriler dağıtıyor, kendileriyle aynı fikirde olmayanların ağzını burnunu kırıyordu. Morvan ütopist bir devrimci değildi, uzun söylevler yerine dayak atmayı tercih ediyordu. Aslında, daha o yıllarda herkesten tiksiniyordu. Her biri birer pislik olan faşolardan. Yaşlı Fransa'nın kötü kokmasına neden olan De Gaulle'cülerden. Paralarıyla her şeyi kirleten burjuvalardan. Hiçbir şey anlamayan proleterlerden. Hatta, koca ağızları olan, ancak pantolonlarının içinde hiçbir şey olmayan kendi arkadaşlarından.

Özellikle de kendinden nefret ediyordu. Hiçbir yerden gelmemişti, ne diploması vardı ne de tek kuruşu, sıradan bir barış bekçisi olarak polis teşkilatına yazılmıştı. Kepli, düdüklü ve pelerinli bir devrimciydi; bu, onu daha da kötü yapıyordu...

68 Mayısı onun şansı oldu. Solcu eğilimlerini duymuş olan amirleri, ondan Troçkist ve Maocu grupların arasına sızmasını istemişlerdi. Canları cehennemeydi, ama bu teklif ona bir fikir verdi. De Gaulle'cülerin paralel polis teşkilatı SAC'ye (Sivil Eylem Hareketi) kaydoldu. Üç renkli kimlik kartı olan iri pazılı heriflerden, eski askerlerden ve haydutlardan oluşan bir güruh.

Aralarına girme konusunda herhangi bir sorun yaşamadı. Polis profili onun en iyi güvencesiydi. Birkaç gün içinde, her şeyden haberdar olmaya başladı: Saldırı eylemleri, sahte ambulanslar (SAC'nin beyaz önlük giymiş maşaları, yaralı öğrencileri topluyor ve onları Solferino Sokağı'ndaki merkezde adamakıllı pataklıyorlardı), sızma görevleri (öğrenci kılığına bürünmüş aynı kişiler barikatların üstüne çıkıyor ve en kötüsünü yapmaları için aynasızları kışkırtıyordu).

Bu şekilde geçen bir haftanın sonunda, topladığı bilgileri paylaşma önerisiyle Benny Lévy'yi, Sol Proleterlerin liderini görmeye gitti. Lévy heyecanlanmıştı, ama Morvan para istiyordu. Beriki hayal kırıklığına uğramıştı. Polis, Mao'dan bir alıntıyla ona cevap verdi: "Sığır tezeği inançlardan daha gereklidir, çünkü gübre olarak kullanılabilir." Lévy homurdandı, sonra istemeye istemeye bir para miktarı telaffuz etti.

Birkaç hafta boyunca, Morvan tüm uğraşını, esas itibarıyla araba yakma eylemlerine ve mizahi sloganlara ayırdı: "Toplum etçil bir bitkidir", "Birbirinizi sevin", "Toplumdan nefret ediyorum ve bu beni çok mutlu ediyor." Gündüzleri, üniformalı olarak 5. Bölge'de devriye geziyordu. Akşamları, hippi kılığında fakülteye giriyordu. Ardından bir kez daha kılık değiştiriyor, beyaz gömleği ve elinde copuyla faaliyet gösteriyordu. Gün ağarırken, topladığı bilgileri Maoculara satıyor ve yeni güne başlıyordu.

Artık uyku uyumuyordu. Sorbonne'u işgal etmiş olan Katangalılar[3] denilen anarşist grup ona amfetamin veriyordu. Bir gece, bir SAC ekibi General de Gaulle'ün ofisini ivedi olarak taşımak için görevlendirildi. Morvan da görevlendirilenler arasındaydı. Çekmeceleri boşalttı, karton kutuları taşıdı, kamyonetleri doldurdu. Ve bunları yaparken de bazı dosyaları aşırdı.

Bir başka gece, grubu bir sokak çatışmasının ortasında kaldı. Batı Grubu duvara yazılama yapmıştı: "Tüm komünistleri bulundukları yerde öldürün!" Komünistler de zaten fazla uzakta değillerdi. Hemen faşistlerin üzerine çullandılar. Kavga. SAC'nın kira lık katilleri de olaya karıştı. Morvan soğukkanlılığını kaybetti. Bir faşo bir öğrenciyi döverken olaya müdahil oldu ve zincir darbeleriyle pisliği yere devirdi. SAC'deki arkadaşları hiçbir şey anlamamıştı. Ona engel olmaya çalıştılar, Morvan karşılık verince onu dövmeye başladılar; o da kaçtı.

Görev yaptığı karakola gizlendi, Morvan düşük profilli biriydi, ama olay, amirlerine kadar aksetti. Önemli bir ayrıntı vardı: Dövdüğü aşırı sağcı genç, Pierre-Philippe Pasqua'dan, SAC'nin o dönemki başkan yardımcısı Charles'ın oğlundan başkası değildi. Korsikalı, hainin kellesini istemiş, ama sonuç tam tersi olmuştu: Çoğu SFIO[4] üyesi olan polisler, SAC'nin kendilerine emirler yağ-

**3.** Mayıs 68 Olayları sırasında, Katanga'da görev yapmış eski paralı askerler olduklarını iddia eden, işsizlerden ve serserilerden oluşan anarşist grup. (ç.n.)

**4.** SFIO (Fr. Section française de l'internationale ouvrière'in kısaltması): İşçi Enternasyonali Fransa Bölümü adlı parti. 1969'da Sosyalist Parti adını aldı. (ç.n.)

dırmasından hoşlanmamışlardı. Sonuçta, Morvan paçayı kurtarmış, ancak istifasını vermek zorunda kalmıştı.

İşte o sırada dosyaları aklına geldi – De Gaulle'ün ofisinden arakladığı ve o dönemde "turuncu ateş" adı verilen eylemlerle ilgili detayları içeren dosyalar. Pazarlık yaparak teşkilatta kalmış, ama Başkan Bongo'nun yakın korumalığını yapmak için Gabon'a yollanmıştı.

Grégoire yataktan kalktı ve banyoya gitti. Işık. Hep aynı yaşlı timsah suratı. Gerisini hatırlamaya takati yoktu. Afrika'da dünün düşmanlarıyla nasıl yakınlaştığını. Sağcı ayaktakımından – çok şey bilen OAS'nin[5] eski adamları, sürgün edilmiş casuslar, serseriler– nasıl mesleği öğrendiğini. Çivi Adam'ı nasıl yakaladığını ve şeytanla bizzat nasıl karşılaştığını...

Duşun altına girdi. Paris'e döndükten sonra politik nedenlerle hareket etmemişti. Sadece düzen adına, yani karışıklığın sürekliliğini korumak için faaliyet göstermişti.

Gömlek. Pantolon askısı. Takım elbise. Her sabah olduğu gibi kaliteli kumaşın teniyle teması ona, ulaşılmaz olmanın gizli heyecanını veriyordu. Paranın etkisi mi? Gücün mü? Yoksa sadece alışkanlık mı? Her general, sabahları üniformasını giyince aynı şeyi hissediyor olmalıydı.

Kongo'ya oğluyla birlikte yaptığı kısa seyahati düşündü. Her zaman olduğu gibi Erwan'a gerçeğin dörtte birini bile söylememişti. Nseko'nun ölümü –kuşkusuz Négros ile arasındaki rekabetten kaynaklanan bir şeydi– onu zerre kadar ilgilendirmiyordu ve büyük olasılıkla yerini alacak olan Mumbanza da onu rahatsız etmiyordu. Morvan gizli projelerinin sızmadığından emin olmak için oraya gitmişti. Nseko'nun işkence görmüş ve bilgi vererek canını kurtarmaya çalışmış olma ihtimalini de göz ardı etmiyordu. Oysa duyduklarına bakılırsa, kimsenin çevirdiği dolaplardan haberi yoktu. Yani her şey tıkırındaydı ve sonuç itibarıyla Afrikalının ölümü işleri daha da yoluna koymuştu. Sırrı bilenlerden biri eksilmişti. Lubumbashi'ye gitmek, arazideki ekipleriyle birkaç telefon görüşmesi yapmasını da sağlamıştı: Öncelikle her şey, Kuzey'deyken umduğu gibi ilerliyordu...

Kravatını bağlarken radyoyu açtı. France Info. Önceki gün, Cumhurbaşkanı François Hollande işsizliğin bir yıl içinde gerile-

**5.** OAS (Fr. Organisation armée secrète'in kısaltması): Gizli Ordu Örgütü adlı teşkilat. Cezayir'de Fransız kökenli halkın ve ordunun bir bölümünden destek alan bu silahlı örgüt, 1961-1963 yılları arasında Cezayir'de gerçekleştirdiği saldırı eylemleriyle Cezayir'in bağımsızlığına engel olmaya çalıştı. (ç.n.)

yeceğini müjdelemiş ve eşi benzeri olmayan şok bir bütçe vaat etmişti. Halep'e bomba yağıyordu. Chevaline katliamından yaralı olarak kurtulan yedi yaşındaki Zainab komadan çıkmıştı. Belçika yolundaki işadamı Bernard Arnault, Fransa'daki vergi borçlarını ödemek istediği konusunda hâlâ güvence veriyordu. *Free-lance* çalışan gazeteci Jean-Philippe Marot, dokuzuncu kattaki dairesinin penceresinden atlayarak intihar etmişti...

Morvan radyoyu kapattı ve ceketini giydi. İki iyi haber vardı: Kaerverec konusunda tam bir sessizlik ve bir gazetecinin ölümüyle ilgili birkaç kelime...

Macbook'unu evrak çantasına koydu, kromajlı tokalarını yuvalarına yerleştirdi. Odasının eşiğinde durup geçmişin küçük çağrışımını sonlandıracak birkaç tumturaklı cümle düşündü.

Bulamadı.

İşe devam etmek gerekiyordu, hepsi o kadar.

# 9

– Neredeyiz?

– Saint-Brieuc'ü geçtik. Hâlâ yüz elli kilometre yolumuz var.

– Kahretsin...

Erwan yolculuğun sonunu göremiyordu. Direksiyonu Kripo'ya vermeden önce 05.00 ile 07.00 arasında arabayı sürmüş, ardından tam olarak uyumayı başaramadan uyuklamıştı. Saat sabahın dokuzuydu. Alsace'lı kısık sesle, muhtemelen XVI. yüzyılda yaşamış İngiliz kompozitör Anthony Holborne'un lavta için bestelediği parçaları dinliyordu. Bir ninni kadar rahatsız edici değildi, ama yine de biraz asap bozucuydu.

Aklına bir şey geldi. Finistère, *Finis terrae*: Dünyanın sonu. Daha iyi adlandırılamazdı. Üç günden beri araba sürüyormuş gibi bir hisse kapılmıştı.

– Bir servis istasyonu var. Dur.

Kripo giriş yoluna saptı ve pompaların yanında durdu. Volvo'nun deposunu doldurturken Erwan bar-market karışımı dükkâna girdi. Kahvesini beklerken karamsar ortamı incelemeye koyuldu. Pantolonlarının fermuarını çekerek tuvaletten çıkan kamyon şoförleri. Daha şimdiden kafayı bulmuş, bar tezgâhındaki sarhoşlar. Bu depresif manzaraya rağmen kahvesini zevkle içti. İnsana güç veren bir sıcaklık hissediyordu. Espressonun tadı, sızlayan bedeni, yeniden işe başlama...

Kripo da yanına geldi ve kremalı bir kahve ısmarladı. Tezgâhın üstüne bir dosya koyduktan sonra herhangi bir giriş yapmadan, doğrudan Atlantik Duvarı'nın tarihçesini anlatmaya koyuldu:

– 1942'den itibaren, Almanlar Anglosakson tehdidine karşı koymak için Bretanya'daki bütün büyük limanları birer kaleye dönüştürdü. Saint-Malo, Brest, Lorient, Saint-Nazaire...

Erwan, bir sığınakta bulunan kurbanı, en azından ondan geriye kalanları hatırlamak için çaba sarf etmek zorunda kaldı. Kripo'nun bu söylevi ona özellikle bir ayrıntıyı hatırlatmıştı: Lakabının nedenini. Cinayet bürosunda Philippe Kriesler'nin Alsace'lı olduğu öğrenildiğinde ona hemen, Berlin Cinayet Bürosu'nun, *Kriminal Polizei*'nin adından esinlenilerek Kripo lakabı takılmıştı. Erwan tüm büroyu azarlamıştı: *Kriminal Polizei* akıl hastalarının ve Yahudilerin yok edilmesine iştirak etmekle tanınmış bir servisti. Ancak 36'da bu tür zırvalar hep çok acımasız olurdu. Lakap üstüne yapışıp kalmış ve alışkanlığın da yardımıyla, herkes Trubadur'un[1] gerçek adını unutmuştu.

– Tıpkı katedraller döneminde olduğu gibi, diye devam etti Kripo, coşkuyla. Todt Teşkilatı'nda[2] yer alan mimarlar, mühendisler, zanaatkârlar kıyı boyunca ilerliyor ve var güçleriyle duvarı inşa ediyorlardı...

Anlaşılması zor bir atavizmle, Alsace'lı, III. Reich hakkında her şeyi biliyor ve Almanlara karşı akıl almaz bir kin duyuyordu. Sabahki söylevi de bunu kanıtlıyordu – bu meseleyi geceden çalışacak zamanı yoktu, ezberden konuşuyordu.

– Bak evde ne buldum, dedi, söylediklerini desteklemek için bir haritayı açarken. Sirling yapılarının topografyası.

Erwan, Ouessant Adası'nın üstünde, kıyıya beş kilometre uzakta, Kaerverec köyünün karşısında ıssız bir ada gördü. Bu kara parçası üstünde, Todt'un adamları tarafından inşa edilmiş yapıları belirten kısaltmalar vardı. Otuzdan az değildi. Her bir logo bir yapı tipine karşılık geliyordu: Kazamat, korugan, kümbet, tank duvarı, kule... Harita fotoğraflarla süslenmişti. Bazı istihkâmlar gerçekten tuhaftı: "Çek kirpisi" denen sivri çelik uçlu yıldızlar, "tobruk korugan" olarak adlandırılan, otların arasına gizlenmiş, demir kapakla örtülmüş kuyular...

– Bu fotoğrafların o dönemki görünümleriyle hiçbir ilgisi yok. Her şey kamufle edilmiş. Adamlar bunların üzerlerine küçük beyaz bariyerler, sahte pencereler yapmış. Betona kaya görünümü vermek için gri kaba sıva vurmuş!

Adadaki yapı sayısı bu şaşırtıcı rastlantıyı daha da dikkat çekici hale getiriyordu: Füze, tam da içine bir adamın saklandığı o tek sığınağı vurmuştu.

**1.** Fr. *troubadour:* XI. yüzyıl sonundan XII. yüzyılın sonuna kadar Fransa'nın güneyindeki Provence bölgesi ile İtalya ve İspanya'nın kuzey bölgelerinde Oc diliyle eser veren şair-müzikçilere verilen ad. Yazar, Kripo lavta çaldığı için onu bu şekilde adlandırıyor. (ç.n.)

**2.** Nazi Almanyası'nın, liderleri Fritz Todt'un adını taşıyan askeri inşaat birimi. (ç.n.)

– Güzel, dedi Erwan dalgın bir şekilde, kahve fincanını bırakırken. Gidelim mi?

– Bekle, hesabı isteyeyim.

Kripo'nun farklı bir görünüşü vardı. Çok uzun boyluydu, sağlam yapılıydı, gri saçını atkuyruğu yapmıştı, mürdümeriği renginde kadife bir ceket giymiş, turuncu bir fular takmıştı ve ayağında eski bir koltuk gibi tarazlanmış, eskitilmiş görünümlü botlar vardı. Görünüşü, berbat bir motorcu ile emekliliği yaklaşmış bir plastik sanatlar profesörü arasında gidip geliyordu.

Hesap konusuna gelince, zavallı kasiyere bir masraf pusulası doldurttu. Erwan gülümsedi. Alsace'lı, hem bir hesap adamı hem de bir hayalperestti. Eyleme karşı alerjisi olan bir entelektüel. Bir kan lekesi karşısında beş dakika durabilen, bir Rorschach mürekkep lekesi testi[3] yapar gibi onu analiz etmeye çalışan polis tipi.

Erwan yeniden yolcu koltuğuna yerleşti ve böylece e-postalarını gözden geçirme fırsatı buldu. Yarbay Verny, ona yeni bir rapor yollamıştı. Kurbanın kimliği teyit edilmişti: Wissa Sawiris'in, oldukça iyi durumda kalmış altçenesi ile diş dosyasının karşılaştırılması kesin bilgiye ulaşılmasını sağlamıştı. Verny genç adamın kayıt dosyasından bazı belgeler de eklemişti. Erwan fotoğrafı dikkatle inceledi: Mat bir ten, hoş ve uyumlu yüz hatları, pembe yanaklar... Wissa'nın yüz ifadesinde yumuşak, kadınsı bir şeyler vardı.

Erwan, bir avcı uçağı pilotu olmak için matematikte çok iyi olunması gerektiğini düşünüyordu. Wissa Sawiris'in sadece bilimsel bakaloryası ile havacılık ve uzay mühendisliği alanında yüksek teknisyen brövesi vardı. BICM'ye (Denizcilik Meslek Enformasyon Bürosu) kaydolmuş ve Kaerverec için aday olmuştu. Temmuzda ilk seçilen grupta yer almıştı, ardından uçuş testlerinden sonra ağustos ayında kabul edilmişti. İşte ancak o zaman asker olmuştu: Bir OSC (sözleşmeli subay).

– Geldik.

Erwan gözlerini açtı. CV'yi okurken uyuyakalmıştı. Üstünde yer yer granit bloklar bulunan, yoğun bir yeşilin hâkim olduğu bir fundalık görmeyi bekliyordu; ekili tarlalar, banliyö evlerine benzeyen çiftlik binaları, cırtlak renkli ticaret merkezleriyle karşılaştı. Fransa'daki herhangi bir yer olabilirdi.

Bretanya'dan daima nefret etmiş olsa da, hayal kırıklığına uğramıştı. Glénans yelken okulundan, yani sekiz yaşından bu yana, hiçbir şey anlamamaya, hiçbir şey yapmamaya, hiçbir şe-

**3.** Deneklerin algılarını mürekkep lekelerini kullanarak analiz eden psikolojik test. (ç.n.)

yi sevmemeye çaba göstermiş, hatta babası 80'li yıllarda Bréhat Adası'nda bir ev almış olmasına rağmen bu bölgeden hep kaçmıştı. Bugün burada gördükleri ona hiçbir şeyi kaçırmadığını ispatlıyordu. Pestisitlerle harap edilmiş ve verimi artırmak için sanayi kurallarına boyun eğmiş değersiz bir kır manzarasından başka bir şey yoktu burada.

Elbette yağmur yağıyordu. Ahmakıslatan, manzarayı sıradan bir resme dönüştürüyordu. Kelt kültürünün tek belirtisi, iki dilde yazılmış levhalardı. Brest sadece birkaç kilometre uzaktaydı.

– Bana gençliğimi hatırlattı, dedi Kripo.

– Nerede?

– Alsace'ta. Bir Kelt müzik grubunda çalıyordum, Les Armoricains. İyi vakit geçiriyorduk. Lavta ile Kelt arpı arasında bir sürü ortak nokta var...

Erwan dinlememeye çalışıyordu. Yaşlanmakta olan bir Kelt ozanıyla burada ne aradığını düşündü. Babası neden bu boktan davayla ilgilenmesini istemişti?

# 10

Brest, son savaştaki bombardımanların ardından yerle bir olmuş, sonra modern ve hijyenik bir plana göre yeniden inşa edilmişti. Sonuçta, denizden esen rüzgârın hiçbir engelle karşılaşmadan içerilere kadar girdiği, dümdüz uzanan yollarıyla New York tarzı bir şehir ortaya çıkmıştı. Mimari açıdan her şey 50'li yılların temel ilkelerine göre tasarlanmıştı: Süssüz ve sade cepheler, çatı-teraslar, yuvarlak köşeler... Bu, o yıllarda iyi bir fikir olabilirdi, ama günümüzde Brest'i Bretanya'nın, hatta Fransa'nın en çirkin şehri yapıyordu.

Yol boyunca hemen her yerde, levhaların Morvan Hastanesi'nin yönünü göstermesi Erwan'ı rahatsız etti. Soyadının sürekli olarak yinelenmesi ve üstünde bir kızıl haç bulunması ona uğursuz bir kehanet gibi geliyordu.

Morg, Brest'in ikinci hastanesindeydi: Cavale Blanche, asıl adıyla Gazeg Wenn. Birkaç kez kaybolduktan sonra –Kripo GPS kullanmayı reddediyordu– bir dizi sosyal konutun yukarısındaki tepenin üstüne tünemiş hastaneyi nihayet buldular. Hastane alanının kendisi de bir banliyöyü andırıyordu: Uçsuz bucaksız çimenlikte, direkler üzerine oturtulmuş bloklar. Her biri numaralandırılmış bu küp biçimindeki binaların, şehrin uzmanlık gerektiren hastalıklarına çözüm olduğu söylenebilirdi.

Randevuları 1 numaralı binadaydı. Holün dip tarafında, La Brioche Dorée adlı kafeteryada bir masaya oturmuş, siyah yağmurluklu üç adam onları bekliyordu. Tokalaştılar. Tanıştılar. Jean-Pierre Verny, Brest Jandarma Araştırma Bölümü'nde yarbay, e-postaları yollayan kişi; Simon Le Guen, Kaerverec Kurmay Başkanlığı'nda eğitimci yüzbaşı; Luc Archambault, üssün askeri güvenliğinden sorumlu, hava jandarma teğmeni. Yağmurluklarının yağmur damlalarıyla kaplı koyu renkli plileri, adamlara, tabutları deniz kıyısındaki feci fırtınanın içine taşımakla görevli uğursuz ölü gömücü havası veriyordu.

Kahveler ısmarlandı. Ev sahipleri sandalyelerinde kıpırdanırlarken, Erwan onları inceliyordu. Verny, jandarma, asık suratlı biriydi. Bacakları kısaydı, sanki halterde bir silkme müsabakasındaymış gibi kesik kesik hareket ediyordu ve kafası karanlık düşüncelerle dolu gibiydi. Simon Le Guen, eğitimci, o da aynı tornadan çıkmıştı, sadece kırmızıydı. Pancar gibi kıpkırmızı suratında, kümes hayvanlarınınki gibi buruş buruş gözkapaklarının altında iki mavi göz dikkat çekiyordu. Tıraşlanmış kafasının tepesindeki saçlar ona albino görüntüsü veriyordu. O da meslektaşı kadar kırış kırıştı, ama şişte pişirilmiş gibi bir hali vardı. Archambault onların tam zıddıydı. Uzun boylu ve zayıftı, suratı havacı gözlüklerini anımsatan küçük çerçeveli camlarla kapatılmıştı. İlk bakışta, savunmasız görünüyorlardı, ama daha dikkatle bakıldığında, arabaların altına bomba koyabilecek anarşist görünümlü, bir zamanların şu gülünç gözlüklü ilkokul öğretmenlerini anımsatan asabiyetin, hatta çılgınlığın parıltısı gözlerinde görülebiliyordu.

Kahveler geldi. Erwan bir düşmanlık duvarına toslamaktan korkmuştu. Ancak tam tersine, başkentten gelmiş polisleri görmek bu üç herifi rahatlatmış gibiydi. Hiç kuşkusuz, olayın hangi ucundan tutacaklarını bilmiyorlardı.

– Mesajlarımı aldınız mı komutanım?

– Evet. Teşekkürler.

Bu bilgilerin, aileyle karşılaşmadan önce işinize yarayacağını düşündüm.

– Aileyle mi?

– Kurbanın ailesi. Her an gelebilirler.

– Bunu ben mi yapmak zorundayım?

– Mademki bu olayla sizi görev...

– Öldüğünde, Wissa Sawiris deniz havacılığı üssünün sorumluluğu altındaydı.

– Soruşturma Paris Cinayet Bürosu'na verildi. O halde sorumluluk da sizde demektir...

Erwan teslim olmuş gibi başını salladı.

– Bana okuldaki çaylak eğitiminden bahsedin, dedi ortaya.

– Burada, diye belirtti Le Guen, daha çok "hafta sonu intibak eğitimi" deriz.

– Nasıl isterseniz. Bu yılın eğlenceleri nelerdi?

Archambault sandalyesinde kıpırdandı.

– Pisliğe tahammül, fiziksel zorlama, kaçma-kovalamacalar...
– Tüm bunların ne zaman sona ermesi gerekiyordu?
– Cumartesi akşamı.
– Okuldaki bu "intibak eğitimi" daha ziyade yumuşak mı, yoksa sert midir?
– Sert.
Erwan üstelemedi, ayrıntılara girmek için zamanı olacaktı.
– Çaylak eğitimi cuma günü saat 17.00'de uçak pistinde başladı. Wissa orada mıydı?
– Kesinlikle. Herkes onu gördü.
– Saat 20.00'den sonra öğrenciler fundalık alana dağıldı. Doğru mu?
– Doğru. Sıçanlar...
– Kimler?
– Yeni gelen öğrenciler burada bu şekilde adlandırılır. Onlar gittikten bir saat sonra Tilkiler, yani çaylak eğitmenleri peşlerinden gittiler...
Sıçanlar, Tilkiler. Bunlara alışsa iyi olurdu.
– Sebep?
– Ben orada değildim, ama içlerinden birini yakaladıklarında onu korkuttuklarını düşünüyorum. Ellerindeki meşalelerle, boynuzlarla. Çok kötü bir şey yok.
– Bu av esnasında, kimse Wissa'yı görmemiş mi?
– Görmemiş.
– O halde gece boyunca kaçmış mı?
– Bu kesin.
– Yüzerek Sirling Adası'na ulaşmış olabilir mi?
– İmkânsız, dedi Le Guen, bir ıstakoz kadar kırmızıydı. Ada üç mil uzakta ve eylül ayı gelgitlerinde çok güçlü akıntılar olur.
– Öyleyse bir tekne kullandı, diyebilir miyiz?
– Olabilir.
– Tekneyi nerden buldu?
Archambault bu fırsatı kaçırmadı:
– Üssün, okula bir kilometre uzaktaki kıyıda iskeleye bağlı bir Zodyak filosu var. Özellikle de her biri üç yüz beygirden fazla motor gücüne sahip Hurricane'lar. Burada, bu Zodyaklara biz ETRACO deriz, yani "komandoları süratle taşıma botu."
Neredeyse her cevap yeni bir sözcük içeriyordu.
– Bu botların nöbetçisi yok mu?
– Hayır. Kimsenin oraya gidip askeri malzemelere ulaşmak gibi bir düşüncesi yoktur.

– Bu botu çalıştırmak için bir anahtara ihtiyaç yok mu?

– Wissa uzay havacılığının içine doğmuş biriydi; babası bir havacılık kulübünde çalışıyor, diye araya girdi Verny. Hiç kuşkusuz herhangi bir motoru çalıştırabilecek kapasitede biriydi.

– Eksik Zodyak var mı?

– Hayır, diye yanıtladı jandarma.

– Adanın çevresinde bir tekne buldunuz mu?

– Henüz bulmadık, ama bulacağız, zamana ihtiyaç var.

Erwan üç adama da aynı bakışları yöneltti.

– Çalınan hiçbir Zodyak, bulunan hiçbir kayık olmadığı halde, Wissa'nın çaylak eğitiminden kaçarak saklanmak için bir tekneyle gittiğine mi inanıyorsunuz?

– İnanıyor muyuz? diye yineledi Le Guen. Ama gerçek olan bu, kahretsin.

Bu kelimeyi büyük bir öfkeyle söylemişti. Kırışık gözkapaklarını kırpıştırıp duruyordu.

Erwan konuyu değiştirmeyi tercih etti:

– Cumartesi sabahı yapılacak hava tatbikatından kimin haberi vardı?

– Kimsenin.

– Üstlerinizin de mi?

Verny ayağa kalktı ve ceplerini karıştırdı.

– Birer kahve daha?

Askerler bu teklifi kabul etti. Zorunlu bir sessizlik oldu. İlk sorgunun bu denli sıkı olmasını beklemiyorlardı. Kripo, Verny'yle birlikte kahve almaya gitti.

– Bu tatbikattan haberimiz yoktu, dedi Archambault, çok alçak sesle. Muhtemelen gizliydi ve emir de yüksek makamlardan verilmişti.

Maskesini çıkarmıştı. Plastik sandalyesinin altına soktuğu uzun bacaklarını asabiyetle titretiyordu.

– Füzeyi fırlatan uçaklar nereden geliyordu? diye sordu Erwan.

– Sadece tek bir atış oldu. Uçaklar Charles-de-Gaulle uçak gemisinden havalandı.

– Gemi nerede demirli?

– Şu an bizim kıyıdan on iki mil açıkta demirli.

– Kaerverec ile uçak gemisi arasında bir bağlantı var mı?

– Tek bir bağlantı var: Amiral Di Greco.

– O kim?

– K76'nın kurmay başkanı. Ayrıca Charles-de-Gaulle uçak gemisiyle de ilgileniyor. İki yer arasında mekik dokuyor.

– Şu an nerede?
– Gemide.
Demek ki Erwan dünyanın en güçlü savaş gemilerinden birini ziyarete gidecekti. Bu durum hoşuna mı gidiyordu, yoksa öldüresiye sıkıntı mı veriyordu, buna karar vermesi zordu.
Konuşmayı başka bir yöne çevirdi:
– Böyle turistik bir kıyının açıklarında bu tür tatbikatlar yapmak tehlikeli değil mi?
– Sirling Adası halka kapalıdır. Burası Bretanya'daki son atış noktasıdır. Her şey kontrol altındadır komutanım.
– Bana bu şekilde hitap etmeyi bırakırsanız mutlu olurum. Ayrıca orduyla da bir alakam yok.
– Anlaşıldı, komu... (Archambault kelimenin devamını yuttu.) Güvenlik koşulları yerine getirilmiştir. Aksi takdirde, atış yapılmazdı.
– Harekâttan önce her şey kontrol edildi mi?
– Elbette. Bir helikopter çevrede keşif görevine çıktı.
– Bana cinayet mahallinden bahsedin.
Bu söz üç adamın da irkilmesine neden oldu. Erwan cümlesini düzeltti:
– Kaza mahallinden.
– Size yazdığım gibi, dedi Verny, onu... ondan geri kalanları bulan balistik ekibiydi. Görevliler cenazeyi iki saat sonra almaya geldiler ve ondan geri kalan ne varsa topladılar. Bana beş veya altı parçaya bölündüğünü söylediler.
– Olay yerinde inceleme yapıldı mı?
– Elbette.
– Adli kimlik saptaması için bir ekip geldi mi?
– Gereksiz. Ordu uzmanları çok kesin izler buldu. Sonuçta bu onların işi.
– Onların işi, molozları değerlendirmek, insan kalıntılarını değil.
Jandarma karşılık vermedi. Evrak çantasını aldı ve içinden bazı fotoğraflar çıkardı.
– Şunlara biz göz atın. İyi iş çıkardıklarını göreceksiniz.
Füzenin vurduğu yer, içi suyla dolmuş beş metre çapında bir delikti. Sığınaktan eser kalmamıştı. Molozlar metrelerce uzağa, çevreye dağılmıştı. Teknisyenler yerlerini belirlemek için sarı renkli işaretler koymuşlardı. Diğer mavi işaretler ise –kuşkusuz insan parçaları için– yanmış otların üzerine dağıtılmıştı. Hiçbir fotoğraf, kalıntıların Wissa'ya ait olduğunu göstermiyordu.
– Sadece tek bir ceset olduğundan emin miyiz?

– Nasıl yani?

– Parçalar iki farklı insana ait olamaz mı?

Le Guen güldü. Küçümseme dolu, sinirli bir gülüştü, sanki "işte tam bir polis düşüncesi" der gibiydi.

– Tam olarak ne söylemek istiyorsunuz? diye sordu.

– Hiç. Bütün olasılıkları göz önünde bulundurmak benim işim.

– Var olmayan bir pisliğe çomak sokmak için geldiyseniz, size yardımcı olamayız.

Erwan gözlerini kaçırmadı. Sessizlik yanan bir ip gibi uzadı.

– Adli tabip böyle bir varsayım üstünde durmuyor, dedi Verny, havayı yumuşatmak için, tabii siz de bizzat sorabilirsiniz.

– Kaza gecesine dönelim; Wissa odasına uğramış mı?

– Uğradığına dair bir iz yok.

– Cep telefonunu, kredi kartını, bilgisayarını kontrol ettiniz mi?

– Bunu yapmak için sizi bekliyorduk, ama her şeyden önce eşyalarında bir eksik yok.

İlk iyi haber: Elektronik eşyalarını ve bilgisayarını bizzat inceleyebileceklerdi.

Bir hemşire yanlarında belirdi.

– Aile geldi.

Üç subay yağmurluklarını hışırdatarak aynı anda ayağa kalktı.

– Onlara cesedi göstermemek daha iyi ola...

– İşimi biliyorum. Kripo, beni arabada bekle. Aileyle işim bitince seni ararım.

Yardımcısını bu üç silahşorla gevezelik etmesi için bırakamazdı.

– Siz, diye ekledi, siz bir yere kıpırdamayın. Birlikte adli tabibi görmeye gideceğiz.

– Ama...

– Bu tür durumlarda ailelerle daha önce de görüştüm. Sizin diğer konularda yardımcı olmanız çok daha iyi.

# 11

Erwan morgların –nadir olarak insanların estetik kaygısı duyduğu türden yerlerin– gediklisiydi. Çoğunlukla, koridorlar badana edilmiş çimentodan olurdu ve açıktan geçen borular bu koridorlar boyunca uzanırdı. Cavale Blanche da bu kurala uyuyordu, ancak bir ayrıntı ortamı biraz daha ağırlaştırıyordu: İkinci bodrumda bir sanatçı duvarlara tekrenkli freskler yapmıştı; ilk fresk kırmızıydı ve kan lekelerini çağrıştırıyordu. Çok iyi değildi. Daha uzakta, bir kanepeyle ve Paul Klee tarzı küçük motiflerle bezeli koltuklarla dekore edilmiş bir bekleme salonu vardı. Kahve makinesi, akvaryum. Wissa'nın anne ve babası kırmızı balıkların yanında duruyordu. Erwan elini uzatarak, onlara doğru ilerledi. Gülümsemeli miydi? Gülümsememeli miydi? Bu tür görüşmeleri kaç kez yapmıştı? Kelimeler bir işe yaramazdı. Yapay bir empati kurmaya çalışmak da. *Kahretsin.*

Wissa Sawiris'in koyu tenini görünce Erwan, onun Kuzey Afrika kökenli olabileceğini düşünmüştü. Babasının bir havacılık kulübünde çalıştığını da unutmamıştı. Kısacası, kötü kesimli siyah bir takım giymiş Mağribi bir teknisyen ve peçeli karısıyla karşılaşmayı bekliyordu. Baba Sawiris uzun boylu ve şık giyimli biriydi. Kraliyet mavisi polo yaka bir Lacoste tişört, üstüne siyah bir ceket giymişti. Esmerleşmiş cildi, ciddi bakışlarıyla tam da olduğu kişiye benziyordu: Yastaki bir uzay havacılığı mühendisi. Karısı da onun kadar uzun boyluydu. Kalın kaşları, bakır rengi bir teni ve omuzlarına kadar inen uzun kızıl-sarı saçları vardı. Güzel değildi, ama kibar ve zarifti. Erwan'ın önyargısı bu gördüklerinin yakınından bile geçmiyordu: *Abaye*'sinin altında, yüz kilonun üstünde bir kadın hayal etmişti.

Kendini tanıttı ve baş sağlığı diledi. Gözlerini ondan ayırmadan elini sıktılar. İnsan güçlü bir patlamanın yakınında olduğunda bir an için duygularını bir kenara bırakırdı. Sawiris'ler de bu kara deliğin içindeydiler. Bedenlerine işlemiş bir acıyı yaşamak için yavaş yavaş geri dönmek zorunda oldukları bir *no man's land*. Bundan böyle onların bir parçası olacak sürekli bir acı.

Erwan Müslümanların cenaze törenlerinin ayırt edici özelliklerini hatırlamaya çalıştı. Ölümü takip eden yirmi dört saat içinde mevtanın defnedilmesi gerekiyordu. Ölüm bir geçiş olarak değerlendirildiğinden yakma, tanatopraksi[1] veya organ bağışı yasaktı. Tabutun baş kısmının Kâbe'ye çevrilmesi lazımdı. Wissa'nın durumunda, bu şartların uygulanması her halükârda imkânsızdı.

– Alışıldığı üzere, diye konuşmaya başladı Erwan, anne ve babalardan müteveffanın kimliğini tespit etmesi istenir, ancak bu durumda bundan vazgeçmek daha iyi. Diş kayıtları kimliği doğrulamayı...

– Ya onu görmek istersek? diye sordu anne.

Kalın ve ciddi bir ses. Uzun tınılı bir Fanny Ardant sesi. En ufak bir Mağribi aksanı yoktu.

– Şu an için, diye cevapladı Erwan, bu imkânsız. Henüz otopsi yapılmadı. Kazanın oluş sebeplerinin belirlenmesi gerekiyor.

Bu bahaneyi kabul edecekler miydi? Hiç itiraz etmeden tabutun kapatılmasını? Yoksa tam tersine sorumluların bulunmasını mı isteyeceklerdi? Davacı mı olacaklardı? Şu an için tepki göstermiyorlardı. Belki de söylediklerini işitmiyorlardı.

– Yarbay Verny'den bir telefon aldık, dedi sonunda baba. Bize bir "hafta sonu intibakı"ndan söz etti. Bu bir tür çaylak eğitimi mi?

Erwan, soruşturmanın, tanık ifadelerinin, ihtiyatlı davranmak zorunda olduklarının ardına sığınarak muğlak bazı açıklamalar yaptı. İçinden, onu bu aptalca görevi üstlenmeye mecbur eden askerlere lanet okuyordu. Konuyu değiştirmek için cenaze töreniyle ilgili konuşmaya başladı:

– Otopsi biter bitmez, Rennes Savcılığı defin için izin verecektir. Bu durumda imamı çağırabilirsiniz ve...

– Biz Müslüman değiliz.

– Özür dilerim, sanmıştım ki...

– Mısır kökenliyiz. Biz Kıpti'yiz.

Kadın bunu her heceyi vurgulayarak söylemişti. Erwan dişlerini sıktı; gerçekten pot üstüne pot kırıyordu.

– Eğer isterseniz, diye öneride bulundu, konuyu yeniden değiş-

**1.** Mumyalama teknikleri kullanarak, cesetlerin çürümesini geciktirme yöntemi. (ç.n.)

tirmek için, sigorta işleri için size bir avukat tavsiye edebilirler.

– Ben avukatım, diye sözünü kesti kadın. İş kazaları alanındaki uyuşmazlıklarda uzmanım, Sarthe İş Anlaşmazlıkları Komisyonu'nda bilirkişiyim.

Kaerverec Üssü kaygılanmalıydı; üsle birlikte Savunma Bakanlığı da. Bayan Sawiris bunun bedelini ödetecek, kimseye hoşgörülü davranmayacaktı. Bu, Erwan'ın da yararınaydı.

– Askeri otoritelere dava açıldı bile, dedi kadın, Erwan'ın aklından geçenleri doğrularcasına. Üste kalmaya başladığı andan itibaren ordu oğlumuzdan resmen sorumluydu. Wissa önceki hafta asker olduktan sonra ordunun sorumluluğu daha da arttı.

– Kimse sorumluluktan kaçamayacak hanımefendi. Burada bulunma sebebim de bu. Bu trajedideki tüm karanlık yanları aydınlatmak istiyoruz.

– Çocuğunuz var mı? diye araya girdi baba.

– Hayır.

Mühendis, bu durumda, Erwan'ın asla bu görevin üstesinden gelemeyeceğini ima eder gibi başını salladı.

– "Fransa'ya faydalı olmayı" umut ediyordu, dedi Bay Sawiris, hüzünle gülümseyip balıklara bakarak.

– Wissa nasıl bir çocuktu?

– Bir kahraman, diye mırıldandı anne.

– Özür dilerim, bir şey mi dediniz hanımefendi?

– Bir kahraman, dedim... olacaktı. Ne para tutkusu ne de mesleki tutkusu vardı. Cesaret konusunda başarı göstermek istiyordu. Fransız Direniş Hareketi ve XX. yüzyıl gerillaları hakkında kitaplar okuyordu. Hep kendini sorguluyordu: Bu koşullarda o ne yapardı? Eline silah alır mıydı? Cesaret örneği sergiler miydi?

Erwan bir anda, en başından beri kurmaya muvaffak olamadığı empatiyi kurdu. O da aynı kuşkuları duymuş, aynı soruları kendine sormuştu. Ancak polis olunca sorularına yanıt bulmuştu: Birçok kez silahlı çatışmaya girmişti.

– Bazen, dedi gayriihtiyari, hayat yetersiz kalır. Yani soluk almaya ve rahat yaşamaya dayanan sıradan bir hayat. Kimileri için ise insanın kumaşı daha güzel, daha saf, daha kahramanca olmalıdır.

Bu tumturaklı tirattan hemen pişmanlık duydu. Doğrusu, bir çaylak eğitiminde oğullarını yeni kaybetmiş bir anne baba için bu söylev bir işe yaramazdı.

Cevap vermediler. Erwan bunu aklının bir köşesine not aldı: *Cesaret takıntısı olan bir çocuk, kafasına yediği ilk çürük yumurta yüzünden kaçmazdı.*

Erwan farklı bir konuya geçti:

– Oğlunuzun arkadaşları, nişanlısı var mıydı?

– Hayır, dedi anne, üzüntülü bir sesle. Öncelikle geleceğini güven altına almak istiyordu.

– Yakın arkadaşı da mı yoktu?

Erwan sorunun birkaç anlama çekilebileceğini fark etti, ama artık çok geçti, laf ağzından çıkmıştı bir kere. Bayan Sawiris ona doğru yaklaştı. Yüzü tragedya oyuncularınınkine benziyordu – eski Yunan mitolojilerini sahnede veya sinemada hakkıyla canlandıran şu sanatçıların yüzüne. Maria Callas. Irene Papas. Silvia Monfort.

– Düşüncenizin devamını getirin.

– Hiçbir düşüncem yok hanımefendi. Sizi temin ederim...

Yalan söylüyordu. İstemeyerek de olsa, Wissa'nın yüzünü kadınsı bulmuştu ve adanın çevresinde tekne bulunmaması da çok net olarak oraya yalnız gitmediğini gösteriyordu. Bir sığınakta iki erkek? İki sevgili?

Bayan Sawiris şimdi onun birkaç santimetre uzağındaydı. Ocağın içindeki alevlerin esintisini hisseder gibi kadının saçlarının kokusunu alabiliyordu.

– Lekeleme ve manen yıpratma sebebiyle size de dava açmadan önce çekip gitseniz iyi olur, dedi kadın, ıslığı andıran bir sesle.

Erwan, hızla onları selamladı ve ürkmüş bir odacı gibi geri geri giderken basmakalıp bir şeyler geveledi.

Hole geri döndüğünde, benzi atmıştı ve yorgundu. Geceki yorgunluğu omuzlarına çökmüştü. Askerlere son derece öfkeliydi. Suratlarını dağıtmak ile hemen burada ya da herhangi bir yerde dizlerini karnına çekerek yatıp uyumak arasında gidip geliyordu. Üç kargayı holde görünce, ilk fikrin daha iyi olduğuna karar verdi, ama sahneyi sadece hayal etmekle yetinmesi gerekiyordu.

Le Guen şimdi omzuna çapraz olarak bir fotoğraf makinesi asmıştı.

– Bununla ne halt ediyorsunuz?

Istakoz dersini ezberlemiş gibi cevap verdi:

– Otopsi işlemlerinde, bir adli polis komiseri ile bir kriminal inceleme teknisyeninin hazır bulunması gerekiyor. Teknisyenimiz yok. Fotoğrafları ben çekeceğim.

Erwan cep telefonunu çıkardı ve Kripo'yu aradı.

– Gel. Kadavra zamanı.

# 12

– Ne bekliyordunuz ki? diye şaşkınlığını belirtti Michel Clemente. Size sadece kopmuş parçaların yorumlanmasını önerebilirim. Üstelik beden neredeyse püre haline gelmiş.

Adli tabip ilk otopsi masasının örtüsünü kaldırmıştı – Wissa'dan geriye kalanlar ikiye bölünmüştü. Siyalitik lambalardan yayılan ışık halesinin altında, bir el, yanmış gövdenin veya bir uzvun lime lime olmuş bir parçası tanınıyordu.

Tiksinme hissini bastıran Erwan kendini bu parçaları incelemeye zorladı. Patlama sırasında sığınak genç adamın bedeniyle tamamen kaynaşmıştı. Bazı vücut parçalarında sıçrayan metaller derin izler açmıştı. Bazılarına da çakıl taşları saplanmıştı. Bir ayrıntı onu ürpertti: Kopmuş bileğinin iç kısmında bir haç dövmesi dikkatini çekmişti. Bunun Ortodoks Kıptilerin ayırt edici işareti olduğunu hatırladı. Kuşkusuz Wissa'nın anne ve babasında da aynı haçtan vardı.

– Elimizdekilerin hemen hepsi bu, diye durumu özetledi Clemente. Ancak parçaları birleştirmenin imkânı yok; birçok parça yanmış, tozlaşmış ya da yengeçler veya deniz kuşları tarafından yenmiş.

Göründüğü kadarıyla adli tabip küstahça davranmayı seviyordu. Genel görünümü hiçbir şeyi ele vermiyordu: Sevimli bir yüz, hükmedici kırışıklıklar, kırlaşmış saçlar, şık giysilerinin üstünde açık bir önlük. Kadife pantolonu, Ralph Lauren marka V yaka kazağı, açık mavi çizgili gömleğiyle adam bir televizyon filminde çapkın bir klinik şefini oynayabilirdi. *What else?*[1]

– Bana göre, füze koruganın içinde patlamış. Şok dalgası kapalı mekânda daha şiddetli olmuş.

**1.** İngilizce: Daha ne olsun? (ç.n.)

Kimse cevap vermedi. Herkes önlüklüydü, ellerinde ameliyat eldivenleri vardı, başlarına kâğıt boneler takmışlardı ve gördükleri korkunç manzaradan dolayı donup kalmışlardı. Sadece Le Guen fotoğraf çekmek için masanın etrafında dönüp duruyordu. Sanki bu durumdan en az etkilenen oydu. En iyi açıları bulmaya çalışıyordu, gözlerinin önündeki şeyin ne olduğunu unutmuş gibiydi.

– Tüm parçalar olay yerinde numaralandırıldı, diye devam etti Clemente.

Kolunu bir konsolun üstünde duran bilgisayara doğru uzattı ve *space* tuşuna bastı. Ekranda bir resim belirdi: Rakamlarla çevrili füze deliğinin görüntüsü – zavallı Wissa'nın, adanın zeminine dağılmış parçaları. Başka bir tuş: Bir insan siluetinin, ayaktayken, önden ve arkadan eskizleri. Şimdilik sadece birkaç parça numaralandırılmıştı.

– Sonuç olarak adamlar on iki parça topladılar, molozlarla karışmış daha ufak kalıntıları saymıyorum. Bu şema üstünde parçaları farazi olarak yerlerine yerleştirmeye çalışıyorum. Sonra gerçek parçalarla ne yapabileceğime bakacağım. On yıl kadar önce bu tarz iki birleştirme işlemine katıldım. Toulouse'daki AZF fabrikasında meydana gelen patlama ve Mont-Blanc Tüneli'ndeki yangın. Ancak her halükârda ailenin bunu görmesine engel olmak lazım.

Erwan daha önce düşündüğü şeyi dile getirdi:

– Tek bir ceset olduğundan emin miyiz?

– Özür dilerim, anlayamadım?

– Bu kalıntılar arasında, başka bir cesedin kalıntıları da olabilir mi?

– Öyleyse kolsuz ve bacaksız biri olmalı; bendeki el ve ayak sayısı ortada.

Erwan cevabı kabullendi. Bir salaklık daha. Bir polis için önyargılı olmak tehlikeliydi. Beyin, soruşturmadan hep çok daha ileride olurdu.

Doktor örtüyü yeniden örttü; Erwan salondaki fiziksel rahatlamayı hissetti.

– Bu tür vakada, diye sordu, otopsi sonucunda ne söylenebilir?

– Pek fazla şey söylenemez. Tekrar ediyorum: Sadece kurbanı gömülmeden önce parçaları birleştirmeye çalışacağım.

– Peki ya ölüm nedeni?

– Ayrıntıları öğrenmek istiyorsanız, füzeyle ilgili tanıtım yazılarını okumanız yeterli.

– Ölüm saati?

Doktor öfkeyle Erwan'a baktı.

– Elimizde füzenin ateşlenme saati var. Size daha ne gerekiyor?

– Patlama anında Wissa Sawiris'in canlı olduğundan emin olmak istiyorum. Toksikoloji tahlili yapılmasını istediniz mi?

– Saçma. Siz ne sanıyorsunuz? Zehirlenerek öldüğünü mü? Her halükârda bana bir mide gerekiyor. Organların çoğu yanmış.

– Ya anatomopatolojik incelemeler?

– Üç hafta sürer.

– Ölüm için tarihlendirme yapacak imkânlarınız var mı?

– Hayır. Uzuvların durumu göz önüne alındığında, ceset katılaşmasını unutabilirsiniz. Ölüm lekelerine gelince size net olarak bir şey söyleyemem.

Erwan yön değiştirdi, kararlılığı rahatsızlığını ortadan kaldırıyordu.

– Çok fazla metal parçası var.

– Tahmin edileceği gibi sayın başkomiser, dedi Clemente alaycı bir ses tonuyla. Bunlar sadece betondan kopan parçalar değil. Füzenin şarapneller veya bu tür şeyler de içerdiğini sanıyorum. Metal kalıntılarını incelemek gerekiyor, ama bunu yapmaya yetkim yok.

Adli tabip, topu onlara atar gibi askerlere doğru bir baş hareketi yaptı.

– Savunma gizliliği, dedi Archambault. Bu konuda emirler çok net.

– Raporumda füzeyle ilgili herhangi bir veri olmayacak, diyerek daha da ileri gitti Clemente.

– Bu aptallıklar da neyin nesi? diye öfkelendi Erwan. *Bütün* bilgilere erişebilmem gerekiyor. Yasalar herkes için aynıdır!

– İmkânsız, diye devam etti kuşkonmaz görünümlü adam. Zaten, rapor askeri uzmanlara yollanacak. Unsurların gizlilik derecesine onlar karar verecek.

– Bu bize günler kaybettirir!

Archambault üzgün bir tavır takındı. Erwan üstelemedi – bu daha sonraki bir sorundu.

– Ne olursa olsun, sizden mümkün olduğunca derinlemesine bir otopsi yapmanızı istiyorum.

– Anladım. Elimden gelenin azamisini yapacağım.

– Adli kriminal teknisyenlerin incelemelerini de beklemeniz gerekecek.

Clemente, Verny'ye baktı. Verny de Erwan'a.

– Teknisyenlerden oluşan bir ekip kurulacak, diye açıkladı polis. Tırnak altı kazıması yapacaklar ve cesetten örnekler alacaklar.

– Bu tiyatronun anlamı ne?

Erwan ona cevap verme gereği duymadı.

– Teğmen, diye ekledi, Archambault'ya bakarak, siz otopsi için burada kalın. Askeri güvenlik subayı olarak bu iş için biçilmiş kaftansınız.

– Ama... ya fotoğraflar?

– Le Guen makinesini size verecek. Ayrıca durumu aileye izah etmekle de görevlisiniz. Onların bölgedeki bir otelde konaklamalarını sağlamak iyi olur.

Istakoz üzülerek makinesinden ayrıldı ve nasıl çalıştığını Archambault'ya açıkladı. Ameliyat eldivenlerini çıkarmadan herkes tokalaştı. Birbirine dolanan lateks eldivenli parmaklar Erwan'a gayriihtiyari olarak anal muayeneleri hatırlattı.

# 13

Gaëlle bir *casting* bulması için ajansını aramamıştı. Oyunun adı *Kaybeden Kazanır*'dı. Kurallarından hiçbir şey anlamamıştı. Bir çark, sorular ve en az puanı alınca kazanan bir yarışmacı vardı. Çarkı çevirecek bir kız aranıyordu – mayolu, *of course.*[1]

Bir televizyon aptallığı daha. Önemi yok. Ne pahasına olursa olsun onu görmeleri gerekiyordu. Onun gibi kızların kafası, örnek aldıkları isimler ve hikâyeleriyle doluydu – aptal yarışmalarla tanınmış veya geri zekâlı televizyon filmlerinde ikincil roller oynayarak mesleğe adım atmış bugünün ünlü aktrisleri. Louise Bourgoin, Canal+'nın eski meteoroloji sunucusu. Helena Noguerra, M6'nın eski sunucusu. Aishwarya Rai Bachchan, eski dünya güzeli. Claudia Cardinale, Tunus'taki en güzel İtalyan kız yarışması birincisi. Sophia Loren, eski zarafet güzeli.

Gaëlle çevresine göz gezdirdi. Katlanan sandalyeler, bir su sebili, yıpranmış yer halısı. Rekabet kısmına gelince, bir sürpriz söz konusu değildi. Yaşlıları tanıyordu: Castel'de, VIP Yacht Hôtel'de, Plaza'nın barında sürten kızlar. Diğerleri taşralıydı. Stil sahibi değillerdi, ama bir artıları vardı: Gençlik.

Dolayısıyla otuz yaşına basmakta olduğunu ve artık işinin bittiğini düşündü. Ama burada da yine geçmiş örnekler imdadına yetişti. Cate Blanchett otuzlarında ortaya çıkmıştı, tıpkı Naomi Watts ve Monica Bellucci gibi. Tüm bu aktrislerin kraliçesini de unutmamak gerekiyordu: Sharon Stone otuz dört yaşında *Temel İçgüdü*'yle patlama yapmıştı. *Umut her zaman vardı.*

Tuhaf bir şekilde, tek sermayesinin gençliği olduğu dönemde, yılların ikişer ikişer hatta üçer üçer sayıldığı bir hayat sürmüştü. Gece çıkmaları. Alkol. Uyuşturucu. Reddetmek imkânsızdı. Ge-

**1.** İngilizce: Elbette. (ç.n.)

ce kurallarına uymak gerekirdi. Bu sabah da saat altıda yatmıştı. VIP'de çok konuşan ve çok içen ünlü bir yönetmenin masasında yer bulmayı başarmıştı. Tam yanına oturabilmişti ki, adam yumrukları sıkılı, başı minderlerde uyumaya başlamıştı.

Aynasını çıkardı ve başkalarının karşısında gösterdiği bu zayıflık itirafından pişmanlık duyarak kendini inceledi. Ama yüzü hoşuna gitti. Gözünün çevresindeki halkalara rağmen yüzünü Slav bebeklerinkine benzetti.

On altı yaşındayken, otuzlarında böyle bir yüze sahip olacağını asla tahmin etmezdi. Aslında, bu yaşa kadar yaşayacağını da. O dönemde otuz iki kilodan fazla değildi.

Gaëlle ancak buluğ çağındayken bedeninin farkına varmış ve onu yok etmeye girişmişti. Yemek yemeyi kesmiş ve hayatı toptan inkâra kalkışmıştı. Böylece perhiz yapmanın tadına varmıştı. Daima hafif bir baş dönmesinin eşlik ettiği o ıstıraplı açlık hissi... Bayılmalarını, başkalarının yanında kendini kaybetmesine neden olan esrikliği hâlâ hatırlıyordu. Boşunaydı, çünkü ayılınca, bedenini, o iğrenç et yığınını, ona tiksinti veren o organlar topluluğunu yeniden buluyordu.

Karargâhı tuvaletlerdi. Kusmak. Sıçmak. Kusmak... Ağzının içinde, bağırsaklarında bir yanmayla yaşıyordu. Saçları dökülüyordu. Tansiyonu düşüyordu. Kan dolaşımı bozulmuştu. En ufak bir darbede çürük oluşuyor ve mor renkli tuhaf bir görünüm alıyordu. Pencere açık uyuyor, cereyan yaptırıyor, klimayı en soğuk ayarda çalıştırıyordu. Bütün anoreksikler (ve bütün mankenler) bu kurnazlığı, yani soğuğun kalorileri yaktığını bilirdi. Tek mutluluk sebebi, hareket ederken, nefes alırken *zayıflıyor* olmasıydı.

Laksatif aldığı bir gün, kendini zorlamış ve çıkan şeyin kendi bağırsakları olduğunu hissetmişti. Bu da onun hastaneye yatırılmasına neden olmuştu – uzun bir serinin ilki.

Beslenme bozukluğu olanların yatırıldığı serviste, genç oldukları kadar ölü de olan, kadidi çıkmış benzerlerini bulmuştu. Onların büyümüş gözbebeklerine, etsiz kuru siluetlerine hayranlık duymuştu. Onları, sonsuza dek sönmeden önce var güçleriyle ışıldayan ateşböceklerine benzetiyordu.

Eve döndüğünde annesi ağlıyor, babası bağırıp çağırıyordu. Gaëlle hatalı olduğunu kabul etmiş, yemek yemeye söz vermişti, ama kanalizasyon kapağının çevresinden dolanıyormuş gibi hep tabağından kaçıyordu.

On dokuz yaşında, komaya girdi. Onu hayata döndürdüler, serumla beslediler. Hastane yatağından, aynasını sakladıkları dolaba kadar sürünmeyi başarmıştı. Burada, tüm vampir şatolarında olduğu gibi her türlü ayna yasaklanmıştı. Morluklarını saymıştı. Derisinin altından dışa doğru çıkıntı yapmış kemiklerine hafifçe dokunmuştu. Bir anda doğru yolu bulmuştu. Ya da neredeyse. Sorunu tersten ele almış ve sürekli yemeye başlamıştı.

Market arabasını biftekle doldurarak veya tahıl gevreği promosyonlarından –altı paket fiyatına on iki paket– faydalanarak süpermarketleri yağmalamaya başlamıştı. Buzdolabı en iyi arkadaşı olmuştu. Yiyordu, pisboğazlık yapıyor, pusula yerine baskülün ibresiyle tek başına seyahat ederek semiriyordu.

Vücudu anoreksiya illetine tutulmadan önceki haline dönmüştü. Yuvarlak omuzlar, cezbedici kalçalar, alımlı göğüsler. İsteğe göre çıtır çıtır yeme veya mıncıklama arzusu uyandıracak bir vücut. Yeniden âdet görmeye başlamıştı. Erkekler etrafında pervane oluyordu. Gurur okşayan ilgi ile düşmanca tehdidin bir karışımıydı.

Gaëlle önce anlamamıştı. Yeniyetmelik dönemini hastanelerde geçirmişti. Cinselliği keşfetmesi, arzuların uyanması, tüm bunlar kilolara karşı verdiği takıntılı mücadelesi nedeniyle yok olup gitmişti. Artık kadın vücudunun farkına varmıştı – erkekler üstündeki etkisinin de. Homurtular içinde eteğini kaldırarak onu mutfak masasına yatıran, hafta sonları çalıştığı barın patronu. Aletini çıkarıp göstermek için onu bir sergi salonunun tuvaletine kadar takip eden, babasının vali veya milletvekili olan şu arkadaşı. Ya da şantaj yapmak için bir tekinin bile yeterli olduğu, onu tedirgin eden SMS'leri yollayan, evli ve üç çocuklu şu aktör.

Sonunda korkmaması gerektiğini anlamıştı. Tam tersine, bu güç, onun gücüydü. Onları çıldırtmalı ve çılgınlıklarını denetimi altında tutmalıydı. Tavırlarını, makyajını düzelterek, nasıl gerekiyorsa öyle giyinmeye başlamıştı. Başlarda, güçlerini yeni keşfeden süper kahramanlar gibi çok beceriksizce davranışlarda bulunmuştu; sonra, yarattığı etkiyi kontrolü altına almayı ve onu kullanmayı yavaş yavaş öğrenmişti. Bugün, bir restorana girdiğinde yarattığı heyecanı, uyandırdığı cinsel çekimi algılayabiliyordu.

Hem av hem de avcıydı. Bir zamanlar tiksindiği vücudu şimdi silahı haline gelmişti.

– Bi cigara yakar mıyız?

Üstüne büyük gelen pis bir tişört giymiş cılız bir adam önünde duruyordu. Sanki yılın teklifiymiş gibi bir paket Marlboro'yu cakayla sallıyordu.

Gaëlle hemen herifi kadrajına aldı: Yarı homo, yarı pezevenk.

– Sigara içmiyorum.

Beriki, gülümsemeye devam ederek yanına oturdu. Yirmi beş yaşında falan olmalıydı, ama kötü tıraş edilmiş yüz hatlarında daha şimdiden acı bir şeyler vardı.

– İşten konuşabiliriz.

– İyi de, hangi işten?

– Komik kızsın, ha? (Sesini alçalttı.) Prodüksiyonda çalışıyorum. Sana ne aradıkları hakkında tüyolar verebilirim.

– Ne aradıkları belli, öyle değil mi? dedi Gaëlle, diğer kızları işaret ederek.

Adam sırıttı ve zayıf elini uzattı.

– Kevin.

Gaëlle bir tavuk budu tutmuş gibi bir hisse kapıldı. Birbiri ardına boşalan sandalyelere bir göz attı; hâlâ iki aday vardı, sonra onun sırasıydı.

– Sigara içmek için dışarı çıkman gerekmiyor mu? diye söylendi.

– Seninle şansımı denemek istiyorum.

– Güzel, denedin işte. Artık gidebilirsin.

Osuruk sesi gibi bir pıslamayla yeniden güldü adam.

– Hayır, gerçekten sana yardım edebilirim. Seni yapımcının yanına sokabilirim ve...

– Bu *casting* hiç umurumda değil.

– Sen gerçekten çok iyisin! dedi Kevin, kahkahalarla gülerek. Tam olarak sana gereken şey bende!

# 14

– Soruşturma belli bir nitelik kazanmadan hiçbir şeyi imzalayamam, diye bahane buldu Muriel Damasse, telefonda.

– "Kasıtsız adam öldürme" ve "ağır ihmal" için ne dersiniz?

– Hey, adam öldürmekten bahseden olmadı... Söz konusu olan ordu ve...

– Bu ifadeyi kullanmadan, kriminal polisi harekete geçiremeyiz.

– Kriminal ve teknik inceleme polisi mi? İyi de ne yapmak için?

– Cesetten örnekler almak ve Sirling Adası'ndaki cinayet mahallinde kusursuz bir tarama yapmak için.

– "Cinayet mahalli" mi? Abartıyorsunuz...

Erwan sadece savcı yardımcısıyla konuşmuyordu, mesaj arabanın arka koltuğunda oturan Le Guen ile Verny'yi de ilgilendiriyordu. Arabalarını Archambault'ya bırakmışlardı. Sahne, direksiyondaki Kripo'yu eğlendiriyor gibiydi.

– Durum zaten oldukça karmaşık, diye sızlandı Muriel. Bana buraya sadece olguları bir araya getirmek için geldiğiniz söylendi!

– Ve tam bir kesinlikle. Ayrıca davanın ayrıntılarını da sizinle konuşmak istiyordum...

Evrak işlerinde çalışmak, kadın savcı yardımcısına sanki daha rahat geliyordu. Görevlendirme, eş görevlendirme, yükümlülük, arama tarama gibi konuların ele alındığı anlaşılması güç bir konuşma geçti aralarında. Her biri küçük hesaplar peşindeydi. Sonunda, her noktada, ya da neredeyse her noktada ortak çalışma yapma konusunda anlaştılar.

– Geri kalan şeyler için üstlerimle görüşmem gerekiyor, diye konuşmayı sonlandırdı savcı yardımcısı. Sizi ararım.

Arabanın içinde bir sessizlik oldu. Kaerverec yönüne doğru D168 yolunda ilerliyorlardı. Yarısaydam iğneleri andıran yağmurun altında, modern tarım alanlarının oluşturduğu manzara bunaltıcı bir tekdüzelikle akıp gidiyordu.

Kendini daha fazla tutamayan Verny söze girdi:

– İsterseniz bir kriminal ekiple temas kurabilirim, gerekirse...

– Daha sonra, diye kestirip attı Erwan. Füzeyi fırlatan pilotla ne zaman görüşebilirim?

– Philippe Ferniot. Saat 16.00'da Kaerverec'te olacak.

Le Guen kırmızı suratını iki koltuğun arasından uzattı.

– Sizi uyarmak isterim: deniz havacılığı kuvvetlerinde tanınmış biridir. Kuşağının en iyi pilotlarından biri. Irak ve Afganistan'da görev yaptı. Ona bir şüpheli gibi davranmayın.

Erwan karşılık vermedi. Le Guen bir an tereddüt etti, sonra kapıya doğru büzüldü.

– Ya öğrenciler?

– Hangileri? diye sordu Verny.

– Çaylaklar ve çaylaklara zulmedenler. Akşam olmadan onları sorgulamak isterim. Kaç kişiler?

– Yirmi kadar eski ve on iki yeni öğrenci. Yani, şu an on bir yeni öğrenci...

– Bana iki oda ayarlayın. Yardımcımla birlikte onları tek tek dinleyeceğiz.

– Nasıl isterseniz, ama...

– Odalarında mı tutuluyorlar?

– Hayır. Neden?

– Aralarında iletişim var mı?

Yeniden sessizlik. Kimse öğrencilerin birbirleriyle konuşmasını yasaklamamıştı.

– Derslere ara verildi mi bari?

– Bugünlük her şey durduruldu, dedi Verny, ancak bunu sonsuza dek...

Le Guen yağmurluğunu hışırdatarak yeniden öne doğru sokuldu. Kafası iki koltuk arasında belirince, Erwan'ın aklına üstüne ketçap dökülmüş yumurta sarısı geldi.

– Neyin peşinde olduğunuzu bilmiyorum, ama rolleri tersine çeviriyorsunuz. Wissa Sawiris kaçtı. Görevlerini yerine getirmedi. Öldü, bu üzücü. Kusuru başkalarının üstüne atmaya kalkışmayın!

– Genellikle, dedi Erwan sert bir şekilde, hep ölünün tarafında yer alırım. Soruşturmanın selameti için tanıklar arasında en ufak bir ilişki olmaması gerekiyor.

– Ama onlar tam olarak neyin tanığı ki?

Erwan cevap vermedi.

– Sağa dönün, diye homurdandı Istakoz. İki kilometre sonra üsse varacağız.

Kripo direksiyonu sağa kırdı ve bir anda karşılarına deniz çıktı: Karanlık gökyüzüyle iç içe geçmiş, çakıllı gri kıyı şeridiyle dalgalı siyah bir deniz. Sonunda gerçek Bretanya görünmüştü. Dünyanın kaynağını tüketmek için koca ağızlarını açmış canavarlara benzeyen, yeşil beyaz falezler.

Bu ilginç manzara geleneksel evlerle tamamlanıyordu: Arduvaz damlar ve mavi panjurlar. Turistler de vardı – şemsiyelerinin altında, çizgili bermudaları ve omuzlarına attıkları kazaklarıyla sade ve şık siluetler. Çevredeki evlerde oturanlardan bir şeyler öğrenilebilirdi.

Arkada, Le Guen telefonda emirler mırıldanıyordu. Bunlar "Her öğrenci odasına gitsin", "Öğle yemeği farklı zamanlarda verilsin" gibi emirlerdi.

Kripo sileceklerin hızını artırdı. Az kalsın dik açılı virajı kaçırıyordu. Bu bir şeyleri doğrular gibiydi: Ötede deniz, ufuk, gökyüzü vardı, dünyanın öbür ucuna ulaşmışlardı. Finistère. Dünyanın sonu.

– Üssün doktorunu görebilir miyim? diye sordu Erwan, ortaya.

Le Guen yeniden söz aldı, daha sakindi:

– Uzun zamandan beri üste doktor yok; bütçe kısıtlaması.

– Bir sorun olduğunda ne yapıyorsunuz?

– Morvan'a veya Cavale Blanche'a gidiyoruz, herkes gibi.

– Ya çaylak eğitimi sırasında?

– Gerektiğinde Kaerverec'teki doktoru çağırıyoruz, Doktor Almeida.

– Onu görmek istiyorum.

– Ama anlamıyorum, biz...

Arabanın camlarına vuran su birikintisinin gürültüsü cümlesinin sonunun duyulmasını engelledi. Le Guen vazgeçti.

Sonunda, karşılarına bir tabela çıktı: "Kaerverec 76." Birkaç yüz metre daha ilerleyince okulun ana kapısı göründü. Ön cephedeki armalar ve hemzemin geçitleri çağrıştıran kırmızı beyaz bariyer, girişi belirtiyordu.

– Öncelikle, dedi Verny, Albay Vincq'le görüşmeniz gerekiyor.

Erwan bu adı daha önce de duymuştu, ama nerede duyduğunu hatırlaması imkânsızdı.

– O kim?

– Okul komutanı.

– Adının Di Greco olduğunu sanıyordum.

– Amiral, kurmay başkanıdır. Sahada, okula albay komuta eder.

Yağmurluk giymiş bir nöbetçi bariyeri kaldırdı. Sonunda güvende olacaklardı, ama Erwan tam tersi bir duygu yaşıyordu: Hapishane kokusunun hâkim olduğu kapalı bir dünyaya girmek için dışarıdaki güven verici dünyayı terk ediyorlardı.

# 15

Erwan büyük bir üsle karşılaşacağını sanıyordu. Ama Kaerverec, bir ilkokulu andırıyordu: Kare avlu, düz damlı son derece çirkin yapılar, bir Far West[1] köyündeki gibi her binayı çevreleyen açık galeriler.

Arabalarını park alanına bıraktılar ve sağ taraftaki sundurmanın altına sığındılar. Le Guen, Albay Vincq'e haber vermek için hemen yanlarından ayrıldı. Erwan üstündeki suları silkeledi. Nemin kendisine rahat vermeyeceğini çoktan anlamıştı.

– Avlunun dip tarafında, brifing salonları ve idare binaları var, diye açıkladı Verny, zaman doldurmak için. Tam karşımızda da sınıflar, odalar, banyolar. Arkamızda ise yemekhaneler, spor salonu ve dinlenme salonları bulunuyor.

– Çok büyük değil.

– Kaerverec'te sadece otuz kadar öğrenci var, bunlara ayrıca eğitimcileri, öğretmenleri, yönetici kurmay başkanlığı personelini ve araç gereçleri korumakla görevli erleri de eklemek gerekiyor. Hepsi yüz kişiden az. Çevremizdeki arazi son derece büyük; denizle aramızda bir kilometre genişliğinde, üç kilometre uzunluğunda bir kıyı şeridi var. Kıyıdaki bir metrekare yerin fiyatı göz önüne alındığında bu büyük bir lüks.

– Deniz havacılığı pilot adaylarını burada mı araziye saldınız?

Verny duymamış gibi yaptı.

– Eğer isterseniz size hangarları ve manevra alanlarını gezdirebiliriz. Üste on kadar uçak var ve...

Erwan artık dinlemiyordu. Kuşkusuz Wissa'ya saygı belirtisi olarak bayraklar yarıya indirilmişti. Dört bayrak vardı: Fransa, Avrupa Birliği, Bretanya bayrakları ile üzerinde bir kuğu, bir kı-

1. "Uzak Batı" anlamına gelen İngilizce sözcük. ABD'nin XIX. yüzyıldaki tarihsel bir dönemini belirtmek için de kullanılır. Günümüzde Missouri şehri. (ç.n.)

lıç, bir gemiden oluşan bir arma bulunan tanımadığı bir bayrak. Büyük olasılıkla okulun sembolleriydi bunlar.

Erwan üniformaya olan doğal alerjisinin yeniden uyandığını hissetti. Asker ruhundan ve onunla ilgili tüm simgelerden iğreniyordu. Ender de olsa üniforma giymek zorunda kalmıştı –yüksek polis akademisinden mezun olurken, madalya alırken–, bu da onun için hep bir cehennem azabı olmuştu. Üstelik, tek tip elbisesi her seferinde aldığı kiloları hatırlatıyordu ona.

– Ne halt ediyor? diye birden sabırsızlandı Verny. Gidip onu bulayım.

Jandarma gözden kayboldu. Kripo sırtını bir sütuna dayayarak, kovboy edasıyla sigara sarmaya başladı.

O sırada iki pilot avluyu geçiyordu. Uçuş tulumlarının üstüne şişirilmiş gibi görünen bir tür pilot pantolonu giymişlerdi.

– Bibendum maskotlarına benziyorlar, dedi Erwan.

– Yerçekimi etkisinden dolayı, dedi Kripo, sigarasını yakarken.

– Ne?

– Bunlar anti-g tulumlar. Bir jet uçağında, yerçekimi kuvveti birkaç saniye içinde sekiz g'ye ulaşabilir, bu da senin ağırlığının sekiz katı bir ağırlık demektir. Kan bir anda başından ayaklarına doğru iner, beynin kansız kalır ve bayılırsın. Bu giysinin kullanılma sebebi de bu. İçinde, aynı basıncı uygulayan, bacakları sıkan ve kanın aşağı inmesini engelleyen bir sıvı var. Bunlara "babygros", bebek tulumu denir.

– Sen bunları nereden biliyorsun?

– Genel kültür.

Yağmur, asfaltı ve çatıları, ara ara bayrakların şaklamasıyla veya martıların çığlıklarıyla bölünen metal tıkırtılarıyla dövmeye devam ediyordu. Nihayet, Le Guen ile Verny göründü. Ellili yaşlarda, orta boylu, kamuflaj elbisesi giymiş bir adama eşlik ediyorlardı. Kamuflajının desenleri, kısa kesilmiş gümüşi saçlarıyla tam bir uyum içindeydi.

Tokalaştılar. Adamın insanda hemen sempati uyandıran bir yüzü vardı. Kül rengi Bröton saçlarının altında Güney güneşinin etkisi hissediliyordu: Neredeyse altın sarısı bir hal almış bronz bir ten, Côte d'Azur'ü çağrıştıran mavi gözler.

– Özür dilerim, diyerek gülümsedi albay, kendini tanıttıktan sonra, sizi ofisimde kabul edemedim. Çalışmalar okul açılmadan önce bitecekti, ama olmadı.

– Sorun değil.

Erwan, bunun onlara rahatsızlık vermek veya istenmediklerini hissettirmek için bir taktik olup olmadığını düşündü. Subay, bu "talihsiz kaza"ya, bu "trajedi"ye üzüldüğünü belirterek, ama dönüp dolaşıp ivedilikle soruşturmanın tamamlanmasının ve derslerin yeniden başlamasının önemini vurgulayarak, tamamen politikacı ağzıyla bir söylev çekmeye başladı. Bazı konuları özellikle pas geçerek ve cümlelerini "omuzlardaki rütbeler", "acemi", "subay eğitimi" gibi askerliğe mahsus basmakalıp sözlerle veya "*boost*" veya "*over-shooter*" gibi anlaşılması güç kelimelerle dolduruyordu.

Ayrıntıya gerek yoktu, Erwan mesajı almıştı: İşinizi yapın ve çekip gidin. Vincq gülümsemeye devam ediyordu. Kadınlar üstündeki cazibesinden emin, yakışıklı bir herifti. Bu yaşında bile hâlâ genç kızların hayalini kurduğu bir havacıydı.

– Gerçekleri ortaya çıkarmak ve bir sonuca ulaşmak için ne kadar zaman gerekiyor? diye sordu sonunda.

– Bu, gerçeklere bağlı.

– Ne demek istiyorsunuz?

– Size cevap vermek için çok erken. Neler bulacağımızı önceden kestiremeyiz.

Vincq'in yüzündeki gülümseme kayboldu.

– Bulacak bir şey yok. Asker, çaylak eğitiminden kaçmak istedi ve sığınmak istediği...

– Bu sadece bir varsayım. Somut olan tek şey, bir füzenin patlamasından sonra sığınakta bulunan bir ceset. Bu, çıkış noktası. Varış değil.

Albay, Le Guen ile Verny'ye şaşkın gözlerle baktı, sonra ellerini arkasında birleştirdi ve başı önde, volta atmaya başladı. Yağmur, bir sirkte büyük gösteri başlamadan önce çalan davullar gibi tımbırdamaya devam ediyordu.

– Elinizden gelenin en iyisini yapın, dedi Vincq, saatine bakarak. Ama bu hızlı olsun. OBHİB, neyi söyleyip neyi söylemeyeceklerini öğrenmek için saat başı beni arıyor.

OBHİB: Ordu Basın ve Halkla İlişkiler Birimi. Vincq'in ilk olarak bu iletişim örgütünü gündeme getirmesi tuhaftı.

– Deniz Kuvvetleri İnsan Kaynakları Merkezi ile Savunma Bakanlığı Basın Bürosu'nu saymıyorum bile! diyerek durumun vahametini anlatmaya çalıştı. Günümüzde, medya herkesin takıntısı olmuş! (Birden işaretparmağını kaldırdı.) Özellikle unutmamanız gereken bir şey var, raporunuzda asla "çaylak eğitimi" kelimesini kullanmayın! Onun yerine "geleneklerin yeni gelenlere aktarılması", "hafta sonu intibak eğitimi" veya "pedagojik gelişim" yazmanız gerekiyor... Kurallara uyunuz! Çaylak eğitimine karşı

olan şu lanet dernekler, olayı duyar duymaz üstümüze çullanırlar.
– Anlıyorum.
– Hiçbir şey anlamıyorsunuz. Bana yarın sabaha bir rapor hazırlayın, sizden istenen sadece bu. Kaza kazadır. Sonbaharı bu olayla geçiremeyiz!
Grubu başıyla selamladı ve gitmeye davrandı.
– Albay, sadece bir ayrıntı. Bugün ders var mı?
– Hayır. Neden?
– Az önce uçuş kıyafetleriyle iki pilot gördük de.
– Sıradan eğitim uçuşları. Planlamamız çok katıdır. İptal etmek imkânsız. (Pis pis sırıttı.) İki mil yükseklikte, soruşturmanıza zarar vereceklerini sanmıyorum.
Uzaktan motorların uğultusu duyuldu. Albay gözden kayboldu. Le Guen ile Verny, Erwan'ın haddinin bildirilmesinden duydukları memnuniyeti zorlukla gizliyorlardı.
– Wissa'nın odası, dedi Erwan, dizginleri yeniden ele almak için.
– Önce çantalarınızı boşaltmak istemez miydiniz?
– Gerek yok.
Dört adam odaların bulunduğu binaya gitmek için avluyu geçti.
– Çöpler toplandı mı?
– Hangi çöpler? diye sordu Le Guen.
– Cuma, cumartesi ve pazar günlerinin çöpleri. Çaylak eğitimi sonrasının çöpleri.
– Bu sabah toplandı, ne işinize yarayacaktı ki?
Erwan cevap vermedi.
Holde sürpriz olabilecek bir şey yoktu: Kahve makinesi, üstünde bazı duyuruların yer aldığı pano, eski dergilerin durduğu etajerler. Birinci katta, sade bir koridor. Duvarlar kartondanmış gibı gözükse de ve yerdeki linolyum döşeme her adımda kalksa da, Erwan bu tür basitliği seviyordu. Oda kapılarının arkasından radyo ve televizyon sesleri geliyordu; pilotların odalarından çıkmaları yasaklanmıştı. Erwan ile Kripo şöyle bir bakıştılar. İçlerinde kötü bir his vardı. Verny odanın girişini kapatan, çaprazlama yerleştirilmiş sarı bandın önünde durdu.
– Mührü sökmek için savcılıktan izin aldınız mı?
– Sorun yok.
Erwan çantasını yere bırakarak şeridi söktü. Kripo ona bir çift lateks eldiven uzattı. Erwan, Verny'nin uzattığı anahtarı almadan önce eldivenleri ellerine geçirdi.
On iki metrekarelik küp biçiminde bir odaydı. Köşede bir la-

vabo. Kapının tam karşısına yerleştirilmiş pencerenin iki yanında iki yatak. Spor salonlarının soyunma odalarındakilere benzeyen iki çelik dolap, gardırop olarak kullanılıyordu. Her yatağın yanında bir çalışma masası vardı ve masalardan birinin üstünde bir sürü eşya duruyordu: Dizüstü bilgisayar, çalar saat, cep telefonu. Wissa'nın kişisel eşyaları.

– Hiçbir şeye dokunulmadı, dedi Verny. Oda arkadaşı başka odaya taşındı. Sadece kendi eşyasını aldı.

– Kriminal inceleme teknisyenlerini beklerken hepsini mühürlü kanıt torbalarına doldurun. (Erwan yerlerin temizlenmiş, çöp kutusunun boşaltılmış olduğunu fark etti.) Burada temizlik yapılmış.

– Öğrenciler bu işi sırayla yaparlar, diye açıkladı Le Guen. Her sabah, içlerinden iki kişi odaları temizler. Cumartesi de aynı kural uygulandı. Wissa'nın kayıp olduğu henüz bilinmiyordu.

– Öyleyse o iki çocuk, eski öğrencilerden.

– Elbette. Sıçanlar... yani yeni öğrenciler kırk sekiz saat boyunca binalara giremezler.

– Burayı temizleyen çocukları görmek istiyorum.

– Çöplerle bir sorununuz var sanırım, dedi asker, alaycı bir tonda.

Erwan duymazdan geldi.

– İki tanık bul ve odayı aramaya başla, dedi Kripo'ya. Tanıklar, öğrenci ve öğretmenler arasından olmasın; sekreterler, idari personel daha uygun. Arama yaparken azami özen göster. Bir şey bulacaklarını pek sanmıyorum, ama yine de kriminal inceleme teknisyenlerinden odayı didik didik etmelerini isteyebiliriz.

– Bunu pek anlayamadım, diye lafa girdi Verny. Sizden beklenen bu değildi...

Erwan ona doğru döndü.

– Yarbay, durumu anlamadığınızı sanıyorum ve size bunu açıklayabilecek sözcükleri bulamıyorum. Ama şöyle ifade edebilirim: Her şeye sıfırdan başlıyoruz.

# 16

Onlara tahsis ettikleri oda, Wissa'nınkinin benzeriydi, banyosu da olan bir odaydı.

– Oturun.

Erwan, Le Guen ile Verny'nin de kendileriyle gelmelerini istemişti. İki karga, çalışma masalarının arkasında duran sandalyeleri aldılar ve yan yana oturdular, öfkeliydiler. Yağmur, zamanı çok küçük birimler halinde titizlikle işleyerek camları dövmeye devam ediyordu.

– Tutanaklarınızı henüz okumadım, ancak çok temiz olduklarından eminim. Fazla uzatmaya gerek yok, bir insan öldü. Kazayla ya da başka bir şekilde. Hiçbir şeyi göz ardı edemeyiz. Taammüden cinayet olasılığını da.

Le Guen sandalyesinde dikildi.

– Bu saçmalıkları da nereden çıkarıyorsunuz?

– Bu benim işim. Belki de sığınağa yerleştirildiğinde Wissa çoktan ölmüştü. Belki de Rafale savaş uçağının bu bölgeyi vuracağı biliniyordu. Cinayetle ilgili tüm kuşkuları ortadan kaldırmak için bu iyi bir yöntem.

– Kimse manevradan önce hedefi bilemez, diye yanıtladı jandarma.

– Kontrol edilecek. Bize şu an için gerekli olan şey takviye kuvvet. KİT'lerinizin yeri nerede?

– Nelerimizin? diye sordu Istakoz.

– Kriminal inceleme teknisyenleri, diye fısıldadı ona Verny, Erwan'a cevap vermeden önce. Rennes'de. Sanırım yarın burada olabilirler.

– Bu akşam. Onların yanı sıra bir el ve kalıp uzmanı da istiyorum.

– Elimizde bir ANACRIM[1] var.

– Çok iyi. Organik örnekler de alacağız, ki bu gece çalışmaya başlasınlar. Önce Wissa'nın odasından. Yarın sabah da Sirling Adası'ndan. Islak toprakta, hatta suyun içinde çalışabilecek uzmanlarınız var mı?

– Su altı incelemeleri yapan teknisyenler var, evet.

– Onlara yanlarında bir pompa getirmelerini söyleyin. Füzenin açtığı çukuru taramak istiyorum.

Jandarma hareketlendi. Erwan, elleri arkasında, farkında olmadan Albay Vincq'i taklit ederek odayı arşınlıyordu.

– Wissa konusuna gelince, Kripo telefon kayıtlarıyla ilgilenecek, ancak ona küçük bir yardım gerekebilir. Yarın sabahtan önce toplanabilecek kaç jandarmanız var?

– On kadar.

– Mükemmel. Ayrıca bölgedeki tüm iletişimlerin analizinin yapılmasını da istiyorum. Bölgedeki tüm baz istasyonlarının listesini de.

Verny istemeden ıslık çaldı. Erwan başını salladı.

– Bu fundalık alanda çok fazla çağrı yapıldığını düşünmüyorum.

– Peki ya telefon dökümleri için telekomünikasyon şirketlerine talepte bulunma işi?

– Savcı imzalayacak. Dökümler gelene kadar geçen süreden faydalanırız ve bir hafta boyunca özgür oluruz. Bilgisayar konusunda, işini bilen biri var mı?

– Bir Ge'tek. Bretanya'nın en iyisi.

"Gelişen teknolojiler" yani Ge'tek. Erwan jandarmanın jargonunu biliyordu.

– Brest'te çalışıyor. Eğer tatilde değilse akşamdan önce burada olabilir.

– Tatildeyse bir başkasını bulun. Birkaç saat içinde bilgisayarı inceleme işine başlamamız gerekiyor. O, verileri deşifre edecek; adamlarınızdan biri de Wissa'nın ilişkileri, cinsellik konusundaki eğilimleri ve diğer her şey hakkında bizleri bilgilendirmek için onun yanında duracak.

– Neden cinsellik? diye irkildi Le Guen.

– Çünkü internet insanoğlunun mastürbasyon yapmak için icat ettiği en önemli araç. Yeterli mi?

– Onun firar etmesiyle ilişkisini anlamıyorum.

– Buna bir son verelim, bu senaryo akla mantığa aykırı. Pilot-

**1.** Kriminal analiz yapan ve Fransız polisi ile jandarması tarafından kullanılan bir bilgisayar programı. (ç.n.)

luk eğitimine tutkuyla bağlı olan, kesinlikle ödleğe benzemeyen Wissa'nın şınav çekmemek veya köpek maması yememek için denize açıldığını düşünmemiz için hiçbir sebep yok. Tabii bir de örtüşmeyen başka somut ayrıntılar var.

Subaylar başlarını salladılar. Artık bundan bahsedilmeyecekti.

Erwan, ellerini dizlerine dayayarak tam bir takım koçu edasıyla onlara doğru eğildi.

– Şimdi sıra geldi sizin çok özel görevlerinize. Verny, siz botların bağlı olduğu kıyıya, şu tekne olayını aydınlatmak için bir ekip yolluyorsunuz. Orada yaşayanlar var mı?

– Turistler. Tabii balıkçılar da, ama onlar kuşkusuz denizdedirler.

– Geri çağırın. Karıları, çocukları var mı?

– Çoğunun evet.

– Yarın akşamdan önce ifade tutanaklarını istiyorum. Ayrıca Kaerverec Liman Başkanlığı'nı da arayın. Belki o gece denize kimin çıktığını biliyorlardır.

– Bundan emin değilim.

– Öyleyse, öğrenin! Ayrıca hava durumunu da bilmek istiyorum. Bir teknenin Sirling Adası'na kolayca ulaşıp ulaşamayacağını öğrenmeliyiz. Le Guen, siz yanınıza iki adam alıyorsunuz ve güvenlik kameralarının cumadan itibaren yaptığı kayıtların bantlarını izliyorsunuz.

Bröton'un yüz ifadesi değişti, Verny'ye kaçamak bir bakış attı.

– Bir sorun mu var?

– Bir gelenek... Çaylak eğitimi boyunca kameralar kapatılır.

– Buna inanamıyorum, diye mırıldandı Erwan. Kırk sekiz saat boyunca gözetim olmasın! Askeri uçakların ve malzemelerin olduğu bir arazide!

– Uçaklar kilitli hangarlarda duruyor ve dersler de resmen başlamadı. Bu bir...

– Tilkilerinizin yaptığı pisliklerin kaydedilmesinden mi korkuyorsunuz?

– Tam tersine! diye rahatsızlığını belirtti Le Guen. Okula yeni girenlerin şerefini korumak istiyorlar! İçlerinden biri başarısız olduğunda, bundan geriye bir iz kalmamalı.

Erwan bıkkınlık ifade eden bir hareket yaptı.

– Öyleyse Wissa'yı eşeleyin. Yaptığı en küçük şeyi bile her yönüyle inceleyin. Geçmişini araştırın. Ailesi, sağlığı, eğitimi, arkadaşları, Mans'daki hayatı, Mısır'daki kökleri, kişiliği...

– Ama... bunun için kiminle konuşabilirim?..

– Başınızın çaresine bakın. Anne ve babası onu tutkulu bir münzevi olarak tanımlıyor, şüphesiz her şeyi bilmiyorlar. Bir nişanlısı, hobileri, takıntıları, düşmanları var mıymış öğrenin. Ayrıca denizcilik deneyimi var mıymış bilmek istiyorum.

– Onun tek başına denize açıldığına inanmadığınızı sanıyordum.

– Kaç kez daha size bunu tekrarlamak zorundayım? Ben hiçbir şeye inanmıyorum; bulmak için buradayım! Archambault otopsiden çıkınca ona söyleyin. Her öğrencinin soyunu sopunu araştırsın. O boktan geceye katılmış çocukların hepsinin dosyasını istiyorum.

– Peki ya masraflar? diye sordu Verny aniden.

– Jandarma adına bir dilekçe yazarsınız, biz de cinayet bürosu adına aynı dilekçeyi hazırlarız. Bu bir ortak iş. Tüm masraflar Rennes Asliye Mahkemesi tarafından karşılanacak. Bizim için bir ofis düşündünüz mü?

– Yani...

– Sorun değil, diye araya girdi Erwan, çantasını açtı ve bilgisayarını masalardan birinin üstüne koydu. Burada gayet iyiyiz. Bize tahtalar, dört ayaklı destekler, çoklu prizler bulun. Adamlarınız da okula yerleşecek. Soruşturma bitene kadar herkes burada kalıyor. Gerçek ortaya çıkana kadar kimse bu duvarların arasından çıkmayacak. Anlaşıldı mı?

İki subay cevap vermeden ayağa kalktı. Asık suratları "evet" anlamına gelebilirdi.

– Saat dört, dedi Erwan, saatine bakarak. Pilotla görüşme zamanı, öyle değil mi?

# 17

Ona aktarılan bilgilere göre, otuz sekiz yaşındaki Yüzbaşı Philippe Ferniot, 2009'dan beri devriye filosu grup lideriydi, bugün Gascogne avcı uçağı filosu lideriydi, yirmi beş saat savaş görevi vardı, bin sekiz yüz saat uçuş yapmıştı, bunun bin yüz saatini Rafale savaş uçağıyla yapmıştı. Kahraman, onu Paris'ten gelen dedektiflere tahsis edilmiş salonda bekliyordu. Burası uzun masalar ile sayfaları kırışmış bir yazı tahtasının bulunduğu sıradan bir yemekhaneydi.

Önünde kahvesi, dip tarafa oturmuş Ferniot'nun üstünde hâlâ, denizci anorağının altına giydiği, her tarafına dikilmiş renkli arma ve işaretleriyle ona eski bir valiz havası veren uçuş tulumu vardı. Erwan onu selamladıktan sonra karşısına oturdu ve bilgisayarını açtı. Sanki tek başınaymış gibi, sessizce notlar almaya başladı. Sonunda ondan olayları kendi bakış açısıyla anlatmasını istedi.

Ferniot'nun verdiği ilk cevaplardan, Erwan duygularından arındırılmış bir androitle karşı karşıya olduğunu anladı. Ferniot, kendisinin ateşlediği bir füzeyle bedeni tanınmaz hale gelmiş yirmi iki yaşındaki genç bir adamın ölümü karşısında ne pişmanlık ne de üzüntü duyuyordu. Hatta mesele hakkında en ufak bir fikri bile yok gibiydi.

Olayı anlatması birkaç kelimeyle sınırlı kalmıştı. Cumartesi, 8 Eylül, saat 07.10, Charles-de-Gaulle'den havalanma. Varış noktası: Sirling Adası. Hedef bilinmiyor. Diğer iki Rafale'le birlikte, hem harekât pilotu hem de devriye lideri olarak Ferniot, emirleri beklerken bölgenin üstünde birçok daire çizmişti. Hedef belirlendikten sonra ona sadece önceden kaydedilmiş programı başlatmak kalmıştı – her potansiyel atış, farklı bir sekansın konusu oluyordu. Füze hedefi vurmuştu. Rafale artyakıcı itiş sistemine –ani hızlanma, Erwan yanlış anlamadıysa– geçmişti. Saat 07.38'de Charles-de-Gaulle'ün güvertesine iniş. Bilgisayarlara, radarlara ve hiyerarşiye göre, görev tam bir başarıyla sonlanmıştı.

– Ekleyecek başka bir şeyim yok, diye bitirdi pilot. Bu hikâyede, ben sadece zincirin bir halkasıyım. Filo arkadaşlarım arkamı kolluyor, radar kontrolörü hava ve yer sahalarını tarıyor, mühendisler her parametreyi analiz ediyordu. Uçuşun her anını saniye saniye takip eden komutanlarımı saymıyorum bile. (Ayağa kalktı ve montunun fermuarını çekti.) Eğer bu olayda sorumlular varsa onları yerde arayın. Bu zavallı denizcinin adaya kaçmasına izin veren salakların arasında.

– Yerinize oturun.

– Siz ve ben, burada zaman kaybediyoruz.

– Çok daha fazla zaman kaybedebilirsiniz.

Pilot, Erwan'a doğru eğildi. Fiziksel yapısı, konuşma tarzıyla uyum içindeydi: İyice tıraş edilmiş şakaklar, kare çene, sıfır ifadeye ayarlanmış yüz hatları.

– Ne demek istiyorsunuz? diye homurdandı Ferniot.

– Hiçbir şey demek istemiyorum. Siz, şu an için, bir askerin ölümüyle ilgili soruşturmada bir şüphelisiniz. Şimdi, burada, hazırlık soruşturmasının sonuçlarını beklerken sizi gözaltına almam gerekirdi. Bu durumda, konuşmamız yön değiştirmeden yerinize oturun.

Pilot bağırmak için ağzını açtı, sonra vazgeçti ve gülümsedi. Erwan adamın yeniden soğukkanlılığını kazandığını net bir şekilde görebildi.

– Çok iyi, diye kabullendi Ferniot, boyun eğerek. Sorularınızı sorun.

– Hangi resmi çerçevede bu görevi gerçekleştirdiniz?

– Pilotlar her yıl bir hava-kara kalifikasyonundan geçer. Bu aynı zamanda bir test ve alıştırmadır. Devriye grup lideri olarak kurallara bağlı kaldım.

– Olanlardan dolayı rahatsız olmuşa benzemiyorsunuz.

– Bir kez daha tekrarlıyorum: Benim bu olayda hiçbir sorumluluğum yok. Belirli bir bağlam içinde verilen emirleri uyguladım. Eğer bana verilen bilgiler gerçekle bağdaşmıyorsa bu onların götlüğüdür. Bölgenin güvenli olup olmadığını kontrol etmek için hem lövyenin arkasında hem de yerde olamam. Herkes işini yapacak.

Ferniot yüzde yüz haklıydı, ama Erwan onu tedirgin etmek istiyordu.

– Size söylenen yeri vuruyorsunuz demek.

– Tıpkı sizin gibi. Eğer başınıza buyruk hareket etmek istiyorsanız, ne orduyu seçeceksiniz ne de kamu görevini.

– Sığınağı siz mi vurdunuz, evet ya da hayır?

– Hayır. Sizinle konuşurken dinlemiyor musunuz? Her şey bilgisayarla programlanmıştır, size bunu açıkladım. Uçuş gibi, atış da. Hedef üs tarafından belirlenir, bilgisayarlar da işini yapar.

– Hedefi kim belirliyor?

– Kimse. Bir random program kurayla hedefi belirler. Bilgi son anda ekrana düşer.

– Eğer sığınakta biri olduğu fark edilseydi, operasyonu durdurabilir miydiniz?

– Elbette. Bir düğme her şeyi durdurmayı sağlar: Immediate Exit. Otomatik pilot da devreden çıkarılabilir.

– Bana sığınağı imha eden füzeden bahsedin.

– "Sığınak" demeyi bırakın. Benim hedefim bir tobruk korugandı.

– Ne tür bir füze ateşlediniz?

– Komutanlarımla konuşmadınız mı?

– Henüz konuşmadım.

– Onlardan başlamanız gerekiyor. Size hiçbir şey söyleyemem. Savunma gizliliği. Zaten bir şey bilmiyorum. Kimse de ZDİYO'nun türünü tam olarak bilmez.

– Neyin?

– Zırh delici izli yangın obüsü.

Erwan'ın anıları canlandı. Şüpheli ölümlerin meydana geldiği DOM-TOM'larda[1] birçok görevde yer almıştı. Seçkin askerlerle karşılaşmış ve onların savaş zekâları, silahlar konusundaki uzmanlıkları ile sivil hayattaki zayıflıkları arasındaki zıtlık onu şaşırtmıştı. Öldürme izni olan, birine soğukkanlılıkla işkence edebilen veya kurtulmak için bir uzvunu kesebilen bu herifler, aynı zamanda arkadaşlarının şampuan şişesine işeyerek eğleniyorlar ve saçma sapan şeylere gülüyorlardı.

Ferniot dizlerine vurdu ve yeniden ayağa kalktı.

– Tamam. Bu kadar saçmalık yeter. Zaten her şey benim uçuş raporumda yazılı. Sadece, bizim için her şeyin çok açık olduğunu söyleyebilirim. Aksi takdirde asla atış yapılmazdı.

Erwan da ayağa kalktı. Aklına bir şey gelmişti.

– Eğer biri son anda tobruk korugana gizlenirse onu algılayacak imkânlarınız var mı?

1. DOM-TOM (Départements et territoires d'outre-mer). Fransa'nın denizaşırı eyaletlerine ve topraklarına verilen ad. (ç.n.)

– Elbette. Hedef belirlendiği andan itibaren radarlar ona kilitlenir.

– Hangi radarlar?

– Sismik, termik... Çarpışma öncesi hayatımızı kurtaran, içeride hareket eden bir şey olup olmadığını, bölgede herhangi bir ısı kaynağı bulunup bulunmadığını kontrol eden radarlar.

Bu sözleri söyler söylemez yüz ifadesi değişti. Ferniot temel bir olguyu bizzat doğrulamıştı: Bu aygıtlar bir şey algılamamıştı, bu da Wissa'nın çoktan ölmüş olduğunu gösteriyordu.

Erwan karşılık vermedi. Birinci kural: Ağzından kaçırdığı bilginin önemini tanığına belli etmemek. İkinci kural: Şaşkınlığını asla belli etmemek.

– Wissa Sawiris'i tanır mıydınız?

– Hayır.

– Kaerverec'teki diğer öğrencileri?

– Tanımıyorum. Buraya hiç gelmedim. Charles-de-Gaulle'de görevliyim. Üssüm Carcassonne'da.

– Cenaze törenine katılacak mısınız?

– Herkes gibi. *Mea culpa*'mızı[2] göstereceğiz.

– Bundan pek memnun olmamış gibisiniz.

– Denizci için üzgünüm, ancak bu törenler onu hayata döndürmez. Tüm bunlar, yerdeki adamların hatası. Bu olay hiç de profesyonelce değil ve o salaklar için bedel ödemeyeceğim.

İlk kez bir duygusunu açığa vuruyordu ve bu duygu öfkeydi.

Erwan konuşmayı sonlandırmak için daha zararsız bir konuyu seçti.

– Siz de çaylak eğitimine tabi tutuldunuz mu?

– Elbette.

– Nerede?

– Salon-de-Provence'taki bir pilot eğitim merkezinde.

– Nasıl geçmişti?

Pilot istemeden de olsa güldü. Bir bilgisayar gibi, bir programdan başka bir programa geçiyordu: Kayıtsızlık, öfke, neşe...

– Şakalar. Pek kötü bir şey yoktu.

Erwan, bazı yönetimsel işlerden, imzalanacak evraktan, bilgilendirilecek üst mevkilerden söz ederek kapıya kadar Ferniot'ya eşlik etti.

Yalnız kalınca, kapattığı cep telefonunu açtı. Cavale Blanche'ın adli tabibi Michel Clemente sorgu sırasında onu aramıştı.

**2.** *Mea culpa*: Hatasını kabullenmek, pişmanlığını göstermek anlamında Latince deyim. (ç.n.)

# 18

– Siz haklıydınız, dedi doktor; sesi boğuktu. Wissa Sawiris patlamadan önce ölmüş. İncelememi derinleştirdim ve birçok ayrıntı ortaya çıktı. Öncelikle cesedin katılığı. Uzuvlardaki kırık açılarını incelerken, kurbanın patlama anında çoktan katılaşmış olduğuna kesinlikle karar verdim. Esnek bir beden, böyle bir esintinin şiddeti altında bile bu şekilde parçalanmaz. Adaya dağılmış beden parçalarının fotoğraflarını da inceledim. Yanıkların, kurum izlerinin ve metallerin parçaladığı etlerin arasında, ceset bize getirildiğinde yok olmuş kırmızımsı lekeler, kadavra morarmaları saptadım. İlkeyi bilirsiniz: Kişi öldüğünde, kan dolaşımı durur ve derinin altında lekeler oluşur.

– Yani?

– Bu fotoğraflar cumartesi öğle saatlerinde çekildi. Lekeler gözle görülecek kadar belirgin; bu, ölümden yaklaşık on iki saat sonra ortaya çıkan bir evre. Hesaplayın: Çocuk, önceki gün gece yarısı civarlarında ölmüş.

Erwan'ın aklına ilk varsayım geldi: "İnsan avı" sırasında, Tilkiler Wissa'yı sert bir şekilde hırpalamışlardı ve çocuk ölmüştü. Bu aşamada da hâlâ kasıtsız adam öldürmeden söz edilebilirdi. Bir taşın üstüne kötü bir şekilde düşme, kalp krizi vb. Saldırganlar paniklemişti. İskeleden bir Zodyak almışlar ve Sirling'e gitmişlerdi. Cesedi bir tobruk korugana saklamak iyi bir fikirdi, gömmeye gerek yoktu. Cesedin bulunması gerçekten kolay olmayacaktı. Tabii eğer bir füze ertesi gün cesedin ortaya çıkmasına neden olmasaydı.

– Başka bir şey daha var, diye devam etti, kibirli halinden eser kalmamış olan Clemente. İki tip yara belirledim. Kanamaya neden olmamış, ölümden sonra oluşmuş yaralar ve kanama yapmış yaralar. Wissa'ya işkence edilmiş ve bedenine kesikler atılmış... hayattayken.

Kaza olasılığı ortadan kalkmıştı. Erwan hemen olayın daha kötü bir yorumunu düşünmeye başladı: Tilkiler kurbanlarının üstünde şiddet uygulamışlardı.

– Size göre ölüm sebebi nedir?

– Söylemesi zor, ama tüyler ürpertici bir şiddete maruz kalmış. Kesikler, bıçak yaraları, bedende delikler.

Sonuçta, babası doğru görmüştü: Erwan tam bir durum adamıydı. En berbat cinayet itkileri dile getirildiğinde, kapının önünü süpüren o olurdu. Gayriihtiyari, çocuğun anne babasını düşündü. Onlara bu haberi kim verecekti?

– Katilin veya katillerin yöntemleri hakkında bana ne söyleyebilirsiniz?

– Şu an için hiçbir şey, ama her yarayı inceleyeceğim ve her birinin hikâyesini çıkarmaya çalışacağım. Bunu ona yapanlar gerçek birer kasapmış. Ayrıca organlardan geriye kalanlarda toksikolojik ve anatomopatolojik inceleme de başlattım. Belli olmaz.

Clemente ilk görüşmeden çok daha fazla motive olmuş gibiydi. Erwan telefonu kapatıyordu ki, beriki ekledi:

– Son bir tuhaf ayrıntı daha var. Kafasını tıraş ettiklerini düşünüyorum.

– Emin misiniz?

– Hemen hemen.

– Patlamanın veya alevlerin etkisiyle olamaz mı?

– Hayır, saç kesme makinesinin izleri görülüyor. Bu belki de ritüelin bir parçasıdır.

– Neden "ritüel"?

– Bunu öylesine söyledim.

Erwan daha ziyade bunun sıradan bir çaylak deneyimi olduğunu düşünmüştü, bilgi toplamalıydı.

– Tamam, dedi. Yeni bir şey bulursanız bana haber verirsiniz.

– Peki ya diğerleri? Ne diyeyim?

– Diğerleri?

– Ne aşamada olduğumu öğrenmek için iki saatte bir beni arayan Kaerverec'teki subaylar, ordu yetkilileri.

– Sizden ayrıntılı bir otopsi mi istediler?

– Hayır, ama onlara raporumu yollamam gerekiyor. Prosedür böyle.

– Tüm bunları kâğıda dökmeniz için size zaman lazım, bu da bize yarın sabaha kadar zaman kazandırabilir, değil mi?

– En fazla.

– Öyleyse yarın yeniden konuşuruz.

Erwan telefonu kapattı, hem kafası karışmış hem de sinirlenmişti. Ne elindeki bu önemli bilgiden nasıl yararlanacağını, ne de otopsi raporu askerlere ulaşmadan önce, bu birkaç saati nasıl kullanacağını biliyordu. Kripo'yu aradı. Odanın aranma işi tamamlanmıştı: Bir şey yoktu.

Onu Wissa konusunda bilgilendirdi. Yardımcısı herhangi bir tepki vermedi. Lavta çalanların bile, yirmi beş yıl karakolda görev yaptıktan sonra duyguları köreliyordu.

– Askerlere ne söylüyoruz?

– Şimdilik hiçbir şey. Bir şey olmamış gibi onları sorgulayacağız.

– Düşündüğün bir şey var mı?

– Wissa'nın ölümü ister bir linç, ister infaz olsun, çaylak deneyimiyle bir ilgisi yok. Başka bir sebeple ona işkence ettiler, hafta sonundaki çaylak deneyimi de delilleri karartmak için bir paravandı.

Konuşurken Rafale fotoğraflarının yanı sıra, "kanat" bröveleri takıp mezun olmuş DHPAÖ'lerin portreleriyle dekore edilmiş duvarlara doğru ilerledi. Raflarda kupalar ve kokartlar vardı.

– Eğer Archambault otopsiye katıldıysa, diye belirtti Kripo, durumdan haberdar olmuştur, değil mi?

– Onu unutmuştum, dedi Erwan. Onu arıyorsun ve ona çenesini kapalı tutmasını söylüyorsun.

– Hepsi bu mu?

Erwan mezun olmuş pilotların yüzlerine bakıyordu. Gökyüzüne yakın hayallerin gülümsemesi.

– Hayır. Verny'yle temas kur. Eziyet ederek işlenmiş, şiddet içeren cinayetlerin listesini çıkarmak için Bretanya jandarması ile adli polisinin arşivlerine baksın.

– Nedenini anlamayacaktır. Hâlâ bir tür çaylak deneyimi olduğunu düşünüyor.

– Kaçamak cevaplar ver. Fransa'nın batısındaki cezaevlerini ve akıl hastanelerini araştırsın. Serbest bırakılmış veya kaçmış bir psikopat olasılığını da göz ardı edemeyiz.

– Ya kurt adam?

– Dalga geçme. Clemente, bize pek sık karşılaşmadığımız bir rapor hazırlıyor. Artık DHPAÖ'lerin karşısında sen ve ben varız. Bize bir Sıçanlar-Tilkiler karışımı hazırla. Önce çaylaklar, sonra eskiler. Benim için hazırladıklarını, pilotu sorguladığım salonda bekliyorum.

– Pilotun sorgulamasından ne elde ettin?

– Yürüyen bir askerden daha aptal ne vardır? Uçan bir asker.

# 19

– Hepimiz saat 17.00'de asfalt pistte toplandık.
– Giyinik miydiniz?
– Hayır, külotlaydık.
– Çevrenizde kimler vardı?
– Tilkiler. Yani eski öğrenciler demek istiyorum.
– Üniformalı mıydılar?
– Siyah tulumlar giymişlerdi.
– Onları tanıdınız mı?
– Hayır. Beyaz maskeler takmışlardı.
– Bana tarif edin.
– Hiçbir yüz ifadesi olmayan maskeler, korku filmlerindeki gibi.
– O sırada size isimlerinizle mi hitap ediyorlardı?
– Asla.
– Numaralarla mı? Takma isimlerle mi?
– Küfürle. Hakaret ediyorlardı.
– Ne tür hakaretler?
– "Bok çuvalları", "götverenler", "yarak kafalılar", "ibneler..." İçlerinden biri bize sürekli "Hepiniz altınıza işeyeceksiniz! Topunuz pisliksiniz... sonunda altınıza işeyeceksiniz!" diyordu.
– Ya Tilkiler, onların takma isimleri var mıydı?
– Daha ziyade unvanları vardı. Bir ÖC, "özel cellat" vardı. Bir UM, "usta matador." Bir de KT, "kıç tekmeleyici."

Genç asker kıkırdadı. Arkadaşının ölümüne rağmen, yaşadıkları ona komik geliyor olmalıydı. Sıçan'ın üstünde kusursuz bir giysi vardı: Kısa kollu beyaz gömlek, gümüş renkli bir çapa işlenmiş siyah apoletler, tertemiz bir pantolon. Göğüs cebinin üstünde isminin ve rütbesinin yazılı olduğu bir rozet taşıyordu. *Top Gun* filminden çıkmış gibiydi.

– Pistte neler oldu?

– Gözlerimizi bantladılar ve üzerimize çürük yumurtalar, peynir, hayvan idrarı, motor yağı, dışkı attılar. Sonra bizi asfalt üstünde sürünmeye zorladılar.

– Gözleriniz bantlıyken mi?

– Evet, daima.

– Ne kadar süre?

– Söylemesi zor.

– Sonra?

– Bizi koşar adım bir hangara götürdüler.

Erwan, Verny'nin verdiği pist arazilerini gösteren haritayı açtı. Her pist boyunca binalar vardı. Hangarlardaki uçak sayısı, özelliklerinin yanı sıra modeline ve kayıt belgesine göre değişiyordu.

– Hangi hangar?

– Hiçbir fikrim yok. Gözlerimiz hâlâ bantlıydı.

– Ne zaman açtılar?

– İçeride. Ürkütücüydü. Pencereleri siyah brandalarla kapatmışlardı. Etraf meşalelerle aydınlatılmıştı. Duvarlarda grafittiler vardı. Küfürler, gamalı haçlar. Ayrıca hayvan karkasları, kazıklara geçirilmiş domuz ve koyun kafaları vardı. Koku dayanılmazdı.

Tüm bunları temizleyecek zamanları olup olmadığını sormak gereksizdi. Erwan temizlediklerinden emindi.

– Ne tür emirler verdiler?

– Önce hiçbir şey anlamadık. Aynı anda, hep bir ağızdan konuşuyorlardı. Yine şınav çekmek zorunda kaldık, ama bu kez üzerimize oturmuşlardı. Sürünürken bizi tekmeliyorlar, kafamıza pislikler döküyorlardı. Bunu da "ter dairesi" olarak adlandırıyorlardı.

*İlahi Komedya*'daki Cehennem'in dairelerine bir gönderme. Bu Tilkiler şaşırtıcı derece kültürlüydüler sanki. Erwan not almayı sürdürüyordu.

– Bu ne kadar sürdü?

– Bir fikrim yok. Saatlerimiz yoktu. Ama bize hiç bitmeyecekmiş gibi geldi.

– Kimse bu duruma isyan etmedi mi?

– Seçme şansımız yoktu. Sonunda yeniden dışarı çıktık. Mahkûmlar gibi, ellerimiz enselerimizde, dizlerimizin üstünde, içi bağırsak dolu bir havuzda yürümeye zorlandık. Sonra Bengal ateşi için bizi sıraya soktular.

– O ne?

– Ayaklarımızın dibine fişekler attılar.

– Yaralanan oldu mu?

– Hayır. Sadece toz içinde kaldık, boka bulandık.

– Sonra?

– Sonra 2. perdeye geçildi: Av dairesi.

Erwan bilgisayar ekranının bir köşesine not düştü: "Dante'yi yeniden oku."

– Kurallar neydi?

– Fundalıkta saklanmak için bize bir saat süre tanıdılar. Sonra, ellerinde *paintball* tabancalarıyla bizi aramaya başladılar...

– Saat kaçtı?

– Size söyledim, bilmiyorum. Gece olmuştu. Hepimiz koşmaya başladık. (Sırıttı.) Bir anlamda bu bizi ısıtmıştı.

– Tek başına mı koştun?

– Koşmaya başlamadan önce bizi ayırdılar.

– Sen nereye gizlendin?

– Kumsala kadar koştum ve küçük bir girinti buldum. Rüzgârdan korunmak için iki kayanın arasına gizlendim. Bir süre sonra beni buldular. Ellerinde çanlar ve futbol taraftarlarının kullandıkları kornalardan vardı. Koşmaya başladım, ama çakıl taşlı bir kumsaldı. Bileğimi burktum, düştüm, üstüme ateş ettiler. (Tertemiz gömleğinin yakasını açtı. Hâlâ boynunda ve sağ köprücükkemiğinin üstünde mavi ve kırmızı lekeler vardı.) Bu rezil boya kolay kolay çıkmıyor.

Adli tabip, Wissa'nın bedeninde bu tür bir lekeden söz etmemişti.

– Gece karanlığında yönünüzü bulmak için herhangi bir gereciniz var mıydı?

– Yoktu.

– Kıyıyı nasıl buldun?

– Rüzgâr açıklardan geliyordu, denizin sesi duyuluyordu.

– Fundalığa dağıldığınızda Wissa da sizinle miydi?

– Öncelikle evet, ama birbirimizi tanımamız çok zordu. Hepimiz bok içindeydik.

– Ya avcılar? Seni yakaladıklarında hâlâ maskeli miydiler?

– Hayır. Gece görüş dürbünleri vardı.

– Bu malzemeleri nereden bulmuş olabilirler?

– Donatım deposundan, kuşkusuz.

K76 bu aptal oyunlar için bunca gereç sağladığına göre, donanımlı askerler de Wissa'yı bu şekilde öldürmüş olabilirdi, bu da orduyu dolaysız olarak suç ortağı yapardı. Albay Vincq için iyi bir haber daha.

– Boya fırlatma dışında, seni dövdüler mi?

– Hayır. Yakalandıktan sonra, grup beni bir hangara koydu ve gün ağarana kadar orada bekledim.

– Tek başına mı?

– Hayır. Yavaş yavaş yakalanan her Sıçan'ı oraya getirdiler; bir patates çuvalı gibi hangarın içine fırlatıyorlardı.

– Sonra?

– Gün ağarınca bize kahvaltı hazırladılar.

– Kahve ve kruvasan verdiklerini sanmıyorum.

Öğrenci yeniden sırıttı. Aptallığın sürekli dışavurumu.

– Köpek kuru maması ile kedilere verilen ıslak mama. Ayrıca acı biber. Ardından ne su ne bir şey. Gırtlaklarımız yanıyordu...

– Saat kaçta Wissa'nın kaybolduğu resmiyet kazandı?

– Bir dalgalanma oldu. Tilkiler gidiyor, geliyor, yeniden gidiyorlardı. Alçak sesle konuşuyorlardı. Bir şeyler yolunda değildi. Bir kişi eksikti.

– Onu daha önce fark etmediniz mi?

– Hayır. Bitkindik.

Erwan sonrasını biliyordu. Tüm fundalıkta arama başlatılmış; önce okul yöneticilerine, ardından da jandarmaya haber verilmişti. O sırada Charles-de-Gaulle kurmay başkanlığı bir açıklama yapmıştı: Askeri uzmanlar Sirling Adası'nda birini bulmuşlardı. Paramparça olmuş halde.

Erwan yeniden ekranına baktı ve durum muhakemesi yaptı. Eğer linç varsayımı doğruysa, cinayet fundalıkta saat 22.00 ila 02.00 arasında işlenmiş olmalıydı. Sonra, eski öğrenciler denize açılmış ve cesedi Sirling'e bırakmışlardı. Sabah içtiması için geri dönmüş olsalar bile, diğer Tilkilerin bu arada onların yokluğunu fark etmesi gerekirdi. Suç ortağı mıydılar?

Erwan'ın özel bir ayrıntıya daha ihtiyacı vardı.

– Çaylak deneyimleri sırasında, içinizden bazılarının saçları tıraş edildi mi?

– Hayır.

– Bu çaylak deneyimi için ne söyleyebilirsin? diye sordu, genel bir görüş almak için.

– Pek bir şey söyleyemem; bitiremedik.

– Sonuna kadar gitmek ister miydin?

– Evet. Bu hafta sonu, hepimiz için ateşle vaftiz edilmek gibiydi.

– Ya Wissa, onu düşünüyor musun?

– Elbette. (Asker sesini alçalttı.) Ama bunun bir anlamı yok. O... onun şansı yokmuş.

– Onun ölümü hakkında sana ne söylediler?

– Bir adaya kaçtığını ve orada bir füzenin hedefi olduğunu.
– Bu sana akla yatkın geliyor mu?
– Hayır. Füze olayı çok çılgınca. Ama özellikle belirtmek isterim, Wissa korkak değildi. Hatta içimizdeki en taşaklı kişiydi.
– Söyleyeceğin başka bir şey var mı?
– Yok.
– Bundan sonra, buradaki bu yılını nasıl görüyorsun?
– Dayanmak gerekiyor. Wissa'yı daima hatırlayacağız, ama mezuniyetimiz bu üzücü olayın önüne geçmeli.
– Derslere başlamadan önce bu aptallıklara maruz kalmayı normal buluyor musun?
– Bunlar aptallık değil. Bizim iyiliğimiz için.
– Özellikle de Wissa'nın iyiliği için.
– Söylemek istediğim bu değildi...
– Ne söylemek istiyorsun o halde? diye sertçe sordu Erwan.
– İntibak, bir asker için önemlidir. Temel bir aşamadır. Bu...
– Öngörülen diğer deneyimlerin neler olduğunu biliyor musun?
– Hayır.
– Gidebilirsin.
Bir asker gibi konuşmaya başlamıştı. Çaylak asker ayağa kalktı ve montunu aldı. Kararlı adamlarla yürümeye çalışarak uzaklaştı.

# 20

Diğerleri de önemli bir şey söylemedi. İçlerinden ikisi çekingendi, üçüncüsü saldırgandı, dördüncüsü ise konuşkan değildi. Dolaşırken uyandırılmış uyurgezerler gibi hepsi şoktaydı. Eğitimlerinin başında aniden durmuşlardı, artık ne nerede olduklarını ne de kim olduklarını biliyorlardı.

İçlerinden birinin şüpheli olabileceği varsayımı geçerliliğini yitirmişti (Erwan yine de onlara denizcilik deneyimleri olup olmadığını soruyordu). Maskeleri ve hakaretleriyle cellatlara gelince, içlerinden hiçbirinin ayırt edici bir özelliği yoktu. Sürekli olarak "Sonunda altınıza işeyeceksiniz!" diye tekrarlayıp duranın dışında. Wissa konusunda, hepsi aynı fikirdeydi: Çaylak deneyimini uzun bir serinin ilk deneyimi olarak gören cesur bir çocuktu. Savaştan tat alan biri. Buna karşılık, av dairesi sırasında kimse onun hangi yöne gittiğini söyleyemiyordu.

Saat 19.00'da, Erwan son öğrenciyi de yolladı ve verandaya çıktı. Hâlâ yağmur yağıyordu, ama Bretanya ona bir sürpriz hazırlamıştı: İnce yağmurun arasında, gümüşi bir ışık avluyu doldururken, çevresi sedeflenmiş altın parıltı bir hale çatıların üstünde ışıldıyordu.

– Fena değil, ha?

Arkasına döndü: Kripo iki parmağının arasında sigara sarıyordu. Lavtacı'nın küçük yeteneği.

– Sen ne öğrendin? diye sordu Erwan.

– Pek fazla bir şey yok. Bütün herifler, ya dudaklarında gülümseme ya da gözlerinde yaşlarla aynı şeyi söylüyorlar, ama kimse ne Tilkilere ne de orduya öfkelenmiş gibi görünmüyor. Ayrıca hiçbiri bu aptallıklar ile çocuğun ölümü arasında bir bağlantı kurmaya yanaşmıyor.

Erwan da onunla hemfikirdi: Bu çocukların beyni yıkanmıştı.

– Teknisyenler geldi, dedi Kripo.

– Neredeler?

– Ge'tek Verny'nin yanında, seni bekliyor. Kriminal büro teknisyenleri Wissa'nın odasında çalışmaya başladı bile.

– Bilgisayarcıyla başlayalım, dedi Erwan, verandadan ayrılırken.

Ayakları çelik borulardan oluşan ünlü Mullca sandalyeleriyle döşenmiş bir başka sınıfa girdiler. Jandarmanın yanında, kurbağa kafalı ufak tefek bir adam duruyordu. Üzerinde rütbe şeritleri olan, yönetmeliğe uygun bir kazak giymişti, ama yüz metre öteden buram buram karşı kültür kokuyordu. Kamburu çıkmış, cılız ve kötü tıraşlıydı; yuvalarından pırtlamış gözleri, sanki çok *joint* içmiş gibi kanlanmıştı.

– Adım Branellec. (Elleri ceplerinde, daha yüksek sesle yineledi:) Bra-nel-lec! Brötoncada "koltuk değneğiyle yürüyen" anlamına geliyor.

Bu gerçekten hayra alamet değildi.

– Aldırmayın, diye sırıttı, Erwan'ın şaşkın yüz ifadesini görünce. Bilgisayarınızı kolayca hallederim.

– İçinde ne var ne yok hepsini incelemek için ne kadar zaman gerekiyor?

– Bu, içindekilere bağlı. Yirmi dört saat içinde, daha net anlarız.

– Sana on iki saat veriyorum, şu andan itibaren başladı.

Branellec bir kahkaha patlattı.

– Burada mı çalışmak zorundayım?

– Kimse üsten çıkmıyor.

– Malzemelerimi buraya getirtebilir miyim?

– Bunu Verny'yle konuş. Diğer askerlerle en ufak bir temasın olmayacak. Gece ilk raporunu bekliyorum.

Adam alaycı bir şekilde asker selamı verdi, sonra koltuğunun altına Wissa'nın bilgisayarını alarak, salonun bir köşesine yerleşti.

– Gidip kriminal büro teknisyenlerini görelim, diye emretti Erwan, Verny'ye.

Birinci kat. Yıpranmış linolyum yer döşemesinin altında kirişler gıcırdıyordu. Yağmur camları kamçılıyordu. İnsan sanki açık denizde seyrediyormuş gibi bir hisse kapılıyordu.

Wissa'nın odasında, kâğıt tulumlar giymiş, eldivenli, kapüşonlu, maskeli adamlar işbaşındaydı.

İçlerinden biri başını kaldırdı ve eşiğe doğru yaklaştı.

– Thierry Neveux, dedi, toz maskesini indirerek. Kriminal büro analisti ve ekip koordinatörüyüm.

– Ne durumdayız? diye sordu Erwan, kendini tanıttıktan sonra.

– Hiçbir yerde. Oda frigorifik bir ambardan daha soğuk. Çok zaman geçmiş. Çok insan girip çıkmış. Bana göre, oda öğrenci kantini eklentisi gibi işlev görüyormuş. Hemen her yerde esrar kalıntıları bulduk. Her akşam burada *joint* döndürülüyormuş.

– Bravo pilotlara! dedi Erwan, Verny'ye bakarak.

Verny yüzünü buruşturdu.

– Ben... Oda arkadaşını sorgularız.

Neveux donuk ses tonu, soğukkanlı yüz ifadesiyle konuşmasına devam etti:

– Organik kalıntılar için de aynı şey. Üsteki tüm öğrencilerden DNA örneği almamız gerekiyor, tabii bir de subaylar, askerler, bakım personeli var. Bunu göze alabilirim. Bir sonuç alacağınızdan emin misiniz?

– Tamamının DNA'sını istiyorum. Özel bir laboratuvarınız var mı?

– Quimper'de hızlı ve iyi çalışan adamlar var.

– Öyleyse işe koyulalım.

– Ödemeyi kim yapacak?

Soru Verny'nin ağzından kaçmıştı. Masraf pusulaları onun takıntısı olmalıydı. Erwan, 36'nın en iyi veznedarı Kripo'yu beraberinde getirmekle iyi yapmıştı.

– Sorun olmayacak.

– Bu akşam ulusal parmak izi kayıtlarına bakmaya başlayabiliriz, diye ekledi Neveux. Yarın sabah da ulusal genetik izi kayıtlarına.

Erwan bu soruşturmacılarla kendini iyi hissediyordu: Kuşkusuz jandarmaydılar, ama aynı zamanda onun gibi, katillerin izini sürmeyi biliyorlardı.

– Tam olarak ne arıyoruz?

– Bulduğumuzda öğreneceğiz.

Neveux "Siz bilmiyorsanız, ben ne yapabilirim?" dercesine baktı ve yeniden kapüşonunu başına geçirdi.

– Bir şey bulursam, "Acil durum" derim.

Koordinatörün yanından ayrıldıktan sonra karakola dönüştürdükleri odalarına geri döndüler. Kripo çoktan bilgisayarları yerleştirmiş, belgeleri yaymış, fotoğrafları duvarlara tutturmuştu. Tam ortada Wissa'nın portresi vardı; amaç, herkese bu yumuşak tenli ve çelik iradeli genç adamın, yapbozun merkezinde olduğunu hatırlatmaktı.

Verny'yle hızlı bir durum değerlendirmesi yaptılar: Jandarma, bölgede meydana gelmiş eski olaylar ve serbest bırakılmış eski mahkûmlar tarafında bir şey bulamamıştı.

– Ya akıl hastaneleri?

– Buraya kırk kilometre mesafede bir TAHÜ var.

Tehlikeli akıl hastaların yatırıldığı bu üniteler, suçlu psikiyatrik hastalara mahsus hastanelerdi: Yüzde 50 hastane, yüzde 50 hapishane, yüzde 100 tehlikeli. Erwan'ın aklına başka bir varsayım geldi: Fundalıkta, okulla hiçbir ilgisi olmayan bir katil.

– Onlarla temas kurdum, dikkat çekici bir şey yok, diye ekledi Verny.

– Hastanenin adı?

– Charcot Enstitüsü.

– Bu yönde araştırmaya devam edin.

Subay, kazağı kaşındırıyormuş gibi omuzlarını sertçe hareket ettirdi.

– Hangi yönde? Bir bölümü kaçırmış olmalıyım, çünkü son haberlere göre sığınağa saklanmış bir öğrenciyi soruş...

– Adli tabiple konuştum. Wissa füze patlamadan önce ölmüş.

– Ölmüş mü? Ama nasıl?

– Önce işkence edilmiş ve kesilmiş.

Verny bir parmağını kazağının boynundan içeri soktu. Kuşkulu gözlerle, açıklama beklercesine bir Erwan'a, bir Kripo'ya bakıyordu.

– Şimdilik bu bilgiyi kimseyle paylaşmıyoruz, demekle yetindi Erwan.

– İşkence edilmiş ve kesilmiş...

– İskeleyle ilgili yeni bir şey var mı?

– Ne? Hayır. Çevredekileri sorguladık ve rıhtımı didik didik araştırdık. Kıyı boyunca her kapıyı çaldık. Liman başkanlığıyla da temas kurduk, hiçbir şey yok.

Durgun bir sesle konuşuyordu, şaşkın bir hali vardı.

– Le Guen?

– Wissa'nın çevresini ve geçmişini araştırıyor, diye cevapladı jandarma. Birazdan daha fazlasını öğreniriz.

– Archambault?

– Dönüyor. İşkence edilmiş ve kesilmiş... Kurmay başkanlığını bilgilendirmek lazım.

– Hayır. Otopsi raporu yazılmadı. İlerleme kaydetmek için önümüzde sadece bir gece var.

– Ama... bu ne işimize yarayacak?

– Baskılardan kurtulmamıza. Ayağımın altında kimseyi istemiyorum, özellikle de öğütleri ve cafcaflı nutuklarıyla rütbelileri. Bölgede böyle bir şiddet olayıyla bağlantılı olabilecek her şeyi araştırmaya devam edin. Ve bana Sirling'e giden teknenin izini bulun.

Verny tek kelime etmeden uzaklaştı. Eşikte durdu, döndü ve büyük ihtimalle içinin rahat etmesi için asker selamıyla onları selamladı.

Erwan karşılık vermedi. Bu katılık ona ağır gelmeye başlamıştı. Çok küçük bir üs, vücuda iyice oturan üniformalar, dar kafalar... Özellikle, sabahtan beri hiç kadın görmemişti. Cinayet bürosunda bile, kesinlikle bir kuaför salonu olmamasına rağmen, dikizlenecek güzel kalçalarla karşılaşılırdı.

Saatine baktı ve Kripo'ya işaret etti.

– Tanıkları dinlemeye devam edelim.

# 21

Tilkilerden de pek fazla bir şey öğrenemedi. Hatta Erwan'ın düşündüğü gibi antipatik faşolar da değillerdi. İlk yıllarda yaşadıkları şaşkınlığa rağmen okulun, genel olarak da ordunun değerlerine dört elle sarılmışlardı. Suçluluk duygusu ya da dayanışma sebebiyle değil, öz kimliklerini korumak için orduyla bütünleşiyorlardı.

İçlerinde, genç bir adama ölünceye kadar işkence yapabilecek bir veya birkaç cellat bulmaya gelince, işte bu imkânsızdı. Erwan, bir saha polisi için klasik olan nedenleri de bir kenara bırakmıştı: Hırsızlık, ırkçı cinayet, aşk rekabeti, çarpık cinsel dürtüler... Bu duyguya neden kapıldığını henüz açıklayamasa da, bu cinayetin sırf acı çektirmeyle –ev, yani okul ruhuyla– ilgili olduğunu hissediyordu.

Öğrenebildiği tek şey, Wissa'nın ölümüyle yarıda kalmış olmasa, planlanan deneyimlerin devamının neler olduğuydu. Sadizmde ve zulümde standart yükselmeye devam ediyordu. Av dairesinden sonra (*paintball* sırasında oluşan boya lekeleri, okul yılı süresince alınacak cezalara hazırlıktı), sabah vakti deniz dairesi deneyiminin uygulanması gerekiyordu. Sırtlarına taş ağırlıklar takılmış, yosundan ve denizanasından kolyelerle "süslenmiş" Sıçanların bir kilometre boyunca yüzmek zorunda olduğu bir yarış. Erwan, DHPAÖ'leri, çıplak bir şekilde, sırtlarında taşlarla ve yakıcı salgılar yayan denizanalarıyla buz gibi soğuk suda öngörülen mesafeyi kat etmeye çalışırken gözünde canlandırıyordu.

Çaylak eğitimi öğleden sonra gizemli bir deneyimle sona erecekti: *No limit*, buna "kan dairesi" de deniyordu. İşler daha da kötüleşiyordu. Ancak bu konuda Tilkiler kararsızdı. Bazı Tilkilere göre bu isteğe bağlı bir etaptı. Bazı Tilkiler ise, bu deneyimde nereye kadar gitmek isteyeceğini bizzat DHPAÖ'nün belirlediğini söylüyordu. Erwan bunun, öğrencinin kendi sınırlarını test edeceği bir tür acı skalası olduğunu tahmin ediyordu. Tüm Tilkiler tek bir noktada hemfikirdi: Kan dairesi, dönem öğrencilerinin lideri, Bruno Gorce adındaki ÖC (özel cellat) tarafından tasarlanmış ve hazırlanmıştı. Onlara göre Gorce, son derece cesur –yani son derece katı yürekli– ve son derece otoriterdi; çevirecek olursak, son derece acımasızdı. Erwan, "Hepiniz altınıza işeyeceksiniz!" diye bağıran öfkeli kişinin o olduğunu anlamıştı. Rastlantı eseri sorgulama listesindeki son kişi oydu.

Bir polisin her zaman önyargılardan kaçınması gerekirdi, ama Gorce tam da bu işlerin adamıymış gibi görünüyordu. Diğerleri gibi aynı sağlam yapı, aynı saç tıraşı, aynı ifadesiz yüz, ancak iki palamar gibi birleşen kaşlarının altında diğerlerine göre fazladan bir parıltı vardı. Kamuflaj desenli bir örtünün serili olduğu masaya doğru yaklaştı, boynunda parlak turuncu renkte bir fular vardı. Topuklarını birbirine vurarak elini şakağına götürdü; bir sopa kadar katıydı.

– Öğrenci-Teğmen Bruno Gorce, Kaerverec 76 Deniz Havacılığı Üssü, DHPAÖ üçüncü yıl, öğrenci bürosu ve sözleşmeli subaylar derneği sorumlusu...

– Otur.

Gorce, kendisine "sen" diye hitap edilmesi karşısında yüzünü buruşturdu. İki saat boyunca gördüğü alabros tıraşlı kafalardan ve duyduğu şatafatlı fikirlerden sonra Erwan sert bir sorguya dönüşmüştü. Şef Tilki ideal bir adaydı. Sandalyeye oturdu; ayaktaymış gibi dimdik duruyordu. Bir inanç korsesi içinde sıkışıp kalmış gibiydi.

– Demek, meşhur ÖC sensin, ha?

– Ne demek istiyorsunuz?

– Özel cellat demek istiyorum. Yakışıklı baş belası demek istiyorum.

Huzursuz olan Gorce öksürür gibi cevap verdi:

– Evet, benim.

– Bana *no limit*'ten bahset.

Gorce, Erwan'a yan gözle baktı. Hiç kuşkusuz Wissa Sawiris ve onun başına gelen "kaza" hakkında daha yüzeysel bir sorgulama bekliyordu.

– Bundan söz edemem.

– Neden?

– Çünkü bu yıl *no limit* olmadı.

– Ne öngörüldüğünü bana söyleyebilirsin.

– Belirli bir kuralı yok, diye açıkladı Gorce, gergin bir sesle. Biz öneride bulunuruz, Sıçan uygular. Çıtayı onlar istediği yere koyar.

– Acı çıtası mı?

Sessizlik.

– *No limit*'in nerede yapılması gerekiyordu?

– Narval'de.

– O ne?

– Bir kruvazör enkazı, fundalığın kenarında.

– Bir dekor hazırlamış mıydınız?

– Gerek yok. Mükemmel... bir yer.

Erwan zincirlerin ve kancaların sarktığı, paslanmış bir tekne gövdesi hayal etti. Kırbaçlar, mengeneler, çivili tahtalar görüyordu... Yeniden gerçeğe dönmek için bu korku filmi hayalinden silkelendi.

– DHPAÖ'ler *no limit* için ne zaman karar veriyor?

– Deniz dairesinden sonra.

– Öğrenciler genellikle bu deneyimden başarıyla geçiyorlar mı?

Gorce'un dudaklarında bir tebessüm belirdi.

– Çoğu, evet.

– Sen de geçtin mi?

– Elbette.

– Çıta yüksek miydi?

– Çok yüksek.

– Sence Wissa aday olur muydu?

– Hiçbir fikrim yok.

– Bir çaylak, *no limit*'i kabul ettiğinde özel bir işaret taşır mı?

– Hayır.

– Kafası tıraş edilir mi?

– Hayır. Neden?

Erwan geri adım attı.

– Anladığım kadarıyla, K76'daki çaylak deneyimi Fransa'nın en sert deneyimlerinden biriymiş.

– Doğru.

– Bunu nasıl açıklıyorsun?

Gorce derin bir soluk aldı. Kelimeleri de, düşünceleri gibi göğsünden çıkıyordu – bir gün ona madalyalar takacakları yerden.

– Bir askeri okuldayız. Avcı uçakları kullanmak, kitlesel imha silahları atmak için yetiştiriliyoruz. Bizim mesleğimiz öldürmek, imha etmek ve kazanmaktır. Bu işin içinde tutsak edilmek, işkence görmek ve yenilmek de var. Şiiler tarafından rehin alındığınız veya Taliban tarafından tutsak edildiğiniz gün, "Anne" diye ağlamak için çok geçtir. Bugün DHPAÖ'ler bazı deneyimlerin üstesinden gelebilirlerse, işte o zaman sağ salim evlerine geri dönebilirler.

Makine çalışmaya başlamıştı.

– Buradaki çaylak deneyiminin sivil okullardaki intibak evresiyle hiçbir ilgisi yoktur. Bu iki gün bir tür test değerindedir. Ve intibak. Pilotlar buraya geldiklerinde çok bilgilidirler. Sadece matematik, sivil havacılık öğrenmişler, diplomalar almışlardır. Onların ayaklarının yere basması sağlanır. Yeniden doğmak için ölmek zorundadırlar. İşte sadece o zaman gerçek birer avcı pilotu olmaya hazır hale gelirler!

Gorce bir şairdi. Onun ağzında, okulun çarpık meslek anlayışı mistik, hatta şamanik bir boyut kazanıyordu.

– Esin kaynağınız ne? diye sordu Erwan, hiç düşünmeden.

DHPAÖ, "Sonunda ciddi bir şeyler konuşacağız" der gibi yavaşça başını salladı.

– Burada sadece tek bir efendi vardır: Amiral Di Greco.

Erwan ikinci kez bu subaydan bahsedildiğini işitiyordu. Gerçek ona fısıldandığının tam tersiydi. Albay Vincq, lojistik sorunlarla ilgilenen sıradan bir adamdı. Asıl komutan ortalıklarda görünmeyen, birkaç kilometre açıkta seyreden Charles de Gaulle uçak gemisindeki demiurgostu.[1]

– O halde bu rezilliklerinizi Di Greco mu örtbas ediyor?

– Ne söylediğinize dikkat edin!

– Yeni gelenlere işkence yapılması ve aşağılanması konusunda sizinle hemfikir mi?

– Hiçbir şey anlamamışsınız.

– Hiçbir şey anlamayan sensin. Küçük asker fikirlerinle mastürbasyon yapıyorsun, ama bu kez bir insan öldü.

– Bunu biliyorum tabii, ama Wissa'nın ölümünün bizim hafta sonumuzla bir ilgisi yok.

– Bu konuda ne biliyorsun?

– Wissa kaçtı. Vuruldu. Bu, savaşın kuralı. Pilot olmaya layık değilmiş.

Bu resmi açıklama Erwan'a tamamen modası geçmiş gibi görünüyordu, ama Gorce şüphesiz bunu düşünebilecek kadar kötü yürekli biriydi. Özellikle de çocuğun infazına karıştıysa.

– Tanık ifadelerine göre, Wissa'nın profili hiç de öyle değil.

**1.** Platon felsefesinde evreni yaratan, yaratıcı tanrı. (ç.n.)

– Hangi tanık ifadeleri? Cepheye gitmeden önce kimse meslektaşının cesaretini değerlendiremez.

İlk kez Erwan onunla aynı fikirdeydi. Yine de içinden onun bu düşüncesine karşı çıkmak geldi – sırf yüz ifadesini görmek için. Ancak Wissa'nın kaybolmasıyla ilgili ayrıntıları konuşmayı tercih etti:

– Bana av dairesinden bahset. Beş avcı grubu vardı. Sen hangisine komuta ediyordun?

– 2 numaraya.

– Gece boyunca önemli bir şey oldu mu?

– Olmadı. Sıçanlar genellikle hep aynı yerlere saklanırlar.

– Herhangi bir grup birkaç saat boyunca ortadan kayboldu mu?

– Bu sorular da ne demek oluyor?

– Cevap ver.

– Hayır. Her ekip gece boyunca düzenli aralıklarla bir veya iki Sıçan'ı yakalayıp geri getirdi.

Erwan ara vermeden, cepheden saldırıya geçti.

– Denizcilik deneyimin var mı?

Gorce birden ayağa fırladı. Erwan sandalyesinde geri çekildi.

– Wissa'yı tekneyle benim götürdüğümden mi şüpheleniyorsunuz?

– Yerine otur ve soruma cevap ver, dedi Erwan; yeniden soğukkanlılığını kazanmıştı.

– Her türlü tekne ehliyetim var. Vendée'de doğdum, altı yaşından beri de denizdeyim. Ünlü yelkenlilerde kaptanlık yaptım ve sayısız yarış kazandım.

Erwan bilgisayarına birkaç kelime yazdı. Sessizliğin uzamasına müsaade etti.

– Siz ne düşünüyorsunuz? diye patladı beriki.

– O gece, sen ve adamların vaktinden önce küçük bir *no limit* uygulamak için Wissa'yı yakalamış olabilirsiniz.

– Saçmalık.

– Ölene kadar ona işkence etmiş olabilirsiniz.

– Saçmalık! Wissa tobruk koruganda öldü.

– Cesedi tekneye koymuş ve diğerleri güvenliğinizi sağlarken onu getirip adaya bırakmış olabilirsiniz.

Gorce yeniden ayağa kalktı ve bağırdı:

– SAÇMALIK!

Erwan bir kez daha gayriihtiyari geri çekildi. Tilki, şiddetli ve tehlikeli bir öfke yayıyordu. Başkomiser kararlı ses tonunu korumaya çalıştı ve doğrudan yüzüne bakmayı yeğledi.

– Artık Wissa'nın, füze isabet ettiği sırada ölü olduğunu biliyoruz. İşkence gördüğünü ve kesildiğini biliyoruz. Saçları şüphesiz daha çok aşağılamak için kazındı. Bu cehennem azabı gecenin bir bölümünde devam etti. Kuşkusuz çektiği acılardan dolayı da öldü.

Öğrenci-teğmen, Erwan'ın üstüne doğru eğilmiş halde, artık hiç kımıldamadan duruyordu. Alnında boncuk boncuk ter birikmişti. Çenesi titriyordu. Polis onun yakıcı ve hafif mentollü nefesini hissediyordu. Eğer bu herif şaşırmış numarası yapıyorsa, oldukça ikna ediciydi.

– Bu konuda bana söyleyecek bir şeyin yok mu? diye sordu Erwan, yumruk yeme riskini göze alarak.

– Canın cehenneme!

Gorce var gücüyle kapıyı çarparak odadan çıktı. Erwan zıvanalarında titreyen kapıya baktı. Odanın içinde tanıdık bir başka gürültü daha yankılanıyordu: Dişlerinin gıcırtısı. Sinirsel tiklerinden biri. Hatta geceleri bir diş ateli bile takmak zorundaydı.

Odanın köşesindeki eviyeyi fark edince, ayağa kalktı ve başını soğuk suyun altına soktu. Musluğu kapatınca, yeniden başlamış olan sağanağın sesini duydu. Camların tıkırtısı geceyi ete kemiğe büründürüyordu.

Cep telefonunu çıkardı ve Verny'nin numarasını çevirdi.

– Benim için Charles-de-Gaulle'e bir ziyaret ayarlayabilir misiniz?

– Füze atışının sorumlularıyla mı görüşmek istiyorsunuz?

– Füze atışı umurumda değil. Amiral Di Greco'yu sorgulamak istiyorum.

# 22

Kırmızı kadife koltuklar ve altın parıltılı tavan. Çok beyaz bir ışık yayan devasa bir avizenin tam altında duran Grégoire Morvan, Dışişleri Bakanlığı'nın salonlarından birinde sabırla bekliyordu. Hollande hükümetinin Devlet Bakanı Éric Deplezains tarafından saat 18.00'de acil olarak çağrılmıştı.

Önce bu davetin Jean-Philippe Marot'nun intiharıyla ilgili olduğunu sanıp korkmuştu, ama Deplezains'in o olayla bir alakası yoktu – Quai d'Orsay, İçişleri Bakanlığı'na uzaktı. Zaten Grégoire Morvan'ı bu ölümle ilişkilendirmek için de hiçbir neden yoktu; ayrıca mükemmel bir temizlik de yapılmıştı. Deplezains, Morvan'ın uzmanlık alanı olan Afrika'yla ilgili bir meseleyi ona danışmak istiyordu.

Her halükârda, aciliyet hiç acele etmemekti.

İşte yarım saati aşkın bir süredir, burada kazık gibi dikilmiş bekliyordu. Odacılara bağırıp çağırabilirdi, ancak bu zevki Deplezains'e tattırmak istemiyordu. Bu çocuğu, Lambertist[1] olduğu dönemde, bir faşonun kafasını demir çubuklarla kırarken tanımıştı. Daha sonra burjuvalaştığına ve FÖUYS'nin (Fransız Öğrencileri Ulusal Yardım Sandığı) ileri gelenlerinden biri olduğuna tanık olmuştu. Skandal patladığında –sosyalistler, öğrenci aidatlarıyla Hint racaları gibi yaşıyorlardı– olayı örtbas etmiş ve bu dolandırıcılar çetesinin kıçını kurtarmıştı.

Deplezains onu bekleterek, bugün artık iplerin elinde olduğunu gösteriyordu. Önemi yoktu, zaten Morvan'ın da onun jöleli saçlarını yeniden görmek için acele ettiği söylenemezdi – ekibindekiler Deplezains'e "Cilalı Salak" lakabını takmışlardı.

1. Lambertist akım: Pierre Boussel, namı diğer Pierre Lambert tarafından IV. Enternasyonal'de tanıtılan Troçkist akım. (ç.n.)

Morvan sabırla beklerken, not defterini karıştırıyordu. Bir kitap projesi için notlar, tarihteki en saçma ve en haksız ölümleri listeleyen bir tür envanter. "İddialı program" demişti bir zamanlar De Gaulle. Beş dakikadan beri Morvan aklına gelen bir şeyi not ediyor ya da daha önce yazdığı sayfalara göz atıyordu. Bu, onun için yazgının hiçliğini değerlendirme biçimiydi.

Kasım 1918'de, Guillaume Apollinaire'in cenaze töreni sırasında, insanlar tabut geçerken "Guillaume'a[2] ölüm!" diye bağırıyordu. Aslında kastettikleri, aynı gün tahttan feragat eden Alman İmparatoru II. Wilhelm'di. 1958: Ruben Um Nyobe, Kamerunlu devrimci lider, cangıldaki uzun bir kovalamacadan sonra Fransız askerleri tarafından öldürülmüş ve yüzü parçalanmıştı. Cesedinin yanında ise sadece küçük bir evrak çantası bulunmuş ve içinden hayallerini yazdığı bir not defteri çıkmıştı... Morvan, Sex Pistols'un basçısı Sid Vicious'un hikâyesini de seviyordu: Nişanlısını öldürdüğünden şüphe edilen Sid, New York'ta, yirmi bir yaşındayken aşırı dozdan ölmüştü. Efsaneye göre, küllerini almaya Heathrow'a gelen annesi oldukça sarhoştu ve içinde küllerin bulunduğu kavanozu havalimanındaki bir barda düşürmüştü. *Punk*'tan geriye kalanlar çamaşır suyu ve paspasla yok olup gitmişti. *Such a life, such a death...*[3] Başka örnekler de vardı: Gandhi'yi öldüren kurşun, yakma töreninden sonra küllerinin arasında bulunmuştu; tüm yaşamı boyunca partisyonlarını özenle saklamış olan XVIII. yüzyıl opera bestecisi Rinaldo da Capua ölünce, partisyonları oğlu tarafından hurda kâğıt olarak satılmıştı; Einstein'ın beyni otopsiyi yapan doktor tarafından çalınmıştı veya morg asistanının elinden kayan Walt Whitman'ın beyni yere düşüp parçalanmış ve sonu çöp kutusu olmuştu.

Morvan defterini kapattı ve tavanı incelemeye başladı: Yaldızlı süslemeler, silmeler, akademik resimler. Grev hakkının kazanılmasından ve demokrasiye geçilmesinden iki yüz yıl sonra, pek bir şey değişmemişti: Abartılı kraliyet şatafatı. Başkanlık sarayının şatafatına sövüp sayan ve bir kez seçildikten sonra cumhuriyet muhafızlarının şeref kıtası toplanmadan uçağa binemeyen Tonton gibi.

Mitterrand'ı anımsayınca, aklına, geçmişini eşeleyip ortaya çıkarmak isteyen Marot geldi. Tam olarak ne bulmuştu? Bu, ölmeye değer miydi? Bir kez daha, kendi yaşamından bir başka kesi-

**2.** Fransızcada Guillaume, Almancada Wilhelm. (ç.n.)

**3.** "Nasıl yaşarsan öyle ölürsün" anlamında İngilizce deyim. (ç.n.)

ti düşünmeye başladı. Sefih gençlik dönemi ve Afrika başarılarından sonraki kesiti.

Fransa'ya dönünce, Morvan tanınmış bir polis ve etkili bir gizli ajan haline gelmişti. Bu iki iş birbiriyle bağdaşmaz değildi. Tam tersine. Çoğunlukla, izlerini silmek için en uygun yerdeydi.

Giscard döneminde iyi hizmet vermişti. Afrikalı bir başkanın karısıyla yatma küstahlığında bulunmuş Var'lı bir mimarı ortadan kaldırmıştı. Bokassa elmaslarıyla ilgili skandalı örtbas etmiş ya da en azından, herkes tarafından öğrenilmesini engellemişti. Gerçi olay Giscard'ın yedi yıllığına ikinci kez başkan seçilememesine mal olmuştu, ama esas konunun –Fransa'nın Orta Afrika'daki gerçek suiistimallerinin– ortaya çıkmasının önü alınmıştı.

Mitterrand iktidara geçince, Morvan, kimsenin Quai Branly'yi[4] ve başkanın gayrimeşru kızını araştırmayacağından emin olmuştu. 1985 yılında, Savunma Bakanı Charles Hernu'yü *Rainbow Warrior*[5] fiyaskosunun sorumluluğunu üstlenmeye "ikna etmişti." 1994 yılında, Grossouvre'un[6] intiharından sonra metresinin eşyalarını toplamasına yardım etmek için hızla onun evine gitmişti. Ayrıca Elysée'deki tüm dinlemeleri organize etmişti – ve Tanrı biliyordu, her şey Tonton'un bilgisi dahilinde yapılmıştı... Yedişer yıllık iki başkanlık döneminin sonunda, anahtarları Chirac'a teslim etmeden önce bütün belgeleri, dosyaları ve casusluk faaliyetlerini imha etmek için iki devasa çöp yakma makinesi kiralamak gerekmişti. Morvan gökyüzüne yükselen dumanlara, yeni papanın seçildiğini ilan eden Vatikan'daki dumanları düşünerek bakmıştı. Bu da biraz aynı ilkeye dayanıyordu, ancak ruhu farklıydı...

Chirac döneminde de işine devam etmişti. Méry[7] kasetini "kaybetmek"le görevlendirilmiş ve basının sadece kasetin ortadan yok olmasından bahsetmesini başarmıştı: Kaset nereye gitti? Onu kim yok etti? Kasette yer alan, Cumhuriyetçi Birlik Partisi'nin (CBP) mali kaynaklarıyla ilgili önemli açıklamalar unutulmuştu. Onu delil karartma olayından dolayı kutlayan

**4.** Mitterrand'ın yirmi yıl boyunca metresiyle birlikte oturduğu evin bulunduğu cadde. (ç.n.)

**5.** Greenpeace örgütünün Fransa'nın nükleer denemelerini protesto etmek için yola çıkan gemisi, 1985 yılında Fransız gizli servisi tarafından batırıldı. (ç.n.)

**6.** Mitterrand'ın 1994 yılında Elysée Sarayı'nın batı kanadındaki ofisinde intihar eden danışmanı. Öldürüldüğüne dair iddialar da vardır. (ç.n.)

**7.** Fransa Cumhurbaşkanı Jacques Chirac'ın Paris belediye başkanlığı sırasında kurucusu olduğu Cumhuriyetçi Birlik Partisi (CBP) hesabına rüşvet aldığı ve rüşvet alabilmek için belediyelere hileli ihaleler yaptırdığı yolunda iddialarda bulunan CBP'nin eski merkez kurul üyesi Jean-Claude Méry'nin kayda aldığı videokaset. (ç.n.)

Chirac'a, Molière'in *Cimri*'sini taklit ederek yanıt vermişti Morvan: "Kasetim! Kasetimi kim çaldı?" Başkan bir kahkaha atmıştı.

Başka olaylar da vardı – çok daha kanlı olan. Bastırdığı karışıklıkları, temizlediği pislikleri saymıyordu bile. En güzel zaferleri, kimsenin asla duymadığı zaferlerdi.

Morvan daima dürüst kalmıştı. Oy kullanmıyordu; ne resmi bir himayeyi ne de siyasi bir görev için bir partinin tek kuruşunu kabul etmişti. Model olarak kabul ettiği Jacques Foccart gibi, o da sadece polis maaşını alarak ve Afrika'daki işlerden kazandığı paralarla bağımsızlığını korumuştu.

Ancak bir konuda başarısız olmuştu: Soğukkanlı ve kayıtsız olmak, tam anlamıyla tarafsızlığını korumak istemişti; oysa öfke ve kin duyguları içinde yaşıyordu. Bu 68 yılında başlamış ve asla dinmemişti. Onu harekete geçiren şey, ne yurtseverlik ne de görev değişikliğiydi, sadece aşırı öfkeydi.

Yüksek devlet görevlilerinden, teknokratlardan, beyaz yakalılardan tiksiniyordu. Tarihin, kitaplarda başlık olmadan önce kanlı çatışmalar, sokak savaşları, ayak oyunları olduğunu unutmuş olan tüm bu adamlardan.

Gruplardan, cephelerden, derneklerden tiksiniyordu. Biri olmak için birçok olmaya ihtiyaç duyan bu topluluklardan. Siyasi partiler, masonlar, ırkçılar, ırkçılık karşıtları, sendikalılar, lobiciler, yargıçlar, polisler, askerler, elbette Yahudiler, Katolikler, Müslümanlar ve ibneler... Al birini, vur ötekine.

Mirasyedilere –bulundukları yere gelmek için hiçbir çaba sarf etmemiş olanlar– ve çok hızlı yükselmiş, çok güçlenmiş sonradan görmelere de tahammül edemiyordu. Asla hiçbir yere gitmeyenleri ve aptalca bir yaşam sürenleri de unutmamak gerekiyordu: Dalkavuklar, kaçaklar, her türden kıç yalayıcılar.

Ama hepsinden daha fazla, gazetecilerden tiksiniyordu. Onlar diğerlerinden çok daha kötüydü, çünkü hiçbir sorumluluk almıyorlardı. Siyasi hataları gösteriyorlar, ama asla karar almıyorlardı. Çürümüşlükleri, yolsuzlukları işaret ediyorlar, ama bir masraf pusulası için analarını bile satabiliyorlardı. Partilerine ihanet edenleri ihbar ediyorlar, ama her sabah kendileri de değersiz gazetelerinin birinci sayfalarında fikir değiştiriyorlardı. Televizyon yorumcularının ona yaklaşmaması gerekiyordu ve onlar da bunu biliyorlardı. Bazen onu araştırmaya kalkışanlar veya çamurun içine çekmeye çalışanlar olmuştu. Daha güçlüleri –iletişim danışmanları– onun kellesini almaya bile kalkışmışlardı. Saf çocuklar. Lobicilik faaliyetinde, etkileyicilik ve linç konusunda, usta olan oydu.

Özellikle beden yapısından dolayı ondan korkuyorlardı. Kolu uzun değildi; yumruğu sertti. Ya vergi denetiminden geçecekler ya da bir gözlerini veya bacaklarını kaybedeceklerdi.

Bugün artık ne ona saldırmanın ne de onu tehdit etmenin gereği vardı. Çağın kendisi bile onu eski ve yararsız bir teksir makinesi gibi fırlatıp atmıştı. Asabiyeti ve kabalığı nedeniyle miadı dolmuştu. De Gaulle'ün suikast girişimlerinden kurtulduğu ve Pompidou'nun cebinde, karısının âlemlere katıldığına onu inandırmak isteyenlerin listesini sakladığı çok daha çetin, çok daha cesaret isteyen bir dönemin evladıydı. Dişlerin sıkılı olduğu, baştan savma yöntemlerin uygulandığı, şiddetli çatışmaların yaşandığı zamanlardı. Artık başkanlar beyazpeynir yiyorlar[8] ve en basit bir şey için bile kabinelerini topluyorlardı.

– Bay Morvan?

Fraklı ve takma yakalı bir odacı tam karşısında duruyordu.

– Sayın devlet bakanı sizi kabul edecek.

Brokar koltuğundan zorlukla kalktı. Şenlik yeniden başlıyordu.

**8.** Yazar Fransa'da revaçta olan beyazpeynir yiyerek uygulanan zayıflama yöntemine atıfta bulunuyor. (ç.n.)

# 23

Éric Deplezains hem ince hem de yağlı biriydi.

Ona bakmak oldukça tuhaftı.

Uzun boylu, dal gibi ince bir adamdı, aynı zamanda şarküterilerdeki üstü ince bir jöle tabakasıyla kaplı soğuk etlere benziyordu. Düzgün, daima bronz bir yüz, yüksek bir alın ve iyice jölelenip arkaya doğru yatırılmış saçlar – yine yağ. Mahkeme duvarı gibi bir surat.

– Grégoire! dedi, kollarını açarak. Kardeşim, akıl hocam!

Yaşlı polis, başını sallayarak bu övgüyü kabul etti, ancak kucaklaşmaktan kaçındı.

– Otursana. Burada evindesin.

– Kafa ütüleme. Ne istiyorsun?

Deplezains hemen cevap vermedi. Ayakta duruyordu; gülümsemesi, portmantodaki eski bir giysi gibi dudaklarına asılı kalmıştı. Morvan koltuğa yerleşti ve göz ucuyla onu inceledi. Asla kruvaze ceket giymediği için kendini kutladı: Ev sahibi, Hugo Boss takım elbisesinin içinde dev bir origamiyi andırıyordu.

Sonunda devlet bakanı oturdu. Dirseklerini çalışma masasına dayadı ve ellerini kilise çatısı biçiminde birleştirdi – kendine daha otoriter bir hava katmak için bu hareketi aynanın önünde çalışmış olmalıydı.

– Seninle Coltano'yu konuşmak istiyordum.

– Ne, Coltano mu?

– Ajanlarım bana müdürünün evinde öldürülmüş olduğunu söylediler.

Morvan alaycı bir ıslık çaldı.

– Artık ajanların mı var?

– Dalga geçme. Öldürüldü mü, öldürülmedi mi?

– Zenci hikâyeleri. Bu konuda bilgim yok.
– Cenaze törenine gittin.
– Sadece gittim, çünkü Coltano benim evim.
– Yamyamlıktan söz ediliyor.
– Zenci hikâyeleri, sana söyledim. Nseko'nun çok düşmanı vardı. İşin içinden çıkmamız imkânsız, bir işe de yaramaz.
– Bunun madenlerle bir alakası yok mu?
– Madenleri ben işletiyorum. Nseko'nun yeri doldurulacak, hepsi bu.
– Kim tarafından?
– Öncelik General Mumbanza'da.

Deplezains gösterişli ahşap bir kutuyu açtı ve içinden bir puro aldı. FÖUYS'deki saltanatından kalma sonradan görme davranışlar.
– Onu tanıyor musun?
– Çok iyi.
– Güvenilir biri mi? diye sordu devlet bakanı, elinde çift ağızlı bir puro makası vardı.
– Diğerleri gibi, para ödendiği sürece...

Bakan, sandalye bacağı kalınlığındaki purosunun ucunu sert bir hareketle kesti.
– Öyleyse istikrarlı durum devam edecek?
– Kimse Kongo'nun geleceği üstüne bahse girmesin.
– Başkan bu konuda sıkıntı istemiyor. Daha önce buna benzer sıkıntılar yaşadık.
– Beni şaşırtıyorsun, diye gülümsedi Morvan.

Deplezains, kutusundan çıkardığı uzun bir kibriti kutunun şeridine sürttü, sonra büyük duman bulutları oluşturarak purosunu yaktı.
– Senin de bildiğin gibi, dedi birkaç saniye sonra, devlet Coltano'ya yatırım yaptı...
– Deplezains, bana şirketimden söz ediyorsun, onu borsaya sokan benim. Hisselerini size satan benim!
– Artık en ufak bir entrikaya bulaşmak istemiyoruz. Fransa Afrikası, artık bitti.
– Öyleyse bilyelerinizi alın ve çekip gidin.

Coltano, cep telefonlarında ve diğer elektronik cihazlarda kullanılan bir cevher olan koltan madeni çıkarıyordu. Bu işkolunda Fransa'nın faaliyet göstermesi ne siyasi bir seçim ne de ekonomik bir tercihti. Sadece fiziksel ve coğrafi bir zorunluluktu.
– Senin Mumbanza'nın saçmalamayacağını ve Tutsilerle işbirliği yapacağını bana garanti edebilir misin? diye ısrar etti Deple-

zains, bir buhar makinesi gibi dumanlar salarak. Hiçbir durumda Kivu Savaşı'nı finanse ettiğimiz sanılsın istemeyiz.

Jöleli, Dışişleri'nden boşuna uzaklaştırılmamıştı; hiçbir şey bilmiyordu. Demokratik Kongo Cumhuriyeti'nin doğusu karmakarışıktı: Düzenli ordu, Tutsiler, Hutular ve isyancı milisler arasında sonu gelmeyecek bir savaş sürüyordu. Savaşan gruplar bölgedeki yeraltı kaynaklarını işleterek kendilerine finansman sağlıyorlardı, ancak Kolwezi ile Upemba Gölü arasında yer alan Coltano madenleri savaş bölgesinde değildi.

– Bir haritaya bak. Kivu ile Katanga arasında bin kilometreden fazla bir mesafe var. Sana, durum kontrol altında diyorum.

– Çok iyi, çok iyi, diye mırıldandı beriki, purosunu körüklemeye devam ederek.

Morvan onun mimiklerini inceliyordu. Özel olarak Deplezains'e, genel olarak da Lambertistlere, diğer partilere sızarak ve onları doktrinleriyle etkilemeye çalışarak doğrudan çatışmaktan kaçınan bu Troçkist akıma tahammül edemiyordu. Yaptıkları işe "sızma" deniyordu. Morvan, bu akım için kullanılan ve hepsi oğlancılıkla alakalı olan başka isimler de biliyordu.

– Beni buraya çağırmanın gerçek sebebini söyler misin?

– Tekrar ediyorum: Hükümetimizin etik kuralları var, senin entrikalarını örtbas etmemiz söz konusu olamaz.

– Hangi entrikalar?

– Eğer silahlı gruplarla veya kokuşmuş alçaklarla işbirliği yaptığını öğrenirsek seni korumayız.

– Sizi koruyan benim, budala!

Deplezains purosunu ona doğru uzattı.

– Senin sorunun, Grégoire, kendini yasaların üstünde görmen.

Morvan birden ayağa kalktı ve masanın çevresini dolandı. Devlet bakanı tekerlekli koltuğunda geriledi.

– Senin biraz hafızanı tazeleyeyim, pislik herif! Assas Sokağı'nda birinin kafasını kırdığınızda sizi hapisten kim kurtardı? FÖUYS'yi, kasanın anahtarlarıyla birlikte size kim verdi, kazlar gibi yağ bağlamanıza kim müsaade etti? Her şey ortaya çıkınca da senin, Cambadélis'in[1] ve DSK'nin[2] kıçını kim temizledi?

Bakan titreyerek koltuğunda büzülmüştü. Purosu elinden kaydı, ceketinin üstünden yuvarlandı ve perdenin yanındaki parkelerin üstüne kondu.

**1.** Jean-Christophe Cambadélis: Fransız siyasetçi. (ç.n.)

**2.** Dominique Strauss-Kahn: Fransız siyasetçi. Fransa'da DSK baş harfleriyle belirtilir. (ç.n.)

– Kahretsin... Yangın çıkacak.

Morvan, puroyu topuğuyla ezdi ve adamın oturduğu koltuğun kolçaklarını sıkıca tuttu.

– Eğer bugün burada oturuyorsan, bunu bana borçlusun, götveren Troçkist.

– Sakin ol kahrolası, dedi beriki, kravatını düzeltirken. Ben... ben seni uyarmak istemiştim, hepsi bu.

Grégoire odanın içinde ağır adımlarla yürümeye başladı. Charvet gömleği içinde bir sığır gibi soluyordu.

– Tam olarak neye karşı beni uyarmak istedin? Bunun amacı ne bir Zenci'nin yerini alacak başka bir Zenci konusunda içini rahatlatmak olabilir, ne de bana küçük bir ahlak dersi vermek. Ağzındaki baklayı çıkar!

Deplezains pencereyi aralamak için ayağa kalktı. Puro kokusu bir anda dayanılmaz bir hal almıştı.

– Senin de bildiğin gibi, egemen varlık fonları olarak mahrem borsa verilerine girebiliyoruz... Daha kesin bir şekilde hisse senedi hareketlerine erişebiliyoruz...

– Sadede gel.

– Coltano'da tuhaf hareketler tespit ettik.

Morvan ne diyeceğini bilemedi. Pazarda en ufak bir kıpırdanma olsa Loïc onu uyarırdı.

– Nseko'nun ölümü ani sıçramalara neden olmuş olabilir, dedi.

– Sözünü ettiğim hareketler basit dalgalanmalar değil. Planlanmış gibi.

– Yani?

– Elimizde henüz ne isimler ne de miktarlar var, ama önemli derecede toplu alımlar yapılmışa benziyor.

– Halka arz gibi mi... demek istiyorsun?

– Korkulan bu, evet.

Morvan koltuğu tuttu ve bir hamlede oturdu.

– Bu çok saçma, diye fısıldadı.

Hamlaşıyordu. Onu her daim güçlü kılan şeyi kaybediyordu – dikkatini.

– Hepsi bu değil. Rayiç yükseldi. Pozisyonlar değişti. Sen de benim kadar biliyorsun ki sizin Aşil topuğunuz, dağınık hissedarlarınız. Bir başka grup koltan üstündeki hâkimiyeti ele geçirmek isteyebilir. Ya da bir başka ülke. Tehdit içeriden de gelebilir: Senin tabirinle söylüyorum, senin "Zenciler" bizimle ters düşebilirler.

Morvan yutkundu. Deplezains haklı olabilirdi. Hiç göz önünde bulundurmadığı bir zeminde –borsada– bir şeyler hazırlanıyordu.

– İşte sana söylemek istediğim şey bu, dedi Deplezains, sesini sertleştirerek. Eğer Coltano el değiştirirse, ondan vazgeçeceğiz. Çinlilerle veya yamyam katillerle işbirliği söz konusu olamaz.

– Koltanı nereden bulacaksınız?

– Avustralya'dan, Venezuela'dan.

– Çok pahalıya gelir.

– Çok daha sağlıklı olur. Eğer sağlıklı sıçmak istiyorsan bedelini ödemelisin.

Morvan yavaş yavaş ayağa kalktı.

– Bu konuyu araştıracağım.

– Tamam. Beni de bilgilendir.

Morvan geri geri giderek odadan çıktı. Dışarı çıkınca teri bir anda dondu. Jöle haline gelmiş sığır, şimdi oydu.

Şoförü Maréchal-Gallieni Caddesi'nin köşesinde onu bekliyordu. Ona biraz yürümek istediğini belirten bir işaret yaptı, rıhtımı geçti ve Seine'in tam karşısında durdu.

Aldığı her sert darbede Paris orada olmuştu. Gerçekten güvenebileceği tek varlıktı. Korkuluk duvarına dirseklerini dayadı. Coltano'da pozisyon olarak hep azınlık hisselere sahip olmuştu: Hisselerin sadece yüzde 16'sı onundu. Bu yapı içinde Kongo hükümetini temsil eden generaller her an başkalarıyla ittifak yapabilir ve başka bir dönemin, Mobutu ve diktatörlük döneminin somut örneği olan Morvan'ı kovabilirlerdi.

En kötü ihtimalle, her şeyi satabilir ve dinlenmek için kırsala çekilebilirdi. Onu endişelendiren bu değildi. Sonuçta Nseko'nun ölmeden önce konuşup konuşmadığını düşünüyordu. Yeni yatakların bulunduğu bilgisi bu hisse alımlarını açıklayabilirdi. Eğer öyle değilse, hisse senedi fiyatlarındaki bu yükseliş baruta ateşle yaklaşmak gibiydi. Coltano'nun neden bu kadar ilgi gördüğünü düşünmeliydi. Morvan gizli projesine elveda diyebilirdi.

Cep telefonunu çıkardı ve Loïc'in numarasını tuşladı. Öfkesini birine kusmalıydı.

# 24

Dauphin SA 365N'de (herkesin nedense Pedro diye adlandırdığı helikopterde), Le Guen'in yanına oturmuş olan Erwan'ın kafası klişelerle, mitlerle ve Dantevari çağrışımlarla doluydu. Gecenin karanlığında suyun yüzeyinde duran Charles-de-Gaulle'ü ışıklarla donanmış yüzen bir şehir –bir Arap emirliğinin, karanlığın içinde tüm ışıkları parıldayan fütürist bir şehri– olarak hayal ediyordu.

Beklerken, soruşturmanın bir bilançosunu çıkarmıştı. Çabuk sonuca ulaşılmıştı. Tekneden hiçbir şey elde edilememişti. Tanık yoktu, kaybolan bir tekne yoktu. Ne yapacaklarını bilen jandarmalar, okulun Zodyaklarındaki benzin miktarlarını kontrol etmiş ve bunları benzin tüketim kayıtlarıyla karşılaştırmışlardı; herhangi bir tutarsızlık yoktu. Hiçbir ETRACO, cuma gecesinden cumartesiye kadar denize açılmamıştı.

Wissa'nın kişisel eşyalarından ve giysilerinden bir şey elde edilememişti. Mans'daki arkadaşları ve öğretmenlerinin de söyleyecek bir şeyi yoktu. Kıpti; inançlı, ılımlı ve bekârdı. Herhangi bir kötü alışkanlığı, hiçbir gizlisi saklısı yoktu. Var gücüyle deniz havacılığı okulu sınavını kazanmaya çalışmış ve bunu başarmıştı. Ekleyecek başka bir şey yoktu. Not edilecek tek şey, denizcilik deneyimi olmamasıydı. Gecenin karanlığında Sirling'e kadar tekneyle gidemezdi. Uzmanlara göre, bunun için küçük su geçitlerini izlemeyi, denizci haritası okumayı bilmek, bölgedeki resifleri tanımak gerekiyordu.

Dönüp dolaşıp hep aynı varsayıma ulaşılıyordu: Vahşice linç, panikleyen cellatlar, cesedin tekneyle taşınması... Ama hangi tekneyle?

Odadaki parmak izlerinin, sadece birinci sınıf öğrencilerine ait olduğu saptanmıştı. Oda arkadaşı itiraf etmişti: O, Kaerverec'in gerçekten de cigaralık kralıydı. Organik kalıntılara gelince, sonuçlar henüz bilgisayara düşmemişti, ama Erwan'ın bu konuda hiç umudu yoktu.

Telefon kayıtlarının incelenmesi devam ediyordu – cuma sabahından pazar akşamına kadar okuldaki tüm askerlerin yaptığı çağrılar, ayrıca bölgedeki baz istasyonlarının listeleri. İncelenecek kayıtlar en aza indirilmişti: Brötonlar telefona fazla düşkün değil gibiydi ve Kaerverec'te çaylak deneyimi sırasında hiç kuşkusuz cep telefonları yasaklanmıştı.

Her öğrenci için bir dosya da hazırlanmıştı. Tüm pilotlar aynı profile sahipti ve K76'nın köklü seçimi geçerliydi. Erwan gizlice, Kripo'dan Bruno Gorce'un geçmişine odaklanmasını istemişti. Bundan da bir şey çıkmamıştı.

Erwan, her öğrencinin son günlerdeki gidiş gelişlerini de incelemek isterdi, ama güvenlik kameralarının görüntüleri olmadan, tanıkları sadece şüphelilerin bizzat kendileriydi. Üs gitgide tüm ışığı, tüm bilgileri yutan bir kara deliğe dönüşüyordu.

– Geldik! diye bağırdı Le Guen, işaretparmağıyla camı göstererek.

Erwan bakışlarını o tarafa yöneltti. Sadece ışıldayan kabuklarla dolu bir karanlık fark etti. Deniz seviyesinde, göz alabildiğine, binlerce gümüş diş gülümsüyordu. Biraz daha eğildi, denizin üstünde kapkara kocaman bir leke gördü. Can yeleğinin içinde sıkışıp kalmış olan Erwan sonunda inanılmaz boyutlara sahip kütleyi tanıdı: Charles-de-Gaulle.

Ne bir ışık ne de bir işaret. Kör bir tanker. Petrol tankeri boyutlarında bir hayalet gemi. Canavarın çevre sınırları ayırt edilebiliyordu, çünkü denizden ve gökyüzünden daha karanlıktı.

Gemi insanın hayal edebileceği tüm ölçüleri altüst ediyordu. Bir mucizeymiş gibi yüzen, suyun üzerine yatay konumda yerleştirilmiş altmış katlı bir kule. Antenlerle ve radarlarla dolu tek düşey yapı ise sol taraftaydı. Erwan bu bölüme "köşk" dendiğini hatırladı. İsim çok iyi bulunmuştu. Bavyeralı II. Ludwig'in hezeyanları ile Pamuk Prenses'in üvey annesinin ini arasında kararsız kalınmıştı. Küçük kuleleri, mazgal delikleriyle en ufak bir yaşam belirtisi olmayan bir kale.

– Etkileyici, ha?

Pilotun yanında oturan Archambault, Erwan'a doğru dönmüştü. Onu hayal kırıklığına uğratmamak için Erwan gülümsedi, ama gecenin karanlığı, pervane palalarının gümbürtüsü, geminin devasalığı onda daha ziyade bir kâbusun içinde ilerliyormuş hissi uyandırıyordu.

– Komandolar bizi almaya gelecek! diye ekledi Kuşkonmaz, arkaya dönmeden.

Erwan başını salladı. Kask kulaklarının uğuldamasına neden oluyordu. Geminin güvertesine sadece birkaç metre uzaktaydılar. Pist, kırmızı bir haleyle kaplıydı. Devasa bir kan birikintisine iniyorlardı.

– Karartmanın ardından, diye açıkladı Le Guen, tüm ışıklar kırmızıya geçer. Civarda herhangi bir düşman unsur olmasa bile, uçak gemisinde uzaktan görülebilecek tek bir beyaz ışık olmamalıdır.

Sarı yağmurluklu, turuncu yelekli, mavi kasklı adamlar koşturuyordu. Bir manevracı Dauphin'in kapısını açtı. Erwan emniyet kemerini çıkararak yere atladı.

Gözlerine şiddetle çarpan damlalara rağmen, karanlığın içinde kaybolmuş güverteye göz gezdirdi. Tek bir uçak yoktu. İstemeden de olsa hayal kırıklığına uğradı. Füze rampasıyla fırlatılan Rafale'leri, durdurma kablosuyla frenlenen Rafale'leri, iki raunt arasında boksörlerin yanındaki koçlar gibi uçakların çevresinde koşturan görevlileri görmeyi isterdi.

Bir silah subayı yaklaştı. Selamlamalar, takdimler, uyarılar... Suratlar kapüşonların altında kayboluyordu. Erwan anlatılanları anlamıyordu. Her iki kelimeden biri rüzgârla uçuyor ya da bir takırtıyla kaybolup gidiyordu.

Can yeleklerini çıkardılar ve köşke doğru ilerlemeye başladılar. Metal kapılar, çivili ayakkabılar gibi yankılanarak açıldı. Erwan, avcı uçakları ve helikopterlerle dolu büyük bir hangara girmeyi bekliyordu. Dar koridorlardan, köprülerden, merdivenlerden oluşan bir labirentle karşılaştı. Her şey kırmızıydı. Sadece ışıklar değil, sinyalizasyonlar, yardım malzemeleri de.

Önce birinci asansöre, sonra ikinciye bindiler.

– Geminin ondan fazla katı var, diye belirtti silah subayı.

Herkes sessizliğini koruyordu; kortejde kasvetli, törensi bir şeyler vardı. Yeni bir metal tıkırtısıyla kapı açıldı. Her yer kırmızıya bulanmış olduğundan, büyük bir fırından yeni çıkmış akkor halindeki bir yapıya girmiş gibi oldular.

Yine koridorlar, borular, kanatlı kapılar. VHF mikrofonlarına "devriye", "papa Charly" diyen uçuş tulumlu adamlarla karşılaştılar.

Subay, üstünde ayırt edici bir işaret bulunmayan bir kapının önünde durdu.

– Amiral Di Greco size otuz dakika zaman ayırıyor.

# 25

Jean-Patrick di Greco yaklaşık iki metre boyundaydı. Küçük kamarasında, kanarya kafesine tıkılmış bir kartala benziyordu. Sadece uzun boylu değil, çok da zayıftı. Dar omuzlar, uzun kollar, çırpı bacaklar. Altmışlı yaşlardaydı, kamburlaşmıştı; Amerika Yerlilerininki gibi siyah gür saçlarına rağmen, tükenmiş, yıpranmış, insana hüzün veren bir adam izlenimi yaratıyordu.

Birkaç saniye boyunca, amiral tek kelime etmeden dikkatle ziyaretçisine baktı; bu da Erwan'ın, incelemesini daha da derinleştirmesini sağladı. Subayın yüzü bir kemik yığınından farksızdı. Çok az kas, yine çok az et. Çıkık elmacıkkemikleri, kemerli bir burun, etrafında koyu renk halkalar oluşmuş göz çukurları. Tüm bunlar, Antikçağ parşömenlerini andıran sarımsı bir tenin üstündeydi.

Tanışma faslı çok kısa oldu. Erwan geçerken çelik dolaplara çarparak, yağmurluğunu portmantoya astı. Mekân, sadece çalışma masasının üstüne yerleştirilmiş yatay bir lambayla aydınlatılıyordu. İhtiyat mutlaktı: Kamarada dışarıya açılan bir lomboz vardı ve karartma kurallarına aykırı davranmak söz konusu değildi.

– Benimle şu can sıkıcı kazayı konuşmaya geldiniz.

Di Greco olayı yumuşatma konusunda yetenekliydi.

– Oturun, diye ekledi, uzun elini uzatarak. Rica ederim.

Erwan ziyaretçi kabul köşesinde bir yer buldu. Katlanır bir sandalyeyi andıran bir kanepe ile taş çatlasa kaykay genişliğinde bir sehpanın bulunduğu birkaç metrekarelik bir alandı bu. Hepsinin de etrafı dosyalar, klasörler, karton kutularla çevriliydi. İnsan kendini bir sandık odasında hissedebilirdi.

Di Greco onun şaşkınlığını fark etmiş gibiydi.

– Gemide alan kısıtlı.

– Sıradan askerlerin kamaralarını düşünmek bile istemiyorum.

– Ne daha küçük ne de daha büyük, ama onlar odalarını paylaşıyorlar. Ve özellikle, onların bu ayrıcalığı yok! (Kemikli işaretparmağıyla lombozu gösterdi.) Burada bir balkon veya terasla eşdeğerdir... Üzgünüm, size içmek için ikram edecek herhangi bir şeyim yok.

– Böyle iyi. Misafirliğe gelmedim.

Di Greco dönüp çalışma masasına oturdu, bacaklarını masanın altına yerleştirirken zorluk çekmişti. Erwan bir zamanlar onun da pilot olup olmadığını merak etti. Bu iki metrelik adamın bir Rafale'in kokpitine girmesini gözünde canlandıramıyordu.

Amiral, Vincq'inki gibi basmakalıp bir söyleve başladı, ama onunki daha tumturaklıydı. Sesi kalın, konuşması ağır ve kelimeleri askeri jargondan uzaktı. Ama esas itibarıyla yeni bir şey yoktu: Hep aynı anlamsız ve içi boş mesaj.

Erwan bir el hareketiyle onu susturdu –hep aynı sözleri duymaktan gına gelmişti– ve olayın bilançosunu özetledi: Askeri okul bölgesinde bir DHPAÖ'nün sadistçe öldürülmesi. Bir deniz havacılığı okulu ile sadece birkaç kilometre uzaktaki bir uçak gemisi arasındaki iletişim eksikliği. Hayatını orduya adamaya karar vermiş genç bir adamın ölümü karşısında gösterilen genel kayıtsızlık.

Di Greco öldürülme haberine şaşırmışa benzemiyordu; Erwan onun bu konuda daha önceden bilgilendirildiğine emindi. Ayrıca okulun organizasyonundaki eksikliklerden kaygı duyduğu da söylenemezdi.

– Şu an için ipuçlarınız neler?

– Bunu sizinle paylaşamam.

Amiral başını salladı. Çalışma masasının lambası, bir korku filmindeki gibi, onu alttan aydınlatıyordu.

– Kuşkusuz bir linç olayı düşünüyorsunuz. Sonu kötü bitmiş bir deneyim.

– Bu, söylenebilecek en hafif şey.

– Yani denetlenemez unsurlara, istedikleri gibi davranma izni mi verildi?

Erwan bir üst vitese geçmeye karar verdi.

– Okul bu katilleri korumakla kalmıyor, onlara ilham kaynağı da oluyor.

– Anlamıyorum.

– Kaerverec'te öğrencilerin içindeki sadizmi körükleyen bir şiddet ve acımasızlık kültürü olduğunu hissediyorum.

– Kanıtınız var mı?
– Hayır. Sadece bir his.
– Size göre, bu zehri akıtan kim?
– Sizsiniz.
– Ben sadece Kaerverec'in kurmay başkanıyım. Üssün yönetimi Albay Vincq'te.
– Vincq, uçuşların planlamasını yapıyor. Siz ise, okulun ruhunu temsil ediyorsunuz.
– Öyleyse şeytan benim, ha? diye gülümsedi Di Greco.

Erwan ağzına geleni söyleyerek ona cevap vermek istedi. Ama susmayı tercih etti. Çevresi kömür gibi kara bu düşük gözlerden etkilenmişti. *Bu suratı tanıyorum*, diye düşündü. Nerede karşılaşmıştı? Belki de bu, korku filmlerindeki zombilerle olan basit benzerlikti.

– Okulunuzda daha önce de bu tür kazalar oldu mu?
– Hayır.
– Kavgalar? Şiddet girişimleri?
– Asla.
– Çaylak deneyimleri sırasında bile mi?
– Özellikle de o zamanlarda. Bu hafta sonları süresince, her şey kurallara uygundur, denetlenir, kontrol altında tutulur.
– Bunu bana daha önce de birçok kez söylediler, ama sonuç ortada.
– İhmaller olmuştur. Suçluları cezalandıracağız. Ama siz riskleri artırdığımızdan şüphe ediyorsunuz.

Kamara aşırı sıcaklamıştı, Erwan bunalıyordu. Ter, boynundaki yağmur damlalarıyla karışarak ensesinden aşağı akıyordu.

– Tüm askerleriniz adına mı cevap veriyorsunuz?
– Elbette.
– Eğitmenler? Öğrenciler? Erat? Bakım personeli?
– Herkes psikolojik testlere, mülakata tabi tutulur. Bir kez daha söylüyorum: En azından burada, askerlerimizi gelişigüzel seçemeyiz.

Di Greco sakin konuşuyordu. Bakışlarında, sesinde tuhaf bir sertlik vardı. En ufak bir rütbe şeridi olmayan lacivert ceketi, bir çilecilik biçiminin göstergesiydi.

– Bruno Gorce hakkında ne düşünüyorsunuz?
– Sizin şüpheliniz o mu?
– Soruma cevap verin.
– İyi asker. Mükemmel pilot.
– Ve sadist. Gorce, öğrenci bürosunu yönetiyor, dedi Erwan.

Bu yılki çaylak deneyimini en ufak ayrıntısına kadar denetleyen de o. Sahada da, ÖC, "özel cellat" rolünü üstleniyordu.

Subay kemikli parmaklarını birleştirdi – eklem kemikleri gemici düğümlerine benziyordu.

– Farz edelim ki teğmenin özel bir espri anlayışı var. Bu onu bir katil yapmaz ki.

– Bana öyle geliyor ki tek bir konuda çok netti: *No limit*.

– Böyle bir deneyim yok.

– Bana da herkesin söylediği bu. Yine de, ne zaman bu ismi telaffuz etsem, herkes korkudan altına işiyor.

– Kaerverec'in yöneticileri açısından böyle bir deneyim yok. Tilkiler planlarını sunarken bize bundan bahsetmek zorunda değiller.

– Öyleyse şenlikler konusunda bir bilgi eksikliğiniz olduğunu kabul ediyorsunuz.

– Bu yıl *no limit* olmadı. Siz tam olarak neyin peşindesiniz?

Erwan ayağa kalktı ve çalışma masasına yaklaştı.

– *No limit* DHPAÖ'nün cesaretini, dayanıklılığı ispatlamasını sağlıyor. Bir tür İsa'nın haçıyla yürüyüşünü kutsama. Öğrencilerinizin profilini çıkarmak için sonuçları gizlice aldığınızı düşünüyorum.

Di Greco da ayağa kalktı. Erwan yerine döndü. İkisi, tuhaf bir bale sergiliyorlardı sanki. Siluetleri, bir gölge oyunundaymışlar gibi duvarda beliriyordu.

– Size bir itirafta bulunacağım, diye fısıldadı amiral. Haklısınız. Bu hafta sonu süresince öğrencilerimizin sınırlarını test ederiz. Ama sizin düşündüğünüz öğrencilerimizin değil. Gelecekteki pilotlarımızın cesaretlerini test etmek ve darbelere dayanıklı olup olmadıklarını anlamak için çaylak deneyimine ihtiyacımız yok. Buna karşılık diğerlerinin sınırlarını bilmek zorundayız.

– Diğerleri?

– Tilkiler. Çaylak deneyimini uygulayanlar.

Bir sessizlik oldu. Erwan şu ana kadar göz önünde bulundurduğu tüm işaretlerin tersine döndüğünü hissetti – bunu fiziksel olarak hissetti. Anlaşılan en başından beri, hiyeroglifleri çözebilecek şifre konusunda yanılmıştı.

– Milgram testinden söz edildiğini duydunuz mu? diye devam etti Di Greco.

– Şöyle böyle, evet.

Amerikalı psikolog Stanley Milgram, 60'lı yıllarda ünlü protokolünü açıklamıştı. Görünüşte, kendisine sorular sorulan biri test ediliyordu. Her yanlışta, diğer denek test edilen kişiye gitgide artan düzeyde elektrik şoku veriyordu. Aslında, elektrik şokunun düzeyini ayarlayan, değerlendiren eğitmendi; ilk denek ise acı çekiyormuş gibi yapan bir oyuncudan başka biri değildi. Testin amacı açıktı: Otorite baskısı altındayken işkencede nereye kadar gidilebilirdi? Emirlere riayet etme bahanesiyle biri öldürülebilir miydi?

Milgram'ın sonuçları üzücü olmuştu. Adayların çoğu, sorumluluk taşımadıklarından öldürene kadar emirlere uymuşlardı. Daha da aşırıya kaçarak, bir hiyerarşinin kanatları altında, hiç şüphesiz acımasızlık içgüdülerini tatmin etme zevki yaşamışlardı. Bu da, sahada herhangi bir savaşın nasıl gerçekleştiğinin bilimsel ispatıydı.

– Sizdeki çaylak deneyiminin Milgram testi gibi bir işlevi olduğunu mu söylüyorsunuz?

– Kesinlikle. Ayrıtlara giremem, ancak bu yirmi dört saat boyunca çaylak deneyimini uygulayanlar gözetim altında tutulur. Tepkileri, aşırılıkları, sadist davranışları incelenir. Biz Kaerverec'te seçkin pilotlar yetiştiriyoruz, işkenceciler değil. Uçaklarımızı, ilk fırsatta ruhsal gerginliklerine teslim olacak dengesiz insanlara bırakmamız söz konusu olamaz.

Erwan şimdi utançtan terliyordu. Odasına geri dönmek, duş yapmak ve yorganının altına büzülmek istiyordu. *İyi akşamlar.*

– Hiç Tilkilerden elediğiniz oldu mu?

– Bazen. Şiddete güçlü eğilimler gösteren ya da kontrol altında tutulamayacaklarına kanaat getirilen çok gayretkeş çocuklar.

– Onlara ne oldu?

– Üçüncü yılları için ABD'ye gitmediler. Başka bir göreve verildiler.

– Hangi gerekçeyle?

– Kendilerine kibarca tebliğ edildi. Diskalifiye olma sebeplerinin davranışları olduğunu asla öğrenmediler.

Erwan masasına dönen ve çırpı bacaklarını masanın altına sokan amirale baktı. Bir kez daha onu tanıyormuş duygusuna kapıldı.

– Çelişki burada, diye devam etti Di Greco. Bir kere eğer katil bizim öğrencilerimizden biri olsaydı, çaylak deneyiminin bitiminde onun kimliğini saptardık.

– Eğer bölüklerinizi adamakıllı denetim altında tutsaydınız bu cinayet olmazdı.

– Hiçbir beyin her şeyi öngöremez. Aksi takdirde savaşlar sadece birkaç gün sürerdi.

Gülünç duruma düşmemek için, en azından tamamen kepaze olmamak için, Erwan son çare olarak daha somut konulara geçti.

– Cumartesi sabahki tatbikattan haberiniz var mıydı?

– Burada bir ofisim var, ama kurmay başkanlığını ben yönetmiyorum.

– Kimse bu tatbikatın çaylak deneyiminin tam ortasında riskli olabileceğini öngörmedi mi?

– Tam tersine. Hafta sonu intibakı K76'nın arazisiyle sınırlıdır. Hiçbir askerin üsten ayrılmaması gerekir. Başka hiçbir uçuş yapılmaz. Eğer bir risk varsa, bu daha çok turistler içindir, ama her yer işaret şamandıralarıyla belirlenmiştir. Karaya dönün Başkomiser, Wissa'nın ölümünün sorumlularını orada bulacaksınız.

Erwan mırıldanarak teşekkür edip ayağa kalktı. Di Greco da kalkmaya davrandı, ama polis ona işaret etti: Eşlik etmesine gerek yoktu.

Archambault ile Le Guen onu koridorda bekliyordu. Geride duran silah subayı saatine baktı, hoşnut bir hali vardı. İstemeden de olsa Erwan kendisine tanınan zamana uymuştu.

İşin aslı, vakit geldiğinde onu başından savan amiral olmuştu.

Hiç konuşmadan asansöre bindiler ve yeniden yağmurlu karanlığa çıktılar. Helikopterin pervanesi çoktan dönmeye başlamıştı. Pistin üstünde, Erwan hava koşullarının hâlâ kötü olduğunu anladı.

– Fırtına mı? dedi Archambault gülerek. Sadece küçük bir sağanak. (Erwan'ın başından zorunlu can yeleğini geçirdi.) Ama yine de dönüşümüz biraz sarsıntılı olacak.

# 26

Saat 21.00. Firefly Capital'in merkezi, *trader*'ların, yani alıcıların uğultusuyla –Wall Street'le saat farkı– inliyordu. Loïc bu sembolü –ateşböceği– seçtiğinde, o zamanlar kulağa çok iyi geliyordu: Tek başınaydı, küçüktü ve borsanın karanlığında parlamak istiyordu. Bugün, otuz kadar personelle ve yönettiği beş milyar dolarla, ateşböceği devasa bir boyuta ulaşmıştı.

Ayağa kalktı ve kapıyı kapattı. İşlem salonlarının bu coşkulu havasından tiksiniyordu. Avaz avaz bağırılıyor, eller kollar sallanıyor, heyecanla tartışılıyordu, ama kesin olarak kıçlar hep sandalyelere vidalanmış gibiydi. Matignon Caddesi'ndeki, Haussmann tarzı bu devasa dairede Loïc yay biçiminde cumbası olan odayı kendine tahsis etmişti; buradayken kendini bir yolcu gemisinin kaptan köşkündeymiş gibi hissediyordu. Kuşkusuz bu bir klişeydi, ama bazı sabahlar ona enerji veriyordu.

Bir saatten bu yana, babasıyla yaptığı telefon konuşmasını düşünüp duruyordu. Aşırıya kaçmamış bir azarlama, yine. Morvan finansal konularda uzman değildi ve görünüşe bakılırsa, ona anlamını bilmediği bir haber vermişlerdi: Coltano hisseleri yükseliyordu.

Loïc, meslektaşlarının ve kendisinin, gözlerini bazı değerlerin rayiçlerine dikerek yaşadıkları bir döneme tanık olmuştu – New York'ta kimse ekranın bir köşesinde CAC 40[1] veya Dow Jones'la ilgili bir pencere açmadan beysbol maçı izlemiyordu. Bugün zamanını, şu veya bu hisse senedini cep telefonundan takip ederek geçiriyordu. O bu tür artışlarla ilgilenmiyordu ve günlerden beri Coltano'nun pozisyonuna bakmamıştı. Gerçekten de hisseler yüzde 20 değer kazanmıştı, sonuçta da yüksek fiyattan önemli alımlar yapılmıştı.

1. Paris Borsası'nda işlem gören en büyük 40 şirketin indeksini yansıtır. (ç.n.)

Bu olağanüstü bir durumdu ve Loïc şüpheye düşmüştü. Öncelikle, Coltano kimseyi ilgilendirmiyordu, zira maden çıkarma sanayileri iyi girişimler değildi: Hantal yatırımlar, oynak rayiçler, istikrarsız ülkeler, çok hızlı kirlenme... Hiçbir zaman borsadaki bu kayıp şirketlerin ne kazandıkları bilinmezdi ve onlar da zaten anlaşılmaz olmayı tercih ederlerdi. Ama Loïc, bunu öğrenmek için en iyi konumdaydı: Coltano'yu bir kara kutuya dönüştüren kendisiydi. SEC'nin (ABD Menkul Kıymetler ve Borsa Komisyonu) ve AMF'nin (Sermaye Piyasası Denetleme Kurulu) son günlerdeki denetimlerinden kurtulmayı başarmıştı. Geçen yıl, yatırımların tüm kârını silip süpürmek için kendini helak etmişti.

Bu, çift aşamalı bir stratejiydi: Onların daha az vergi ödemelerini sağlıyor ve göz kamaştırıcı kazançlarının azalmasına neden oluyordu – son maden araştırmalarında umut vaat eden yataklar bulunmuştu. Bu durum özellikle gizli kalmalıydı, çünkü fakir ülkelerde servet kazanmak gitgide zorlaşıyordu.

Ancak bu stratejinin gerçek sebebi babasıydı. Loïc'in bu konuda şüphesi yoktu, bir oyun hazırlığı içindeydi. İhtiyar çok netti: Kimse yeni maden damarlarının varlığından haberdar olmamalıydı, aynı durum Coltano tarafı için de geçerliydi. Kongolu otoriterlere ve ortaklarına çaktırmadan bu kaynakları gizlice işletmek amacında olduğunu anlamak için Machiavelli olmaya gerek yoktu. Ruanda'yla kaçakçılık yapmanın mı peşindeydi? Ya da başka bir şeyin?

Bir de HAS (Halka Arz Satış) olayı vardı; hisse senetlerinin toplu alımları, birinin bu yeni durumu bildiğini ve pastadan payını istediğini gösteriyor olabilirdi. Hisselerin bu yükselişi, Coltano'nun neden bir anda bu kadar değer kazandığını merak eden generallerin de dikkatini çekebilirdi.

Loïc'in elinde, olayı değerlendirmek için tüm veriler yoktu, ancak grubun efsanevi müdürü, güler yüzlü diktatör Nseko'nun ölümünün de bu olayda bir rolü olduğundan emindi. Ama bu rol neydi? Kongolunun yeni yataklardan haberi var mıydı? Konuşmuş muydu? Onu tam olarak kim öldürmüştü?

Tüm bunları bloknotuna kurukafalar çizerek düşünmüştü, şirketin doğuş macerasını yeniden hatırladı. 1971 yılında babası Çivi Adam'ı yakaladığında, Mareşal Mobutu teşekkür etmek için ona manganez bakımından zengin topraklara sahip bir maden işletmesinin haklarını vermişti. Bu konuda hiçbir şey bilmeyen Morvan, kullanım haklarına sahip olduğu bu toprakları işletmek için Belçikalı, Fransız, Lüksemburglu ve Kongolu şirketlerle ortaklık kurmuştu.

Yirmi yıl boyunca, maden çıkarma işi sorunsuz devam etmişti

ve Morvan, Fransa'da mesleğini icra ederken bir gözü de hep zenginlik kaynağının üstünde olmuştu. 90'lı yılların sonunda, iki olguyu önceden sezmişti. İlki, Mobutu sözleşmeyi yenilemek için artık iktidarda olmayabilirdi; ikincisi, Kongo topraklarından çıkarılacak çok daha iyi bir maden vardı: Koltan. Bu cevher, cep telefonlarının elektronik bileşenlerinde ve video oyunlarının konsollarında kullanılıyordu. Hasta olan ve büyük güçler tarafından desteklenmeyen Yaşlı Leopar çıkışa doğru itilmeden önce Morvan, Fransa'nın desteğiyle rüşvet verdiği ve çok yakında gözden düşecek olan madencilik, maliye ve planlama bakanları tarafından imzalanan yeni bir izin belgesi almayı başarmıştı. İzin belgesi, diğer bütün maden yataklarının yer aldığı Kivu bölgesinden –komşu Ruanda'daki katliamdan sonra kanlı bir balçık çukuruna dönüşecek olan sürekli savaşların yaşandığı bölgeden– uzakta, Katanga'daki koltan bakımından zengin bölgeleri kapsıyordu.

1998'de, Morvan sermayedarları Fransızlar, Lüksemburglular ve Kongolular olan, Paris merkezli holdingi Coltano'yu kurmuştu. Generaller anlaşmayı kabul etmek zorunda kalmışlardı. Maden çıkarma işi Kongolu bir kamu şirketi tarafından yapılıyor, arıtmayı ve dağıtımı ise Avrupalı şirketler sağlıyordu. Ama Morvan, grup bünyesinde kendini kırılgan hissediyordu. Birkaç yıl sonra, durumunu güçlendirmek için Coltano'yu borsaya kote etmeyi önerdi. Bu karar hem yeni sermaye gelişini sağlayacak hem de yönetim kurulu bünyesinde varlığını pekiştirecekti.

Loïc'in denetiminde borsaya giriş sorunsuz olmuştu, ama babası işin içinden ustalıkla sıyrılmayı başaramamıştı: Bugün şirket hisselerinin yüzde 16'sına sahipti, Lüksemburglu şirket Heemecht ise yüzde 18'ine; pastadan en büyük pay ise yüzde 28'le Kongolulardaydı; geri kalan hisseler ise bu faaliyetin içinde yer alan Belçika şirketlerine, teknolojik katkıda bulunan Fransız devletine ve "yüzen hisse" olarak adlandırılan çok sayıda küçük hissedara aitti.

Bugün Coltano, borsaya kote olan tek koltan işletmesiydi. Ayrıca modern gereçlerle donatılmış tek şirketti de – Kivu'da yerel çiftçileri, şiddet ve terör korkusu içinde, kazmayla veya elle kazmaya zorluyorlardı. Bu, gruba ilginç bir profil kazandırıyor, ancak zayıf noktalarını telafi edecek bir şey sunmuyordu. Loïc, alımlardaki tüm kararsızlıkların duyulmasına engel olmak için, bizzat kendisinin gizlice yazdığı analizleri bir kez daha okudu. Cılız kazançlar. Tükenmiş maden damarları. Yaşlanmış gereçler... Aşkı öldüren gerçekler.

Telefonunu eline aldı.

Mark Cesby, üç milyar beş yüz milyon dolarlık bir kapitale kâr sağlamak için on bin askerle çalışan dünyanın en büyük yatırım şirketi Blackrock'un analistiydi. Loïc onu Wall Street zamanında tanımıştı. İngiliz, madencilik yatırımları konusunda uzmandı. Joe Cocker gibi favorileri olan ve İngiliz giyim tarzına sonuna dek bağlı –kareli, daima kareli– bir deha.

– Coltano'daki gelişmeyi gördün mü? diye sordu Loïc, doğrudan.

Blackrock'un sabit hatlarından yapılan tüm konuşmalar kaydedildiğinden, onu kişisel cep telefonundan aramıştı.

– Anlaşılır gibi değil, dedi İngiliz.

– Bana bütün söyleyebileceğin bu mu?

– Adamım, senin şirketin. Bana açıklama yapması gereken sensin.

Liverpool kökenli olan Cesby, işçi aksanını korumuştu.

– Senin de gayet iyi bildiğin gibi bu çok daha karmaşık bir durum, diye geçiştirdi soruyu Loïc. Kim alıyor?

Analizci alaycı alaycı güldü.

– Adamım, seni kırmak istemem, ama ormandaki deliğin için kimin kamışı kalkar anlamıyorum... Kendini zımbalatan patronundan bahsetmiyorum bile. Tüm bunlar bizi, gelişen piyasalar sorununa getiriyor: Savaşlar, rüşvet, siyasi istikrarsızlık olduğu müddetçe iyi fikir...

Loïc bu nakaratı ezbere biliyordu.

– Olası bir HAS hakkında hiçbir şey duymadın mı?

– Neden bir üçüncü dünya savaşı olmasın?

– Hisse senetleri yükseliyor. Yüksekken satın alıyorlar.

– Bir tavsiye ister misin?

– Çekinme.

– Eğer senin kâğıtlarına güvenen kokuşmuş herifler varsa bundan yararlan. Fiyat güçlüyken sat ve gelecek vaat eden iş sektörlerine yönel. Coltano o kadar derin uyuyor ki siz uyanmadan bile sizi becerebilirler.

– Tavsiye için teşekkürler, diye güldü Loïc.

Telefonu kapattı, şirketle ilgili imaj kaygılarını gidermişti: Bu gizli eşeleme faaliyeti iyi işlemişti. Ancak gizem olduğu gibi devam ediyordu. Saatine baktı. Wall Street'te öğleden sonraydı. Ve başka bir numara çevirdi.

Arnaud Condamine bir *trader*'dı. 2008 krizinde ayakta kalmıştı ve hâlâ birçok kurumsal yatırımcının güvenine sahipti. Tuhaf bir adamdı, kaba ve genç görünümlüydü. Koyu renkli takım elbisesiyle sandalyesine sımsıkı bağlıymış gibi bir izlenim uyandıran, içekapanık bir tür "inek"ti. Bloomberg terminalinin karşısında çalışıyor, yemek yiyor ve tabii bir de uyuyordu.

Condamine, Cesby'den daha az olumsuzdu; usulüne uygun bir saldırı fikri ona o kadar saçma gelmiyordu.

– Başınız dertte, hissedarlarınız çok dağınık. Lider yok, süreklilik yok... Üstelik Nseko'nun ölümüyle grup zayıfladı.

– Kim satın alıyor, bilmiyor musun?

– Bunu nasıl bilebilirim ki?

Resmi olarak, piyasadaki alıcılar ile satıcıların isimleri gizliydi. Aslında, simsarlar alım satımları artırmak için şu veya bu "vizyoner" alıcının kimliğini açıklamakta tereddüt etmediğinden, genişleme operasyonları herkesin bildiği sırlardı.

– *Broker*'larını ara. Kimin aldığını ve kimin emriyle aldığını öğren.

– Sermaye piyasasında bu şekilde olmaz.

– Hadi canım sen de!

– Bunun karşılığında ne elde edeceğim?

Loïc gizemli bir ses tonuyla karşılık verdi:

– Pişman olmayacaksın.

– Bunu sana hatırlatırım.

Loïc ellerini ensesinde birleştirdi ve iki varsayımını yeniden gözden geçirdi. Madencilik alanında, güçlü konumdaki rakip bir grup tarafından başlatılan bir HAS. Ya da yatakları bilen ve sermaye piyasasında kamuya açıklanmamış bilgilere dayanarak ticaret yapmaya kalkışan kötü niyetli küçük bir grup.

Yatırım veya ihanet: Seçmek gerekiyordu.

Düşüncelerini berraklaştırmak için bir çizgi kokain çekmeye karar verdi.

# 27

– Akşam yemeği ister misiniz?

– Hayır, teşekkür ederim.

– Subay yemekhanesinde Bask usulü morina balığı kalmış olmalı ve...

– Böyle iyi, size söyledim.

Saat 23.00. Erwan, Archambault'nun lafını ağzına tıktığına üzülmüştü, ama helikopterle dönüş yolculuğu bir tür hayatta kalma mücadelesi gibi geçmişti. Havadayken insanın deniz tutmasından etkilenebileceğini bilmiyordu. Sert rüzgâr Dauphin'i bir erik ağacının dalı gibi sallamıştı, Erwan'ın midesi olgun bir meyveye dönmüştü. Şimdi sadece anakaraya ayak basmış olmanın tadını çıkarıyordu. Donmuş, iliklerine kadar ıslanmıştı ve tek bir şeye can atıyordu: Odasına sığınmaya.

– Verny'ye söyleyin on beş dakika içinde beni görmeye gelsin.

– Bu saatte mi? Ben...

– Hâlâ çalıştığına eminim.

– Emredersiniz komutanım. Benim de hazır bulunmam gerekiyor mu?

Erwan askeri sözcüklerle mücadele etmeyi bırakmıştı. O da yavaş yavaş akıntıya kapılmıştı.

– Hayır. Brifing yarın sabah saat sekiz buçukta, yemekhanede. Ama bu gece herhangi bir şey öğrenirseniz, beni cep telefonumdan arayabilirsiniz.

Erwan, Kuşkonmaz'a veda ederek odaların bulunduğu soldaki bloka doğru yürümeye başladı. Bulantı hâlâ midesine kramplar girmesine sebep oluyordu. Merdivenleri çıktı, sonra ağır bir sessizlik içinde odasına ulaştı. Kapıların ardından ne radyo ne de televizyon sesi geliyordu. Sadece martıların çığlığı, arada bir rüzgârla sarsılan camların titreşimini bastırıyordu. Kesinlikle iç karartıcıydı.

Kripo işbaşındaydı. İki yazıcı var güçleriyle çalışıyordu. Birinden listeler çıkıyor, diğeri tanık tutanaklarını basıyordu. Çalışma masalarının birinin üstündeki iki monitörde güvenlik kaydı saatleri akıyordu. Kripo, Mac'inde çalışırken, bir gözü de ekranlardaydı. Erwan, onun önceki haftayla ilgili tüm güvenlik kayıtlarını, gerekirse diye almış olduğunu düşündü.

– Subay yemekhanesinde tıkındım, dedi Kripo, başını kaldırmadan. Muhteşem bir tavuk vardı.

– Morina balığıydı.

Alsace'lı sanki kendisi de aynı şeyi söylemiş gibi başını salladı. Erwan bir kez daha bu denli dalgın bir adamın nasıl işinde bu denli dikkatli olabildiğini düşündü. Yardımcısı kıyafetini değiştirmişti ve şimdi bir kovboy gömleği, üstüne deri bir yelek, yeşil kadife pantolon giyiyordu, ayaklarında ise fosforlu Crocs'lar vardı.

– Bir durum saptaması yapalım ister misin?

Erwan cevap vermeden tuvalet çantasını aldı ve banyoya girdi. Kendini hemen duşun altına attı ve ısınmaya başladı. Kolları ve bacakları yeniden eski haline dönüyordu.

– Daha iyi misin? diye sordu Kripo, Erwan odaya dönünce.

– Dönerken az kalsın geberiyordum. Bir an kendimi fırtınanın ortasında bir saldaymış gibi hissettim.

– Ya amiral?

– Kafa karıştırıcı. Peki sen?

– Film devam ediyor. Telefonlardan pek fazla bir şey çıkmadı. Ayrıca üsteki araçların GPS'ini ve çevredeki deniz trafiğini kontrol ediyoruz. Şüphe uyandıracak en ufak bir yer değiştirme yok.

Ekranların birinde DHPAÖ'ler, tişört ve beyaz şort giymiş taze askerler, asfaltın üstünde uygun adım yürüyorlardı: Sabah sporu.

– Ge'tek'ten hâlâ haber yok mu?

– Sıkıntı çekiyor. Wissa önlemlerini almış. Hard diski kilitli. Branellec bana yarın sabah için bir konuda söz verdi. Kim kiminle temas kurmuş ve şu meşhur hafta sonu intibak eğitimi için nasıl organize olmuşlar öğrenmek için diğer öğrencilerin bilgisayarlarını inceleyecek.

– Bu ne kadar zamanını alacak?

– En az üç gün.

Erwan, hoşnutsuz bir tavırla başını salladı.

– Tek iyi haber, diye devam etti Kripo, yarın sabah Sirling'e gitme konusu onaylandı. Dalgıçlar malzemeleriyle geldi. Şafakta yola çıkılıyor. Herkes teknede olacak!

Yeniden denize çıkma fikri Erwan'ın midesinin bulanmasına neden oldu. İçgüdüsel olarak, bunun helikopterden çok daha kötü olacağını düşündü.

Sabit hatlı telefonu kaldırdı ve Muriel Damasse'ı aradı – kadın, deniz gezisi sırasında ona üç mesaj bırakmıştı. Geç saate rağmen, savcı yardımcısı ikinci çalışta telefonu açtı. Aramadığı ve işbirliği yapmadığı için Erwan'ı azarlayarak konuşmaya başladı; Erwan da Wissa'nın öldürüldüğüne dair bir açıklamada bulunarak kadının çenesini kapattı. Bir anda, güçler tersine döndü: Kadın, yarınki basın toplantısıyla ilgili birkaç ipucu vermesi için neredeyse ona yalvardı. Erwan, Sirling'e gitmeden önce onu arayacağına söz verdi, ancak gece ne öğrenebileceğini bilmiyordu. Sesli mesajlarını kontrol etti: Wissa'nın anne babasından iki mesaj vardı. Onlarla yüzleşme cesaretini kendinde bulamadı.

Kapı vuruldu: Verny raporunu vermeye gelmişti. Beş yıldan beri bölgede işkence yapılarak bir cinayet işlenmemişti. Çevrede firar etmiş bir akıl hastası ya da serbest bırakılmış bir katil de yoktu. Görünürde ne çalınmış bir tekneden ne de bir hayalet gemiden iz vardı.

Çıkmadan önce, jandarma yarınki keşifte hazır bulunacağının işaretini verdi. Erwan doğrudan üçlü çeteyle birlikte olacağını anladı: Le Guen, Archambault, Verny. Aslında onları sevmeye bile başlamıştı.

– Sana bir yer hazırlayayım mı, ister misin? diye sordu Kripo, çalışma masasını işaret ederek.

– Böyle iyi, sağ ol.

Elini önceden yazılmış ifade tutanaklarına uzattı ve 36'da yaptığı gibi içlerinden bazılarını şöyle bir karıştırdı. Hepsini ayrıntılı bir şekilde okumaya cesareti yoktu. Şeffaf zarflara konmuş fotoğraflarla yetindi. Uyumadan önce gözlerini acıtmanın ne gereği vardı.

Kripo yatağını seçmişti: Lavtasının kılıfı onun alanını belirliyordu. Erwan diğer yatağa uzandı. Saçları hâlâ ıslaktı, bedeni duşun sayesinde ılınmış ve gevşemişti – bunda çok eskilere uzanan rahatlatıcı bir şey vardı; çocukken, banyodan sonra, babası 36'da nöbette olduğu gecelerdeki gibi.

İlk zarfı açtı: Kumun üstüne dağılmış Wissa'dan geriye kalanlar. Saçma bir şekilde, aklına *Les Tontons flingueurs* adlı filmdeki Michel Audiard imzalı bir replik geldi: "Raoul'un kim olduğunu ona göstereceğim. Paris'in dört köşesinde, bir yapboz misali, küçük parçalara dağılmış halde onu bulacaklar." Bu sevimsiz kelimeleri aklından kovmak için eliyle yüzünü sıvazladı ve yeniden dikkatini topladı. Patlamanın şiddeti yüzünden kalıntıların dağılımı gelişigüzeldi ve görünümlerinden bir şey anlaşılmıyordu.

İkinci zarf: Füzenin açtığı delik. Yüzeydeki yanmış otlar. Kararmış likenler. Cam gibi olmuş kum. Dokümanları bıraktı ve göz ucuyla hâlâ çalışmakta olan Kripo'ya baktı; kendisinin uykusu geliyordu. Sırt çantasını karıştırdı ve içinden bir uyku maskesi çıkardı.

O anda, neden Amiral Di Greco'nun yüzünün ona tanıdık geldiğini hatırladı. Amiral, ünlü Rus piyanist ve besteci Sergey Rahmaninov'a benziyordu. Yeniyetmelik çağı boyunca, Erwan klasik dönemle ilgilenmişti. Akşamlarını bestecilerin biyografilerini okuyarak, konçertolar ve senfoniler dinleyerek geçiriyordu. Rahmaninov da onun beğendiği besteciler arasındaydı. Ayağa kalktı ve dizüstü bilgisayarını aldı. Kripo üssün Wi-Fi ağına bağlanabilmesi için ona şifreyi verdi. Birkaç saniye sonra, Erwan yatağına uzanmış halde bestecinin resimlerine bakıyordu.

Tam olarak aynı uzun suratı, aynı düşük gözleri ve aynı siyah halkaları gördü. Ayakta çekilmiş fotoğrafları seçti. Uyumlu bir başka nokta daha vardı: Sonu gelmez uzunluktaki siluetleriyle, iki adam da bir lunapark aynasından geçmiş gibiydi.

Bir dürtüyle, Erwan Wikipedia'da onunla ilgili kısa yazıyı hızla okudu. Piyanistin hayatı, besteler ve konserler arasında ABD ile Rusya'da geçmişti. Erwan, beste yaparken, klavyenin siyah tuşları, melodik çizgilerine Doğu'ya has bir ahenk kattığından ayrıcalıklı besteci olarak ünlenmiş bu post-romantik besteciye hep hayranlık duymuştu.

Hemen ardından bilmediği bir ayrıntıyı da öğrendi: Rahmaninov'un bu fiziksel tuhaflığı –iri elleriyle, on üç notalı aralıkları da çalabiliyordu– büyük olasılıkla genetik bir hastalıktan kaynaklanıyordu: Marfan sendromu. Basit bir tıkla, Erwan gözleri, kemikleri ve kalp-damar sistemini tutan, bu ender görülen rahatsızlıkla ilgili bir makaleye de ulaştı. Dış görünüş olarak hastalık kol ve bacakların aşırı büyümesi, iskelet sisteminin deformasyonu ve yüzde ölçüsüzce uzamayla belirginleşiyordu.

Tabii ki aynı sendromdan "mustarip" ünlülerin de bir listesi vardı. Niccolo Paganini, Abraham Lincoln, Ramones grubu vokalisti Joey Ramone, Deerhunter grubunun solisti Bradford Cox, korku filmlerinin İspanyol aktörü Javier Botet... ve ayrıca Usame bin Ladin. Hepsinde aynı tanıdık hava vardı: Aynı uzun yüz hatları, aynı melankolik gözler, aynı upuzun boy. Yüzyıllar boyunca aynı soyaçekimi paylaşmış bir topluluk – genetik analizler Tutankamon hanedanlığının da aynı hastalıktan mustarip olduğunu gösteriyordu. Mumya sargıları açıldığında aynı çöp gibi ince insanlarla karşılaşılıyordu.

Erwan, Di Greco'yu düşündü. Marfan sendromu askerlikle uyuşmuyordu. Amiralin, kendisinde bıraktığı izlenimi de hatırladı: Yıpranmış, bitkin ve zayıflamış bir adam.

Bu kez amiralle ilgili yeni bir arama yaptı. Hemen hemen hiçbir şey yoktu. Birkaç resmi tören, madalya törenleri; hepsi o kadar. Wikipedia'da hakkında yazı yoktu. *Who's Who*'da da. Herhangi bir askeri tanıtım yazısı bile. Di Greco kusursuz bir bilinmezdi. Tabii internette savunma gizliliği sebebiyle onunla ilgili bilgi paylaşımı engellemesi varsa o başkaydı.

Erwan araştırmayı bıraktı. Gözleri kapanıyordu. Güvenli bir yere sığınır gibi yatağının içine girdi ve diş atelini unuttuğunu hatırladı. Diş gıcırtısıyla geçecek bir gece daha.

Hâlâ Dauphin'in sarsıntılarını hissediyordu. Sanki şiltesinin üstünde önden arkaya, arkadan öne sallanıyordu. Tam uykuya dalarken ve düşünceleri yaşamla tüm bağlantılarını koparırken, beyninin derinliklerinde bir anda amiralin belirdiğini gördü.

Yüzen şatosunun güvertesindeydi, ama upuzun kolları çoktan K76'nın koridorlarındaydı. Parmakları Erwan'ın suratına birkaç santimetre kadar yaklaşmıştı ki, bir anda kemikleri uzadı ve Erwan'a ulaşmak için etini delip dışarı çıktı.

# 28

Yaz için pembe vardı. Kış içinse beyaz. Kokain çizgisi sehpanın üstünde uzanıyor ve Eiffel Kulesi'nin tam ekseninde, salonun görkemli penceresine yansıyordu. Loïc artık, Sofia ile çocukların yaşamaya devam ettiği Iéna Meydanı'ndaki eski dairesine birkaç adım uzaktaki Président-Wilson Caddesi'nde oturuyordu.

Burnunu yaralamamak için, kenarları yuvarlak, parlak alüminyumdan ince bir çubuk yaptırmıştı – yanından hiç ayırmıyordu. Tozu burnuna çekti ve hiçbir şey hissetmedi. Önce malın yabancı bir maddeyle karıştırıldığını düşündü. Ya da tam tersiydi: Loïc'in kendisi bozuk maldı, bağışıklık kazandığından bu ona hafif geliyordu.

Ayağa kalktı ve iki numaralı etaba geçti: Çalışma masasının üstündeki ekranlara ve terminallere şöyle bir göz attı. Coltano yine yükselmişti. Lanet olsun! Dünyanın bir yerlerinde birileri bu kahrolası hisseleri alıp satıyordu. Kim? Sanki bu onun hatasıymış gibi, az önce onu azarlayan babasını düşündü, kuşkusuz o da Kongolu generallerden korkuyordu. Neden bu karmaşanın içinde yer almak zorundaydı ki?

Loïc, Reuters'ın sitesine geçti, haklı olarak Coltano'yla ilgili bir alarm veriliyordu. Katanga'da, şirketin tepesine General Trésor Mumbanza'nın atanmasını doğrulayan birkaç satır. Bölgede doğmuş, Luba kabilesinden olan Mumbanza'nın mazisi karanlıktı, ama burada verilen portresi son derece yumuşatılmıştı. Meslek hayatı, tecrübesi, vasıfları hepsi düzmeceydi. Gerçekte, Kabila'nın da hayırduasıyla Morvan'ın emrinde görev yapmış, eli kanlı ve dolandırıcı bir generaldi. İhtiyar, De Gaulle'ün Afrika'daki başkanlarını seçtiği gibi kendisinin de yöneticilerini seçtiğini söylüyordu: "En azından okuma yazma bilen güvenilir adamlar."

Loïc üçüncü etap için açık mutfağına gitti: Doğrudan Antigua'dan tedarik ettiği bir Guatemala kahvesi. Kahveyi hazırlamak için, Boffi imzalı mermer ve paslanmaz çelikle dekore edilmiş bir mutfakta, bir cerraha yaraşır mutfak aletleri kullanıyordu. Yeni bir hayal kırıklığı. Kahvenin hiç tadı yoktu. Loïc sanki hiç tat alamaz hale gelmişti. Bir anda midesinden yükselen asit onu yalanladı. Aklına ülser olabileceği geldi. Bu da Sofia'yı düşünmesine neden oldu. Bütün gece yatağında dönüp durmuştu, Coltano yüzünden değil, Sofia yüzünden.

İnsanın varlığı tersine bir simyaydı: Kurşun altına dönüştürülmüyor, inatla altın kurşuna çevriliyordu. Sofia'yla olan aşk hikâyesi nasıl olmuştu da, bir kin ve düşmanlık yumağına dönüşebilmişti?

Yeni bir yanma. Tişörtünü kaldırdı ve batın bölgesine masaj yaptı. Çeşitli tıbbi incelemeler yaptırmayı düşündü. Röntgen. Kolonoskopi. Hastalığı teşhis etmek ve çaresini bulmak için ne gerekirse. Bağırsak florasını kökünden düzeltecek yakılar hayal etmeye başlamıştı bile. Biraz daha toz...

Elinde ikinci kez doldurduğu kahve kupasıyla kanepesine oturdu – bir İtalyan tasarımcı tarafından düşünülmüş köpük ve deriden bir şey. Güneş ve eşlikçisi bulutlar, uzaktaki bir ordu gibi, Tokyo Sarayı'nın heykelleri arasında, altın kalkanları ve ateş mızraklarıyla yükseliyordu. Babasının koleksiyonunu yaptığı, onun da çocukken seyrettiği 60'lı yılların tarihi filmlerini hatırladı. O yıllarda kendini cesur bir kahraman olarak hayal ederdi.

Boşanmak söz konusu değildi. Hâlâ sevdiği için değil –bütün benliğiyle ondan tiksiniyordu– resmiyete dökülmüş bir boşanma onu çocuklarından uzaklaştıracağı için. Sofia yargıç karşısında onun bağımlılık sorunlarını ispatlamakta hiçbir zorluk çekmezdi ve bu da onun Milla ile Lorenzo'yu haftada ancak bir kez görmesine sebep olabilirdi. Hatta belki de hafta sonları geceyi onun evinde geçirmelerine bile izin vermezlerdi...

Üçüncü kahve. On yıldan beri iktidar ve güç duygusunun hükmettiği bir para dünyasında yaşayan Loïc'in kaderi o kaltağın elindeydi. Bu da ona son derece adaletsiz geliyordu. Parıltılı meslek hayatının aksine.

İş hayatına 2000'li yılların ortalarında atılmıştı.

Önemli bir hedge fonu şirketinin sahibi olan James Thurnee'nin desteğiyle analizci olarak başlamıştı. Önce bu konuda eline ne geçerse okumak için aylarca eve kapanmıştı. İlk analizlerini ihtiyatla kaleme almış, sonra doğruluğu zamanla ortaya çıkan tavsiyelerde bulunmaya başlamıştı. Piyasa onu fark etmişti. Sezgilerine güvenilirdi. Onun sayesinde para kazanmışlardı.

Çok geçmeden, sözü bir kâhininki gibi değer kazanmıştı.

İki yılın sonunda, hiçbir kazanç elde etmeden ona buna tavsiyelerde bulunmaktan usanmıştı. Thurnee, ona yönetmesi için iki yüz milyon dolarlık bir "book" emanet etti. Loïc bir anda kendini işin içinde buldu. Her gün paranın gelir getirdiğini, süratle çoğaldığını, eridiğini görüyordu. Servetleri yönetmeye başlamış ve aldığı prim de yüzde yirmiye yükselmişti. *Personele minnet...*

O daha fazlasını istiyordu: Kendi hedge fonu şirketini kurmak. Thurnee, şirketinin bünyesinde ona yeni bir niş açmış ve en eski müşterilerine onu tavsiye etmişti. Dinozorlar, yüce gönüllüler ona dişlerini keskinleştirmesi için birkaç milyar vermişlerdi.

O da keskinleştirmişti.

Düşük değerli hisse senetleriyle, modası geçmiş şirketlerle ilgilenerek beklenmedik yatırımlarda karar kılmıştı. Çekmecelerde unutulmuş fonları karıştırmış ve onların arasında altın külçeleri bulmuştu. Söylentilere kulak asmayarak, moda olanı göz ardı ederek, hep sıra dışı davranarak akıntıya karşı ilerliyordu.

Thurnee eğlenerek onu gözlemliyordu. Loïc'in bir sırrı olduğunu biliyordu. Çocuk, direncini artıran nice badireden geçmişti. Alkolizmle, eroinle, Hindistan'ın karanlık bölgelerinde ölümle tanışmıştı. Oyunun içindeki para miktarı ne denli baş döndürücü olsa da, piyasalar onu etkileyemezdi. Üstelik, Thurnee gibi o da Budist'ti (onu Budizm'le tanıştıran İngiliz'di). Tek kuralın açgözlülük olduğu bir evrende, tüm tutkulara, tüm maddi yaklaşımlara uzak ve ilgisizdi. Bu uzaklık onun, kimsenin göremediği güç çizgilerini seçmesini sağlıyordu...

Loïc saatine baktı; az sonra sekiz olacaktı. Güneş çoktan salonu doldurmuştu. İki saatini hayallere dalarak boşa harcamıştı. Bir sıçrayışta ayağa kalktı, kendine yeni bir çizgi hazırladı ve banyoya gitti. Serin bir duş. Hızla tıraş. Giysiler. Dışarı çıkmak üzere kapıyı açmıştı ki paspasın üstüne bırakılmış koliyi görünce zınk diye durdu.

Kötü bir koli bandıyla yapıştırılmış saman rengi karton bir kutu.

İhtiyatla yerden aldı –bir kilo kadardı– ve yeniden dairesine girdi. Bu kutunun burada olması bile tuhaftı: Apartman güvenlik sistemleriyle donatılmıştı ve kapıcı, ona gelen postaları akşama kadar saklardı. Aklına uğursuz varsayımlar gelmeye başlamıştı bile. Bir bomba. Kesik bir parmak. Şarbon emdirilmiş bir mektup.

Kolinin içinden organik, hayvan kokusu gibi bir koku geliyordu. Ona hiç dokunmamanın ve babasını aramanın daha iyi olacağını düşündü, ama merakı daha baskın çıktı. Mutfaktan bir suşi bıçağı aldı, dikkatle bandı kesti ve kutuyu açtı.

Bir çığlık atarak geriye doğru sıçradı: Bir gazete kâğıdına sarılmış, üstü cam kırıklarıyla dolu kocaman bir dil. Kutunun dip tarafı kanlıydı. Loïc bıçağın ucuyla organı kaldırdı –kasaplarda satılan sıradan bir sakatat– ve dörde katlandıktan sonra naylon bir torbayla altına gizlenmiş kâğıdı gördü. Eldiven giyme gereği duymadan naylon poşeti alıp açtı. Mesaj, kahverengimsi bir mürekkeple –belki de kan– büyük harflerle yazılmıştı.

CONGODA ÇEVİRDİĞİN DOLAPA SON VER,
AKSİ TAKTİRDE KESERİZ DİLİNİ.

Amerikan mutfağındaki taburelerin birine çöktü, mesajı birkaç kez okudu ve göğsünde korkunç bir baskı hissetti. Korku, metabolizmasını altüst ederek, dış dünya algısını bozarak bedeninin her noktasına yayılıyordu. Kısa nefesler alıyor, kalbi dakikada yüz yirmi atıyordu; tüm bedenini yakıcı bir ter kaplamıştı. Kan kokusu başını döndürerek, onu sersemletiyordu.

Yapmaması gereken şeyin neredeyse tam tersini yapmış olduğuna göre, geriye artık arayacak tek bir numara kalıyordu.

# 29

Kara bir deniz. Mavi otlar. Yeşil kayalıklar. Sabah pusunun içinde görülmemiş bir manzara vardı. İlkelliğin olağanüstülüğü. Sirling'e yanaşmak, bir aynanın içinden geçmeye benziyordu.

Adaya batıdan, siyah granit bir kaya çıkıntısının arkasından yaklaştılar; Archambault'ya göre, demir atılabilecek tek korunaklı yer burasıydı. Erwan buraya bir ekip göndermek gerektiğini düşündü: Wissa ile katili de muhtemelen bu küçük koya demir atmışlar ve belki de izler bırakmışlardı. Ekip arkadaşlarının arkasından yürüdü: Archambault, Verny, Le Guen – Kripo, Paris'e gitmek için uçağa binmişti. Kumsala çıktıktan sonra, yüz seksen derecelik görüş açısı sunan bir tümseğe tırmandılar.

Küçük çaplı birçok tepe, gri ve kızıl-sarı bir halının kıvrımlarını çağrıştırıyordu. İlk tepenin üstündeki granit bloklar, kocaman bir iskeletin, yemyeşil bir kürkle kaplı sırt kemikleri gibi yükseliyordu.

*Andiamo.* Erwan mutluydu. Bir kütük gibi uyuduktan sonra, kahvaltısını sessiz askerlerin arasında subay yemekhanesinde yapmış, sonra Henri Queffélec'in romanındaki balıkçılar gibi denize açılmıştı. Düşündüğünden daha az midesi bulanmıştı ve şimdi, soğuk havada, giysilerinin sıcaklığının tadını çıkararak keyifle yürüyordu.

Bununla birlikte sevinç kaynağı olacak bir şey de yoktu. Gece boyunca yeni bir gelişme yaşanmamıştı. Savcı yardımcısına haber vermekten vazgeçmişti: Jandarma ile savcılık başlarının çaresine bakacak ve Sawiris'lere kimin haber vereceğini belirlemek için de kura çekeceklerdi. Sirling'de önemli bir bulguya rastlayacaklarına da inanmıyordu.

İkinci tepeye geçtiler. Tek renkli ve kasvetli bir manzara içinde, iç karartıcı mor yansımaları olan kapkara bataklığın etrafını çevreleyen sazlar ve kamışlar.

Üçüncü tepede manzara değişti. Renkler şenlik fişekleri gibi patlıyordu. Pembe, beyaz, sarı renklerdeki koruluklar engebelere göre birdirbir oynuyordu. Özellikle bir funda tarlası, güllerden ve menekşelerden oluşan bir tür *crumble*[1] gibi yayılarak, sanki içinde gizemli bir enerji barındırıyordu.

– Ne duruyorsunuz? diye sabırsızlandı Le Guen. Devam edelim.

Erwan yürümeye devam etti. Yeni bir tepeyi aştılar ve operasyon alanı karşılarına çıktı: Güvenlik altına alınmış birkaç yüz metrekarelik alan ve deniz suyu birikintilerinin içinde, gri kumların üstünde çalışan otuz kadar adam. Teknisyenler beyaz tulumlarıyla yaklaşık beş metre çapındaki bir deliğin çevresinde dört dönüyorlardı. Dalgıçlar ağır kıvrımlı borularla su birikintisini kurutmaya çalışıyorlardı.

"Vergi mükelleflerinin parasını boşa harcıyorsunuz." Bu, okulun kapısında Albay Vincq'in ona söylediği son sözdü.

Kriminal büro teknisyenlerinden biri, onları karşılamak için güvenlik şeridinin altından geçti. Başındaki uşankayla[2] bir Kazak'a benziyordu. Thierry Neveux, kriminal büro analisti.

– Yolculuk iyi miydi? diye sordu, alaycı bir tonda. Gelin. Patlamanın merkezi burası.

– Galoş giymiyor muyuz?

– Gerek yok. Son kırk sekiz saat içinde adaya yağan yağmur düşünüldüğünde bu batakta iz bulma konusunda hiçbir şansımız yok. Organik lif veya parça bulma şansımız daha da az...

*Vergi mükelleflerinin parasını boşa harcıyorsunuz.*

Dalgıçların emniyet halatlarıyla indikleri çukura ulaştılar. Diğer adamlar su sızdırmaz siyah polipropilen kutular açıyorlardı.

– Yanlarında radarlar ve sondalar getirdiler. Patlama toprağı altüst etmiş, bazı şeyler toprağın altında kalmış olabilir. Ama bir kez daha söylüyorum, mucize beklememek lazım.

– Buna sebep olan füzeyle ilgili bana ne söyleyebilirsiniz?

– Pek fazla bir şey söyleyemem, bana bunun bir savunma sırrı olduğu...

– Size bir soru sordum, bana cevap verin.

Neveux uşankasının altında gülümsedi – astragan kulaklıklar

1. İngiltere ve İrlanda'da yapılan bir tür kırıntı turta. (ç.n.)

2. Kulakları da örten, Rusya'da ve İskandinav ülkelerinde kullanılan bir tür kalpak. (ç.n.)

yüzüne çarpıyordu. Bu haliyle dingoya benziyordu.

– Bomba kimyasal bir tepkimeyle patlamış. Redoks, yani oksidoredüksiyon yoluyla ya da kimyasal ayrışmayla. Akkor haline gelmiş gerçek bir flaş. Her şey toz haline gelmiş ve yanmış.

Erwan yerden aldığı kararmış metal parçasına baktı.

– Size göre, bombada metal parçalar var mıydı?

– DIME'ler[3] gibi mi, demek istiyorsunuz? Sanmıyorum, hayır. Etrafta hiç rastlanmadı. Ve zaten ordumuzun bu tür mühimmatla deneyler yapacağını da sanmıyorum. Cenevre Konvansiyonu'yla bu tür patlayıcılar yasaklanmıştır.

Erwan; yırtılmış etleri, derinin altına saplanmış demir parçalarını hatırladı. Aklına şarapnel parçaları gelmişti. Başka ne olabilirdi ki?

– Adli tabip cesede saplanmış metal artıkları tespit etti. Onların ne olduğunu anlayabilir misiniz? Bunların bıçak parçaları ya da işkencede kullanılan herhangi bir alet olup olmadıklarını saptayabilir misiniz?

Neveux kaşlarını kaldırdı. Ona olayın bu yanını anlatmamışlardı. Gereksiz şeylerin gizli tutulması soruşturmayı yavaşlatıyordu.

– Patlamadan önce öldürüldüğünü mü düşünüyorsunuz? diye sordu kriminal büro analisti.

Erwan'ın cevap verecek zamanı olmadı. Bir Rafale üstlerinden geçti. Teknisyenler ve dalgıçlar gayriihtiyari başlarını omuzlarına gömdüler. Bu bir gürültü değildi –en azından insani bir ölçekte–, daha ziyade bir tür gökyüzü yırtılmasıydı. Hayal edilebilecek en sert maddenin, ana magmanın kökünden kopması. Sanki bir dağı, kâğıt gibi kolayca yırtıyorlardı.

Avcı uçağı çoktan gözden kaybolmuştu. Erwan diğerlerine baktı. Oldukları yerde kıpırdamadan kalmışlardı, herkes şaşkındı. Uzaktan hâlâ bir hırıltı geliyordu, sanki evren genleşiyordu. Ardından gürültü yeniden artmaya başladı. Güçlü bir vınlama, havayı delen devasa bir burgu sesi duyuldu ve bir kükreme halinde genişledi.

Bu kez Erwan başını eğmedi. Bulutları yaran siyah üçgeni gördü. Kanatlarının ardında bıraktığı beyaz izler donmuş alevleri andırıyordu. Reaktörlerinin uğuldayan deliklerinden güneş tekerleğini andıran yoğun bir alev püskürüyordu. Sadece bakınca bile gözleri kavuran son derece yakıcı bir pulpa.

Buraya geldiği andan itibaren pilotlardan ve üniformalılardan nefret eden Erwan, birden bu tür uçakları kullanabilen ve koz-

**3.** Dense Inert Metal Explosive'in kısaltması, yoğun atıl metal patlayıcı. (ç.n.)

mosun gücünü denetimleri altına alabilen bu adamlara büyük bir hayranlık duymaya başladı. Gerçek demiurgoslar.

Gürültü hafifledi ve bir esinti etrafı yalayıp geçti. Anlaşılan Rafale'lerin manevrası devam ediyordu. Charles-de-Gaulle'dekilerin yas tutması söz konusu değildi. Erwan'ın aklına, Amiral Di Greco'nun uzun silueti geldi – uçak gemisindeki görevinin tam olarak ne olduğunu sormayı unutmuştu.

Çukura yaklaştılar. Aşağıda, dalgıç kıyafetleri içindeki adamlar yağlı iri foklara benziyorlardı. İçlerinden biri halat yardımıyla yukarı çıkıyordu.

Kendini tanıttı: Su altı araştırması yapan teknisyenlerin şefi.

– Henüz bunu bulduk, dedi lafı uzatmadan. Bu size bir şey ifade ediyor mu?

Cisim mühürlü bir kanıt poşetine konmuştu. Saydam kıvrımların arasında, Erwan bir yüzük gördü. Poşeti aldı ve denizden yansıyan sedefli ışığa doğru tuttu. Bu ham metalden, kurşundan veya yıpranmış gümüşten bir şövalye yüzüktü. Üstünde, Kelt armaları vardı.

– Dişe dokunur bir şey mi? diye sordu dalgıç.

Erwan cevap vermeden cismi Neveux'ye uzattı. Göğsü bir anda havası boşaltılmış bir odaya dönmüştü. Bu yüzüğü tanımıştı. En ufak şüphesi yoktu.

Babasının şövalye yüzüğüydü.

# 30

Morvan, Loïc'e gelen tehdit mektubunu okuduğunda, aklına hemen Fransa'da Kabila rejimine karşı hâlâ mücadele eden Savaşçılar, sürgündeki Kongolular gelmişti. Kinşasa hükümeti tarafından desteklenen konserleri sabote ediyorlar, Paris'te yaşayan nüfuzlu Kongoluların ağzını burnunu kırıyorlar, web sitelerini kin dolu mesaj yağmuruna tutuyorlar ve Gare du Nord semti ile Invalides Meydanı'nda kimsenin ilgi göstermediği protesto gösterileri duzenliyorlardı.

Bugün neden Loïc'e saldırıyor olabilirlerdi? Onu, Kabila'nın işlediği suçların ortağı olarak mı görüyorlardı? Saçma. Oğlu sadece Coltano'nun yöneticilerinden biriydi. Şirkette hiç payı yoktu ve Kongo'ya hiç gitmemişti.

Hisse senedi rayiçlerini mi kolluyorlardı? Yükseldiğini mi saptamışlardı? Bundan ne sonuç çıkarmış olabilirlerdi? Kabila'nın ekibi, ülkelerini soymayı sürdüren Beyazlar ve Tutsilerle birlikte bir dümen peşinde miydi? Morvan bu serserilerin piyasadaki yükselmeyi takip edebileceklerine inanmakta zorlanıyordu. Bunların çoğu 18. Bölge'de, yasadışı olarak işgal ettikleri berbat yerlerde yaşıyorlardı ve borsaya on avro bile koyamazlardı.

Örtüşmeyen başka bir şey daha vardı: Mesajın kendisi, yazım hatalarıyla doluydu. Bu, çoğu Sorbonne'dan çıkma entelektüellerden oluşan Savaşçıların tarzı değildi.

*Bu sonra düşünülecek bir şeydi.*

Loïc'i ziyaret ettikten sonra duş yapmış, giyinmiş ve karısıyla karşılaşmadan merdivenlerden inmişti. Yanına bir 9 mm'lik almıştı. İkinci bir şarjör almaktan son anda vazgeçmişti. Château-d'Eau'ya gidiyordu, Vahşi Batı'ya değil.

Şimdi, Strasbourg Caddesi'ndeki Radio Katanga'da sabırla bekliyordu. Sönmüş sigara kokusu, pis bir salon, çatlaklarla dolu duvarlar. Arada sırada Siyahlar geçiyordu. Gözleri kanlanmış, iriyarı adamlar. Kahvaltı olarak kebap yiyen deri kıyafetli, güzel kızlar. Onunla ilgilenen kimse yoktu. Ne de ona bakan biri. Halbuki, yüz kilonun üstünde, takım elbiseli ve kravatlı, altmışlı yaşlarda Beyaz bir adamın, bu yüzde yüz Afrikalı radyo istasyonunda bulunması şaşkınlık yaratmalıydı.

Morvan sakin olmaya çalışıyordu; gözünün önüne, kolunun altında kanlı bir karton kutuyla duran oğlunun yarı komik yarı trajik görüntüsü geliyordu sürekli. "Annenden pazar günü için bunu pişirmesini isteyeceğim."

Loïc gülümsememişti bile. Morvan'ın, oğlu hakkında "Ne yüreklilik senin harcın, ne de cesaret özelliğin" derdi hep.

Coltano işine gelince, kontrol etmişti, Deplezains doğru söylüyordu ve Loïc'in hiçbir açıklaması yoktu. Onun bu konuda bir "ama"sı vardı, fakat öyle olmamasını umuyordu. Önceki gece, grubun Paris başkanı olan Bizot'yu –yönetici koltuğuna oturttuğu mıymıntı bir teknokrat– aramıştı. Rayiçteki bu yükselmeden bahsedince, beriki bundan bir övünç payı çıkararak kasılmıştı: "Başarının karşılığı!" Ne salak herifti! Ayrıca, Nseko'nun ölümünü araştırmak için Kongo'ya özel dedektifler yollamayı da önermişti. Bir başka aptallık. Morvan derhal içindeki öfkeyi bastırmıştı. Doğru ya da yanlış, Siyah adamın ölümünün hisse senetlerinin bir anda yükselmesinde herhangi bir rolü olduğunu sanmıyordu.

Daha sonra Lubumbashi'deki işletme birimlerinin işverenlerini aramıştı. Ülke tarafından iliklerine kadar sömürülmüş önemsiz Beyaz adamlar. Hiçbiri ona geçerli bir sebep söyleyememişti: Maden işletmelerinin faaliyeti aynı ritimde devam ediyordu, yeni bir şey yoktu. Nseko'nun yardımcılarıyla temasa geçmeye çalışmıştı, ama adamlar patronlarının ölümüyle paniğe kapılmışlar ve Mumbanza'nın alacağı yeni önlemlerden korkarak –orada, her türlü şekilde size teşekkür edebilirlerdi– kaçmışlardı...

Sonunda, gecenin ilerleyen saatlerinde, Morvan Kuzey Borsası'ndaki ekibiyle iletişim kurmaya çalışmıştı. Onlara Lubumbashi'den bahsettikten sonra bir daha hiç haber alamamıştı. Kötüye işaret miydi? Bu gizem ile Loïc'e gelen tehdit notu arasında bir bağ kurmaya çalıştı. Hayır, saçmalıyordu. Paris'te kimse, çatışma bölgesi Ankoro çevresinde olan biteni bilemezdi. Hatta oradaki adamlar bile...

Bir ses onu düşüncelerinden kopardı. İriyarı bir Siyah, Thomas Luzeko'ya, yani Yüce Ateş'e, Bana Congo'ların –Savaşçıların diğer adı– liderine haber verildiğini söylemek için ona doğru eğilmişti. Luzeko, burada, sabah dokuzda biten bir program yapıyordu; birazdan stüdyodan çıkıp gidecekti.

Morvan bu Kongoluyu uzun zamandan beri tanıyordu: Karışıklık çıkarmak için ülkesine dönmeden önce eğitimini Brüksel ve Paris'te tamamlamış, coşkulu bir Luba. Artık Kinşasa'da ikamet etmesi yasak olduğundan tüm komplolarını 10. Bölge'de düzenliyordu. Hobbes ile Marx'tan alıntılar yapan ve olası tek yol olarak şiddeti salık veren bir entelektüel.

İki cehennem zebanisi belirdi ve ayağa kalkması için ona işaret etti. Üstünü aradılar ve silahına el koydular. Ağır hareketler, *joint*'ten dumanlanmış kafalar, aşırı yorgun ifadeler... Gece ekibi vakit geçirmeden yatmaya gidecekti. Morvan, camları kirli kabinlerden oluşan bir labirentte onları takip etti, sonra CD'lerle, hi-fi cihazlarla ve artık kullanılmadığı için üstü kalın bir toz tabakasıyla kaplı bilgisayarlarla dolu bir yere girdiler. Dip tarafta, elinde bir *joint*, koltuğunda "I" harfi gibi dimdik oturmuş Yüce Ateş onu bekliyordu.

Siyah adam, omuzlarını bir tür kafes gibi saran bir ortez takıyordu her zaman. Kabila'nın polisi tarafından işkence edildiğini ileri sürüyordu: Aldığı darbeler bir veya daha fazla omuruna –bu, gününe göre değişiyordu– zarar vermişti.

Morvan yaklaştı, bir sandalye aldı ve ev sahibinin karşısına oturdu. Salon sanki esrarla tütsülenmiş gibi kokuyordu.

– Bu yüce ziyaretle onurlandırılmayı neye borçluyum?

Luzeko'nun boğuk ve Hermès'in derileri gibi cilalı bir sesi vardı. Her kelimenin ardında sıra dışı bir eğitim aldığı hissediliyordu – Mobutu yaşlılık günlerini ikiz kız kardeşlerle geçirmişti. Luzeko da onlardan birinin yeğeniydi. Hatta bazı art niyetliler, onun Mobutu'nun gayrimeşru oğlu olduğunu söylüyordu. Çocuk, Leopar'ın saraylarında büyümüş ve tahminlerin çok ötesinde parlak bir eğitim almıştı.

Morvan cebinden mesajı çıkardı.

– Oku.

Yüce Ateş, katlı kâğıdı ağır hareketlerle açtı. Kendine sakat süsü vermekten hoşlanıyordu. Birkaç saniye boyunca dikkatle kâğıdı inceledi.

– Bu ne anlama geliyor?

– Adamlarının imla kurallarını öğrenmesi gerektiği anlamına.

Yüce Ateş yine ağır hareketlerle kâğıdı katladı ve Morvan'a uzattı.

– Biz değiliz, bunu sen de biliyorsun.

– Oğlum bu sabah bu paçavrayı aldı; yanında, üstü şişe kırıklarıyla dolu bir sığır diliyle birlikte. Son derece gülünç. Meşhur Savaşçılar artık sistemin para babalarına mı saldırmaya karar verdi?

– Kendinle çok övünüyorsun. Senin her zamanki kusurun bu. Kendini Kongo-Kinşasa'nın önemli bir adamı sanıyorsun. Bunu sana hatırlattığım için özür dilerim, sen topraklarımızdaki davetsiz bir misafirden, soyguncu pis bir Beyaz'dan başka bir şey değilsin. Bir...

Morvan bir hamlede ayağa kalktı ve ortezli adamın üstüne eğildi.

– Paris'teki bütün imkânlarla Kabila rejiminin canını sıkmaya karar vermişsiniz. Canınız ne isterse yapabilirsiniz, herkesin pisliği kendine. Ama oğlumun saçının tek bir teline zarar verirseniz, çürük diş gibi sizi bu işgal ettiğiniz yerlerden söküp atarım, adınız sanınız duyulmaz!

Yüce Ateş soğukkanlılığını koruyordu. Yavaşça *joint*'ini ağzına götürdü ve uzun bir nefes çekti.

– Tekrar ediyorum, buraya boşuna geldin, dedi, dumanı Morvan'ın yüzüne üfleyerek. Bizim savaşımız siyasi ve...

– Kapa çeneni. "C" ile yazılmış "Congo" kelimesi sana ne ifade ediyor?

– Bu imlanın tekeli kimsede değil. Tüm Orta Afrikalılar eski imparatorluğun özlemini duyuyor.[1] Bana bir soru sormaya geldin, ben de sana cevap verdim. Uğurlar olsun Morvan. Senin için hiçbir şey yapamam; sen de bize karşı hiçbir şey yapamazsın.

– Bak hele! Valls'ın[2] şerefine, hepinizi bir *charter*'a dolduruyorum. Sen ne sanıyorsun? Fransa'yı domaltarak becereceğini, sonra da çükünü perdeye silebileceğini mi?

– Senin bu konudaki ününü iyi biliyorum Morvan.

Yaşlı polis onu ortezinden yakaladı.

– Hâlâ bokunun pis kokmadığını sanıyorsun! Fleury'de[3] yağlı kulamparalara kendini düzdürürken ne söyleyeceksin, göreceğiz.

Luzeko'nun dudaklarına geniş bir gülümseme yayıldı. Esrar ve mutlak bir vurdumduymazlık onu bütün duygulardan uzak tutuyordu. Yavaşça Morvan'ın kolunu tuttu ve ondan kurtuldu. Polis ısrarcı olmadı. Onun bir babununkine benzeyen burnunu kırabilirdi, ama Siyah adamın silahlı olmasından çekindi.

Morvan esrar dumanları arasında geri çekildi ve bekledi.

**1.** Kongoluların konuştuğu Kikonga dilindeki imla kastediliyor. (ç.n.)

**2.** Fransa Başbakanı Manuel Valls. (ç.n.)

**3.** Fleury-Mérogis Hapishanesi. (ç.n.)

Hâlâ gergin olan beriki, elini ceketinin cebine soktu. Morvan kasıldı. Luzeko sadece bir cep telefonu çıkardı ve parmaklarını tuşların üstünde dolaştırdı.

– Mesajlarını kontrol etmenin sırası mı?

– Mesajlarımı değil ahbap. İsviçre'deki hesaplarını. Ayrıca oğlunun hesaplarını.

– Ver şunu bana!

Elini uzattı, ama Luzeko, sözüm ona sakat birinden beklenmeyecek bir ustalıkla Morvan'dan kurtuldu.

– Dosyaları olan tek kişinin kendin olduğunu mu sanıyorsun Beyaz adam? (Ekranda yazılı olanları acele etmeden okudu.) Loïc'in karısıyla hâlâ bir ortak hesabı olduğunu biliyor muydun? Pek fazla mantıklı değil, ilişkilerine bakılırsa...

Morvan yumruğunu sıktı.

– Götveren Zenci!

Bir 45'liğin siyah namlusu onu durdurdu. Yüce Ateş ona bir tabanca doğrultmuştu.

– Otur ve beni iyi dinle.

Morvan kendini sandalyesine bıraktı.

– Bazı Gare du Nord adamlarının ağzını burnunu dağıtmakla yetinmiyoruz. Ağlarımız var, müttefiklerimiz var, bilgi kaynaklarımız var. Bize bunları sen öğrettin Morvan.

– Oğlumu neden tehdit ediyorsunuz?

– Biz etmedik, sana söyledim. (Sol eliyle kat yerlerinde pıhtılaşmış kanlar bulunan kâğıdı aldı ve polisin suratına fırlattı.) Bir sığır dili? Önemsiz bir Zenci tarafından yazılmış bir sözcük? Bizi ne sanıyorsun? Oğlun yarı sarhoş bakaloryasını verirken ben çoktan siyasal bilgilerdeydim!

Morvan pes etmiş gibi görünerek mektubu cebine koydu. Ayağa kalktı ve üstünü düzeltti. Ardından, elinin keskin tarafıyla, *şomen uçi* tekniğiyle salağın bileğine vurdu, adam bağırmaya bile fırsat bulamadan silahını düşürdü. İhtiyar diğer eliyle silahı yerden aldı. *Senin yaşında biri için hiç de fena değil.*

Gözünü Luzeko'dan ayırmadan, bu kez o cep telefonunu çıkardı. Adam kendini savunmak için en ufak bir harekette bulunmadı. Polis telefonun ekranını adamın burnuna dayadı.

– Benim de bilgi kaynaklarım var. Bunun ne olduğunu biliyor musun taşak suratlı? Uluslararası Ceza Mahkemesi'nin yakın gelecekteki dava konusu. Gülümse: Listenin başında sen varsın.

– Sen... sen ne anlatıyorsun?

– Kimse senin borsadaki geçmişini unutmadı.

– Palavra!

Polis adamı serbest bıraktı ve bir kahkaha attı.

– Yamyamlığın cinsel sertlik için mükemmel bir şey olduğunu biliyor musun? Bana inan, burada istiflediklerinle, ormandaki küçük piçleri becermek zorundasın!

– *Nquilé*, sen...

– Kapa çeneni. Söylediklerimi yapmazsan, La Haye'e gidip tanıklık yapmaktan zevk duyacağım.

– Tam olarak ne istiyorsun?

– Bana bu mesajı yazanları bul. Bunun arkasında gizli kapaklı ne varsa, öğrenmek için her şeyi yap.

İki adım geri çekildi. Yüce Ateş her an bir şeyler yapmaya kalkışabilirdi, ama sadece ortezini düzeltiyordu.

– Sana kırk sekiz saat mühlet. Bir sözümle adın bu listeden silinir.

– Seni arayayım mı?

– Tamam, bana frenginin kaynağını söylemek için. Senin o "soylu ses tonu"nu duymak için şahsen de geleceğim, diye uyardı, kapıya doğru yürürken.

Dışarı çıkınca kâğıt mendillerle yüzünü ve ensesini kuruladı. Takım elbisesi ter kokuyordu ve üstüne *joint*'in pis kokusu sinmişti. Üstünü değiştirmek için eve dönse iyi olacaktı. *Kahretsin.*

Hepsi çoktan Strasbourg Bulvarı'ndaydı, işbaşındaydılar, metro girişlerinin çevresinde toplanmışlardı. Berberler-saç düzleştiriciler. Profesyonel tembeller. Zift satıcıları. Soyulmamak için silah taşıyan her türden torbacı. Hayatta kalma ile para, kaçakçılık ile tembellik, şiddet ile yaşama sevinci arasında karmaşık bir füzyon. *Lanet olası Siyahlar*... Aslında Morvan onları seviyordu.

Tek harekette, Luzeko'nun burnuna dayadığı metni sildi; polis terfileri ve tayinleriyle ilgili sıradan bir listeydi. Katanga'yla alakalı uluslararası bir soruşturma yoktu. Kimsenin hakkında orada en ufak bir inceleme başlatılmamıştı. Tek öncelik madenlerin işletilmesiydi.

Sonradan aklına geldi, Luzeko da ona blöf yapmış olabilirdi. Elindeki veriler kuru temizlemeye verilmiş kıyafetlerinin son faturasından başka bir şey olamazdı.

Kartondan iki şef. Korkudan altlarına işemeleri için yeterli sebepler olan iki ödlek. İçler acısı.

O anda, elindeki cep telefonu titreşti. Erwan.

# 31

– Sen ne anlatıyorsun?

Erwan söylediklerini tekrar etti: Füzenin açtığı delik, yapılan araştırmalar, şövalye yüzüğün bulunması. Telefonda şövalye yüzüğü babasının suratına atamazdı, ama zihninde yaptı bunu.

– Sakin ol, dedi Morvan, o gür sesiyle. Sen polissin. Senin görevin olguları tahlil etmektir.

– Hiçbir polis olay yerinde buna benzer bir ipucu bulmaz.

– Yüzük benim değil.

– O yüzüğü çok iyi bildiğimi unutuyorsun. Aile arması. Kartal ve eğreltiotu yaprağı.

– Benimki parmağımda.

– Gerçekten mi? Bize her zaman bu yüzüğün tek olduğunu söylerdin. Klanımızın sembolü!

– Yalan söyledim.

Erwan sustu. Her kötü şey iyiydi: Bir örtü kalkıyordu.

– Değersiz bir şey. Finistère'deki veya Côtes d'Armor'daki herhangi bir pazarda satılan sıradan bir yüzük.

– Bize neden böyle söyledin?

Erwan sakinleşiyordu: Cinayet işlemesindense yalan söylemesi daha iyiydi.

– Çünkü hep köklerinizi küçümsediniz. Ben de bu yüzükle Bröton köklerinize bir saygınlık kazandırmayı düşündüm.

Erwan alaycı bir tonda devam etti:

– Morvan-Coātquen Hanedanı'nın olmadığını mı söylemek istiyorsun?

– Elbette var, ancak kesinlikle aristokrat bir soy değil. Sıradan balıkçılar. Bu da bizim kraliyet yanlılarının arasında yer almamıza hep engel teşkil etti.

– Doğduğumuzdan beri bize yalan söylediğine göre, bugün sana neden inanayım?

– Tekrar söylüyorum, şövalye yüzüğüm parmağımda. İnternetten veya hatıra eşya satan herhangi bir mağazadan kontrol edebilirsin, bu yüzük her yerden satın alınabilir.

– Bir rastlantı olduğuna inanamıyorum.

– Senin görevin inanmak değil, bulmak. DNA analizi yaptıracak mısın?

Suçunu kabullenmek bir yana, Morvan yeniden otoriter ses tonuyla konuşmaya başlamıştı.

– Gereksiz. Onu çamurun içinden çıkardık. Zaten tüm olay mahalli suların altında. Kime ait olduğunu bulma konusunda en ufak bir şansımız yok.

– Bana hiç bilgi vermedin. Çaylak deneyimi senaryosu artık geçerli değil mi?

– Daha ziyade bir linç olayından söz edebilirim: Wissa Sawiris işkence edildikten sonra öldürülmüş. Füze ona isabet etmeden önce ölüymüş.

– Başka ne biliyorsun?

Erwan ona varsayımlarından bahsedemezdi: Fundalıkta işkence gören öğrenci, katil veya katiller tarafından sığınağın dibine bırakılan ceset.

– Şüpheliler?

– Kaerverec öğrencileri. Ya sigortaları atmış, zıvanadan çıkmış olanlar ya da rahatsız edici bir tanığı ortadan kaldırmak isteyenler.

– Neyin tanığı? Taammüden bir cinayet mi?

– Her şey mümkün. Oradan geçen, dışarıdan gelmiş bir katili de göz ardı etmiyorum. Francis Heaulme tarzı.

– Ne yapacağını bilemez durumdasın anlaşılan.

Erwan cevap vermedi, öncelikle şu şövalye yüzük hikâyesini aydınlatması gerekiyordu.

– Raporunu hazırladın mı? diye sordu babası.

– Henüz hazırlamadım, ama o iş kolay.

– Ya basın toplantısı?

– Bugünlerde imkânsız, yeterince bilgi yok.

Morvan gitgide bir kumandan edasıyla davranmaya başlamıştı.

– Bu gece senden e-posta yoluyla ayrıntılı bir rapor istiyorum. Ben raporu okumadan önce savcı yardımcısına hiçbir şey vermiyorsun. O kadınla durumu ben hale yola koyarım. Soruşturmanın durumu ne olursa olsun, vakit geçirmeden yarın sabah basın toplantısı yapılsın.

Erwan itiraz etmeye çalıştı, ama İhtiyar haklıydı; artık ertelemek imkânsızdı. Telefonu kapattı ve çevresindeki manzarayı dikkatle inceledi.

Okul ETRACO'larının bağlı olduğu iskeleye yanaşmışlardı; çamurun zaman içinde ayaklarını çürüttüğü, sazlarla çevrili basit bir pontondu. Erwan babasını aramak için uzaklaşmıştı – Sirling'de şebeke yoktu. Archambault, Zodyak'ın güvertesini suyla yıkıyordu. Verny ile Le Guen küçük sandıkları boşaltma işinde kriminal büro teknisyenlerine yardım ediyorlardı. Sanki tatil dönüşü valizlerini boşaltıyorlardı.

Erwan, sahile doğru birkaç adım attı ve karşısına, her kapının kenarında ortancaların bulunduğu, mavi panjurlu beyaz evleriyle turistik bir sahil çıktı. Bunca potansiyel tanık varken, kimsenin bir şey görmemesi, bir şey duymaması nasıl izah edilirdi?

Babasının açıklamalarının tek kelimesine inanmamıştı, ama şüpheleri de yersiz olabilirdi. Eğer İhtiyar bu cinayete karıştıysa –tahmin edemediği bir sebeple– olay mahalline kesinlikle böyle kişisel bir eşyasını bırakmazdı. Ya da yüzüğü kaybettiğinin farkında olmasa bile oğlunu bu davaya atamazdı. İşin içinde bir düzen olabilir miydi? Veya babasının da söylediği gibi bu bir başka yüzük müydü?

Erwan kumsala doğru yöneldi, ayakkabılarını çıkardı ve nemli kumla tanıştı. Deniz çekilmiş, bazı tekneler karaya oturmuştu. Hüzünlü, iç karartıcı, ama aynı zamanda bölgenin bir başka yüzünü gösteren bir manzaraydı: Bu tekneler sadece denizde yüzmekle, bu insanlar da kumsalda yürümekle kalmıyordu, özel bir bağ onları birleştiriyordu. Bretanya toprağıyla bir tür birleşme, atalarıyla kaynaşmaydı.

Mesajlarına baktı. Muriel Damasse, Vincq, Wissa'nın ailesi... Kimseyle hiçbir şekilde temas kurmak istemiyordu. Sadece soruşturmaya yoğunlaşmak istiyordu.

Çamlarla ve servilerle çevrili küçük bir koya ulaştı. Kıyıda dalgalarla sürüklenmiş bir sürü döküntü vardı: Halat parçaları, plastik kalıntıları, yüzen tahtalar...

Cep telefonu yeniden çaldı. İhtiyatla bir göz attı. Clemente, adli tabip.

– Yeni bir şey var.

– Neyle ilgili?

– Yaralarla.

Erwan uzaktan, araçlarının yanına gitmiş olan arkadaşlarını gözlüyordu. Çantalar ve kutular büyük sandıklara yerleştirilmişti.

– Cesetten geriye kalan iyi durumdaki kısımları yeniden inceledim, diye devam etti Clemente. Dokuları, lezyonları, kanamaları analiz etme imkânı veren yerleri. Ürkütücü: Her yerde yaralar var. Çoğu kesici, delici aletlerle, bıçaklarla açılmış.

– Kalıntılar buldunuz mu?

– Bazı yaralarda evet.

– Ne olduklarını saptayabildiniz mi?

– Hayır. Isı metali eritmiş ve...

– Onları Neveux'ye yollayın, kriminal büro analisti. Başka?

– Size bu barbarca eylemin çocuk daha hayattayken yapıldığını kesinlikle söyleyebilirim. Özellikle yüzü dikkatimi çekti. Katil doğrudan... yüzüne saldırmış. Sivri bir cisim, bir tornavida, buna benzer bir şey kullanmış olduğunu, yanaklarında ve dişetlerinde delikler açtığını söyleyebilirim. Ayrıca bir omzunda da bir dizi delik var...

Erwan artık ayaklarının kuma gömüldüğünü hissetmiyordu. O esnada güneş bulut kütlesini deldi ve küçük koyu aydınlattı. Kayalar sırça pullarla kaplandı, çamların iğneyaprakları üstlerindeki küçük su damlacıklarından ötürü parlamaya başladı.

– Diğer kalıntıları inceleyecek zamanınız oldu mu?

– Karnın bir bölümünü. İç tarafta, beni daha ayrıntılı analizler yapmaya iten bazı bozulmamış dokular buldum. Maktulün organları alınmış.

– Ne?

– Sinirlerde, bağlarda çok net kesikler gördüm. Bu bölgeler özel bir aletle kesilmiş.

– Bisturi?

– O tarz bir şey, evet.

– Katil doktor olabilir mi?

– Her halükârda anatomi bilgisi var. Ama on beş yıllık bir eğitim görüp görmediğini ya da cephede hastabakıcı olup olmadığını söylemek imkânsız.

– Neden "cephede"?

– Öylesine söyledim. Askeri ortam.

Kapanan araç kapılarının sesi duyuldu. Erwan başını çevirdi. Herkes araçlara binmişti. Ön camın ardında, ona doğru çevrilmiş gözleri tahmin edebiliyordu. Eliyle beklemelerini işaret etti.

– Hangi organlar kayıp?

– Emin olmak zor. Karaciğer, mesane, prostat... Daha alt kısım, son derece zarar görmüş, kesin sonuçlar çıkarmak imkânsız, ama cinsel organlarının da çıkarıldığını düşünüyorum. Bu da gerisiyle örtüşüyor.

– Hangi gerisi?

– Tecavüze uğramış.

– Bu bölge zarar gördüyse bunu nasıl bilebiliyorsunuz?

– Arka kısım zarar görmemiş. Bu ayrıntılar için üzgünüm ama anal bölgede çok sayıda yara izi var. Rektumun iç cidarına ve büzgen kaslara bakılırsa, Wissa son derece sert bir tecavüze maruz kalmış.

– Hayattayken mi?

– Kesinlikle. Dokulara kan oturmuş.

Erwan dönüp dolaşıp bildik konuya gelmişti: Cinsel şiddet, aşkın yerini alan ölüm, insanoğluna musallat olmuş vahşet...

– Sperm buldunuz mu?

– Hayır. Boşalma yok. Bir alet, bir araç kullanılmış. Makat bölgesindeki bazı kesikler, bunun, çok sayıda keskin tarafı olan bir cisim, üstü jilet veya çivilerle dolu demir bir çubuk olduğunu gösteriyor. Bazen üzerinde çok keskin kanatçıklar bulunan Ortaçağ topuzları gibi.

Tıbbi bilgiler, organları çıkarma, çılgın aletler kullanma... Kendiliğinden gelişen bir linç senaryosundan uzaklaşılıyordu. Psikopat katile merhaba. Erwan'ın aklına, otopsi raporunu okumak isteyecek olan Wissa'nın anne ve babası geldi.

Bu korkunç şiddeti bir kenara bırakarak, cerrahi yöntemle ilgili yeni bir soru sordu:

– Bu organların alınmasının başka bir sebebi olabilir mi? Bir organ nakli için, mesela?

– Hayır. Öncelikle şeyi... yani malzemeyi korumak için hiçbir asepsi koşulu yerine getirilmemiş. Organların daha ziyade kişisel koleksiyon için alındığını düşünüyorum. Her akşam organlarla dolu bir kavanozun karşısında mastürbasyon yapan türde biri.

Clemente'ın hayâsızlığı yeniden ortaya çıkmıştı, ama sesi bezgindi – insanın acımasızlığı kadar yıpratıcı bir şey yoktu.

Güneş kaybolmuştu. Kumsal şimdi her ayrıntıyı ağırlaştıran kurşuni bir renge bürünüyordu. Sanki manzara nefes almakta zorlanıyordu.

– Tüm bunları yazıya döküp bana e-postayla yollayabilir misiniz?

– Daha bitirmedim.

– Başka şeyler de mi bulacağınızı düşünüyorsunuz?

– Bunu size yarın sabah söyleyeceğim.

– En ufak bir şey dahi bulsanız gece beni arayın. Gerçekten iyi iş çıkardınız.

– Bazı durumlarda, bundan öteye gitmemek daha iyi olurdu.
– Metal parçalarını Neveux'ye yollamayı unutmayın.
Erwan telefonu kapattı ve koşar adımlarla araçlara ulaştı. Yağmur yeniden başlamıştı.
– Savcı yardımcısı hanım aradı, diye haber verdi Archambault. Sizden haber...
– Daha sonra. Kadın canımı sıkıyor.
Jandarma ısrar etmeden, okul idare binasına doğru arabayı sürdü. Görüş mesafesi üç metreden fazla değildi. İri yağmur damlaları ön cama su bombaları gibi çarpıyordu. Bu göz kamaştırıcı yağmur gelgiti, Erwan'ın içinde bulunduğu karmaşık durumla örtüşüyordu: Kafası hiç de berrak değildi.
Archambault'nun yeniden bir şeyler söylediğini fark etti.
– Ne?
– Philippe Almeida sizi üste bekliyor.
– O kim?
– Kaerverec'in doktoru. Onu görmek istemiştiniz...
– Evet... elbette... (Tamamen unutmuştu.) Ama okulda değil.
– Nerede?
– Narval'de.
– Gemi enkazında mı?
Erwan bunu düşünmeden söylemişti. Bir taşla iki kuş vuracaktı: Hem tabibi sorgulamış hem de önemli bir yeri *–no limit* sahnesini– ziyaret etmiş olacaktı. Burada kötü bitmiş bir deneyimin yaşanmış olduğuna inanmıyordu, ama bu terk edilmiş gemi, bir insanın kurban edilmesi için uygun bir yer olabilirdi.
– On beş dakika sonra.
Kuşkonmaz cep telefonunu çıkardı ve dikiz aynasından arkaya baktı. Le Guen ile Verny'nin arabası peşlerindeydi; kriminal büro teknisyenleri ile dalgıçların araçları da onları takip ediyordu.
– Diğerlerine ne söyleyeyim?
– İşin devam ettiğini.

# 32

Narval paslı bir hançer gibi kuma saplanmıştı. Sadece üst güvertenin olduğu kısım yirmi veya otuz derecelik bir açıyla suyun yüzeyinde duruyordu.

Kumsalda ilerlerken, Erwan canavarı düşünüyordu. 60'lı yıllarda inşa edilmiş bu savaş gemisinin uzunluğu yüz metre civarında olmalıydı. Döneminde, bu "muhafız gemisi", Archambault'nun belirttiği üzere, denizaltılara karşı savaşın gözbebeği olmuştu. Bugün ise, sadece eskimiş bir gemi iskeletiydi. Tek bir topu, en ufak bir donanımı olmayan bu enkaz, sonbahar renklerine sahip bir mısır koçanına benziyordu. Daha şaşırtıcı olan ise, bir deniz mezarlığının ilk taşı olarak onun burada bırakılmış olmasıydı.

Archambault onu uyarmıştı: Deniz yakında yükselecek, bir buçuk saat içinde enkaz tamamen suların altında kalacaktı.

Bir giriş yolu ararken, Erwan bir dizi ayak izi gördü. Geminin gövdesinde bir delik bulana kadar izleri takip etti. Oyuk yarısına kadar kumla doluydu. Archambault'nun verdiği el fenerini yakarak demirden gövdenin içine girdi. Bir anda kendini sular damlayan, tuzun çürüttüğü boruların ortasında buldu.

– Almeida?

Fenerinin ışığıyla bata çıka ilerledi. Sintinenin dibinde su vardı ve bir önceki gelgitin yalpasını hatırlıyormuşçasına çalkalanmaya devam ediyordu.

Erwan suyun içindeki ayaklarını aydınlatıyordu; geminin eğimi, küçük bir adım atmayı bile zorlaştırıyordu. Çevresindeki her şey berbat bir hastalığa maruz kalmış gibiydi. Duvarlar, borular, çarklar, hepsi cüzamın, ülserin, kırmızı yanıkların izlerini taşıyordu...

– Almeida?

Ayak izleri belki de sabahın erken saatlerinde gelmiş başka bir ziyaretçiye aitti. Düşünmeden bir sonraki salona girdi. Yağmur sızıntısının küçük şırıltısı, daha geniş açıklıkların homurtuları, su birikintilerine düşen damlaların sesleri duyuluyordu...

Bir merdiven. Kamaralara veya kaptan köşküne çıkıyor olmalıydı. Feneri dişlerinin arasına sıkıştıran Erwan merdivenin demir çubuklarını tuttu ve bir üst seviyeye çıktı. Adamların tüm zamanlarını ambar ağızlarından geçerek ve su sızdırmaz kapakları kapatarak geçirdiği denizaltı filmlerini düşünerek kendini yuvarlak bir delikten yukarı çekti.

Bir koridor. Gemi hâlâ sol yanına yatmış haldeydi, ancak bu kez etraf kuruydu. Üst duvara tutunarak ilerledi.

– Almeida?

Sesi deniz şıpırtılarının arasında kayboluyordu. Işığı karanlığa doğrulttu, sadece mühürlü kapılar gördü. Sonunda, tam üstünde sadece zıvanaları kalmış bir lombar deliği gördü. Bir kez daha tırmanmayı başardı.

Burası bir atış kumanda salonu veya torpido odası olmalıydı. Uzun çekmeceler, devasa silahlıklar... Lombozlar, yağmur yüzünden yol yol gözüken gri ışık huzmesinin içeri girmesine izin veriyordu. Alacakaranlık salon, bir akvaryumun dibi gibi devingendi.

– Buradayım.

Erwan gözlerini kıstı ve paslanmış sütunların arkasında oturan bir gölge fark etti. Ters istikamete doğru, düşmemek için hem bir yerlere dayanarak hem de tutunarak ilerledi.

Metal bir çarkın üstüne oturmuş olan doktor, sarkık bıyıklarıyla 70'lerin bir müzisyenine benziyordu: Nick Mason, Pink Floyd'un bateristi. Ellilerinde olmalıydı, uzun saçları vardı ve yenik düşmüş bir Viking'i andırıyordu.

– Bana neden burada randevu verdiniz?

Ses tonu saldırgandı, ancak en azından bir giriş konuşmasına ihtiyaç kalmamıştı. Erwan oturmak için bir boru buldu.

– Buranın Wissa Sawiris cinayetinde bir rolü olduğunu düşünüyorum.

– Bir cinayet mi?

– Haberiniz yok muydu?

Doktor hayır anlamında başını salladı ve eliyle saçlarını karıştırdı.

– Zaman kazanalım ve siz bana bildiklerinizi anlatın, diye devam etti polis.

– Bir şey bilmiyorum.

Kararlı bir sorgucu için konuya en iyi girişlerden biri değildi.

– Bu hafta sonu K76'daki nöbetçi doktor sizdiniz, değil mi?

– Doğru.

– Cuma öğleüzerinden cumartesi gün doğumuna kadar sizinle temas kurulmadı mı?

– Hayır.

– Ya cumartesi sabahı, Wissa kaybolduktan sonra?

– Yine hayır. Wissa'nın kalıntılarını Sirling'de buldular ve onları doğrudan Cavale Blanche'a gönderdiler.

– İlk kez mi bir çaylak deneyiminde nöbetçi oluyorsunuz?

– Hayır. Yaklaşık on yıldır bu görevdeyim. Bütçe kısıtlamaları. Özellikle bu durum, üniformalıların ellerinin temiz kalmasını sağlıyor.

– Yani?

– Bazı raporları yazmak veya sınıflandırmak can sıkıcı olabiliyor. (Almeida sol kulağındaki küpeyi açıkta bırakacak şekilde saçlarını arkaya attı.) Lafı gevelemeyi bırakın. Ne öğrenmek istiyorsunuz?

– *No limit*, bu size bir şey ifade ediyor mu?

– Evet.

– Bu deneyim sırasında oluşan yaraları daha önce tedavi etmek durumunda kaldınız mı?

– Evet.

– Ne tür yaralar?

– Kesikler. Bıçak yaraları. Yanıklar.

Erwan'ın şansı vardı: Almeida lafı dolandırmadan konuşan biriydi.

– Tıbbi rapora ne yazıyorsunuz?

– Hayal gücümü devreye sokuyordum.

– Neden gerçekleri söylemiyorsunuz?

– Gerçek bir halta yaramaz. DHPAÖ'ler hep birlikte inkâr ederler, ben de aleyhte tanık olarak tek başıma kalırım.

– Yıl boyunca öğrencileri tedavi etmek durumunda kalıyor musunuz?

– Elbette. *No limit* yıl boyunca devam eder. Deneyimler, yani yaralar K76'daki eğitimin bir bölümünü oluşturur. Programın iki yılı boyunca devam eder. Tıpkı spor ve fundalıktaki zorlu yürüyüş gibi.

– Askerler size mi müracaat ederler?

– Başka çareleri yok. Hastaneler açıklama ister, doktorlar rapor yazar. Zaten, çoğu zaman askerler kendi kendilerine iyileşirler.

– İçlerinden hiçbirinin isyan etmemesini nasıl açıklıyorsunuz?

– Büyülenmişler.
– Kimin tarafından?
– Afrika'da bir söz vardır: "Balık baştan kokar." Onları Di Greco koşullandırıyor. Burada ona, Yüce Hasta Beden derler.
– Deli olduğu için mi?
– Hayır, kemiklerini deforme eden genetik bir hastalığı olduğu için.
– Marfan sendromu mu?
Nick Mason yeni parçanın ritmini gösterir gibi başını salladı.
– Hiç de fena bilgi toplamamışsınız.
– Di Greco hâlâ komutan mı?
– İki yıldan beri ıskartada. Hiçbir görevi, hiçbir sorumluluğu yok. Yarı kör sayılır ve yürümekte de zorluk çekiyor. 2010 yılında, hastalığı bir anda ağırlaştı. Oldukça da yaşlı.
– Böyle bir engelle orduda nasıl kariyer yaptı?
– De Gaulle de Marfan sendromundan mustaripti, bu onu fazla engellemedi...
Generali hatırlamak bir dizi düşünceyi de akla getiriyordu.
– Uçak gemisindeki görevi ne?
– Bazı onursal görevler ve prestij. Onun varlığı, askeri başarıları göz önünde bulundurulursa, daha ziyade bir tolerans.
– Hangi başarılar?
– Hiçbir fikrim yok. Bana sorarsanız gemide ölmek istiyor.
Demek ki Di Greco'nun önünde yaşayacak birkaç yılı vardı. Bir şeylerle meşgul olmak ve şüphesiz kaderden intikam almak için K76 öğrencilerini bir acımasızlık sarmalına sürüklüyordu.
– Onu hiç tedavi etmediniz mi?
– Kimse ona yaklaşamaz. Her türlü tıbbi muayeneyi reddediyor.
– Neden?
– Bazı söylentiler var. Bir gün Cavale Blanche Hastanesi'nde MR'a girdiği söyleniyor. Vücudundaki metalden dolayı makine az kalsın patlayacakmış.
– Protezler mi?
– Hayır, vücudundaki iğnelerden dolayı. Bedenine batırılmış onlarca iğne var. *No limit* onun için de geçerli. Bu herif sürekli olarak acı çekiyor.
– Bağnaz bir keşiş gibi mi?
– Böyle de diyebiliriz, evet. Ordu onun dini, tanrısı da kötülük.
Tabip abartmayı seviyordu, ama Erwan ana fikri anlamıştı. Wissa'nın bedeninde bulunan metal sivri uçları düşündü. Aynı

şey miydi? Hayır, Clemente yaralamaya ve öldürmeye yönelik kesici aletlerden bahsetmişti.

– Hâlâ Kaerverec'e geliyor mu?

– Bazen. Ayrıca gece öğrencileriyle gizli toplantılar da düzenliyor.

– Nerede?

– Burada. Narval'de.

Gemi enkazı sadece *no limit*'in gerçekleştiği yer değil, aynı zamanda gurunun Zeytin Dağı'ydı. Bu paslı katedral mükemmel bir dekor oluşturuyordu.

– Onun felsefesi... neye dayanıyor?

– Onun tatsız söylevlerine hiç tanık olmadım, ama bazen bu söylevlerden bana bahsederler. Onun büyük vizyonu, Antikçağ'ın savaşçı *furor*'una[1] dayanıyor.

– O ne?

– Eski Yunan epik şiirlerinde, askerler kendilerini hem görünmez hem de kontrolsüz kılan bir tür transa girerler. Kan tadı onlara kutsal bir güç verir. Di Greco bu transı kontrol etmek istiyor. Tamamen egemenliği altına alarak, askerlerini *furor* noktasına gelene kadar savaşa hazırlamak, zorluklara alıştırmak istiyor.

– Pilotlardan bahsediyoruz, değil mi?

– Pilotlar, denizciler, piyadeler; önemi yok. Her şeyden önce, söz konusu olan zihinsel güç. Dayanıklılığı on katına çıkmış bir güce sahip adamlar.

– Onlara üstlerine başvurmaları konusunda hiç telkinde bulunmadınız mı?

– İşe yaramaz, size söyledim. Subaylar gözlerini kapatırlar, çocuklar da okuldan atılırlar.

– Ama en azından işkencecilerine isyan edebilirler.

Almeida parmaklarını bir fıçının çevresinde gezdirdi. Her zamankinden daha fazla Nick Mason'dı.

– Anlamadınız. Çoğu zaman kendilerini yaralayanlar yine onlar. İnsan en iyi kendine hizmet eder...

K76'ya geldiğinden beri Erwan kendini huzursuz hissediyordu. Öğrendikleri, bu rahatsızlığını açıklıyordu: Di Greco burada, ne acıdan ne de ölümden korkan yeni tür savaşçılar yetiştiriyordu; belki bu savaşçılar da tehlikeyle ve acıyla temas halinde olmaktan zevk alıyorlardı. Wissa bu aşırılıkların kurbanı mı olmuştu?

– Bütün bunları bana neden anlatıyorsunuz?

1. "Aşırı öfke, çılgınlık, kudurganlık" anlamında Latince sözcük. (ç.n.)

– Çünkü bu aptallıklar gitgide acımasız olmaya başladı. Çocuğun ölümü, "kaza"nın çok ötesinde bir şey.

– Size göre ne oldu?

– Herhangi bir fikrim yok. Ama cuma gecesi gerçek bir *Walpurgisnacht*'tı.[2]

– Diğerlerinin ona işkence yaptığını mı düşünüyorsunuz?

Viking derme çatma koltuğundan kalktı.

– Gidelim. Deniz yükseliyor.

Erwan yerinden kımıldamadı.

– Bana ne düşündüğünüzü söyleyin.

– Tıpkı insanların aç bırakarak veya döverek bir köpeği delirttiği gibi, Di Greco da onları delirtti. Onlar da öçlerini çocuktan aldılar.

– Tıp bilgisi olan bir çocuk tanıyor musunuz?

– Hayır.

– Diğerlerinden daha sadist olabilecek bir Tilki var mı?

– Bunu söylemek imkânsız.

– Mahkemede tanıklık yapmaya hazır mısınız?

– Hangi mahkeme?

– Ağır ceza mahkemesi. Askeri mahkeme. Herkese iş düşecek.

Almeida ambar ağzında gözden kayboldu. Sesi acı acı yankılandı:

– Sorun değil. Tüm bunlardan bıktım.

**2.** "Walpurgis Gecesi" anlamında Almanca sözcük. Alman halk söylencesinde, her yıl 30 Nisan gecesi cadıların ve büyücü kadınların toplanarak baharın gelişini kutlaması. (ç.n.)

# 33

Loïc dil olayını hâlâ hazmedememişti.

Saat 15.00'te Doktor Lavigne'in servisinden, yani Saint-Maurice Hastaneleri yetişkin psikiyatrisi bölümünden çıkıyordu. İşgününü boşuna değerlendirmeye çalışmıştı. Kaygı içini kemirip durmuştu. Sabah saatlerinde kusmuş, burnuna bir sürü çizgi çekmiş ve avuç dolusu anksiyolitik yutmuştu. Hiçbiri işe yaramamıştı. Öğle yemeğinde, önemli İskoç yatırımcılar karşısında, ana yemeğe kadar kendini tutmuş, sonra soluğu kesilmeye, titreyen duvarlar, alaylı alaylı gülen deforme olmuş suratlar görmeye başlamıştı... Tek kelime açıklama yapmadan kaçmıştı.

İlk yaptığı şey, eski aşklarıyla yeniden barışmak olmuştu: *Free base,*[1] asit veya esmer kız.[2] Uyuşturucu yaşadığı bu sıkıntıları bastırmak için en iyi ilaçtı. Yeter ki kaynağı belli olsun...

Sonunda, titremelerine hâkim olmak için direksiyonu sımsıkı tutarak Doğu otoyoluna ulaşmayı başarmıştı. Önce Esquirol adını almış, bugün ise Saint-Maurice olarak bilinen Charenton'a –Marquis de Sade ile Paul Verlaine'in de kaldığı akıl hastanesi– doğru gidiyordu. *Welcome back home.*[3]

Lavigne hemen ona en iyi destek olacak bir nöroleptik, Solian vermişti, sonra da onu bir saat boyunca bekletmişti. Loïc bahçede, bir bankın üstünde titreyerek ilacın etkisini göstermesini beklemişti. Sonra parkın teraslarını (enstitü Marne Vadisi'nin üstündeki Gravelle Tepesi'nin zirvesinde yer alıyordu) arşınlamış ve çimenlerin üstünde hayallere dalmıştı. Eski binaları Este

**1.** Eroine sokak jargonunda verilen adlardan biri. (ç.n.)

**2.** Metadonun sokaktaki adı. (ç.n.)

**3.** İng.: Evine tekrar hoş geldin. (ç.n.)

Villası'ndan esinlenerek yapılmış bu yeri seviyordu. Burada kendini güvende hissediyordu; onu yargılayabilecek gözlerden uzaktaydı. Burada bir bankacıyla, bir sanayiciyle, bir siyasetçiyle karşılaşma ihtimali yoktu. Karşılaşsa bile, o kişi de pijamalar içinde ve onunla aynı durumda olurdu.

Lavigne'in muayenehanesine girer girmez sorunlarını anlatmaya başlamıştı: Kaygılar, sızlanmalar, hayatı ve kendi korku mekanizmaları üstüne tahliller. Bir irini boşaltır gibi içini boşaltmıştı. Ardından, hem tutkuyu ve kayıtsızlığı, hem de aşkı ve dünyadan elini eteğini çekmeyi salık veren Budizm'in paradoksal karakteri hakkında başı sonu olmayan bir söyleve başlamıştı. "Bana gerçek sorunlardan bahsedin" diyerek lafını kesmişti psikiyatr.

Loïc bir bardak su istemiş –gırtlağı fırın gibi yanıyordu–, sonra koli hikâyesini anlatmıştı. Birçok psikanalitik klişenin yardımıyla duyduğu korkuyu açıklamıştı. Afrika, babasının ülkesi, insanların hadım edildiği topraklar... "Gerçek sorun, dedim."

Gözyaşlarına boğulmuş ve çocuklarını düşünmüştü. Sofia. Boşanma tehdidi. Konuşmasını Budist inancıyla ilgili yeni düşüncelerle süslemişti: Böylesine telaşla doluyken, "Orta Yol"a ulaşabilir miydi? Psikiyatr cevap vermemişti.

Bu sessizlik onun itiraflarda bulunmasını sağlamıştı. Sofia haklıydı. O eski bir alkolikten, eski bir eroinmandan, bugün ise bir kokain bağımlısından başka bir şey değildi. Kaçak oynayan, istikrarsız bir adamdı. Çocukları ona güvenemezdi, o çocuklarına güveniyordu. Ağlamış, bağırıp çağırmış, sonra sakinleşmişti. Lavigne'in muayenehanesinden çıkarken, her zaman olduğu gibi kendini iyi hissediyordu. Çözüme kavuşmuş hiçbir şey yoktu, ama her şeyi yüksek sesle ifade etmişti. *Hiç yoktan iyiydi.*

Bahçenin aşağısında iki adamı gördüğünde bunları düşünüyordu. Adamlar ne hastaya ne de hastabakıcıya benziyorlardı. Ne de ziyarete gelmiş ebeveynlere. Deri ceketli, iriyarı, güven uyandırmayan iki Siyah.

*Congoda çevirdiğin dolapa son ver, aksi taktirde keseriz dilini.*

Bir anda korku tüm bedenini kapladı. Savaşçılar bu işi sonlandırmaya karar vermişti. Gürgen ağaçlarının arasında dilini keseceklerdi ya da daha kötüsü: Onu hadım edeceklerdi. Siyah adamlar, çitlerle belirlenmiş, zikzaklı yolu takip ederek terasa doğru tırmanmaya başlamışlardı bile. Loïc galerinin kemerlerinin altına doğru geri geri gitti ve koşmaya başladı. Sol taraftaki başka bir yol, enstitünün sebze bahçesine gidiyordu. Orada çapa yaparak, tohum ekerek, ot yolarak haftalar geçirmişti. Binanın çevresini dolandı ve ekili alana dek uzanan patikadan indi.

Dip tarafta kayın ve kestane ağaçları vardı. Daha ilerisinde ise sağlam bahçe duvarı. İki yanı ağaçlıklı yolu hızlı adımlarla geçti ve sıra sıra kayın ve kestane ağaçlarının bulunduğu yere geldi. Duvarda en ufak bir gedik dahi yoktu. Ne umuyordu ki? Burası delilerin kapatıldığı bir akıl hastanesiydi, bir tatil köyü değil.

Arkasından, çitlere sürtünen deri ceketlerin hışırtısını duyuyordu. Aklına saçma bir fikir geldi: Kimliklerini arabada bırakmıştı; eğer bu pislikler onu yakalayıp öldürürler ve Marne Nehri'ne atarlarsa kimse cesedini teşhis edemezdi. Aklına gelen bir diğer düşünce, çok daha tuhaftı: Burun deliklerinin iç cidarı titanyum plakalarla –Thurnee'nin hediyesi– kaplıydı; babası sürekli, kalp pillerinin, eklem protezlerinin ya da meme implantlarının numaraları sayesinde cesetlerin kimliklerinin tespit edilebildiğini anlatırdı. Onun kimliği de, plakaları sayesinde tespit edilecekti.

Kötü alışkanlığı sayesinde.

Sebze bahçesinin duvarı boyunca ilerledi. Esquirol'ün tüm kıdemlileri enstitünün yeraltı galerileri olduğunu bilirdi. Bugün, bunların çoğu duvarla kapatılmıştı, ama kuyulardan hâlâ Saint-Maurice'in sokaklarına ulaşma imkânı vardı. Ziyarete gelen torbacılar ile uyuşturucu tedavisi görmek için yatmış hastalar arasında buralarda alışverişler yapılırdı.

Bir salata evleğinin çevresini dolaştı, meşe ağaçlarının altına giren bir yola ulaştı. Yolun sonunda bahçıvan aletlerinin durduğu bir kulübe vardı. Sol tarafa, pencerenin altına bir anahtar bırakılmıştı. Anahtarı aldı, kapıyı açtı. Bir kazma, eskiden olduğu gibi sanki onu bekliyordu. Kazmayı aldı, dışarı çıktı, kulübenin etrafını turladı ve üzerinde TDK (Taşocakları Denetleme Kurulu) yazan döküm kapağı buldu. Kazmanın sivri ucunu ortadaki deliğe soktu ve levye olarak kullandı, elli kiloluk disk kalktı.

Loïc kazmayı sık bitkilerin arasına fırlattı ve kapağı arkaya devirdi. Otlar metalin gürültüsünün duyulmasını engelledi. Arkasında, katiller ağaçlı yolda ilerliyordu. İçeri girdikten sonra kapağı kapatmak için artık çok geçti. Kulübenin arka tarafına bakmayacaklarını ümit ederek ocak kuyusuna girdi...

Demir basamakları indi ve birkaç saniye içinde zemine ulaştı. Otuz veya kırk metre derindeki, hafif eğimli ilk galeri diğer galerilere bağlanıyordu. Bu galeri ağına dalmadan önce yüzeye çıkmasını sağlayacak ocak kuyusunu bulması gerekiyordu.

Soğuğu ve üzerine çöken nemi hissederek hızlı adımlarla yürüyordu. Her metrede karanlık artıyordu. Bir elektrik düğmesini çevirdi ve bulunduğu yeri tanıdı. Önce haç biçiminde geniş bir mağara, ardından farklı malzemelerle –moloz taşları, kaya kütleleri, kum harcı, vb.– uzayıp giden bir tonoz.

Koştu. Ampuller ona yolu gösteriyordu. Yeni bir salon, bir sürü galeri. En geniş olanı, zamanında taş yüklü arabaların rahatlıkla geçmesi için düzenlenmiş galeriyi izledi.

Sıkıştırılmış toprak yerini betona bıraktı. Duvarlarında, ocakta çalışırken ölen işçiler ya da kaçan hastalar tarafından yazılmış hüzünlü, iç karartıcı yazılar vardı. Arkasında ayak sesleri duyduğunda hâlâ koşuyordu. Durdu ve mesafeyi tahmin etmeye çalıştı. İmkânsızdı: Sesler duvarlarda yankılanıyordu. Panik ve aldığı ilaçlar duygularını uyuşturmuş gibiydi.

Yanılıyordu; yankılanan yağmurun sesiydi. Fırtına sonunda patlamıştı. O anda, duvarın üstünde, suyun yüksekliğini ölçmeye yarayan bir seviye derecelendirmesi gördü. Bu ayrıntı ona, galeri ağının yeraltı suyuyla çevrili olduğunu hatırlattı; bu yeraltı suyu da Marne Nehri'nin çalkalanmasına göre yükselip alçalıyordu. Sular kabardığında veya şiddetli yağmurlar yağdığında galeriler tavana kadar suyla doluyordu.

Loïc yeniden koşmaya başladı. İlk kuyu çok uzakta olmamalıydı. Bir merdiven ve yeniden insanların dünyasında olacaktı. Ancak gürleme sesi sanki ona yaklaşıyormuş gibi artıyordu. Ses halüsinasyonu mu? Geri döndü. Aklına saçma sapan şeyler geliyordu. Kaybolmuş ve azgın sel sularından kaçamamış deliler. Burada boğulmuş ve eriyen kemikleri musluk suyundan içilen zavallı çocuklar.

Hızlandı. Kaybolmuştu. Yaşama mı, yoksa kendi ölümüne mi gittiğini bilmeden başka bir yöne saptı.

Haç biçiminde başka bir mahzenle karşılaştı. Karşısında üç giriş vardı. Rastgele birini seçti, var gücüyle koşuyordu, tehlikeden uzaklaşıyor mu, yoksa gözü kapalı tehlikenin kucağına mı gidiyordu, bilmiyordu. Nem ve güherçile kokusu işlemişti, boğulmak üzereydi ve...

Düştü, suratı çamurun içine gömüldü. Doğrulduğunda, ensesine dayanmış bir namlu onu durdurdu.

– Eğlence sona erdi canikom.

Loïc dizlerinin üstünde, yeniden nefes almaya çalışırken bir Siyah görüş alanına girdi. Yeryüzünde görmek isteyeceği son şey bu pis suratı, buna hayıflanıyordu. *Kötü karma.*

Gözlerini kapadı ve ara dünyaya geçişini kolaylaştırmak için *Tibet Ölüler Kitabı*'nda, *Bardo-Thödol*'daki dualardan birini okumaya başladı:

– "Ey on yöndeki budalar ve bodhisattvalar, siz ki bütün merhametlersiniz..."

Siyah adam kahkahalarla gülmeye başladı, hemen arkasındaki diğer adam da ona katıldı. Loïc bunca yılını Yol'u aramakla geçirmiş, bunca çabayı mutlağa ulaşmak için sarf etmişti. Hepsi, bir mahzende, bu iki salağın ayaklarının dibinde ölmek için miydi? *Kötü karma.*

Kısa bir klik sesi duyuldu. Loïc bunun silahın kalkan horozunun sesi olduğunu düşündü, ama peşinden gelen tıkırtı düşündüğü şeyle uyuşmuyordu.

Gözlerini açtı ve bileklerindeki kelepçeyi görünce şaşırdı.

– Siz... siz kimsiniz?

– Sence?

Diğer adam ceplerini aradı. Cebinde birkaç gram kokain buldu.

– Polis, dostum! diye bağırdı Siyah adam, onun kulağına. Narkotik büro! (Gülümseyerek küçük torbaya bakıyordu.) Kahrolası, bunun içinde en az on gram kokain var. Delik sana iyi gelecektir. Şu andan itibaren, sen...

– Ama... siz, ikiniz de Siyah'sınız?

– Sen ne sanıyordun, enayi? Poliste "Bir Siyah, bir Beyaz" olduğunu mu? Bizi kim sanıyordun? Kahrolası iki Oreo mu?

# 34

– Çok özel bir soruşturma yönteminiz var, dostum. Yavaşlığınızdan hiç söz etmiyorum bile!

– Olay tahminlerimizden çok daha karmaşık.

Albayın sesi ahizede şakladı:

– Ancak olayı karmaşık hale getiren sizsiniz! Daha önce yapılmış bir işi yeniden yapmak için Sirling'e bir teknisyenler ordusu çağırıyorsunuz, sonra tüm öğleden sonra ortadan kayboluyorsunuz. Kimse size ulaşamıyor!

– Üsse dönüyorum.

– İşte şimdi içimi rahatlattınız, diye lafı yapıştırdı Vincq. Yarın sabah, Sawiris'in öldüğünü basına resmen açıklıyoruz. Umarım yeni bir şeyleriniz vardır.

Erwan karşı saldırıya geçti.

– Anne ve babasının bizden önce açıklamada bulunmaması için özellikle dua edin. Görünüşe göre, kimse onları soruşturmanın seyri hakkında bilgilendirmedi.

– Ama sizin onları bilgilendirmeniz gerekiyordu!

Erwan cevap vermedi, araba kıyı boyunca yol alırken onun vazını sürdürmesine izin verdi. Kıyı, gri ve mavi tümseklere uyum sağlayan yeşil bir yılan gibi kıvrılıyordu. Bazen sarp bir yarığın içinde kayboluyor, bazen de binlerce dalgayla aşınmış uzun bir koy çiziyordu. Tüm manzara kıyıya çarpan dalgalarla bir heykel gibi yontulmuştu.

Archambault sağa döndü ve karanın içlerine doğru yöneldi. Erwan bu kez, tamamen metalik bir görünümü olan gökyüzünü hayranlıkla seyrediyordu: Siyah damarlarıyla mermer görünümlü bulutlar, ışığın içinde dağılan arduvaz ocakları, parıltılarını etrafa saçan gümüş madenleri. Altında, bugüne kadar hiç görmediği kadar çok aşınmış kayalar, yüzyıllardan beri unutulmuş kuru kemiklerin kurşuni morluğu.

Albayın telefonu kapatmış olduğunu fark etti ve hemen Verny'yi aradı. Jandarma, Sawiris'lerle temas kurmuş ve onları tuhaf bulmuştu.

– Nasıl tuhaf?

– Kaygı uyandıracak kadar tuhaf.

Yarbay şimdi, savcı yardımcısının yarın yapacağı basın açıklamasını anlatıyordu. Açıklama birkaç satırdan ibaretti: Sirling'den hiçbir şey çıkmamıştı – ne parmak izi ne de DNA kalıntısı; Wissa'nın odası da temizdi; geri kalan her şey de aynı şekilde ifade edilebilirdi – ayrıntılı telefon dökümleri, civarın soruşturulması, gemilerin ve arabaların güzergâhları...

– Ya Branellec?

– Hiç haber yok. Çocuğun PC'siyle kafayı yemişe benziyor.

Geriye günün tek keşfi kalıyordu.

– Şövalye yüzük?

– Kriminal büro teknisyenlerine göre, otuz altı saatten fazla suyun içinde kalmamış. Bu da yüzüğün katile ait olduğunu gösteriyor. Ama sıradan bir model. Bretanya pazarlarında bulunabilecek turistik bir şey.

– Hiç organik kalıntı yok mu?

– Hayır. Suyla ve tuzla temizlenmiş.

Erwan, Bretanya'yı, babasını ve onun yalanlarını düşünüyordu. Yolun kenarında, yeşilimsi bir şerit üzerine basılmış siyah motifleri çağrıştıran haçların bulunduğu tepecikler belirdi.

– Bunlar da ne?

Archaumbault'ya sormuştu. Çünkü haçların yaklaşık üç yüz metre üstünde, ellerinde tüfekleri, sırtlarında çantalarıyla, birerli kol halinde koşan, savaş giysili adamlardan oluşan bir birlik görmüştü. Hepsi miğferliydi ve üzerlerinde kamuflaj giysileri vardı, fundalık alanda neredeyse hiç fark edilmiyorlardı.

– Talimler yeniden başladı.

– Size bir kez daha hatırlatmak isterim, dedi Erwan Verny'ye, telefonu kapatmadan önce. Kimsenin odasından çıkmamasını emretmiştim!

Archambault sessiz kalmayı tercih etti – ihtiyatlı tarafsızlık.

– Bunlar birinci sınıf öğrencileri mi?

Jandarma gözlüklerinin ardından gözlerini kıstı.

– Hayır. Eski öğrenciler. Grubun başındaki Gorce. Üsse dönüyorlar. Torpido gözünde dürbün var.

Erwan dürbünü aldı. Kuşkonmaz haklıydı: Gorce en başta koşuyordu, yüzüne yol yol siyah boya sürmüştü, alnı miğferinin altında kalmıştı. Sanki bir video oyunundan çıkmış gibiydi. Yirmi kadar adamdan oluşan birlik, onu aynı tempoyla takip ediyordu.

– Acele edin, dedi Erwan, dürbünü indirerek. Onlardan önce üsse varmak istiyorum.

# 35

Erwan odasına girdi, banyoya gitti ve hemen çıktı; havlusu ve tuvalet çantası koltuğunun altındaydı. Giyineceği kıyafetleri topladı ve hızla aşağı indi.

Banyolar binanın zemin katındaydı. Soyunma odalarına yaklaşınca, suyun sesini ve gürültüleri duydu. Askerler duşa girmişlerdi bile. Sonuç itibarıyla çok da kötü değildi.

Soyundu, giysilerini bir dolaba koydu. Tuvalet çantasını cinsel organının önüne tuttu, havlusunu omzuna attı, ardından duşlara doğru ilerledi. Her adımda fayanslardaki yankılar artıyordu.

Kapıyı itti ve bir anda kendini sıcağın içinde buldu. Nem tenine yapıştı ve onu resmen su içinde bıraktı. Bir lavabo sırasının iki yanında duş kabinleri vardı. Tertemiz yer karoları, laboratuvarların veya endüstriyel mezbahaların tezgâhlarını andırıyordu.

Henüz kimse buhar bulutu içindeki polisi fark etmemişti. Erwan boynunu kabinlere doğru uzattı ve görmeyi beklediği şeyi tam olarak gördü: Tamamı yara izleriyle dolu kaslı vücutlar. Yaralar, bıçak izleri, kabuklar ve zorlukla kapanmış kesikler.

Pilotlar suyun altındayken, sanki yeniden canlanıyorlardı. Erwan çok daha net bir şekilde sigara yanıklarını, kurşun yaralarını, manüel bir elektrik dinamosunun ya da bir akü şarj kablosunun hatırası olan elektrik dağlamalarını ayırt edebiliyordu.

– Göz banyosu yapmaya mı geldin?

Erwan irkildi. Bruno Gorce, çıplak bir halde, etrafında bir sürü adamla tam arkasında duruyordu. İçerinin ısısıyla alev alev yanan gövdeler tavan lambalarının altında parlıyordu. Kırmızı tuğladan yontulmuş dev heykeller.

– Duş yapmak yasak mı?

Gorce onu bir kabinin içine doğru itti.

– Bizi salak yerine mi koyuyorsun?

– Benim banyomda... sorun var da.

– Asıl sorun sende.

Grup iyice şeflerinin çevresine toplandı. Su akmaya ve her taraftan şırıltı sesleri gelmeye devam ediyordu.

– Sen daha ziyade, çaktırmadan otuzbir çekmeye gelmiş şu kokuşmuş kulamparalardan biri olmayasın?

– Saçmalamayı kes, dedi Erwan, gülmeye çalışarak.

Dışarı çıkmak için ilerledi, ama adamlar yolunu kesti. Yumuşak davranarak bir sonuç elde edemeyecekti. Sert davranarak da. Konuşmak için ağzını açtı, ama Gorce atıldı ve bir güreşçi gibi kolunu arkaya kıvırarak onu boynundan yakaladı, sonra da onu kendisiyle birlikte yüz seksen derece döndürdü ve fırlattı. Erwan ortadaki lavabolara çarpıp yere düştü.

– Aptallık yapma Gorce, diye uyardı Erwan, ayağa kalkarken.

Cellatların efendisi yaklaştı. Gözleri buharın içinde topluiğne başları gibi parlıyordu. Derisinin altındaki her kas, her damar, kafatasının her kemiği seçilebiliyordu.

– Ne yapacağımızı sana söyleyeyim: Kozlarımızı paylaşacağız.

– Ne istiyorsun? diye blöf yaptı Erwan. Bir düello mu?

Gorce gülümsedi. Diğerleri sabit gözlerle Erwan'a bakıyorlardı. Gövdelerindeki, omuzlarındaki, kol ve bacaklarındaki yara izleri tehditkâr grafitiler oluşturuyordu.

Bir takırtı sesi duyuldu. Askerler kenara çekildi. Erwan koyu renkli ahşaptan, deri kayışlı ve burun kısımlarında demirden sivri uçların bulunduğu iki çift sabo gördü.

– Bizim deneyimlerimizden birini yakından görmek mi istiyordun? dedi Gorce, kendi sabolarını ayağına giyerken. Pekâlâ, işte istediğin oldu.

Ayağıyla diğer çifti Erwan'a doğru itti. Askerler geri çekildi. Bir grup sağa, bir başka grup sola geçti, bazıları da oluk oluk su akan kabinlerin önüne – tiyatro locaları.

Erwan yüzyıllardan beri Bretanya'da yapılan *gouren* ayak güreşini biliyordu, ama sabolar kullanılarak yapılan bir dövüşten söz edildiğini duymamıştı. K76'ya has bir şey miydi? Saboları ayaklarına geçirdi –her biri en az iki kiloydu–, sonra rakibini tarttı. Hiç şansı yoktu. Bir zamanlar kickboks ve Fransız boksu yapmıştı, ama bu çok eskilerde kalmıştı...

İlk tekme darbesinden kurtulmak için geri çekilecek zamanı son anda buldu. Sabo sadece buharla karşılaştı ve yaptığı hamlenin etkisiyle Gorce bacakları ayrık bir şekilde kıç üstü yere düştü. Sahne komikti, ama kimse gülmedi.

Gorce'un bu başarısız girişimini dikkate almayan Erwan, eğer tecrübeli bir dövüşçü ilk hamlede yere yuvarlanıyorsa bacağını kaldırmayı denememenin daha iyi olacağını düşündü.

Gorce çoktan toparlanmıştı, küçük düşmenin gerginliği içindeydi. Erwan, iki ayağında ağırlıklar, gardını aldı. Beriki yeniden hamle yaptı. Erwan geriye doğru sıçradı, ama pilot onun bu hareketi yapacağını tahmin etmişti; hamlesini tamamlamadı ve sol bacağıyla saldırıya geçti. Sabo, Erwan'ın böğrünün birkaç milim yakınından geçti; polis ringin ortasına itilmeden önce onun omzuna veya koluna tutunmaya çalıştı.

Gorce'un yumruğu burnuna isabet etti. Gözleri yaşlarla doldu, dudakları kan içinde kaldı. Körleşen Erwan elleriyle havayı dövmeye çalıştı, ama yeni bir yumruk kaburgalarını buldu, bir diğeri sağ kasığına, üçüncüsü karnına isabet etti. İki büklüm oldu ve kan tükürdü.

Gözlerini kuruladı ve sol dizine çarpmak için havalanan saboyu gördü. Sanki bacağını kesiyorlarmış gibi hissetti. Sabo dizkapağının üstüne vurdu, acı aynı anda her yerini kapladı. Acının kararttığı gözlerine rağmen hızla üstüne gelen diğer saboyu fark etti. Son anda darbeyi savuşturdu. Ama belki de en iyisi, sabonun isabet etmesine izin vermekti; böylece bu iş biterdi.

Ensesine inen darbeyle duaları kabul oldu. Yer karolarıyla teması onu bir anda kendine getirdi. Pembe bir su birikintisinde yansımasını gördü. İçgüdüsel olarak hareketlendi, kendini yan tarafa attı. Gorce'un sabosu hızla yere çarptı. Erwan şimdi yerde sırtüstü yatıyordu. Başını kaldırdı ve aynı anda var gücüyle sağ ayağını rakibine doğru salladı. Mucize gerçekleşti: Askerler geri çekilip de onu tutmayınca, Gorce yere yıkıldı. Erwan burada, şiddete karşı mutlak, neredeyse mistik bir saygı duyulduğunu hissetti.

İki bayılma arasında (milisaniyelik sürelerle bilincini kaybediyordu), düşmanına doğru emekledi. Saldırmak yerine oturdu ve sabolarından birini çıkarmaya çalıştı. İmkânsızdı. Ayak bileği şişmiş ve ahşap mengenenin içinde esir kalmıştı.

Gorce ayağa kalkmıştı bile. Buharın taşıdığı kan kokusu tüm banyoyu doldurmuştu. Çığlığını bastırarak, ayağını demir kılıftan kurtardı ve elini sabonun içine soktu. Rakibi üstündeydi. Erwan var gücüyle kolunu savurdu. Demir uç, Gorce'un kavalkemiğini yardı, genç adam bir dizinin üstüne çöktü. Erwan'ın duymayı reddettiği bir şeyler mırıldandı.

Oyun parkında oturan bir çocuk gibi, Erwan sabolu koluyla bir kez daha vurdu. Sabo askerin çenesine isabet etti. Fışkıran kanla birlikte Gorce kendini arkaya doğru attı, ensesi bir kabinin köşesine çarptı.

Yeniden bir şeyler geveledi. Ağzı şiş bir balondan farksızdı, ama bu kez Erwan, askerin "Merhamet" dediğine kanaat getirdi.

Erwan dört ayak üstünde durdu. Bir sabo elinde, diğeri ayağında yeniden saldırıya geçti. Ahşap kütleyi havaya kaldırdığında Gorce bacaklarını çoktan ileri doğru uzatmıştı ve Erwan göğsüne tekmeyi yedi. Bir an için kaburgalarının gırtlağına saplandığını sandı.

Çevresindeki askerler yüksek sesle yineliyorlardı:

– Merhamet... Merhamet... Merhamet...

Erwan arka üstü düştü, kıçı suyun içindeydi. Suratı kanlı bir yaraya dönmüş, göğsü ezilmişti. Nefes alamıyor, kolları ve bacakları aldığı darbelerden dolayı titriyordu. Tamamen hissizleşmişti ve ara sıra, kafası kesilmiş bir kanarya gibi sarsılıyordu.

Gorce üstüne çullandı. Erwan, Gorce'un sol böğrüne, hâlâ sabolu olan ayağıyla bir tekme attı. Sivri metal uç, bir mahmuz gibi karnına saplandı. Adam büzüldü. Ağzından kan, kusmuk, yapış yapış tükürük akıyordu. Bu bulamaç arasından hâlâ fısıldıyordu:

– Merhamet.

Ve diğerleri de koro halinde başladı:

– Merhamet... Merhamet... Merhamet...

Savurduğu tekme Erwan'a bir zafer gibi göründü ve çölde bir su kaynağı bulmuş gibi yeniden enerji topladı. Sersem sersem diğer sabosunu da çıkardı ve elini içine soktu, sonra ellerinin üstünde, tahta bacaklı biri gibi ahşap sabolarını takırdatarak ilerledi.

Gorce, yumruklarıyla kendini koruyarak geriledi. Erwan onu bir katır gibi tepti ve adamı hâlâ duşundan su akmakta olan bir kabinin içine fırlattı. Yerdeki su birikintisi anında kıpkırmızı oldu. Gırtlak gırtlağa dövüşmeye başladılar. Amniyon sıvısı içinde yüzen iki embriyo.

Üzerlerine eğilmiş diğer askerler bağırmayı sürdürüyordu:

– Merhamet... Merhamet... Merhamet...

Erwan çırpınıyordu, Gorce kafasını suyun altına sokarak onu boğmaya çalışıyordu. Erwan'ın gözleri kararıyordu. Son bir sıçrayışla hasmının elinden kurtulmayı başardı, Gorce bir kez daha suyun içine düştü. Erwan sabosunu kaldırdı, vurdu, ama darbesi boşa gitti. Yeniden birbirlerine girdiler. Pilot onu kulaklarından yakaladı ve koparırcasına büktü. Erwan artık hiçbir şey hissetmiyordu – düşmanca kalp atışlarının dışında: Öldürmek, öldürmek, öldürmek...

Pisliği yeniden duvara doğru itti ve üstüne atladı. Gorce'un boğazının çevresinde parmaklarını gördü ve o anda silahlarını –sabolarını– kaybettiğini fark etti. Önemli değildi, işini çıplak elleriyle de bitirebilirdi.

Kalan gücüyle –katıksız öfkeyle– sıktı. Gorce'un sol gözünün beyazı simsiyah olmuştu. Kendi ağzının içinde de demir tadı vardı. Kan ikisini de kusacak hale getiriyor, boğuyordu...

Sonra, gecikmeyle de olsa, çevresinde bir değişiklik fark etti. O uzun ve bıktırıcı yalvarma değişikliğe uğramıştı. Üçlü ritim ikili ritim haline dönüyordu. Yakarılar dağılıyor, kaotik bir hal alıyordu...

Erwan gayriihtiyari avını bıraktı, dönüp kulak kabarttı, yani kulağından geriye ne kalmışsa – uğuldayan bir yanma. Askerler hızla atıldılar, suyun içine daldılar, şampiyonlarını çekip aldılar.

Taşınan Gorce.

Ortadan kaybolan Gorce.

Ve sonunda seramik duvarlarda sekerek yankılanan heceler:

– BOZGUN!

# 36

– Demek, filmde oynamak istiyorsunuz?

Armalı blazer ceket ile açık mavi gömlek giymiş altmış yaşlarındaki Michel Payol, tek hörgüçlü bir deve siluetini andırıyordu ve dişleri de bu siluetle uyumluydu. Resmi olarak, sinemayla ilgili bir basınla ilişkiler ajansının müdürüydü, ama aslında belirli bir Paris faunası için şık bir pezevenk, yüksek mevkidekilere yönelik seks turizminde uzman bir adamdı: Arap emirleri, Afrikalı bakanlar, Asyalı finansçılar seçkin müşteri portföyünü oluşturuyordu.

Tüm bu önemli tüyoları Gaëlle'e, Kevin, namı diğer Kéké, namı diğer "Ben Herkesi Tanırım" vermişti. O kadar kötü değildi: Payol'ün bağlantıları Gaëlle'in planları için faydalı olabilirdi. Özel randevu ayarlaması karşılığında komisyon ödemek için anlaşmıştı.

Masum ceylan gibi, uzun kirpikli gözlerini kırpıştırarak cevap verdi:

– Bu benim tutkum.

– Size yardım edebilirim. Sizi insanlarla tanıştırabilirim.

Gaëlle gülümsedi ve Perrier'ini eline aldı – özellikle şampanya istememişti, çok taşralı görünürdü. Maalesef çok iyi tanındığı Athénée Plaza'nın barında oturuyorlardı. Fırsatını bulunca, babasının peşine taktığı iki salağı ekmişti.

– Şüpheci gibisiniz...

– Bu ortamda, herkes herkesi kayırabileceğini sanıyor, ancak sinema kendi başına ilerleyen otonom, bağımsız bir... evrendir. Aslında sinema bizzat kendi karar verir.

Payol kahve fincanını aldı ve ufak bir yudum içti. Bir *ristretto*[1] ısmarlamıştı – elektrik etkisi yaparak sinirine iyi gelecek bir şey.

– Sizi takip etmekte zorluk çekiyorum.

**1.** Geleneksel olarak hazırlanan espressoya göre, aynı miktar kahveyle, yarı oranda su kullanılarak hazırlanan bir kahve çeşidi. (ç.n.)

– Önemli değil. Zaten henüz size ders verecek kadar tecrübe sahibi de değilim. Lafı gevelemeyi bırakalım. Bana yardım edebilirsiniz, ama başka bir konuda.

Payol cevap vermeden kahvesini bir dikişte bitirdi. Yüzü gergindi. Sessizlik birkaç saniye sürdü.

– Nişanlınız var mı? diye sordu, giriş mahiyetinde.

– Hayır.

– İstemiyor musunuz?

– Hayır.

– Neden?

– Erkekler konusunda kötümserim, diyelim.

– Neden?

– Tam olarak erkekler yüzünden.

Payol ona doğru eğildi. Dişleriyle uyumlu uzun elleri vardı. Gaëlle, Kırmızı Başlıklı Kız ile büyükannesinin kılığına girmiş kurdu düşündü.

– İnsanlar âşık olur ve aile kurarlar! diye bağırdı Payol, yalandan heyecanlanmış gibi yaparak.

Oyunu oynamak gerekiyordu. Pezo, evliliği ve ev hayatını savunuyordu. Küçük fahişenin de hayâsızlığı ve küstahlığı gereğinden fazla abartması gerekiyordu. Bu, bir başkasının ahlaksızlık yeteneklerinin test edildiği bir *casting*'di.

– Benim çevremde değil, diye cevapladı Gaëlle.

Payol bir kahve daha ısmarladı.

– Bu denli kötü deneyimleriniz olduğuna beni inandıramazsınız!

– Benim yok, arkadaşlarımdan söz ediyorum. Salak koleksiyonu yapıyorlar.

– Mesela? diye sordu Payol; eğleniyordu.

– Bağlanmayı istemeyen tipler var. Sizi çok sevdiği ya da daha iyisini hak ettiğiniz için siz terk eden tipler. Bir gün "çok erken", ertesi gün için "çok geç" diyen tipler. Küsme anında hediyelerini geri isteyen tipler. Yarın sabaha kadar anlatabilirim böyle tipleri. Bağlanmaksızın sizi becermek için her şeyi söyleyen yalancılar, korkaklar, egoistler. En kötüsü de, bunların çoğunun çükleri sertleşmeyen ve bunun farkında bile olmayan iktidarsızlar olması...

Yat sahibi kılıklı adam kasım kasım kasılıyordu. Gaëlle'in konuşmaları sıradan bir "Miss Taşra" güzelinin ve diğer acemi oyuncuların konuşmalarından pek farklı değildi.

– Arkadaşlarınızın şansı yokmuş, diye hafif bir acıma duygusuyla güldü (bariton bir ses tınısı vardı). Evlenmek, çocuk sahibi olmak isteyen erkekler de var.

– Hamile kalan arkadaşlarımdan biri, onu dölleyen herifin tepkisinden o denli korkuyordu ki durumu ona telefonla bildirdi. Akşam eve döndüğünde, çöp torbalarına doldurulmuş eşyaları kapıda onu bekliyordu.

Bu kez Gaëlle adama doğru yaklaştı ve Hermès'in *Eau d'Orange Verte*'inden yayılan kokuyu duydu. Bu kokunun ona kişilik kazandırdığını düşünüyor olmalıydı, ama bütün erkekler *Eau d'Orange Verte* kullanıyordu – başta babası olmak üzere.

– Artık daha ciddi konulara geçsek mi? diye isteğini yineledi. Kontaklar arıyorum. Bana o kontakları temin edin. Payınızı alacaksınız.

Payol kaşlarını kaldırdı. Uzakta, bir piyano ucuz aranjmanlar çalıyor ve yarı karanlığın dört bir yanından kokteyl kadehlerinin şıngırtısı geliyordu. İnsan kendini gecenin ikisinde sanabilirdi. Mekân, bir basınç odası gibi dış dünyadan kopuktu.

– Tam olarak ne yapmaya hazırsınız? diye sordu adam, sonunda.

– Hemen her şeyi, eğer parası iyi olursa.

Payol gülümsedi ve aniden ses tonunu değiştirdi:

– Anal? Double penetration?[2] Üçlü? Bukkake?[3] Fist fucking?[4]

Gaëlle de onun düzeyine indi.

– Sonuçta bana ücretini öderlerse amcığıma hamster bile sokabilirler.

Muhabbet tellalı, sanki kafasında bir hesap yapar gibi yavaşça gözlerini kapattı.

– Soruyu başka bir yönden alalım, tabii söylemeye cesaret edebilirsem. Limitleriniz nereye kadar?

– Havyara dokunmam.

Bu sözcük, cinsel sapkınlıklar dünyasında, bok anlamına geliyordu. Alman versiyonu, *Kaviar und Klyster*'di, yani işin içine lavman da giriyordu.

– Ondinizm?

– Sorun olmaz.

– Özel alerjileriniz?

– Ne gibi?

– Siyahlar, Araplar, Asyalılar...

Gaëlle gülümsedi.

**2.** İng.: İlişki sırasında kadının aynı anda iki erkeği içine alması. (ç.n.)

**3.** Japonca: Bir grup erkeğin bir kadının suratına boşalması. (ç.n.)

**4.** İng.: Bütün bir eli vajinaya veya anüse sokmak. (ç.n.)

– Ne kadar çeşit olursa...

Payol onun "paletindeki renkleri" saptamaya devam ediyordu:

– SM?[5]

Gaëlle bir süre sessiz kaldı: Acıyla oynamayı hiç istememişti. Ona acı verilmesi, hatta yalandan acı verme oyunu oynanması bile söz konusu olamazdı. Çok daha kötülerini yapmışken, neden bu konuda kendini engellemişti? Batıl itikattan kaynaklanan bir korku: Acı zaten onun özel hayatının bir parçasıydı. Hatta kaderinin, kimliğinin dokusuydu. *Mahfuz alan.*

Birden bu düşüncesinden caydı. Ne de olsa, başka bir amaç peşindeydi. Gayesine ulaşmak için her yol mubahtı.

– Herhangi bir riski olmaması koşuluyla, dedi.

SM ortamının anahtar sözcüğü: Yeter ki *safe* olsun, her şey yapılabilir, her acıya dayanılabilirdi. Acı yüzeysel olmalıydı, ve tehlikesiz. Bir parmak şıklaması onu düşüncelerinden kopardı.

– Bu durumda, bu konuyu düşünebiliriz, diye karşılık verdi Payol.

Gaëlle uzun süre uzak durduğu şiddetin üstüne çullandığını hissediyordu. Elleri nemlenmişti. Gastrik sıvılar midesini yakıyordu. Hayatında ilk kez iblisle sözleşme yapıyordu.

Payol uzun kolunu Gaëlle'e doladı. Parfüm kokusu şimdi terinin pis kokusuna karışıyordu. Hayvan, ince medeniyet cilasının altından kendini gösteriyordu. Tabii bu kendi ter kokusu değilse...

– Beni iyi dinle, yavrucuğum, diye fısıldadı Payol, etobur hayvan sesiyle, eğer çok ileri gitmeye hazırsan, işte o zaman kazanacak çok, ama çok para var.

Gaëlle, Shinedown'un bir şarkısını mırıldanarak cevap verdi: "I'll Follow You." Kendi sesini tanımamak, kendi düşüşünü ölçüp biçmemek için şarkı söylüyordu. Muhabbet tellalı, bunu tamamlayıcı bir ironi olarak yorumladı. Hayâsız ve tamamen mesafeli bir şey.

– Yarın akşam başlamaya ne dersin?

– Program ne?

Adam cep telefonunu çıkarırken kikirdedi.

– Daha önce *no limit*'ten söz edildiğini duydun mu?

5. Sado-mazoşizmin kısaltması. (ç.n.)

# 37

– Siz böyle mi arkadaşlık kurarsınız?

Archambault anaç tavuk özeniyle, Erwan'ın yaralarını temizliyordu; gerekli malzemeleri revirden almıştı. Bir tür önseziyle Erwan'ı okulun içinde aramış, sonra küçük banyo şenliğini yarıda kesmişti. Duşlara baskın yaparak, birliklerin bozguna uğramasına neden olmuştu. Kimseyi yakalamamış, hiçbir suçlunun kimliğiyle ilgilenmemişti, ama Parisli polisi kurtarmıştı, onun için önemli olan buydu.

Şimdi Erwan'ın yerine acı çektiği bile söylenebilirdi. Bir yaranın kenarlarını pamukla temizlerken, bağırmamak için dudaklarını ısırıyordu. Erwan'a gelince ne olursa olsun ne bağırabilmiş ne de dudaklarını ısırmıştı: Altdudağının kalınlığı üç katına çıkmıştı.

– Wissa'yı öldüren onlar, diye ağzında geveledi, yapış yapış bir sesle.

Archambault bir yarıkla ilgileniyordu. Erwan acıyla yüzünü buruşturdu. Subay ona bir analjezik enjekte etmişti, ama acı devam ediyordu. Denizden sonra kuruyan tuzlu su gibi, yüzünde kurumuş kanın gerginliğini hissediyordu.

– Onları tutuklayacak mıyız?

– Elimizde bir şey yok. Sadece tahminler.

– Sizin tahminleriniz hiç de kötü değil bence.

Archambault bir yeniyetme kahkahası attı. Erwan başıyla, bu söyleneni kabul etmediğini belirten bir hareket yaptı. Gevşemişti, ama elleri hâlâ titriyordu.

– Onları serbest bırakmak lazım. Er veya geç bir hata yapacaklar.

– Özellikle sizi öldürmeye kalkışacaklar. Bu çocukları tanırım, şaka yapmıyorlardı.

Archambault kompres uygulamaya başladı. Erwan bu anın tadını çıkardı, ama aklına sürekli olarak öfke ve kin dolu o şiddet sahneleri geliyordu. Sabo darbeleri. Kanla dolu kabin. Yara izleri... Bu vahşetin ardında, Di Greco'nun varlığını hissediyordu. Eyüb Kitabı'nda Tanrı Şeytan'a sorar: "Nereden geliyorsun?" Şeytan cevap verir: "Dünyayı dolaşmaktan ve orada gezinmekten..."

Kapıya vuruldu. Branellec, Koltuk Değneğiyle Yürüyen Adam. Sonunda...

– Evet?

– Havacılığa tutkun genç bir adama ait önemsiz bir PC.

– Sosyal ağlar?

– Wissa'nın Mans'da bir arkadaş çevresi ve havacılık kulübünden de birkaç dostu varmış. Bazı mesajları okudum. Sıradan şeyler.

Elinde, iltihapla ıslanmış yeşilimsi bir gazlı bez tutan Archambault, Erwan'a fısıldadı:

– Kıpırdamayın.

– Düştünüz mü? diye alaycı bir şekilde sordu bilgisayarcı.

– Duş yaparken. Aftosu yok mu?

– Resmi olarak yok.

– Ya porno?

– Normal sınırlar içinde. Kompülsif herhangi bir şey söz konusu değil.

– Ya cinsel eğilimi?

Branellec komik bir selam çaktı.

– Hetero, generalim! Deniz sakin ve her şey yolunda!

Archambault pansuman uyguluyordu.

– Fazla uğraşmayın, dedi Erwan ona.

Gözlerini kapattı; gazlı bezdeki yapışkan madde, insanda çelişkili duygulara neden oluyordu. Neşeli ve hüzünlü, güven uyandırıcı ve kaygılandırıcı. Archambault hâlâ Erwan'ın yüzündeki yaralara pansuman yapmakla meşguldü.

– Hepsi bu kadar mı? diye sordu Branellec'e hitaben. Saatlerden beri raporunu bekliyoruz...

– Hayır. Tuhaf bir şey var.

Erwan yeniden gözlerini açtı.

– Bir dosya hâlâ direnç gösteriyor. Şifrelenmiş bir zımbırtı. Bu akşamdan önce şifreyi kırabileceğime eminim ama...

– Paris'ten uzmanlar getirtmemi ister misin? diye sordu Erwan, onu kışkırtmak için.

– Durum kötü, öyle değil mi? Yarın sabahtan önce bitirmeye çalışacağım.

– Kullanılan program hakkında bir fikrin var mı?

– Henüz yok. Ancak zor bir şifre. Belki de Doğu'dan gelme bir yazılım.

– Teknik açıdan yaygın bir yazılım mı?

– Hayır. Bu tür şifrelemeler daha ziyade orduda, gizli servislerde kullanılır.

– Ve işte! dedi Archambault, bir kalp nakli ameliyatından çıkmış cerrah edasıyla malzemelerini bırakırken.

Erwan ayağa kalktı ve banyodaki aynaya doğru gitti. Sağ kaş kemerinde bir pansuman vardı, bir diğeri şakağının üstünde, bir üçüncüsü ise kulağının altındaydı. Daha kötüsünü görmeyi bekliyordu. Burnu şişmişti. Dudağı yarılmıştı. Geri kalanı ise, hızla yüzeysel kabuklara dönüşecek kanlı sıyrıklardan oluşuyordu.

Branellec, hâlâ "çok gelişmiş şifreleme" tekniklerinden, "askeri sibernetik"ten söz ediyordu. Erwan uzun süredir göz önüne almadığı bir senaryoyu, Wissa'nın geçmişiyle ya da başka bir sırla ilgili bir sebebi düşündü. Ne çaylak deneyimiyle ne de K76'daki şiddet kültürüyle alakalı olan bir şey.

Kıpti kökeniyle ilgili olabilir miydi? Günlük olaylar bu topluluğun terörizm alanında aktif olabileceğini gösteriyordu: Muhammed'e hakaret eden, İslam dünyasında protestolara yol açan *Innocence of Muslims* adlı filmi yapmışlardı.

Wissa, bir terörist miydi? Askeri okula sızmış bir köstebek?

Ama bunun elle tutulacak bir yanı yoktu. Erwan odaya geri döndü.

– Peki din? Dikkatini çeken bir şey oldu mu?

– Hayır. Dostumuz pek dindar birine benzemiyor.

Polisin gözünün önüne kopmuş bilekteki haç dövmesi geldi.

– Tamam. Sana bu geceyi de veriyorum.

– Baş üstüne şef!

Ge'tek odadan çıktı. Erwan, diğer üçüne "sizli" hitap ederken bilişimciye hemen "sen" diye hitap ettiğini fark etti. İki tane Doliprane yuttu ve kendine kahve hazırladı. Oda bilgisayarlar, yazıcılar, monitörler ve portatif ocakla 36'daki bürolarına benziyordu. Kripo'yu düşündü, onsuz yarın sabaha kadar dayanabilirdi.

Archambault akşam yemeğine gitmeyi teklif etti, ancak Erwan aç değildi – yaralarıyla yemekhanede boy göstermesi söz konusu olamazdı. Aslında sadece yatağına girmeye can atıyordu. Teğmeni gönderdi ve Mac'inin arkasına yerleşti. Odasının sessizliğinde bir kozanın içinde gibiydi. Anestezik madde her yanını kaplamıştı. Doliprane etkisini gösteriyordu. Dışarıda gece oluyor ve akşamı mühürlüyordu...

Artık ne duşlardaki çılgın şiddeti ne de Gorce'un suratını (o neredeydi? Nerede kendini tedavi ettiriyordu?) düşünüyordu. Hortlak kafası ve uzamış kemikleriyle, örümcek elleri olan amirali gözünde canlandırıyordu. Bu okula hâkim olan onun düşünce yapısıydı.

İnternet, Di Greco'yla ilgili yeni arama.

Linkler, web sitesi bağlantıları, tümdengelim aramalarıyla geçen bir saatin sonunda Erwan zayıf bir CV oluşturmayı başardı. Lombardiya asıllı olan baba Piero Francesco 50'li yıllarda Fransa'ya yerleşmişti. DOM-TOM'larda birkaç yıl hizmet yaptıktan sonra, Fransız tabiiyetine geçmiş ve meslek yaşamını Cibuti'de piyade binbaşısı olarak sonlandırmıştı. 1943 yılında doğan Jean-Patrick, Fransa'nın denizaşırı topraklarında büyümüştü: Mayotte Adası, Fransız Guyanası, Guadeloupe. Rochefort Deniz Havacılığı Okulu'ndan sonra, Saint-Cyr'den 1967'de okul birincisi olarak mezun olmuştu. Bu dönemden sonra bilgiler seyrekleşiyordu. Meslek hayatı bir bilinmezliğe gömülüyordu. Askeri strateji uzmanı? Casus? Gizli danışman? 80'li yıllarda, önemli savaş gemilerinde komutan olarak, ardından da büyük operasyonlar çerçevesinde danışman olarak –Körfez Savaşı'na katılmıştı, ancak görevini tam olarak belirlemek imkânsızdı– yeniden ortaya çıkıyordu.

Askeri başarıları hakkında tek bir kelime yoktu.

Hastalığı hakkında tek bir kelime yoktu.

Savaş felsefesi hakkında tek bir kelime yoktu.

Fotoğraflarına gelince, Erwan sadece 1962 tarihli bir fotoğraf bulabilmişti. Edgar Allan Poe'nun bir şiirinden çıkmış gibi, sıkıntılı bir yüz ifadesi olan on dokuz yaşında, yakışıklı bir delikanlı.

Erwan, Almeida'nın Antikçağ savaşçılarının *furor*'u hakkında söylediklerini hatırladı. İnternetteki bazı sayfalar doktorun bilgilerini doğruluyordu: Di Greco hiç şüphesiz, tamamen kendi denetiminde –tıpkı Los Alamos'taki Amerikalı araştırmacıların atom enerjisini zapt ettikleri gibi– tutacağı aşırı bir öfkeyi açığa çıkarana dek adamlarını zorluklara alıştırmaya çalışıyordu. Yaşlı hasta adamın rüyası...

Cep telefonu çaldı: Neveux, kriminal büro analisti.

– Olay gerçekten çok garip bir hal almaya başladı, diye hemen konuya girdi.

– Anlat, diye emretti Erwan; ona da "sen" diye hitap etmeye başlamıştı.

– Bu sabah adada, delik çevresinde bulunan bazı sivri parçaların analizini yaptım. Üstlerinde eser miktarda, üre, glikoz, ürik asit ve hormonlar saptadım.

– Bu ne demek?

– Tükürük. Öncelikle katil bu sivri parçaları kendisi emmediyse kurbanına emdirmiş...

– Bu sivri metaller vücuduna saplanmamış mı?

– Hayır. Patlama anında hepsi vücuttan dışarı atılmış olmalı. Zaten üzerlerinde Wissa'nın grubuna ait kan da bulundu.

Tıraş edilmiş kafa, organların çıkarılması, topuza benzer bir şeyle tecavüz ve şimdi de bu çılgın ayrıntı. Kaerverec'in sağlığa zararlı ortamına rağmen, insan dönüp dolaşıp bu cinayetin münferit bir katilin işi –bir psikopatın gizemli çılgınlığı– olduğuna kanaat getiriyordu. Gorce'un marifeti mi?

– Şu metal uçlar, bir silaha ait olabilir mi?

– Hiçbir şey bilmiyorum. Bunlar çok ince kalıntılar.

– Peki tükürüğün DNA'sı?

– Bir şey bulamadım. Örnekler kirlenmiş.

– Clemente'taki metal uçları aldın mı?

– Bekliyorum.

– Onları inceledikten sonra beni tekrar ara.

– Son bir şey: Deliğin dibinde ayna parçaları da bulundu. Ya katil bunlardan kesikler açmak için yararlanmış ya da bizzat kendisi için kullanmış.

– Yani?

– Makyaj yapmak, saçlarını düzeltmek için, bilmiyorum. Bu sığınakta akıl almaz şeyler olmuş.

Erwan da aynı fikirdeydi, ama her türlü yorumdan uzak duruyordu – her yerde olduğu gibi poliste de, kişi ne denli az konuşursa o denli ağırbaşlı bir hava yaratırdı. Teşekkür ederek telefonu kapattı. Anında elindeki telefon titremeye başladı. Neredeyse Parkinson hastalığına yakalandığını sanacaktı.

– Benim.

Babası.

– Ben de seni arayacaktım, dedi Erwan, raporu yazacak zamanım olmadı...

– Erkek kardeşin gözaltına alındı.

– Ne?

– Salak herif on iki gram kokainle yakalanmış. Bu işin arkasında kim var bilmiyorum ama...

Organları çalan, işkence aletlerini emdiren, keskin silahlarla tecavüz eden bir katil... Böyle bir çılgınlık karşısında, milyoner küçük kardeşinin yaptıkları hafif kalırdı.

– Ona avukat gönderdin mi?

– Hayır. Hücrede bir gece kalması ona iyi gelecektir.

– O kadarla yetinecek misin?

Gök gürültüsü gibi bir kahkaha. Uzun zamandan beri bir şey yememiş bir masal devinin kahkahası.

– Narkotikte tanıdığın var mı diye öğrenmek için seni aradım.

– Artık yok, ama bilgi edinebilirim, ben...

– Boş ver. Geri dönmen lazım.

– Kardeşimin pisliğini temizlemek için mi?

– İçimde kötü bir his var. Geri dön.

– Bu davayı kapatmam lazım.

– Tam olarak ne durumdasın?

– Çaylak hikâyesini unutmak gerekiyor. Ve benim linç olayını da. Kaçık bir katil söz konusu. Kuşkusuz yüzyılın başından bu yana en kötü katillerden biri.

– Bu boş laflar da neyin nesi? Sen polis misin yoksa gazeteci mi? Tanrım, ipuçlarını değerlendir ve o pisliği bul!

– Bu gece için bana izin ver.

– Yarın sabah seni aradığımda yola çıkmış ol.

# 38

Erwan telefonu kapattı ve bir süre avucundaki telefona dikkatle baktı. İhtiyar'dan farklı olarak, o bu narkotik olayının arkasında kimin olduğunu biliyordu.

Ezberden bir numarayı tuşladı ve yekten saldırıya geçti.

– Loïc'le ne alıp veremediğin var?

– Seni uyarmıştım.

– Bir aileyi parçalamak üzeresin.

– Aile gayet iyi.

Sofia telefonda cazibesinden çok şey kaybediyordu: Sert, çok tiz bir sesi vardı.

– Neyin peşindesin bilmiyorum, ama çocukların hem annelerine hem de babalarına ihtiyacı vardır.

– Mahkeme için söyleyeceklerini idareli kullan, diye cevap verdi Sofia. Sözlerinizin benim dosyamda hiçbir ağırlığı yok. Siz polisler böyle söylüyorsunuz, değil mi? "Olaylar, sadece olaylardır."

Erwan istemeden de olsa, onun özgüvenine hayranlık duyuyordu: Morvan'lara meydan okuyacak güçteydi.

– Neden anlaşma yoluna gitmiyor ve şimdilik boşanmaktan vazgeçmiyorsunuz?

Genç kadın kahkahayı bastı.

– Kendinizi hep en güçlü sanıyorsunuz, ama yasalar herkes için aynıdır: Bir İtalyan kadın size bunu ispatlayacak.

– Loïc'le işleri yoluna koyabilirsin...

– Hayır. Usulüne uygun bir anlaşma istiyorum.

Erwan kafasından argümanlarını bir daha gözden geçirdi: Doğaçlama bir savunma söylevinden başka bir şey yoktu.

– Her halükârda, iki yıllık ayrı yaşamanın ardından, evlilik bağını kesin olarak feshedecek boşanma hakkını elde edeceksin.

– İyi bilgilenmişsin.

– Sizin ayrılığınız herkesi kaygılandırıyor.

– Seni ve babanı demek istiyorsun.

– Önemli değil. Henüz bir seneden beri ayrısınız, bir yıl daha ve...

– Çok uzun. Bu süre boyunca, çocuklarım iki ev arasında bocalayıp duruyor ve hayatlarının yarısını kuralsız ve saat mefhumu olmadan yaşıyorlar.

– Karamsar bir tablo çiziyorsun. Sadece Loïc yok. Maggie var, Gaëlle var...

– Yarı kaçık bir hippi ve bir...

– Sus.

Genç kadın bir es verdi. Erwan, sigarasından nefes çektiğini duyuyor ve onun yüzünü mavimsi duman kıvrımlarının ardında hayal ediyordu.

– Somut olarak, narkotik bürodan ne umut ediyorsun? diye yeniden sordu.

– Eğer Loïc benim şartlarımla bir anlaşma imzalarsa, onun tutuklanmasını asla mahkemede kullanmayacağım.

– Bu bir gözaltı!

– Avukatıma göre, cebinde on iki gram kokain bulunması, onun yasak madde kaçakçılığı yapmaktan ve bulundurmaktan dolayı suçlanması için yeterliymiş.

– Sen de iyi bilgilenmişsin. Peki ya kabul etmezse?

– Ciddi suçlamada bulunurum.

– Bu iki seçenek arasında ne fark var? İki durumda da sen kazanıyorsun.

– Eğer kabul ederse, çocuklarını düzenli olarak görebilir. Yargıcın karşısına bu suçlamayla gidersek, onları asla göremez: Çocuklar bir kaçakçıya emanet edilmez.

Erwan yutkunmaya çalıştı. Safra, yemek borusunu yakıyordu.

– Sana neden güvenelim?

– Önce, başka şansınız yok. Sonra, ben de çocuklarımızın babalarına ihtiyacı olduğunu düşünüyorum.

– Loïc'le konuşacağım.

– Senden bunu istediğim zaman yapacaktın.

– Bir şantajcı gibi davranmak, seni rahatsız etmiyor mu?

Sofia yeniden güldü.

– Bunu söyleyen Machiavelli ve o da benim ülkemden: Düşmanına uyum sağlaman lazım. Loïc zayıf biri, ama baban tehlikeli bir adam, ona karşı kendimi korumam gerekiyor.

*Düşündüğünden çok daha tehlikeli...* Eğer bu ritimde devam ederse, babası sözleşmeyi kafasına atabilirdi. Ama genç kadının bir hayat sigortası vardı: Morvan torunlarının, annelerinin yanında büyümesini istiyordu.

Birden Erwan korkunç bir yorgunluğa kapıldı. İki hami, İtalyan cadı ile Budist uyuşturucu müptelası, bunu aralarında halletsin... Zaten, neden bu boşanmaya karşı çıkıyordu ki? Loïc, bütün iyi niyetine karşın acınacak bir babaydı. İhtiyar'a gelince, bu ayrılığın resmileşmesinin neden onu bu kadar heyecanlandırdığını kimse anlamıyordu. Sofia'dan asla hoşlanmamıştı ve Floransalı hurdacıdan nefret ediyordu.

Erwan tam telefonu kapatıyordu ki genç kadın teklifte bulundu:

– Dönüşünde beraber akşam yemeği yiyor muyuz?

– Bunu neden yapalım ki? diye sordu Erwan, savunmaya geçerek.

Sofia bir kez daha güldü, açık yürekli ve alaycı bir gülüştü bu. Bu gibi durumlarda, sesinin tınısı birkaç derece azalıyor ve İtalyan şarkılarındaki o boğuk aksan fark ediliyordu.

– Her zaman olduğu gibi, yine başaramadım.

– Özür dilerim, birlikte akşam yemeği yiyelim, elbette.

– Ne zaman?

– Birkaç gün içinde, diye öylesine cevap verdi Erwan.

– O zaman beni ararsın. Seninle konuşmaya iznim var mı, avukatıma soracağım.

Erwan dalga geçip geçmediğini öğrenmeye fırsat bulamadan genç kadın telefonu kapattı. Kafası karışık bir halde telefonunu cebine koydu ve araştırmasına kaldığı yerden devam etmeye başladı. Amirallik gemileriyle ilgili bir linke tıklayacaktı ki, gelen bir gürültüyle başını çevirdi.

– Kahretsin!

Dışarıda, bir adam pencerenin çerçevesine tırmanmış, onu gözlüyordu. Erwan silahını aldı, sıçradı ve camı açmaya çalıştı. Mümkün değildi. Kilit mekanizmanın işleyişini anlaması ve sonunda pencere kolunu açması en az beş saniyeyi buldu.

Beriki yere atlamıştı ve piste doğru kaçıyordu. Erwan yüksekliği tahmin etmeye çalıştı: En az üç metreydi. Yine bir genç adam kahramanlığı.

Tabancasını kılıfına soktu, pervazı aştı ve çörtenin üstünde durdu. İmkânsız değildi, ama banyodaki boğa güreşinden sonra... Vücudunu mümkün olduğunca iyice toplayarak atladı, çimenin üstüne kondu, kendi etrafında yuvarlandı ve zorlukla ayağa kalktı. Her tarafı ağrıyordu. Ya da daha doğrusu, vücudunda ağrımayan bir bölge yok gibiydi.

Bu herif kimdi?

Önce koşmalıydı. Cevap ilerdeydi.

## 39

Gece kuruydu.

Fundalıktaki tüm sular veya nem tamamen çekilmişti. Gökyüzü, hava, toprak bir cam gibi kırılmak üzereydi.

Erwan binaları çevreleyen duvarın dışına hiç çıkmamıştı. İki yapı arasında, kuşkusuz gündüz gözüyle denize kadar bir görüş sağlayan, tamamen düz, engebesiz bir manzarayla karşılaştı. Kaçak, projektörlerin altında siyah bir alev gibi göze çarpıyordu.

Erwan araziyi tanımıyordu, onu elinden kaçırabilirdi. Ancak yöntemine inancı tamdı. Avının, dosdoğru önünden koşmaktan başka seçeneği yoktu. Er veya geç yorulacaktı, o zaman da Erwan onu yakalayacaktı. Dövüş sporlarını bırakmış olsa da, hâlâ sürekli koşuyordu ve bu kez atlatılması söz konusu değildi.

Hangarlarla korunan alandan, bir limanın korunaklı bölgesinden çıkar gibi çıktı ve birden gece gerçek yüzünü gösterdi. Açıklardan esen şiddetli rüzgâr, az kalsın onu yere devirecekti. Yeniden dengesini sağladı ve koşmaya başladı. Beriki, fırtınayla mücadele ederek, sağa sola sıçrayarak, yol boyunca güç kaybederek kaçmaya devam ediyordu. Askeri eğitim üniforması ve siyah bir anorak giymişti – üsten bir adam.

Erwan ritmini buluyordu. Bedeninin küçük bir kısmını rüzgâra vermiş, çadır bezini yırtan bir bıçak gibi karanlığı delerek ilerliyordu. Yaralarının acısı depreşiyor, ama bedeninin ısısıyla acıları ona azalıyormuş gibi geliyordu.

Adamla arasında yaklaşık üç yüz metre vardı. Hâlâ hızlanmıyordu: Çevreye güveniyordu. Sağda ve solda, uçaklar kılıflarının altında sarsılıyordu. Gözle görünmeyen kablolar, kancalar durmaksızın tıkırdıyor, limanlardaki yelkenlilerin şıngırdayan halatlarını hatırlatıyordu.

Uçak pisti. Projektörlerin hiçbiri yanmıyordu, sadece çimlerin içine gömülü lambalar etrafı belli belirsiz aydınlatıyordu. Casus, yorgunluk belirtileri gösteriyordu. Erwan adımlarını açtı. Rüzgâr onu engellemiyor, ama besliyordu. Esen rüzgârla doyuyor, tatlı serinliğini içiyordu.

Kaçağa yetişmesine iki yüz metre kalmıştı. Artık boğucu bir sessizliğin içinde koşuyordu. Direkler ve uçaklar, arkalarında, uzakta kalmıştı. Geriye sadece uğuldayan rüzgâr, kutup ışıkları gibi sedefli, yağlı izler bırakan gökyüzü ve asfaltı döven ayak sesleri kalmıştı – tap-tap-tap-tap...

Yüz metre. Erwan'ın önünde, bir ense ve alabros kesimli bir kafa vardı. Adamı tanımanın imkânı yoktu. Elli metre. Kendini dış dünyaya kapattı ve sprintine başladı.

Otuz metre... Yirmi metre...

– DUR!

Karanlığın içinden gelen sesi bulmak için, koşmaya devam ederken gayriihtiyari kendi etrafında döndü. Bir asker, elinde FAMAS'ıyla[1] bir çukurun içinden çıkmıştı. Kaerverec Üssü elbette askeri denetim altındaydı. Bunu nasıl unutmuştu?

İstemeden yavaşladı. Ölümcül hata. Beriki koşmayı sürdürdü, karanlığın içinde kayboldu. Erwan bir şeyler söylemek için bağırmaya çalıştı, ama soluğu kesilmişti. İki büklüm oldu, inler gibi bir ses çıkararak, elleriyle dizlerinden destek aldı. Her geçen saniye kaçakla arasındaki mesafenin biraz daha açılmasına sebep oluyordu. Bir VHF telsiz sesi duyuldu. Asker gözlerini palaskasına doğru indirdi.

Erwan hiç düşünmeden yeniden koşmaya başladı.

– DUR! DUR YOKSA ATEŞ EDERİM!

Ayak sesleri, etrafında koşuşturmalar. Sirenler, motor homurtuları. Alarm verilmişti. Hâlâ koşuyordu. Bir silah sesi gecenin karanlığında yankılandı. Uyarı ateşi.

– DUR!

Hızlanmaya çalıştı. İmkânsız. Gücünün sınırlarına geldiğini hissediyordu. Birkaç adım daha atsa, asfaltın üstüne yığılacaktı sanki. Yeni silah sesleri. Araçlardan inen askerler. Pistin dört bir tarafından yükselen, birbirine karışan sesler, kodlar. Yeniden hızlandı; korku, en güçlü uyarıcıydı.

Ağaçların arasına girince, istemeden de olsa yavaşladı. Tüm bedeni laktik asitle yanıyordu. Adrenalin kanını besliyordu. Gözyaşlarının arasından, ağaçların şekilsizleştiğini görüyor, karan-

1. Fransız yapımı bir saldırı ve piyade tüfeği. (ç.n.)

lık ağaç gövdelerinin arasından bir katran gibi akıyordu. Arkasından, askerler geliyordu. Şapa oturduğunu düşünüyordu, zaten ağaçlar da seyrekleşmeye başlamıştı. Kumsaldan önceki orman, ince bir şeritten başka bir şey değildi.

Kumlar havalandı, ardından çatlayan dalgaların sesi. Avını yakalıyordu. Onu yeniden ele geçirecek olmanın umuduyla, kumulun üstüne tırmandı ve yükselmiş denizle karşılaştı. Dalgalar sadece yirmi-otuz metre önünde kırılıyordu.

Kimse yoktu. Arkasından uyarılar yükseliyordu. Beyaz bir ışık gökyüzünü yırttığında Erwan dizlerinin üstüne düştü. Bir füze. Hayır, bir aydınlatma fişeği. Devriye, kumsala ulaşmak üzereydi ve fişekle bölgeyi aydınlatıyorlardı.

Etrafına hızla göz attı. Solunda, iki yüz metre uzakta kaçağı gördü. Erwan ayağa kalktı ve kıvılcımlar, hışırtılar eşliğinde kuma düşerken yeniden koşmaya başladı.

Elli metre. Etraf yeniden karanlığa gömülmüştü. Otuz metre. Kaçak, denize doğru yalpalayarak, kumun üstüne çıkarak, her an düşecek bir sarhoş gibi ayakları dolaşarak ilerliyordu. On metre. Erwan atıldı ve ona yere yapıştırdı. Köpüklerin içinde yuvarlandılar. Onu boynundan yakaladı ve çevirdi.

– Kimsin sen? diye bağırdı.

Cevap yoktu. Gölgede kalmış bir surattan başka bir şey görmüyordu. Dalgalar üstlerine kadar çıkıyor ve kolları ile bacaklarını yalıyordu. Rüzgâr beraberinde kükürt kokusu getiriyordu.

– KİMSİN SEN?

Erwan tam yumruğunu kaldırmıştı ki, yeni bir fişek etrafı aydınlattı. Çakan flaşta, suratı tanıdı: Onu daha önce bir yerlerde görmüştü, ama nerede gördüğünü söylemesi imkânsızdı.

– Nereden geliyorsun?

– Adım Frazier. Charles-de-Gaulle'denim.

Uçak gemisinde, koridorların zayıf kırmızı ışığında gördüğü deniz subaylarından biri.

– Beni neden gözetliyordun?

Gökyüzündeki beyaz ışık kumsalı titretiyordu. Erwan askeri boynundan yakalamıştı ve boğazlar gibi sıkıyordu. Askerler, her taraftan aynı anda paldır küldür geliyorlardı. Ağzından bir kelime almak için sadece birkaç saniyesi vardı.

– Konuş, Tanrı aşkına!

– Cuma gecesi... bir şey gördüm.

– Nerede? Charles-de-Gaulle'de mi?

Yeni bir aydınlatma fişeği.

– KONUŞ!

– Biri denize çıktı... Bir ETRACO'yla...

– KİM?

Çakan flaş genç adamın gözbebeklerini aydınlattı. Erwan onun dudaklarının titrediğini gördü. Arkasında, denizin köpükleri bakır rengine bürünüyor ve kaynamakta olan bir metali çağrıştırıyordu.

– BIRAK ONU VE ELLERİNİ KALDIR!

– Kim denize çıktı? KİM?

Erwan kollarını kaldırdı. Çuvallamıştı. Kum tepesinin üstünde, bir sıra asker kükürt rengindeki çamların dibinde ona nişan alıyordu.

O esnada, Frazier doğruldu ve Erwan'ın yakasına yapıştı.

– Di Greco, diye kulağına fısıldadı. Di Greco o gece karaya çıktı.

# 40

Barın adı Wam'ların Tarafı'ydı.

Gecenin ilk saatlerinde aramalarına başlamıştı. Kapı görevlilerini, barmenleri sorgulamış, patronları tehdit etmiş, sözler almıştı: Bu gece Gaëlle'le kim buluştuysa, onu bulmak zorundaydı. Aramalarına büyük otellerin kapıcılarıyla devam etmiş, gece kulüplerini, Sağ Yaka'daki karanlık barları ziyaret etmişti – ama hiçbiri henüz açılmamıştı.

Kimse kızını görmemişti. Kimsenin en ufak bir bilgisi yoktu. Ya da kimse onunla konuşmak istemiyordu.

Belki de ne yeterince kötüydü ne de yeterince ikna edici. Çekilen araçların konduğu Balard'daki belediye otoparkından ödünç aldığı Golf'ün direksiyonunda, içini rahatlatmak için her seferinde kendi kendine bunu tekrarlıyordu. Coué metodu: Gaëlle bir yerlerde eğleniyor ve sadece bunu ondan gizlemek istiyor olabilirdi.

Ortadan kaybolması o kadar da önemli bir şey değildi; her şeye rağmen, o yetişkin bir kızdı ve birçok kez ortadan kaybolmuştu. Onu kaygılandıran, peşindeki polisleri ekmiş olmasıydı. Morvan kızını tanıyordu: Peşinde birilerinin olması onu rahatsız etmiyordu, tam tersine çılgınlıklarının babasına anlatılacak olması hoşuna gidiyordu. Ama bu öğleden sonra, başka türlü davranmaya karar vermişti. Bağımsız olduğunu göstermek için mi? Gizli bir randevuya gitmek için mi? Kaçmak için mi? Morvan şüphesiz çok çabuk soğukkanlılığını yitiriyordu. Gaëlle sadece bir gece için özgürlüğünü ilan etmişti. Ama en büyük korkusu, onun üstesinden gelemeyeceği bir pisliğe bulaşmış olmasıydı. Fahişelik, iyi bir evlilikle sonuçlanabileceği gibi mezarlıkta da sonlanabilirdi.

İGGM (İç Güvenlik Genel Müdürlüğü) sayesinde Gaëlle'in günlük yaşamı hakkında oldukça net bir bilgiye sahipti. Asla profesyonel bir fahişe değildi. Tek başına, belli bir düzeni olmaksızın ve hep hayallerinin peşinde fahişelik yapıyordu. Partnerleri, her zaman uzaktan veya yakından sinema ortamıyla ilgisi olan kişilerdi. Veya para babalarıydı – bu da bir anlamda aynı kapıya çıkıyordu.

Eğer yarın sabaha kadar bir netice alamazsa, statüsünün ona verdiği imkânlarla büyük operasyonu başlatacaktı. Ama damlara çıkıp da bağırmanın âlemi yoktu: "Benim kızım bir orospu." Ya da: "Evimde benim sözüm geçmiyor."

Bara oturmuştu, başını kaldırdı ve çevresindeki yarı boş karanlık mekâna göz gezdirdi; eğlenmek için bütün gece buraya kapanma fikrini bir kenara bıraktı. Perrier'sinin parasını ödedi ve çıkışa yöneldi. Arabasına doğru yürürken, kafasını kurcalayan diğer şeyleri düşündü. Erwan'a yalan söylemişti: Artık bir şövalye yüzüğü yoktu. Geçen ay onu kaybetmişti ya da çaldırmıştı. Neden? Cinayet mahalline bırakmak için mi?

Bu Kaerverec hikâyesi garip bir hal alıyordu. Önce Di Greco'dan bir telefon almıştı. Hindiba kafalı amirali yıllardan beri görmemişti. Bu boklu değnekten kurtulabilirdi, ama o tam tersine öz oğlunu bu işle görevlendirmişti. Bu vakayı, Marot'nun intiharı sırasında oğlunu Paris'ten uzaklaştırmak için bir fırsat olarak görmüştü. İçgüdüsü ona ilk kez ihanet mi ediyordu?

Soruşturma artık kişisel bir olaya dönüşüyordu. Cinayet mahalline bırakılan, başına iş açabilecek bir eşyayla, onu bir şekilde olaya müdahil olmaya zorlayarak darbeyi indirmişlerdi... Bir komplo mu?

Daha bir kilometre yol almamıştı ki, aklına paranoyasını besleyecek yeni argümanlar geldi. Pis kokular yayan bu plan öncelikle geçmişini ifşa etme tehlikesi taşıyordu. Sonra Nseko'nun ölümüyle, ne talep edilirse edilsin Katanga'da kartların yeniden dağıtılması istenecekti. Şimdi de Coltano'yla ilgili HAS ya da her ne haltsa, ortaya çıkmıştı... Loïc'in aldığı mesaj da cabasıydı. Yarın sabah ilk iş olarak Luzeko'yu yeniden görmeye gidecekti. Ortezli adam bir şeyler öğrenmiş olmalıydı...

Tüm bu olayların birbiriyle bağlantılı olabileceğini düşünmeye başladı. Onun mahvolmasını isteyen biri ya da bir grup tarafından düzenlemiş olabilirdi. Kim? O kadar çok düşmanı vardı ki...

Direksiyon başındaki refleksleri onu yuvasına götürmüştü: Beauvau Meydanı. Geceyi bürosunda sonlandırmak ve olaylar arasında bağlantı bulmak için mi? Hayır. Aramaya kaldığı yerden devam etmeliydi, ama önce bir şeyler yemesi gerekiyordu. Bakanlığa birkaç yüz metre uzaktaki Bristol Oteli'ne doğru yöneldi.

Vale. Anahtarlar. Döner kapı. Lobiyi geçerken otel görevlisi bankosunun arkasına gizlendi. Morvan birkaç saat önce adamı payladığını hatırladı. Ona dostça bir selam yolladı; artık kavgacı mizacını geride bırakmıştı.

Restoran kısmına girdi, temizlikçi kadınlar elektrik süpürgesiyle yerleri temizliyordu, sonra mutfağa geçti. Bazı aşçı yamakları onu tanıdı ve selam verdi. Dipteki masaya –şefin yakın dostlarına ayrılmış, paslanmaz çelikten tezgâha– oturdu. Tek kelime etmeden ona somonlu bir kulüp sandviç –en sevdiği yemek– ile madensuyu servis ettiler. Şişenin sade görüntüsü aklına anksiyolitiklerini getirdi. Bu akşam almış mıydı? Depresif ve unutkandı; gerçekten de onlara dört elle sarılmanın tam zamanıydı...

Şimdi Loïc'in boşanma işini düşünmekle meşguldü. Öncelikle kişisel, gizli bazı nedenlerden dolayı buna razı olamazdı; ayrıca ailesinin parçalanma fikri de onun için kabul edilebilir bir şey değildi. Bir şekilde bu, onun inşa ettiği tek şeydi; çevresindekilerde istemeden yarattığı bu ortak düşmanlık göz ardı edilirse, başarmıştı da. Boşanmak mı? Söz konusu olamazdı. Buzlar Bakiresi'yle anlaşma konusunda umudunu yitirmiyordu, ama parti zorlu olacaktı.

Sandvicinin tadını çıkarırken gözleri boşlukta, hayaller kurmaya başladı. O sırada mutfak personeli gereçlerini yerleştiriyordu. Tesadüfen yaşanmış mutlu akşamlar. Erwan, Cannes-Écluse Polis Okulu'nda yatılı okurken, Messine Caddesi'ndeki eve akşam yemeğine gelecek zaman bulduğu anlar. Loïc'in, yeniyetmelik döneminde, olağanüstü yakışıklılığıyla ve bunun farkında olmadan (aslında daha o yıllarda alkolikti ve Morvan gerçeği görememişti) evde dolandığı anlar. Gaëlle'in, hatırı sayılır bir kilodayken, havlu kumaştan küçük pijaması içinde, abileriyle birlikte geceyi televizyon başında geçirme izni aldığı zamanlar...

Hafızasının çarkları durdu ve tek bir resme takılıp kaldı: Kötülükten uzak Gaëlle. Daha sonraki yıllarda, aşırı zayıf, korku filmlerindeki dev böcekleri çağrıştıran, tanınması imkânsız bir yaratığa dönüşmüştü.

Morvan önündeki tabağı itti. Gaëlle hâlâ bir sırdı. Bu gece de onun izini bulmayı başaramamıştı. Hesap pusulasını imzaladı –otelde hesabı vardı– sonra kendine çekidüzen vermek için tuvalete gitti. Saat gecenin biriydi. Yüzünü yıkadı, ceketini ve pantolonunu düzeltmeye çalıştı; kıyafeti, otuzbir çektikten sonra kullanılan bir kâğıt mendil gibi buruşmuştu. Aynada, bir evsize para vermiş gibi kendine gülümseme lütfunda bulundu.

*Haydi, sokağa dönme vakti.*

# 41

Bir saatten beri Erwan dayanmaya çalışıyordu.

Helikopterin yerine, bir Hurricane'i –on bir metre uzunluğunda, lastikten yapılma bir sosise benzeyen, reçine gövdeli, simsiyah bir Zodyak– zor da olsa kabul ettirmeyi başarmıştı. Deniz komandolarının şu ünlü ETRACO'larından biri. "Altı yüz beygir!" demişti gururla, dümendeki Archambault. Le Guen, tüm dikkatini bottaki radara ve GPS'e vermiş, seyir subayı görevi yapıyordu. Verny ise diğerlerini izliyordu.

"Sıkı tutun" diye uyarmıştı Kuşkonmaz, küçük kanaldan çıkarken, "hava iyi değil!" Dalga, onları denizin karanlık karnının içine çekmek için anında yakalamıştı. Böğründe öfkeli bir yaşam taşıyan şişkin, gebe bir karın. Hem anaç hem de uğursuz, öfkeli ve yıkıcı bir kuvvet. Onları yutmaya hazırlanan bir Medeia...

Erwan, üstünde can yeleği, koltuğunun kenarlarına tutunmuş, bedeninin bir kısmı dalgalara dönük, teknenin kıç tarafında oturuyordu. Güvenlik önlemi olarak onu koltuğuna bağlamışlardı. Duşlardaki kavgadan ve pistteki kovalamacadan sonra, dibe vurmuştu.

Onun önünde, Archambault dümeni sımsıkı tutuyordu. Bileği devre kesici bir bileklikle kumanda paneline bağlıydı. Bu düzenek, eğer denize düşerse doğrudan motoru stop ettiriyor ve Zodyak'ın tek başına İngiltere'ye gitmesine engel oluyordu.

– İyi değil misin? diye sordu Le Guen, omzunun üstünden.

Istakoz karada olduğundan çok daha iyi niyetliydi. Kuşkusuz, galip gelmiş birinin hoşgörüsü. Erwan kusmak için eğildi. Yine başaramadı. Botun altındaki denizin tuz yüklü, iğrenç kükürt kokusunu duyuyordu. Deniz tutmasına karşı bir antihistaminik almıştı; tek bir şey dışında hiçbir etkisi olmamıştı, o da çelişkili bir etkiydi: Bu tip ilaçların uyarıcı etkisinden bahsedildiğini duymuştu; hissettiği tek şey, yola çıkmadan önce yuttuğu ağrı kesicilerle daha da artmış olan güçlü bir uyuma isteğiydi.

Bununla birlikte yeni olayların analizini yapmaya çalışıyordu. Üs yeniden sükûnete kavuştuktan sonra, kendisinin zorla kabul ettirdiği dışarı çıkma yasağını ihlal ettiği için özür dilemişti. Albay Vincq anlayışlı davranmış ve bu gece kovalamacasının müsebbibi olan "beklenmeyen tanık" Patrick Frazier'nin sorgusuna katılmasına izin vermişti. Deniz subayı ilave bir şey söylememişti: Amiral Di Greco'nun bir ETRACO'ya bindiğini ve karaya doğru yola çıktığını söylemişti. Yaşlı adam statüsünün ve sağlığının gerektirdiği gibi davranmamış, yanına botu kullanacak birini almadığı gibi izin belgelerini de imzalamamıştı. Giriş çıkış yapılabilecek birçok yer olduğu halde, denize açılan bir ambar kapısından kimseye görünmeden gemiyi terk etmişti. Frazier'ye göre, Di Greco eşsiz bir denizciydi ve bedensel yetersizliğine rağmen tek başına kıyıya ulaşabilecek yetenekteydi.

Asker neden daha önce tanıklık yapmamıştı? Bu gece ziyaretinin ve saçma sapan bu kaçışın sebebi neydi? Cevap, sorunun içindeydi: Birkaç günlük tereddütten sonra, Frazier çözümü konuşmakta bulmuştu, ancak bunu mümkün olduğunca gizli yapmak istiyordu. Ve bu koşullar altında, son anda korkup vazgeçmişti – kendin zarar görmeden komutana dokunamazsın.

Güçlü bir dalga Erwan'ı düşüncelerinden kopardı. Midesinin ağzına geldiğini hissetti. Midesini güverteye kustuğunu, midesinin de havasızlıktan boğulmakta olan bir balık gibi çırpındığını hayal ediyordu. Bu halüsinasyondan kurtulmak için başını kaldırdı ve kâbus gibi bir manzarayla karşılaştı. Yağmurun altında, kapkara dalgalar, artık onları alabora etmeye ve yutmaya hazır devasa bir solunum hızına sahip falezler gibi yükseliyordu.

Başını yeniden eğdi, dişlerini sıktı ve düşüncelerine yoğunlaştı. Gecenin o vaktinde Di Greco'nun karada ne işi vardı? Karaya çıkışının Wissa'nın ölümüyle bir ilgisi var mıydı? Ya da çaylak deneyimiyle? Amiral, cinayetin azmettiricisi olabilir miydi? Ya da tam tersine, iyice zıvanadan çıkan birliklerini sakinleştirmek mi istemişti? Uçak gemisine ne zaman dönmüştü? Erwan'ın, derebeyine şahsen sormak istediği o kadar çok soru vardı ki.

Bu alelacele yola çıkış iyi bir fikir değildi. Öncelikle hava şartları söylendiği gibi "elverişsiz"di. Ayrıca, bir kez daha onun sahasında karşılaşmaktansa, amirali karaya davet etmek –Kaerverec'e değil, jandarma karakoluna– iyi bir strateji olabilirdi. Ancak Erwan farklı bir taktikte karar kılmıştı: Sürpriz yapacaktı. Geleceklerini kimseye haber vermemişlerdi; şimdi gemiye kabul edilmeyi beklemekten başka çareleri yoktu.

Devasa bir dalga tüm düşüncelerinin önüne geçti. Köpüklü su ETRACO'nun içini bir havuz gibi doldurdu. Verny oturduğu yerden fırladı ve su tahliye deliğini, botun dip kısmında yer alan ve birkaç saniye içinde suyun boşalmasını sağlayan drenaj deliğini kontrol etti. Bir dakika sonra yeniden kendini koltuğuna bağlamıştı.

Erwan suçlulukla karışık bir memnuniyetle, iki yol arkadaşının da içinde bulundukları durumdan hoşnut olmadıklarını anlıyordu. Deniz tutmasına karşı antiemetik Mercalm'ları yutmuşlardı, boyunlarını fosforlu can yeleklerinin içine çekmişlerdi, her birinin gözlerinde de –Archambault'nun talimatıyla– dalgıç gözlükleri vardı ve suratları yeşilimsi bir renk almıştı.

Yeni bir dalga. Erwan uyku halindeydi. Sarsılmış, hırpalanmış, ıslanmıştı; deniz ile fırtına arasında sürekli olarak bilincini kaybediyordu. Küpeşteyi sımsıkı tutan parmakları artık ona ait değildi.

Bir ses onu gerçeğe döndürdü.

Kimin bağırdığını söylemek imkânsızdı, ancak bir isim duyar gibi oldu: Verny. Sonunda durumu kavradı: Jandarma kaybolmuştu. Suyu boşaltmak için yeniden kalktığında, teknenin bordasının üstünden suya düşmüştü.

Koltuğundan kalkmaya çalışırken, çoktan manevra yapmaya başlamış olan Archambault bağırdı:

– Kimse kemerlerini açmasın!

Le Guen, daha iyi görmek için iki eliyle siper yaptığı GPS ekranına eğilmişti. Erwan, can yeleklerinde konum belirleme sistemi bulunduğunu hatırladı – Verny'nin bu düzeneği harekete geçirecek refleksi gösterdiğini umut etmekten başka çare yoktu. Bilek-lik de yanıp sönen bir düzenekle donatılmıştı.

Archambault dümeni hemen kırarak, yarım tur atmayı başardı. Herkes gözlük camlarını silerek bir şeyler görmeye çalışıyordu. Birden, elli metre mesafede, köpüren bir dalga çukurunda yanıp sönmekte olan konum belirleyicinin ışığı göründü. Devasa bir göğüs kafesinde çarpmakta olan bir kalp pili. Archambault yaklaştı ve botun burnunu rüzgâra verdi. Köpüklerin ortasında, Verny yağmurluğuyla debeleniyor, onu dibe çekmeye çalışan vücudunun ağırlığına karşı mücadele ediyordu.

Erwan olan biteni kavrayana kadar, Le Guen kemerini açtı, can yeleğini ve elbiselerini çıkardı. İçinde dalgıç kıyafeti vardı.

Ardından da zaman geçirmeden, bir dalgıç maskesi taktı, paletleri ayağına geçirdi ve üstüne giydiği dalış denge yeleğinin kemer tokasını taktı. O anda, Erwan hiç tanımadığı bir âlemde nasıl soruşturma yapmaya kalkıştığını düşündü.

Le Guen suya atladı, Zodyak'a bir halatla –denizci dilinde bir "çıma"yla– bağlıydı. Archambault'nun sesi duyulabilir hale gelmişti. Ama sözcükleri değil, sadece sesi. Dümene ve motorların koluna sımsıkı yapışmış, ETRACO'yu dengede tutmak için neredeyse zemine uzanmış bir halde, sürekli aynı iki heceyi tekrarlayıp duruyordu.

– Çıma!

Erwan sonunda anladı. Kemerini çözüp, usturmaçalar boyunca sürünerek ilerledi ve pruva bodoslamasına ulaşmayı başardı. Yağmurun ve deniz serpintilerinin arasında, güverteyi kamçılayan halatı buldu – bir bocurgata bağlıydı. Acemice, aletin arkasında durdu, ayaklarını sosisi andıran bota dayadı, merdanenin iki tarafındaki manivelaları tuttu ve kaptanın vereceği işareti bekledi.

Archambault, teknenin içine su girmesini engellemek için dalgaların üzerine tırmanarak manevraya devam ediyordu. Motorlar uğulduyor, hıklıyor, ıslık çalıyordu. Pervaneler bu bulaşık suyunu altüst ediyordu. Teğmen elini kaldırdı: Le Guen, Verny'yi yakalamıştı. Erwan, kendi ağrılarıyla, acılarıyla mücadele ederek manivelaları çevirdi.

Az sonra onları gördü; birbirlerine bağlanmış kazazedeler en fazla birkaç metre uzaktaydılar, dalgalara tabi olarak batıp çıkıyorlar, dalgalarla saklambaç oynuyorlardı. Erwan çarkları daha hızlı çevirmeye başladı.

Sonunda kazazedeler sosise doğru yükseldiler ve botu taşımakta kullanılan tutamaçlara tutundular. Istakoz bağıra çağıra anlaşılmaz şeyler söylüyordu. Birkaç saniyelik bir kararsızlık yaşandı, ardından Erwan bocurgatı yeniden döndürerek onları çekti ve usturmaçaya sabitledi. Manivelaları bırakarak hızla harekete geçti.

Önce yuvarlandı, ardından doğruldu, güvertede yuvarlanan Verny'yi çekti. Bir gayretle, Le Guen de hayatın iyi tarafına devrildi. ETRACO hâlâ öfkeli sıçrayışlar yapmaya devam ediyor, teknenin üstünden aşan dalgalar onları yutacak gibi görünüyordu. Bununla birlikte herkes yaşıyordu. Birkaç saniye boyunca soluklandılar. Hayatlarını değiştiren zaferin tadını çıkararak hiç kımıldamadan duruyorlardı.

Sonra dalgaların çatırtısı yeniden duyuldu. Erwan'ın uykulu hali geçmiş, açılmıştı. Verny öksürüyor, kusuyor, dualar ve teşekkürler mırıldanıyordu. Üzerinde dalgıç kıyafetleriyle Le Guen, dalış denge yeleğini çıkarmaya çalışıyordu. Ayakları, dev bir iplik makarası gibi bükülmüş çımanın içindeydi.

Erwan bir karar aldı. Emekleyerek kumanda yerine doğru ilerledi, dümenin hizasına kadar yükseldi, sonra Archambault'ya bağırdı:

– Geri dönüyoruz!

– Ne?

– GERİ DÖNÜYORUZ!

Cevap olarak kaptan işaretparmağını uzattı.

– Çok geç. Geldik!

Erwan başını çevirdi ve siyah duvarla karşılaştı. Akan bulutların ve kabarmış dalgaların arasında, en ufak bir ışığı olmayan, tek renkli karanlık bir cisim belirdi. Fırtınanın ortasındaki geminin görüntüsü kesinlikle Dantevariydi. Kendisini saran karanlıktan daha karanlık, fırtınadan daha güçlüydü; kargaşadan uzak, kaygısız bir görüntüsü vardı – deniz gövdesine çılgınca vurmasına rağmen hiç kımıldamıyordu.

Erwan, usturmaçaya çarparak sırtüstü düştü, kolları iki yana açılmıştı – gongun kurtardığı boksör. O esnada, büyük bir gıcırtıyla ana kapı karanlığın içine açıldı, iki yanında sarı babalar bulunan bir platform göründü. Erwan'ın aklına ürkütücü bir solungaç, bir deniz canavarının karnında titreşen bir yarık geldi. Yandan görünen, iki ağır zincirle çevrelenmiş platform olağanüstüydü: Tanker kamyonlarını ve bütün bir süvari birliğini alacak kadar büyüktü. Platformdan dışarı vuran ışık tamamen kırmızıydı.

Archambault hızını artırdı. Hâlâ üstünden sular sızan Le Guen, telsize bağırıyordu. Verny bir usturmaçaya sımsıkı tutunmuştu. Koltuğuna büzülüp kalmış Erwan ise, dalgaların yüzeyini aydınlatan akkor halindeki ışığa büyülenmiş gibi bakıyordu.

Platform, çelikten bir iskele oluşturacak şekilde, sanki dalgaların yüzeyine kadar indi. Zodyak biraz daha yaklaştı. Archambault hızlanıyor, hızını azaltıyor, yükselip alçalıyor; dalga tepelerini aşana dek kıç atarak, kayarak, ardından zikzaklar çizerek son engelleri de aşıyordu. Gemici kancaları uzatıldı, aborda kancaları tıkırdadı, çımalar kırmızı suya düştü.

Manzara güven vericiydi – ölümden sonra yeniden hayat başlıyordu. Erwan'ın gözleri doldu.

Bu gece, balinayı zıpkınlayan, balıkçılar değildi; bu yürekli adamların teknesini yutan, balinaydı.

# 42

Platforma ayak bastıklarında, bir şüpheliyi sorgulamaya gelmiş bir baskın timiyle yakından uzaktan alakaları yoktu. Sucuk gibi ıslanmışlar, ringa balığı gibi tuza bulanmışlardı, görende kaygı uyandıracak bir haldeydiler. Verny boğulmuş birine benziyordu. Le Guen hâlâ, suyla şişmiş dalgıç kıyafetinin içindeydi. Dümen başında yaptığı manevralar sebebiyle Archambault'nun kolları hâlâ titriyordu. Erwan, deniz tanrısına bağlılığını sunar gibi kafasını kapüşonunun altında öne eğmişti.

Bu kez onları bekleyenler sadece manevracılar değildi. Elleri tetikte, deniz komandoları bağlanma yerinin etrafını sarmışlardı. Köprü iskele, geminin kırmızı ışıkla kaplı çelik ağzına kadar yükseldi. Herkes içeriye sığındı.

– Burada ne arıyorsunuz? diye bağırdı silah subayı.

– Amiral Di Greco'yu dinlemeye geldik, diye cevap verdi Verny, aynı tonda.

Dalgaların gürültüsünden dolayı bağırarak konuşmak gerekiyordu.

– İstinabe için gerekli bir evrakınız, herhangi bir şeyiniz var mı?

– Gerek yok. Wissa Sawiris'in ölümü hakkında açılan adli soruşturma çerçevesinde Brest Savcılığı tarafından görevlendirildik. Gerçeği bulmak için her türlü yöntemi uygulamaya ve her türlü dinlemeyi yapmaya yetkiliyiz.

Jandarma tüm bunları bir solukta söylemişti. Yeniden hayata dönen biri için hiç de fena değildi. Deniz komandosu etkilenmişe benzemiyordu. Yağmurluğunun altından bir telsiz çıkardı, sırtını rüzgâra verdi ve sigarasını yakmaya çalışan biri gibi eğilerek konuşmaya başladı.

– Gemi kaptanını beklememiz gerekiyor, dedi onlara dönerek.

– Gidelim, dedi Erwan, sabrı taşıyordu. Bizi kabul edecektir.

Bir anda askerler, tüfeklerini doğrultarak onun önünü kesti. Aynı anda, Verny ile Archambault tabancalarını kılıflarından çıkarmayı başardılar. Kıpkırmızı lambaların altında her şey daha da korkunç görünüyordu.

– Herkes sakin olsun.

Herkesin bakışları, dalgaların gürültüsünü bastıran sese doğru döndü. Koyu renk parkalı bir adam, kırmızı halenin içinde karaltı gibi duruyordu. Kısa boylu, ellilerinde bir adamdı, yanında ne eskortu ne de üstünde ayırt edici bir işaret vardı: Erwan, onun geminin en üst rütbeli komutanı olduğunu tahmin etti.

– Gemi kaptanı Martin, diyerek, Erwan'ın tahminini doğruladı. Charles-de-Gaulle'e bu şekilde yanaşabileceğinizi mi düşünüyorsunuz? Siz kendinizi ne sanıyorsunuz?

Erwan kendini tanıttı ve neredeyse Verny'nin sözleriyle, ancak hem daha ölçülü hem de daha ayrıntılı bir dil kullanarak, durumu özetledi. Subay cevap vermedi. Deniz komandoları onun etrafına –silahlarını indirmeden– toplanmıştı.

– Amirali neden dinlemek istiyorsunuz? diye sordu geminin kaptanı, sonunda.

Açık kapıdan, rüzgâr o denli güçlü ıslık çalıyordu ki insan sesleri gecenin karanlığında üst üste binmiş ses dalgalarını çağrıştırıyordu. Bununla birlikte, Martin sesinin tınısını yükseltmiyordu. Buraların efendisi, fırtınanın efendisi.

– Soruşturma gizliliği, diye lafı gediğine oturttu Erwan. Amiralin, sorularımıza cevap verecek ya da canı isterse, bizi başından savacak kadar önemli biri olduğunu düşünüyorum.

Buzları eritmek için dostane sözcükler kullanmıştı. Bu girişimi boşa gitti. Adam, elleri arkasında kenetli, sessizliğini koruyordu. Komandolar hâlâ nişan alma pozisyonundaydı.

– Bunun deniz subayı Frazier'yle bir ilgisi var mı?

– Üzgünüm, size bir şey söyleyemem. Amirali görmemiz gerekiyor.

– Saat sabahın üçü.

– Biz bu saatte buraya geldiğimize göre, önemli bir...

– Sağlık durumu sizi kabul etmeye müsait değil.

– Size önerim şu: Bu gece onu dinleyemesek bile en azından bu isteğimizi ona iletelim. Onu haberdar etmek için sadece birkaç dakikalığına rahatsız ederiz, o da görüşme zamanını kendisi belirler. Eğer bizi yarın sabah kabul edebilirse gemide bekleriz.

– Ya uyuyorsa?

Bu basit ayrıntılar durumu ele veriyordu: Di Greco herkesin gözünde, yaşlı hasta bir adam, can çekişen bir efsaneydi.

– İlk karşılaşmamızda, diye blöf yaptı Erwan, amiral uykusuzluk çektiğinden bahsetti. Onun uykusunu bölmek gibi bir tehlike olduğunu sanmıyorum. (Güldü.) Lombozundan fırtınayı seyrediyor olmalı.

Yeniden bir yakınlık kurma teşebbüsü, yeniden başarısızlık. Geminin hükümdarı bu tarz biri değildi. Subay hâlâ atış pozisyonunda bekleyen adamlarına baktı. Bir hareket yaptı ve komandolar silahlarını indirdi.

– On dakika. Tam tamına. Sizi ben götüreceğim.

Koridorlar. Asansör. Kırmızı ışıklar. Geminin içinde insan fırtınayı unutuyordu, ama Erwan hâlâ tuzlu suyu ceplerinde, şamandıraların titreşimini ise kanında hissediyordu. Sanki deniz ve denizin öfkesi içine işlemişti.

İkinci asansör. Yeni bir koridor. Amiralin kapısının önünde, refakatçisi, Erwan'ın kapıyı çalması için kenara çekildi; ne de olsa, bu onun fikriydi. Bir haciz memuru gibi davranmıştı.

Cevap yoktu.

Yeniden kapıya vurdu, bu kez daha güçlü olarak.

Hâlâ cevap yoktu.

Erwan başını eğdi. Kapının altından ışık sızıyordu. Gemi kaptanına baktı. Birbirlerini anladılar.

– Maymuncuğumuz var.

Subayın bir işaretiyle, adamlardan biri bir anahtar demeti çıkardı ve kilidin içine soktu. Kısa bir tereddüdün ardından Erwan eli silahının üstünde kamaraya daldı.

Tavan ışıkları yanıyordu. Her şey düzenliydi – yani düzensizdi; ilk seferki gibi. Üst üste yığılı dosyalar, rulo yapılmış haritalar, ağzına kadar dolu dolaplar.

"Tek ayrıcalığı" olan lombozun yanındaki çalışma masasının arkasında oturan Di Greco'nun yüzü parçalanmıştı. Mermi kafatasını parçalamış ve beyni arkaya saçılmıştı.

Üstünde her zamanki gibi, hiçbir rütbe şeridi olmayan mavi üniforma ceketi vardı. Hayatına son verdiği silahı hâlâ elinde tutuyordu: Erwan'ın çok iyi bildiği –Arama ve Müdahale Birimi'nde görev yaparken kullandığı silah– çelik bir Beretta 92G. Yaklaştı ve kanın hâlâ ıslak olduğunu fark etti. Kendileri henüz denizdeyken, yaklaşık bir saat önce intihar etmiş olmalıydı. Ona haber mi vermişlerdi? Er ya da geç tutuklanacağını biliyor muydu?

Erwan, üstünden yük kalkmış gibi bir hisse kapıldı. Bu intihar, itiraf yerine geçecekti. Ama öte yandan, soruları cevapsız kalacaktı. Sebep neydi? Ayrıntılar nelerdi? Tüm bunlar nasıl olabilmişti?

Di Greco'nun bir veda notu bırakıp bırakmadığını görmek için ilerledi.

Masanın üstünde, küçük kan lekeleriyle kaplı, katlanmış bir kâğıt vardı. Erwan, kâğıtta yazılı olanı okuyabileceği açıdan cesede doğru yaklaştı ve kâğıdı açtı. Hasta Uzun Adam, büyük harflerle sadece tek bir sözcük yazmıştı:

LONTANO

# 43

– *Nam-myoho-renge-kyo... Nam-myoho-renge-kyo... Nam-myoho-renge-kyo...*

Loïc, alçak sesle *Lotus Sutra*'yı Nişiren'in Japon versiyonunda mırıldanıyordu. Kusursuz sutrayı içeren ve en kötü durumlarda ilham aldığı temel cümle. Uyumamıştı ve felaketler art arda geliyordu. Gözaltına alındıktan sonra, yargıç karşısına çıkma hakkına sahip olacak, ardından suçlanacak ve kim bilir, belki de geçici olarak tutuklanacaktı. On iki gram kokain, sizin doğrudan ihtiyaten mahkemeye sevk edilmeniz demekti.

İşin sonunda gerçekten ceza almak da vardı. İvedi olarak bir amir hüküm elde etmek için Sofia ile o fahişe avukatının yapacağı suçlamalar da devreye girebilirdi. Çocukları ondan uzaklaştırılacak, dadı olarak bir polis eşliğinde, ayda sadece birkaç saat onları görme hakkına sahip olacaktı.

– *Nam-myoho-renge-kyo... Nam-myoho-renge-kyo...*

Tüm gayretine rağmen, bu iğrenç cam kafes içinde bir türlü kafasını boşaltamıyordu. Pragmatik sorular sürekli kafasını kurcalıyordu: Onu kim ihbar etmişti? Önceki akşamki torbacı mı? İntikam almak isteyen Siyahlar mı? Bu, ne torbacının ne de diğerlerinin tarzıydı.

Tek ideal şüpheli Sofia'ydı. Gözlerini kapadı ve içini kaplayan kin dalgasından kurtuldu. Bir Budist için kin ve aşk eşdeğerdeydi; oysa ne türde olursa olsun tutku çemberinin dışına çıkmak gerekiyordu.

Şimdilik, bu hücreden çıkmak onu çok mutlu edecekti. Komşusu –"haklarını bilen bir evsiz"– bir sığır gibi böğürüyor ve camı tekmeliyordu. Loïc dua etmeyi bıraktı.

Yapacak başka bir şey olmadığından, geçmişini düşünmeye başladı. Kendi parlak efsanesinin en iyi bölümü.

Kalküta, Şubat 2001.

Kendini Batı Bengal'in başkentinde nasıl bulduğunu hiçbir zaman öğrenememişti. Kuşkusuz makine dairesinde solvent ya da benzeri bir şeyi koklarken ansızın yakalanmış ve kaptanlığını yaptığı yelkenliden kovulmuştu. Andaman Adaları'ndan bir kargo gemisine binmiş, ardından dünyanın en büyük mangrov ormanı olan Sundarbans'ta balıkçılarla birlikte yol almıştı. Tek hatırladığı, yol boyunca tekne ambarlarında, haşhaşın saplarından elde edilen ve ucuz bir afyon türevi olan *maddok* içtiğiydi.

Kalküta'da tekneden indiğinde, bir *sadhu*'dan[1] farksızdı. Belden aşağısını bir tür peştamalla örtmüştü. O denli kirlenmiş ve güneşten o denli yanmıştı ki, kapkara olmuştu. Sakalı göğsüne kadar iniyordu, tırnakları virgül gibi kıvrılmıştı, darmadağınık saçları bit kaynıyordu.

Kendine bir vaftiz anası bile seçmişti: Kali, şehre göz kulak olan karanlık, ölümcül tanrıça. Kesik kollarla yapılmış bir etek giyiyordu, dışarı sarkmış kanlı bir dili vardı, hoşuna gitmeyen her şeyi yok ediyordu. Başkent için kusursuz bir sembol. O yıllarda on milyon insan, başkentte Victoria dönemi saraylarının yıkıntılarında yaşamlarını sürdürüyordu. Dilenciler, cüzamlılar, işportacılar, ücretliler, *sadhu*'lar, brahmanlar, entelektüeller, dokunulmazlar; tüm bunlar sokaklarda karşı konulamaz bir sel gibi akıyordu.

Loïc, son dolarlarını şüpheli eroine ve içine madde karıştırılmış afyona harcayarak, bu akıntının üstünde yüzüyordu. Kapı sundurmalarının altında kendine fiks yapıyor, pirinç artıkları yiyor, bir rupiye *chai* içiyordu. Ayık olduğu ender zamanlarda, Maidan Parkı'na gidiyordu, elinde sayfaları kirli, İngilizce bir kitapla: *The Gospel of Sri Ramakrishna*. Neredeyse iki satırdan birini anlamıyordu, ama bu kitaptaki ölüm düşüncesi hoşuna gidiyordu.

Bir gün, bir kaldırımda iki büklüm yatarken bacaklarının çürümekte olduğunu fark etti. Hiç panik olmadı, çok iyi araştırmıştı. Adlarını telaffuz etmeyi başaramadığı tanrıları hayal ederek, binlerce parmak arası terliğin, sandaletin ve çıplak ayağın altında çiğnenerek, geberip gidecekti. Gülümsüyordu; Kalküta'nın çiçek ve bok kokuları arasında erimeye hazırdı. Ve tanrı veya taş olarak yeniden hayata dönmeye.

İşte o esnada üzerine eğilmiş bir ses duydu:

– Hey sen! Sana gerçeklik duygusunu yeniden kazandırmak lazım.

1. Kendini dünya nimetlerinden çekmiş kişi. (ç.n.)

Loïc doğruldu ve bir filin kıçı gibi buruşuk, kocaman gri kafası olan bir Batılının iki boyutlu görüntüsüyle karşılaştı. Üstünde keten bir entari vardı ve boynunda, insanoğlunun üç borcunu –bilgelere, atalara ve tanrılara karşı– simgeleyen üç kat ip taşıyordu.

Loïc yarı uykulu halde, *Kafayı fazla dumanlamış bir Beyaz daha*, diye düşündü... sonra kendinden geçti. Bundan sonrasında hatırladıkları karmaşıktı. İğneler. Serumlar. Sayıklamalar. Yoksunluk krizinin etkileri. Bir de kâfuru kokuları, küflenmiş çiçeklerden yayılan pis kokular, nemli toprak. Ve kavurucu yüksek ateş. Bol bol uyku.

Loïc uyandığında, Hintli bir doktor ona açıklamalarda bulundu: Yemek borusunu parazitler kemirmişti, bağırsaklarında kurtlar kaynıyordu, vücudu lezyonlarla kaplıydı, iskorbüt hastalığına yakalanmıştı. Tek iyi haber: AIDS değildi ve ampütasyona gerek duyulmamıştı.

– Ampütasyon mu?

Sundarbans'ta bir tekneden düştüğünü hatırladı. Yaralı dizleri yeniden gözlerinin önüne geldi, yaralarından irin akıyordu.

– Kangren. Enfeksiyonu durdurduk.

Doktora teşekkür etmeliydi, ancak hiç hali yoktu. Kolları ile bacaklarına kramplar giriyor, bedeni yanıyordu. Kendisine, her ne olursa, bir şeyler enjekte edilmesini ya da tüm duygulardan kurtulacağı evrene geri yollanmayı istedi – yalvardı.

Koma.

Yeniden kendine geldiğinde, bir an için beyninin yastığa akmış olduğunu sandı. Guru oradaydı ve bu kez üç boyutluydu. Altmışlarındaydı. Zengindi ve iyi beslenmişti. Mao yakalı beyaz bir ceket, keten pijama pantolonu giymişti, İskoç aksanıyla konuşuyordu. Loïc'e kâbuslardan, halüsinasyonlardan bahsetti. Tüm bunların uyuşturucuyu bırakmasından ve burada ona yutturulan bitkilerden kaynaklandığını açıkladı.

– Burada mı?

Adam ona gerçeklikten, bilgelikten, birlikten söz etti. Düşüncelerini imgelerle, mesellerle açıklıyordu.

– Tanışıyoruz, değil mi? diye sormayı başardı sonunda Loïc.

– Teknelerimin birinde kaptanlık yaptın, iki yıl önce.

Loïc hiçbir şey hatırlamıyordu. Adam bir makas aldı ve onun saçlarını, tırnaklarını, sakalını kesmeye başladı.

– Hinduizm sana hiçbir şey vermez, dedi, yatak örtüleri tırnak ve kılla kaplanırken. Klasik Budizm'in de sana göre olduğunu sanmıyorum. Bu ikisi, Küçük ve Büyük Taşıt. Sana gerekli olan Vajrayana. Elmas Taşıt. Tibet Budizmi.

– Bu ne demek?

– Yarın yola çıkıyoruz.

Lhasa'ya, Tibet'in başkentine değil, ülkenin güneydoğu sınırı yakınlarındaki Yunnan eyaletinde yer alan Kunming'e indiler. İskoç, Himalayalar'ın kollarına ulaşmadan önce belirli bir güzergâha bağlı kalmayı istiyordu. Önce 4x4, ardından at.

Üç bin metrelik yükselti. Pişmiş topraktan falezler. Aşağıda, kırmızı bir nehir: Mekong'un embriyosu. Sanki Loïc, buzulların eteklerinde uyuklayan bir Hindu tanrıçanın doğurgan karnında, devasa bir rahmin içinde evrim geçiriyordu. Binek hayvanının üstünde tir tir titriyordu. Bir göçebe bebeği gibi, onu derilere ve kürklere sarmışlar, sonra da eyerine bağlamışlardı. Manzaranın tadını çıkarmaktan ve yoksunluk ıstırabı çekmekten başka çaresi yoktu.

Altın Üçgen'in hemen yakınında bulunduğundan, ordunun sıkı denetim altında tuttuğu yasak bölgeden geçmek için birkaç gün harcadılar. Loïc İskoç'taki bu motivasyonu anlamıyordu. Atlarıyla yollarına devam ederlerken Loïc onu kışkırtmaya çalıştı.

– Tüm bunlardan sonra seninle yatacağımı mı sanıyorsun?

– Dert etme, bunu daha önce yaptık.

– Ne zaman?

– Deniz seyahatimizde.

Yine hiçbir şey hatırlamıyordu. Adamın adı James Thurnee'ydı, Edinburgh'dan geliyordu ve Avrupa'da servet yapmıştı. Birçok kez. Önce elektronik gitar ve kayıt konsolları üretiminde, ardından telekomünikasyon alanında ve en nihayet de internet konusunda. Artık servetini uzaktan idare ediyordu. Orada burada dua edebiliyor, kendini felaketin eşiğindeki turistlere vakfedebiliyordu.

Haftalar geçti. Karışıklık içinde geçen haftalar: Çin polisiyle yaşanan anlaşmazlıklar, Dantevari yağmurlar, yer kaymaları, bir halat yardımıyla yapılan nehir geçişleri, dolu fırtınaları, yol kenarlarındaki kamyon kazaları, yardıma koşmak zorunda kaldıkları bir bakır madenindeki patlama...

Kemerlerinde gümüş hançer taşıyan, siyah saçlarını topuz yapmış iriyarı adamlarla, dümdüz suratları toprağa, süte ve yağmura bulanmış kadınlarla karşılaşmışlardı. Tibetliler, sınırın ilk muştucuları.

Bir gün, karşılarına uçsuz bucaksız bir vadi çıktı. Vadinin sonunda, şeker parçalarından yapılmış gibi görünen, duvarları kireç badanalı bir köy vardı. Köyün üstünde kocaman, kare biçiminde iki beyaz kule yükseliyordu; şarap tortusu renginde bir örtünün altından fırlamış gibi görünüyorlardı. Manastırın etrafında, bulutların gölgesini toplayan arpa ve buğday tarlaları, akşam rüzgârında renk cümbüşü içinde dalgalanıyordu.

Loïc, daha önce hiç böyle harika bir manzara görmemişti. Gözleri minnet gözyaşlarıyla doldu. Çünkü bedeni de arınmıştı; uyuşturucu yoksunluğunu yenmişti.

Keşişler arasında bir yıl. Boru sesleriyle, dualarla, vaazlarla, hasat yapanların konuşmalarıyla, mandalalarla uyanıyordu... Hindistan'da, bedeni, bir ateş gibi onu sarhoş eden bir ruhaniyetle tanışmıştı. Burada inanç sıkılı bir yumruk sertliğindeydi. Bedenini arındırdıktan ve gözlerinin pusunu sildikten sonra Thurnee onun ruhunu temizlemişti. Loïc hâlâ korkunç yoksunluk krizleri yaşıyordu. Yatağa çivileniyor, tir tir titriyor, bedenini parçalamaları ve Tibet geleneklerinin gerektirdiği gibi, akbabalara atmaları için yalvarıyordu. Kimse gelmiyordu ve kriz geçiyordu. Böylece tapınağın günlük yaşamına geri dönüyordu: Dualar, meditasyon, bilgilenme...

Bazen, onu hâlâ denizde zanneden babasını düşünüyordu. Aslında, yöntemi hiç de fena değildi. Loïc, Vajrayana'yı öğrenmeye başlamıştı. Okuyor, dinliyor, meditasyon yapıyordu. Dualar, tamamen aksi tesir yapan, farklı bir uyuşturucu biçimiydi: Ruhunu yeniden daha mükemmel bir şekilde bulmak için bedenini terk ediyordu.

Böylece, bütün beklentilerin tersine, Thurnee illüzyonlar dünyasına, samsaraya, diğerlerinin "gerçeklik" dediği gözyaşı vadisine geri dönmesini önerdi. "Budizm bir kaçış değil" diye açıkladı, ama bir atılımdı. Onu New York'a götürdü, finans dünyasına soktu. Loïc sonsuz bir hiçlik olan bu dünyaya büyük ilgi duyuyordu. Bunun sadece bir oyun olduğunu unutmadan satranç oynamak gibiydi.

Ama duyguları hâlâ oradaydı. Manhattan'da Sofia'yla tanıştı ve hemen ona âşık oldu. İtalyan kadının karşısında rahat davranmak için yeniden kokaine başladı. Tek bir çizgiyle, iki yıllık arınmayı çöpe attı. Önemli değildi. Eğlenceliydi, baştan çıkarıcıydı, konuşkandı; genç kadını cezbetti. Thurnee'ye gelince, Loïc'i burun çeperlerine titanyum taktırmak için özel bir kliniğe götürdü.

Azarlama yoktu, vaaz yoktu ve Loïc bunu anlamıyordu.

– Tutkuların kötü tarafı devam etmemesidir, diye cevap verdi Thurnee.

Haklıydı: Yedi yıl sonra, Loïc ile Sofia, kelimenin tam manasıyla birbirlerinden nefret ediyorlardı. Çok geçmeden, karşılıklı bir kayıtsızlık içinde birbirlerini unutacaklardı.

Bir kilit sesiyle irkildi. Kafesin kapısı açıldı. Loïc kinci evsizin uyuduğunu, diğer hücre arkadaşlarının da uyumak üzere olduğunu fark etti.

Gayriihtiyari bileğine göz attı – üstünü ararlarken saatini almışlardı.

– Morvan, beni takip et.

Adamın peşinden merdivenleri çıkarken, nihayet onu dinleyeceklerini düşündü. Ona avukatına telefon etme hakkı vereceklerdi, avukatı da onu bir saat içinde buradan çıkaracaktı.

Onu büroda bekleyen bir polis değil, Sofia'ydı.

Suratını dağıtmak için yumruklarını sıktı. Tam üstüne atlayacaktı ki, kadın ona sadece emretti:

– Otur.

Tek kelime söylemeden itaat etti.

Aslında hayat, Sofia'nın yanında oldukça basitti.

# 44

– Buraya nasıl girdin?

– Avukatım sayesinde.

– Bir aile hukuku avukatının narkotik büroyla nasıl bir bağlantısı olduğunu bana açıklaman gerekiyor.

– İşini biliyor.

– Morvan'ların oğlunu tepside onlara sundu, evet.

– Dost bölgesinde olmadığın kesin, diye gülümsedi Sofia. Poliste sadece babanın müttefikleri olmadığını görüyorum.

Loïc sırıttı, ama boğazına bir şeyler takıldı. İç organlarına kramp girdi, göğsünden bir sıcaklık dalgası yükseldi ve bir kaygı ateşi olarak tüm bedenine yayıldı. Yoksunluk. Sofia onunla konuşuyordu, ama Loïc artık onu işitmiyordu.

Yüzü ter içinde kalmıştı. Kamaşmış gibi sürekli gözlerini kırpıştırıyordu. Sonunda toparlanmayı başardı.

– Tam olarak ne istiyorsun?

– Uzlaşma.

Loïc bileklerini gösterdi; polisler ona yeniden kelepçe takmışlardı.

– Pazarlık yapmak için iyi bir durumda olduğum kesin.

– Beni dinleyecek ve düşünecek durumdasın.

Bir zamanlar Sofia'yı sevmiş olduğunu artık hatırlamıyordu. Şimdi genç kadın düşman rolünde çok daha gerçek, çok daha meşruydu. Onun saldırılarından, stratejilerinden, entrikalarından korkuyordu. Loïc'in Tanrıça Kali'sine dönüşmüştü.

– Avukatıma göre, yasak madde kaçakçılığı yapmak ve bulundurmakla suçlanacaksın. Baban ayak oyunlarıyla seni kurtarmayı başarsa bile, gözaltına alınman iz bırakacaktır. Boşanma davasında bunları yargıcın önüne koyarsam bir daha asla çocukları göremezsin.

Loïc çenesini sıktı. Dişleri, Paris'teki tüm torbacılar ona uyuşturucu satmayı reddettiği dönemdeki gibi acıyordu.

– Teklifin ne?

– İki çarşambadan biri ve iki hafta sonundan biri.

– Kesinlikle olmaz.

– Ya bu ya da ayda iki saat, sosyal görevli gözetiminde.

– Neden bunu yapıyorsun? Onları yetiştirebilirim.

– Tedavi olmadığın sürece, hayır.

Tedavi olmak... Bu kelimeyi kaç kez duymuştu? Sanki uyuşturucu bir hastalıkmış gibi. Büyük yanlış; o ilaçtı. Uyuşturucudan *önce* dengeli ve mutlu olan bir bağımlıyla hiç karşılaşmamıştı.

– Benim şartlarımla sana bir uzlaşma önerisinde bulundum, dedi yeniden Sofia. Bu anlaşmayı imzala, ben de sana mahkeme süresince bu gözaltı konusunun gündeme getirilmeyeceğine söz vereyim.

– Sana neden güveneyim?

– Çünkü başka çaren yok ve ben sözünün eri bir kadınım.

Her zamanki Balenciaga'sını –diğer tüm modellere tercih ettiği, bir avcı çantası kadar büyük, yumuşak deriden eski bir çanta– açtı ve içinden bir kâğıt tomarı ile sedef kapaklı bir dolmakalem çıkardı. Her ayrıntı Loïc'e, onun şimdiye kadar tanıdığı en şık kadın olduğunu hatırlatıyordu. Yine de Loïc'ten daha iyi değildi; her ikisi de kötü çocuklardı.

– Her sayfayı paraflaman gerekiyor.

Loïc kalemi aldı ve söyleneni yapmaya başladı. Altın uçlu kalemle attığı kargacık burgacık paraflardan gıcırtılar, kelepçelerden tıkırtılar yükseliyordu.

– Okumuyor musun?

– Hayır.

Loïc kapağı kaleme takarken, şeytan çoktan sözleşmesini çantasına koymuştu.

– İyi bir seçim yaptın.

– Kimin için?

– Çocuklarımız için.

Kelepçelerin takırtısı devam ediyordu. Dizlerinin üstündeki elleri titriyordu. Kuşkusuz fark ettiğini göstermemek için Sofia gözlerini çevirdi ve çantasını kapattı. Bu berbat büroda kraliçe tavrını sergileyerek ayağa kalktı.

Ama güzelliği Loïc'i artık etkilemiyordu. Radyoda tutkuyla sevilen bir hit parçayı dinlemek gibiydi: Notalar, aranjman, ses iyiydi, ama artık cazibesi yoktu. Zaman her şeyi yok etmişti.

Tam da o anda, umutsuz ve duygusuz bir halde, kendini çölde kaybolmuş hissettiği anda, genç kadın eliyle onun saçlarını okşadı.

– James'in artık bizimle olmaması ne kötü, diye fısıldadı.

Bu basit saptama, Sofia'nın onu herkesten daha iyi tanıdığını gösteriyordu. James Thurnee, babasının yerine koyduğu adam, dostu, sevgilisi üç yıl önce inme geçirmiş ve ölmüştü. Loïc gözyaşlarına boğuldu. Önüne geçilemez bir şekilde, utanmayı bir kenara bırakarak, kalbini kırmışlar gibi ağlıyordu. Bir süre sonra, Sofia'nın ensesini okşadığını fark etti. Kesinlikle art düşüncesiz, şefkat dolu bir hareketti.

Loïc başını kaldırdı ve onun gözlerinde kendini gördü: Korkunç bir umutsuzluk maskesi.

– Düşünüyordum da, diye geveledi burnunu çekerek, yanında var mı?

Sofia küçük bir kokain paketini yüzüne doğru fırlattı ve bürodan çıktı.

# 45

Erwan yatmamıştı.

Di Greco'nun cesedinin bulunmasından sonra, uçak gemisinde, arkadaşlarıyla birlikte kriminal büro uzmanlarının gelmesini beklemişti. Onları subay yemekhanesine götürmüşler ve adeta içeri hapsetmişlerdi. Saatler boyunca sessizce kahve üstüne kahve içerek bu felaketi sindirmeye çalışmışlardı. Tekrar artmaya başlayan ağrılarıyla, Erwan hayatının en kötü anlarından birini yaşadığını biliyordu – daha önce de birçok kez benzer durumlarla karşılaşmıştı. Ölümün ayrıntılarını tam olarak öğrenmeden babasını aramamaya karar vermişti.

Kriminal büro teknisyenleri sabaha karşı dörtte helikopterle gelmişti. Subaylar, yetkililer, siyasetçiler peş peşe gemiye gelmişlerdi. Hepsi panik halindeydi. En önemli Fransız savaş gemisinde bir intihar vakası! Bu kargaşa demekti. Bu süre zarfında, haber vermek için aile yakınlarından birileri aranmıştı. Kimse yoktu. Ne eş ne çocuk ne de başka biri. Di Greco, Dracula gibi şatosunda tek başına yaşamıştı.

Erwan saat 06.00'da, Neveux'yü bilgilendirdikten sonra, karaya dönmek için Dauphin'lerden birine el koymuştu. Amiralin cesedi olay mahallinde yapılacak ayrıntılı incelemeden sonra getirilecekti. Arkadaşları da, bu kötülük timsali gemide bir dakika daha kalmamak için onun peşinden hareketlenmişti (Archambault bile ETRACO'sunu orada bırakmıştı).

Uçuş boyunca, Erwan çenesini sıkmamış, makul bir açıklama bulmak için olayları düşünüp durmuştu.

İlk olarak: Wissa Sawiris cinayetinin zanlısı Jean-Patrick di Greco, maskesinin düştüğünü hissederek hayatına son vermeyi tercih etmişti. Onun intiharı bir tür itiraftı ve bu da, soruşturmanın kesinlikle sonlanması anlamına geliyordu. Erwan bu tür yargılardan hoşlanmıyordu. Bu ona, tıp öğrencileri arasındaki bir şakayı hatırlatıyordu: "Operasyon başarılı geçti. Hasta öldü." Amiralin olayı, bu senaryodaki temel sorulara cevap vermiyordu: Cinayetin nedeni, amiralin fiziksel yetersizliği...

Aklına tuhaf bir şekilde hiç düşünmediği başka bir varsayım daha geliyordu: Wissa Sawiris, tobruk koruganın içinde işkence görmüş ve kesilmiş olabilirdi. Bu durumda da füze, bir anlamda katilin işine yaramıştı: Patlama, cinayet mahallini temizlemiş ve tüm ipuçlarını silmişti.

*Di Greco'ya geri dönersek...* Tam tersi bir başka senaryo da düşünülebilirdi: Pilot adayı öğrencinin Tilkiler tarafından tehdit edildiğini hisseden amiral, onu korumak ya da en azından diğerlerini sakinleştirmek istemişti. Başarılı olamayınca da, vicdan azabından dolayı kendini öldürmüştü – ya da yönteminin iflasından dolayı, çünkü adamlarını zapt edemiyordu, o sadece Pandora'nın Kutusu'nu açmıştı. Bu versiyon da tatmin edici değildi. Wissa Sawiris'i neden kurban etmişlerdi? Bu kadar sadizmin sebebi neydi? Vücuttaki bu acayip kesikler? Okulun mutlak efendisi, Di Greco Tilkilerini nasıl engelleyememişti?

Bu iki varsayım arasında, Erwan başka olasılıklar da düşünüyordu. Di Greco Wissa'yı elleriyle öldürmemiş, ancak maşalarını, ölene kadar ona işkence yapmaya teşvik etmişti; *no limit*'in çok ileri gittiğinin farkına vararak intihar etmişti. Ya da Wissa'yı daha aşırı deneyimlere maruz kalması için teşvik etmiş, genç asker de, önceden programlanmış bir ölümü kabul ederek, acı eşiğini aşmayı bizzat istemişti. Ama bu teorilerin hiçbiri katilin profiliyle örtüşmüyordu: Tıbbi bilgi sahibi, cinsel sorunları ve ciddi sadist eğilimleri olan, gizli deliliğin pençesindeki bir adam.

Ne olursa olsun, dönüp dolaşıp hep aynı denkleme geliyordu: Cuma akşamı karaya çıkması, ardından da intihar etmesi Di Greco'nun suçlu olduğunu –en azından, cinayetin suç ortağı olduğunu– gösteriyordu. Birkaç saat içinde, yetkililerin basın toplantısında söyleyeceği de buydu.

En tuhafı de amiralin yazdığı kelimeydi: "Lontano." Kriminal ekibi beklerken, internette bir araştırma yapmıştı. Oldukça fazla cevap bulmuştu, ama hiçbiri ne olayla ne de Di Greco'nun bu davranışıyla uyuşuyordu.

*Lontano*, İtalyanca bir kelimeydi ve uzak anlamına geliyordu. Di Greco Lombardiya kökenliydi, ancak bu yeterli bir açıklama mıydı?

*Lontano*, ayrıca XX. yüzyıl müzisyenlerinden György Ligeti'nin bir eserinin de adıydı. Erwan eserden birkaç bölüm dinleme fırsatı bulmuştu – sonu gelmeyen bozuk akorlu uzun notalar. Di Greco kafasını havaya uçururken bu parçayı mı düşünmüştü? Çok ufak bir ihtimaldi.

Ayrıca Ennio Morricone'nin –bir Fransız kanalında 70'li yıllarda *Dio è con noi* (Tanrı Bizimle) adıyla gösterilen filmin müziklerini yapmıştı– çok daha coşkulu bir melodisinin de ismiydi. Erwan, amiralin tetiğe basmadan önce bu parçayı ıslıkla çaldığını da sanmıyordu.

Lontano aynı zamanda, bir Fransız müzik yapım şirketinin, bir İngiliz müzik festivalinin, Luigi Tenco'nun bir şarkısının, bir baharat dağıtım firmasının, bir kot markasının da adıydı... Kısacası, Google'da bir sözcük arandığında insanın karşına her zaman olduğu gibi çok sayıda alakasız şey çıkabiliyordu.

Üsse dönünce, Erwan bir eczane bulmak için ödünç bir araba istedi. Ağrıyan yerleri bedeninde havaifişekler gibi patlıyordu. Köy sadece birkaç kilometre uzaktaydı. Sileceklerin arasından, çok geçmeden bir yerleşim yeri belirdi; mavi panjurlu granitten evleri hem gösterişli hem de hüzün vericiydi.

Hâlâ geceydi, ama Erwan siyah alçak duvarlarla çevrili bir meydan gördü; aynı kayanın içine oyulmuş gibi gözüken dükkânlar, alanın dip tarafında iki ağzı keskin bir kılıç gibi yükselen bir çan kulesi vardı. Yeşil haçı fark etti. Tabii ki eczane kapalıydı. Yağmurluğunun önünü kapattı ve camekânın hemen yanındaki kapıyı yumrukladı – eczacının evi.

Rozeti, reçete yerine geçecekti.

– Ağrıya karşı en etkili neyiniz varsa verin.

Hâlâ uyku sersemi olan eczacı şurupları, hapları, merhemleri, enjeksiyonları indirdi ve gerekli bazı açıklamalar yaptı: İlaçların alınma saatleri ve miktarları, istenmeyen yan etkiler... Her ilaç için yorumlarda bulunmayı da ihmal etmiyordu:

– Özellikle, ilacı yuttuktan sonra araba kullanmaktan kaçının...

Erwan parasını ödedi ve hepsini aldı. Arabaya binince, ona en makul gelen ilacı yuttu, bir yudum şurup içti, yaralarına anestezik pomatlardan sürdü. Plasebo etkisi ya da değil, K76'ya döndüğünde kendini daha iyi hissediyordu.

Odasında, sıcak su deposu boşalana kadar duşta kaldı. Sakinleştiricilerle sersemlemişti, ancak mide bulantısı hâlâ devam ediyordu, sanki banyo sallanıyordu.

Giyindikten sonra, henüz uyumamış olan Vincq'i görmeye odasına gitti. Amiralin intiharının dışında, albay, Wissa'nın anne babasının *Ouest-France* gazetesine bir röportaj verdiğini, bu röportajın da bu sabah yayımlanacağını öğrenmişti. Subay röportajın bir kopyasını daha önceden almıştı. Kıptiler her şeyi tereddüt etmeden anlatmıştı. Çaylak deneyiminde yaşanan şiddet. K76'da hüküm süren düzensizlik. Deniz havacılığı komutanlığının yaşanan dramı geç duyurması. Ayrıca oğullarının ölümünün başka bir sebebi olabileceğini söylemekte de bir sakınca görmemişlerdi. Kaza değil, bir cinayet.

Vincq basın açıklamasına hazırlanmak amacıyla yeni bir kriz toplantısı yapacaktı. Oyunu soğutmak, saydam davranmak, gerçeği söylemek gerekiyordu: Soruşturmanın, Di Greco'nun şüpheli olduğu bir cinayet yönünde sürdürüleceğini.

Albay amiralin kaybından dolayı üzülmüşe benzemiyordu; kuşkusuz kafasında o çok uzun süreden beri ölüydü. Ezoterik söylevleriyle ve fiziki mukavemet kültürüyle okulun varlığını zehirleyen bir tür zombi.

Erwan, uçak gemisinde olan biteni birkaç kelimeyle özetledi. Şu an için, ekleyecek bir şey yoktu. Hiç kuşkusuz, Kriminal Büro Analisti Neveux, intihar tezini teyit edecekti – parmaklardaki barut izi, kurşunun ateşlenme mesafesi ve kanın sıçradığı yerler. Di Greco'nun yazdığı kelimeden de bahsetti, ama Vincq ilgilenmiş gibi görünmedi; onu bir an önce okuldan göndermek, her şeye müdahil olmasına son vermek için acele ediyordu. Erwan ne içerideki toplantıya ne de basın toplantısına çağrılmıştı. Ordu, sadece jandarmayla işbirliği halinde olduğunu, soruşturmanın kendi sorumluluğu altında yürütüldüğünü göstermek istiyordu.

Erwan saat 07.30'da, kendini okulun avlusunda buldu. Yağmur yağmaya devam ediyordu. Bayraklar hâlâ yarıya indirilmiş durumdaydı – Wissa için mi, yoksa Di Greco için mi? Bu soru aklına başka bir soruyu getirdi: İntihar haberini öğrenciler duymuş muydu?

Bunu öğrenmek için subay kantininde bir kahve içmeye karar verdi. İliklerine kadar ıslanarak avluyu geçti, sonra yarı karanlık salona girdi. Tek kelime konuşmadan yemek yiyen DHPAÖ'leri zorlukla seçti. Linolyum zemin, PVC duvarlar, formika masalar, her şey umutsuzluk imalathanesinde üretilmiş gibiydi.

Sessizlik anlamlıydı: Evet, haber duyulmuştu. Erwan iki adım atmamıştı ki, dün akşamki düşmanlarını gördü: Gorce ve yakın koruması. Büfeden kendine bir kahve ile yarı donmuş iki kruvasan aldı. Self servis bir işletmedeymiş gibi elinde tepsisi, oturacak bir yer aramaya başladı, sonra hasımlarının masasına doğru ilerledi.

– Oturabilir miyim?

Cevap yoktu. Bir sandalye buldu ve sanki davet edilmiş gibi oturdu. Kahvesinden birkaç yudum aldı, kruvasanını ısırdı. Askerler sabit gözlerle ona bakıyorlardı.

Ağrı kesicilerden bitkinleşmiş haldeki Erwan da, bulutların arkasındaymış gibi onlara bakmaya başladı. Masanın ucunda oturan Gorce'ta da pansumanlar vardı – o da yaralanmıştı, ama Erwan kadar değil. Dudaklarında, yüz felcine yakalanmış gibi hüzünlü bir sırıtma vardı.

– Kendinden memnun musun, küçük serseri?

Sol gözü hâlâ kanlıydı. Alacakaranlığın içinde, insan tek gözü olduğuna yemin edebilirdi.

– Üzgünüm, diye cevap verdi Erwan.

Uykusuzluk, anestezik ilaçlar, anında karşılık vermesine engel oluyordu.

– Üzgünsün, ha? diye tekrarladı Gorce, masaya vurarak.

– Soruşturma devam ediyor. Biz...

– ÜZGÜNSÜN, HA?

Pilot ayağa kalktı, yumrukları sıkılıydı. Erwan sandalyesinde geri çekildi: Bir rövanş maçına gerek yoktu. Tek bir hareketle, Gorce masadaki tabak çanağı yere süpürdü ve son anda geriye sıçrayan Erwan'ın üstüne atladı. Erwan kendini dayak yemeye hazırlamıştı, ancak anlaşılması güç bir nedenle diğerleri liderlerini durdurdular. Diğer masalardaki askerler de yardıma koştular. Bağıran ve hâlâ havaya tekmeler savuran hayvan zapt edilmişti.

Erwan çıkışa doğru yöneldi, gerçekten de ikna olmuştu: Kaerverec iki dram yaşıyordu –bir aceminin ölümü ve bir kıdemlinin intiharı– ama tüm bunlar Wissa cinayetinin kendine özgü çılgınlığıyla örtüşmüyordu. Çözüm, K76'nın duvarlarının dışındaydı.

Adımını henüz dışarıya atmıştı ki, Branellec'le burun buruna geldi, yağmurluğunun altında bir dizüstü bilgisayar vardı.

– Kilitli dosyayı açmayı başardım! dedi Branellec, zafer kazanmış bir edayla.

# 46

Sawiris'in bilgisayarında ne şifrelenmiş konuşmalar ne dini komplolar ne de askeri sırlar vardı. Kilitli belleğine, Kıpti sadece seçkin muhatabıyla –Di Greco'yla– yaptığı *chat*'leşmeleri ve e-postaları gizlemişti.

Karşılıklı görüşmelerin kronolojisini çıkarmak kolaydı: Wissa okulun ilk testlerine kabul edildiğini öğrenince, temmuz başında, amiralle posta yoluyla temas kurmuştu. Hayranlığını ve coşkusunu ifade ediyordu. Amiral ona, e-postayla cevap vererek gerçek bir yazışmanın başlamasını sağlamıştı.

Başlangıçta, bu yazışmalar daha ziyade resmi bir üsluptaydı, Yaşlı Hasta Adam ona uyarılarda ve tavsiyelerde bulunarak öğrencinin gözünde iyiliksever, teveccüh sahibi birine dönüşmüştü. Bu üslup, Erwan'ın subaya yakıştırdığı kişilikle örtüşmüyordu, ancak yaşlılık ve hastalık onu yumuşatmış olmalıydı. Tabii bu bir tuzak değilse... Ne olursa olsun, Di Greco'nun üslubunda, ilk karşılaştıkları andan itibaren Erwan'ı etkileyen bir görkem vardı: Amiral aynı ağırbaşlı ve buyurgan ses tonuyla yazıyordu.

Erwan ağustos başındaki mesajlara geçti. Teşvikler emirlere, cesaretlendirmelere dönüşüyordu. Birkaç hafta içinde, Di Greco genç adamın beynini tamamen yıkamış gibiydi. "Genç bir pilota açık mektuplar" artık Di Greco'nun "vaftiz" olarak adlandırdığı bir fikir aşılamaya dönmüştü. Amiral, Wissa'nın paralel bir eğitimi kabul edip etmeyeceğini öğrenmek istiyordu... Erwan'ın hepsini okuyacak zamanı yoktu, ama efendinin, tilmizini *furor* savaşçısı olma yolunda ayarttığını tahmin edebiliyordu.

Bu karşılıklı yazışmalarda ne yazım ne sözdizimi hatası ne de SMS tarzı kısaltmalar vardı. Ayrıca, Di Greco hiçbir şeyi gizlemiyordu; ne isimleri ne de yerleri. Birçok kez, Bruno Gorce'un, "güvenilir adamını"nın adını zikrediyordu. Sık sık, *no limit*'ten ve Narval'in enkazından söz ediyordu.

Erwan demek ki doğru tahmin etmişti: En başından beri, çaylak eğitiminin ötesinde, Wissa çok daha tehlikeli bir ritüele maruz kalmaya hazırdı. Çocuk, kamikaze misali, "ölene kadar" devam etmeye kararlıydı.

– Çok ürkütücü, değil mi?

Erwan başını çevirdi. Branellec arkasında durmuş, kahvesini yudumluyordu. Yerleştiği sınıf bir kayıt stüdyosunu andırıyordu: Azami güçte çalışan bilgisayarlar, bilgisayar sondaları, şifre çözücüler, Web'in soyut dünyasını tarayan makineler. Yerde birbirine dolanmış kablolar. Sıraların üstünde tıkırdayan yazıcılar. Genelkurmay haritalarının ve uçak şemalarının altında, ince duvarlar boyunca vızıldayan hard diskler. Koltuk Değnekli Adam, Wissa'nın bilgisayarının şifresini kırmakla kalmamış, okuldaki tüm bilgisayarları ve çevreyle olan internet bağlantılarını da incelemeye başlamıştı.

– Standart beyin yıkama, dedi Erwan, önemsemiyormuş gibi. Cinayetin anahtarının burada olduğunu düşünmüyorum.

– Size gereken ne, bilmiyorum. (Ge'tek yaklaştı ve ayakta, Erwan'ın üstünden parmaklarını klavyede gezdirdi.) Di Greco son e-postasında, Wissa'ya cuma akşamı saat onda Narval'de açıkça randevu veriyor.

Branellec doğru söylüyordu. Kısa bir an, Erwan davanın kapandığını düşündü. Suçluyu bulmuştu: Kırgın, sadist ve entrikacı yaşlı bir adam. Neden: Kötülük yapma arzusu ve acı kültü. Ayrıntılar: Kötüye gitmiş ve kanlı bir ayin olarak sonlanmış bir *no limit*. Kanıtlar: Di Greco'nun Wissa'yı Narval'e çağırdığını teyit eden bu mesaj. Amiralin fiziksel zayıflığı göz önüne alınınca, Bruno Gorce ve onun sadık arkadaşları gibi birkaç suç ortağı da eklenebilirdi. Subayın intiharı da, her şeyi örtbas etmeye yönelik son düğüm noktası olarak değerlendirilebilirdi.

Erwan yeniden temel gerçeğe döndü. Organların çalınması, tecavüz ve ritüelin ayrıntıları kontrolden çıkmış bir dayanıklılık sınavıyla örtüşmüyordu.

Di Greco'nun suçlu olduğunu kabul ediyordu, ama geriye bunu başka türlü kanıtlamak kalıyordu. Öte yandan amiralin mesajlarına göz atarken, bir başka sırrın varlığına ilişkin birtakım imalar onu şaşırtmıştı. Asker, hayatındaki "son altüst oluştan", "varlığını derinden" değiştirmiş "radikal bir dönüm noktasından" bahsediyordu. Sözünü ettiği şey neydi? Hastalığı ve hastalığının şiddetlenmesi mi? Kumsalda buluştuklarında bu konuda içini dökeceğine dair öğrenciye söz veriyordu.

Bu kelimelerin ardında, Di Greco genç Wissa'yla birkaç anlama çekilebilecek bir suç ortaklığı içinde olduklarını ifşa ediyordu. Amiral cinsel eğilimlerini saklamış yaşlı bir homoseksüel miydi? *Bunu düşünelim*: Yaşlı Hasta Adam, Kıpti'ye Narval'de randevu veriyor, onu şu veya bu şekilde uyutuyor, bağlıyor sonra ucu sivri bir metalle işkence yapıyor; ardından bir topuzla ona tecavüz ediyor, organlarını söküyor, onu tobruk korugana kadar götürüyor.

Bu tutarlı değildi. Öncelikle zamanlama: Yaşlı adam bu korkunç eylemi bir gece içinde gerçekleştirmiş, sonra da gündoğumundan önce uçak gemisine mi dönmüştü? İmkânsızdı. Sonra fizik gücü: Bu senaryo, yaşlı adamın uzun zamandan beri sahip olmadığı bir enerji gerektiriyordu. Sonunda da profil: İnsan altmışlarından sonra psikopat bir katile dönüşmezdi. Tabii amiralin önceden de bu tür cinayetleri yoksa. Kana susamışlığını ceza almadan tatmin etme imkânı veren savaşçı bir geçmiş...

Biraz daha eşelemek, bizzat askerlerden yardım istemek gerekiyordu. Bu aşamada, yetkililer onun, amiralin eksiksiz dosyasına ulaşma talebini reddedemezlerdi.

– Di Greco'nun e-postaları nereden yolladığını bulabilir misin? diye sordu, somut bir fikre ulaşmak için.

– Teknik olarak, bu kolay. Yasal olarak ise, cesaret isteyen bir hareket. Di Greco'nun kullandığı sunucu uçak gemisinin sunucusu ve...

– Ve öncelikli. (Erwan ayağa kalktı.) Tüm bunları bana bir USB belleğe kopyalayabilir misin?

– Olmuş bil.

Koltuk Değnekli Adam ıslık çalarak USB belleği bilgisayar sistemine bağlı harici hard disklerden birine taktı. Bilgisayar uğuldamaya başladı. Branellec'in kendine güveni ve hoşnutluğu Erwan'ı öfkelendiriyordu. Bu iki özellik, tüm üsse çok yakında hâkim olacak güvenin de habercisiydi.

Erwan şimdi başka bir senaryo üstünde duruyordu: Di Greco Narval'e gitmiş, ama Wissa hiç gelmemişti, fundalıkta başka bir buluşması vardı; amiral tilmizini korumayı becerememişti. İntiharı bu vicdan azabıyla açıklanabilirdi.

Ama "Lontano" ne anlama geliyordu?

Tek harekette Branellec USB belleği çıkardı ve ona uzattı.

– Buyur!

Kapıya doğru yürürken, Erwan kapının üstündeki duvar saatini gördü: 08.30. Bu yeni verileri –basın toplantısını zenginleştirmek için– Verny'ye ve diğerlerine vermeli miydi? Çok erkendi. Önce bu metinleri sakin kafayla okumalı, bir sentez haline getirmeden önce onları özümsemeliydi.

Tam açacakken, kapıya vuruldu. Cevap vermeden kapı kolunu çevirdi. Adli Tabip Michel Clemente eşikte duruyordu. Sırılsıklam olmuş bir trençkot giymişti, kafasında Sherlock Holmes tarzı küçük bir şapka vardı. Farkında değildi, ama komik görünüyordu.

– Ne oldu?

Doktor, Erwan'ın yüzündeki yaraları görünce yüzünü buruşturdu.

– Bir dakikanız var mı? diye sordu sonunda. Sizinle konuşmam gerekiyor.

Erwan, Branellec'e baktı, adam başını bilgisayarlarından kaldırmamıştı bile.

– Benimle gelin.

# 47

Hiç konuşmadan, yağmurun altında yeniden avluyu geçtiler. Hava aydınlanmıştı. Yerdeki su birikintilerine bastıkça sular dağılıyor ve makadamın boşluklarına sızıyordu. Erwan anahtarıyla yemekhanenin kapısını açtı (anahtar hâlâ ondaydı), salona girdi ve orayı bıraktığı gibi buldu. Karanlık, geniş ve tozlu.

Clemente'ı da içeri davet ettikten sonra ondan bir dakika izin istedi.

Ağrıları yeniden başlıyordu, daha şiddetli olarak. Belki de hastaneye gitmeli, bir doktora görünmeli, röntgen çektirmeliydi – ya da sadece Clemente'a muayene olmalıydı. Başlarına kötü bir şey geldiğinde sağlıklı insanların yaptığı gibi. Eczane torbasından rastgele ağrı kesiciler almakla yetindi ve hepsini birden yuttu. Sonra, mesajlarını kontrol etmek için cep telefonunu açtı. Ekran sanki suratına patladı: En az on yedi mesaj vardı. Kuşkusuz Di Greco'nun ölümüyle ve *Ouest-France*'ta yayımlanan röportajla ilgili birikmiş mesajlardı bunlar. Başparmağıyla isimleri ve tarihleri kaydırdı. Maurice Damasse, Vincq, babası... Okumaya takati yoktu.

Clemente uzun çelik masanın ucuna oturmuştu. Yağmurluğu üstündeydi, sadece şapkasını çıkarmıştı. Sağ bacağı titriyor ve dudağının bir köşesi seğiriyordu. Asabi görünüyordu.

– Sizi dinliyorum.

– Karın bölgesindeki incelemelerimi sürdürdüm.

– Organların alındığı bölüm, değil mi?

– Tam olarak, evet. İçteki yaraları yeniden dikkatle incelemek için. Başka bir şey buldum.

Cebinden ağzı kapalı bir deney tüpü çıkardı. Oda şimdiden alacakaranlık olmuştu. Erwan saydam cismi aldı ve pencereye doğru tuttu. İçinde ne olduğu anlaşılmayan kalıntılar vardı.

– Bunlar ne?

– Tırnak kırpıntıları, saç tutamı.

İlaçlarla uyuşmuş olduğunu düşünen Erwan ürperdi.

– Bu şeyleri Wissa'nın karnında mı buldunuz?

– Kesinlikle.

– Bunları ona yedirmiş mi?

– Hayır. Sadece oraya yerleştirmiş, öldükten sonra. Durum gerçekten çılgın bir hal almaya başlıyor. Bunlar başka bir bedene aitler.

– Bunu nasıl bilebiliyorsunuz?

– Kendiniz bakın. Saçlar kızıl sarı.

Erwan gözlerini kıstı ve örnekleri ışığa doğru çevirdi. Bir başka ayrıntı dikkatini çekti: Tırnaklar uzun, inceydi – ve siyah ojeli. Kuşkusuz kadın tırnakları, gotik tarzda.

Deney tüpünü masaya bıraktı ve tahammül eşiğini fazlasıyla aşmış gibi görünen Clemente'a baktı. Birbirlerini anlamışlardı: Kuşkusuz bu parçalar başka bir kurbana aitti – daha önce öldürülmüş ya da öldürülecek olan.

Bu Erwan'ın beklediği bir onaylamaydı. Amiral Di Greco, Wissa'yı öldürmemişti. Kim bilir neredeki başka kurbanın tırnaklarını ve saçlarını toplarken onu hayal etmek imkânsızdı. Kıpti enkazdaki randevusuna giderken, K76'yla da, orduyla da alakası olmayan bir katille karşılaşmıştı. Daha önce de öldürmüş veya bu cinayetten sonra öldürmeyi düşünen ve listesindeki bir sonraki kurbanı işaret edecek bir tür mesaj bırakmış bir katil.

– Ne diyorsunuz?

Clemente açıklamalarını sürdürüyor, ama Erwan pek dinlemiyordu.

– Bu sabah Neveux'yle birlikte bedeni yeniden oluşturmaya çalışacağımızı söylüyordum.

– Neden Neveux?

– Çıkardığım diğer metal uçları almaya gelmesi gerekiyor. Cesedin tobruk korugandaki tam pozisyonunu belirlemeye çalışacağız.

– Bu mümkün mü?

– Size daha önce, patlama anında vücudun kadavra sertliğinden bahsetmiştim. Kemiklerin kırılma açısına göre, belki kuyunun içindeki beden duruşunu çıkarabiliriz.

Erwan şaşkın bir ses tonuyla sordu:

– Yani?

Clemente yıldırım hızıyla, gerçek bir dedektif gibi cevap verdi:

– Bildiğim tek şey var. Durumuna rağmen, bu ceset Pandora'nın Kutusu gibi, açtıkça bir şeyler buluyoruz.

# 48

Boşu boşuna dışarıda geçen bir gece.

Gaëlle'den hiç iz yoktu. Barları, gece kulüplerini, caz müzisyenlerinin konser sonrası toplandığı bistroları, kızının takıldığı mekânların yer aldığı listedeki her yeri –bunların her biriyle ilgili bir dosya vardı– dolaşmıştı. İçiyormuş –alkolden nefret ediyordu– ve eğleniyormuş gibi yaparak –eğlenceden nefret ediyordu ve bir anlamda, kadınlardan nefret ediyordu– gün doğana kadar düşünüp durmuştu.

Sabah yedide, Messine Caddesi'ne geçmiş, ilaçlarını yutmuş, soğuk bir duş –elektrik şoku, ancak daha yararlısı– yapmıştı. Ter, gecenin kokuları, sefih ruhlar, hepsi yok olmuştu. Yeniden, insani zayıflıkları küçümseyen ve onları kullanan, her zamanki deve dönüştüğünü hissetmişti.

Tıraş oldu. Artık bütün umudu Erwan'daydı, çoktan yola çıkmış olduğunu ümit ediyordu. Giyindikten sonra –yeni takım, yeni gömlek ve pantolon askıları– Loïc'le ilgilenmeye karar verdi. Karakolda bir gece, yeterliydi.

Kendisini Quai des Orfèvres'e götürmesi için şoförünü çağırdı (Golf'ünü Monceau Parkı yakınlarında terk etmişti).

Yol boyunca, büyük oğlunu beş kez aradı. Salak herif cevap vermiyordu. Dün geceden bu yana, bir hayat belirtisi yoktu. Neredeydi? Savcı, Wissa'nın ölümünü açıklamaya ne zaman karar verecekti? Daha bu sabah, o bile Beauvau Meydanı'ndan çok sayıda telefon almıştı: Bilgi istiyorlardı. Konudan haberdar olmadığını kabullenmek zorunda kalmış ve işe yeni başlamış bir çaylak gibi fırça yemişti. Önemi yoktu. O bir sigortaydı ve bütün sigortalar gibi sıcak darbelere alışkındı.

Kimseye gözükmemek için şoförden kendisini Quai'den birkaç

yüz metre uzakta bırakmasını istedi. Loïc'in tutuklanmasını isteyen polis şefi Kursanoff'u tanımıyordu, ancak her zaman tehlikeli çeteciler olarak gördüğü narkotik polislerini tanıyordu. Narkotikçiler sınırda yaşayan heriflerdi ve kimse onların polisin içine sızmış muhbirler mi, yoksa polisten maaş alan müptelalar mı olduğunu bilmezdi.

Hazır oldaki tüm nöbetçiler uzaklaştığında ana kapıdan girdi. Gizlilik nedeniyle... Merdivenlerde, düşmanın karşısındaki kozlarını yeniden gözden geçirdi. Aslında tek bir kozu vardı, ancak önemli bir kozdu: Nöbetçi savcı, eski bir dostuydu ve oğlunun serbest bırakılması için Morvan'a "takipsizlik kararı"yla süslediği yazılı bir emir vermişti. Tabii tüm bunlar düzmeceydi. Savcı bir soruşturmadaki gelişmelerle ilgili geçici karar alamazdı ve adli polis gözaltı süresini uzatmakta özgürdü (bir uyuşturucu olayında dört güne kadar). Ancak belge konuya giriş için iyi bir bahaneydi.

En ufak bir özlem duymadığı 36'daydı yine – koridorlar, intiharları önlemek için gerilmiş ağlar, hevenk halinde tavanı kaplayan ve buraya hâkim olan kasvetli gerginliği emiyormuş gibi görünen kablolar...

Saat henüz erkendi ve çok az insanla karşılaştı. Böylesi daha iyiydi. Başı önde, omuzları duvarlara sürtünerek ilerledi, sonunda Kursanoff'un odasını buldu. Kapıya vurdu, sonra cevabı beklemeden içeri girdi.

Kırklı yaşlarda, üstünde asker ceketi bulunan ufak tefek bir adam telefonda konuşuyordu, ayaklarını masanın üstüne uzatmıştı. Morvan'a kapıyı arkasından kapatması için işaret etti. Grégoire kapıyı kapattı ve adamı incelemeye başladı. Cılızdı, sakalı üç günlüktü, gözlerinin altında mor halkalar vardı. Ufalmış gözbebekleri göz çukurlarında, ocaktaki kestaneler gibi közleniyordu.

Kursanoff konuşmasını bitirdi, sonra abartılı bir nezaketle telefonu kapattı.

– Ho, ho, ho, kimleri görüyoruz? dedi yapmacık bir ses tonuyla. Beauvau Meydanı'nın efendisi, The Punisher'ın[1] ta kendisi. Sizi buraya getiren nedir, büyük üstat?

Morvan masanın üstüne savcının kararını bıraktı ve dişlerinin arasından tıslarcasına konuştu:

– Bununla kıçını silersin. Hemen oğlumu nezaretten çıkarıyorsun, ben de senin adını unutmaya çalışıyorum.

Polis şefi ayaklarını, abartılı bir yorgunluk ifadesiyle masanın

1. *The Punisher (Cezalandırıcı)* filmine gönderme. (ç.n.)

üstünden indirdi, sonra bir çekmeceyi açtı. Masanın üzerine, her biri mühürlü saydam poşetler içinde olan küçük kokain paketleri koydu. Hepsi de "Loïc Morvan" olarak etiketlenmişti.

– On iki gram, dedi Kursanoff, ses tonunu değiştirerek. Kişisel kullanım için biraz fazla, öyle değil mi? Daha ziyade yasak madde kaçakçılığı olduğunu söyleyebilirim. Ya da yasak madde satın almak, kabul etmek veya bulundurmak olduğunu.

– Birkaç gramını hasıraltı edebilirsin, değil mi?

Kursanoff rahatsız olmuş bir havaya büründü; koyu renkli gözleri mor halkalarının gerisine çekilmiş gibiydi.

– Ne zamandan beri narkotik bu miktardaki uyuşturucularla ilgileniyor?

– Burnunu pudraya bulayanların sayısı artmaya başladığından beri. Kahretsin, bana namuslu rolü yapma, gerçekten sinirleniyorum!

Kursanoff ayağa kalkarak, masasının etrafını dolandı. Boyu en fazla 1,70 olmalıydı, kilosu da altmıştan fazla değildi. Yine de hiç korkmadan bu dev gibi adama kafa tutuyordu.

– Zaman değişti babalık. Buraya gelemezsin ve kendi kanununu uygulayamazsın. Ajanlar tarih kitaplarında kaldı.

Grégoire, sonunda güçlü durumda olmadığını anladı. Öncelikle buraya oğlunu –kendi tensel arzusunun günahını– almaya gelmişti. Üstelik uyuşturucu konusunda rahatsızdı – asla alt edemediği tek düşman.

– Dinle, diye karşılık verdi, daha sakin ses tonuyla. Bu gözaltı seni hiçbir yere götürmez. Her ne haltsa, bunları temizlemeni sağlayacak olan benim oğlum değil. Şimdi, tutanağı yırt, işi eşelemeyi bırak ve...

– Seninle aynı fikirde değilim, dedi beriki, yumuşak bir sesle. Daha ziyade, soruşturmayı derinleştirmek istiyorum. Zaten evi aramak için de izin aldım.

– Kahrolası, ne halt etmeye çalışıyorsun? diye öfkelendi Morvan. O, arada sırada bir çizgi çeken bir finans uzmanından başka bir şey değil!

– Kapı arkanda. Bizi tehdit etmek için buraya geldiğini unutmaya çalışacağım.

Morvan bir adım geriledi. Gözüne pencere ile toksikomanların intihar etmelerini önlemek amacıyla takılmış demir parmaklıklar çarptı. Bu parmaklıklar haki ceketli velet için mükemmel bir güvenlik ağı oluşturuyordu.

Morvan tam saldırıya geçecekti ki, bir anda aklına bir şey geldi. *Taşaklı, ama aynı zamanda da akıllı.* Bir zamanlar çok işine yaramış olan fil hafızası sonunda harekete geçmişti.

Kursanoff, yaygın bir isim değildi ve bu adı burada, 36'da duymuşluğu vardı. İbnelere hitap eden bir hamamlar zincirini gizlice idare ettiği ortaya çıkınca kibarca emekliye sevk edilen, Morvan'ın kuşağından bir polisin adıydı. 1. Bölge'de asayişi sağlayacağına, homoluğun mantar gibi yayılmasına yardımcı olmuş, ahlak masasının kötü şahsiyetlerinden biri.

*Şansıma, onun ailesinden biri çıkabilir.*

– Eskiden bir Kursanoff tanırdım, dedi, düşünceli bir edayla. Umarım onunla bir alakan yoktur.

Adli polis cevap vermedi, ama suratı donup kaldı. Yüzü iyice soldu, gözünün altındaki mor halkalar daha da koyulaştı.

*Babası, kesinlikle.*

– Güzel günlerdi, diye devam etti Morvan, haince. Herkesin kendi işini serbestçe yaptığı zamanlar...

– Lanet olası pislik!

Morvan daha hızlı davrandı, silahını çekmesini engellemek için onu bileğinden yakaladı. Diğer eliyle boğazına sarıldı ve kafasını masanın üstüne bastırdı. *Akıllı, ama aynı zamanda da taşaklı.* Daha fazla bastırdı, veledin suratı beyazdan yeşile, yeşilden kırmızıya döndü. Herif morarmaya başlayınca, Morvan elini gevşetti ve adamın kulağına fısıldadı:

– Git oğlumu getir, götveren. Aksi takdirde bu kattaki herkes, babanın, sahibi olduğu Türk hamamında ufaklıkların çükünü emdiğini öğrenecek.

On dakika sonra Loïc, okulda kalma cezası sona ermiş bir çocuk gibi, utangaç ve süklüm püklüm halde, buruşmuş elbisesiyle göründü. Onu görür görmez Morvan tüm öfkesinin geçtiğini hissetti. Oğlunun yakışıklılığına hep hayran olmuştu – bu konuda büyük bir gurur duymaktan kendini alamıyordu.

Baba oğul konuşmadan kapıdan çıktılar. Morvan başıyla, ileride çift sıra yaparak park etmiş arabayı gösterdi. Şoför çoktan hazır ola geçmişti bile.

– Baba...

– Bin.

– Hayır, açıklamama izin ver...

– Yeter. Burnuna her ne çektiysen öğrenmek için bu aptallara ihtiyacım yok.

– Seninle başka bir şey konuşmak istiyorum.

Morvan durdu. Bir kez daha, Loïc'in, uyuşturucuya, alkole, her şeye rağmen inatla bozulmayan tazeliği ve düzgün yüz hatları onu şaşırtmıştı.

– Sofia...

– Ne, Sofia mı?

– Beni ihbar eden o. O ve avukatı, benim aleyhimde bir dosya düzenlediler. Dedektiflerle birlikte, hepsi bu. Onu tanımıyorsun. Her şeyi yapabilir. O...

Morvan şoföre işaret etti ve oğlunun kapısını kendisi açtı.

– Bir halt edemezler. Gözaltıyla ilgili her şeyi yok edecekler ve...

– Beni tehdit etti baba.

Morvan yeniden durdu; oğlunu kurtarmaya çok geç geldiğini sonunda anlamıştı.

– Sen ne yaptın?

– Boşanma anlaşmasını imzaladım. Ben...

Loïc cümlesini tamamlayamadı: Morvan ona var gücüyle bir tokat atmıştı.

İlk kez çocuklarından birine el kaldırıyordu.

# 49

– Ne halt ediyorsun lanet olası!

Öfkeli Kentauros'un sesi. Annelerine dayak atarken mutfak duvarlarında yankılanan ses. Erwan sonunda babasını aramaya karar vermişti.

– Soruşturmayı kovalıyorum.

– Kahrolası, en azından kulaklarını dört açamaz mısın? Tüm Bretanya yangın yeri gibi haberin var mı?

– İşler karıştı ve...

– Hâlâ senden bana bir rapor gelmedi.

– Yeni bir ölüm oldu.

– Kim?

– Amiral Di Greco.

Sessizlik. Erwan yumruğunu babasının tam karnına indirmiş gibi bir izlenime kapıldı. Birden uzun süreden beri tahmin etmesi gereken şeyi anladı: İki adam tanışıyorlardı.

– Ne oldu?

– İntihar.

– İmkânsız.

Erwan gülümsedi; jetonu biraz geç düşüyor olsa da, içgüdülerine güvenebilirdi.

– Tanışıyor muydunuz?

Cevap yoktu.

– Seni arayan o muydu?

Sonunda İhtiyar kabul etti.

– Ben Gabon'da polisken onun filosu Port-Gentil'deki petrol kuyularını koruyordu. Adada ceset bulununca, geçen hafta sonu beni aradı.

*Leş yiyiciler daima dirsek temasındadır.* Charles-de-Gaulle'e gittiğinde, Di Greco ona bundan bahsetmemişti. Sırdan alınan haz. Ya da daha da kötüsü...

– Onunla temas halinde miydin?

– Pek sayılmaz. Zaman zaman görüşürdük.

– Hangi vesilelerle?

– Madalya seremonileri. Resmi törenler. Buna benzer saçmalıklar.

– Tüm bu yıllarda, donanmadaki görevi tam olarak neydi?

– Hiçbir fikrim yok, sana söyledim. Afrika'dan bu yana onunla çalışmadım, sormak istediğin buysa. Ama şunu biliyorum: İntihar onun tarzı değildir.

– Dün gece kafasına bir mermi sıkmış, Charles-de-Gaulle'de.

– Saçma.

– Onu kamarasında bulan benim. Kriminal teknisyenleri çalışıyor, bunu doğrulayacaklardır.

Erwan babasının soluklarını duyuyordu, yavaş ve ağır. Afrika'nın dumanlı topraklarında bir manda.

– Cinayetle ilgili olduğunu mu düşünüyorsun? diye sordu sonunda Morvan.

– Belki.

– Bir polisin sadece iki cevabı vardır: Evet veya hayır.

– Di Greco, K76'nın öğrencilerini koşullandırıyordu. Onları işkence yapmaya, zor deneyimlere katlanmaya zorluyor; süper askerler haline gelmeleri için güçlüklere alıştırmaya çalışıyordu. Belki de pilotlardan birini delirtti, o da Wissa'ya saldırdı. (Erwan buna kendi de inanmıyor, ama babasını yoklamaya çalışıyordu.) Bir şey daha var: Di Greco ile Wissa oldukça garip bir şekilde... yazışıyorlarmış.

– Bunların hepsi dolaylı şeyler. Somut olarak elinde ne var?

– Cinayet gecesi randevuları varmış.

– Yani? Görüşmüşler mi? Kanıtların nerede?

Erwan soruyu geçiştirdi.

– Di Greco'nun intiharı bu sabah açıklanacak. Bu davranışı bir itiraf olarak kabul edildi bile.

– Bu kötü, öyle değil mi? Onu tüm bunların dışında bırak.

– Neden?

– Onun bu pislikle ilgisi yok. Beni arayan o. Bir an önce bu soruşturmanın tamamlanmasını istiyordu ve benden bu süreci yönetebilecek sağlam bir polis talebinde bulundu. Gerçek katil etrafta dolanırken siz onun hatırasını kirleteceksiniz.

– Lontano adı sana bir şey ifade ediyor mu?

Bu kez sessizlik hatırı sayılır bir şekilde uzun sürdü. Erwan yaşlı casusun şaşırmasına bu denli sık rastlamıyordu.

– Ne demek olduğunu biliyor musun, bilmiyor musun?

– Telefonda olmaz.

– En azından bana bir ipucu ver.

– Hayır. Seninle yüz yüze konuşmam lazım.

Sesi son derece sakin ve güçlü çıkıyordu. Erwan asla böyle bir otoriteye sahip olamayacaktı. Bu, gerçek patronlar ile kendisi gibi asfaltı yalayanlar arasındaki farktı.

– Ana konumuza dönelim, dedi yeniden babası. Katilin kimliği hakkında az da olsa bir fikrin var mı?

– Hayır.

– Öyleyse Paris'e dönüyorsun. Hemen. Bebeği onlara bırakıyorsun ve dönüyorsun.

– İmkânsız. Soruşturmaya başladım ve...

– Kes sesini. Burada yapılması gereken daha önemli şeyler var.

– Öyle mi, ne?

Babası derin bir nefes aldı, sonra cevap verdi:

– Kız kardeşin kayboldu.

– Onu izlettiğini sanıyordum.

– İzletiyordum. Adamlarım onu kaybetti.

– Ne zaman?

– Dün öğleden sonra. Onları ekti. Kaygılanıyorum.

– Cep telefonunu kontrol ettin mi?

– Bununla senin ilgilenmeni istiyorum.

– Söz konusu bile olmaz. Buradaki işi bitireceğim.

Morvan düşünüyor gibiydi.

– Basın toplantısı barutu ateşleyecek, diye karşılık verdi, çok daha ağırbaşlı bir ses tonuyla. Askerler ve jandarma büyük bir manevra başlatacaklar. Herkesin gözü Finistère'de olacak. Paris'e dön ve Gaëlle'le ilgilen. Daha sonra bir karar verirsin.

– Ya somut kanıtlar?

– Olay herkes tarafından duyulunca, savcılık bir sorgu yargıcı atayacak, bunu benim kadar sen de biliyorsun.

Babası haklıydı. Basın toplantısından sonra, üç silahşorun yardımıyla da olsa soruşturmasını tek başına sürdürmesi imkânsızdı. Politikacılar, basın, kamuoyu baskı yapacaktı. Soruşturma bir devlet vakasına dönüşecekti.

– Sana bir önerim var, diye devam etti Morvan. Paris'e dön, kız kardeşini bul. Ardından, eğer katilin kimliği hâlâ tespit edilememiş olursa ve yeni bir ceset daha bulunursa oraya dönersin. Bana inan, bir veya iki gün uzak durmak sana iyi gelecektir.

Erwan pencerenin önünde durdu ve havanın biraz daha soğuduğunu anladı. Nöbetçiler bayrakları indiriyor, pencereleri kilitliyor, kapıları kapatıyorlardı. Teyit edilmiş fırtına beklentisi.

Erwan bir anda büyük bir bıkkınlık hissetti. Bu askeri üs, bu askerler, bu bölge... Paris köprülerini, asfalt kokusunu, egzoz gazlarını, kentsel şiddetin aile içi cinayetlerini özlemişti.

– Ya Loïc? diye sordu, sanki geri dönmek için kendine bir sebep daha arıyordu.

– Onu serbest bıraktırdım.

– Nasıl?

– Boş ver.

– Devamı gelecek mi?

– Hayır, ancak daha kötüsü oldu. Bu salak boşanma sözleşmesini imzalamış. Gözaltındayken Sofia ondan imza koparmayı başarmış.

Gözlerinin Moğol kıvrımları. Çilleri. Uzun saçları. Akşam yemeğine davet etmesi...

– Bu daha ziyade iyi bir haber, öyle değil mi?

– Bu ailemizin sorunu, kimsenin anlamadığı da bu.

– Bize açıkla o zaman.

– Geri dön. Bunu yüz yüze konuşuruz. Yoksa Bröton tabiyetine mi geçmek istiyorsun, ha?

Erwan işin lehte ve aleyhte yanlarını bir kez daha düşündü: Paris'te, İhtiyar'ı Lontano'yla ilgili sorgulayabilir ve Di Greco'ya satranç tahtasında bir yer bulmayı başarabilirdi.

– Bugün öğleden sonra orada olurum, dedi sonunda. Ofisinde görüşürüz. Hemen yola çıkıyorum.

– Önce kız kardeşini bul.

– Bu akşamdan önce bulurum. Ayrıntılı telefon dökümleriyle işe başlarım.

– Saat üçten sonra seni Beauvau Meydanı'nda bekliyorum. Bırak, başlarının çaresine baksınlar!

Babası telefonu kapattı. Erwan yerinden kıpırdamadı. Kulağında babasının sesi, camları ıslatan sağanağa görmeyen gözlerle baktı.

İhtiyar.

Gaëlle.

Loïc.

Aile resmini tamamlamak için birden annesini arama isteği duydu. Evin sabit hattını. Maggie her zaman cep telefonunu çantasının dibinde ya da bir çekmecede bırakırdı. Eski bir hippi olarak elektronik cihazlardan ve onların kanserojen dalgalarından sakınırdı.

Telefon zili yankılandı. Cevap yoktu. Eskiden olsa kaygılanırdı. Babası onu dövmüş müydü? Yaralamış mıydı? Öldürmüş müydü? Nihayet, telesekreterin mesajı. Erwan, eskiden olduğu gibi, bugün de kendini kötü hissettiğini anlayarak mesaj bıraktı.

Aslında hep korkuyordu.

# 50

Di Greco intihar etmişti. Morvan buna inanamıyordu.

Oğluna söylememişti ama o da aynı fikirdeydi: Bu çıkış biletinin çocuğun ölümüyle alakası olmaması imkânsızdı. Randevularının da cinayetle bir ilgisi olmalıydı. Bu karmaşık durum ne anlama geliyordu?

Soluk benizli bu yaşlı adam arı kovanına çomak sokma veya her an tutuklanabilecek durumlara düşme konusunda her zaman usta olmuştu. Ona telefon ettiğinde, Morvan'ın hissettiği sadece korku olmuştu. Belli bir yaşı geçtikten sonra, bir arkadaştan gelen yardım çağrısı daima bir şantaj tehlikesini barındırırdı.

Morvan'ın hatası, oğlunu oraya yollamak olmuştu. Neden bu işe ailesini bulaştırma gereği duymuştu? Bilinçsizce, Erwan'ı kendi Afrikalı geçmişine mi yakınlaştırmak istemişti?

Ve Lontano: Di Greco neden ölüm anında o kahrolası yılları mezarından çıkarmıştı? Ne söylemek istemişti? Ölümün eşiğinde ortaya çıkan bir suçluluk duygusu muydu? Bu konuda onun korkacak bir şeyi yoktu, zira hep vicdan azabı duymuştu.

Şoförü Iéna Meydanı'nda durdu. Buzlar Bakiresi'ni ziyaret etme planından vazgeçmek için çok geçti.

Sofia Montefiori, Lorenzo'ya hamile olduğu dönemde Loïc'le birlikte satın aldıkları dairede oturuyordu. Binanın cephesinde dikkate değer bir şey yoktu. Morvan dönüp dolaşıp hep aynı karara vardığını hissetti: Bu ortak malı paramparça etmek söz konusu olamazdı. Kendi malvarlığını korumak için hayatını bir cadıyla geçirmiş olan Grégoire, bu şımarık kuş beyinlilerin en ufak bir anlaşmazlıkta ayrılmaya karar vermelerini anlayamıyordu.

Apartmanın holüne girmek için genel şifreyi kullandı, sonra kapıcıdan ikinci şifreyi aldı. Dairenin dördüncü katta olduğunu hatırlıyordu. Eski tip asansör, parmaklıklı kapı, vernikli ahşap; hepsi sevdiği şeylerdi. O, hiçbir yere ait olamamış haylaz çocuk, kaygı ve tasalarından kurtulmak için şatafatın verdiği dinginlikten daha iyi bir şey bulamamıştı.

Asansör kabininin dar aynasında kravatını düzeltti. Montefiori'lerin vârisinin karşısına çıkmak için sevimliliğinin zirvesinde olması gerekiyordu.

Kapıyı açan Filipinli kadın onu tanıdı ve istemeyerek de olsa içeri buyur etti. Hatırladığı kadarıyla, burada tam zamanlı olarak üç kişi çalışıyordu – bu da iki çocuklu, çalışmayan bir anne için, hiç de fena değildi. Ama Sofia'nın ev hanımlığından anladığı buydu.

Bir keresinde genç kadın Morvan'a şöyle demişti: "Canım çıktı; yeni dadıya neler yapması gerektiğini anlattım." Sofia bu tür cümlelerin gülünçlüğünün farkında değildi; ipekler içinde doğmuştu ve dokusunu eleştirdiği kaşmirlerin içinde ölüyordu. Ancak Morvan, ondaki gizli hakikati seviyordu: Zarafeti, sevimliliği, kendine olan güveni, tek bir adamın, babasının eseriydi. Hurda demir alanında servet yapmış ve açıkçası hâlâ doğru dürüst okuma yazma bilmeyen ilkel bir adam.

Bir salon kadar büyük olan holü geçti, sonra bir konser salonu genişliğindeki oturma odasına girdi. Yüksek pencereler, Macar döşeme parkeler, tasarım mobilyalar – tüm bunlara güneş de dahildi. Sanki davetliymiş gibi geniş pencerelerden içeri giriyor, yansımaları kendisine geri yollayan mobilyaların ve yer döşemesinin üzerinde keyfince dolanıyordu.

Morvan bu manzarayı zevkle seyrediyordu. Dolaylı da olsa, bu onun eseriydi. Daha Zaire'de yoksul bir sürgünken bile bu tür hayallerin ardında koşuyordu. O dönemde, hâlâ sol eğilimliydi, ama Louis Aragon'un *Kibar Semtler* adlı kitabını okuyor ve "halıların kalın olduğu" ve "uzun gecelikleri içinde küçük kızların çıplak ayakla koştuğu" o yerleri hayal ediyordu.

– *Nonno!*

Torunları, okul kıyafetleriyle yanına gelmişlerdi. İki dilliydiler, "büyükbaba" demek yerine, bu kelimenin İtalyancasını söylemeyi alışkanlık haline getirmişlerdi. O da hiç itiraz etmemişti. Tam tersine...

Coşkuyla ona doğru atıldılar. Morvan kollarını açtı. Bu tek bir kucaklaşma bile o boktan geceyi unutturmuştu. Bir saniye boyunca kendini güçlü ve kahraman hissetti.

– Burada ne arıyorsun?

Melekleri yere bıraktı ve kapı pervazında duran Sofia'ya baktı. Üstünde beyaz buruşuk ipekten bir pijama vardı, ayaklarında ise kürk astarlı Tibet patikleri – Morvan'ın yanı sıra klanın tüm bireylerinde de aynısından vardı: Loïc'in hediyeleri.

Dünya üstünde, onu bu kıyafet içinde görüp de hoş bir şaşkınlık yaşamayacak kimse yoktu; genç kadın muhteşemdi.

– Eğer Loïc için geldiysen, gözaltı bugün sona erdi. Onu az önce gördüm.

Dünya tersine dönmüştü: Ona, Paris Emniyet Müdürlüğü'nden haberler veren bir İtalyan kadın.

– Kahve ikram etmeyecek misin?

Sofia saatine baktı.

– Fazla zamanım yok; bir randevuya yetişmek zorundayım.

– Yoksa pilates kursu mu?

İstemeden laf dokundurmuştu. Genç kadın bıkkın bir hareket yaptı.

– Mutfağa gel.

Aralarında hep, dıştan bakınca açıklanamayan, ancak derine inince anlaşılabilen tuhaf bir yakınlık olmuştu. Kontes babasının kabalığının, karanlık ahlak anlayışının bir kısmını almıştı. Bu özellikleriyle hemen İhtiyar'la uyum sağlamıştı.

Çocuklarını, kapının hemen yanında hazır bekleyen *pinay*'a (ülkesinde olduğu gibi Filipinli çalışanlarını bu şekilde adlandırıyordu) emanet etti, sonra mutfağa –gıdaların her şeyden önce rakam, kimya ve ekonomi olarak görüldüğü düzenli ve tertemiz bir laboratuvar– Morvan'ın yanına gitti. Morvan, Brezilya granitiyle kaplı ortadaki tezgâha dirseklerini dayayarak bir tabureye oturdu. Burada olmak, ona evin diğer bölümlerinde olmaktan daha iyi geliyordu. Yüz kiloluk ağırlığıyla, salonun kibar eşyasından ziyade bu kaba gereçlerle karşılaşmayı tercih ediyordu.

– Çarşamba okulları var mı?

– Din dersine gidiyorlar.

Sofia, Morvan'a kahve verdi.

– Ne konuşmak istiyorsun?

– Boşanma işinizi.

– O iş bitti. Loïc imzaladı...

– Haberim var.

– Öyleyse ne?

Morvan kaşığını fincanında döndürüyordu; sadece sembolik bir hareketti, şeker kullanmıyordu.

– Kararından emin misin?

– Bu şaka mı?

– Çocukları düşündün mü?

– Bu da başka bir şaka mı?

Sofia kendine de kahve aldı.

– Loïc onları düzenli görecek, dedi, kahvesinden büyük bir yudum aldıktan sonra. Daha fazlasını yapacak durumda değil. Bunu sen de biliyorsun.

– Ama... ya sizin durumunuz? Bugüne dek birlikte oluşturduklarınız? Birbirinize bir şans daha vermek istemez misiniz? Siz...

Genç kadın fincanını hırsla masaya bıraktı.

– Grégoire, sabah sabah bana aşktan söz etmek için gelmedin umarım!

– Ya ortak mallarınız?

– Evlilik sözleşmemiz, nikâh sonrası edinilmiş malları kapsamıyor. Evliliğimiz sırasında kazandığı her şeyden vazgeçiyorum. Daireyi bana bırakıyor. Anlaşma hakkaniyetli.

– Aristoteles'in ne dediğini biliyor musun? "Paylaşımlar asla adil olmaz."

Genç kadın içini çekti.

– Nereye varmak istiyorsun?

– Çocukları düşündün mü? Onlara ne bırakacağınızı? Eğer evli kalırsanız, siz bile sağlam bir mirastan faydalanacaksınız ve...

Sofia ellerini soğuk taşın üstüne koydu.

– Sen neden bahsediyorsun Tanrı aşkına? Babam ve sen bu evliliğe hep karşı olmuştunuz. Birbirinizden hiç hoşlanmadınız ve bir gün servetlerinizin birleşecek olması midenizi bulandırıyordu.

– Baban ve ben, geçmişiz. Ben sizin geleceğinizden söz ediyorum.

Genç kadın, Avrasyalı havası ve çilleriyle Morvan'a doğru eğildi. Altın sarısı gözbebeklerindeki öfkeyle gölgelenen baştan çıkarıcı bir karışım.

– Çocuklar kesinlikle mağdur olmayacak; onlar benim mutlak önceliğim.

Morvan pes ederek taburesinden indi.

– Seninle bu konuyu son bir kez konuşmak zorundaydım.

Sofia şüpheci gözlerle onu inceledi.

– Berbat görünüyorsun. Geceyi dışarıda mı geçirdin?

Floransalı kadından hiçbir şey gizlenmiyordu.

– İş. Rahatsız olma, yolu biliyorum.

Dışarı çıkınca, duygularını tarttı: Çocukların sıcaklığı, annenin soğukluğu. Yenildiğini kendine itiraf edemiyordu. Şu veya bu şekilde, malların bölünmesine engel olmak zorundaydı. Tüm zengin çocukları gibi, Sofia da, içinde yaşadığı ve farkında olmasa da bir ürünü olduğu dünyanın karmaşık ve tehlikeli yanlarını düşünemiyordu.

Cep telefonuna baktı. Daha şimdiden bir sürü mesaj vardı: Rutin şikâyetler, talepler. Arabasına doğru ilerledi. Tek başına yapacağı bir rafting için boktan bir nehir onu bekliyordu.

# 51

Tasfiyeden önce son sayım. Erwan, Verny, Le Guen ve Archambault üsten uzak bir yerde toplanmayı tercih etmişlerdi. Şimdi, Kaerverec'in küçük belediye binasının koridorları boyunca, yarı uykulu nöbetçinin peşinden yürüyorlardı. Balo salonunda karar kılmışlardı – adıyla bağdaşmayan, gri perdeleri olan sıkıcı bir salon.

– Oturun, dedi Erwan.

Küçük bir sınıf oluşturmak için masaların yerlerini değiştirdiler. Erwan boğazını temizledi ve zaten hepsinin bildiği şeylerin bir özetini yaptı: Wissa'nın cuma gecesi boyunca yaptığı tahmin edilen şeyler, Di Greco'nun gizlice karaya çıkması ve Kıpti'yle yaptığı anlam verilemeyen yazışmaları, K76'daki şiddet kültürü, Tilkilerin kaygı verici profilleri ve kurbanın maruz kaldığı çok özel işkence.

Birkaç saniye boyunca, bu anlattıklarının sindirilmesine müsaade etti. Verny, basın toplantısı için durmadan notlar alıyordu. Le Guen, asık suratlı kötü bir öğrenci misali masasının üstüne bir şeyler karalıyordu. Archambault, sanki bedeninden kopukmuş gibi uzun bacaklarını sallıyordu. Yetmiş iki saat içinde bu adamlar on yıl yaşlanmışlardı. Tavan lambalarının ölgün ışığının altında, yüz ifadeleri kaygı vericiydi.

Erwan, Wissa'nın karnında, çalınan organlarından boşalan yerde, büyük olasılıkla bir kadına ait olan tırnak parçaları ile saç tellerinin bulunduğunu söyledi. Bu yeni haber etkisini gösterdi; adamlar bir kâbustan kurtulmaya çalışır gibi sandalyelerinde kıpırdanmaya başladılar.

– Öncelikle, bir yerlerde başka bir maktulün olduğu düşünülebilir. Ya da katilin elinde tuttuğu başka birini, önümüzdeki günlerde öldüreceği söylenebilir.

Verny elini kaldırdı.

– Bundan gazetecilere söz edebilir miyim?

Erwan gülümsedi.

– Yaratmak istediğiniz paniğe bağlı.

– Şaka yapmıyorum.

– Size bunu tavsiye etmem. Basın ne kadar az şey bilirse, o denli rahat olursunuz.

– Peki Di Greco?

Erwan derin bir nefes aldı ve amiralin yarı gerçek yarı hayali bir portresini çizdi. Onu, kamarasına kapanmış yaşlı ve hasta bir adam olarak tanımladı. K76'daki ruhların kirlenmesinden sorumlu kötü niyetli bir tür guru.

Le Guen ile Archambault bakıştı. Her şeye rağmen, Kaerverec'ten ve onun manevi liderinden bu şekilde söz edilmesinden hoşlanmıyorlardı.

– Somut olarak, dedi Verny, onun katil olduğunu mu düşünüyorsunuz?

Erwan, Thierry Neveux'yle konuşmuştu. Kriminal analist, Di Greco'nun elindeki barut izlerinin intiharı kanıtladığını teyit etmişti. Öte yandan, bilgisayarında yapılan ilk inceleme, amiralin, Verny'nin askeri yetkililere düzenli olarak yolladığı soruşturma raporlarını aldığını ortaya çıkarmıştı (Erwan bu mesajların varlığını bilmiyordu ve jandarmayı azarlayabilirdi, ama burası yeri değildi).

– Bu iki olay, diye devam etti Erwan, onun suçlu olduğunu gösteriyor. Adli tabibin ilk tespitlerine göre, Di Greco gece yarısı bir civarında ölmüş. Bu da Frazier'nin onu suçlayan tanıklığıyla ilgili mesajı aldığı an. Böylece bu intihar, köşeye sıkışmış bir adamın itirafı olarak kabul edilebilir.

– Buna inanmış gibi görünmüyorsunuz, dedi Archambault.

– Evet. Genel olarak, Wissa'nın öldürülmesi ile çaylak deneyimi veya amiralin kişiliği arasında olduğu düşünülen tüm bağlantıları unutun. Yeni kanıtlar bunun, her şeyi önceden planlamış, organize bir katilin işi olduğunu gösteriyor. Son derece zeki ve olağanüstü fiziksel gücü olan bir adam. Bölgeyi tanıyan, tıbbi bilgileri olan ve göze batmamayı becerebilen bir katil. Di Greco kesinlikle bu profile uymuyor.

Verny somurtarak şeytanın avukatlığına soyundu.

– Üsten bir öğrenci olabilir mi?

– Bu da göz ardı ettiğim bir şey değil tabii, ama o kadar. Ne yazık ki, soruşturmada dönüp dolaşıp aynı yere geldik, hiç ilerleme kaydedilmedi. Wissa çıplaktı, yorgundu, güçsüzdü. Düşünebileceğiniz en kötü katille karşılaştı ve bana sorarsanız, baloda ilk dansı başlattı.

– Ne demek istiyorsunuz?

– Cinayetlerin daha yeni başladığını.

Arkadaşları sandalyelerinde yeniden kıpırdanmaya başladılar. Üzerlerinde ilk karşılaşmalarında giydikleri aynı uzun siyah yağmurluklar vardı. Erwan, La Brioche Dorée'deki ilk görüşmelerinden bu yana hiç ilerleme kaydedememiş olduklarını üzüntüyle düşündü.

– Sonuç olarak, ne yapıyoruz? diye sabırsızlandı Archambault.

– İkinci şok dalgası basın toplantısında olacak. Baskı artacak. Takviye gelecek. Yeni gelenlere brifing vermek, herkese açıklama yapmak, çok yakında atanacak sorgu yargıcı için dosya hazırlamak zorunda kalacaksınız. Tüm bunlar soruşturmayı büyük ölçüde yavaşlatacak.

– Neden "siz" diyorsunuz? diye sordu Le Guen, şüphelenmiş gibi.

– Çünkü Paris'e dönüyorum. Oynama sırası sizde. Bebeği yeniden kucağınıza alıyorsunuz ve savcılıkla birlikte çalışıyorsunuz.

Üçlü şaşkına dönmüş gibiydi.

– Fareler gemiyi terk ediyor, dedi Le Guen kırgın bir ifadeyle.

Erwan öfkelendiğini hissetti ve yeniden ılımlı haline dönmek için çaba sarf etti. Gideceğini haber vermek için kadın savcı yardımcısı ile Albay Vincq'i daha önceden aramıştı; şaşırmışlar, ancak herhangi bir tepki vermemişlerdi.

– Geri dönmeyeceğimi söylemedim. Her şey Paris'ten alacağım emirlere ve buradaki olayın gelişimine bağlı.

– Başka bir ceset daha bulunursa mı, demek istiyorsunuz?

– Doğru.

Le Guen öfkeyle ayağa kalktı.

– Ne yani? Başka bir ceset ortaya çıksın diye kollarımız bağlı bekleyecek miyiz?

– Umarım daha önce katilin kimliği saptanır.

Erwan, kimsenin, hatta kendisinin bile inanmadığı vaatlerde bulunan bir politikacıya benziyordu.

– Di Greco'nun yazmış olduğu o tuhaf "Lontano" kelimesi hakkında hiçbir şey söylemediniz,

– Dün gece bazı araştırmalar yaptım ve şimdilik herhangi bir bilgiye ulaşamadım. Ancak Paris'te, bu konuda beni bilgilendirebilecek bir kaynağım var.

Hepsinin gözleri parladı; polis onları tamamen terk etmiyordu.

Istakoz, kırgın bir ses tonuyla sordu:

– Neden bu kadar çabuk gidiyorsunuz?

Kız kardeşi kayıptı. Erkek kardeşi gözaltından yeni kurtulmuştu. Annesi ortadan kaybolmayı alışkanlık haline getirmişti. Babası belki de, herhangi bir şekilde bu karmaşaya bulaşmıştı...

– Ailevi sebepler.

Dışarı çıktıklarında fırtına yatışmış gibiydi ve güneş, köyün üstünde güçlü bir ışık-gölge etkisi yaratarak, evlerin arkasından yükseliyordu.

Erwan kendisini arabasına kadar götürmelerini istemişti. Yeniden direksiyon başına geçecek olmak sinirlerini hoplatıyordu. Kripo gibi bir uçak koltuğuna kurulmayı ve bir saat içinde Paris'te olmayı çok isterdi. Ortaklarıyla tokalaşırken, onlara duyduğu sevgiyi ellerine aktarmaya çalıştı.

Erwan dikiz aynasına bakmadan hareket etti. Silahşorların, terk edilen bir taşra ailesinin bireyleri gibi üzüntüyle (ama aynı zamanda da bir rahatlamayla) ona el salladıklarını görmek istemiyordu. Gitgide sevmeye başladığı ve sık sık hatırlayacağı şapşallar.

Üçüncü vitese geçerken, yorgunluğu öfkeye dönüştü. Bedeni buz kesti. Bu soruşturmayı bırakabileceğini düşünebilecek kadar aptaldı. Wissa'ya ve ailesine gerçeği borçluydu. Ve Kıpti'nin karnında tırnakları ve saçları bulunan kadına veya adama da.

Zaten, Paris'e özellikle babasından bilgi almak için gidiyordu. Babasının tüm söylediklerine rağmen, Wissa'nın öldürülmesi, kızıl sarı saçlı kurbanın öldürülmesi ve Di Greco'nun intiharı ile Morvan'ın bir ilişkisi olabileceği fikrini asla göz ardı etmiyordu.

## 52

Yaklaşık iki saat boyunca Erwan N104 karayolundaki tüm radarları aştı. Her ödeme noktasında, acımasızca bir zevkle sireni açıyor ve hafifçe yavaşlayarak gişelerden geçiyordu. Her polis gibi o da, serbestçe davranabilmek için katı yasal kuralların bazen çiğnenmesi gerektiğini biliyordu. Özellikle karayolunda alınan önlemler onu öfkelendiriyordu. Bu sıfır risk teorisi ona acınası geliyordu. Bir gün, kesinlikle taşıtları da yasaklayacaklardı.

Saat 11.30. Üç yüz kilometreden fazla yol almıştı. Bu hızla giderse, öğleüzeri Paris'te olabilirdi. Kendisini Paris'te beklemesi için Kripo'ya haber vermişti. Kripo'nun tuhaf biri olduğunu duymuş olan Emniyet Müfettişliği'yle her şey yolunda gitmişti. Erwan, Rennes yakınlarında, bir benzin istasyonunda durdu.

Depoyu doldururken, hâlâ soruşturmadaki unsurları kafasında evirip çeviriyordu. Özellikle bir nokta canını sıkıyordu: Di Greco'nun e-postalarında söz ettiği ve "hayatını altüst etmiş" ve "her şeyin anlamını değiştirmiş" olan şu son olay. Neyi ima ediyordu? İntiharına bir açıklama getirebilecek bir olayı mı? Ya da Wissa'nın öldürülmesine? Erwan, yaşlı adamın bedenine yerleştirilmiş olan, Doktor Almeida'nın sözünü ettiği iğneleri düşündü. Belki o da, acının sınırlarında dolaşarak başka bir şeyin peşinde koşuyordu.

Depo tam dolmuştu ki cep telefonu çaldı.

– Benim, Maggie.

– Beş dakika içinde seni ararım.

Parayı ödedi, berbat bir kahve içti, bir şişe su aldı ve bir sürü ağrı kesici yuttu. Sonra gidip, arabasını benzin istasyonu alanında, biraz daha uzak bir yere park etti. Yeniden arabasından çıktı, otoyoldan gelen uğultular arasında sabah havasını ciğerlerine çekti ve nihayet annesinin numarasını tuşladı.

Onunla konuşmadan önce, kendini hazırlamayı tercih ediyordu.

Maggie iki yüzü olan bir varlıktı. İhtiyar yakınında olduğunda ya da aklına geldiğinde, yuvalarından fırlamış gibi duran pörtlek gözleriyle –tiroidi vardı– ürkmüş bir yüz ifadesi olurdu. Bu gibi durumlarda konuşması hızlanır, sesi gerginleşir, mırıltı halini alırdı. Ama bir de başka bir Maggie vardı, güler yüzlü, hatta hoş bir Maggie. Cezbedici dudakları olan, sık sık kendiyle dalga geçen, "*cool*" ve güzel bir kadın. Bu kadın, hayatla oyun oynamaktan, burjuva değerleriyle alay etmekten, günlük hayatın her ayrıntısında gülünecek bir şeyler bulmaktan zevk alıyordu.

İki Maggie aynı kökenden değildi. İlki Afrika'nın koyu karanlığından geliyordu ve sanki üç çocuğunun da aydınlatamadığı bir geçmişin izlerini taşıyordu. Bizzat Morvan'ın biçimlendirdiği, korkmuş ve ürkmüş bir kadın. Diğeri, özgürlüğüne kavuşmuş, uyuşturucu kullanmış, isyan etmiş hippi kuşağının katıksız bir ürünüydü. Saçlarında çiçekler olan ve kafası ütopyalarla dolu genç bir kadın. Maggie, karşı kültürün, Afrika bubuları giymiş ya da *More* filminin Pink Floyd imzalı müziğiyle üstsüz dans etmiş, paçuli kokusu sürmüş bir temsilcisiydi. Efsaneye göre, Afrika'da, bir kadın rock grubunda da çalmıştı. Salamandres.

Bugün marjinalliği çıban haline dönüşmüştü; vejetaryendi, Budist'ti, suda doğum yapılması için mücadele ediyordu, globalleşmeye ve küresel ısınmaya karşı savaşıyordu. Dünyayı insanların kapatıldığı devasa bir ahıra çevirmek isteyen yaşlı Morvan'ın, apolitik katilin tiksindiği her şeyi yapan biriydi.

Oğlu şu an hangi Maggie'yle konuşacağını bilmiyordu. Maggie, "Sıkıntıları" olan Loïc'le ilgili uzun ve bıktırıcı bir söyleve başladı; kuşkusuz Gaëlle'in ortadan kaybolduğundan haberi yoktu.

– Babamla işler yolunda mı? diye sorarak onun lafını kesti Erwan.

– Elbette. Neden iyi gitmesin ki?

Bu soru annesini sinirlendiriyordu: Her zaman hayatının en büyük sorununu –kocasından gördüğü şiddet– yadsıyarak yaşamıştı ve hep savunmaya geçiyordu; onun ağzında Morvan değeri bilinmemiş bir kahramandı.

– Ne zaman dönüyorsun? diye sordu Maggie.

– Yoldayım.

– Pazar günü seni bekliyoruz.

Meşhur pazar yemeği. Annesi ona gerçeklerden kopmuş gibi görünüyordu – ya da organ hırsızı katili ve sado-mazoşist askerleriyle, gerçeklerden kopmuş olan bizzat Erwan'dı. Tam telefonu kapatacaktı ki aklına bir ayrıntı geldi: Morvan, Di Greco'yla Afrika'da tanışmıştı, Maggie onunla karşılaşmış olabilir miydi?

– Di Greco adında bir asker tanıyor musun?

– Hayır.

– Port-Gentil'de görev yapmış bir deniz subayı.

– Gabon'a hiç gitmedim.

Erwan dönemleri karıştırıyordu: Morvan işe 1968'de Başkan Bongo birliklerini oluşturmakla başlamış, sonra 1969'da Çivi Adam olayını soruşturmak için Zaire'ye gitmişti.

Di Greco, Morvan'ın Gabon bölümüne aitti. Maggie ise Zaire.

– Katanga'ya gelmiş olabilir, diye bir denemede bulundu.

Maggie'nin hafızası canlandı.

– Farklı vücut yapısı olan bir adam mı?

– Daha ziyade, vampir elleriyle iki metreden uzun bir adamdı.

– Geçmiş zaman kipiyle konuşuyorsun, öldü mü?

– Dün gece.

– Bunun Bretanya'daki soruşturmanla ilgisi var mı?

– Az çok, diye soruyu geçiştirdi Erwan. Hatırlamaya çalış.

– Kırsalda görev yapıyordu sanırım, maden ocaklarının çok yakınında...

– Babamınkilerin mi?

– O dönemde babanın maden ocağı yoktu. Adam, hatırladığım kadarıyla, Katanga'nın en büyük şirketi olan Gécamines'in maden yataklarının güvenliğinden sorumluydu.

– Onu babam mı getirtmişti?

– Hiçbir fikrim yok.

– Ne hatırlıyorsun?

Maggie buğulu bir sesle cevap verdi:

– O kadar eskilerde kaldı ki... Sert, sinirli, çok zayıf ve sıkıntılı bir adamdı. Siyahlara kötü davranan bir pislik. İşçi haklarını savunmak için bir dernek kurmaya çalıştım...

– Babamla olan ilişkisini hatırlıyor musun?

– Daha ziyade dostça bir ilişkiydi, sanırım.

– Fransız hükümeti için görevlerde bulundular mı?

Kadın yavaşça güldü.

– Afrika'da çürümek, zaten yeterince çok "yurttaş" olmak demekti, bana inan.

Kadın, Erwan'ın sevdiği ses tonuyla konuşmuştu: Uçarı, ilgisiz. Ancak bu iki adamın yarattığı izlenim son derece kötücüldü; biri bir seri katilin izini süren, diğeri bir köle ordusuna zulmeden iki casus. Gücün gölgesinde çok yakında serpilip gelişecek olan yetişme çağındaki iki canavar.

– Bana söyleyebileceklerinin hepsi bu mu? Biraz daha düşün.

Maggie uygun sözcükleri arıyordu.

– Sanki... çılgın gibiydi, sanki aklında hep şiddet vardı.

– Babamla iyi bir çift oluşturmuş olmalılar.

– Böyle konuşma.

– Ne demek istediğimi çok iyi anlıyorsun.

Maggie'nin sesi, sanki Morvan odaya girmiş gibi, hafifçe değişti:

– Görüşmelerinden hoşlanmıyordum... Babanın üstünde kötü bir etkisi vardı...

Erwan az kalsın kahkahalarla gülecekti.

Aklına, konuyla alakası olmayan, ancak yıllardan beri dudaklarını yakan bir soru geldi:

– Afrika'da ikinizin arasında ne geçti?

– Sorunu anlamadım.

– Birbirinizle tanıştınız ve hemen evlenmeye mi karar verdiniz?

Kadın tuhaf bir kahkaha attı.

– Âşık olmuştuk...

– Ama bu uzun sürmedi.

– Yanılıyorsun. Aşk hep var. Sadece farklı, hepsi bu.

– Seni asla anlayamadım.

– Baban hasta.

Erwan gitgide artan bir asabiyetle park alanını arşınlıyordu. Taşıtların uğultusu beyninde çınlıyordu. Gökyüzü maviydi, ancak ergime halindeki bir metalin sertliğindeydi.

– Her zaman onun sinirliliğine bir mazeret buluyorsun, dedi Erwan, kavga çıkarmaya çalışan haylaz bir çocuk gibi. Belki de o, karısını pataklayan tam bir pislik, öyle değil mi? 36'da onun gibi bir sürü herif var. İnan bana, bu boktan adamların ne Artaud'yla ne de Althusser'le bir benzerliği var.

Şair ile filozof, annesinin büyük kahramanlarıydı. Son günlerini akıl hastanesinde geçirmiş iki entelektüel – ikincisinin küçük bir artısı vardı: Bir kriz sonucu, 1980 yılında karısını boğmuştu.

– İşte üzücü olan da bu. Bizi hiçbir zaman anlamadın.

– Yaklaşık yirmi yıl boyunca sizinle aynı hayatı paylaştım.

– Sen sadece bir kısmını biliyorsun. Bir çiftin özel yaşamında neler olduğunu bilmiyorsun.

– Beni ayrıntılara boğma.

– Hep ayrı odalarda yattık, diye karşılık verdi Maggie, sesini alçaltarak. Ama gecenin gizliliği içinde şiddet gerçek yüzünü gösteriyordu...

Erwan onun mahremiyet batağına gömülüyordu. Annesinin hem içten hem de fısıltı halindeki ses tınısı hipnotize ediciydi.

– Kapatmam gerekiyor. İşim var ve...

– Siz onun hastalığının sadece gündüzki halini biliyorsunuz. Geceleri onun içine şeytan girdiğini sanabilirsiniz.

Erwan arabasına geri döndü ve kapısını açtı.

– Maggie, seni ararım, ben...

– Yemeklerden önce silahını masaya koyduğunu hatırlıyor musun?

– Bunu nasıl unutabilirim?

– Yalnız olduğumuz bir gece üstüme ateş etti.

Erwan, dirseklerini Volvo'sunun tavanına dayayarak, başını ellerinin arasına aldı. Babasının geçmişi Nazi arşivleri gibiydi; eşeledikçe hep yeni bir alçaklık, görülmemiş bir korkunçluk keşfetmek mümkündü.

– Sen... sen yaralandın mı?

– Silahta kurusıkı mermi vardı. Bayıldım ve altıma kaçırdım.

Erwan'ın tüm ruhu çekilmişti sanki.

– Kapatıyorum...

– Bu olayı yüzüme vurarak beni aylarca aşağıladı.

– Bana bunları neden anlatıyorsun?

– Onun sadece aşırı şiddet düşkünü biri olmadığını anlaman için. O bir akıl hastası.

– Bu neyi değiştirir?

– Her şeyi. Eylemlerinden sorumlu değil.

– Bu durumda onu kapatmak gerekiyor.

– Ne olursa olsun, böyle söyleme.

Sesinin tonu, "Fransa Morvan'sız ne yapar?" der gibiydi.

Erwan'ın içtiği kahve midesini bulandırmıştı. Onu en fazla hasta eden neydi bilmiyordu. Babası mı, annesi mi, yoksa aralarındaki bu çılgın uzlaşma mı?

Bu kez gerçekten telefonu kapatıyordu ki, birden rastgele sormaya karar verdi.

– Lontano, bu sana bir şey çağrıştırıyor mu?

– Elbette. Oturduğumuz şehir.

– Katanga'da mı?

– Maden ocaklarının kârlarıyla inşa edilmiş yeni bir şehir. Afrika'daki Avrupalı sömürgecilere ait bir şehir. Ailemle birlikte ben de orada yaşıyordum.

Babası bir keresinde ona şöyle demişti: "Annen bir yüzyıldan fazla bir süredir Zaire'de çürüyen, baba tarafından Wallon kökenli bir ailenin, yaşam enerjisini kaybetmiş kızıydı. Hem Belçikalı hem de Kongoludur. Bir alana bir bedava!"

– İntihar etmeden önce Di Greco bir kâğıda bu ismi yazmış, sana göre bunun sebebi ne olabilir?

– Bilmiyorum.

– Ölmeden önce seçtiği son sözcük bu. O şehirde istisnai bir şeyler olmuş olmalı, öyle değil mi?

– Belki de onun için... Tekrar söylüyorum, onu çok az tanıyordum.

– Düşün. Özel bir olay hatırlamıyor musun?

Kadın derin bir iç çekti, bu aynı zamanda bir gülümseme olarak da değerlendirilebilirdi.

– Tek bir olay hatırlıyorum, çok önemli bir olay, ama Di Greco'yla ilgisi yok.

– Nedir?

– Sen orada doğdun hayatım.

# 53

Morvan sıçrayarak uyandı. Bir an, hem amnezi hem de tetanos olduğunu sandı. Silkelendi ve melekelerini yeniden kazandı. Saatine göz attı; on ikiyi on geçiyordu! Beauvau Meydanı'ndaki ofisini tanıdı. *Lanet olsun*! Kanepesine oturmuş ve uyuyakalmış olmalıydı. Yaşlı bir adam gibi!

Kimse onu uyandırmaya cesaret edememişti; onun en ufak bir şeye dahi tepki göstermesini bekleyen sekreteri bile. Çalan cep telefonunu bile duymamıştı...

Bir küfür daha savurdu, sonra hole çıktı. İlk tepkisi, mesajları dinlemek oldu. Ne Gaëlle'den ne de Erwan'dan bir haber vardı. Genelkurmay'dan gelen teleksleri kontrol etti; sıradan konular dışında bir şey yoktu. Büyük oyunu başlatması gerekiyordu.

Cep telefonu titredi; telefonunu bulmak için birkaç saniye uğraştı. Yastıkların arasına düşmüştü. Maggie. Kahretsin, gün kesinlikle berbat başlıyordu.

– Az önce Erwan'la konuştum, diye lafa girdi kadın, daha günaydın bile demeden. Bana Lontano'yla ilgili sorular sordu.

Morvan yüzünü sıvazladı.

– Beni de aradı. Biliyorum. Ona ne söyledin?

– Orada doğduğunu.

Morvan pencereye yaklaştı ve havanın güzel olduğunu fark etti. Bunun farkına varmak bile yüreğinin sıkışmasına neden oldu. Şiddetli bir fırtınanın çatıların üstündeki bulutları sürüklemesini ve sel gibi yağan yağmurun şehri yutmasını isterdi.

– Peki sen ne söyledin? diye sordu kadın.

– Hiç. Onunla yüz yüze konuşacağım.

– Di Greco'yla olan hikâye de neyin nesi? Bu kelime saçmalığı?

– Bilmiyorum. İlgileniyorum.

– Bunun Erwan'ın soruşturmasıyla bir ilgisi var mı?

– Onu bekliyorum. Bana açıklayacak.

Maggie bir an sessiz kaldı.

– Sana yemin ederim, diye devam etti sonra, eğer o yaşlı kaçık geçmişi depreştirmek için bunu yazdıysa mezarını kazarım ve parmaklarımla gözlerini oyarım.

– Sana ilgilendiğimi söyledim.

Sert bir şekilde telefonu kapattı. Lontano'yu rüyasında görmüştü, bundan emindi, ama başka bir şey hatırlamıyordu. Peki, Zaire neden bu şekilde su yüzüne çıkmıştı? Di Greco ne söylemek istemişti? Maggie yanılıyordu. Amiral eski suçları ortaya dökmek istemiyordu. Ona bir mesaj yollamıştı, bir tek ona. Ama bu mesaj neydi?

Kafasını suyun altına soktu, sonra klimayı en soğuğa ayarladı. Bu lanetli ismi kafasından kovdu ve şu an acil olan meseleye yoğunlaştı: Gaëlle. Sabit telefonunu aldı, adamlarının çoğuyla temas kurdu. İlkesel olarak, kızının ekintiye getirmediği başka adamlar seçmişti. Onlara kızının telefon çağrılarını, internet bağlantılarını, banka hesaplarını, Vélib'le[1] gidip geldiği yerleri (küçükhanım bisiklet sporu yapıyordu), yakın çevresinin telefon çağrılarını ve e-postalarını araştırmalarını, taksi şirketlerini kontrol etmelerini emretti... Ayrıca Paris çapında bir arama emri çıkarılmasını ve görgü tanığı çağrısı yapılmasını da istedi. Edepli bir baba gibi davranmanın sırası değildi.

Çarkları çalıştırdıktan sonra, yeniden Lontano konusuna döndü. Gözlüğünü taktı ve Google'a bağlandı. Dünyanın bu unutulmuş köşesinde yeni bir olayın meydana gelmiş olmasından kuşkulanıyordu, ama bunu bilmek imkânsızdı.

"Lontano"yla ilgili tek bir satır, tek bir kelime yoktu. Geçmişin külleri iyice soğumuştu. Bugün, bu eski şehir, savaş bölgesinin tam ortasında kalmış, çalılarla kaplı bir yıkıntı alanından başka bir şey değildi. Zaten orada bir şey meydana gelseydi, ilk onun haberi olurdu.

Teleks vızıldamaya başladı. Morvan makineden çıkan satırlara göz attı ve nefes alamaz oldu. Tek harekette, kâğıdı makineden yırtıp aldı ve dikkatle okudu: Genç bir kadın cesedi –yirmi beş ila otuz yaşları arasında– Quai des Orfèvres'in tam karşısındaki Grands-Augustins'in alt rıhtımındaki eski havalandırma boşluklarının dibinde bulunmuştu. Ceset saat 11.00 sularında gezi teknesiyle dolaşan turistler tarafından fark edilmiş ve paniğe yol aç-

1. Bisiklet kiralama sistemi. (ç.n.)

mıştı. Polis hemen olay yerine intikal etmişti. Nehir trafiği yeni bir emre kadar durdurulmuştu.

Telekste daha fazla bir bilgi yoktu. Kurbanın eşkâli belirtilmemişti. Ölüm sebebi hakkında kesin bir açıklama yapılmamıştı. Ne cesedin pozisyonu hakkında ne de boşluğa yerleştiriliş tarzı hakkında tek bir kelime vardı.

Morvan yeniden telefonunu aldı. Beş dakika olmadan, "olay mahallinde ilk gözlemleri yapmak için alelacele seçilmiş" Yüzbaşı Sergent'ın[2] –isim şaka gibiydi– telefon numarasını buldu.

Adli polis telefonu ikinci çalışta açıldı. Cinayet bürosunun, Morvan'ın kim olduğunu bilmeyen, sadece oğlu Erwan'ı tanıyan çaylak bir polisiydi. Adam duruma hâkim değil gibiydi. Daha da kötüsü, telefonda Morvan'a bilgi vermeyi reddederek yüksek rütbeli bir polis gibi davrandı.

İhtiyar, sakin kalmaya çalışarak, ona bu şekilde davranmaya devam ederse, yaz sonunun en yakıcı cinayetiyle ilgilenmek yerine, kendini emniyetin araştırmalar ve istatistikler dairesinde bulacağını söyledi.

– Kızın kimliği belirlenmiş mi?

– Henüz, hayır, diye geveledi beriki. Kadın çıplakmış ve vücudu yaralarla kaplıymış ve...

– Saç rengi?

– Kırmızı.

– Kırmızı mı?

– Yani, kızıl sarı. Ama saçının sadece yarısı vardı.

Morvan göğüs kafesindeki baskının azaldığını hissetti.

– Özel bir işaret?

– Şimdilik bir şey bulunmadı. Ceset hâlâ havalandırma boşluğunun içinde, ikiye katlanmış halde ve derisi berbat durumda. Etlerini sıyırmışlar ve...

– Herhangi bir dövme?

– Şimdiden birkaç tane saptadılar. Boyunda O-U-T-L-A-W harfleri...

Morvan iyice ferahladı: Gaëlle'in vücudunda en ufak bir yazı yoktu. Bunun, "mesleğinde karşısına çıkabilecek fırsatları" sınırlandırabileceğini söylemişti. Bu defalık kurtulmuşlardı – bir defadan bir şey olmazdı.

Ama can sıkıcı bir başka nokta daha vardı.

– Kalçasında da bir tane var: Sakallı tuhaf bir kafa, diye ekledi adli polis.

**2.** Fr.: Çavuş. (ç.n.)

Nefesi bir kez daha kesildi.

Nisan 2009. O sırada bir şartlı salıverme komisyonunun üyesiydi. Kadın, ağır şiddet uygulamaktan, çete üyesi olmaktan ve silahlı saldırıda bulunmaktan Fleury'de üç yıl kesinleşmiş hapis cezası almıştı. Morvan, diğer komisyon üyelerinin ve ceza hâkiminin önünde, ona, kısa tişörtünün altından görünen, sol kalçasının üstündeki dövmenin kime ait olduğunu sormuştu. Kadının boğuk ve çatallı sesi hâlâ kulaklarındaydı: "Charles Manson."

Morvan ona iki tokat atmayı çok isterdi. Öncelikle, okuma yazması olmayan, kokuşmuş bir sadistin portresini dövme yaptırmak bir başkaldırı eylemi değil, aptallıktı. İkincisi, size bir ev ve bir iş bulabilecek bir topluluğun önünde bunu itiraf etmek daha büyük bir aptallıktı. Yine de, şartlı salıvermeler tartışılırken onu hararetle savunmuştu. Bu küçük kızdan *etkilenmişti*. Şartlı salıverme hakkını elde etmişti.

Daha sonra "Onun Marx olduğunu söylemen gerekirdi" diye ona sitem etmiş, bunun üzerine kız da "Başka bir suç gurusu, değil mi?" diye karşılık vermişti. Bir aptallık daha, ama yine de *punk*'çı kız hoşuna gidiyordu. Kızın kötüye meyilli, ancak umut vaat eden hoyrat bir enerjisi vardı. Morvan ona ev bulmuş, yardım etmiş, iş vermişti. Görüşmeleri sırasında, onun diğer dövmelerini görme olanağı da bulmuştu, boynundaki OUTLAW kelimesi de bunlardan biriydi.

– Kriminal büro teknisyenleri ilk numuneleri aldılar, diye devam ediyordu yüzbaşı. Parmak izleri de alındı. Eğer daha önceden fişlendiyse, kimliğini saptamayı kolaylaştıracaktır bu.

– Neden fişlenmiş olsun ki?

– Bilmiyorum, diye hemen toparladı genç polis. Dövmeler, kırmızı saçlar... Ayrıca tırnakları da siyah ojeli.

Polisin sesi sanki uzaklardan geliyordu. O hâlâ 2009 yılındaydı. Yirmi üç yaşında olmasına rağmen kız on altısından fazla göstermiyordu. Gözlerinde arzunun düşsel sınırı. Ve Morvan'ın kanatları altında olmanın verdiği güvenin. O günden beri ayda en az bir kez birlikte öğle yemeği yiyorlar, Morvan da bu vesileyle ona para veriyordu. Kıza elini sürmemişti. Pygmalion[3] gibi davranmaktan hoşlanıyordu.

– İtfaiyeciler onu çıkarmaya geldiler mi?

– Buradalar. Ama havalandırma boşluğu iki metre yukarıda ve...

– Bunun için beni bekleyin.

**3.** Yunan mitolojisinde Kıbrıslı heykeltıraş. Kendi yonttuğu bir heykele âşık olmuştur. (ç.n.)

– Ama...
– Bölüm Amiri Fitoussi'yle geliyorum.
– Anlamıyorum...
Morvan nazik bir ses tonuyla konuştu; adam tam yetkili, ancak sempatikti de.
– Anlayamayacağın çok fazla şey var evladım. Kızın adı Anne Simoni. Yirmi altı yaşında, darp ve gasptan hapis yattı. Ancak bugün, toplumun saygıdeğer bir üyesidir, yani üyesiydi. Hatta Emniyet Müdürlüğü'nde araç ruhsat bölümünde çalışıyordu.
– Siz... siz onu tanıyor musunuz?
– Hiçbir şey yapmayın. Yarım saat içinde orada olacağım.
Telefonu kapattı ve koltuğuna çöktü – ağırlığına dayanabilmesi için bizzat Morvan'ın takozlarla ve karbon tabakalarla güçlendirdiği bir koltuk.
Bu zavallı kızın cesedinin bulunması birçok gerçeği ortaya koyuyordu.
İlki: Cinayeti işleyen katil, Wissa Sawiris'in de katiliydi. Kızıl saçlar ve tırnaklar Anne Simoni'ye aitti, buna şüphe yoktu. (Erwan ona sivri metal uçlardan, çıkarılan organlardan, bedenin içine gizlenmiş organik kalıntılardan söz etmişti...) Şimdilik, Morvan bu olayın sonuçlarını düşünmek istemiyordu – seri katil, önceden tasarlama, büyük bir organizasyon, ölüm listesi...
Diğer gerçek Morvan'ın bu işe bulaştırılmak istenmesiydi. Sirling'deki şövalye yüzükten sonra (kim bilir, belki de katil, füze tarafından imha edilmiş başka ipuçları da bırakmıştı), küçük Simoni'nin seçilmesi de ona ulaşmanın başka bir yoluydu.
Bu kez onunla ilişki kuracaklardı. Kıza Emniyet Müdürlüğü'ndeki işi Morvan'ın bulduğunu, apart dairesi için onun kefil olduğunu anlayacaklardı. E-postalarına ve telefon çağrılarına kadar inceleyeceklerdi. Tüm bu küçük şeyler, kızın onun metresi olduğuna inanmaları için yeterli olacaktı. Onu sorgulayacaklar, ondan şüphe edecekler, onu becereceklerdi...
Cinayet mahallinde ya da kızın dairesinde, onu suçlayacak başka ipuçları olduğundan da emindi. Bu, paranoya değildi; biri ondan intikam almak istiyordu. Kim? Neden? Bu konuya kafa yormanın gereği yoktu. Söylentilerle, sahte kanıtlarla destekleyerek, kendisinin yöntemleriyle onu yok edeceklerdi, işte bunu engellemesi gerekiyordu.
Zaten artık kendini düşünmüyordu, ama ya eseri? Çocukları için yaptığı onca şey – güç ve servet. İşte bu krallık tehdit altındaydı. Kırk yıldan uzun bir süredir sabırla harmanlanmış dosyalar

ve entrikalar yumağı yok olma noktasına geliyordu. Bu konudaki ilk çatlakları fark etmişti. Ama şimdi tüm blok çöküyordu.

Yeniden soyundu ve gömme dolabını açtı. Koyu renkli filafil bir takım, pantolon askıları, iki renkli gömlek, siyah kravat. Ölülere saygı. Afrika'dan bu yana, asla başka bir kıyafetle bir ölünün karşısına çıkmamıştı.

Anahtarlarını almadan önce, masasına oturdu. Dirseklerini masaya dayayarak, başını birleştirdiği ellerine doğru eğdi. Alçak sesle, tüm ruhuyla dua etti. Kapalı gözlerinin ardında, Aziz Yuhanna'nın vahyindeki, Babil şehrinin, "dünyanın fahişelerinin ve çirkinliklerinin anasını" simgeleyen büyük fahişenin ona göründüğünü sandı. "Kadının ve onu taşıyan yedi başlı ve on boynuzlu hayvanın sırrı" oradaydı, tam karşısında. Eseri. İmparatorluğu. Hatası. Sonunda günahlarının bedelini ödeyecekti.

Dua olarak, dudaklarının ucuyla ve durmadan, vahyin, sanki onun yakın geleceğini özetleyen ünlü ayetini tekrarlıyordu:

–"Gördüğün canavar vardı ve artık yoktur..."

# 54

Paris'e yüz kilometre kala, cep telefonu titredi. Erwan direksiyonda o denli gergindi ki, bir an için yerin titrediğini sandı.

– Yeni bir şey var.

Babasının, annesinin ya da Kripo'nun aramasını bekliyordu. Ama arayan Thierry Neveux'ydü, Rennes Kriminal Büro analisti. Sesi sanki bir başka dünyadan geliyordu – çoktan uzakta kalmış bir geçmişten.

– Wissa'nın bedeninden çıkarılan sivri uçların ne olduğunu saptadık.

– Nedir? İğne mi?

– Çivi.

– Şimdiye kadar hep kesici veya delici silah, topuz parçaları, betonarme kalıntıları olduğu söyleniyordu.

– Yanıldık. Derinin yüzeyindeki sivri uçlar patlamanın etkisiyle dışarı fırlamıştı. Öte yandan hepsi yanmış ve deforme olmuştu. Ama etinin içine gömülmüş olanlar gayet iyi durumda. Hiç şüphe yok, bunlar değişik ebatta, değişik modelde çiviler. Çivilerin başları duruyor, üzerlerinde zımba izleri var.

Çiviler. Bu tek sözcük bir lanet gibiydi. Baba Morvan'a zafer kazandırmış ve ailelerinin tarihine damga vurmuş davayı düşünmemek imkânsızdı.

– Başka bir şey daha var, diye devam etti, kriminalci. Clemente bedeni yeniden oluşturdu, yaraların –yani çivilerin– yoğunlaştığı bölgeler tespit edildi. Yanakta bir bölge. Bir diğeri boğazda, omza inen yerde, bir başkası da sırtta. Clemente'a göre, buralara cam kırıkları, metal parçaları da yerleştirilmiş...

Erwan ön camın ardında yolun sallandığını görüyordu.

– Otopsi başlayalı üç gün oluyor ve siz bunları bana şimdi söylüyorsunuz!

– Clemente düzenli çalıştı. En az bir gününü karın bölgesinin bir kısmını inceleyerek geçirdi ve...

– Tamam tamam... Başka bir şey?

– Bir başka yara silsilesi de, kalça hizasında sol böğrü süslemiş gibi gözüküyor, ancak bu bölgede etler tamamen sıyrılmış ve...

– Neden "süslemiş" dedin?

– Bunu öylesine söyledim. Beden, daha ziyade, nasıl denir, başları çivilerden oluşan döküntülerle, sivilcelerle kaplanmış gibi bir izlenim uyandırıyor...

Başka koşullarda, Erwan tiksinti duyardı, ama bir şey onu şaşırtıyordu: Bunlar neredeyse, kelimesi kelimesine, Morvan'ın Çivi Adam'ı, Zaire katilini tasvir etmek için kullandığı sözcüklerin aynısıydı.

– Ve daha bitmedi. Bütün sabah, kırık eklem kemiklerinin şekli incelenerek cesedin pozisyonu üstünde çalışıldı...

– Yani?

– Yüzde yüz kesin değil ama, cesedin patlamadan önce neredeyse bir İnka mumyası gibi katlandığı düşünülüyor. Size bir sürü e-posta yolladık. Şemalar da.

– Bekleyin.

Erwan dörtlülerini yaktı ve emniyet şeridine geçip durdu. Görüşmeyi keserek, bilgisayarını açtı. Posta kutusuna bağlanmak için birkaç saniye bekledi. Bir sürü e-posta arasından, doğruca Clemente'ınkine gitti. "Ekli dosya." Taşıtların uğultusu içinde, birkaç saniye daha sabırla bekledi. Tik-tak-tik-tak... Gerginlikten midesinin şiştiğini hissediyordu, ama gerçek kroşe, resimlerle çenesine geldi.

Ceset oturur konumdaydı, çenenin altında toplanmış bacaklar, dizleri sarmış kollar, hafifçe eğik boyun ve yukarı bakan yüz. Resim, babasının koleksiyonunu yaptığı bir Afrika heykelciğini, bir *nkondi*'yi tasvir eder gibiydi. Aslında, daha çok Çivi Adam'ın kurbanlarını çağrıştırıyordu. Erwan çocukken, bunlarla ilgili birkaç fotoğraf görmüştü. Yara bere içinde bir surat, çivi salkımları, fetüs pozisyonu; her şey tamamdı.

– Orada mısınız?

– Resimlerinize bakıyorum.

– Tamamen çılgınca bir şey. Kurban daha hayattayken, her bölgeye onlarca çivi çaktığını ve öldükten sonra da bu pozisyonda onu yerleştirdiğini düşünüyoruz. Bu size bir şey ifade ediyor mu?

Erwan çocukken babası ona sık sık soruşturmasını –"sürek avını"– anlatmıştı. Katilin –Belçika asıllı genç bir mühendisti– Aşağı Kongo'da yaşayan Yombe kabilesinin kutsal heykellerini taklit ederek kurbanlarına yüzlerce çivi çaktığını. Bu kadınları fetişlere dönüştürerek onları kötü ruhlardan koruduğuna inandığını. Aylarca süren araştırma ve soruşturmalardan sonra, Morvan onun kimliğini belirlemiş ve bıçkı makineleriyle açılmış yollar boyunca onu savanaların ortasına kadar izlemişti.

– Sizi sonra ararım, dedi sertçe, telefonu kapatmadan önce.

Arabanın kapısını açtı ve kahveyi asfaltın üstüne kustu. Birkaç saniye boyunca, asitli salya soluğunu kesti. Çıkaracak başka bir şey yoktu; asfaltın üstündeki safrasına bakarak bu şekilde durdu, bacakları titriyor, şakakları zonkluyordu.

En baştan beri, her konuda yanılmıştı.

1971'de yakalanmış bir katil, nasıl bugün birdenbire ortaya çıkmıştı? Hâlâ hayatta olduğu farz edilse bile, serbest mi bırakılmıştı? Bu durumda, yaşı altmıştan fazla olmalıydı. Neden karşısına çıkan ilk insanı öldürmüştü? Ve neden Bretanya'daki bir fundalıkta? K76'yla bağlantısı neydi?

Di Greco mu?

Bir saniye içinde, Erwan tüm öğeleri yeniden bir araya getirdi. Olayı en ince ayrıntılarına kadar bilen ve katilin *modus operandi*'sini izleyen bir taklitçi. Tek sorun şuydu: Fransa'da hiç kimse ya da neredeyse hiç kimse, buradan yedi bin mil uzakta, kırk yıl önce meydana gelmiş bu eski hikâyeyi işitmiş olamazdı.

Olası bir başka senaryo da babasının yanılmış olmasıydı. Zaire'de gerçek katili yakalamamıştı. Bilinmeyen bir sebepten dolayı, Çivi Adam bugün yeniden işbaşı yapmıştı. Sönmüş kötü bir volkan yeniden, hem de olabilecek en vahşi şekilde faaliyete geçmişti.

Bu senaryolardan hangisi seçilirse seçilsin, Di Greco'nun bu olaydaki suçluluk olasılığı yüksekti. Katil tarafından imlenen Di Greco –Çivi Adam insanları öldürürken, geleceğin amirali o sırada Zaire'deydi– ölmeden önce bu uğursuz olayı yeniden hatırlatmak istemişti. Çok daha çılgın bir başka varsayım: Di Greco, Morvan'ın bilerek veya bilmeden ilişmediği Katanga'daki katildi. Hayatının son döneminde, ilk sevdasına geri dönmüştü.

Bir başka olasılık daha vardı, ki bu çok daha makuldü: Soruşturmanın ayrıntılarından Verny tarafından haberdar edilen amiral, Wissa Sawiris cinayetinde Çivi Adam'ın parmağı olduğunu anlamıştı ya da o gece fundalık alanda bir şeyler görmüştü. Yazdığı o kelimeyle, dedektiflere sadece bir mesaj vermek istemişti – Lontano. Erwan artık buranın katilin cinayetlerini işlediği şehir olduğunu biliyordu. Bu mesaj aslında tam olarak kime yönelikti? Morvan'a elbette. Olayı bir tek o baştan sona biliyordu. Dünyayı terk etmeden önce onu uyarmak istemişti.

İlaçlarını içmek için aldığı su şişesini açtı ve ağzını çalkaladı. Asfaltın üstünde lastik izi bırakarak hışımla hareket etti. Çok yüksek bir hıza ulaştı – saatte iki yüz kilometre. Kırk beş dakika içinde Paris'te olacaktı.

Cep telefonu kapalıydı, bilgisayarı ve camları da. Kimse ona ulaşamazdı. Kimse onun nerede olduğunu bilmiyordu. Bu düşünce onu rahatlatıyordu. Düşünmek için tamamen yalnızdı, ama kuşkusuz düşünmemesi *gerekiyordu.* Bütün soruları, bütün varsayımları babasıyla yüzleşeceği Paris'e kadar ertelemesi lazımdı.

# II

# Toza döneceksin

# 55

Gürültü patırtı had safhadaydı.

Rıhtımlar kapatılmış, 36'nın tüm polisleri ve polis arabaları sanki gezintiye çıkmıştı. Bir ambulans, itfaiye araçları nehrin sol yakasını, Neuf Köprüsü'nden Saint-Michel Köprüsü'ne kadar tıkamıştı. Her yer bir hediye paketi gibi, güvenlik şeridiyle çevrelenmişti: "Geçilmez."

Şoförü Grands-Augustins Rıhtımı'nın tam ortasında durdu. Ceset aşağıda, nehre en yakın kısımdaydı. Seine'e doğru merdivenden inerken, Morvan yerdeki panik atmosferinin aksine, gökyüzünün mükemmelliğini, güneşin yumuşaklığını fark etti. Taşlar gümüş gibi parlıyordu. Her şey sıcak, parıltılı ve hafifti. Sadece güneşlenen çıplak ayaklı kızlar, balık tutanlar, gitar çalanlar, yukarıda kitapçıların yeşil renkli kulübelerinin gölgesinde yürüyüş yapanlar eksikti...

Bölüm amiri Jean-Pierre Fitoussi, onu basamakların altında karşıladı. Soluk benizliydi; boynu, siyah takımının içinde kaybolmuştu, koyu renkli pilot gözlüğünün arkasına gizleniyordu.

– Tam karşımızda, diye homurdandı, adımlarını açarak. Akıl almaz bir şey.

Morvan konuşmadan onu izliyordu. Bir baş hareketiyle polis kalabalığını yarıp öne geçtiler. Morvan daha şimdiden olay mahallini incelemeye başlamıştı. Ceset yaklaşık olarak 35'in, Grands-Augustins Rıhtımı'nın altındaydı. Hemen hemen, 36'nın giriş kapısının, Quai des Orfèvres'in, Seine'in diğer kıyısının eksenindeydi.

Verdiği emre rağmen, itfaiyeciler cesedi bulunduğu nişten çıkarma işlemine başlamışlardı bile. Anne Simoni'nin derisi yüzülmüştü; ayrıca çömelmiş pozisyonda bağlanmış, bedenine yüzlerce çivi çakılmış, göz çukurlarına ayna kırıkları yerleştirilmişti.

Morvan birden, Di Greco'nun mesajıyla ne anlatmak istediğini anladı: Canavar geri dönmüştü. Zaire'de onları altüst eden kâbus yeniden hortluyordu. Bu nasıl mümkün olabilirdi? Peki, amiralin nasıl haberi olmuştu? Morvan nereden geldiği belli olmayan bir yumruk yemişçesine bir kez daha sarsıldı. Benzerliği nasıl kuramamıştı? Yaşın etkisi. Gaëlle'in ortadan yok olması kafasını o denli bulandırmıştı ki, analiz yeteneğini kaybetmişti.

İtfaiyeciler cesedi büyük bir dikkatle indirdiler. Onların etrafında, basamaklı taburelerin tepesine çıkmış kriminal büro teknisyenleri –Morvan onlara "kulak çubukları" adını takmıştı– her ayrıntıyı fotoğraflıyorlardı. Göz çukurlarındaki ayna kırıklarından yansıyan ışık sanki 36'ya göz kırpıyordu.

Manzaranın korkunçluğu, bir hareketlenmeye neden oldu. Kalabalık, başka cesetler de görmüş profesyonellerden, deneyimli polislerden ve uzmanlardan oluşuyordu, ama bu ölü kadın başka bir boyuta aitti. Kafanın, yarısı tıraşlanmış kısmına çakılmış çiviler. Ensede, sağ omuzda, sol böğürde de başka çiviler vardı. Bu çiviler, hızla çoğalan ve berbat bir hastalığı çağrıştıran sivilceler gibiydi. Bilekler, çenenin altına toplanmış bacakları da saran eskimiş bir iple bağlanmıştı. Cesedin tamamı, sıkıştırılarak ufaltılmış bir korku kütlesi oluşturuyordu.

– Daha önce böyle bir şey gördün mü? diye ona sordu Fitoussi.

Morvan cevap vermedi.

Orada bulunanlar arasında bunu *daha önce* görmüş olan bir tek o vardı.

Kurban, ayakları üstünde yükseltilmiş bir sedyenin üzerine konmak üzereydi. Morvan ağlama isteği duydu: O karanlık yıllarına korkunç geri dönüşün etkisi altında, etleri lime lime edilmiş bu kadına elveda diyordu. O, kızı değildi –kimse kızının yerini tutamazdı–, ama hayata yanlış başlangıç yapmış ve yanlış yerlerde bulunmuş kızlardan biriydi, ki Morvan onlar için, kendi hayatını feda edebilirdi.

Tıpkı kırk yıl önce Zaire'de olduğu gibi, korkunç bir vicdan azabı içini kemiriyordu. Onu kurtarmayı başaramamıştı. Bu cinayeti öngörememişti – ve onu bu akıl almaz ıstıraplarla dolu saatlerden, herkese sergilenen bu alçakça ölümden kurtaramamıştı.

İtfaiyeciler cesedi sedyenin üzerine uzatırken, birden bağlı kollarının altındaki bacakları kurtuldu ve ters açıyla iki yana düştü. Manzaranın korkunçluğu, etrafta bulunanlardan bir uğultunun yükselmesine neden oldu. Eklem yerleri oynak bir kukla gibi görünen ceset, gizemini gözler önüne sermişti: Fırın gibi açık karnı, kenarları saçaklanmış etlerle çevrili bir delikten başka bir şey değildi. Birçok organın çıkarıldığını tahmin etmek için cerrah olmaya gerek yoktu: Mide, karaciğer, yumurtalıklar...

*Kuşkusuz böbrekler de*... Morvan kuralları biliyordu. Hiç unutmamıştı. Yüzlerce çiviyle etkinleştirilen enerji ağının dolaşımını kolaylaştırmak için, fetiş-bedeni "arındırmak" gerekiyordu. Bu deliğin içinde saç tutamları, tırnak parçaları olduğunu da biliyordu – Afrika geleneğine göre, kişiyi koruyacak veya büyüleyecek beden parçaları. Bu parçalar bir sonraki kurbana aitti. Bu da Çivi Adam'ın özelliklerinden biriydi: Kutsal bir ritüeli, çözülmesi zor, uğursuz bir bilmeceye dönüştürüyordu.

Öyleyse üçüncü bir kurban daha var demekti.

– Buna bakamam.

Fitoussi arkasını dönüp uzaklaşırken, itfaiyeciler, basamaklı taburelerinde dengede durmaya çalışan kriminal büro teknisyenlerinin de yardımıyla kolları ve bacakları beceriksizce bir araya getirmeye çalışıyorlardı. Sonunda teknisyenler çalışma mahallerinin üstüne bir tente açtılar. Bir anda, büyük kukla tiyatrosu perdelerini indirdi.

Herkes rahatlamış gibiydi. Morvan'ın dışında. O daha uzağı, daha ötesini görüyordu. Bu cinayet mahallinin arkasındaki resmi görüyordu. En derine gömülmüş geçmişinin yeniden gün yüzüne çıktığını görüyordu. Polislikteki ilk yıllarının –ergenlik döneminden bile daha kötü olan o yılların– bando mızıkayla geri döndüğünü görüyordu.

– Sergent, bana senin kurbanı tanıdığını söyledi.

Fitoussi, müşkülpesent ölü gömücü yürüyüşüyle ona doğru geliyordu; göbeği önde, elleri ceplerindeydi.

– Adı Anne Simoni'ydi. Yirmi altı yaşındaydı. Araç ruhsat bölümünde çalışıyordu.

– O olduğunu nasıl anladın?

– Dövmelerinden.

Morvan'dan hem korkan hem de tiksinen Fitoussi kaşlarını kaldırdı.

– Onu nereden tanıyordun?

Siyah gözlüğünü taktı. Bölüm amirinin Ray-Ban'inin, Morvan'ın Emporio Armani'siyle –ona Bréhat Adası'nı ve çevresinde tek başına yelkenle yaptığı gezileri hatırlatıyordu– hiçbir benzerliği yoktu. Bununla birlikte, o anda ikisinin Blues Brothers'a benzediklerini düşündü.

– Koşullu salıverme sırasında onu pisliğin içinden çekip aldım. Ona ev buldum ve emniyette işe soktum.

– Anlıyorum.

– Hiçbir şey anlamıyorsun ve sana bu davadan uzak durmanı tavsiye ediyorum.

Fitoussi tokat yemiş gibi kızardı.

– Bu ses tonu da neyin nesi! dedi, incinmiş bir tavırla gözlüğünü çıkarırken.

– Şu anki duruma uygun olan bu. Ne olup bittiğini anlamadın, değil mi?

– Kucağımızda bir ceset var, biz...

– Hayır. Paris'in bugüne dek hiç görmediği bir seri katil var. Kurbanlarını, bir maç akşamı sehpanın üzerine bira kutularını dizer gibi peş peşe sıralayacak olan bir alçak.

– Böyle düşünmene sebep olan şey ne?

Morvan, ceset torbasını kapatan adamlara baktı.

– Benzer bir vaka biliyorum.

– Ne zaman? Nerede?

– Boş ver.

– Hazırlık soruşturmasına Erwan'ı atayacağım. Savcıyla bu konuda mutabıkız.

– Söz konusu bile olmaz.

Fitoussi ona doğru bir adım attı. Grégoire nüfuzlu biri olsa da, bu olay onun yetkisi dahilinde değildi. Kendi bölümü içindeki görevlendirmelere karar verecek olan, bölüm amiriydi.

– 36 benim evim Morvan. Zaten benim iznim olmadan, Erwan'ı, nereye olduğunu bilmediğim bir yere gönderdin. Şenlik sona erdi. Evine dön. Oğlun bu vakayı bizim için mükemmel bir şekilde çözecektir. (Morvan'a göz kırptı.) Özellikle de sen ona birkaç tüyo verirsen.

– Bu iyi bir fikir değil. Bu...

Cebindeki telefon titreşti. Telefonu çıkardı ve ekrandaki isme baktı. *İti an...* Erwan'a acil bir mesaj yollamış, onun buraya gelmesini istemişti. SMS'te sadece tek bir kelime vardı: "Buradayım."

Başını kaldırdı, polis kordonu arasında kendine yol açmaya çalışan Erwan'ı gördü.

# 56

Polislerde de medyada olduğu gibiydi. Önemli bir bilgiye ulaşıldığı sanılır ve anında daha taze, daha çarpıcı bir bilgi o bilgiyi arka planda bırakırdı. Erwan şaşkınlık uyandıran çok önemli bir ipucuyla Paris'e geliyordu: Çivi Adam geri döndü! Ama "onun" cesedi beş gün önceye aitti ve Morvan, Grands-Augustins Rıhtımı'nda oğlunun varsayımını tasdiklemek için bekliyordu: Yeni bir kurban!

Nehrin kenarına iner inmez Erwan, tanıdığı polislere birtakım sorular sormuştu. Öğrendiği çok az şey bile onun kanını dondurmaya yetmişti. Durumu henüz kavramaya başlamıştı ki, babasının tam önünde dikıldığını fark etti. Karşılaşmaları birkaç sözcükle sınırlı kaldı. Morvan, oğlunun yüzünün hali hakkında hiç yorum yapmadı.

– Beni izle, diye emretti.

– Cesedi görmek istiyorum.

– Paketlediler. Adli tıpta görürsün.

Kalabalığı arkalarında bıraktılar ve Saint-Michel Köprüsü yönünde yürüdüler, sonra Notre-Dame'a doğru devam ettiler. Rıhtım boştu, polisler girişi yasaklamıştı. Buna karşılık, yukarıda, işsiz güçsüzler ne olup bittiğini görmek için toplanıyordu. Sesleri, uzaktan gelen, kaygılı bir uğultu gibiydi.

Erwan günün haberlerini özetledi – bedenin yeniden oluşturulması ve mumya pozisyonu, çivi olduğu belirlenen kalıntılar. Babası ona, görebildiği kadarıyla yeni kurbandaki kesiklerin Zaire katilinin *modus operandi*'sine benzediğini söyledi. Ama hemen ekledi:

– Ancak o olamaz.

– Neden?

– Çünkü Thierry Pharabot, üç yıl önce bir ihtisas merkezindeki tehlikeli hastalar ünitesinde öldü. Charcot Enstitüsü.

Tuhaf bir şekilde bu ad Erwan'a bir şeyler söylüyordu.

– Bu enstitü nerede?

– Bretanya'da.

– Tam olarak nerede?

– Finistère'de. Kaerverec'e kırk kilometre mesafede.

– Ve bunu bana şimdi mi söylüyorsun?

– Saçmalama! Sana Pharabot'nun öldüğünü ve yakıldığını söylüyorum.

Erwan hatırladı: Verny, bölgedeki hapishaneleri ve akıl hastanelerini dolaşmıştı, Charcot Enstitüsü de listesindeydi ve dikkat çekici bir şey yoktu.

– Hücre arkadaşını etkilemiş olabilir, diye sesli düşündü. Sonra adam dışarı çıktı ve...

– Hayır. Tecritteydi. Bir gözüm sürekli onun üstündeydi.

– Wissa Sawiris birkaç kilometre uzakta öldürüldü, bu bir rastlantı olamaz!

– Bu çok basit olurdu.

Erwan, nehrin diğer yakasındaki Île de la Cité'nin duvarları boyunca, XXIII. Jean Meydanı'nın sararmış duvar sarmaşıklarını inceleyerek yürüyen babasına öfkeyle baktı.

– Ne demek istiyorsun?

– Eğer biri bugün Çivi Adam'ı taklit ediyorsa, bunun sebebi öldürme çılgınlığı değil. En azından sadece o değil. Bu cinayetler çok daha büyük bir komplonun parçası.

– Lanet olsun, şu komplo teorilerine bir son ver!

Morvan durdu. Siyah gözlüğünün saplarıyla oynamayı sürdürüyordu – ona özgü bir asabiyet hareketi.

– Önce sana bir şey söylemem gerekiyor evladım.

Erwan daha kötüsünden korkuyordu: Babası yirmi beş yaşından beri ona böyle hitap etmemişti.

– Sirling'de bulduğun şu yüzük, o bana ait.

Erwan bu ayrıntıyı tamamen unutmuştu ve işte o ipucu yeniden gündeme gelmişti, hem de etkili bir şekilde.

– Yani, diye düzeltme ihtiyacı hissetti Morvan, benim yüzüğüm olduğunu tahmin ediyorum. Üç hafta önce kaybettim.

– Kaybettin mi, yoksa çaldırdın mı?

– Hiç bilmiyorum. Ama eğer çaldılarsa, bunu cesedin yanına bırakmak için yaptılar.

– Seni bu işe bulaştırmak için mi?

– Başka açıklaması yok.

– Yani nereden çıktığı belli olmayan bir herif Çivi Adam'ı taklit ediyor ve suçu senin üstüne yıkmaya çalışıyor. Böyle mi düşünüyorsun?

– Başka olaylar da oldu. Dolaylı veya dolaysız olarak, her seferinde beni etkileyen karışıklıklar.

– Nasıl?

Yeniden kaldırım taşlarının üstünde yürümeye başlayan Morvan, hisse sahibi olduğu grubu küçültmeyi hedefleyen HAS konusu hakkında karmaşık bir açıklama yapmaya başladı. Erwan dağıldı – ne zaman finans konularından söz edilse, analiz yetileri kapanıyordu.

– Bu HAS var mı, yok mu? diye sordu, kısa kesmek için.

– Henüz bilmiyorum, ama borsa dünyasında, söylentiler kaos çıkması için yeterlidir.

– Peki, bu fısıltılar seni nasıl etkileyebilir?

– Sana açıklaması çok uzun sürer. Ayrıca erkek kardeşine yönelik tehditler de var.

İhtiyar ona, postayla gelen sığır dilinin şüpheli hikâyesini anlattı. Erwan sadece iki günlüğüne ailesinden ayrılmıştı ve işte, sonuç ortadaydı.

– Önce bunun, bize baskı yapmak isteyen DKC'li mültecilerin işi olduğunu sandım, ama onların işine benzemiyordu, diye devam etti Kentauros.

– Öyleyse kim?

– Çok yakında öğreneceğim.

Bunlar artık şüphe olmaktan çıkmıştı. Her şey çıfıt çarşısına dönmüştü. Tüm bu lanet olası şeyleri aynı çantaya doldurmanın da bir anlamı yoktu. Erwan, babasının, Intel'in başkanı ve genel müdürü Andrew Grove'un meşhur cümlesini alıntılamayı sevdiğini çok iyi biliyordu: "Sadece paranoyaklar hayatta kalır."

Kıyıya bağlı mavnalarla karşılaşıyorlardı, onlar da kapalı gibiydi. Mavnalardan biri restoran olarak hizmet veriyordu, ama müşterisi yoktu, mönü tahtasını, masalarını toplamıştı. Nehir polisinin güçlü Zodyakları Seine'in yeşil sularında gidip geliyordu. Burası cinayet büro tarihindeki en uzun cinayet mahalliydi.

Double Köprüsü'nün altında, rıhtım daralıyordu. Gölgede kaldılar. Erwan ürperdi. Küf kokusu soluk almasını zorlaştırırken, soğuk da omuzlarını sarıyordu.

– Kim sana bu kadar kızmış olabilir ki?

Alaycı bir ses tonuyla sormuştu.

– *Casting* oldukça geniş, dedi Morvan, ciddiyetini bozmadan (kalın sesi kemerin altında yankılanıyordu). Şu an için isim aramak gereksiz. Aciliyeti olan tek şey, Gaëlle'i bulmak.

Bu beklenmedik bağlantı Erwan'ı şaşırttı, sonra İhtiyar'ın zaten bu konuya gelmek istediğini anladı.

– Ortadan kaybolmasının bu olanlarla alakalı olduğunu mu düşünüyorsun?

– Hiçbir şey bilmiyorum. Bul onu.

Erwan kız kardeşi konusunda kaygılanmak istemiyordu. Onu, bir *after*'da "ensesi kalın herifler"le birlikte, yarı sarhoş halde bulmak için sık sık Paris'in altını üstüne getirmişliği vardı.

Üstelik, Çivi Adam hakkında henüz yeterince bilgi sahibi değildi.

– Cinayetleri konuşalım, dedi bir sorgu yargıcı edasıyla. Sence, katil Pharabot'nun ritüeline tam olarak uyuyor mu?

– Bunu söylemek için çok erken. Senin pilotun cesedi paramparça olmuş. Kızın otopsisini beklemek gerekiyor. Şu an için, çivilerin kullanılması, tıraş edilmiş kafa, organların çıkarılması hepsi uyuyor. Bir tek tecavüz aykırı düşüyor.

– Belçikalı kurbanlarına tecavüz etmiyor muydu?

– Böyle bir şey söz konusu değildi. Sana hikâyeyi anlattım. O bir *nganga*'ydı, bir şifacı. Cinayetlerinin kutsal bir değeri vardı.

– Bu vakadan kimlerin haberi vardı?

– Tam olarak, kimsenin.

– O davada görev yapanların dışındakileri söylüyorum.

– Katanga bölgesinde, Lubumbashi'deydik ve olayın üstünden otuz yılı aşkın bir süre geçti.

Yeniden ışığa çıktılar. Yürürken Erwan bir yandan da sorulabilecek en iyi soruyu düşünüyordu. Bu, bir şapkadan ad çekmek gibiydi.

– Ya kurbanlar? diye seçimini yaptı. Onların seninle herhangi bir bağı var mıydı?

Morvan yüzünü sıvazladı. Cildi o denli kuruydu ki, düzenli olarak derisini soyardı. Çocukken Erwan, babasının televizyon karşısında, pullarını döken bir yılan gibi yavaş yavaş derisini soymasını hayranlıkla izlerdi.

– Pilotu hiç duymadım. Rıhtımdaki kıza gelince, onu tanıyordum.

– Bunu bana daha önce de söyledin. Araç ruhsat bölümünde çalışan bir kadınmış.

– Onu bundan daha fazla tanıyordum.

– Söylemek istediğin...

– Hayır. Sandığın gibi değil.

*Beni şaşırtıyorsun.* Babası onda hep aseksüel bir titan izlenimi uyandırmıştı. Çocuk doğurtmayı nasıl başardığını merak ederdi.

– Hapisten çıkmış bir kızdı. Bir program çerçevesinde ona yardım ettim. Onu destekliyor, tavsiyelerde bulunuyordum... Ben... sonuçta, ona çok bağlanmıştım.

Erwan bu alışılmadık manzarayı hayranlıkla seyrediyordu: Samimi duygularından bahsederken İhtiyar kızarıyordu.

– Seni bu işe bulaştırmak için onu öldürmüş olabilirler mi?

– Ya da bana kötülük yapmak için.

Hâlâ gümüş rengi kaldırım taşlarının üstünde yürüyorlardı. Polis kordonu altındaki bölge sona eriyordu. Burada, turistler az önce bulunan korkunç durumdaki cesetten habersizdi. Tasasızlık, kalabalığın üstünde altın parıltılı bir pus gibi süzülüyordu. Görkemli nehre, güneşli kıyılara, Berthillon[1] dondurmalarına dönüş yolculuğu.

Erwan rastgele bir soru daha seçti:

– Çivi Adam neden organları çıkarıyordu?

– Sana söyledim, büyücülerle savaşıyordu. Kendisinin de bir yığın büyünün tehdidi altında olduğunu düşünüyordu. Bu kadınları *minkondi*'ye dönüştürmeye başladı. Bunlar genellikle ahşaptan yontulmuş heykelciklerdir. Bunların her birinin bir ruhu ve büyülü bir gücü vardır. Canlandırılmak istendiğinde onlara bir çivi çakılır ya da bir cam kırığı.

– Pharabot'nun da yaptığı bu muydu?

– Hem de çılgınca bir hızla. Bir gecede, kendisiyle düşmanları arasındaki görünmez engeli kaldırmak için yüzlerce çivi çakarak insan fetişine hayat veriyordu.

– Bu, organları neden çıkardığını açıklamıyor.

– Bedenin içindeki enerjiyi özgürleştirdiğini düşünüyordu. Eğer yeni katilimiz, Pharabot'nun ritüelini harfiyen uyguluyorsa, o da kusturmak için kurbanlarına bir karışım içiriyor olmalı. Kurban etmeden önce organizmanın... temizlenmesi gerekiyor. Tüm bunları anlamak çok zor. Özellikle de Kongo'dan yedi bin kilometre uzakta olunca.

– Bir sonraki kurbana ait parçaları da cesedin karnına yerleştiriyor muydu?

– Her zaman. Bir tür ipucu oyunu. Bizimle eğleniyordu, anlıyor musun? Gömleğime iddiaya girerim, Anne'ın cesedinde de başka

**1.** Paris'in en eski ve en meşhur dondurmacısı. (ç.n.)

birine ait saçlar ve tırnaklar bulunacak. Döngü başladı. Bu kaçık yakalanmadan da durmayacak.

Erwan yeniden ürperdi. Bir başka soru:

– Di Greco Zaire'de seninle birlikteydi. Kırk yıl sonra Çivi Adam gibi davranmaya kalkmış olabilir mi?

– Hayır, kesinlikle olamaz. Kaçığın tekiydi, ama o kadar da değil. Zaten, Anne öldürüldüğünde, o çoktan ölmüş olmalı.

Babasının sağduyusuna yakışır bir tespit.

– Ya "Lontano" kelimesi?

– Ne olup bittiğini anlamıştı, en basit açıklaması bu. Bizi, seni ve beni uyarmak istedi.

Göründüğünden çok daha tuhaftı; Erwan, Di Greco'nun mesajından önce bu üç heceyi hiç duymamıştı. Çivi Adam'ın insanları katlettiği şehir, ne ismi ne de yeri belli olan bir tür efsanevi bir yerleşimdi.

Bu düşünce aklına bir başkasını getirdi:

– Bana hep Kisangani'de doğmuş olduğumu söyledin. Pasaportumda yazan da bu.

– Bu, annenle birlikte aldığımız bir karar. Lontano, herkes için kötü bir hatıraydı.

Yeni bir merdivene ulaştılar. Sol taraflarında, Saint-Louis Adası, burnunu ileri uzatmış, devasa bir yolcu gemisi gibi duruyordu. Kavak ağaçları ve çınarlar da sanki yolcularıydı.

– Geri dönelim. Fitoussi soruşturmanın başına seni getirdi.

– Ne?

– Bunda şaşacak bir şey yok. İlk cinayette çalıştın.

– Kimse bu iki olayın bağlantılı olduğunu bilmiyor.

– Yakında öğrenirler, sorun bu değil. Bu dava için en iyisi sensin. Papazın çükünü kilise görevlisinin kıçında arayacak kadar donanımlısın.

– Çok naziksin.

– Saat beşte çay içmek istersen, diplomat gibi davranmak zorundasın. Bir tavsiye: Tüm bu eski hikâyeleri şimdilik unut. Somut unsurlara odaklan. Tanıklar, elle tutulur ipuçları bul. Kimse görmeden bir ceset oraya nasıl yerleştirilebilir anlamak gerekiyor. (Morvan beton tırabzanı tuttu ve oğluna doğru döndü.) Ama her şeyden önce kız kardeşini bul!

57

– Senin için haberlerim var.

Arnaud Condamine'in sesi. Demek *broker* onun kuşkularını ciddiye almıştı.

– Bir hareket hazırlığına benziyor.

– HAS mı?

– Pek değil, ama pozisyonlar değişiyor. *Trader*'lar paket halinde Coltano hisseleri aldı, Coltano hisselerinde bugünlerde görülen yükselmenin sebebi de bu.

– Ne kadar hisse alımı oldu?

– Bana on binlerce hisseden söz ettiler.

Alımların bu denli yüksek olması şirket bünyesinde gerçek bir değişim isteği olarak ifade edilebilirdi. Kuşkusuz şirketin kontrolünü ele geçirmek olarak da.

– Satın alan kim?

– Sana isim veremem. Verdiğim bu tüyo bile çok.

Loïc onu duymamış gibi yaptı.

– Alım emirlerini kim veriyor?

Condamine soruyu geçiştirdi – tam bir sağırlar diyaloğu.

– Benden bilgi toplamamı istedin, işte sana açıklama. Senin de bana aynısını yapacağına inanıyorum. Senin orada neler olduğunu öğrenince, beni önceden haberdar edersin.

Finansçı telefonu kapattı. Loïc, hiç tepki vermeden bir süre kulağındaki ahizeye baktı. Yarım daire biçimindeki ofisini inceledi: "Kaptan köşkü." O anda kendini Titanic'in kaptan köşkündeymiş gibi hissetti – buzdağı görünmüştü ve geminin yönünü çevirmek için artık çok geçti...

Bu tehdit nereden geliyordu? Şimdilik kimse ortaya çıkmamıştı, ama güçlü bir şekilde kontrolü ele geçirmeye çalışıyorlardı – örneğin yüzde 30 azınlık hisselerin blokajı. Alıcılara, hoşlarına gitmeyenlerden –Grégoire Morvan'dan başlayarak– kurtulma imkânı veren bir hâkimiyet.

Loïc, İhtiyar'ın sözlerini ve efsanevi paranoyasını yeniden düşünüyordu. İlk kez haklı olabilirdi. Babasını öldürüyorlardı, Coltano'nun tarihi kurucusunu kapı dışarı ediyorlardı.

Ama bu büyük temizlik kimin işine yarayabilirdi?

Listenin başında Afrikalılar vardı. Başkan Kabila'nın, maden çıkarma işletmesinden, bazılarının kâr ettiği bu dev para pompasından sorumlu olan saray erkânının üyeleri ve Coltano'nun büyük hissedarları. Morvan'ı devre dışı bırakmak menfaatlerine miydi? Ekonomik ve lojistik olarak, hayır. Ama babasının sık sık söylediği gibi "Afrika değişken bir yer"di.

Bir de şirketin yüzde 18 hissesine sahip olan Heemecht vardı; Loïc'in hissedarların kimler olduğunu ve niyetlerini bir türlü öğrenemediği Lüksemburglu grup. Diğer adayları saymıyordu bile. Afrika'yla ve oradaki hammaddelerle ilgilenen yabancı yağmacılar, en başta da, bulduğu her şeyi alıp götüren Çin. Ya da teknolojik faaliyetleri çok miktarda koltan tüketimi gerektiren ABD veya diğer Avrupa ülkeleri, hatta Kore ya da Japonya.

Ancak alıcılar kim olursa olsun, yeni bir öğenin iştahlandırdığı bir tetikleme olması gerekiyordu. Müstakbel yataklarla ilgili bir sızıntı mı? Babası ile onun –bir de arazide çalışmış jeologlar– dışında kimse maden araştırmalarının şaşırtıcı sonuçlarından haberdar değildi. Kuşkusuz Nseko da bu sırra vâkıftı. Ölmeden önce konuşmuş muydu? Morvan, konuşmadığına emindi. Bölgedeki söylentilere gelince, inandırıcılıktan uzaktı. Babası yatak damarlarını kaçak olarak işletmek zorunda kalmış olsa bile, her şey savanaların derinliklerinde, kimsenin ayak basmak istemediği savaş bölgesinde olup bitiyordu.

Loïc nabız yoklamak amacıyla, maden araştırmalarını yönetmiş olan üç uzmana mümkün olduğunca üstü kapalı bir e-posta yolladı. Onları doğrudan tanımıyordu, ama babası, güvenilir adamlar olduğunu söylemişti. Hazırladıkları raporlar kopyalanmış olabilir miydi? İmkânsız! İhtiyar hiç güvenmediğinden, en ufak bir uydu iletişimine, en ufak bir bilgisayar desteğine izin vermiyordu. Uzmanlar raporları elle yazmak zorunda kalmıştı. Bir kopyası da Loïc'in dairesindeki kasadaydı.

*Yeniden alıcılara dönersek.* En rahat olduğu alandı. Bu tür bir operasyonu düzenleyebilecek profildeki *broker*'ların listesini çıkardı ve içlerinden önemli olan beşini ayırdı. Bunlara bu düzeyde alım yapabilecek imkâna sahip *trader*'ları da ekledi.

Telefonla aramak olmazdı. Onlarla yüz yüze görüşmesi, ağızlarından laf alması gerekiyordu, ama tesadüfen karşılaşmışlar gibi görünmeliydi. Saat 16.30. Aslında hemen işe koyulmalıydı.

Adamları, *broker*'lık ajanslarında ya da işten sonra takıldıkları barlarda yakalayabilirdi. Bu adamlar daha sonra da bonuslarını harcamak üzere şık restoranlara ve revaçta gece kulüplerine giderlerdi. Bilgi toplamak için Loïc'in önünde koca bir akşam ve gece vardı.

Bir çizgi yolluk ve *vamos.*[1] Hiç etkisi olmadı. Bunun acısını daha sonra çıkarırdı. Otoparkta, uzaktan kumandasını uzattı ve Aston Martin'inin kilidini açtı. Hiç kimsenin gerçek sebebini anlayamayacağı bir ürperti duydu. Bu arabaya sahip olmanın tadını çıkarmıyordu, tam tersine hiçliğin keyfini yaşıyordu. En pahalı malları, sadece arzuyu köreltmek, yanılsamayı ortadan kaldırmak için satın alıyordu. Çekip gitmeyi beklerken *samsara*'yla[2] eğleniyordu...

Hareket etti ve işe, Paix Sokağı'nda bulunan, Paris'in en büyük *broker* ajanslarından biriyle başlamaya karar verdi. Yolda aklına, çocukların velayeti konusuna son noktayı koymuş olan Sofia geldi. Çocuklarını yalnızca iki haftada bir görecek olma düşüncesi, içinde bir şeylerin çatırdamasına neden oldu, bir kemiğin kırılması gibi.

Vendôme Meydanı'ndaki otoparka girince, yeni bir çizginin iyi geleceğini düşündü. Üçüncü bodrumun güvenli bir yerinde, iki arabanın arasında kokaini umutla burnuna çekti. Hâlâ bir şey yoktu. Bu kahrolası kokun, onda en ufak bir etkisi olmuyordu. Bu mutlak bir kopuşun ilk adımı olabilir miydi? Ya da tüm Budistlerin hayalini kurduğu özgürleşme miydi? Belki de nirvana ile intihara meyilli bir *looser*'ın uyuşukluğunu karıştırıyordu.

Asansörde, gazete kâğıdına sarılmış sığır dilini hatırlayarak ürperdi. Afrikalılar bunu tekrarlayacak mıydı? Babası sabah ona bazı haberler vermişti. Erwan'ın, benzer bir tehdit alsa, bunu birkaç saat içinde unutacağını düşündü. O ise bundan başka bir şey düşünemiyordu. Asansör kabininin aynasına bakarak gülümsedi; solgundu ve yüz kasları seğiriyordu. Hayatta olduğunu hissetmek için hâlâ korkusuna bel bağlayabilirdi.

Açık havaya çıktı –Vendôme Meydanı– ve kendine küçük bir reçete hazırladı. Eğer kokain ona etki etmiyorsa, eroine başlayacaktı. Eğer *brown* da bir işe yaramazsa, o zaman... *Saçmalamayı kes.*

Terden gömleğinin sırtına yapıştığını hissederek ajansın kapısından girdi. *Dikkatini topla Loïc, dikkatini topla...*

**1.** "Hadi, eyvallah" anlamında İspanyolca sözcük. (ç.n.)

**2.** Budizm'de reenkarnasyon ya da yeniden doğum döngüsünü anlatan bir kavram. (ç.n.)

# 58

Saat 17.00. Yeniden Quai des Orfèvres'deki evinde olmak Erwan'ı mutlu etti. Gerçek yuvası, işte burasıydı. Babasıyla yaşadığı ikili gösterinin ardından, hızlı bir duş almak için evine geçmişti. Yeni giysiler, daha net düşünceler... Uzun bir süre dinlenmeye ve uyumaya fırsat bulamayacağı gerçeğini çoktan anlamıştı.

İlk aşama: Fitoussi'ye uğraması gerekiyordu. Genellikle bölüm amiri soruşturmaları uzaktan takip ederdi, ama bu kez, Anne Simoni'nin cinayetindeki şiddet ve cesedin sergileniş biçimi olaya farklı bir özellik kazandırıyordu. Sonuçta pencerelerinin altında her gün ceset bulmuyorlardı. Fitoussi o denli öfkeliydi ki, Erwan'ın yaralarını bile fark etmedi.

Adam başını sallayıp saatine bakarak, bir amirden beklenecek içi boş bir söyleve başladı: Aciliyet, gizlilik, sonuçlar, medya. Grands-Augustins olayı ile Kaerverec'teki olay arasında olduğu varsayılan benzerlikler hakkında kafa yorma zahmetine bile girmedi. Anlaşılan bu durumda iş, Erwan'a düşüyordu.

Fitoussi sözü babasına getirerek konuşmasını sonlandırdı: İhtiyar, Çivi Adam olayındaki benzerlikleri dile getirmişti. Erwan, amirinin bu olayda Grégoire'dan yararlanmak isteyip istemediğini merak etti. Hayır. Şu an için Erwan, güçle ve entrikalarla yoldan çıkmış babasından daha iyi bir cinayet dedektifiydi. Ve katiller kırk yıl öncesinin hatıralarıyla yakalanmazdı.

Beş dakika sonra, Erwan, ekibini çağırdığı cinayet bürosunun toplantı odasındaydı. Konuşmaya başlamadan önce, bir süre adamlarına baktı; Kripo dışında, ağustos ortasından beri onları görmemişti.

"Rüya takım" olmasının ötesinde, katın en başarılı ekibiydi. Geçen yıl aydınlattıkları olay oranı yüzde 92 olmuştu ve bu, 36 için bir rekordu. Erwan bazen çocukça bir düşünceyle, adamlarını Robin Hood'un arkadaşlarıyla mukayese ederdi.

Sopayla dövüş konusunda usta, iriyarı Küçük John rolünde, ekibin üçüncü adamı Kevin Morley vardı. 1,90 boyunda, yüz on kilo ağırlığındaydı. Yüzünü çevreleyen çember sakalı ve kısa perçemi, Ortaçağ'a ait bir başlık gibi duruyordu. Morley sopa yerine, tonfa kullanıyordu. İlk olarak 92'nin mahallelerinde kullanmaya başlamış ve bu konudaki maharetiyle efsane haline gelmişti. O tarihten sonra herkes ona Kafa Kıran demeye başlamıştı, ama adli polislik sınavını kazanınca bu lakap geçerliliğini kaybetmişti. Bugünse (neredeyse) bir entelektüele dönüşmüştü. Siyah takım elbise giyiyor, küçük bir deftere notlar alıyor ve bulunan her cesedi şaşkın gözleriyle, dikkatle inceliyordu. Buna rağmen, kimse onun dayakçı geçmişini unutmamıştı ve cinayet bürosunda yeni lakap edinmişti: Tonfa.

Parlak Will, çılgın köpek, Nicolas Favini, ekibin dördüncü adamıydı. Olağanüstü askerlik geçmişi sayesinde cinayet bürosuna katılmış, yirmi dokuz yaşında bir Marsilyalıydı. Pırıltılı giysiler giyen, altın zincirler takan, Marsilya'nın küçük koylarından çıkıp gelmiş gibi görünen, saçları jöleli, kendini beğenmiş ufak tefek biriydi. Diğerleri, kadınları kolayca tavlamasını kıskandığı için ona Sardalye adını takmışlardı – yağlı saçlarına ve Akdenizli kökenine ince bir gönderme.

Allan-a-Dale rolündeki ekibin ozanı için hiçbir tereddüde yer yoktu: Kripo, Lavtacı. Erwan onu Grands-Augustins'in kıyısında bulmuştu. Teğmen her zamanki gibi soğukkanlı görünüyordu ve diğer meslektaşları için Bretanya'daki soruşturmayla ilgili bir rapor hazırlayacağına söz vermişti.

Robin'in nişanlısı Marianne'a gelince, lakabı konusunda seçme şansı yoktu: Audrey. Grubun beşinci üyesi ve ekipteki tek kadındı. Otuzlu yaşlardaydı, *look grunge*[1] bir tarzı vardı: Modası geçmiş spor ayakkabılar, yıpranmış kot pantolon, haki renkli biçimsiz bir asker ceketi, boynuna çaprazlama astığı ve herkesin, içinden sabah ormanda vurduğu tavşanı çıkarmasını beklediği bir avcı çantası. İnce, ancak silik yüz hatları vardı: Griye kaçan donuk sarı saçlar, bir ölünün soğukluğunda kaybolmamış olsa, baştan çıkarıcı olabilecek şakacı bir gülümseme. Audrey Wienawski, "mütevazı bir aileden"di. Kuzeyde, belki de daha yukarılarda bir yerlerde, Polonya'da veya Baltık Ülkelerinin birinde doğmuş, bir madenci kızıydı. Sıradan bir eğitim görmüş, sonra da köpek-

**1.** Eski ve kirli görünen kıyafetler giyme modası. (ç.n.)

li bir *punk* olarak yaşadığı, sokaklarda uyuduğu, her türlü düzeni reddettiği bir dönem olmuştu. Sonunda polis olmuştu – kimse nasıl olduğunu bilmiyordu. Soruşturma yürütürken Audrey bir delgi makinesi kadar sert ve mücadeleci biri olurdu. Kadın düşmanı denebilecek kadar maço olan Erwan, onun en iyi elemanı olduğunu kabul etmek zorundaydı.

Ekibini teftişi sadece birkaç saniye sürmüştü; şimdi ise, hepsi masanın çevresine oturmuş, ellerinde kahveleri, ondan gelecek talimatları bekliyordu. Onları yakından tanımıyordu ve hiçbir zaman onların arkadaşı olmaya çalışmamıştı, ama onlarla dostluktan çok daha değerli olan bir şeyi paylaşıyordu: İşi. Bu mesleği seçmelerinin nedeni, ne yurttaşlık bilinci ne de işsizlikten duydukları korkuydu. Para kazanmıyorlardı ve gelecekleri, emekliliğe kadar elde edecekleri birkaç rütbeyle özetlenebilirdi. Sadece adrenalin için buradaydılar. Uçurumun, karanlığın, kötülüğün ürpertici korkusunu duymak için.

Kızgınlığına rağmen –Kaerverec başarısızlığı, yeni ceset, babasının yaptığı karanlık açıklamalar– her zaman olduğu gibi, aynı şakayla brifingine başladı:

– Sorular?

## 59

Yüzbaşı Sergent'ın ilk tespitleri gelmişti (Fitoussi, onun da Erwan'ın ekibine katılmasını istemişti, ama Erwan bu teklife sıcak bakmıyordu; böyle boktan bir olayda bir acemi, onları sadece yavaşlatırdı). Erwan raporun ilk olgularını ve yeni gelen bilgileri –parmak izlerinden kurbanın kimliği teyit edilmişti– hatırlattıktan sonra, işin bir bölümünün başka bir birime aktarıldığını anlatarak konuşmasına başladı.

– Seine Nehri'ndeki çalışmalar, Paris Nehir Polisi'ne devredildi. Dün gece veya bu sabah şüpheli bir tekne saptanıp saptanmadığını öğrenmek için liman başkanlığıyla görüşecekler.

Kaerverec'teki gibi, tekne veya Zodyak meseleleriyle uğraşmayacaklardı, ama neredeyse kesin olan bir şey vardı: Sirling'e giden adam ile Grands-Augustins Rıhtımı'na cesedi bırakan adam aynı kişiyse, o bir denizci, hatta denizde olduğu kadar nehirde de usta, mükemmel bir gemiciydi.

– Bir insan nasıl olur da kimseye görünmeden bir tekneyi bağlar, ardından da bir cesedi, yüksekliği üç metreyi geçen, tam da Quai des Orfèvres'in karşısındaki bir havalandırma boşluğuna çekebilir? Nehir polisinden bu mucizeyi düşünmelerini isteyeceğim.

– Belki de tam tersini yapmıştır, dedi Audrey. Bloknotu dizlerinin üstündeydi.

– Yani?

– Rıhtımın üst tarafından, kitapçı kulübelerinin olduğu taraftan gelmiş ve cesedi bir ip düzeneğiyle aşağı indirmiş olabilir. Zaten, tam karşıdaki 36'nın nöbetçileri de hiç tekne görmedi.

Erwan karmaşık bir duygu hissetti: Bunu kendisi düşünemediği için öfke ve hiçbir çekiciliği olmayan bu tepkili kadına duyduğu hayranlık.

– İmkânsız, dedi, tamamen kötü niyetli olarak. Çok trafik var. Bir şoför onu fark ederdi.

– Sabahın dördünde de mi? Bir kamyonetle ve uygun malzemeyle neden olmasın?

– Ya da herif yol bakım işçisi kılığına girmiştir, ha? (Erwan kışkırtmak için laf sokmuştu, ama bu durumda her şey mümkündü.) Eğer bundan bir şey çıkacağını hissediyorsan, seni rıhtım tarafında kapı kapı dolaşıp görgü tanığı bulmakla görevlendiriyorum.

Audrey defterine bir şeyler karaladı.

– Tonfa, sen otopsiye katılmak için adli tıbba gidiyorsun. Adli tabip kim?

İriyarı adam defterinin yapraklarını karıştırdı.

– Yves Riboise.

– Riboise, mükemmel. Ona adamımızın cerrahi bilgisi var mıymış sor bakalım. Organları çıkarabilecek kadar.

Polisler şaşkınlıkla birbirlerine baktılar; kimse bundan söz edildiğini duymamıştı. Erwan'ın vakit geçirmeden onlara Çivi Adam'dan ve Kaerverec'teki cinayetten bahsetmesi gerekiyordu, ama şimdilik babasının öğüdünü tutmayı tercih ediyordu: Anne Simoni'ye odaklanmalı, somut unsurları eşelemeli, Bretanya fiyaskosunun yanı sıra, hayaletleri de bir kenara bırakmalıydı.

– Kullanılan tekniklerle ilgili ayrıntılı bir rapor istiyorum.

Wissa'nın bir yapbozu andıran bedeniyle mukayese edildiğinde, Anne Simoni'nin cesedi sağlam bir çalışma imkânı sunuyordu. Midesinde hafif bir karıncalanmayla, bu olayın kendisinde tuhaf bir memnuniyet duygusu uyandırdığını fark etti.

– Doktordan, göğüs kafesinde yabancı cisimler olup olmadığını kontrol etmesini de iste.

– Ne tür cisimler?

– Bir sonraki kurbana ait olabilecek tırnaklar, saçlar.

Odada bulunanlar yeniden bakıştılar. Erwan'ın Bretanya'yla ilgili bilgileri daha fazla saklaması imkânsızdı. Ayrıca geldiğinden beri herkesin dikkatini çeken, yüzündeki izler de vardı. Birkaç kelimeyle Finistère'deki soruşturmadan söz etti, kavganın üstünde pek durmadı ve her şeyden önce katilin kurbanları üzerinde uyguladığı korkunç işlemlerin bir envanterini çıkardı.

Kripo soru sormayı göze aldı:

– Yeni örnekler bulundu diyelim; bu, bize ne sağlar?

– Şu veya bu sebeple, bir yerlerde DNA kaydı olduğunu düşünebiliriz. Bu durumda, en iyi olasılıkla bir sonraki cinayeti engelleyebiliriz, en kötü olasılıkla da cesedi ararız.

Derin bir sessizlik. Salondaki kimse böyle eşsiz bir cesetle şaka yapmayı istemiyordu. Erwan katilin örnek aldığı kişiyi söyledi: Zaire'deki Çivi Adam. Kısa ve özlü yeni bir konuşma.

– Çivi Adam, diye tekrarladı Sardalye. Bu, babanın 70'li yıllarda yakaladığı herif değil mi?

– Doğru.

– Bu, kopyacı bir katilin işi olmasın? diye sordu Tonfa.

Erwan iç çekti – Amerikan kökenli, televizyon dizilerinden çıkma bu kelimeden nefret ediyordu.

– Önyargıyla yola çıkmıyoruz. Tüm dikkatimizi bu yeni cinayetlere vereceğiz. Ancak ondan sonra bunları mukayese edeceğiz.

Bu fikir, babasının ona söylediği yeni bir ayrıntıyı hatırlattı: Geçmişte, katil kurbanlarını kusturarak "arındırıyordu."

– Tonfa, ayrıca anatomopatolojik inceleme ve toksikoloji testleri yapılmasını iste.

– Bana izin belgeleri gerekiyor.

– Alacaksın. Kripo bununla ilgilen.

Alsace'lı kabul etti, ama Erwan onun suratını astığını gördü; kuşkusuz bu olayları diğerleriyle birlikte duymuş olmak hoşuna gitmemişti. K76'daki yardımcısı olarak bu bilgileri herkesten önce öğrenmeye hakkı olduğunu düşünüyordu.

– Hemen gidiyorum, dedi Tonfa, ayağa kalkarak.

– Bekle. Daha sonra kriminal bürodaki arkadaşlarımızı görmeye gideceksin. Çiviler, cam parçaları, metal uçlar, hepsinin analizinin yapılması gerekiyor. Bu zımbırtılar herhangi bir yerden gelmiş olabilir. Ayrıca, özellikle çivilerden DNA örnekleri alınmalarını iste.

– Hangi sebeple? diye sordu Sardalye.

– Adamımız çivileri kurbanlarına çakmadan önce onları emiyor.

Yeniden sessizlik. Hepsi aynı karmaşık duyguyu paylaşıyor gibiydi: Hayatlarının davası mı, yoksa bitmeyen bir kâbus mu?

– Nico, diye devam etti Erwan, Anne Simoni'yi tanıyor muydun?

– Onu neden tanıyor olayım ki?

– Buradan iki adım ötede çalışıyordu, araç ruhsat bölümünde. Senin avlanma alanlarından biri, öyle değil mi?

Nico, arşivden alınmış fotoğraflara dikkatle baktı.

– Hayır, dedi, benim tarzım değil.

– Bir tarzın var mıydı senin? diye sordu Audrey.

Salonda alaylı gülüşmeler yükseldi. Erwan masaya vurdu. Ölülere –özellikle de ölü kadınlara– saygı gösterilmemesine sinirleniyordu. Ayrıca, dünya üstündeki varlıklarının bile kadınlara hakaret olduğunu düşündüğü kadın avcılarından, kızlara askıntı olan çapkınlardan da tiksiniyordu.

– Oradaki kızları tanıyor musun?

– Belki, olabilir, diye mırıldandı beriki, kendini beğenmiş bir gülümsemeyle.

Erwan, Marsilyalıyı tokatlamak istiyordu.

– Onlarla buluşuyorsun ve ağızlarından laf alıyorsun. Anne Simoni'nin ayrıntılı bir portresini istiyorum. Kişiliğini. Alışkanlıklarını. Son günlerdeki davranışlarını. Geçmişte bazı sıkıntıları olmuş, ama kendini toparlamış, doğruyu bulmuş.

– Ne tür sıkıntılar? diye sordu Audrey.

– Silahlı saldırıdan Fleury'de yedi yıl yatmış. Üç yılın sonunda serbest bırakılmış. Bundan sonra da adaletle hiç sorun yaşamamış.

Kadın polis ısrarcıydı.

– Böyle bir adli sicille nasıl memur olunur?

– Hamileri vardı.

– Hangi hamiler?

Erwan soruyu geçiştirerek Favini'ye döndü.

– Bana onun dosyasını bul ve eski suç ortaklarını araştır. Onlarla köprüleri atmış olmalı, ama asla bilemeyiz. Yeni arkadaşları ve ailesi hakkında bilgi topla; uyuşturucu alışkanlığı var mı öğren.

– Tam olarak ne düşünüyorsun?

– Katilimiz bu delikten çıkabilir. Ayrıca kızın sık sık takıldığı yerlerde de karşılaşmış olabilirler. Araştır.

Kendini beğenmiş Favini, lastik bandajlı not defterine –sözüm ona Hemingway, Picasso, Bruce Chatwin modeli– notlar alıyordu. Markaları, dikkat çekici eşyaları seviyordu.

Bu esnada Erwan, Audrey'nin sorularını kafasında evirip çeviriyordu. Çok geçmeden yolları babasıyla kesişecekti. Kimse onun kurbanla yattığını düşünmemeliydi. İhtiyar bu işten paçasını sıyırmalıydı. Birden, Kripo'nun şövalye yüzükle ilgili tutanağı okuyup okumadığını merak etti.

– Son bir şey daha, dedi, Marsilyalıya bakarak, yarın sabaha kızın evi için bir arama emri çıkart.

– Tamam.

– Ama bu akşam, kimseye haber vermeden eve bir göz at.

– Bu, kurallara uygun değil

– Ne zamandan beri polisler kurallara uyuyor? Kaybedecek bir dakikamız yok. (Alsace'lıya döndü.) Kripo, sen de ayrıntılı telefon dökümleriyle, bilgisayarla, benzer ne varsa onlarla ilgilen.

Kamera kayıtlarını al. İlk tanıkların ifadelerine göre, ofisten dün akşam saat 18.00'de ayrılmış. 20. Bölge, Avron Sokağı'ndaki evine hiç gitmemiş. Ya bizim adamla randevusu vardı ya da bizimki takip ettikten sonra ona yanaştı ve onu kandırdı veya şu ya da bu şekilde onu kaçırdı. Kamera kayıtlarına bakarak, rıhtımlardaki, metrodaki izleri takip et.

Kripo kuşkuyla başını salladı.

– Ayrıca bizim sabıka kayıtlarına da bak, hiç belli olmaz.

– Ne arıyorum?

– Sence? "Çivi", "ayna", "organ çıkarma..." Anahtar sözcükler olarak, bunlar iyi bir başlangıç. Herif büyük oyuna başlamadan önce belki de elini alıştırmak için bir ön çalışma yapmıştır. Son bir şey, savcılıkla temasa geç ve onları bizden uzak tutmaya çalış. Bir hafta boyunca, elimi kolumu bağlayacak bir şey istemiyorum ve hiçbir sorgu yargıcı da.

Trubadur ayağa kalkarken "tamam" anlamında başını salladı.

– Bu durumda, diye araya girdi Sardalye, bir profilci çağıracak mıyız?

On-on beş yıldır, İçişleri Bakanlığı ile jandarma bünyesinde, çoğunluğu kadın, bir avuç profilciden oluşan davranış bilimleri bölümü vardı. Erwan buna karşı değildi, ama şu an için ekibi genişletmek söz konusu olamazdı. Bu meslekte insan ne kadar çok delirirse, o kadar az gülerdi.

– Bu olayı tek başımıza aydınlatacağız, dedi, ayrıntıya girmeden.

*Profilci, benim. Profilci, babam. Profilci, Afrika...*

– İşbaşına! dedi, ellerini çırparak, bir şantiye şefi edasıyla.

Polisler kapıya doğru yöneldiler, ona ne yapacağını sormaya cesaret edememişlerdi.

# 60

Erwan, babasının onun için bıraktığı Gaëlle hakkındaki dosyayı almak üzere Beauvau Meydanı'na gitti. Her şey bir bilgisayarda kayıtlıydı, ama aynı zamanda İGGM'nin hâlâ kullanmayı sevdiği kâğıtlarda da yazılıydı. Bir bilgisayar belleğini silmek imkânsızdı, ama bir kâğıt daima yakılabilir veya kelimenin tam anlamıyla yutulabilirdi – tükürükle ve çiğneyerek.

Hızla raporları inceledi. Adamlar üstünkörü çalışmıştı. Ayrıntılı fatura dökümlerini incelemişler –Gaëlle ortadan kaybolduğundan beri ne cep telefonunu ne de kredi kartını kullanmıştı–, sonra çevresindekilere odaklanmışlardı – dostları, ilişkileri, iş arkadaşları... Boşuna. Dairesini bile aramışlar ve Gaëlle'in cep telefonu ile ajandasını da –ve şüphesiz bir miktar nakit parayı da– beraberinde götürdüğünü tespit etmişlerdi.

Ancak, genç kadının projelerini ve *casting*'lerini öğrenmek için basit bir yol vardı: 11. Bölge, Saint-Ambroise Sokağı'ndaki Cinénova'nın patronu olan ajanı, Barbara Soaz'ı aramak. Oysa kimse onunla temas kurmamıştı.

Saat 19.00. Orada hâlâ birini bulma şansı vardı, oraya şahsen gitmek daha iyi olacaktı. Sirenini açan Erwan, yeniden rıhtımlara çıktı. Yolda, kız kardeşi bulunduktan sonra, kendi soruşturmasıyla ilgili neler yapacağını sıraladı. Çivi Adam, Afrika, babası. Bu ipuçlarını atlamaya niyeti yoktu, bunları kendine saklıyordu.

Öncelikle, Thierry Pharabot'nun gerçekten ölüp ölmediğini kontrol etmeliydi. Ardından, Padre'nin[1] de aracılığıyla, onun hikâyesinin içine girmeli, ayrıca mahkeme tutanaklarının aslını ele geçirmeliydi. Hayaletler bugünü etkilediğinde, soruşturmanın en önemli malzemesi olurlardı.

İhtiyar'ın sözleri hâlâ kafasının içinde dönüp duruyordu. Mor-

1. Baba. (ç.n.)

van'a has itiraflar. Anlaşılmaz, karanlık. Bir keresinde, polisteki rütbelilerden biri ona şöyle demişti: "Baban o kadar çok yalan söylüyor ki, söylediğinin aksine bile inanılmaz." Erwan da aynı fikirdeydi: Casus, doğru ile yanlışı birbirine karıştırma sanatında ustalaşmıştı.

Yirmi dakikadan az bir sürede Saint-Ambroise Sokağı'na ulaştı. Cinénova'nın ofisleri, Bataclan'ın hemen yakınında, aynı adı taşıyan kilisenin tam karşısındaydı. Bir yaya geçidine park etti, üstünde "Polis" yazan güneşliği indirdi ve dikiz aynasında yüzünü inceledi. Dudağının şişliği inmişti ve morlukları da yavaş yavaş azalıyordu. Pansumanları çıkardı; bunlara gerek yoktu.

Kapı zili. İnterfon. Üçüncü kat. "Zili çalın, sonra girin." Saate rağmen, küçük ajansın içi arı kovanı gibiydi. Çömez bir oyuncu kız, bir senaryonun fotokopisini çekiyordu; bir diğeri, gözyaşları içinde, dalgın bir asistana "önüne gelenle yatan bir kaltak" tarafından ayağının kaydırıldığını anlatıyordu. Bir başkası, sabit gözlerle, hareketsiz duruyordu. Dudakları sessizce kıpırdanıyordu. Rolünü tekrarlıyor olmalıydı. İnsan kendini bir psikiyatrın bekleme salonunda sanabilirdi.

Bir asistan onu fark etti. Hem kaslı hem de efemineydi; birbiriyle uyum sağlamayan özellikler. Erwan kendini tanıttı. Patroniçe buradaydı, ona haber verecekti ve... Erwan kadının odasına yöneldi ve hışımla kapıyı açtı.

Barbara bir oyuncu ajanından ziyade, onun bir karikatürü gibiydi. Altmışlı yaşlardaydı, tahtında oturan bir Kuşi kraliçesi gibi koltuğuna kurulmuştu, siyah bir şala sarınmıştı. Kusursuz mizanpli saçlar, hatırı sayılır büyüklükte göğüsler, 1900'lerin pilot maskelerini andıran kemik çerçeveli kocaman gözlükler...

Erwan'ın içeri giriş tarzından ürkmüşe benzemiyordu; böylelerini daha önce de görmüştü. Erwan doğrudan konuya girdi, ona Gaëlle'i sordu. Kaygılı erkek kardeş tavrı kadını ikna etmeye yetmedi. Polis kimliği daha etkili oldu.

Kadın hemen "mesleğin içinde bulunduğu kriz" hakkında bir monoloğa başladı.

– Çok fazla oyuncu var, yeterince rol yok!

– Tamam, tamam. Gaëlle'in bugünler için öngörülmüş *casting*'leri var mıydı?

– Hiçbir fikrim yok, diye cevap verdi Barbara Soaz, bu tür önemsiz meselelerle ilgilenmediği göstermek istercesine.

– *Kaybeden Kazanır*'ın *casting*'i için geçen pazartesi uğramıştı, dedi nereden geldiği belli olmayan bir ses.

Duvardaki bir pencere, kraliçe ile vücutçunun bürolarını birbirine bağlıyordu.

– O ne? diye sordu Erwan, başını adama çevirerek.

– Bir televizyon yarışması projesi.

Bay Kas, üstünde Anagram adlı bir yapım şirketinin antetinin bulunduğu bir formu ona uzattı.

– Kabul edilmedi, dedi asistan anlayışlı bir sesle.

– Bu şirket temiz mi?

Asistan cevap vermeden, ana kraliçeye baktı.

– Ne demek istiyorsunuz? diye sordu Barbara Soaz.

– Bu şirketler figürasyon olarak yarı zamanlı fahişeleri işe alıyorlar. İşin diğer yarısıyla da ilgileniyorlar mı, onu öğrenmek istiyorum.

– İlginç bir meslek vizyonunuz var, diye itiraz etti kadın gülerek. Kibar fahişelik dönemi sona erdi.

Erwan tehditkâr bir şekilde masaya doğru yaklaştı.

– Şirketin patronu kim?

– Birçok patron var. Ulusal kanal yelpazesindeki büyük kanalların yayınlarının yüzde 30'unu sağlayan büyük bir şirket. Yüzlerce çalışanı var.

Erwan asistana döndü, böyle durumlarda Tanrı'dansa azizlerle konuşmak daha iyi olurdu.

– *Casting*'leri kim hazırlıyor?

– Kevin adında biri. Herkes ona Kéké der. Onu fazla tanımıyorum. O da *free-lance* çalışıyor. Önemsiz küçük bir pezevenk.

Bu sözcük Erwan'ın kafasında bir şimşek çakmasına neden oldu.

– *Casting* nerede hazırlanıyor?

– Onların ofislerinde, Nation yakınlarında loftları var.

Erwan formda adresi buldu: 11. Bölge, Taillebourg Caddesi. Ardından gözlerini, çoktan yeni bir senaryoya gömülmüş olan Barbara Soaz'a çevirdi – kadın için olay kapanmıştı.

Kadının elinden sayfaları yırtarcasına aldı ve son bir soru sordu:

– Gaëlle'in profesyonel bir oyuncu olmak için az da olsa bir şansı var mı?

– Bir kilise görevlisinin papa olması kadar.

Adresi cebine koyarken, kız kardeşi adına büyük bir üzüntü duydu.

# 61

Yeniden yola koyuldu. Beş dakika içinde Nation Meydanı'na vardı ve daha kısa bir sürede de Taillebourg Caddesi'ne indi. İlk kez kaygılanıyordu. Gaëlle'i, bir tür hayvan panayırındaymış gibi, *casting*'deki diğer adaylarla birlikte oturmuş beklerken hayal etmekten kendini alamıyordu.

Parazit yapan bir televizyon gibi bilinci ara ara karışıyordu. Kendisi hukuk dersini gözden geçirirken, bebekleriyle birlikte onun odasına oynamaya gelen, sürekli abisini rahatsız eden, ama mimikleri ve makyajıyla (annelerinin Nivea kremini kullanıyordu) onu yumuşatan küçük kızı hatırlıyordu. Sonra onu büyürken, zayıflarken, ders çalışırken ("oğlanlardan daha güçlü" olmak istiyordu) görüyordu. Daha sonraki yıllarda, hastanede ölü gibi yatarken, zorlukla nefes alırken – her nefes alışında, kaburgaları derisini yırtacak diye korktukları otuz kiloluk bir iskelet. Ve özellikle de, babası annelerini bir daha, bir daha döverken, mutfak masasının altında onun kollarına sığınmış Gaëlle'i görüyordu...

Adres, kaldırım taşı döşeli bir avlunun içindeki yenilenmiş bir dizi atölyeye aitti. Erwan avluya girdi ve perdelerin örttüğü büyük pencereleri olan loftları gördü; boa yılanı kalınlığında kabloların dışarı döküldüğü kapıların önünde özel güvenlikçiler ile bellerinde tornavidalar, yapışkan bantlar, telsizler bulunan genç adamlar duruyordu – sahte bir ordunun rütbesiz askerleri.

Erwan, Kéké'yi sordu; kimileri cevap verdi, kimileri sadece işaretlerle konuştu. Yoluna devam etti ve başka depolarla çevrili ikinci bir avluya ulaştı. Avluda bu kez *bluetooth* kulaklıklarıyla çekirge kadar zayıf kızlar ve kablolu kulaklıklar takmış oğlanlar vardı; sanki hepsi başka bir dünyaya aitti – çirkinlik ve aptallık timsali, kan dondurucu sözler ve görüntülerle beslenen milyonlarca televizyon izleyicisinin dünyasına. Erwan yeniden Kéké'yi sordu.

Kevin bir stüdyonun sundurmasında duruyordu, sigara molasındaydı. Üstünde kirli bir tişört vardı, çok zayıftı. Alüminyum folyoların içindeki morinaları andıran, parlak giysili iki fingirdek kızın arasında çıngır çıngır gülüyordu.

Erwan sert bir tavırla, kimliğini göstererek yaklaştı. İki bebek hemen sıvıştı.

– Gaëlle Morvan. Bu isim sana bir şey söylüyor mu?

– Hayır.

Bir tokat.

– İyi düşün. *Kaybeden Kazanır*'ın *casting*'ine katıldı.

– O kadar çoklar ki, dedi herif, yanağını ovuştururken.

İkinci tokat.

– Çok sevimli, çok sarışın genç bir kadın.

Kevin alaycı bir şekilde sırıttı. "Çok sevimli, çok sarışın" kadınların dünyasında yaşıyordu. Erwan onu tuttu ve duvara yapıştırdı. Diğer eliyle cep telefonunu çıkardı ve Gaëlle'in, Bréhat'da, denizci kıyafetiyle çekilmiş, makyajsız bir fotoğrafını buldu. Kız kardeşi en fazla on altısında gösteriyordu.

– O benim kardeşim, götveren, diye bağırdı, resmi ona gösterirken. Onunla konuştun mu, konuşmadın mı?

Beriki onun elinden kurtuldu ve daracık göğsünü şişirdi.

– Ne bu, çekim mi yapıyoruz burada! Kaba kuvvet gösterisi yapmaya gelmiş bir abi mi! Sen nereden çıktın? *Hayat Çok Güzel* dizisinden mi? Sen...

Cümlesini tamamlayamadı. Erwan herifin karnına bir kroşe çıkardı, Kéké dizlerinin üstüne çöktü. Ardından Erwan onu boynundan yakaladı ve ensesini duvara çarptı.

– Ötecek misin bamya çüklü? Aksi takdirde, yemin ediyorum seninle bizzat ilgileneceğim. Önce ağzını burnunu kıracağım. Sonra seni depoya kadar sürükleyeceğim ve orada unutamayacağın bir gece geçireceksin.

Kevin titriyordu. Oradan geçmekte olan iki genç aktris koşarak uzaklaştılar.

– Ben... ben hatırlıyorum, evet...

Erwan onu cesaretlendirmek için kafasını yeniden tuğla duvara vurdu. Kötü tutturulmuş karton bir levha –"*Casting*"– yere düştü.

– Ne hatırlıyorsun?

– Biz... biz bir cigaralık içtik. Konuştuk.

– Ne konuştunuz?
– Bağlantılar istiyordu... O...
– Verdin mi?
– Tek bir tane.
Erwan farkında olmadan maymun suratlı herifin boğazını sıkıyordu, adamın gözlerine yaşlar dolmuştu. Erwan adamı serbest bıraktı ve geri çekilirken öfkeyle yere tükürdü.
– Payol, diye zorlukla fısıldadı Kevin, Michel Payol.
– O kim?
– Bir basın ataşesi. Çok insan tanıyan, revaçta bir herif.
– BİR PEZEVENK Mİ?
Beriki iki büklüm oldu ve kustu. Erwan herifin yeniden soluk almasını bekledi. Kendisi bu şiddetin yabancısı değildi. Di Greco ile askerlerinin şiddeti çok eskide kalmış sayılmazdı.
– Asla bu kelimeyi kullanmayız ama...
– Eskort mu sağlıyor?
– Kızlar ile paralı herifler arasında bağlantı kuruyor... Genellikle yabancılar, diplomatlar, finansçılar...
– Adresi?
– Bunu yapamam... Saygınlığımı yitiririm, ben...
Erwan onu saçlarından yakaladı ve doğrulttu.
– Ceset torbasına girmektense saygınlığını yitirmek daha iyi.
– Ne... neden böyle söylüyorsunuz?
Erwan silahını çıkararak adamın burnuna dayadı.
– Çünkü eğer seni gebertirsem, soruşturmayı da ben yapacağım salak. Ben cinayet bürosundanım, *capisci*? Gaëlle iyi bir seçim değildi... Lanet olası herifin adresini ver, ben de çekip gideyim.
– 18, Eylau Caddesi.
– Gaëlle'i ona gönderdiğin için karşılığında onunla yatacak mısın?
– Olabilir tabii, eğer o... yani, sonuçta bir şeyler olursa...
Kevin'i saçlarından yakalayan Erwan onu döndürdü, sonra var gücüyle duvara doğru fırlattı. Adamın burnu kırıldı.
– İşte oldu bile.
Erwan arabasına doğru yürürken, şaşkın bir halde ona doğru koşan iki özel güvenlik görevlisiyle karşılaştı. Üç renkli kimlik kartını gösterdi ve anında onları unuttu.

# 62

Yeni mekân: Kısa ve göz kamaştırıcı Eylau Caddesi. Nehrin diğer yakasında, Eiffel Kulesi'ne açılan Trocadéro Meydanı'nın yakınında, aşırı zenginlerin yoğunlukta olduğu bir cadde.

Kaygı yerini korkuya, korku ise paniğe bırakmıştı. Kız kardeşi neye bulaşmıştı? Arabasını kaldırıma çıkararak, bir apartmanın park girişinin önüne bıraktı.

Kapıcı. Asansör. Dördüncü kat. Merdiven sahanlığında tek bir kapı vardı. Bir an anne babasının evinin kapısını çalıyormuş gibi bir izlenime kapıldı.

– Kimsiniz?

Fasulye sırığı gibi uzun, altmışlarında, kalın camlı bir gözlük takmış, kalın dudaklı bir adam önünde dikiliyordu; üstünde sorumluluk sahibi erkeklerin cuma günlerine mahsus kıyafeti vardı: Şarap rengi V yaka bir kazak, kravatsız gömlek, kalın fitilli kadife pantolon.

– Ben kötü bir haberim. Gaëlle Morvan nerede?

– Kim?

Erwan adamı sertçe itti ve hole girdi.

– Sana ikinci bir şans veriyorum Payol. Gaëlle Morvan. Genç, güzel, küstah. Hafta ortasında onunla görüşmüş olman lazım.

Adam sırıttı. İnsanı korkutan dişleri vardı.

– Bu çok saçma, diyerek, Ralph Lauren kazağının içinde kıpırdandı. Evime dalıyorsunuz ve...

Cümlesinin devamını getiremedi. Erwan kimliğini çıkarmıştı. Payol'ün yutkunduğunu gördü; âdemelması yukarı çıktı ve bir bilye gibi tekrar indi.

– Ben...

Pezevenk elini boynuna götürdü, sonra göz ucuyla salona baktı.

– Çalışma odama gidelim, dedi alçak sesle.

Saçlarını topuz yapmış, bej hırkalı, ellilerinde bir kadın, çift kanatlı kapının eşiğinde belirmişti. Akşam yemeği özel bir hal alıyordu.

– Her şey yolunda tatlım.

Kadın öfkeli bir tavırla Erwan'a doğru yürüdü. Erwan yıllar içinde, kadınlardan sakınmayı öğrenmişti; ev aramalarında veya tutuklamalarda kadınlar çok daha sert oluyordu. Erwan sol eliyle yeniden kimliğini gösterdi.

– Televizyonu açın ve sizi çağırana kadar salonda bekleyin.

Kadın sanki üstüne tükürecekmiş gibi Erwan'ı tepeden tırnağa süzdü. Kadının yanında biri oğlan, biri kız, iki yeniyetme belirdi; şaşkınlıktan donakalmış gibiydiler. Kollarını göğsünde kavuşturmuş olan anneleri hâlâ tereddüt ediyordu. Sessizlik elle tutulacak hale gelmişti.

Payol ortamı yumuşattı.

– Hadi hayatım, önemli bir şey yok. Birazdan size katılırım.

Kadın çocuklarına sarılarak, gözlerini davetsiz misafirden ayırmadan, kuşkulu bakışlarla geri geri holden çıktı. Nihayet gitmişlerdi.

– Çalışma odana.

Payol kabullenerek koridora yöneldi. Erwan da peşinden. Eli, koltukaltı kılıfına yerleştirdiği silahının üstündeydi. Kendini dışlanmış hissediyordu. Aşağılanmış hissediyordu. Güçlü hissediyordu.

Çalışma odası beklediği gibiydi: Pahalı mobilyalar, ağzına kadar eski kitapla dolu bir kütüphane, Şark halısı. Odaya ancak bir mum kadar aydınlık veren ekonomik bir masa lambası.

– Otur.

Kafasında bu orospu çocuğuna bir şans daha verdi; yumruklarını konuşturmadan önce, polisçe bir baskı uygulayacaktı. Adamın nüfuzlu tanıdıkları olsa bile, evine ahlak bürosunun gelmesi iyi olmazdı. Erwan ne adamın adli siciline bakmış ne de fuhuşla mücadele birimindeki meslektaşlarıyla görüşmüştü – tam bir çaylak hatası.

Payol çalışma masasına oturmaya cesaret edemedi. Kendini, arkası kadife kaplı bir sandalyeye bıraktı; kafasını omuzlarının arasına çekmiş, uzun ellerini de bitiştirdiği bacaklarının arasına sokmuştu. Bu adamda kadınsı bir şeyler vardı.

Erwan bir kez daha, cep telefonundaki resmi gösterdi.

– Gaëlle Morvan. Seni dinliyorum.

– O mu? Dün akşam görüştük.

– Nerede?

– Plaza'nın barında, akşama doğru.

İGGM'nin adamları onu birkaç saat önce kaybetmişti. Bu randevuya giderken takip edilmek istememişti.

– Ne konuştunuz?

– İş.

– Ona iş sağladın yani?

– Hızlı ve ödemesi iyi bir iş, evet. Mutabık kaldık... özel şartlar konusunda.

– Yani?

– Bağlantılar arıyordu... Onun yeteneklerinden... emin olmam gerekiyordu.

Erwan tırnaklarının altına kıymıklar sokuluyormuş gibi hissetti. Robert Bresson'un *Pickpocket*'inin son cümlesini düşündü: "Oh Jeanne, sana ulaşmak için ne zorlu yollardan geçmem gerekti!" Ama Gaëlle'in yolunun, ne yankesicilikle ne de özgürlükle ilgisi vardı. Daha çok ölümcül bir isteğin ve ücreti ödenmiş bir kötülüğün yoluydu.

– O zamandan beri kayıp. Onu nereye yolladın?

Payol hâlâ terliyordu. Yutkunup duruyor, ama suskunluğunu korumaya devam ediyordu. Erwan onu kazağından yakaladı ve bir paspas gibi silkeledi.

– Nerede o, kahrolası? Cevap ver yoksa gözünü oyarım!

– Kendisi istedi, diye cevap verdi adam, hırıltı gibi sesle. Kimse onu zorlamadı.

– Neyi istedi?

– Özel bir... şey.

– Anlat.

– *No limit* deniyor.

Erwan adamı bıraktı ve geri çekildi, eli midesinin üstündeydi. Tüm iç organlarına korkunç bir ağrı yayılmaya başlamıştı. *No limit.* Üç gün boyunca Kaerverec'te aklını meşgul eden bu kelime, nasıl olmuştu da, burada, bir burjuvanın evinde, hem de kız kardeşiyle ilgili olarak yeniden karşısına çıkabilmişti? Belki bir rastlantıydı, ama bir polis için, bu tür bir açıklama kopmaya mahkûm bir ip gibiydi.

– O nedir? diye sormayı başardı sonunda.

– Seks değil. Bir sado-mazo çılgınlığı. Ama çok aşırı ve...

– Onu karşı karşıya olduğu tehlikeler konusunda uyardın mı?

– Bildiğim her şeyi ona söyledim.

– Sado-mazo gecesi dün müydü?

– Bu akşam.

İltihaplı bir diş gibi, ağrı üstüne ağrı. Belki de çok geç değildi.

– Yer neresi?

– Üzgünüm, bunu size söyleyemem. Bunun bir gizliliği var...

Erwan tabancasını kılıfından çıkardı ve kabzasıyla adamın suratına vurdu. İki büklüm olan Payol yere düştü, eli burnundaydı.

– Konuş göt herif! Gaëlle'e iş vermek sana mı kaldı! O, senden daha zengin ve babası ile abisi polis!

Beriki korku içindeydi. Damarları haşat olmuş yüzünde seğiriyordu. Gözlüğünü kaybetmişti, burnu kanıyordu ve şaşkın gözlerle çevresine bakınıyordu.

– Eğer bu gece onu bulamazsam fuhşa aracılık yapmaktan içeri gireceksin ve senin suçlanman için şahsen çaba sarf edeceğim. Hapiste senin gibilere ne yaparlar biliyor musun?

Payol, sanki daha da aşağıya düşebilirmiş gibi halının kıvrımlarına tutunuyordu.

– Bièvres'de, diye geveledi. 42 numara, Saint-Hilaire Caddesi.

– Organizatörlerin ismi?

– Bilmiyorum. Hiçbir zaman da bilmedim. Onlar... onlar çok dikkatli.

– Eğer bana yalan söylediysen, geri gelir ve evini ateşe veririm.

Erwan kapıya doğru giderken Payol arkasından seslendi. Bir kolundan destek alarak yerde oturuyordu, gözlüğünü de bulmuştu. Bakışlarında donuk bir öfke ışığı vardı.

– Kimin ayağına bastığını bilmiyorsun, dedi, deve dişlerinin arasından tükürür gibi. Müşterilerimin kimler olduğunu bilmiyorsun... Çok yakında işsiz kalacaksın...

Erwan acıyarak birkaç saniye boyunca ona dikkatle baktı. Adamın zevahiri kurtarmak için yaptığı bu acıklı atılımın üstüne sünger çekmeye hazırdı, ama hayvan herif onu daha fazla öfkelendirmek istedi.

Ortaparmağını kaldırdı ve şiş dudaklarının arasından mırıldandı:

– Bunu görüyor musun? İşte bunu, Afrikalı diktatörler onu siktir ettiğinde kız kardeşinin kıçına sokacağım ve...

Erwan geri döndü, yeniden silahını çıkardı; ayağıyla, pisliğin eline bastı, tabancanın emniyetini açtı, namluya mermi sürdü ve tetiğe bastı. Herifin ortaparmağından kan ve et parçaları fışkırdı.

Payol uluyarak, fiyatı sıradan bir polisin bir yıllık maaşından daha fazla olan İran halısının üstünde top gibi yuvarlandı. Erwan ona bakmadan uzaklaştı ve kapıyı açtı. Adamın karısı hemen kapının eşiğinde duruyordu. Suratındaki tüm öfke kaybolmuş, yerini paniğe bırakmıştı.

Erwan sağlıksız bir acımasızlıkla gülümsedi.

– Ambulansı arayın. İş kazası.

# 63

Morvan mutlu bir şekilde telefonu kapattı. Erwan, Gaëlle'in izini bulmuştu. Bièvres'de bir sado-mazo toplantısı. Bu iyi bir haber değildi, ama çok daha kötüsü de olabilirdi. Oğlu ona ayrıntıları vermemişti, ama onu geri almak için yoldaydı. İki saat içinde her şey sona erecekti.

Telefonda konuşabilmek için çıktığı beton merdivenin basamaklarından indi. Solukları normalleşiyordu. Sanki kanı vücudunda daha iyi dolaşmaya başlamıştı. Yangın kapısını itti ve birkaç dakika önce terk ettiği mekâna döndü: Sağır edici bir müziğin çaldığı ve binlerce Siyah'ın bulunduğu devasa bir park alanı. Milton'ın Pandemonium'unu andıran bir yer. En azından Morvan açısından.

Şu an, basamakların tepesinde duruyor ve yukarıdan bakıyordu. Bir *ndombolo*'nun coşkulu ritmiyle kabaran bir katran nehrinin dalgalarını seyrediyormuş gibi bir izlenime kapılıyordu.

Yeniden arenaya indi.

*Ndombolo* gitarlar, çılgınca çalınan trampetlerle icra edilen ve basgitarların kesik kesik devreye girdiği gürültülü bir müzikti, insanlar yer yer neşeli ve kışkırtıcı çığlıklar atardı: "Yak! Yak! Yak!" Bu akşam yankılar titreşim halindeydi. Aşağıya indikçe göğsünde ve şakaklarında bir baskı hissediyordu. Sanki belinde kurşun bir kemerle derin sulara dalmıştı.

Pistin çevresini dolanarak dans edenlerin yanından ilerledi. VİP gruplar kenarda oturuyordu. Luzeko ona sadece "Bir masam var" demişti. Morvan, oturdukları yerde kafa sallayarak ritim tutan adamların yüzlerine, marka elbiseleri içindeki güzellik kraliçelerine dikkatle bakıyordu. Kalabalığın iteklemesine sırtıyla karşı koyarken, kendini son derece bitkin hissediyordu.

Birden bir el omzuna dokundu. Borç isteyecek biri, bir sarhoş ya da daha da kötüsü eski bir tanıdık olmasından korkarak döndü. Luzeko'ydu.

– Beni izle! diye kulağına bağırdı Luzeko.

Yüce Ateş'in suratı, kafesi andıran ortezinin üstünde kapkara bir yıldız gibi parlıyordu.

– Aşağıda daha rahat laflarız, ger-çek-ten!

İyice kafayı bulmuşa benziyordu. Entelektüel Luzeko uyuşturucunun ya da alkolün etkisindeyken, Afrika ormanının renkli vokabülerine ve aksanına dönen kötü yontulmuş kara adama dönüşüyordu.

Kendilerini daha aşağıdaki bir katta, boş ve sessiz bir başka park alanında buldular. Siyah adam bir elektrik düğmesini açtı, ortaya iç karartıcı bir görüntü çıktı: Binlerce metrekarelik beton bir alan ve neonlar. Birkaç araç, nişlerin içinde vantilatörler, yağ ve benzin lekeleri. Morvan'ın aklına tüm bir halk için yapılmış bir mezarı getiren bu manzara, üstlerindeki müziğin derinden gelen vuruşlarıyla daha da kasvetli bir hal alıyordu.

– Gel, dedi Luzeko, işaretparmağını vantilatöre doğru uzatarak. Sıcaktan bunaldım, ger-çek-ten!

Son hızla çalışan kocaman bir vantilatöre doğru yürüdüler. Morvan'a daha ziyade sıcak hava üflüyormuş gibi geldi, ancak Luzeko buna bile razıydı.

– İyi haberlerim yok, dedi Luzeko, cebinden küçük bir şişe çıkarırken.

Morvan kendisine uzatılan şişeyi bir baş hareketiyle reddetti. Savaşçı, üstüne bazalt parçaları serpiştirilmiş gibi duran parlak siyah bir takım elbise giymişti.

– Sana dili Kabongo yollamış.

– General mi?

– Bizzat o. Koltan işindeki en önemli ortağın.

Grégoire başını salladı. Kongo'da bir laf vardı: "Tek gözü kör olan, diğer gözüyle ağlar." Bu kez, çöpü kendisi gözüne sokmuştu ve ağlaması sona ermemişti. Bunu nasıl düşünmemişti? Kinşasa'nın "Bay Maden"i Kabongo, hisselerdeki artışı öğrenmişti. Bu alımları da, kuşkusuz Morvan'ın, oğlu aracılığıyla el altından yaptığına inanmıştı. Buradaki yeni yatakları öğrenmiş, kazık yediğini düşünmüştü.

– O diyo ki, piyasadaki tüm hisseleri silip süpürmek, kazık atmaktır diyo.

– Ama hisseleri toplayan ben değilim!

Morvan'ın sert sesi, hava körüğünün homurtusuyla emilmeden önce otoparkın derinliklerinde çatlamıştı.

– Öyleyse, onu ikna etmen senin yararına. Aksi takdirde, bunun çokkkk can sıkıcı sonuçları olabilir. Karşındaki, Kabongo! Karaciğerini posta yoluyla, seni iliklerine kadar sağmak için arkadan beceren avukatlarına da yollatabilir. Ben bilmiyo ki, daha kötü ne var.

Luzeko'nun bozuk dilini güçlükle anlıyordu. Anladığı tek bir şey vardı, Kinşasa'ya bir gidiş dönüş bileti alsa iyi olacaktı. Ama önce gerçek alıcıların ismine ihtiyacı vardı – bir güven teminatı olarak generale vermek için.

Loïc neredeydi? Dosya üstünde çalışıyor muydu? Yoksa bir *lounge*'da, boşanma işlerini düşünerek kokainini çekip sızmış mıydı?

Direklerin arasına doğru gitti ve siyah takımı içindeki Luzeko'nun kendisine neyi hatırlattığını düşünerek üstünü başını silkeledi. Birden buldu: Yüksek beyaz ortezi ve üstündeki kafasıyla dev bir satranç taşı – şah veya fil, abanozdan veya fildişinden.

– Eğer benimle kafa buluyorsan, dedi Morvan, sana taşaklarını yediririm.

– Sen önce, kendininkileri kurtarmaya bak. İşin var.

# 64

Saat 23.00'te Erwan, Paris'i ve ışıklarını çevreleyen büyük karanlık kuşağın içine girdi. Bir tür negatif Satürn halkası gibi. Bu iç karartıcı kırsal onu ürkütüyordu. Sık ormanlar. Karanlık tarlalar. İçedönük sırlarıyla nemli ve hüzünlü evler.

Otoyoldan ayrılmıştı ve şimdi farlarının aydınlattığı ağaçlarla çevrili devlet yolunda ilerliyordu. Daha iyi görmek için ön cama doğru eğilmişti. Onu karşılayan dallar ve yapraklar da sanki aynısını yapıyordu. Erwan'ı, kız kardeşinin gitmeye karar verdiği yere yolun kendisi götürüyordu.

Uyguladığı kaba kuvvetten pişmanlık duyuyordu – Kevin'e attığı dayak, Payol'ün parmağını uçurması... O iki pislik umurunda bile değildi, ama bir Müslüman atasözü şöyle diyordu: "Sana yapılmasını istemediğin şeyi başkalarına yapma." Kendini kaybolmuş, lanetlenmiş ve acımasızlığın esiri olmuş hissediyordu.

Bretanya'daki kavganın sonuçlarını tekrar hissetmeye başlamıştı; anında ceza bu olmalıydı. Günün heyecanı içinde ağrılarını neredeyse unutmuştu. Şimdi kendilerini iyice hatırlatmaya başlıyorlardı. Göğsünde ağrıyan noktalar, kaburgalarının altında sancılar... Ayrıca kafasını çelik bir başlık içindeymiş gibi hissettiren şiddetli ağrı.

Bièvres'i geçti, sonra kendini ormanda buldu. Yol, farlarının sonuna kadar ulaşamadığı zifiri karanlık bir şeridi andırıyordu. Ağaçlar, uyuyan bir çocuğun üstüne eğilmiş öcüler gibi yine tepesindeydi.

Adamlarını yeniden aramanın tam zamanıydı –saat 20.00'deki toplantıyı kaçırmıştı; yolda olduğundan gece yarısında yapılacak toplantıyı da kaçıracaktı. Herkes bir haltlar karıştırdığını düşünüyor olmalıydı. Cep telefonunu eline aldığı anda GPS'nin sesi vardığını bildirdi.

Bir girişi olmayan, sarmaşıklar ve likenlerle kaplı, sıvaları dökülmüş duvar boyunca ilerledi. Kaldırım yoktu, etraf yabani otlarla örtülmüş çukurlarla doluydu. Birden ferforje bir kapının önüne çaprazlama park edilmiş siyah bir araba fark etti. Takım elbiseli iki adam kendilerine sert havalar vererek sigara içiyordu. Erwan biraz sonra maskaraya döneceklerini düşündü.

Yavaşladı ve farlarını söndürdü. Yolunu şaşırmış bir sürücü rolü yapabilirdi, ama on kilometre öteden polis olduğu anlaşılıyordu. Ya da kimliğini çıkarır ve onlara demir kapıyı açmalarını emredebilirdi, ama kendisi daha bu küçük şatoya girmeden, içerideki herkes uyarılırmış olurdu.

Geriye üçüncü seçenek kalıyordu.

Birkaç metre uzakta durdu, sessizce kenara park etti, kontağı kapattı. Adamlar, kuşkulu gözlerle ona bakıyorlardı. Erwan kayıtsız bir tavırla başını kaşıyarak ve çok içmiş gibi sallanarak Volvo'sundan çıktı.

Daha iriyarı olanı, kollarını sallayarak ona doğru yaklaştı.

– Buraya park edemezsin babalık, sen...

Erwan silahını çıkardı ve iki eliyle Weaver[1] pozisyonunda doğrulttu.

– Kımıldama!

Adam taş kesti, arabanın yanında duran diğeri de kımıldayamadı. Yakından bakınca daha çok şoföre ya da sıradan sürücüye benziyorlardı.

– Kulaklıklar ve cep telefonları yere.

Herifler hemen soyleneni yaptı. Erwan gözlerini onlardan ayırmadan, geri geri gitti, bir eliyle bagajını açtı ve plastik kelepçeleri çıkardı. Birkaç harekette, adamların elleri arkadan kelepçelenmişti.

– Kapının anahtarı, diye emretti, bir topuk darbesiyle cep telefonlarını ezerken.

– Cebimde, diye kekeledi, en az korkmuş olan.

Erwan adamın cebini karıştırdı, bulduğu anahtarla demir parmaklıklı kapıyı açtı.

– Yürüyün ve bir aptallık yapmayın!

İki cehennem köpeği, vakur tavırlarını korumaya çalışarak, iki yanında ağaçlar bulunan çakıllı yola girdiler, Erwan da peşlerinden. Küçük şato, çevresinde üzüm bağlarının bulunduğu, L biçi-

**1.** Bulucusu Jack Weaver'ın adından. Sol ayak önde, sağ ayak arkadadır, ayaklar omuz genişliği açıkken tabanca, sağ elde ve kol hafifçe kırık ön-aşağı pozisyondadır. Dirsekten biraz daha fazla kırılmış olan sol el, sağ eli dışarıdan kavrar. Bu pozisyonda silah 45 derecelik açıyla yeri gösterir. (ç.n.)

minde iki uzun taş binadan oluşuyordu. Çimenlerin üstünde, arkadan aydınlatılmış çağdaş heykeller vardı. Lüks arabalar, direkler üstünde yükselen bir sundurmanın altına park edilmişti.

Binanın zemin katındaki tüm pencerelerde ışık vardı. Beyaz flaşlar, altın parıltılı yansımalar, kırmızı titreşimler... İçerisi kocaman bir dans pistini andırıyordu, ama müzik uymuyordu: Bir gaydayla çalınıyormuş gibi zonklayan, tekdüze bir ezgi, Kuzey Afrika'da işitilen obua sesi.

– İçeride kaç kişi var?

– Yüzlerce.

– Program ne?

– Bilmiyoruz. İçeri girme iznimiz yok.

– Hangara doğru gidin.

Adamlar kendilerine söyleneni yaptılar ve arabaların tam karşısında durdular. Arkalarında, Erwan kesik kesik soluyordu, ama yavaş yavaş da gerginliği azalıyordu. Yaşlı önemli kişiler arasında yapılan bir âlem olmalıydı bu.

– Evin sahibi kim?

– Hiçbir fikrim yok.

Yalan söylüyorlardı, ama Erwan'ın umurunda değildi. Kız kardeşini aldıktan sonra, temizlik yapmaları için jandarmayı gönderecekti.

Cehennem köpeklerinden biri bir uyarıda bulundu:

– Neyin peşindesin bilmiyorum, ama büyük hata yapıyorsun. Üzerlerinde asla para taşımazlar ve bunun sonuçları ağır olur. Sen...

Erwan, dizinin arkasına şiddetli bir darbe indirdi, adam acıyla bağırarak olduğu yere çöktü. Aynı anda Erwan silahının kabzasını diğerinin ensesine indirdi. Bayılan olmadı, ancak iki adam da perişan halde yerde yatıyordu. Taş bir kuyunun kenarında bir halka fark eden Erwan, iki herifi ayağa kalkmaya zorladı, itekleyerek yürüttü ve yanına almış olduğu plastik kelepçelerle onları paslanmış halkaya bağladı.

Şark müziği nağmelerinin geldiği yere doğru koşar adımlarla ilerledi. İlk salona girdiğinde az kalsın kahkahalarla gülecekti: Herkes çıplaktı. *Charlie Nerede?*[2] oyunu gibiydi, ama ne Charlie vardı ne de çizgili kazak. Erwan faunanın arasına kaynadı. Kırmızı ışık ve kalabalık onun işine yarıyordu. Gaëlle'i görebilmek için duvarlar boyunca ilerledi, sonra işlerin karmaşık bir hal aldığı ikinci odaya ulaştı.

**2.** Fransızcası *Oú est Charlie?*, İngilizcesi ise *Where's Wally?* olan bir tür bulmaca oyunu. Çok kalabalık bir insan topluluğunun çizilmiş olduğu bir resimde, belirli birini (Charlie'yi) bulmaya dayanan oyun. (ç.n.)

Dekorasyon, kostümler ve genel atmosfer, sadist istekleri ön plana çıkaran kötü bir filmi hatırlatıyordu. Parlak maskeler, ipek pelerinler, uyluklara kadar çıkan imitasyon deri çizmeler, dokuz uçlu kırbaçlar... Davetliler dans ediyorlar, içiyorlar, hallerinden memnun görünüyorlardı. Salonun köşelerinde, dizlerinin üstünde, kıçları havada, boyunlarında köpek tasması veya ağızlarında top tıkaçlarla kerliferli adamlar çırılçıplaktı. Vinil korseler içinde kadın efendiler yüksek topuklu ayakkabılarının üstünde kontrolü ellerinde tutuyorlardı.

Gaëlle'den iz yoktu.

Aramaya devam etti. Diğer odalarda, kolları ve bacakları X şeklinde haçlara gerilmiş kadınlar: Gülünç ve aşağılayıcı pozisyonlarda bağlanmış "dişi köleler." Kamçılar gevşek bir şekilde şaklıyordu ve çığlıklar inandırıcılıktan uzaktı.

Gaëlle'den hâlâ iz yoktu.

Kalabalığın içinde kendine yol açarak, davetlilere, büfenin yolunu sorar gibi *no limit*'in nerede yapıldığını sordu. Cevap olarak kuşkulu bakışlarla ve "böyle alenen dile getirilmez" dercesine bakan öfkeli yüzlerle karşılaştı. Kendini, soytarılara layık grotesk bir tarikatın içindeymiş gibi hissediyordu.

Sonuçta, *no limit*'in bodrumda yapıldığını anladı. Eski usul meşalelerle aydınlatılmış merdiveni buldu ve yine çivili kemerler ve lateks koşum takımları kuşanmış zavallı bedenlerle karşılaştı. Ana mahzene girdi ve bir anda donakaldı.

Odanın dip tarafında, siyah bezle örtülmüş bir sahnenin üstünde, Gaëlle, sırt dayama kısmında iblis kafalarının bulunduğu değersiz bir tahtta bağlıydı. Çıplaktı ve ayrık bacakları koltuğun kolçaklarına bağlanmıştı.

Kan içindeydi.

Kar maskeli, çıplak gövdesine deri bir yelek geçirmiş, kocaman suşi bıçakları sallayan bir tür cellat, ayini yönetiyordu. Erwan'ın düşünecek zamanı yoktu. Tabancasını çıkardı ve tavana doğru birkaç el ateş etti. İzleyiciler alçı yağmuru altında, merdivene doğru kaçıştılar, pelerinlerine takılıyorlar, ucuz maskelerinin ardında körleşmiş bir halde birbirlerini itip kakıyorlardı. Erwan akıntıya karşı ilerledi. Geçerken, müzik cihazına nişan aldı ve Nazi subayı kıyafeti giymiş DJ tabanları yağlarken ateş etti.

Şimdi, sessiz ve dumana boğulmuş odada yalnızdı. Kimsenin kurtarmayı düşünmediği, hâlâ bağlı olan kız kardeşiyle baş başa. Sahneye çıktı ve gösteri alanını inceledi.

Zemin, kafası koparılmış tavuk ölüleriyle doluydu, ayrıca karnı deşilmiş bir yavru domuz da vardı. Bu gösteri, tılsımlı sözler söyleyerek, tavuk kanı akıtarak ve domuz bağırsakları kullanılarak yapılan bir kara büyü parodisinden başka bir şey değildi.

Yaklaştı, yerdeki hayvan parçalarının üstüne düşmemek için dikkatle yürüdü. Gaëlle hâlâ bacakları açık, koyu renkli bir bulamaçla kaplanmış halde, öfkeyle onu süzüyordu. Sibirya kurdununkileri andıran gözbebekleri, kirli yüzünde çok daha açık renkli görünüyordu.

– Beni çözmek için ne bekliyorsun?

# 65

Gecenin ikisi olmuştu ve Loïc hâlâ bir şey elde edememişti.

Listesindeki finansçılarla konuşmuştu: İkisiyle ofislerinde, ikisiyle barlarda, bir diğeriyle 8. Bölge'deki bir restoranda. Hepsi de onu başından savmıştı.

Onların ağzından laf almak için elinde hiçbir şey yoktu – böyle bir durumda babası bir dosya çıkarırdı, kardeşi de silah. O ise ancak bir kadeh içki ikram edebiliyordu. *Broker*'lar ve *trader*'lar meslek sırrı hastalığına tutulmuşlardı, oysa bir çıkarları olması koşuluyla, her gün bu meslek sırrına ihanet ediyorlardı. Loïc'in ise satacak bir şeyi yoktu. Ve herkes onun, babasının adamı, yani konuşulmaması gereken biri olduğunu biliyordu.

Morvan onu düzenli olarak arıyor, Loïc de her defasında, kaybetmekte olduğu bir dövüşün gonk sesini duyar gibi oluyordu.

En kötüsü de alkoldü. Gece ilerledikçe ve görüşmeler arttıkça, kadeh seslerinden, buz şıngırtılarından, kokteyl kokularından oluşan bir cehenneme giriyordu. Siz alkolü unuttuğunuzu ileri sürebilirsiniz, ama o sizi asla unutmaz. Bir tür kaşıntı, Loïc'in içini kemiriyordu.

Bir saatten beri gece kulüplerini dolaşıyordu. Önce VIP, sonra Montana ve şimdi de Rennes Sokağı yakınındaki Parnassium. "Bir telefon kulübesinde ne kadar durulabilir?" tarzındaki şu yarışmaları hatırlatan, bir cep mendilinden daha büyük olmayan bir kare. Ara ara yanıp sönen güçlü ışıklarıyla tam bir kara kutu. Finans dünyasının küçük askerleri, ünlü artistlerin, televizyon sunucularının, gece kuşu entelektüellerin takıldıkları bu tarz inlere bayılıyorlardı. Doğal olarak sahip olamadıklarını –yetenek, sevimlilik, ün– parayla satın alıyorlardı; en azından saraya ait olmanın hayalini yaşıyorlardı.

Loïc bir Cola Zero ısmarladı ve kalabalığa karıştı. Henüz iki adım atmıştı ki, eski bir tanıdığı gördü: Hervé Serano. Wall Street'te çalışırken herkes ona Jamón-Jamón derdi. Borsa dünyası her zaman zarifti... Zaten Serano da, ticari marifetlerinin dışında, erkeklik organıyla yaptığı akrobasilerle –helikopter hareketi, kendini emme vs.– tanınmıştı... Daima klas.

Loïc yaklaştı. Onu düşünmediği için kendine kızıyordu; *trader*'ın iyi bir profili vardı. Bu tesadüf, Loïc için yitirdiği bir şeyi bulmak gibiydi. Ufak tefek, bodur Serano, çakırkeyif iki fingirdek sarışının arasında bir kanepede oturuyordu (bir an Loïc kız kardeşini gördüğünü sanmıştı). Serano da adamakıllı sarhoştu. Belki de yararlanılması gereken bir fırsattı bu.

Kızlardan biri yerini ona verdi. Loïc'in kadehi hâlâ elindeydi; gören de onu viski-cola içiyor sanırdı (aslında salataya sirke koymaya bile hakkı yoktu). Samimi bir tavırla, yarı sarhoş, yarı suç ortağı gibi işten söz etmeye başladı. Serano da hafta içinde kazandığı milyonlardan bahsetti.

– Ya maden işi? Ne durumdasın?

– Niyetini anlıyorum, diye güldü *trader*. Bilgi alamayacaksın.

– Kendi bölgemi kollamam normal, öyle değil mi? Coltano satın aldın mı?

Serano cevap vermeden, bir bardak dolusu votkayı yuvarladı. Loïc votkanın kokusunu duyabiliyordu. İçinde küllenmiş bir şeylerin aniden canlandığını hissetti.

– Satın aldın mı, almadın mı?

– Bunu sen de benim kadar iyi biliyorsun.

*Yumağı çözmeye devam.*

– Bu konuda tek olmadığına inan ve bu da beni endişelendirmeye başlıyor.

– Bu senin için kıçını kurtarma fırsatı, dedi Serano, bardağını sallayarak.

Yeni bir yudum. Müzik böğürüyordu. Sesleri sel halinde dışarı boşaltan hoparlörler, bir denizaltının gövdesindeki çatlaklar gibiydi. Bu ses seli çok geçmeden onları yutacaktı.

– Zaten bunda senin anlayabileceğin bi şey yok, diye ekledi, borsacı; bir anda dalgınlaşmıştı. Durumunuzu görünce... (Kahkaha attı.) Üstüne alınma!

Sarışın hafif hafif onun bacak arasını okşuyordu. Tüm bu maskaralıklar Loïc'i iğrendiriyordu. Paranın bu salak Jamón-Jamón'a verdiği güç. Sadece telefonda konuşarak kazandığı para. Birkaç yüz avro için her şeyi yapmaya hazır bu paralı hovardanın iğrençliği. Ve alkolün baş döndürücü kokusu...

Sıcak dalgasını hissetmeye başlıyordu: Bir kaygı krizinin başlangıcı.

– Müşterilerin kim?

Serano onun kulağına doğru eğildi, elini boru gibi yapmıştı.

– Sana isim verecek kadar sarhoş değilim.

– Yatırım fonları mı? Maden şirketleri mi? Girişimciler mi?

– Sana gerçekten de tuhaf olan tek bir şey söyleyebilirim: Coltano'yu istiyorlar, başka bir şey değil.

Kalabalığı bir çamaşır makinesinin tamburu gibi çalkalayan tekno müziğin ritminde bir gerçek ortaya çıkıyordu: Yeni yatakların bulunduğu haberi sızmıştı. Jeologlar mı? Babasının sahada faaliyet gösteren suç ortakları mı? Bankacılarla, yatırımcılarla nasıl tanışmış olabilirlerdi?

Loïc başka yönden bir yoklama çekti:

– Bizim şirket, bir HAS'tan şüpheleniyor.

– Ne demezsin! diye kahkahayı bastı Serano. Sadece pastadan paylarını istiyorlar!

– Hangi pasta?

Cevabı duymadı. Huzursuzluğu artıyordu. Nemli şakaklar, mide bulantısı, dans pistindeki tekno müziğin ritmindeki kalp atışları...

Ayağa kalktı ve bardağını bıraktı.

– Tasarlanmış bir hareket olmadığına dair bana güvence verir misin?

– Bildiğim kadarıyla yok.

Serano kendine bir kadeh votka daha doldurdu.

– İmparatorluğuna!

Loïc gayriihtiyari, zehrin miyasmasını solumamak için nefesini tuttu. Yaklaşık on yıldan bu yana içmiyordu, ama bu kötü alışkanlığı hiç aklından çıkmamıştı. Nefesini tutmaya devam ederken başını öne eğdi ve bacak arasına bakarak kikirdeyen Serano'yu gördü. Yanındaki kız tiksinerek doğruldu. Kız onun aletini çıkarmış, *trader* da rahatlamak için bu durumdan yararlanmıştı: Pislik herif masanın altına işiyordu.

– Ho, ho, ho, ho!

Pistte dans edenler, gitgide yayılan sidik birikintisi içinde tepinirken, Loïc kaçarcasına uzaklaştı. Işığın deforme ettiği suratlar, çığlık etkisi yaratan kahkahalar, kanlı yaralar gibi uzayan ağızlar iç içe geçmişti. Sonunda çıkışa ulaştı.

*Jeologlar...* Buz kesmiş ve ateş basmış halde titreyerek, kendini Aston Martin'ine kapattıktan sonra o soysuzlardan birinin konuşmuş olduğunu düşündü. Afrika yolu olduğu gibi durmuyordu. Eğer babası, onun da şüphelendiği gibi, maden çıkarmaya başladıysa, bunu ormanın derinliklerinde kaybolmuş Siyahların yardımıyla yapmıştı. Yolladığı e-postalara uzmanların cevap verip vermediğini görmek için mesaj kutusuna baktı; bir cevap yoktu.

Mesajlarına bakarken saydı: Babası gece boyunca onu sekiz kez aramıştı.

Tek çare. Elini torpido gözüne soktu. Jelatin poşet ve beyaz toz. Gösterge panelinin üstünde üç çizgi oluşturdu ve nefes almadan burnuna çekti. Hafifçe titredi ve ensesi koltuğun kafalığına çarptı.

Bu kez iyi gelmişti.

# 66

Gaëlle dönüş yolunda hiçbir şey söylememişti. Erwan da ağzını açmadan arabayı sürmüştü – ağzı sıkılar kulübü ya da onun gibi bir şey. Yol boyunca, hem ağrısını azaltmak hem de sinirlerini yatıştırmak için Erwan sürekli ağrı kesici alıyordu. Arka koltukta, bir örtüye sarınmış Gaëlle ise, ensesine bir silah dayanmış gibi sessizliğini koruyordu.

Leş gibi et, hayvan kanı ve dışkı kokuyordu. Erwan kız kardeşinin üşümesinden korktuğu için camı açmıyordu. Gaëlle ayrıca öfke ve günah da kokuyordu, ama bu, ilk anda anlaşılmıyordu, çünkü çok daha katı, çok daha derinlerde kalmış bir katmandı, her şeyin açıklamasının bulunduğu katman.

Kız kardeşinin evine vardıklarında, Erwan onu duşun altına sokmuş ve duştan çıkınca onu bir güzel azarlamayı düşünmüştü. Şimdi karolara çarpan suyun şıpırtısını dinliyordu ve kızgınlığı da çoktan geçmişti.

Cola Zero. Cep telefonu. Sonunda ekibini arayabilirdi.

Önce Tonfa'yı aradı. Tonfa hâlâ Adli Tıp Enstitüsü'ndeydi, otopsi henüz bitmemişti. Riboise'ın işi ise yarın sabaha kadar sürecekti: Bedene saplanmış çiviler ve cam kırıklarıyla ilgili raporunu hazırlaması gerekecekti.

– Tırnak ve saç buldu mu?

– Henüz bir şey yok. Karnın içini incelemeye başlamadan önce, cesedi dıştan incelemesi gerekiyor.

Erwan adli tabibe mesleğini öğretecek değildi. Zaten, bir sonraki kurbanın kimliğini zamanında saptayabileceklerine olan inancı da gitgide azalıyordu. Organik örnekler bulsalar bile, bunlar büyük ihtimalle bir cesede ait örnekler olacaktı.

İlk saptamalar Çivi Adam'ın *modus operandi*'sini doğruluyordu. Katil, Anne Simoni'nin kafasını, bir miktar saç tutamı bırakarak tıraş etmişti – kuşkusuz Wissa'nın karnına bırakılan saçlar ile yeni kurbanın saçları arasında bir bağ kurulmasını sağlamak için. Fetişini etkin hale getirmek için de çiviler, cam kırıkları, metal parçaları ve gerçek niteliği henüz tam olarak saptanamamış elyaf kullanmıştı. Göz çukurlarına iki ayna parçası sokmuş ve organları çıkarmıştı – otopsi bunların hangi organlar olduğunu yakında belirleyecekti. Riboise tecavüzü de teyit ediyordu, keskin bir cisimle – şüphesiz iki ağzı da keskin olan bir cisimle. Genç kadın, canlıyken celladının iğrençliklerine maruz kalmıştı. Ölüm saatini tam olarak belirlemek imkânsızdı. Kanama, beyin kanaması ya da kalp krizi... Katilin eziyeti sırasında kalbi durmuştu.

– Öldükten sonra da, kesmeye devam etmiş mi?

– Görünüşe göre evet ve uzunca bir süre. Birçok yara kanamamış.

– Toplamda kaç yara var?

Tonfa ıslık çaldı. Fiziksel yapısı, onun bu türden canavarlıklara tahammül etmesine izin veriyordu. İçi kıtıkla doldurulmuş bir boks torbası gibi yörüngesinden sapmıyordu.

– Yüzlerce. Bir nevi... çalılık gibi kümelenmiş halde. Çividen yapılma çiçekler. Riboise'ın söylediğine göre, kemikler çivilerin darbesiyle kırılmış. İskelet un ufak olmuş. Kaslara, sinirlere, damarlara ve arterlere gelince, hepsi yırtılmış. Gerçek bir vahşet.

– Kullanılan malzeme hakkında Riboise'ın bir fikri var mı?

– Sadece metalin paslı, camın da kullanılmış olduğunu saptadı.

– Onları kriminal büroya yolladın mı?

– İstediğin DNA analizi için ilk teslimat yapıldı.

– Cinsel organlar çıkarılmış mı?

– Görünüşe göre, evet. Vajina bir karış açık kanlı bir yara gibi.

– Riboise tecavüz olduğundan emin mi?

– Kesinlikle. Arkadan tecavüz; rektal doku lime lime olmuş.

70'li yılların *modus operandi*'sinden farklılık gösteren tek şey, şimdilik, cinsellik olgusuydu. Belki de katil, bu farklılıkla kendini göstermek istiyordu...

– Hadi koca adam, diye konuşmayı sonlandırdı Erwan, Tonfa'yı motive etmek için neşeli bir sesle. Ha gayret! Yarın büroda buluşuruz. Umarım Riboise o zamana kadar otopsiyi bitirir.

– Tamam şef.

Yeni numara: Audrey.

– Henüz bir şey yok, diye özetledi aksi huylu Audrey. Restoranlar, mağazalar, hepsi erkenden kapanmış. Kapısında bir görevlinin durduğu bir Citadines'e güvenmiştim...

– O ne ki?

– İşadamlarının geçici bir süre kalmak için kullandığı bir apart otel. Ama kimse bir şey görmemiş.

– O geceki devriyelerle konuştun mu?

– Elbette. Şimdilik, hiçbir şey yok. Ama sorgulayacağım başka adamlar da var.

Erwan saatine baktı; sabahın üçüydü. Kendisine ayırdığı işi ona pas etmeye karar verdi.

– Bilgi edinmek için nehir polisini ara.

– Sen o işi halletmedin mi?

– Ara onları da, bu işi kapatalım.

– Tamam, dedi Audrey, inat etmeden.

– Sonra da, becerebilirsen uyu. Saat dokuzda fabrikada randevumuz var.

– Bir de seni birkaç kez arayan Sergent var.

– Kim?

– Yüzbaşı Sergent. Olay yeriyle ilgili ilk tutanak raporunu hazırlayan o.

– Yani?

– Fitoussi ona bize katılmasını söyledi.

Daha uzun süre onu uzak tutması imkânsızdı. Erwan genç polisle arada sırada koridorlarda karşılaşırdı; adamın çekingen ve depresif bir hali vardı.

– Onu tanıyor musun?

– Şöyle böyle.

– Onun hakkında ne düşünüyorsun?

– Gürültü yapmaz, ama çok çalışkandır.

– Toplantıya gelsin. Kapı kapı dolaşıp tanık ararken sana yardım etsin ya da ayrıntılı telefon dökümlerini incelesin.

Telefonu kapattı ve hemen ardından Sardalye'yi aradı. Erwan onun ulaştığı sonuçlara şaşırdı. Sardalye, Anne Simoni'nin bürosundaki iş arkadaşlarını sorgulamış, şimdiki ve şiddet dolu geçmişindeki arkadaşlarının kimler olduğunu öğrenmişti. Ayrıca arşivden dosyasını da bulmuştu.

– Geçmişinden başla.

– 1986'da Montélimar'da doğmuş, babası belli değil, annesi Québec'li, onu doğurduktan sonra çekip gitmiş. Çocuk yuvaları, çocuk esirgeme kurumları, aile yanları. Hızla yoldan çıkmış. Hırsızlıklar, zor kullanmalar ve şiddete başvurmalar, uyuşturucu... Ama okulda hep başarılıymış. Edebiyat bakaloryasını vermiş. Sonra onu ceza mahkemesinde buluyoruz. Reşit olduğunda, ilk mahkûmiyetini almış.

– Sebep?

– Küreselleşme karşıtı bir gösteride kavga çıkmış. Sonra iki yıl sessizliğe gömülmüş. Ne iş ne de başka bir şey. Sonra bir veya iki kez fahişelikten ve eroin bulundurmaktan tutuklanmış. Uyuşturucu bağımlısı standart bir fahişe. 2006'da, silahlı soygundan yedi yıllığına deliğe tıkılıyor.

– Ayrıntılar var mı?

– Kötü gitmiş küçük bir soygun. Suç ortakları silah kullanmış. Gece bekçisini yaralamışlar, adam sakat kalmış.

– Adamları buldun mu?

– Herifler Vitry'den. Yarı gezgin Çingene, yarı köpekli *punk*. Yüzde yüz ciğeri beş para etmez adamlar.

– Hapisten çıkmışlar mı?

– Edindiğim bilgilere göre, sadece ikisi, ama...

– Tanıkları var mı, kontrol ettin mi?

– Henüz etmedim. Biri Côte d'Azur'deymiş, diğerinin yerini daha tespit etmedim. Ama Kripo'yla birlikte kızın ayrıntılı telefon dökümünü inceledik. Onlarla hiç teması olmamış.

– Peki bugünkü hayatı?

– Düzenli bir yaşam. İş arkadaşları, gezmeler, bir herif.

– Emniyet Müdürlüğü'nden bir adam mı?

– Kesinlikle değil, maalesef! diye güldü Sardalye. Revaçtaki gece kulüplerinde çalan bir DJ.

– Onunla temasa geçtin mi?

– Ona haberi şahsen verdim.

– Senin düşüncen?

– Adam temiz. Onu Rex'in kulisinde gözyaşları içinde bıraktım. O olaya bulaşmış olma ihtimali yok.

Erwan genç kızdaki değişimi düşünüyordu. Silahlı soygundan memuriyete. Yol oldukça uzun gibiydi.

– Hapisten çıktıktan sonraki yaşamından bahset.

Sardalye tereddüt etti. Erwan ona yardımcı oldu.

– Babamla bağlantısını biliyorum.

Marsilyalının, konuşmaya başlamadan önce rahatlayarak soluğunu bıraktığını işitti.

– 2009'da tahliyesini öne almak için bayağı çaba sarf etmiş. Normal hayata dönmesi için onu desteklemiş: Ev, iş... Kirası için kefil bile olmuş.

İyiliksever İhtiyar. İşte buna inanmak çok zordu.

– Hemen ardından da Emniyet Müdürlüğü'nde çalışmaya mı başlamış?

– Hayır. Önce Nanterre Belediyesi'nde çalışmış.
– Babam onu beceriyor muymuş?
– Henüz bu tür bir bilgiye ulaşamadım ama...
– Ama ne?
– Babanı dinlemek gerekiyor.
– Bununla ben ilgilenirim. Gözetim memuruyla konuştun mu?
– Evet. Söylediğine göre, kız gerçekten doğru yolu bulmuş.
– Kız ona asılmış mı?
– Asla.
– Pas da vermemiş mi?
– Yatağın altında değildim, ama yine de *nada*.[1]
– Peki uyuşturucu?
– Aynı. Bir daha elini sürmemiş.

Anne Simoni'nin suçlu geçmişi, Erwan'ın ona iyimserlikle yaklaşmasına izin vermiyordu. Babasının söylediği gibi, "Kumları sulamak neye yarar"dı ki? Ama sulama kabını ilk kullanan da oydu.

– Peki, iş arkadaşları ne söylediler?
– Özel bir şey yok. Sempatik bir kız.
– Son günlerde kızda değişik bir şeyler fark etmişler mi?
– Hiçbir şey fark etmemişler.
– Korkuyormuş gibi bir hali var mıymış?
– Hayır.

Tüm bunlar, tuzak ya da kaçırma tezini güçlendiriyordu. Ya Morvan'la olan özel ilişkisinden veya fiziğine ya da geçmişine bağlı bir başka sebepten Anne Simoni seçilmişti.

– Ya sosyal ağlardaki faaliyetleri?
– Evindeki bilgisayarı aldım. Hard diskini kopyalayacağım. Sonra da bilgisayarı, uzmanlara yollarım. Ayrıca ajandasını da aldım, ama şu an herkes uykuda.
– Evi, evi nasıl?
– Diğer her şey gibi. Düzgün, dikkati çeken bir şey yok.

Dürüst olmak gerekirse, Anne Simoni gitgide fazla mükemmel olmaya başlıyordu.

– Arama iznini hallettiniz mi?
– Yarın gideceğiz, Audrey'yle birlikte.
– Artık biraz uyumaya çalış. Yarın saat dokuzda büroda brifing var.

Erwan telefonu kapattı. Kulak kabarttı; banyodan su sesi gelmiyordu, ama tıkırtılar geliyordu, Gaëlle banyodan çıkmış, giyiniyor olmalıydı.

1. "Hiç, hiçbir şey" anlamında İspanyolca sözcük. (ç.n.)

En iyiyi sona saklamıştı: Kripo.

Trubadur internet aracılığıyla, Anne Simoni'nin son güzergâhının izini sürmeyi sağlayacak video görüntülerini almıştı.

– Kızın Arcole Köprüsü'ne kadarki bütün görüntüleri var. Ondan sonra hiçbir şey yok.

– Nasıl "hiçbir şey yok"?

– Bilmiyorum. Onu köprüye girerken görüyoruz, ama Sağ Yaka'ya hiç ulaşmıyor. Sanki köprünün tam ortasında kayboluyor. Her halükârda, Hôtel-de-Ville metrosuna hiç binmemiş.

Çılgınca bir düşünce geldi Erwan'ın aklına: Anne Simoni kıyıya inmiş ve katil onu Zodyak'a almıştı.

– Telefon dökümleri?

– Her bağlantısı araştırılıyor. Şimdilik dikkat çeken bir şey yok.

– Peki, arşiv taraması? Aynı *modus operandi*'yle cinayet işlemiş katiller?

– Çivici bir katille ilgili en ufak bir şey yok. Farklı anahtar sözcükleri girdiğimde de, ana bilgisayar bana tek bir kelime verdi: Leroy-Merlin.[2]

– Dalga geçmenin sırası değil.

– Tüm bulabildiğim, çekiç ve tornavidanın kullanıldığı ev içi şiddet vakaları.

– Sen neredesin?

– Evdeyim. İlk tutanakları yazıyorum.

– "*No limit*" sözcüğü etrafında neler bulabilirsin, bir bak bakalım.

– Hâlâ orada mıyız? dedi Kripo, Di Greco'nun programını düşünerek.

Erwan soruyu geçiştirerek, Kripo'ya başka bir görev verdi.

– Paris'te veya başka yerde bu adı taşıyan özel toplantılar oluyor muymuş, kontrol et.

– Sado-mazo mu, demek istiyorsun?

Erwan, K76 pilotlarının kabuk bağlamış yaralarla kaplı vücutlarını gözünün önüne getirdi. *No limit* her zaman bir maskaralık değildi.

– Her cephede araştır. Yarın sabah dokuzda görüşürüz.

Telefonu kapattı ve banyonun tamamen sessizliğe büründüğünü fark etti.

İllet sarışın çok geçmeden ortaya çıkardı.

2. Dünyanın 12 ülkesinde faaliyet gösteren Fransız yapı marketi. (ç.n.)

# 67

– Kendinden memnun musun?

Erwan döndü ve beyaz bir banyo havlusuna sarınmış Gaëlle'i gördü. Duşta haşlanmış gibi bir hali vardı. Kollarında ve omuzlarında parlak lekeler vardı, tüm odaya kırmızı şimşekler saçıyordu sanki.

Sıcak suyun yanı sıra kuşkusuz öfkenin de payı vardı bunda.

– Çok mutluyum, diye karşılık verdi Erwan, alaycı bir ses tonuyla. İki gün ortadan kayboluyorsun, annen baban meraktan çatlıyor, ben seni bulmak için işimi gücümü bırakmak zorunda kalıyorum ve seni Zorro kılığına girmiş kerliferli adamlarla çevrili, dışkıya ve sakatata bulanmış halde buluyorum. Daha ne isterim ki?

– Bu benim hayatım.

– Korkarım bana kariyerinden söz ediyorsun.

Gaëlle mutfağa gitti ve kendine bir kola aldı – ailenin tüm bireylerinin yerine de içen Loïc yüzünden Morvan'lar alkolden tiksiniyordu.

– Senin bu kahramanlık taslayan hallerine artık tahammül edemiyorum, diye mırıldandı Gaëlle, soğuk kola kutusunu yanağına yapıştırarak. Bu kadar mükemmel olmaktan bıkmadın mı? Hep iyi tarafta yer almaktan? Kendinden yorulmadın mı?

Banyo havlusunun üstünde, büyük ihtimalle kendini becerttiği otelin yaldızlı amblemi vardı. Erwan bazen, kız kardeşinin, ağılındaki bir dişi domuz gibi ahlaksızca davranmaktan hoşlandığını düşünüyordu.

Ama her şeye rağmen, onun yuvarlak omuzlarını, küçük dolgun baldırlarını, kışkırtıcı kıçını hayranlıkla seyrediyordu. Bütün Morvan'lar gibi, Erwan da onun bir avuç kemik yığınına döndüğünü görmüştü. Bugün ne yaparsa yapsın, ne söylerse söylesin bedeni sağlıklıydı; iyileşmişti.

– Ne zaman büyüyeceksin? diye sordu Erwan. Taşra noterlerinin önünde, çırılçıplak, seni tavuk kanına bulamalarına izin veriyorsun.

– Altı bin avro, salak. Senin kahrolası iki aylık maaşın.

– Ben bundan daha fazla kazanıyorum. Ve bana bunu para için yaptığını söyleme. Hayat sigortandaki küçük bir artışla bunun on katını kazanırsın.

Gaëlle kola kutusunun halkasını açarak kanepeye oturdu.

– O parayı istemiyorum. İlkelerim var.

– İçimi rahatlattın, diye dalga geçti Erwan.

Gaëlle gözlerini ondan ayırmadan yavaş yavaş kolasını içti.

– Savaş halindeki bir dünyada yaşıyorum, dedi sonunda.

– Hangi savaş?

– Erkekler ile kadınlar arasındaki savaş.

– Sebep ne?

– Para.

– Peki ya silah ne?

– Tutku.

Erwan somurtkan bir çocuğu ikna etmeye çalışır gibi gidip kardeşinin yanına oturdu. Vücudundan yayılan sabun ve krem kokusunu duyuyordu.

– Saçma sapan şeyler söylüyorsun, dedi sakin bir şekilde. Bedeninin ticaretini yapıyorsun, hepsi bu.

– Burjuvazi mantığını reddediyorum.

– Hayatını süitlerde şampanya içerek geçiriyorsun, bana sınıf mücadelesinden bahsetme.

– O burjuvazi değil.

– Öyle mi?

– Burjuvazi, çocuklarının büyümesini seyrederek yaşlanmak demektir. Her şeyi konfor ve sükûnet adına feda etmektir. Her türlü tehlikeden uzak durarak sıkılmaktır. İnan bana, benim dünyam rahat ve konforlu bir dünya değil. Savaşçı, düşmanca, rekabetçi bir dünya. Erkeklerin her zaman daha zengin, kadınların her zaman daha güzel olması gerekiyor. Birlikte aynı yatağa giriyorlar, ama aslında birbirlerinden tiksiniyorlar.

– Paralı hovardaların ve fahişelerin dünyası.

– Erwan, sen zeki bir adamsın.

Bir gün Erwan onu 8. Bölge'ye, Lincoln Sokağı'na bırakmıştı. Biraz geç de olsa, onu bir buluşma için bıraktığını anlamıştı: Kardeşi arabada coşku ile kaygı arasında gidip gelen davranışlar sergiliyor, sürekli makyajıyla uğraşıyordu. Hemen arabadan inmiş, kız kardeşinin randevusu olduğu prodüksiyon şirketini bulmuş, eli tabancasında, danışmayı geçmişti. Yanlış yolda olduğunu hemen anlamıştı. Buradaki herkes Gaëlle'i tanıyordu ve onun patronla olan randevularına alışkındı. Tam bir anlaşma içindeki yetişkinlerin özgür dünyası.

– Bir ev kadını ile bir metres arasında ne fark vardır? diye devam etti Gaëlle. İkincisi daha iyi giyinir.

– Ya aşk? Çocuklar? Yuva?

– Anne babamız gibi mi demek istiyorsun?

Gelişigüzel söylenmiş sözcüktü. Anlayacak yaşa –yani korkma yaşına– geldiğinde Gaëlle isyan bayrağını açmıştı. Önce ailesine karşı, sonra bu tür yalana imkân tanıyan ikiyüzlü sisteme karşı.

– Anne babamızı tüm bunların dışında tut, dedi Erwan, donuk bir sesle.

– Konumuz tam da bu! Bana tam olarak neden kızıyorsun? Âşık olmadan yattığım için mi? Yaşamak için düzüştüğüm için mi? Hayatı boyunca annemin yaptığı bu değil mi?

– Hayır. O, babamızı seviyor.

– Öyleyse o benden daha aptal. En azından bana para ödüyorlar ve beni dövmüyorlar.

Erwan ayağa kalktı ve eğimli tavana çarpmamak için başını eğerek birkaç adım attı. Verecek cevap bulamıyordu. Raflarda Herbert Marcuse'un *Tek Boyutlu İnsan*'ı, Pierre Klossowski'nin *Un si funeste désir*'i, Friedrich Nietzsche'nin *Tragedyanın Doğuşu* adlı kitabı duruyordu... Erwan gençliğinde bu kitapları okumuştu – bir çırpıda. Gaëlle kendi tarzında bir entelektüeldi.

– Erkeklerden tiksiniyorum, dedi Gaëlle, küçük dişlerinin arasından. Ama kadınlardan daha fazla tiksiniyorum.

– Tam olarak hangi kadınlardan?

– Uzakta aramaya gerek yok. Elbette Maggie'den, ama kendi arkadaşlarımdan ve rakiplerimden de nefret ediyorum. Onlar adına utanıyorum. Korkaklıklarından, mağdur rolünü oynamaktan duydukları memnuniyetten. Özgürlük mücadelesiyle geçen bir yüzyıl bunun için miydi? MLF,[1] Simone de Beauvoir, Nancy Fraser ne için savaştılar? Biraz daha fazla hakarete uğramaları, biraz daha fazla kandırılmaları için! Bu hikâyede özgürleşen sadece erkekler oldu. Erkekler iğrenç yaratıklar; kendilerini ne bazı kurallara uymak ne de bedel ödemek zorunda hissediyorlar. Ne centil-

**1.** MLF (Mouvement de libération des femmes). Kadın Özgürlük Hareketi. (ç.n.)

men olmak ne de küçük bir hediye almak gibi bir kaygıları var. İşte bunun adı da, cinsiyet eşitliği oluyor.

– Sen hangi dünyada yaşıyorsun, Gaëlle? Artık XVIII. yüzyılda değiliz, kadınlar artık sorumluluk üstleniyorlar ve erkeklerden hiçbir talepte bulunmuyorlar!

– Benim de söylediğim, tam da bu. Kadınlar her şeylerini kaybettiler.

– Kurallar değişti. Kadınlar artık özgür. Tutkularının sonuna kadar gidiyorlar. Artık erkeklerin arzusuna göre yaşamıyorlar.

– Öyleyse herif hesabı ödemediğinde neden surat asıyorlar? Neden gece kulüpleri onlara bedava? Neden evli kadınlar direk dansı dersi alıyorlar? Dönüp dolaşıp hep aynı dengeye geliyoruz: Bir tarafta göbek dansı, diğer tarafta para.

– Temel şeyi unutuyorsun: Aşk, duygu.

– Gerçekten hiçbir şey anlamıyorsun. Kadınların tek zindanı aşktır. Her zaman duygularının kurbanı olacaklar. Bir asır süren mücadele bu kronik zayıflığa karşı hiçbir şey yapamadı. Simone de Beauvoir, "ikinci cins"ine rağmen, Saint-Germain-des-Près'nin en güzel boynuzlusuydu. Kanunları değiştirebilirsin, ama genetik kodu asla değiştiremezsin. Ya da milyonlarca yıl sonra belki...

Gaëlle'in diyalektik bir yaklaşımı vardı, Erwan bu nedenle ona hep hayranlık duymuştu. Lüks havlusuna sarınmış, konuşuyordu, ama boğazlı dar kazağı ve 70'li yılların o koca gözlükleriyle bir kongre merkezinde de olabilirdi.

– Senin çok serbest bir kadın modeli olduğunu sanmıyorum, dedi Erwan.

– Erkeklerin oyununu oynuyorum ve onlara hükmediyorum, aynı şey değil.

– Hadi bakalım.

– Kadınlar benden nefret ediyor. Onlara göre ben fahişeden, cinsel objeden başka bir şey değilim, ama aslında her şey benim kontrolüm altında. Kadınları köleleştiren kıçları değil, kalpleridir!

Erwan yeterince dinlemişti. Bütün tehlikeler bertaraf edilmiş, görev tamamlanmıştı ve Gaëlle eski formuna kavuşmuştu.

– Güzel, dedi ceketini alırken, dinlen artık. Ben gidiyorum.

– Hayat hakkında hiçbir şey bilmiyorsun! diye bağırdı Gaëlle, bir sıçrayışta ayağa kalkarken. Erkekler domuzdur! Masanın altından çüklerini çıkarıp sana gösterebilirler. Seni bir lavaboya dayayıp külotunu çıkarabilirler. Karanlık bir köşe bulduklarında ellerini senin kıçına sokabilirler!

Erwan kireç gibi oldu. İyi bir maço olarak, yani Gaëlle'in az önce tanımını yaptığı o hayvansı dünyanın diğer tarafına sıkışmış biri olarak, küçük kız kardeşine kötü davranılması düşüncesine tahammül edemiyordu.

Gaëlle sanki onun düşüncelerini gözlerinden okumuştu.

– Üzülme, sana söyledim, onlara ben hükmediyorum.

Erwan kapıya doğru yürüdü. Gaëlle öfkeli adımlarla onu takip ediyordu.

– İşte benim gücüm bu! Cinsel açıdan zevk aldığını düşünen kadın, kendi ayağına kurşun sıkan kadındır!

Kapı açık olduğu halde avaz avaz bağırıyordu. Gaëlle'in bu öfkesi Erwan'ın öfkesini yok etmişti. Ona tapıyordu, buna karşı yapabileceği bir şey yoktu. Güzelliği onu büyülüyordu. Kızgınlığı içini sızlatıyordu. Genç kadın yeniden doğal rengine kavuşmuştu. Brancusi'nin heykelleri gibi yuvarlak, zarif başı ve berraklığı, haziran ayındaki bankizleri hatırlatan gözleriyle çok güzeldi.

Erwan geri döndü ve çok daha yumuşak bir tonda konuşmaya başladı:

– Sakin ol Gaëlle. Aynı yaradan çıktık, sen ve ben. Ben polisim, sen ise eskort. Ben içimdeki şiddeti yasaların arkasına gizliyorum, sen ise kendini haklı göstermek için felsefe yapıyorsun, ama gerçek çok basit: Kimse bizim çocukluğumuzu değiştirmeyecek.

Gaëlle karşılık vermek istedi, ama Erwan daha hızlı davrandı.

– Kırk iki yaşındayım, yaşamımın on yılında psikolojik tedavi gördüm, iki kez ülser oldum, hayatım osteopatlarda geçti ve geceleri diş ateli takıyorum. Sen yirmi dokuz yaşındasın ve hâlâ ışık açık uyuyorsun.

– Bunu nasıl biliyorsun?

Gaëlle'in yanaklarından yaşlar süzülmeye başladı; o kadar ağır, o kadar beyazdı ki, insan eriyen mum damlaları sanabilirdi.

Erwan eğildi ve ona sarıldı.

– Dinlen. Seni yarın ararım.

# 68

Loïc çok yorgundu, ama uyuması imkânsızdı.

Parnassium'dan sonra eve dönmüş, ilk işi çelik kasasını açmak ve Kuzey Katanga'daki potansiyel yataklar hakkında 2010 yılında hazırlanmış raporu yeniden okumak olmuştu.

Babasının emri üzerine doküman elle yazılmıştı ve sadece iki kopyası vardı – biri Morvan'ın evinde, biri de onda. Bilgisayar, telefon veya internet kesinlikle kullanılmamalı, hiçbir dijital iz olmamalıydı.

Her şey gizli kalmıştı. Adamlar kazmışlar, çıkarmışlar, örnekleri beraberlerinde getirmişlerdi, ne kimse görmüş ne de duymuştu. Analizleri bile jeologlar kendi ülkelerinde yapmıştı. Sahadaki kimse, büyük bir maden kaynağının varlığından şüphelenmeyecekti – cevher henüz ulaşılabilir durumda değildi, herkesin gözü önündeki kayacın bileşiminde saklı hazineyi sadece uzmanlar anlayabilirdi.

Saat sabahın dördüydü. Ottawa çevresinde oturan Kanadalıyı, Harry Cook'u aramayı denedi. Adamın telefonu cevap vermedi. Loïc mesaj bırakmadı, ama ona yeni bir e-posta yolladı, "acilen" aramasını istedi. Aynı şeyi Fransız ve İsviçreli jeologlar, Jean-Pierre Clau ve Sylvain Dumezat'ya da yaptı.

Ardından üç uzman hakkında bilgi toplamaya girişti. İşe ilk olarak Fransız'la başladı ve bir anda kanı dondu. Jean-Pierre Clau iki ay önce, Tanzanya'daki bir görevde hayatını kaybetmişti. Resmi açıklamalara göre üsse dönerken bir helikopter kazasında ölmüştü. Helikopterin düşme sebebi –toplam üç ölü vardı– anlaşılamamıştı.

Bu ülkelerde maden aramanın her zaman riskleri vardı, ama "kaza" Coltano'yla bağlantılı olabilirdi. Clau konuştuktan sonra ortadan mı kaldırılmıştı? Ona para ödemek istemedikleri için mi? Borsadaki işlemlerin bütün izlerini silmek için mi?

Diğer ikisine geçti. LinkedIn ve Viadeo'daki alışıldık bilgiler dışında Sylvain Dumezat hakkında özel bir giriş yoktu. Harry Cook'la ilgili özel bir şey bulamadı. Her ikisi de maden yatakları alanında uzmandı, dünyanın her tarafında çalışmışlardı. Loïc bilgisayarı kapattı. Ne olursa olsun uyumalıydı. Yarın sabah daha net düşünürdü. Ayağa kalktı, açık mutfak tezgâhına doğru gitti ve bir uyku ilacı yuttu. Bardağını eviyenin içine bırakırken duyduğu bir gürültüyle durdu. Camlı balkon kapılarının birinden gelen bir sürtünme sesi.

Olduğu yerde kaldı, balkonları örten beyaz perdelere dikkatle baktı. Ortadaki çerçevenin arkasında bir kıpırdanma vardı. Bir kuş? Hırsız? Üçüncü katta oturuyordu ve Haussmann tarzı bir cepheye tırmanmaktan daha kolay bir şey olamazdı.

Gayriihtiyari, tek ışık kaynağını, çalışma masasının üstündeki LED'leri söndürdü ve hiç kımıldamadan durdu. Gözlerini perdelerden ayırmıyordu, ama kalın ketenin arkasında bir gölge görmesi imkânsızdı.

Gürültüler değişiyordu: Hışırtılar, tıkırtılar, çatırtılar... Ahşap ve demir zorlanıyordu, ancak çıkan ses boğuktu. Pervazı sökmeye uğraşıyorlardı. Loïc, içinin boşaldığını hissetti.

Hâlâ daire kapısından kaçabilirdi, ama bacakları bu isteğe cevap vermiyordu. Tahta kıymıkları, alçı parçaları parkenin üstüne düştü. Bu bir işaret gibiydi; koridora doğru koşarken başka gürültüler de işitti: Testere, matkap, levye sesleri... Daire kapısına da saldırıyorlardı!

Polisi aramak için çok geçti; evinde silah da yoktu. Dizlerinin üstüne çöktü. Sanki bir cehennem makinesinin birbirine eklemlenmiş mekanizmalarından vızıltılar, tıkırtılar, sürtünme sesleri çıkıyordu.

Kapı korkunç bir gürültüyle devrildi. Arkasında korkunç bir çatırtı duydu – balkon kapısı. Loïc bağırdı –ya da bağırdığını sandı–, sonra mutfak tezgâhının arkasına gizlenmek için emekleyerek ilerledi. Gizleneceği yere doğru giderken beyaz perdelerin havalandığını fark etti; gecenin rüzgârı salona doluyordu.

Kollarını, göğsüne doğru çektiği bacaklarının çevresine doladı, başı dizlerinin arasındaydı, diğer işaretleri kolluyordu. Korku kulak zarlarını patlatmadıysa artık etrafa sessizlik hâkimdi. En ufak bir şey düşünecek, en ufak bir karar alacak durumda değildi.

Birden görünmez eller tarafından yukarı çekildi. Tezgâhın üstünden geçti, sonra parkenin üstüne yığıldı. Gayriihtiyari yeniden büzüldü ve kollarıyla başını örttü – darbelerden korkan bir sürüngen gibiydi. Birkaç saniye daha geçti, sonra kafasını kaldırdı. Kâbus gerçek dünyada kendini gösteriyordu.

Beş veya altı kişi olmalıydılar. Siyahlar, yüzlerinde beyaz tebeşirle yapılmış makyajlar vardı.

İçlerinden birinin yüzünde bir kurukafa resmi vardı. Bir diğeri pudra sürmüştü. Üçüncüsü, Cadılar Günü balkabağına benziyordu: Kocaman gözbebekleri ve testere gibi dişleri vardı.

Hepsinin belden yukarısı çıplaktı – kaburgalarını belirginleştiren desenler, ezoterik işaretler, una bulanmış gibi görünen hacamat yerleri. Cehennem şaka yapmış ve elçilerinin kaçmasına izin vermişti. Loïc, yaratıklardan birinin kabarık bir pantolon giymiş olduğunu fark etti, bir diğerinde ise sadece slip vardı. *Favela*'lardaki[1] bir karnavaldan fırlayıp gelmişlerdi sanki. Loïc bir de Saint-Maurice'teki o iki polisten korkmuştu... Ne komik!

Adamlar kendi aralarında konuşmaya başladılar. Tıslamayı andıran sesler. Kesinlikle *Lingala*'ydı, Kinşasa dili. Loïc adamların boyları ve kaslı yapıları karşısında nutku tutulmuş halde, yüzüne çaprazladığı kollarının arasından onlara bakıyordu.

Zombilerden biri ona yaklaştı.

– Saçmaladın, patron.

Gözlerinde kırmızı lensler vardı. Diğer hayaletler de salona girdiler. İçlerinden biri siyah deri paltoluydu, kafasında silindir şapka, elinde de bir balta vardı. Yüzünün yarısını bir kadın peruğunun altına gizlemiş olan bir diğerinin vücudunda fosforlu dövmeler göze çarpıyordu.

– Ne... neden bahsediyorsunuz?

– Saçmalamaya devam ettin. Seni u-yar-mış-tık!

Afrikalı aksanı oldukça komikti, ama ortada gülünecek bir durum yoktu.

– Ben... benim burada param yok...

– Burada yok, patron... Ama sende çok var ve o bize ait.

– Ne demek istiyorsunuz?

– Konuşmak için daha sakin bir köşe bulalım.

1. Brezilya'daki gecekondu mahallelerine verilen isim. (ç.n.)

# 69

Erwan ekibinde yeni bilgiler olup olmadığını öğrenmek için 36'ya geçti. Daha sonra evine gidip birkaç saat uyuyacaktı. Ama orada sadece, her zaman işbaşındaki ikinci adamı buldu.

– Ne durumdasın?

Kripo başını bilgisayarından kaldırdı – arkasında, Che Guevara'nın resminin bulunduğu bir bayrağı oda dekoru olarak kullanıyordu.

– Hakim Bey adı sana bir şey ifade ediyor mu?

– Hayır.

– Amerikalı bir şair ve filozof, gerçek adı Peter Lamborn Wilson. Uzun yıllarını Doğu'da geçirmiş, orada Sufi olmuş, sonra ABD'ye dönmüş. Özellikle TAZ, *temporary autonomous zones*, yani "geçici otonom bölgeler" kavramını ortaya atmasıyla tanındı.

– O ne ki?

– Bir süre için, sosyal kuralların ve benimsenmiş normların tersine bir ortak değerler bütününü paylaşan görünmez gruplar. Modern zaman anarşistleri.

Erwan sadece bıkkınlık ifade eden bir hareket yaptı.

– Bizim soruşturmamızla ilgisini anlamıyorum.

– 90'lı yıllarda, elektronik müzik festivalleri bir TAZ ifadesiydi. Kendi kurallarıyla yaşayan özgür insanlar. Bugünün *hacker*'ları gibi.

– Kahretsin Kripo, sadede gel.

– Bir TAZ, *no limit*'ler organize ediyor. Fetişe ve sado-mazoya batmış kadınlar ve erkekler. Kendilerini cinsel devrimci olarak görüyorlar ve farklı olmaya hakları olduğunu söylüyorlar.

Erwan, Di Greco ile onun sadist doktrininin nasıl bu kategoriye girdiğini anlamıyordu. Bièvres ileri gelenlerini ise hiç. Konuşmaya devam eden Kripo'yu hayal kırıklığına uğratmak istemiyordu.

– Bilgi toplamak kolay değil, diye devam etti Kripo. Bu gruplar gizliliğe önem veriyor. Ama bana öyle geliyor ki bir liderleri var, bir tür guru: Ivo Lartigues, çok beğenilen çağdaş bir heykeltıraş.

– Bunu daha sonra kullanmak için sakla, dedi Erwan, konuşmayı sonlandırmak için. İvedi olan, Anne Simoni cinayetinde ilerleme kaydetmek.

– Pek de bağdaşmıyor değil. Bu TAZ'ın bazı üyeleri çok ileri gidiyor. İşkenceler, cezalandırmalar... Neden bir cinayet olmasın?

Öyleyse *punk*'çı kız tek bir katil tarafından değil, toplu bir kurban töreniyle katledilmiş olabilirdi. Sosyolojik bir yön değişikliğiyle, yeniden Bretanya'daki o sapık tören fikrine geri dönüyorlardı. Erwan buna inanmıyordu, ama Kripo'ya bir kemik vermeliydi.

– Belki de marjinallerle ilişkisini sürdürmüştür. Bunu Favini'yle görüş. Senin şu geçici anarşi bölgeleriyle herhangi bir bağlantısı var mıymış, kontrol edin.

– Geçici otonom bölgeler.

– Beni anladın.

Kripo cevap vermeden önce bir *post-it*'e bir şeyler yazdı.

– Ayrıca Charcot Enstitüsü'nü de aradım.

– Orası neresi?

– Thierry Pharabot'nun son günlerini geçirdiği akıl hastanesi. Kaerverec olayında da aramışlar.

Aklını oynatıyor olmalıydı: Sadece Çivi Adam'ın gerçekten ölüp ölmediğini teyit etmediği için değil, hastanenin ismini bile hatırlayamadığı için. *Uyan.*

– Sen, bunu nasıl biliyorsun? diye sordu Kripo'ya, durumu kurtarmak için.

– Kişisel araştırma. Thierry Pharabot tamamen unutulmuş biri değilmiş. Ölümü basında birkaç yazıya konu olmuş. Daha ziyade şaşırdığımı söylemem gerekiyor. Bu akıl hastanesi ile pilot okulunun birbirlerinden sadece birkaç kilometre uzakta olması yalnızca bir rastlantı olamaz.

– Aynı fikirdeyim. Gerçekten ölmüş mü bari?

– Ölmüş ve yakılmış. Hastanenin söylediği bu. 2009'da hücresinde felç geçirmiş.

– Bu konuda şüpheli bir şey yok yani?

– Herif altmış iki yaşındaymış. Şüpheli olan tek şey, onu ölene kadar delikte tutmuş olmaları. Ölüm belgesini bekliyorum. Bir ayrıntı daha var: Pharabot'nun külleri mezarlığın... Kaerverec Mezarlığı'nın hatıra bahçesine serpiştirilmiş.

Akıl hastanesi ile K76 arasında yeni bir bağ daha. Taklitçi, mezarlığa yakın olduğu için mi pilot okulunu seçmişti?

– Hatıra bahçesi mi? Bu ne demek?

– Ölülerin küllerinin atıldığı bir tür kuyu. "Tozdan geldin, toza döneceksin, unutma."

Erwan önemli bir noktaya temas ettiklerini hissediyordu, ama el yordamıyla ve beyaz bir bastonla.

– Enstitünün müdürüyle konuştun mu?

– Gece vakti, pek fazla insanla konuşamadım, ama sana Brest için bir uçak bileti aldım.

– Ne?

– Yarın sabah 11.20'de uçuyorsun, Orly Ouest.

Erwan bir an kızacak gibi oldu, ama sonra, bunu kendisinin de düşünmüş olduğunu hatırladı: Thierry Pharabot belki de akıl hastanesinde bir başka tutukluyu etkilemişti (ve yetiştirmişti); öğrencisi tahliye edilmiş ve yeniden seri cinayetlere başlamıştı.

– Sadece tek bilet aldım, diye ekledi Alsace'lı. Seninle oraya gelmediğim için bana kızmadın umarım. Ayrıca Muriel Damasse'ı da aradım, bize dosyanın tamamını yolluyor.

Erwan Brest'e indiğini ve üç silahşorlara yeniden kavuştuğunu hayal etti. Bu düşünce bile onun bir anda kendini yorgun hissetmesine sebep oldu. Birkaç saat uyması ve yeniden enerji kazanması gerekiyordu.

– Başka haber?

– Tonfa hâlâ adli tıp enstitüsünde. Sardalye, Anne Simoni'nin ahbaplarının peşinde berbat gece kulüplerini dolaşıyor. Bayan İkinci El'e gelince, kepenklerin açılmasını beklerken rıhtımları dolaşacaktı.

Kripo, Audrey'ye bu lakabı takmıştı, çünkü giysileri bir garaj satışından alınmışa benziyordu.

Erwan, hiçbirinin uyumak için evine gitmediğini anlıyordu. O da öyle yapacaktı – uçakta dinlenecekti.

– Tamam. Eve gidip bir duş alacak ve Çivi Adam hakkında bir araştırma yapacağım. Hepimiz saat dokuzda burada buluşuyoruz.

– Anlaşıldı. Gelirken kruvasan getir.

– Ne bu, karnaval mı?

Luzeko'dan, oğluna yollanan tehdit mektubunun Kabongo'dan, yani Kinşasa merkez iktidarından geldiği haberini aldıktan sonra Morvan, Paris'te yaşayan ve Kabila'yla ilişkisi olan adamlarla görüşmüştü. Kara Khmer olarak adlandırılan Youssouf Ndiaye Mabiala'yı listesine alması uzun sürmemişti. Sadece birkaç zeytin yiyerek beslenmesiyle ve yeryüzündeki tüm zenginleri öldürmek istemesiyle tanınmış, Luba kökenli fanatik bir komünistti. Onun gibi bir pisliğin Kabila hükümetiyle işbirliği yaptığını düşünmek bile tuhaftı, ama Morvan uzun süreden beri Afrika'daki çelişkileri anlamaya çalışmaktan vazgeçmişti. Edindiği bilgilere göre Kara Khmer, siyasi sığınmacı olarak (kendini, masrafları prenses tarafından karşılanan, kabilenin bir muhalifi olarak göstermişti) dört yıldan beri Paris'te yaşıyordu. Kongo'daki iki büyük savaş sırasında, Büyük Göller bölgesinde ordusuyla savaşta yer almış, şiddet yanlısı, baskıcı ve salak bir herifti.

Morvan araştırmalarının ortasındayken, bizzat Kara Khmer'den bir telefon almıştı – mükemmel zamanlama. Herif ona Nanterre'deki bir yeraltı otoparkında randevu vermişti. Geçerli bir nedeni vardı: Loïc elindeydi.

Morvan'ın kaderi buydu anlaşılan; tam Gaëlle konusunda rahatlamıştı ki, başına bir de bu çıkmıştı. Yeniden arabasına binmişti. Yol boyunca Erwan'a haber verip vermeme konusunda tereddüt etmiş, sonra vazgeçmişti; faydalı olmaktan ziyade tehlikeli olurdu. Défense heykelinin hemen dibindeki döner kavşağa girdiği sırada yeni bir telefon görüşmesi yapmış ve telefondaki sesin kılavuzluğunda, Nanterre'in dolambaçlı yollarını geçip, bir Kongolunun gözcülük yaptığı karanlık bir sanayi bölgesine kadar gitmişti.

Sonunda, pis bir bodrumda, sigara içip kafayı çekerek onu bekleyen, iskeletler gibi boyanmış iriyarı heriflerle karşılaşmıştı. Morvan'ın aklına, Ruanda sınırındaki Kivu'da gördüğü, peruk ve kauçuk maske takmış, aşırı silahlı askerler geldi. *Loïc nerede?*

– Bu palyaço maskeleri de neyin nesi? diye sordu Morvan.

Hortlaklardan biri ona doğru ilerledi.

– Biraz alttan al Morvan. Oğlunu Seine'e atmadan önce seni aramakla zaten iyilik yaptık.

Morvan cevap vermedi. Oğlunu siyah bir Mercedes'in arka koltuğunda, başı omuzlarının arasına gömülü halde otururken görmüştü. Yüzü, sanki ön camın üstünde bir şişe süt patlatılmış gibi bembeyaz bir leke halinde görünüyordu.

Morvan belinin arkasına yerleştirdiği silahını çekmemek için yumruklarını sıktı. *Kımıldama, hiçbir şey yapmaya kalkışma. Ağırdan al.* Yaşayan ölüler en az altı kişiydi, otomatik silahları vardı.

– Ne istiyorsunuz?

Adam başını salladı. Bu, Mabiala'nın ta kendisiydi.

– Oğluna bir mesaj yolladık... Görünüşe göre Fransızca okuma bilmiyor.

– Sen de yazmasını bilmiyorsun.

İrikıyım herif sessizce gülerek biraz daha yaklaştı. Morvan'la aynı boydaydı. Kongo'da kariyer, kişinin fiziksel yapısıyla ölçülürdü. Morvan'ın iki metreye yakın boyu olmasaydı, bu irikıyım heriflerin topraklarında kendini kabul ettiremezdi.

– Bu bir uyarıydı patron. Ve siz bunu dikkate almadınız.

– Sen neden bahsediyorsun, lanet olası! Coltano'dan mı?

– Tss, tss, tss. Entrikaların sona ermesi gerekiyor.

Morvan derin bir soluk aldı. Bu ölümcül buluşma belki de bazı şeylerin aydınlatılmasını sağlayabilirdi.

– Eğer dümen olduğunu düşünüyorsan, açıkla.

– Hisse senetleri patron, hisse senetleri... diye mırıldandı Siyah. Bizi dibe oturtmaya çalışıyorsunuz, *nquilé*...

"Biz" kelimesi Grégoire'ı eğlendirdi. Mabiala'nın, Kongo hükümetinin maden ocaklarındaki çıkarlarını korumak için çalıştığından ciddi ciddi kuşkulanıyordu. Efendilerine karşı köpeklerin dayanışması.

– Bunun benimle ilgili olmadığını sana söylersem, bu bir işe yarar mı?

– Hayır.

– Sizi ikna etmek için ne yapmam gerekiyor?

Mabiala, gerekçesinin altını çizmek ister gibi arabaya baktı, sonra kömür karası gözlerini Morvan'ınkilere dikti. Una bulanmış kafasıyla, Leni Riefenstahl'ın ölümsüzleştirdiği Nuba savaşçılarını hatırlatıyordu.

– Generalle konuşman gerekiyor. Yarın sabah, saat 08.20'de Kongo'ya bir uçuş var. (Eğilerek reverans yaptı.) Yedi yüz on üç avro, monsinyorrrr... Sizin paranızla küçük bir saman çöpü...

Yeniden o balçık çukuruna dönecek olma fikri Morvan'ın şimdiden midesinin bulanmasına neden olmuştu. Bu Siyah adamlar en değerli şeyi ne zaman söyleyeceklerdi?

– Bu neyi değiştirecek ki? diye sordu Morvan. Elimde Kabongo'yu ikna edecek hiçbir argüman yok.

– Bul o zaman. Hisseleri alan sen değilsen, kimlerin aldığını bul. (Siyah adam başparmağını işaretparmağına sürttü, beyaz bir toz bulutu oluştu.) Parayı bul, patron. Ve bize bir tepside düşmanı getir.

– Onu hemen bulamam.

– General, sabırlı biri değildir. Bu, olmaz. Ondan süre iste ve bunu çok kibarca yap. Bu arada, biz de oğlunu sıcak tutarız.

Mabiala, Morvan'ın omzuna kolunu attı, cep telefonunu çıkardı –"Gülümse!"– ve kahkahalar atarken Morvan'la birlikte fotoğrafını çekti. Sonra fotoğrafı Kabongo'ya yollamak için olmalı, parmaklarını telefonunun tuşlarında dolaştırdı.

– Bu, generalin sabırla beklemesini sağlayacaktır, dedi Morvan'a. (Saatine –Loïc'in Jaeger-LeCoultre'una– baktı.) Eve gidip valizini hazırlayacak kadar zamanın var.

Grégoire silahını çıkardığını ve herifleri aşağı indirdiğini hayal etti. Bam-bam-bam-bam! Hemen ardından gözünün önüne yakın geleceğiyle ilgili çok net bir görüntü geldi: Paris'ten Kinşasa'ya giderek, Mao kostümü içindeki generalin aptallıklarına katlanacak; Kinşasa'dan Paris'e dönerek kimlerin işleri tersine çevirmeye çalıştığını bulmak için her yere koşuşturacaktı. Tüm bunlar için yaşlı değil miydi?

– Onunla konuşabilir miyim? diye sordu, Mercedes'i işaret ederek.

– *Sé sé sé.* Gidip valizini hazırla. Hepinizi şişe geçirip kebap yapmadığımız için şükretmeniz gerektiğini düşünüyorum.

Kara Khmer birden tehlikeli bir cellada dönüşmüştü. Doğru tarafa oy vermeyen seçmenlerin ellerini veya kollarını –"kısa kollu gömlekliler, uzun kollu gömlekliler" diyordu– keserken de böyle görünüyor olmalıydı.

Morvan başını sallayarak durumu kabullendi. Loïc'in bakışlarını yakalayamadı, ama ona her şey yolunda anlamında bir işaret yaptı. Tam gidiyordu ki, son bir söz söylemeden edemedi; başını bu derece eğmesi söz konusu olamazdı.

– Seninle benim aramda bir fark var, diye mırıldandı, Mabiala'ya doğru yürürken. Düşmanlarımı korkutmak için kıçımı pudralamaya ihtiyacım yok.

# 71

Saat sabahın altısı. Erwan duş almış, tıraş olmuş, giyinmişti. Brest'e uçmadan önce, brifingi yönetecek kadar dinç hissediyordu kendini. Ama önce babasına Çivi Adam hakkında birtakım sorular sormalıydı.

Kripo farkında olmadan, Erwan'ın kafasındaki düşüncelerin yerli yerine oturmasını sağlamıştı: Öncelikle olayın evveliyatını araştırmalıydı. 1969 ile 1971 arasında, Lontano'da tam olarak ne olmuştu? Ya sonraki kırk yıl boyunca? Sadece canavarı kapatmışlar ve anahtarı denize mi atmışlardı?

Erwan'ın çocukluğunda, Çivi Adam, cadıların ve diğer masal canavarlarının yerini almıştı. Kâbuslarında umacı ya da vampir değil, elinde alet çantası ve çivi torbasıyla Belçikalı mühendisi görürdü... Babasının çalışma odasındaki ürkütücü heykeller de cabasıydı. Hep bu iblislerden birinin babasının ruhunu yediğini düşünmüştü. İşte bu nedenle de İhtiyar annesini dövüyordu.

Messine Caddesi'ndeki çınar ağaçlarının altına park etti ve Padre'nin yanına gitmek için servis merdivenini kullandı.

– Burada ne halt ediyorsun?

– Hoş bir karşılama.

Garip bir şekilde, babası da çoktan hazırlanmıştı; üzerinde standart giysisi vardı: Pantolon askıları ve iki renkli gömlek.

– Gir, dedi Morvan, saatine bakarak.

Kapıdan doğruca küçük bir hole, ardından da çalışma odasına giriliyordu. Erwan açık duran valizi gördü.

– Yolculuğa mı çıkıyorsun?

– Gidip döneceğim. İki günlük bir iş.

– Nereye?

– Kinşasa.

– Şaka mı yapıyorsun?

Morvan valizine bir sürü gömleği istifledi.

– Şaka yapar gibi bir halim mi var? O kahrolası sıcakta, iki saatte bir üstümü değiştirdiğimde kendimi çok iyi hissediyorum.

– Orada ne yapacaksın?

– İş. Kahve ister misin?

– İyi olur.

– Mutfakta sıcak kahve var. Bana da getir.

Erwan mutfağa gitti. Kongo'ya bu ani yolculuğun Coltano'yla ve babasının ona bahsettiği sorunlarla ilgili olduğunu tahmin ediyordu. Umurunda değildi. Baba polisin ilgilendiği her şey onu tiksindiriyordu. Bu yolculuğun Çivi Adam olayıyla uzaktan da olsa bir bağlantısı olabilir mi, diye düşünmekten de kendini alamadı.

Küçük mutfakta, makinenin üstünde dumanı tüten kahveyi buldu. Neredeyse yetmiş yaşında olan Padre, burada bir öğrenci hayatı sürdürüyordu. *Bunca çaba bu kadarcık şey için...*

Elinde iki fincanla odaya döndü.

– Sağ ol. Bana kız kardeşinden bahset.

– Her şey yolunda. Evinde ve... sakinleşti.

– Umarım. Bu salak kız yine nereye kaybolmuş?

– Ayrıntıları boş ver.

– Haklısın. Ondan bir yardım isteyecektim, ama bunu senin söylemen daha iyi.

Erwan'ın gözünün önüne, banyo havlusuna sarınmış halde, daire kapısının önünde avaz avaz bağıran Gaëlle geldi. Babasının isteği her ne haltsa, bunu ona söylemeye en uygun kişinin kendisi olduğundan emin değildi.

– Ne tür bir yardım?

– Bugün cuma. Loïc hafta sonu için çocukları alacaktı. Ama bunu yapamayacak.

– Neden?

– Elde olmayan sebeplerden dolayı.

– Bana onun...

– Hayır. Evinde olmayacak, hepsi bu. En azından bu akşam. Gaëlle'in gidip çocukları okuldan alması ve Loïc dönene kadar evinde onlara bakması gerekiyor.

– Loïc nerede?

– Üzgünüm, bunu sana söyleyemem.

Morvan en ağırbaşlı ses tonuyla konuşmuştu. Onun gerçek duygularını anlayamamasına rağmen Erwan, babasının son derece sinirli olduğunu hissediyordu. Elinde kahvesiyle valizini dolduruyordu: Tuvalet çantası, iPod, kitaplar, havlu...

– Neden bunu Sofia'dan istemiyor...

İhtiyar elindeki elektrikli tıraş makinesini düşürdü, bunalmış gibi görünüyordu.

– Demek hiçbir şey anlamadın! Hata yapma lüksümüz yok.

– Neden bahsediyorsun?

– Boşanma durumunda, Loïc kusursuz olmak zorunda. Aksi takdirde o İtalyan şırfıntısı en küçük bir olayı bile onun aleyhine kullanacaktır.

– Ama yine de gözaltı olayını gizli tutacağına söz verdi, öyle değil mi?

– Doğru, ama yine de her şeyden faydalanacaktır.

Morvan yazı masasının bir çekmecesini açtı, kılıfından bir tabanca çıkardı ve iki gömleğin arasına yerleştirdi.

– Kontrolden bununla mı geçeceksin? diye şaşkınlığını dile getirdi Erwan.

– Emniyette kırk yıldan sonra, normal değil mi?

– Ava mı gidiyorsun yoksa?

– Sen kendi işine bak. Ne istiyorsun?

– Çivi Adam hakkında konuşmak.

Babası içinde bir tomar nakit para bulunan bir zarf aldı, hızla para demetini karıştırdı (sadece yüzlük banknotlar), sonra hepsini pasaportuyla birlikte ceketinin cebine koydu.

– Gerçekten şimdi sırası değil.

– Seni 36'ya çağırmaya mecbur etme beni.

– Araban var mı? diye gülümsedi Morvan. Beni Roissy'ye götür. Yolda konuşuruz.

– Lontano'ya gittiğimde, zaten dört kadını öldürmüştü.

– Gabon'da görevliydin, seni neden Zaire'ye yolladılar?

– Çünkü son kurban Fransız bir kadındı, oraya gidip daha yakından görmemi istediler.

– Bana genel durumu tasvir et. Lontano'yu anlat.

– Büyük bir yerleşim yeriydi; maden sektöründe çalışan mühendislerin, memurların, ustabaşıların yaşadığı yeni bir şehirdi. Çoğunluğu Belçikalıydı. Çocuklara eğitim veren okullar. Kaymak tabakanın yetiştiği üniversite. O yıllarda çok kalabalıktı, kalifiye işlerde tek bir Siyah bile çalışmıyordu.

– Cinayetler başladığında, herkes paniğe kapılmış olmalı, değil mi?

– Kimse dışarı çıkmaya cesaret edemiyordu. Üstelik Lontano'da kalmak da istemiyorlardı. Şehir büyük bir göçe sahne oldu. Belçikalılar ülkelerine dönmeyi tercih etmişti. Siyahlara gelince, onlar da daha iyi durumda değildi. Etrafta bir iblisin dolaştığına inanıyor, katilin kurbanlarını bıraktığı bölgelerde çalışmak istemiyorlardı. Bölgede tüm faaliyetler durma noktasına gelmişti.

Erwan orada doğmuş olduğunu düşünmekten kendini alamıyordu. Babası haklıydı: Bu uğursuz yer lanetli olabilirdi. Periler olmadığı için, onun beşiğinin üstüne eğilen, bir seri katil olmuştu.

– Polis ne halt ediyordu?

– Zaire polisi yoktu ve Belçikalılar hiçbir şey bulamıyordu. Ellerinde sadece tek bir araştırma kanalı vardı: Tanıklıklar. Oysa kimse bir şey bilmiyordu. Tam bir suskunluk yasası gibiydi. Sirenlerini açmıyor musun?

Erwan, Porte de la Chapelle'e varmak üzereydi. E19, kuzey otoyolu yönüne saptı.

– Hayır. Hâlâ vaktimiz var ve ben bütün ayrıntıları istiyorum.

– Bunun için havalimanına yürüyerek gitmemiz gerekecek.

– Zaire hükümeti soruşturma yapman için sana yetki mi verdi?

– Siyahlar beni bir mesih gibi bekliyordu. Olay, Lontano'dan yapılan göçe iyi gözle bakmayan Mobutu'nun kulağına gelmişti. Oradaki bütün maden ocaklarının kapanmasından korkuyordu.

– Belçikalılar işbirliği yaptılar mı?

– Onların yapacak başka işleri vardı. Öncelikle şehirdeki düzeni yeniden sağlamak gerekiyordu. Katilin başvurduğu büyü ritüelleri sebebiyle Afrikalılardan şüpheleniyorlardı. Bu, onların en büyük hatası oldu. Beyazların arasında kargaşa çıkmıştı. Çatışmalar, linçler olmuştu. Oraya vardığımda iç savaşın eşiğine gelinmişti.

– Nereden başladın?

– Her şeyi sıfırdan ele aldım. Belçikalılar ilginç bir keşifte bulunmuştu. Çivi Adam'ın icraatları, Katanga'yla alakası olmayan bir büyüden esinlenmişti. Mayombe ritüelleri, batıda, bin beş yüz kilometreden daha uzakta, Kongo Nehri'nin ağzında bir bölge. Polis içgüdüsüyle, işçiler arasında Yombe etnik kökeninden olan adamları aramaya başlamışlar.

– Buldular mı?

– Yüzlerce. Zaire'de, Katanga bölgesi bir cennetti; çalışmak için her yerden oraya geliyorlardı. Beyazlar da bu açmazın içine batmışlardı. Aslında onlar da, linç edilmekten korktukları için Siyahların gettolarına yaklaşamıyorlardı. Bu arada kurbanların sayısı artıyordu.

– Kurbanların profilleri?

– Hep aynı: İyi ailelerden gelen, öğrenci veya maden şirketlerinin ofislerinde çalışan kızlar. Herkesin tanıdığı, cumartesi akşamları balo salonunda, "I'm a Man" veya "Yellow River" şarkılarıyla dans eden piliçler.

– Onları hatırlıyor musun?

İhtiyar hiç duraksamadan saymaya başladı:

– Ekim 69: Ann de Vos, yirmi bir yaşında, biyoloji öğrencisi. Aralık 69: Sylvie Cornette, on dokuz yaşında, Fyt Kolenmijn Bıçkı Fabrikası'nda sekreter. Mart 70: Magda de Momper, yirmi yaşında, edebiyat öğrencisi. Mayıs 70: Martine Duval, on sekiz yaşında, edebiyat hazırlık öğrencisi.

– Her ismi hatırlıyorsun.

– Aklımdan hiç çıkmadılar. Ve üstelik bunlar, ben daha soruşturmaya başlamadan önce öldürülmüş kızlardı. Sonra öldürülenleri, hep ailemden biriymiş gibi gördüm. (Sabit gözlerle yola bakıyordu, yeniden sıralamaya başladı.) Kasım 70: Monica Verhoeven, yirmi dört yaşında, Morgan şirketinde jeolog. Şubat 71: Anne-Marie Nieuwelandt, yirmi bir yaşında, Belçika Konsolosluğu'nda çevirmen. Nisan 71: Catherine Fontana, yirmi üç yaşında, bir dispanserde hemşire. Mayıs 71: Colette Blockx, yirmi iki yaşında, dört aylık bebeği olan bir ev kadını. Kasım 71: Noortje Elskamp, yirmi yaşında, rahibe... Acele et, yoksa uçağı kaçıracağım.

Erwan cevap vermeden hızlandı. Saint-Denis'deki Stade de France'ı geride bırakmışlardı.

– Katil hep aynı yöntemi uyguluyordu, diye devam etti Grégoire. Kaçırma, işkenceler, kesmeler, ardından cesedi makilik bir alana bırakma. Ne bir kalıntı ne de bir parmak izi bulunuyordu. Cinayetlerini yağmur mevsimi boyunca işliyordu. Sağanak her şeyi silip süpürüyordu.

– Bu nedenle mi yağmurları bekliyordu?

– Hayır. İnancına göre, muson mevsimi ruhların çoğalmasına sebep oluyordu, bu da tehlike demekti. Bu dönemde korunması gerektiğini düşünüyordu. Bu nedenle de güçlü bir fetişe ihtiyacı vardı – bir kurbana.

– Bu cinayetler, tek bir mevsime bağlanamayacak kadar uzun aralıklıymış gibi geliyor bana.

Morvan gülümsedi.

– Sen iyi bir polissin! Katanga'da yağmur mevsimi sekiz ay sürer, ekimden mayısa kadar. Bu da sana, bu çirkef hakkında bir fikir verebilir.

Erwan yeni Çivi Adam'ın bu koşula uymadığını fark etti. 7 ve 8 Eylül gecelerinde Kaerverec fundalığında hiç yağmur yağmamıştı ve 11 Eylül Salı günü de Paris'te hava günlük güneşlikti.

– Ya çiviler, cam kırıkları, ayna parçaları?

– Tüm bunlar, maden ocaklarının veya fabrikaların döküntülerinden, stoklarından alınmıştı. Hiçbir zaman tam olarak nereden alındıklarını bulamadık. Bir kez daha söylüyorum, o zamanlar başkaydı. Ve orası Afrika'ydı...

Havalimanına yaklaşıyorlardı. Tüm hikâyeyi dinleyecek zaman kalmamıştı.

– Onu nasıl yakaladın? diye sordu doğrudan.

– Yirmi beş yaşındaydım. Bu benim ilk cinayet soruşturmamdı. İzlenmesi gereken yol hakkında en ufak bir fikrim yoktu, ama bu katille, onun çılgınlığıyla, nasıl denir, rezonansa girdim. Büyünün kara, ancak katilin Beyaz olduğunu anladım.

– Tüm kriminoloji ders kitaplarında bu böyledir: Seri katiller, özellikle kendi ırklarından insanlara saldırırlar.

– O yıllarda, senin bahsettiğin bu kitaplar henüz yazılmamıştı. Mayombe bölgesinde büyümüş veya yaşamış bir Batılı aramaya başladım.

– Bu şekilde mi Pharabot'yu buldun?

– Hayır. Kongo'nun hemen her yerinde, özellikle de Mayombe'de çalışmış çok fazla Beyaz vardı. Katilin profili üstüne yoğunlaşarak şüpheli listemi azaltmaya çalıştım.

– Yani... psikolojik profili üzerine mi yoğunlaştın?

– Pek öyle sayılmaz. Somut olgulara bağlı kaldım. Bu cinayetleri işlemek için hangi becerilere, hangi bilgilere, hangi inanca sahip olmak gerekiyor, araştırdım. Benim katilim Yombe büyüsünü bilen biriydi, yani orada yaşamış, aynı zamanda da Siyah toplulukla da sıkı ilişkileri olan biriydi. Herif makilik alanı avucunun içi gibi biliyordu; cesetleri oraya bırakması bunu ispatlıyordu. Bir saha adamıydı – mühendis, jeolog, ustabaşı...

Erwan havalimanının binaları gözükünce yavaşladı. Kazanacağı her saniye, fazladan bir bilgiye ulaşması demekti.

– Bu şekilde birçok veriyi karşılaştırdım, diye devam etti Morvan. Yerler, saatler, şüphelilerimden her birinin o sırada nerede olduğu. Büyük bir titizlikle, belli bir yönteme göre hareket ettim. Gerçek bir laboratuvar çalışması. En kötüsü de, katilin hâlâ öldürmeye devam etmesiydi. Bu beni çılgına çeviriyordu, ama daha hızlı çalışmam imkânsızdı. Ayrıca bana madenlerin kontrolünü ve oradaki düzeni koruma görevini de vermişlerdi.

– Di Greco gibi mi?

– Aynen. Beşinci cinayette, adam gibi bir otopsi yapılması için bizzat uçakla gidip, Gabon'dan tanıdığım bir Fransız tabibi getirdim. Bu sayede, bir keşifte bulundum: Göğüs kafesindeki tırnaklar ve saçlar.

– Bu sana yardımcı oldu mu?

– Hayır. Bu sadece kaçık herifin Yombe ritüellerini takip ettiğini ispatladı.

– Sonuç olarak, onun kimliğini nasıl tespit ettin?

– Her zamanki gibi, şans. Son kurban, Noortje Elskamp rahibeydi ve Siyahlara açık bir dispanserde çalışıyordu. Diğer hemşireleri sorguladım. Onlara, buralarda dolaşan tuhaf davranışlı bir herif görüp görmediklerini sordum. Ya da burada tedavi olan bir Beyaz olup olmadığını. Lontano'da, tüm Avrupalılar resmi hastaneye, Beyaz Kliniğe gidiyordu, dispanser Siyahlar içindi.

– Bundan bir şey elde ettin mi?

– Genç bir mühendis tetanos aşısı yaptırmak için birçok kez

dispansere gelmişti. Bu çok saçmaydı, çünkü bir kez tetanos aşısı yaptırdın mı, senelerce koruma sağlardı. Bu adamın benim katil olduğunu anladım.

– Paslı çiviler nedeniyle mi?

– Doğru. Her kurbandan sonra gelip iğne yaptırıyordu. Bu ayrıca çok salakçaydı, çünkü tetanos topraktan geçerdi, demirden değil.

– Onu tutukladın mı?

– Hangi gerekçeyle? Gereğinden fazla aşı yaptırdığı için mi? Pharabot benim oluşturduğum profile uyuyordu, ama o, herkesin sevdiği bir adamdı. Patronları onu takdir ediyordu, işçileri ona saygı gösteriyordu.

– Ne yaptın?

– Silahımı aldım ve onu vurmaya gittim. Makilik alana kaçtı, onu yakaladım.

– Ama onu öldürmedin?

– Hayır.

– Neden?

– Ben de hâlâ kendime bunu soruyorum.

Roissy 2E çıkışı gözükmüştü. Erwan, babasıyla bu konuda yaptığı ilk konuşmanın sonuna gelmişti. Erwan dış hatlar yolcu bölümüne doğru yöneldi ve kapılardan en yakın olanına ulaşmak için kimliğini gösterdi.

– Onu tanıdığını düşünüyor musun?

– Kimi?

– Bugünkü katili.

– O beni tanıyor. Ya da benim hakkımda araştırma yapmış. Anne'ı seçmesi de bunu ispatlıyor.

– Ya Wissa Sawiris?

– Bunu açıklayamıyorum. En azından Di Greco'yla bağlantı kuramıyorum, ama bu bana son derece mantıksız geliyor.

– Bana onun hakkında hiçbir şey söylemedin. O dönemde, o da soruşturmada yer almış mıydı?

– Hayır. Fransız maden işletmelerinin patronları, madenlerde düzeni sağlayacak sağlam bir adam arıyorlardı. Onlara Gabon'dan tanıdığım Di Greco'yu önerdim. İki yıl boyunca Lontano'da çalıştı.

– Hepsi bu mu?

– Bu katil hikâyesi onu... çok etkilemişti. Sanıyorum onun için bir takıntı haline gelmişti. Ama kafanı bununla meşgul etme.

– Onu Paris'te yeniden gördüğünde, sana o dönemden bahsetti mi?

– Asla. Hiç de iyi hatıralar değildi.

İhtiyar yalan söylüyordu, ama Erwan'ın ısrar etmek için zamanı yoktu.

– Kaerverec ile Charcot arasında ister istemez bir bağ var.

– Enstitüyü unut. Pharabot öleli üç yıl oluyor. (Saatine baktı.) Gitmem gerek. Uçağı kaçıracağım.

– Orada kaldığı yıllarda onu hiç ziyaret etmedin mi?

– Asla.

– Kırk yıl boyunca Bretanya'da mı kaldı?

– Hayır, önce Kinsaşa'da, ardından da Belçika'da yattı. Fransa ancak 2000'li yıllarda bu tehlikeli kaçığı almayı kabul etti. Charcot'nun yeni bir programı vardı, nedir bilmiyorum. Belçikalılar ondan kurtuldukları için çok memnundu.

İhtiyar uzanarak arka koltuktan valizini aldı, sonra kapının koluna uzandı.

– Bekle! Hâlâ sorularım var.

– Hiç zamanım yok, diye itiraz etti Morvan.

– Kurbanların kafaları kazınmıştı, neden?

– Ahşap fetişlerle, gerçek *minkondi*'lerle benzerliğini vurgulamak için.

– Gözlerdeki ayna parçaları?

– Bu falcılık yeteneğini sembolize ediyor. Bu tür bir *nkondi* geleceği görebilir.

– Tüm bu ritüelleri hatırlamaya çalış. Bugünkü katili ele verecek bir ritüel yok mu? Şimdiki analiz yöntemleriyle?

Morvan birkaç saniye düşündü. Hermès parfümü kokuyordu, ama ne sürerse sürsün, bedeninden gizli bir tehdit, gizli bir güç kokusu sızıyordu.

– Fetişini etkin hale getirmek için, *nganga* üstüne tükürür, onu hurma şarabıyla ıslatır... Pharabot çok daha ileri gitmişti: Kurbanın kafasına ve omuzlarına kendi kanını akıtıyordu.

– Bunun anlamı...

– Kadınlar onun DNA imzasını taşıyordu, evet. Ama o dönemde, bu benim için fazla bir değer taşımıyordu.

– Bizim katilin de aynı şeyi yaptığını mı düşünüyorsun?

– Eğer aynı ritüeli özenle uygulamak istiyorsa, evet.

– Cesetlere DNA'sını bırakmış mıdır?

– Eğer o da örnek aldığı katil kadar deliyse, başka seçeneği yok. Ruhları koruması gerekiyor.

– Senden intikam aldığını düşünüyorum.

– Biri diğerine engel değil.

– Bu ayrıntıdan kimin haberi var?

– Kimsenin. Bunu bana yıllar sonra Pharabot itiraf etti, mahkeme devam ederken. (Morvan kötücül bir kahkaha atarak Erwan'ın omzuna vurdu.) Eh, hadi artık...

– Ne zaman dönüyorsun?

– Her şey yolunda giderse, yarın sabah.

– Ya kötü giderse?

– O zaman, gazetelerde görürsün.

Erwan bu şakaya cevap vermedi – şaka olduğunu umuyordu. Babası arabanın kapısını açtı, ama inmedi.

– Unutuyordum.

Ona bir zarf uzattı.

– Bu ne?

– Gaëlle'in paralı hovardalarının listesi.

– Umarım yeniden başlamayacaksın!

– Yeniden başlamaması için gidip bu herifleri göreceksin. Onları kız kardeşine olan sevdalarından vazgeçir. Bu konuda artık sorun istemiyorum.

# 73

Salonda gerginlik had safhadaydı.

Audrey elinde bloknotuyla, sandalyesinde iki büklüm oturmuştu; her zamanki gibi giyinmişti: Onun için çekicilik, cesedini kadavra olarak bağışlamak şeklinde özetlenebilirdi. Tonfa, pelerinini giymeyi unutmuş bir şov güreşçisine benziyordu. Sardalye yine sportif takılmıştı, üstünde bir İngiliz futbol takımının eşofmanı vardı. Kripo'ya gelince, her zamanki gibi, bohem görüntüsünü korumuştu: Lal rengi kadife ceket, gri ipek yelek, yol kesen haydut gibi görünmesine yol açan atkuyruğu saç.

Davetsiz bir misafir sıraların arasına kaynamıştı: Beyaz gömlek ve kötü kesimli bir takım giymiş genç bir adam, bez çantasını çaprazlama boynuna asmıştı.

Bu yeni adam Jacques Sergent'dı. Erwan ona bir köşeye oturmasını önerdi. Üstü örtülü olarak, "Sesini çıkarma" demekti bu.

– Rıhtımlarla ilgili haberlerim var, diye atıldı Audrey.

– Kara tarafında mı?

– Nehir tarafında. Nehir polisi, sabah saat dört sularında Grands-Augustins Rıhtımı'na bağlı bir Zodyak gören bir denizcinin ifadesini almış.

"Zodyak" kelimesi Erwan'a Kaerverec'i hatırlattı. Aklına saçma bir düşünce geldi: Katil Bretanya'dan buraya teknesiyle gelmiş olabilir miydi?

– Saat kesin mi?

– Hayır. Herif sadece teknenin Bercy yönüne doğru bağlanmış olduğu fark etmiş.

– Liman kayıt numarası?

– Maalesef. Mavnası ters yönde seyrediyormuş.

– Modeli?

– Piyasadaki en büyüklerden biri. Deniz komandolarının kullandığı bir model. Onlara ETRACO diyorlar.

– Biliyorum.

– Ben de bilgi topladım; piyasada bunlardan yüzlerce var.

– Diğer ekiplerdeki adamları al ve bir liste çıkarmaya çalışın.

– Ama ben...

Erwan, Tonfa'ya döndü.

– Otopsi?

– Riboise henüz bitirmedi. Zavallı kızı açmakla meşgul.

Anlaşılan Tonfa, toplantıya katılmak için görev yerini terk etmişti – bu, tamamen yasaya aykırıydı.

– Şu an elimizde ne var?

İrikıyım polis küçük defterine davrandı.

– Yetmiş dört çivi, yirmi iki adet cam parçası –ayna ve şişe kırıkları, pencere camı parçaları...– ve farklı türde metal parçaları.

– Bana elyaftan söz ettiler, o nedir?

– At kılı ya da rafya olduğu sanılıyor. Kriminal büro inceliyor, saptayacaklar.

– Riboise'a göre bu delme işlemi ne kadar sürede yapılmış?

– Bu iş çok hızlı olabilirmiş, bir çivi tabancasıyla.

Bu tür bir alet kullanmak kurban töreninin kutsal karakteriyle uyuşmuyordu. Erwan, olayın kronolojisini de düşünüyordu: Anne akşam altıya doğru kaçırılmıştı, cesedi ise sabaha karşı dörtte bırakılmıştı. Bu da, kurbanını güvenli bir yere götürmek, ona işkence etmek, kesmek, sonra da onu aşağı yukarı kaçırdığı yere geri getirmek için katilin yaklaşık on saati olduğunu gösteriyordu.

– Kanıt torbalarını kriminal büroya teslim ettin mi?

– İkinci bir teslimat daha yaptım, evet.

– Ekibin başında kim var?

– Cyril Levantin.

Laboratuvarın en iyisi. Bu iyi haberdi.

– Tırnaklardan ve saçlardan hâlâ bir haber yok mu?

– Öğlene doğru bu konuda daha fazla bilgi edinmiş oluruz. Riboise iş üstünde.

Erwan, Sardalye'ye döndü.

– Anne Simoni, sosyal ağlar?

– Şimdilik, her şey normal. Ama bilgisayarında şifreli bir dosya var. Kattaki *nerd*'lerden[1] yardım istedim.

Erwan bir kez daha Kaerverec'i düşündü. İki soruşturma çok hızlı bir şekilde birbirine bağlanıyordu.

**1.** Bilgisayar gibi teknik işlerde başarılı, ancak sosyal yönü zayıf, takıntılı kişilere verilen ad. (ç.n.)

– Hepsi bu mu?

– Sabah üçte konuştuk.

– Olası siyasi etkinlikleri de araştır.

– Ne gibi?

– Küreselleşme karşıtlığı. Anarşizm. Bu tür şeyler.

– Anne Simoni'nin bu tür işlerden elini eteğini çektiğini düşünüyorum.

– Sen yine de araştır. Ayrıca cinsel yaşamına da bak.

– Şu an için, bir dosyanın erişilmez olması dışında hard diski temiz. Özel bir şey olduğunu mu düşünüyorsun?

– Sado-mazoşizm.

Salonda mekanik bir piyano sesi duyuldu. Eski bir gangster filminin, Alain Delon ile Jean-Paul Belmondo'nun oynadığın *Borsalino*'nun müziği. Sardalye telefonunu bulmak için telaşla ceplerini yoklamaya başladı, sonra yumuşacık bir ses tonuyla mırıldanarak kapıya doğru seğirtti.

– Kripo, telefon dökümleri?

Lavtacı rahatsız olmuş gibiydi.

– Son gün, aynı kişiyi birkaç kez aramış...

– Hangi numara?

– Gizli numara. Gece boyunca...

– Hangi numara?

– Babanınki. Kişisel cep telefonu.

– Tanıştıklarını biliyoruz.

– Bu, kızın onu birkaç saat içinde neden altı kez aradığını açıklamıyor.

– Bunu ona ben sorarım.

Arabada babasına Anne Simoni hakkında hiçbir şey sormadığını fark etti.

– Kamera görüntüleri?

– Yeni bir şey yok. Kız Arcole Köprüsü üstünde buharlaşmış. Görgü tanığı bulmak için ilan yayınladık.

– Hepsi bu mu?

– Hepsi bu.

Erwan ellerini çırptı, hem sıkıntısını dağıtmak hem de iyi niyetlerine rağmen, ona düşük kapasitede çalışıyormuş gibi gelen ekibini teşvik etmek için.

– Audrey, sen kurbanın evi için arama iznini hazırla. Favini'yle birlikte git; daha önce de mekân aramalarına katıldı.

– Sorun değil.

– Tonfa, sen otopsinin sonuna katılmak için adli tıbba dön.

– Peki ben?

Bakışlar sese doğru yöneldi. Jacques Sergent elini kaldırmıştı. Öğrenci gibi. Otuzlu yaşlardaki Sergent, aşırı esmerliği, kemerli burnu –papağan gibi– dışında, sıradan yüz hatlarına sahipti. Alnı şimdiden açılmıştı.

– Sen mi? dedi Erwan. Kripo'yla beraber telefon dökümlerine odaklan.

Genç polis razı oldu. Eğlenceli bir yanı yoktu, ama en azından ekibe dahil olmuştu, bu da bir şeydi.

Erwan saatine baktı.

– Kripo, beni birazdan havalimanına götürüyorsun.

# 74

Kripo, Sergent'ı hızlıca bilgilendirirken, Erwan ofisine geçti ve yapacağı işleri tasnif etti. Bir şişe su buldu ve bir dikişte şişeyi boşalttı. Boğazı ekmek fırını gibi olmuştu. Rahatladı. Yine de bu ihtiyaca boyun eğdiği için kendine kızıyordu – ilke olarak, basit şeylerle tatmin olan insanları küçümsüyordu. Bunu, son derece bayağı bir içgüdünün bayağı bir tatmini olarak görüyordu. Neredeyse bir kusur.

Erwan çok saçma olmasına rağmen, buna benzer birçok şeyden tiksinti duyuyordu. Aslında, kendini kırbaçlayacak kadar doğasından tiksinen, fanatik bir Hıristiyan gibi davranıyordu. Sorun, yönelebileceği bir tanrının olmamasıydı.

Saatine baktı. Bu Kripo ne halt ediyordu?

Kripo'yu beklerken, fırsattan istifade Kriminal Büro Koordinatörü Levantin'i aradı.

– Merhaba, ben Morvan. Yeni kanıt torbalarını aldın mı?

– Üstünde çalışıyorum.

– İlk torbalarda işe yarar bir şey buldun mu?

– Bana ne aradığını söylersen, işim kolaylaşır.

– Öncelikle çivilerin, cam kırıklarının kaynağı ve bileşimi. Şu an için, katil ile bizim aramızdaki tek bağ bu.

– İlk bakışta, bu hurdalar herhangi bir hurdalıktan çıkmış gibi gözüküyor.

– Sen "ilk bakışta" anlayışıyla çalışmazsın. Beni bundan daha iyisine alıştırdın. Bugünkü katil, Zaire'de cinayetler işlemiş 70'li yılların bir katilini taklit ediyor.

– Yani?

– Afrika'yla bir bağ olması mümkün. Metallerin, camın, pasın bileşimini analiz et.

– Savcılık izni olması koşuluyla.

– İstediğin her şeyi alacaksın. Somut bir bilgiye ulaşmak için ne kadar zaman gerekiyor?

– Elimde onlarca kanıt torbası var. 36'nın gerekli ödemeleri yapması şartıyla, en iyi koşullarda en az iki gün lazım.

Erwan bunu duymazdan geldi. Bu evrak işleriyle, analiz süresiyle, bütçeyle alakalı sorunlar onun sinirlerini hoplatıyordu.

– Elinden gelenin en iyisini yap. Bu kahrolası çivilerin bugün nereden geldiğini öğrenmek istiyorum.

– Tamam şef.

– Bir şey daha, Tonfa sana tükürükten bahsetti mi?

– Hayır.

– Katil çivileri vücuda çakmadan önce emiyor olabilir.

– Öyle olsa bile bir iz bulmamız hiç kolay olmayacak. Bir kez daha söylüyorum, ceset berbat bir halde.

– Sen mucizeler yaratabilirsin.

– Sperm de arıyor muyuz?

– Sperm değil, kan ara. Bu çılgınca ritüeller sırasında, katil kurbanının üstüne kendi kanını akıtıyor olabilir, onunla arasında fiziksel bir... bağ oluşturmak amacıyla.

– Bu bir tür büyücülük mü?

– Nasıl istersen öyle adlandır, ama kan grubu Anne Simoni'ninkinden farklı olan örnekleri ara. Kafa bölgesinden başla.

– Bu oldukça kapsamlı bir örnek alma işi!

– Bütün ekibini görevlendir, diğer laboratuvar çalışanlarını da çağır. Acil durum!

– Ya katil ile kurbanın kan grubu aynıysa?

– O zaman boku yeriz. Bretanya'dan yollanan kanıt torbalarını aldın mı?

Erwan, Wissa'nın karnındaki saçları ve tırnakları hatırlatmıştı.

– Brest'ten gelen öğeler Grands-Augustins'deki kızla bire bir örtüşüyor, herhangi bir şüphe yok. Bu uyumun anlamı ne bilmiyorum, ama son derece zengin bir uyum.

Demek ki yeni Çivi Adam, Kaerverec'teki cinayetten önce Anne'ın saçından bir tutam almış ve tırnaklarını kesmişti. Ne zaman? Nasıl?

– Yeni bir şey bulursan beni ara.

Telefonu kapatırken, Erwan gerçekçi olmayan bir iyimserlik duygusuna kapıldı: Levantin çivilerin kaynağını bulacak veya Anne'ın cesedinde DNA'sı UGB'de[1] kayıtlı olan bir kanı izole etmeyi başaracaktı.

1. Ulusal Gen Bankası. (ç.n.)

– Gidelim mi?

Kripo üstünde paltosu, karşısında duruyordu.

– Hatta uçalım.

36'nın merdivenlerini indiler. Erwan, adamlarının yazdığı tutanakları tıktığı evrak çantasını sıkı sıkı göğsüne yapıştırmıştı – birçoğu, taşınır bilgisayarlarında, arabada bile, raporlarını gölgelerinden daha hızlı yazıyordu. Bu onu Brest'e kadar, uçuş boyunca meşgul edecekti.

Bretanya'ya gitmeyi hiç mi hiç istemiyordu.

# 75

Grégoire Morvan direkt uçuş tercih etmişti. Kinşasa'ya varmak için sekiz saatlik bir uçuş.

Siyah diplomatlar ve Beyaz patronlarla birinci sınıfta oturuyor, uykusunun gelmesi için dua ederek koltuğunda kıpırdanıp duruyordu – bir uyku hapının yanı sıra anksiyolitiklerini de içmişti ve tüm bu ilaçların birbirleriyle bağdaşıp bağdaşmadığını hatırlamıyordu.

Özellikle çocukları için kaygılanıyordu. Boyunu aşan bir davayı devralan büyük oğlu için. Gözü dönmüş Zencilerin elindeki küçük oğlu için. Kendini ve ailesini mahvetme görevini üstlenmiş kızı için.

Kaygılarından kurtulmaya çalıştı. Erwan tanıdığı en iyi polisti – kendisinden sonra. Loïc'i kaçıranlar Kabongo'dan emir gelmedikçe harekete geçmeyeceklerdi. Gaëlle'e gelince, er veya geç sakinleşecekti. Hatta yıllar içinde öfkesi de azalacaktı. Morvan'ın görevi, onu o zamana kadar korumaktı.

Kafasını dağıtmak için bilgisayarını açtı ve Loïc'in gece ona yolladığı e-postayı yeniden okudu. Jeolog Jean-Pierre Clau, iki ay önce bir helikopter kazasında ölmüştü. Satır aralarında oğlunun şüphelerini anlayabiliyordu. Coltano'yla ilgili bir HAS olduğuna pek ihtimal vermiyordu, daha ziyade bunu kamuya açıklanmamış bilgiye dayalı bir ticaret olarak düşünüyordu: Yeni yataklarla ilgili haber bir şekilde dışarı sızmıştı ve bir veya birçok finansçı dansa iştirak etmek istiyordu. Böyle bir senaryoda, jeologlar dışarı bilgi sızdırmış olabilirdi. Ama Morvan buna inanmıyordu. Öncelikle herifleri tanıyordu; profesyonel adamlardı. Görevi tamamlamışlar, sonra başka bir şeye geçmişlerdi. Ayrıca Clau'nun ölümü hiçbir şey ifade etmiyordu: Afrika'da çalışmak zaten başlı başına bir riskti. Diğerlerini arayacak ve ustalıkla onların ağzından laf alacaktı. Hisse senedinin borsa rayicini kontrol etti: Yine iki puan yükselmişti. *Kahretsin.* Kabongo'ya ne söyleyecekti?

Kafası iyice bulanmıştı. Uyku ilacının etkisi. Bir ayrıntıyı düşündü: İGGM'deki ajanları aramış ve onlara kara adamların Loïc'in evinde yaptığı tahribatı onarmalarını emretmişti. Milla ile Lorenzo'yu, kapıları ve pencereleri patlamış bir daireye sokmak söz konusu olamazdı.

Bilgisayarını kapattı ve uyumak için gözüne maske taktı. Eğer Kabongo'da işlerini bir veya iki saat içinde bitirmeyi başarabilirse gece uçağına yetişebilirdi; yarın sabah da Paris'te olurdu.

Aklına Çivi Adam geldi. Erwan'a anlattığı hikâyeyi kelimesi kelimesine yeniden hatırladı. Gerçeklerden, yalanlardan ve unutulmuş olaylardan oluşan muhteşem bir karışım. Oğlunun bu konuda ısrarcı olacağını biliyordu. Erwan kendi bulgularında diretecek, cehennemin kapılarının açılma tehlikesine rağmen bir milim bile geri adım atmayacaktı.

Yarı uykulu halde, tekrar kendi kaygılarına döndü: Son yaşanan olaylar, önceden planlanmış bir intikamın meyvesiydi. Afrika'daki cinayetler, Sirling'de bulunan yüzük, Anne Simoni'nin seçilmesi, Coltano'ya saldırılar... *Bütün bunların arkasında kim var?*

Uykuya yenik düşüyordu, ama hâlâ bir yanı uyanıktı.

O sırada göründüler. Hayatının yegâne kadınları.

Çıplak, kafaları tıraşlanmış kadınlar, gömülmüşlerdi ya da kuru bir toprağın karıklarında büzülmüş, yatıyorlardı. Ağızlarından en ufak bir ses çıkarmadan ulur gibi bağırıyorlardı. Gamalı haçlar kazınmış alınlarından süzülen kara irin, damladığı humuslu toprağı bereketlendiriyordu.

Yağlanmış gibi duran bedenleri, Edward Weston'ın fotoğraflarındaki biberlerin şekli gibi hem şehvetli hem de iğrençti. Ayrıca bu yaratıkların elleri ve ayakları yoktu, sadece kancaları veya kökleri vardı.

Bu aykırı yaratıklar onun arkadaşları değildi, ama anneleriydi.

Onlara hayatını borçluydu.

Dejavu. Üç silahşorlar, ilk seferki gibi Erwan'ı havalimanının kafeteryasında bekliyordu. Üzerlerinde artık uzun siyah yağmurlukları yoktu ve onu yeniden gördükleri için gerçekten sevinmişlerdi. Charcot Enstitüsü'ne doğru yola çıkmadan önce birer kahve içmeye karar verdiler. Erwan onlara bazı açıklamalar borçluydu, ama önce Di Greco'yla ilgili haberleri duymak istedi.

İntiharı doğrulanmıştı, ancak Wissa cinayetine bulaştığına dair yeni bir bilgi yoktu. Kamarasında herhangi bir kesici veya delici alet bulunmamıştı. Bilgisayarında da infaz planıyla ilgili herhangi bir ize rastlanmamıştı. Teğmen Gorce ve Tilkileriyle de herhangi bir teması olmamıştı. Amiral ile pilot adayı öğrencinin cuma gecesi buluştuklarına dair en ufak bir kanıt da yoktu. Kıpti'nin ölümüyle hiçbir bağlantısı olmadığından dosya kapatılmıştı. Wissa cinayetinin soruşturması yavaş da olsa devam ediyordu, ancak hiçbir sorgu yargıcı atanmamıştı ve Muriel Damasse, dosyanın tamamını istemişti – Verny sebebini anlamıyordu.

Erwan ilk önemli haberini verdi: Paris'in göbeğinde cinayet işleyen kişi, Kaerverec katiliydi.

– Bundan nasıl emin olabiliyorsunuz? diye sordu jandarma, şaşkınlıkla.

– Size kısa bir rapor getirdim, dedi Erwan, her birine birkaç sayfalık raporları uzatırken.

İyiliksever Kripo bu notları çabucak yazıvermişti. Askerler sessizce okudular. Hikâyeyi tamamlamak için, Erwan evrak çantasından Anne Simoni'nin cesedine ait fotoğrafları çıkardı.

– *Modus operandi* aynı, çiviler, cam kırıkları, ayna parçaları, çıkarılan organlar da buna dahil tabii. Tıraşlanmış kafayı ve anal tecavüzü saymıyorum bile. Otopsi devam ediyor.

Her zamanki gibi kırmızı olan Le Guen, raporlardan birini kaptı.

– Bu bize hâlâ Charcot'da ne yapacağınızı açıklamıyor.

Erwan fotoğrafları çantasına yerleştirdi, derin bir nefes aldı ve geçmişle olan bağları özetledi. Çivi Adam'ın hikâyesi. *Modus operandi*'si. 2000'li yıllarda Bretanya'da Charcot Enstitüsü'ne kapatılması. Taklitçisinin, onun öldüğü yerin yakınında öldürme arzusu.

– Bu katil, diye araya girdi Verny, yani Afrikalı olan, onun hakkında ne biliyorsunuz?

Erwan, Lontano'yla ilgili ayrıntıları verdi. "Büyücülük", "enerji ağları", "ruhlar" gibi sözcükler onları bunaltmak için yeterli oldu.

– Gidelim mi? diye sonlandırdı, kasvetli havayı dağıtmak için.

Öne, yolcu koltuğuna yerleşti. Archambault direksiyona geçti, diğer ikisi de arkaya oturdu. Tüm bunlarda kesinlikle yeniden yaşanmışlık tadı vardı. Wissa Sawiris'in anne babasını düşündü, ama onları sormaya cesaret edemedi.

Geri dönüşünün şerefine, Bretanya ona görkemli bir manzara sunuyordu: Pırıl pırıl bir gökyüzü, parlak bir güneş, rüzgârla temizlenmiş gibi çok net, sarp engebeler. Paskalya Adası'nı ve onun bazalt totemlerini çağrıştıran, gri çimenle kaplı ovalarda yükselen siyah kayalar.

– Charcot hakkında bilgi topladınız mı?

– Bölgede, herkes enstitüyü biliyor, diye cevap verdi Verny. Oraya Canavar Kafesi diyorlar.

– Bunda gerçeklik payı var mı?

– Hayır. Sadece özel bir hapishane. Bir bölümü mahkûmlar için, bir bölümü tedavi görenler için. Tehlikeli hastaları, özellikle de pedofilleri tedavi ediyorlar. Kimyasal kastrasyon uyguluyorlar.

– Fransa'da buna izin var mı?

– Hiçbir fikrim yok. Ancak bir şikâyet olduğunu düşünmüyorum.

– Geleceğimizi haber verdiniz mi?

Jandarma hafifçe gülümsedi.

– Arama izninden bile söz ettim!

– Neden?

– Neyle karşılaşacaklarını bilsinler diye.

Ön camın ardında panorama renkleniyordu. Su birikintileri içinden yüzeye çıkmış pas rengi çalılar, parlak yeşil yüzeyler, çiçeklenmiş süpürgeotları ve ortancalar. Erwan bu manzarayı görmekten mutlu olacağını hiç düşünemezdi. Bretanya'da insanı hem tedirgin eden hem de yoran bir güç vardı. Uzakta deniz, fantastik bir hayvanın sırtı gibi kabarıyordu. Pulları, gökyüzünden yayılan ışığa karışıyordu. Erwan güçlü, düzenli solumaları hayal etti. Sadece uyanmayı isteyen, uyku halinde bir güç.

Düşünceleri yön değiştirdi, istemeden de olsa dün geceye geri döndü: Kız kardeşi bir panayır hayvanı gibi, bacakları açık, tahtında oturuyordu. Gaëlle'in bahanelerini unutmuştu; ruhsal dengeden çok diyalektik daha ağır basıyordu. Birden ona çocukları okuldan alması gerektiğini söylemeyi unuttuğunu hatırladı. Önceki geceye en ufak bir imada bulunmadan, ona bir SMS yolladı. Gaëlle hiçbir zaman Loïc'in çocuklarına bakmayı reddetmemişti. Gizemli bir şekilde, bu görevi zorunluluklarından biri olarak görüyordu.

Başını kaldırdı. Tabelalarda Locquirec yazıyordu, Finistère ile Côtes-d'Armor sınırı. Enstitüye sadece iki kilometre kalmıştı.

O sırada cep telefonu hafifçe öttü – bir SMS. Gaëlle'in cevabı olmalıydı. Gözlerini telefonuna çevirdi.

Görmeyi düşündüğü en son mesaj: "Avukatımla konuştum. Akşam yemeğine çıkabiliriz. Bu akşam? Saat 20.00'de uğrayıp beni alır mısın?" Sadece S olarak imzalamıştı.

# 77

İlk bakışta, Tehlikeli Hastalar Ünitesi (THÜ) yüksek güvenlikli bir hapishaneden farksızdı. Beş metre yüksekliğinde bir çevre duvarı. Üzerlerinde projektörler bulunan, dört köşeye yerleştirilmiş gözetleme kuleleri. Duvarları çepeçevre saran çift sıra dikenli teller... Binalar, otları tamamen kesilmiş bir düzlüğün üstüne yerleştirilmişti; ilk ormanlık alan bir kilometre uzakta olmalıydı, geleni ya da daha ziyade kaçanı görmek için...

Gökyüzü çoktan bulutlanmıştı, ama titrek bir ışık yer yer bulutları deliyor ve ekili tarlaları, ormanın içini, sürü hayvanlarını ortaya çıkarıyordu. Öğle saatleri olmasına rağmen, verimli karıklardan hâlâ bir pus tabakası yükseliyor, insana toprağın nefes aldığını düşündürüyordu.

Dikenli telleri olan birinci ana kapı. Duvarın altında, içi su dolu hendekler. Resmi kimlikler. Fotoğraflar. Parmak izleri. Ne resmi Ford ne de üniformalar doğrudan geçiş hakkı veriyordu. Binaya ve park alanına ulaşmak için birkaç yüz metre yol aldılar.

İkinci kontrol. Arabalarını bırakarak, çelik kapıya kadar yürüdüler. Canavar Kafesi. Bu fikir ona gitgide daha az tuhaf geliyordu. İlk güvenlik kapısında, görevlilerin dikkatli bakışları altında silahlarının yanı sıra her türlü metal cismi, cep telefonlarını ve kimlik kartlarını bırakmak zorunda kaldılar. Bir kez daha, polis veya jandarma olmaları, özel bir muamele görmelerini sağlamamıştı. Bu önlemler sıradan suçları aşan bir tehlikeye karşı alınmıştı: Delilik tehlikesi.

Üç güvenlik görevlisiyle çevrili halde, iç avluya girdiler. Dekor değişti: Yeni biçilmiş çimler, spor sahaları, yenilenmiş beyaz binalar, Fransa ve AB bayrakları. Gerçek bir üniversite kampüsü. Soldaki kısa ama geniş blok, hapishane olmalıydı: Çok az pencere, yine gözetleme kuleleri, kuşkusuz elektrik verilmiş duvarlar. Sağda, standart bir hastaneye benzeyen bir yapı vardı: Kızıl haçlar, ambulanslar, servislerin yönünü belirten oklar. Hastabakıcılar, elleri ceplerinde, ayaklarında sabolar, kapıda sigara içiyorlardı.

Hızlı adımlarla ziyaretçilere doğru yürüyen bir adam göründü. Uzun boylu, atletik yapılıydı, altmışlarını geçmiş olmalıydı ama ışıltılı gülümsemesi, yılları tasasızca süpürüyordu. Preppy[1] görünümü yaşına göre şaşırtıcıydı: Armalı blazer ceket, *chino* pantolon, tekne mokasenleri. Gümüş rengi uzun saçlarına rağmen, dersten çıkmış bir Oxford profesörüne benziyordu. Dekorla tamamen uyumluydu. Tokalaşması, karşısındakine bir enerji ve yaşama sevinci veriyordu.

– Profesör Jean-Louis Lassay, psikiyatr ve nörolog. Bu dükkânı ben idare ediyorum!

Erwan şaşkınlığını belirtti.

– Psikiyatrlar ile nörologların arasında bir savaş olduğunu sanıyordum.

Lassay bir kahkaha attı.

– Gazetecilerin uydurması! Akıl hastalıklarının karmaşıklığı karşısında sizin de düşünebileceğiniz gibi herkes işbirliği yapar, uzmanlık alanını diğerininkiyle birleştirir. Sizin için ne yapabilirim?

Erwan meslektaşlarını tanıttı, sonra birkaç kelimeyle geliş sebeplerini anlattı. Lassay şaşırmış gibi değildi; herkes gibi o da sabah gazetelerini okumuş ve Thierry Pharabot'nun *modus operandi*'siyle olan benzerlikleri görmüştü. Erwan, Wissa cinayetinden söz etmedi. Buraya bilgi toplamaya gelmişti, bilgi vermeye değil.

– Gidip birer kahve içelim, dedi psikiyatr.

Erwan isteksizce kabul etti. Kahve bir sosyal hastalık haline dönüşmüştü, insan ilişkilerini yumuşattığı düşünülen, ama özellikle midede ekşilik ve boğazda safra tadı bırakan bir zehir.

Üstleri aranarak birkaç kapıyı geçtikten sonra duvarları plastiktenmiş gibi görünen bir toplantı salonuna girdiler. Çevresinde aynı malzemeden sandalyeler bulunan uzunca bir masa vardı, üstünde bir termos ile köpük bardaklar duruyordu. Lassay onlara önemli bir bilgi verse iyi olurdu. Erwan onca yolu, dekorasyonuyla bir ticari toplantı odasına benzeyen bu salonda oturmak için tepmemişti.

– Maalesef size nasıl yardımcı olacağımı bilmiyorum, diye lafa girdi doktor. Thierry Pharabot üç yıl önce öldü. Kasım 2009'da.

1. Sade ve özenli, ancak çok pahalı kıyafetler giyme stili. (ç.n.)

– Bunu biliyoruz. Sorun aslında, bir katilin onun delice cinayetlerinden esinleniyor olması. Hiç kimsenin ya da hemen hemen hiç kimsenin duymadığı kırk yıllık eski bir hikâye.

– Siz ne düşünüyorsunuz?

Erwan asla tanıklarını bilgilendirmezdi, ancak psikiyatrın güvenini kazanmak istiyordu.

– En basit olandan başlayalım, dedi, ellerini açarak. Pharabot, yeni tahliye edilmiş olan bir başka mahkûmu etkilemiş olabilir.

– Burada, biz daha ziyade "hasta" deriz... Hayır, bu tutarlı değil. Hücresinde yalnız kalıyordu. Çok az dışarı çıkıyordu. Ve tehlike arz eden pansiyonerleri, sizin söylediğiniz gibi, "tahliye etmiyoruz."

– Onu tecride mi koymuştunuz?

– Hayır. O bir münzeviydi. Diğerleriyle neredeyse hiç ilişkisi yoktu. On yıl boyunca, kimse onun sırrını tam olarak çözemedi.

– Ya sağlık personeli?

– Onlar da.

– Onunla ilgilenen psikiyatr kimdi?

– Bendim.

– Sizinle konuşur muydu?

– Sözünüzü kesiyorum: Sağlık Yasası, 4. Madde.

Erwan bu umursamaz tavra bir son verme ihtiyacı duydu:

– Doktor, ya şimdi tanıklık edersiniz ve zaman kazanırız ya da sizi tıbbi gizlilik yükümlülüğünden kurtarmak için Fransa Tabipler Birliği'yle temasa geçerim. Ölmüş bir katilin itiraflarını açıklayarak hâlâ hayatta olan bir katilin yakalanmasına yardımcı olabilirsiniz. Kimse bu konuda bir tereddüt duymaz.

Lassay boğazını temizledi. Erwan tartışmada üstünlüğü ele geçirmişti.

– On yıllık bir ilişkiyi, psikanalizi, tedaviyi nasıl özetleyebilirim?

– Ana hatları benim için yeterli.

– Pharabot bir "paranoit şizofren"di. İşkence deliriumundan mustaripti. Çocukluğu sırasında kendisine büyü yapıldığına inanıyordu. Güçlü ruhlar onunla konuşuyor, onu tehdit ediyor, ona işkence yapıyordu... Onun tek silahı, karşı-güç yüklü heykeller yapmaktı... *Minkondi*'ler.

– Burada kaldığı yıllar boyunca, durumunda bir gelişme olmadı mı?

– Maalesef, hayır. Psikiyatri genellikle iyileştirme konusunda etkisiz kalır. Sadece rahatlatmayı hedefler.

– Bana yeni bir tedaviden söz ettiler... Bu tedavi neye dayanıyordu?

– Şimdiye kadar hiç duyulmamış moleküller denendi. İsimleri size hiçbir şey ifade etmeyecektir. Bazılarının onu sakinleştirdiğini, bazılarının da gerçeklik ile delirium arasındaki farkı kavramasına yardımcı olduğunu söyleyebiliriz. Ama sonuçlar kesin değildi.

Verny, Le Guen ve Archambault not almaya başlamıştı.

– Ölüm sebebi neydi?

– Uykuda felç. Ya da bir kalp krizi, hiç öğrenemedik.

– Otopsi yapılmadı mı?

– Neden yapılsın ki?

– Fiziksel olarak başka hastalık semptomları var mıydı?

– Hayır, son derece sağlıklıydı. Hepimiz çok şaşırdık.

– Saldırgan mıydı?

– Hayır. Hep sakindi. Hatta çok yumuşaktı.

– Hiç sorunu olmadı mı?

– Hayır. Ama aldığı ilaçlar oldukça fazlaydı.

– Elinizde ona ait fotoğraf var mı?

– Hiç yok. Fotoğraf çektirmeyi reddediyordu. Afrika'ya mahsus batıl inançlar.

– Peki antropometrik dosyanız için?

– Bizimkiler tıbbi dosya, polis fişlemesi değil.

– Ama onun hakkında bilgilerin bulunduğu bir dosya da almadınız mı?

– 70'li yıllarla ilgili olarak mı? Hayır. Pharabot, uzun süreden beri başka bir hastaneden nakledilen tek hastaydı.

Salonun ciddi atmosferinden etkilenen Erwan da küçük bir not defteri çıkarmıştı.

– Ziyaretçi kabul ediyor muydu?

– Asla. On yıl boyunca bununla ilgili en ufak bir talebi olmadı.

– Yargı onunla meşgul oluyor muydu?

– Hayır. Tek bir sorgu yargıcı bile gelmedi. Herkes Pharabot'yu unutmuştu. Onun kaderi bu duvarların arasında ölmekmiş.

Bu merhamet dolu ses tonu Erwan'ı sinirlendirdi.

– En azından onun neler yaptığını biliyorsunuz, değil mi?

– Lontano'yu mu kastediyorsunuz? Sadece dikkat çekici olaylar.

– Bunlardan şoke olmuş gibi bir haliniz yok.

– Böyle düşünmeyin. Yıllar içinde onun deliliğini daha iyi anladım ve onun bu... nasıl desem, dürtülerini durdurmayı başardık.

– Anlamıyorum.

– Pharabot ruhların korkularıyla yaşıyordu. Kendini korumak için kim olursa olsun kurban ediyordu. Ama burada, bu takıntı, sadece diğerlerinin arasında bir semptoma dönüştü. Artık kesinlikle sizin düşündüğünüz vahşi hayvan değildi.

– Dosyasını görebilir miyim?

– Hayır. Tıbbi gizlilik.

– Bunu daha önce de konuştuk sanıyorum.

Psikiyatrın yüzü asıldı.

– Bu konuda, boyun eğmeyeceğim. İsterseniz gizlilik kuralının kaldırılmasıyla ilgili talepte bulunun, bu talebiniz onaylandığında geri gelin, ama şimdilik bu konuşmayla yetineceksiniz. İyi niyet gösterip yeterince şey söylediğimi düşünüyorum.

Israr etmek gereksizdi.

– Şimdiki sorunumuza geri dönelim: Bir adam, bir katil, bugün öldürmek için Çivi Adam'ın geçmişinden ilham alıyor. Onun *modus operandi*'si hakkında yeterince bilgi sahibi olduğu anlaşılıyor ve Pharabot'nun burada kapalı tutulduğunu bildiğini düşünüyorum. Enstitü çevresinde dolanan herhangi birini gördünüz mü? Daha önce hiç görmediğiniz biri?

– Asla.

– Bilgi hırsızlığı, korsanlığı?

– Hayır.

– Mektup alıyor muydu?

– Yine hayır.

Erwan ayağa kalktı.

– Hücresini görebilir miyiz?

Profesör kaşlarını kaldırdı.

– Orada ne bulmayı umuyorsunuz? Adam öleli üç yıl oluyor.

– Hücre dolu mu, değil mi?

– Sanmıyorum. Hastalar üstünde... olumsuz bir etki yaptığı fark edildi.

– Hücrenin lanetli olduğunu mu söylemek istiyorsunuz?

Lassay güldü.

– Bu tür tuzaklara düşmekten kaçınırız. Diyelim ki, siz bu konuda ne düşünürseniz düşünün, kimse en tehlikeli hastamızın kaldığı 234 numarayı unutmadı. Hadi gidelim.

THÜ'nün iç mekânları bölmelere ayrılmıştı, hepsi küçük ve kilitliydi. Şifreli bir kilidi açmak için manyetik kart okutmadan üç adım ilerlemek imkânsızdı. Parmaklıklar ve kimi zaman çelik kapılar birbirini izliyordu. Dışarıya bakan tek bir pencere bile yoktu. Her yer beyaz ve parlaktı, ne tek bir priz ne de bir girinti ya da çıkıntı vardı. Her bölmesi iki kez kilitlenmiş devasa bir buzdolabı.

Güvenlik kameraları tavana sabitlenmişti. Camlı kabinlerin arkasında, bellerinde metal ve plastik kelepçelerden oluşan koleksiyonlarıyla görevliler nöbet tutuyorlardı. Etrafta hiçbir hareket yoktu. On dakikalık yürüyüş boyunca beyaz önlüklü bir veya iki gardiyan dışında kimseyle karşılaşmadılar. Koridorlarda gürültü yoktu. Kapıların arkasında da.

Bir şey tam da Erwan'ın beklediği gibiydi: Koku. Hem hapishaneyi hem de hastaneyi çağrıştıran idrar ve ilaç karışımı bir koku.

Erwan babasını düşündü: Onun yeri de bu tarz bir kurumdu. İhtiyar'ın Maggie'yi kaçırdığı ve Montparnasse'taki aileye ait mezar odasına kapattığı günü yeniden hatırladı. Ertesi sabah bekçi Maggie'yi bulduğunda, kadıncağız titriyordu ve çok sarsılmıştı. Şikâyetçi olmamıştı. Erwan sadece on beş yaşındaydı; hiçbir şey yapamazdı, ama suç mahalline gitmişti. Mahzen boştu; ne bir mezar ne de atalara ait bir şey vardı. Morvan-Coätquen'lerden en ufak bir iz yoktu.

Hücrelerin –"odalar" diye düzelti Lassay– bulunduğu birinci kata ulaştılar. Aslında, her şey hapishane düzenini unutturmak için tasarlanmıştı. Hatta kapılardaki, pencere işlevi gören delik, hasta mahremiyetini koruyan bez storlarla kapatılmıştı.

– Bir kamu kurumu musunuz?

– Yarı kamu, yarı özel.

– Kişilerden de bağış kabul ediyor musunuz?

– Bazılarından, evet.

Erwan, bu tip enstitülerin destekçilerinin profilini hayal etmekte zorlandı. Onun şaşkınlığını fark eden Lassay gülümsedi.

– Şaşırmış olmalısınız... Bizim burada pedofiller de var. Kurbanların aileleri araştırmalarımızı sürdürmemiz için bize parasal katkı sağlıyorlar. Kötülük bir ruhsal bozukluk, bir insan patolojisidir. Buna ilk alaka gösterenlerin kurbanların ailelerinin olması ve bu alandaki çalışmalarımıza seve seve parasal destek vermeleri şaşırtıcı değil.

Erwan konuşmayı akışına bıraktı. Onun genetik kodu, katilleri ve tecavüzcüleri tedavi edilmesi gereken hastalar olarak görmesine engel oluyordu. Hacıyatmaz gibi sallanarak, ağır hareketlerle gezinen birkaç hastayla karşılaştılar. Kafaları tıraş edilmiş, gözleri yuvalarından pırtlamış, biçimsiz eşofmanlar giymiş hastalar. Hepsinin tamamen uçmuş gibi halleri vardı. Onları gözetim altında tutan kimse yoktu, ancak o kadar güçsüz görünüyorlardı ki, bir çocuk bile bir çelmeyle onları yere yıkabilirdi. Bu hastalar Erwan'a, termitler tarafından kemirilen ve en ufak dokunuşta un ufak olan kütükleri hatırlattı.

Bir hücrenin eşiğinde durdular. Lassay manyetik kartını çıkardı ve otel odalarında olduğu gibi hücrenin kapısını açtı.

– İşte.

Yaklaşık yedi metrekarelik boş bir mekândı. Ne elektrik prizi ne de tuvalet vardı. Sadece yere sabitlenmiş bir masa.

– Hiç hücresini değiştirdi mi?

– Hiçbir zaman.

Erwan, Kripo'nun yaptığı gibi, köşelere, süpürgeliklere dikkatle bakarak odayı incelemeye başladı; bir ayrıntı, bir yaşanmışlık izi arıyordu.

– Ne bulmayı umuyorsunuz? Duvar yazıları mı?

– Onun gibi bir şeyler.

Lassay güldü.

– Hastalarımızın yaşam biçimleri hakkında bir fikriniz yok. Giysiler, elektronik cihazlar, tuvalet malzemeleri, hepsi yasaktır. Kalemler ya da herhangi bir şey kolayca bir silaha dönüşebilir. Yalnızken hemen hemen hiçbir şeye dokunamazlar.

Erwan ayak parmaklarının ucunda yükselerek, üstünde dikenli tellerin bulunduğu çevre duvarlarına bakan tavan penceresine uzandı.

– Bu görüntüden nefret ediyordu, diye belirtti Lassay.

– Duvarlar yüzünden mi?

– Hayır. Su dolu hendekler yüzünden. Ruhların bu tür yerlerde saklandığını söylüyordu. Yombeler hendeklerden, su birikintilerinden, kaynaklardan korkarlar...

Erwan, Morvan'ın suyun öneminden bahsettiğini hatırladı. Pharabot, yağmur mevsiminde, ruhların göç ettiği dönemde öldürüyordu.

– Dışarı çıkmıyor muydu?

– Nadiren. Bir ağacın dibinde uyuyakalmaktan ve karınca yuvasına dönüşmekten korkuyordu. Afrikalıların "ikinci dünya" olarak adlandırdıkları bir dünyada yaşıyordu.

Erwan saatine baktı – burada zaman kaybediyordu. Pharabot bağlanması gereken bir deliydi. Lassay haklıydı: Lontano'dayken korkunç bir canavardı, ama sonra, ölümüne kadar kış uykusuna yatmış, diğerleri gibi ilaçlarla uyuşturulmuş bir bunağa dönüşmüştü.

Psikiyatr sanki onun bu hayal kırıklığını fark etmişti.

– Gelin. Size göstereceğim bir şeyler var.

Yeni koridorlar. Masalarla, şövalelerle, sıralarla dolu büyük bir salona açılan güvenlik kapısından geçtiler. Etraf boştu –öğle yemeği saati–, ama içeride az çok anlamlı resimler, sanatsal objeler vardı. Bazıları ürkütücüydü, bazıları da beceriksiz çocukların ellerinden çıkmış gibiydi.

– Burada sanat terapisi de mi yapıyorsunuz?

– Onları meşgul etmek gerekiyor. (Çelik bir kapıya doğru yöneldi.) Burada sergi için en başarılı parçaları saklıyoruz.

Dar ve uzun odaya kartondan, kâğıttan, balsa ağacından –hafif ve zararsız malzemeler– yapılma eserler yerleştirilmişti. Erwan gözlerini bir rafa çevirdi ve donup kaldı.

Yirmi kadar *minkondi* –otuz santimetreden daha uzun değillerdi– sıralanmıştı; babasının koleksiyonunu yaptığı, kırmızıya boyanmış heykelcikler gibi. Çivilerin ve cam kırıklarının yerine kulak çubukları ve alüminyum folyo parçaları kullanılmıştı.

– Pharabot her yıl bunlardan bir sürü yapıyordu. Elleri çok maharetliydi, süslemek için ne bulursa onu kullanıyordu.

Erwan heykelcikleri dikkatle inceledi. Diken görünümü verilmiş kâğıttan kıymıklarla donatılmış bir heykel böğürtleni çağrıştırıyordu. Bir başka heykelin kafası, tropikal görünümlü yaprakların arasından çıkan bir kaktüs gibi dikenliydi. Ayakta durmuş, dizlerini bükmüş, omuzlarında bir sürü demir çubuk taşıyan bir adam.

Lassay bir başka heykeli aldı; yumurta biçiminde kafası, mongol gibi çekik gözleri, ustura bıçağı şeklinde ağzı vardı. Ağzından dışarı çıkan küçük dili ona yaramaz bir çocuk havası veriyordu.

– Bu heykeli düşmanlarının dilinin dışarı sarkması için yapmıştı. (Psikiyatr acıklı acıklı güldü.) Charcot'da, bu *nkondi* bayağı etkili olmuşa benziyordu: İlaçların etkisi altındayken çoğu hastanın ağızları yarı açık ve dilleri dışarıda olur.

– Diğer hastalardan uzak mı duruyordu?

– Ona göre hepsi büyücüydü. Kendini bu heykelciklerle... koruması gerekiyordu.

Erwan yaklaştı ve küçük salyangoz kabuklarından kolyesi olan bir heykel gördü.

– Yombe inanışına göre, diye açıkladı psikiyatr, salyangoz kabukları doğumu ve verimliliği simgeler. Dışarı ender çıktığı zamanlarda, Pharabot bahçeden hayvan ölüleri toplardı. Heykellerinin birinde bir kuş gözü vardır, ileri görüşü simgeler; daha güçlü kıldığını düşündüğünden bir diğerinin kafası yılan başıdır.

– Bu fetişlerin içine saçlar ve tırnaklar koyar mıydı, biliyor musunuz?

Lassay, onu onaylarken gülümsedi.

– Bayağı çalışmışsınız. Evet, Thierry heykelciklerin içlerine, diğer hastaların saçlarını ve tırnak artıklarını gizlerdi.

– Onları nereden buluyordu?

– Bir şekilde hallediyordu. Duşlardan, banyolardan. Hatta bazen, dergilere, sigaraya ilgi duyanlarla değiş tokuş yaptığı da oluyordu.

– Bu heykelleri yaparken onu hiç gözlemlediniz mi?

– Sıklıkla, evet.

– Kulak çubuklarını ya da kâğıttan kıymıkları yerlerine koymadan önce emiyor muydu?

– Evet. Bunun fetişle olan bağını güçlendirdiğini ileri sürüyordu.

– Üzerine bulaşmış bu kırmızı şey, boya mı?

– Elbette.

– Hiç kendi kanını kullandı mı?

Lassay yeniden güldü; konuşacak birini bulduğu için mutlu gibiydi.

– Bir kez daha şaşırdım, evet. Bunu yapmasına izin verdim. Bu heykelcikler ve onların verdiği güç, onun en iyi terapisiydi.

Erwan bu yolculuğun zaman kaybı olmadığını düşündü. Bir şekilde, Pharabot'ya, onun inançlarına, deliliğine yaklaşmıştı.

– Onları yanımda götürebilir miyim?

– Sonra iade edecek misiniz?

– Elbette, ama soruşturmadan, belki de mahkemeden sonra. Tabii bir mahkeme olursa. Yani hemen değil.

– Kendinizi tanıttığınızda, isminiz dikkatimi çekti. Pharabot'yu Zaire'de yakalayan adamla akraba mısınız?

– Babam.

Psikiyatr ellerini açtı ve gülümsedi.

– Öyleyse onları alabilirsiniz. Ailede kalabilir.

# 79

– Gaëlle, ne zamandan beri seni muayene ediyorum? On yıl, on iki yıl?

– On beş yıl. Başka bir jinekoloğa görünmedim hiç.

– On beş yıl. O zaman müsaadenle, senden biraz daha düşünmeni istiyorum.

Gaëlle cevap vermedi. Fendi marka çantasını, sanki tüm hayatının içinde olduğu bir bohçaymış gibi sıkı sıkı tutuyordu. Ellis Adası'nda göçmen bir Polonyalı kadın.

– Her şeyi düşündüm.

– Bunun geri dönüşü olmayan bir operasyon olduğunu iyice anladın mı?

– Çok iyi anladım.

Doktor hayal kırıklığını belirtmek için kollarını kaldırdı. Gaëlle, Doktor Biguenau'yu seviyordu; onu komik buluyordu. Keldi, bıyıklıydı, hep kısa kollu önlükle dolaşıyordu, kolları çok kıllıydı ve kovboy çizmeleri giyiyordu. Yeniyetmelik yıllarında, ona Bigorneau[1] diyordu.

– Bu kararı neden aldığını öğrenmek istiyorum.

– Bunu sona erdirmek istiyorum.

– Ne sebeple? diye bağırdı doktor. Henüz bir şey yok! Genellikle bunu benden, bir veya birçok gebelikten sonra talep ederler. Böyle bir karar vermek, bir daha asla çocuk sahibi olamamak demek...

Gaëlle sandalyesinde dimdik oturuyordu. Biguenau hâlâ onu küçük bir kız çocuğu sanıyordu, ama o hep kısırlaştırılmayı düşünmüştü. Gerçeği söylemek gerekirse, başka bir seçenek düşünmemişti hiçbir zaman.

1. Deniz salyangozu. (ç.n.)

– Cerrahi müdahale uzun sürer mi?

Jinekolog, kadın üreme organlarını gösteren bir levha aldı.

– En fazla otuz dakika sürer ve bilincinin açık olması seni etkilemezse, operasyonu lokal anesteziyle bile yapabiliriz.

– Etkilemez.

Doktor ona belli etmeden bakarken derin bir iç çekti; "Ne zaman kabadayılık taslamayı bırakacaksın?" diye sorar gibiydi. İşaretparmağını resmin üzerine koydu. Küçük elmaslarla süslenmiş bir Rolex takıyordu.

– Fallop tüplerinin uçlarını buradan ve buradan yakacağız. Bu şekilde, ebediyen kapanacaklar. Sperm ile yumurtalar arasında hiçbir temas olmayacak. Tabii doğurganlık şansı da.

– Bu her defasında işe yarar mı?

– Başarı yüzdesi, aslında başarısızlık demeliyim, yüzde 90'dan fazla.

Biguenau masasının üstünden eğilerek Gaëlle'in ellerini sıkıca tuttu. Bu kıllı patilerin arasında Gaëlle'in ince parmakları, rahatsız edici bir görüntü sunuyordu.

– Yeniden düşün. Bunun geri dönüşü yok! Belki melankolik bir dönem geçiriyorsun, erkek arkadaş bulmakta zorluk çekiyorsun ya da...

Gaëlle ellerini çekti.

– Bunun erkeklerle bir ilgisi yok.

– Yine de biraz olsun, yok mu? diye güldü Biguenau.

– Hayır. Bu sadece kendimle alakalı bir şey.

– Bu fikre nereden kapıldın?

– Üremek istemiyorum.

– Neden?

– En kısa süren hatalar en iyileridir.

Biguenau kızgın bir öğretmen tavrıyla koca parmağını ona doğru salladı.

– Böyle edepsizlikle, işin içinden sıyrılabileceğini mi sanıyorsun? Tüm hayatını, televizyon filmlerinin replikleriyle geçirebileceğini mi? Hayat bu değil, yavrucuğum. İnsan payına düşen sorumluluğu üstlenmeli, görev almasını bilmeli. Kendine bu dünyadaki işinin ne olduğunu hiç sordun mu? Mezar taşına ne yazılacağını?

Gaëlle cevap vermedi. Kendini eski usul bir toplu mezarda görüyordu, fahişe ve cüzamlı cesetlerinin atıldığı bir çukurda. Biguenau neredeyse homurdanarak derin bir iç çekti ve ona bir broşür ile "Kalıcı Cerrahi Kısırlaştırma" başlıklı bir form uzattı.

– Bu belgeyi okuman ve özellikle de düşünmen için sana bir hafta veriyorum! İkinci bir şansın olmayacak Gaëlle.

Genç kadın ayağa kalktı, doktorun elini sıkmaktan kaçındı ve para ödemek için ısrar etti – muayenehanesine geldiğinde, doktor sinirlenerek bunu reddetmişti.

Dışarı çıkınca, bir taksi çevirdi. Çocukları, 16. Bölge, Paul-Valéry Sokağı'ndaki okullarından almak için sadece yarım saati vardı. Günün sonu, acı ironilerle doluydu. Okula varınca, yavrularını almaya gelmenin gururunu ve mutluluğunu yaşayan evli anneleri seyre daldı.

İki farklı grup vardı: Çocuklarını "devlet okulu"na yerleştirmeyi seçmiş ilerici burjuva kadınları ile bu semtte, ancak kalitesiz yerlerde –zemin katlar, hizmetçi odaları– oturan ve tamamı yabancı kökenli olan kapıcı kadınlar ve hizmetçiler. Gaëlle iki kategoriden de belirgin bir şekilde farklılık gösteriyordu. Daha gençti, daha güzeldi – ve daha orijinaldi. Eskitilmiş bir kot pantolon, Giuseppe Zanotti botlar ve üstüne çevreci rozetleri tutturulmuş bir asker parkası giyiyordu. Sırtına, sanki Swinging London'ın[2] kutsal dönemini hatırlatmak için Union Jack, Britanya bayrağı dikilmişti.

Okul kapısının önünde yerinde duramayan bu sabırsız anneleri küçümsüyordu. Özellikle de kendini küçümsüyordu. Kendini uğursuz, bu evrende fazlalık hissediyordu. Dalına tünemiş bir baykuş. Yirmi metre ötedeki Lauriston Sokağı'nın, İkinci Dünya Savaşı boyunca Gestapo'ya ev sahipliğini yaptığını; biraz ötedeki Copernic Sokağı'nda da 3 Ekim 1980'de bir sinagogun önünde şabat günü bir bomba patladığını hatırladı. Yakınlardaki, penceresiz duvarlarıyla Passy Su Sarnıcı ise bir hapishaneyi veya devasa bir mezarı çağrıştırıyordu.

Sonunda, okulun kapıları açıldı. Gözünü dört açmalıydı; anaokuluna giden Milla soldan, ilkokula giden Lorenzo ise sağdan çıkacaktı. Her şeye rağmen, çocukların onu hayatla barıştıracaklarına, onun sevgiye ve geleceğe olan inancını canlandıracaklarına inanmak istiyordu.

Gaëlle onları görünce (şekerlemeler ve çikolatalı poğaçalar almıştı), umutlarının boşuna olduğunu anladı. Çocuklar sevinç çığlıkları attılar, onu öptüler, var güçleriyle ona sarılıp kucakladılar; hiçbiri işe yaramadı. Onların canlılıklarının, saflıklarının hiç yardımı olmuyordu.

Cehennemde yanarken, avucunda iki buz parçası tutuyordu.

**2.** *Swinging London* (Sallanan Londra): 1960'ların Londrası'nda ortaya çıkan moda ve kültür alanlarında kullanılan geniş kapsamlı terim. Büyük ölçüde müzik, diskotekler ve altkültür modasını kapsar. (ç.n.)

# 80

– İmkânsız, kahretsin! Kaldır kıçını!

Dizlerine kadar çıkan suyun içinde, Morvan yeniden Afrika'ya, ayakkabılara yapışan, insanı sıçan gibi ıslatan gerçek Afrika'ya kavuşmuştu. Kinşasa-N'Djili Havalimanı'ndan üç kilometre uzaklaşmadan, bindiği taksi, arabalardan, kamyonlardan, at arabalarından oluşan bir kaosun ortasında, çamura saplanıp kalmıştı. "Çamura saplanmak" doğru sözcük değildi: Bir nehir bir anda normal yolun yerini almıştı. Şiddetli yağmurun altında, sürücüler yarı üzgün, yarı eğlenerek oldukları yerde saplanıp kalmış araçlarını seyrediyorlardı.

– Eğer bizi buradan çıkarmazsan, diye bağırdı Morvan, şoförüne, yemin ederim senin kıçını tekmelerim!

– Patron, yapacak bir şey yok...

Bu cümleyi kim bilir kaç kez duymuştu? Arkasından aynı ahenkle gelen bir başka cümle: "Ama ne yapabiliriz ki?" Siyahlar gerçeği kabullenmiyordu. Olaylar ile bilinçleri arasında bir dalgalanma, tepki çeken bir uyumsuzluk vardı. Morvan en az bin kez bu tavırla karşılaşmış, yumruklarını sıkmış, sinirlerine hâkim olmaya çalışmıştı. Hiçbir şeyin değişemeyeceğini uzun zamandan beri biliyordu.

Şoföre birkaç avro verdi, arka koltuktan valizini aldı ve yol kenarındaki toprak dolguya kadar bata çıka yürüdü. Hızlı adımlarla yürüyerek, gerçek bir yol parçasına ulaştı. Saat 16.00'ydı; uçağı zamanında inmişti ve bir an için, saat 17.00'deki randevusuna zamanında gideceğine –asla öğrenemiyordu– inanmıştı.

Başı önde, homurdanarak birkaç yüz metre yürüdükten sonra, başını kaldırdı ve bir anda manzaranın farkına vardı. Kırık dökük otobüslerden, eski püskü araçlardan oluşan uzun bir kuyruk kırmızı renkli suyun içinde kalmıştı. Binlerce Siyah, balçığın içinde el kol hareketleri yapıyor veya ellerinde ayakkabıları, başlarını bir gazete parçası veya plastik bir leğenle yağmurdan koruyarak, toprak bayırda oturmuş, sabırla bekliyordu. Gerçek bir esriklik yaratan, çarpıcı renkleriyle Dantevari ya da komik –hangisini tercih ederseniz– bir tablo. Fırtına gökyüzünü kor gibi ısıtmıştı sanki; kara bir magmanın hâlâ yakıcı küçük damarları gibi, siyah bulutlardan kurtulan, mora çalan ebrular, açık mor hatlar... Altında, tekrenkli bir film göz alabildiğine uzanıyordu – diğer tüm renkleri bastıran koyu kırmızıya yakın katıksız bir sepya rengi.

Morvan kahkahalarla güldü. Aslında bu yağmuru, bu kaosu seviyordu, "Gerçek düzen düzensizlikten doğar" demişti Flaubert. Birkaç saniye içinde insanoğlunun yapay düzenlemelerini silip süpüren doğanın gücü. Düşünülenin tam tersine, kimse Afrika'da kanunların üstünde değildi, çünkü söz konusu olan doğanın kanunlarıydı. Burada hava, insanın kendini her şeyin üstünde gördüğü ABD'ye göre daha sağlıklıydı. Orada Katrina olur, herkes ağzının payını alırdı. Afrika'da, Katrina, her sabah oluyordu; öyleyse kendini papa sanmanın âlemi yoktu...

Bu şekilde düşünerek yürümeye devam ediyordu ki, taşıt ve alüvyon tıkanıklığını geride bıraktığını fark etti. Yol yeniden suyun üstüne çıkmıştı. Eski püskü bir 4x4'ü durdurmak için el etti. Araç o denli çamura bulanmıştı ki, modelini ayırt etmek imkânsızdı.

– Nereye gidiyorsun patron?

– Gösteririm, dedi Morvan, Lingala dilinde.

Siyah adam somurttu, çünkü yerel dilde söylenmiş bu cümle, "Bunu bana soramazsın" anlamına geliyordu. Erwan asık yüzle, hiç konuşmadan şoförün yanına oturdu; ona aptalca turist muhabbeti yapma fırsatı vermeyecekti. Zaten, camın ötesini görmeye çabalamakla yeterince meşgul olacaktı; kırmızı yağmur camları şiddetle dövüyordu. Kaportanın üstünde bir sığır boğazlanıyormuş gibi görünüyordu.

Kinşasa çok büyük bir şehirdi: Burada bir zamanlar "şehir planı" yapıldığını gösteren büyük caddeler ile bugün kaderine terk edilmiş karınca yuvaları gibi bir araya toplanmış küçük mahallelerden oluşan bir karmaşa.

– Nehre doğru, diye emretti Morvan.

Lumumba Bulvarı'nda ilerliyorlardı. Kapı koluna tutunan (sanki bir cangılın ortasında yol alıyorlarmış gibi sarsılıyorlardı) Grégoire yeniden saatine baktı: 17.00. Burada saatin önemi yoktu. Kabongo da geç kalacaktı. Ancak Morvan'ın dönüş uçağı saat 20.00'de kalkıyordu ve geç kalmak istemiyordu. Afrika'da hiçbir şeyin önemi yoktu, özellikle de geç kalmaların.

– Halk Caddesi'ne sap ve rıhtıma kadar devam et.

Sağanağın altında, bitmemiş apartmanlar, sefil pazaryerleri, çamurlu sokaklar erguvan kırmızısı ekin demetleriyle, sırılsıklam olmuş yayalarla, rengârenk dükkânlarla uyum halinde birbirini izliyordu.

Sonunda vardılar. Morvan şoförün parasını ödedi ve koştu. Kabongo ona, Kinşasa'da meskenlerin bulunduğu bir semtin, Gombo'nun yakınlarında, nehrin kenarındaki bir açık hava barında randevu vermişti.

Ekselansları çoktan gelmişti; üç siyah Mercedes bunun kanıtıydı. On kadar yakın koruma, yağmur sularının damladığı sundurmanın altında gidip geliyordu. Kulaklıklar, silahlar, kaçamak bakışlar... Sanki Obama'yı koruyorlardı. Morvan aptal değildi; telsizlerin ve silahların göstermelik olduğu belliydi. Cehennem köpeklerine gelince, daha bu saatte nefesleri hurma şarabı kokuyordu.

İki kez üstünü aradıktan sonra Marvan'ın geçmesine izin verdiler.

Bar ve dans salonu olarak kullanılan bu açık hava mekânı, birkaç direk üzerine yerleştirilmiş bir çatıdan ibaretti, her yanından rüzgâr alıyordu. Bu saatte tek bir sıçan bile yoktu. Dans pisti bomboştu ve çürümüştü. Sandalyeler bir köşeye istiflenmişti. Sekinin üstündeki hoparlörler naylon torbalarla korunmuştu. Saç çatıya düşen yağmur damlaları çakıl taşları gibi sesler çıkarıyordu.

– Selam Isidore.

– Selam Grégoire.

Morvan, başparmağıyla arkasındaki yakın korumaları gösterdi.

– Bu adamlar gerekli mi?

– Leopar, lekeleri olmadan yolculuk yapmaz.

Kabongo'nun tuhaf bir alışkanlığı vardı: Yerli yersiz, sözüm ona Kongo atasözü olan, çoğunlukla kendisinin uydurduğu, anlaşılması güç sözler söylüyordu.

– Nasılsın generalim?

– Kötü, çoook kötü. Ve bunun sebebi de sensin!

Nehre tepeden bakan bir korkuluğun yanında durmuş, ağızlığına yerleştirdiği bir sigarayı tüttürüyordu. Isidore Ntahwa Kabongo orta boylu ve gri kıvırcık saçlıydı; Mobutu'nun eskiden tüm rejim aparaçiklerini giymeye mecbur tuttuğu bir abakost vardı üstünde. Beyazların takım elbise-kravatına alternatif olarak, Mao yaka ceket ve ona uygun pantolondan ibaret olan "abakost"[1] da zaten "Kahrolsun kostüm!"den türetilmiş bir sözcüktü. Bugün bu tür bir giysi çağdışıydı. Kabongo için ise bir mesaj verme yöntemiydi: Kabila Hanedanlığı'na takdire değer hizmetlerde bulunmuştu, her şeyini Mobutu'ya borçlu olduğunu unutmuyordu.

Onun da kat ettiği yol Morvan'ınkine benziyordu. Yüzde yüz Luba'ydı (Kabongo, aynı zamanda Katanga'da bir bölgenin ve yerleşimin de adıydı); Zaireli entelektüel, kariyerini Mobutu döneminde yapmış, ardından sonraki hükümetlerde de ayakta kalmıştı. Uzun yaşamasını toprak deneyimine borçluydu. İki kez madencilik, maden sanayileri ve jeoloji bakanlığı yapmıştı, hâlâ uzmanlığından yararlanıyorlardı: DKC'nin yataklarını el altından yöneten oydu. Bu alanda onun yerini alabilecek kimse yoktu.

Morvan ilerledi ve birden durdu. Generalin bir özelliğini unutmuştu: Afrikalı, evcil hayvan olarak bir sırtlan besliyordu. Çok karısı olmuştu ve karılarından daha fazla da çocuğu (söylentilere göre otuz çocuk, "bihaber" oldukları da cabası). Ama hiçbir şey, hiç kimse, beraberinde her yere götürdüğü o ürkütücü hayvanın, sevgili Cocotte'unun yerini tutamıyordu. Asimetrik ayakları ve siyahımsı ağzıyla, bir tür leopar müsveddesi. Hayvan ağızlığının altından homurdanarak, efendisinin etrafında dolanıyordu. Yaşlı kemik torbası yarı kör gibiydi, ama her an üstünüze atlamaya hazırdı.

– Buraya huzur içinde geldim. Sen ve ben aynı kadırgadayız.

Kabongo, bir duman bulutunun içinden güldü.

– Haklısın, küreği sen çekiyorsun, ben ise yönetiyorum.

Morvan korkuluğa doğru yaklaştı. Yerde bir dizi bira şişesi duruyordu; Kabongo aperitif için onu beklememişti. Nehir kokan havayı soludu. Bugün, tam karşıda yer alan, diğer Kongo'nun başkenti Brazzaville'i ziyaret etmesi söz konusu değildi. Sanki su, toprak, gökyüzü bir sis perdesinin altında karanlık entrikalarına devam ediyorlardı. Bir yağmur ve alüvyon işbirliği...

– Seninle konuşmaya geldim...

– Hayır, diye kesti asker, ben konuşacağım ve sen beni dinleyeceksin. Otur.

Morvan yığının içinden iki sandalye kaptı ve korkuluğun yanına koydu. Kabongo ayakta durdu. Dizginler ondaydı, hepsi bu. Kasadan otuz üçlük bir şişe aldı: Bir Primus, yerel marka. Kendinden emin hareketlerle, şişenin ağzını sırtlanın tasmasının halkalarının içine soktu ve dişli kapağı açtı.

**1.** Fransızcası *"À bas le costume!"* (ç.n.)

– İç bunu, diye emretti, Morvan'a.

Grégoire, gözlerini Cocotte'tan ayırmadan şişeyi aldı. Aklına sırtlanlarla ilgili bir bilgi geldi: Dişi sırtlanların erkek penisinden daha büyük klitorisleri vardı. Bu da, sürünün en taşaklısının bile ereksiyonunun inmesine yol açıyor olmalıydı.

– Ağustos ortasında, dokuz bin Coltano hissesi satın alındı, dedi Kabongo, bir televizyon sunucusunun ses tonuyla. Eylül başında, on iki bin daha. Geçen pazartesi ise on yedi bin. Yaklaşık kırk bin hisse el değiştirdi. Kimler tarafından ve neden alındığını bilmiyoruz.

Morvan ılık birasından bir yudum aldı. Rakamların kesinliği karşısında şaşırmıştı. Oğlu, mesleği bu olmasına rağmen, en ufak bir bilgi edinememişti.

– Bunu bana açıklayabilir misin? diye sordu Siyah, Isaac Hayes sesiyle.

– Hayır.

– Bu dümenin içinde sen yok musun?

– Hayır.

– Bizi devre dışı bırakmaya çalışmıyor musun?

– Yemin ederim ki, hayır.

– Çünkü tüm bunlarla, küçük hisselere sahip olacak ve buralarda artık sözü dinlenir biri olacaksın

– Sana bu işle alakam olmadığını söylüyorum!

– Ya Lüksemburg'daki dostların?

– Kontrol edeceğim, ama onların da bu durumdan haberdar olduğunu sanmıyorum. Her şeyi yerinden oynatmakla ne kazanabiliriz? Siz burada her şeye hâkimsiniz ve bunlar şu anki güç dağılımını değiştirecek hisse paketleri değil.

General başını ağır ağır sallayarak onu onayladı.

– Eğer sen değilsen, bunu ispatla.

– Alıcıları bulacağım.

Morvan biradan bir yudum daha almaya çalıştı, başka çaresi yoktu. Yalancı bir öksürükle gizlemeye çalıştığı bir geğirti yükseldi boğazından.

– Güzel değil mi?

– Nefis.

– Masamıza oturmak için kıçının çok beyaz olduğunu mu düşünüyorsun?

– Kongo için tüm yaptıklarımdan sonra mı?

Kabongo cevap vermedi. Aslında Kongo hükümeti Coltano'yu çok destekliyordu – şirket diğerlerine göre daha az vergi ödemesine rağmen. Coğrafi konumu nedeniyle Doğulu soyguncuların ve diğer milislerin gözünden kaçıyordu. Bu işletme, devlet kasasına giden, koltan madenine bağlı ender gelir kaynaklardan biriydi.

Diğer bir paradoks da, Morvan'ın, bu karışık, sıkıntılı bölgeleri (Kuzey Katanga sakin bir cennet değildi) Kinşasa'nın ileri gelenlerinden daha iyi tanıyor olmasıydı. Bir başka deyişle, ona ihtiyaç vardı.

Kabongo, tamamen kötü niyetli olarak, karşılık verdi:

– İşte senin sorunun bu patron: Hep Kongo'nun sana ihtiyacı olduğunu düşünüyorsun. Ama gerçek hiç de öyle değil! Bu iyi kalpli Zaire hep senin açıklarını kapattı...

– Biliyorum, biliyorum... Coltano'ya dönelim. Gayet iyi bilgi toplamışa benziyorsun. Alıcılara aracılık yapan kim?

– Serano adında bir *trader*.

– Bunu nasıl öğrendin?

– Sen ne sanıyorsun? Günlerimizi karı becermekle ve muz yemekle geçirdiğimizi mi?

Grégoire tam da öyle düşünüyordu, ama bu fikirden rahatsız olmuş gibi davrandı.

– O pislikleri bul, Morvan.

– Tek bir şartla bunu yaparım.

Sırtlan sırıttı. Kabongo homurdandı.

– Oğlumu şimdi serbest bırak.

– Bu, onun işiydi ve her şeyi boka sardırdı.

– Kişisel... sorunları var.

– Onun sorunlarını biliyorum, seninkileri de. *Alıcıları* bul Morvan ve satmalarını sağla.

– Onları kim yeniden satın alacak?

– Biz alıcıyız. Coltano'daki güçlerimizi birleştirme zamanı.

Bu hikâye, onun dımdızlak kalmasıyla sonuçlanacaktı. Ya bu saldırı onaylanacak ve kendisi kapı önüne konacaktı ya da generaller bu hisseleri yeniden satın alacak ve bu kez küçük hisseler onların eline geçecek ve Morvan'a karşı sertleşeceklerdi.

– Loïc'i serbest bırakmanız gerekiyor. Bu araştırmada bana yardımcı olabilecek tek kişi o. O...

Sırtlan yaklaşmıştı ve bacaklarının etrafında dolanıyordu.

– Cocotte seni sevdi! diye kikirdedi Kabongo.

Polis ayağıyla onu itti.

– Çünkü ölüm kokuyorum. Oğlumu serbest bırak.

– Acele etme, başka bir sorunumuz var.

– Ne sorunu?

– Şu hisse alımı olayı; burada, ağaç yüzünden ormanı göremiyoruz.

– Anlamıyorum.

– Doğru soru şu: Neden herkes şimdi Coltano'yu istiyor?

Bu saptama Morvan'ı şaşırtmamıştı: Siyahlar iki ile ikiyi toplamayı biliyordu.

– Hiçbir fikrim yok.

– Belki de bu insanlar benim bilmediğim bir şeyi biliyorlar. Bizim bu yaşlı şirketimizle ilgilenmeleri için sebepleri var.

– Neden bahsettiğini anlamıyorum

– Yeni yataklar mesela.

Morvan ayağa kalktı. Cocotte sırıttı.

– Ne demek istiyorsun? diye öfkelendi Morvan. Senden bilgi sakladığımı mı düşünüyorsun?

– Bizde ne denir, biliyor musun? "Her şeyin bir sonu, muzun ise iki sonu vardır."

– Çizgi film gibi konuşmayı kes!

– Eğer bize yamuk yapmaya kalkarsan, işin boku çıkar Morvan.

Sesini yükseltmenin tam sırasıydı.

– Oğlumu bırak, ben de sana alıcıları bir tepside getireyim! Aksi takdirde, bütün adamlarını öldürürüm, en başta da o salak Mabiala'yı.

– Sakin ol. Loïc'i serbest bırakacağım, çünkü biz kardeş gibiyiz.

– Hemen.

– Ve çünkü bana para vereceksin.

– Ne parası?

– Yeni yatakların işletilmesinden komisyon istiyorum.

– Yeni yatak yok!

Cocotte yeniden sırıttı. Tam anlamıyla, efendisinin sesiydi.

– Beni, senin entrikalarına burnumu sokmaya mecbur etme Morvan. Maï-Maïlerle, Tutsilerle ve diğerleriyle ne haltlar karıştırdığını bulmaya zorlama... Bunu Yunan usulü yapacağız. O pislik piçin arkasından, gizlice...

Joseph Kabila'yla ilgili bir sürü söylenti vardı. Bu söylentilere göre Kabila, Laurent-Désiré'nin oğlu değildi. Hatta onun Tutsi kökenli olduğu bile iddia ediliyordu. Morvan'ı en çok şaşırtan, Kabongo'nun dalavereciliği değil, hayranlık uyandıran o ilkeydi: Afrika'da çürümüşlük, her şeyin üzerindeydi.

Morvan durumu kabullenerek elini uzattı.

– Seni haberdar ederim.

– Oğlun bu akşam serbest kalacak, diye güvence verdi Kabongo, onun uzattığı eli tutarken.

Anlaşma sağlanmıştı.

– Bekle, dedi general, arkasına dönerken.

Çinli kostümüne benzeyen kıyafetiyle, harap bir buzdolabına doğru yürüdü. Bir *cossa-cossa* –siyah kabuklu iri kerevit– tabağıyla ve içinde pili-pili sosu olan bir kâseyle geri döndü.

Çerezler servis edildi. Morvan saatine baktı: 18.15. Biraz şansla, bu pikniği çabuk sonlandırabilir ve uçağını yakalayabilirdi.

Kabongo, bir kereveti dişlerinin arasında çıtırdattı ve bir kahkaha patlattı. Açık mor renkli dişetleri bütün haşmetiyle ortaya çıktı.

– Mabiala... Kara Khmer... Salak bir Zenci daha!

Morvan karton tabaktan bir böcek alırken gülüyormuş gibi yaptı. Sırtlan yiyeceğin kokusunu almıştı ve ona kimin yemek vereceğini kestirmek için kendi çevresinde dönüyordu.

– Ona bir kerevit ver, dedi Kabongo. Afrika'da her zaman paylaşmak gerekir! Yeni yataklar, bu kez senin için çok fazla. Bizde bir deyiş vardır: "Hindistancevizi yiyen götüne güvenir!"

# 81

– Riboise'dan haber var. (Tonfa'nın sesi çok heyecanlıydı.) Tırnak parçaları ve saç tutamları epigastrik bölgede bulundu. Bu ne demek çok bilmiyorum ama...

– DNA incelemesi başlattınız mı?

– Devam ediyor.

– Sonuçlar ne zaman çıkar?

– Levantin bir saatte çıkacağını söyledi. Sonra da UGB'de kontrol etmek gerekiyor ve...

18.30. Erwan henüz yeni inmişti. Uçak rötar yapmıştı. Ekibine ulaşmaya çalışmış, ancak kimse cevap vermemişti. Bir hata daha: Soruşturmanın en önemli ilk saatlerinde, bir günü havada geçirmişti, sırf bir akıl hastanesini ziyaret etmek ve kâğıttan heykelleri almak için – heykeller, yirmi dört saat içinde bir jandarma tarafından teslim edilecekti.

Telefon kulağında, havalimanından çıktı. Çantasını çaprazlama olarak omzuna astığı için nefes almakta zorlanıyordu. Her yeri ağrıyordu: Son yaraları, eskiden beri devam eden sırt ağrıları, gıcırdattığı dişleri. Düşüncelerini toparlamaya çalıştı.

– Elinizde başka sonuçlar var mı?

– Levantin çivileri inceledi. Ona göre, her metalin kendi imzası var ve bu imza pasla birlikte belirginleşiyor.

– Yani?

– Bir tür katalog gibiler... Katilin kullandığı çiviler, Kongo'ya özgü birçok öğenin birleşiminden oluşan bir alaşımdan yapılmış.

Erwan taksi kuyruğunda bekleyen yolcuları itekledi ve ilk şoförün burnuna kimliğini dayadı:

– 36, Quai des Orfèvres.

Verdiği adres tüm homurtuları susturdu.

– Çiviler oradan mı geliyormuş? diye sordu yeniden, taksiye binerken.

– Şimdilik öyle düşünülüyor. Ancak Levantin'in açıklamaları henüz çok yeni ve...

Tonfa ekibin fedaisi, bir kavga anında güç unsuruydu. Ama maalesef cinayet bürosunda hiç kavga olmazdı. Buna karşılık, yirmi dört saatin yirmi dört saati düşünmek, kafa patlatmak gerekirdi...

– Elimizde daha somut bir şeyler yok mu?

– Levantin başka incelemeler de başlattı. Saptayabildiği kadarıyla çiviler küçük parçacıklar barındırıyor. Bu parçacıklar sayesinde, çiviler ormanda kulübe yapımında mı, makine parçalarının kutularını veya meyve sandıklarını kapatmakta mı kullanılmış anlayabileceğiz... Biyologları da işe dahil etti.

– Biyologlar mı?

– Mikroorganizmalar, çivilerin deniz yoluyla mı, yoksa hava yoluyla mı seyahat ettiklerini söyleyebilir. Bir kargo gemisiyle geldiyse, mesela tuz ya da plankton...

Sonuçta bu çivilerden oldukça çok şey öğreneceklerdi. Bir kez daha babasının tavsiyesi –somut öğelerle yetinmek– doğru çıkıyordu. Taksi sorunsuzca ilerliyordu. Karşıda, ters yönde, hafta sonu için şehirden ayrılanların neden olduğu tıkanıklık vardı.

– Sonuçlar ne zaman çıkacak?

– Gece saatlerinde.

– Sen neredesin?

– Fabrikada.

Anlaşılan Tonfa, otopsi angaryasından hâlâ kurtulamamıştı.

– Geliyorum.

Erwan telefonu kapattı Audrey'yi aradı.

– Benim. Ev aramasından ne sonuç çıktı?

– Özel bir şey yok. Standart bir genç kız dairesi. Yarı ciddi, yarı isyankâr. Sadece tuhaf kıyafetler bulduk.

– Ne demek istiyorsun?

– Bilmiyorum. Turuncu önlükler, tıbbi maskeler, serum hortumları, kayışlar... Bir korku filmine ait kostümler gibi.

Erwan bu ayrıntıyı kafasının bir kenarına kaydetti.

– Zodyaklar?

– Île-de-France'taki ETRACO'ların araştırması devam ediyor; bir sürü var. Sergent'ı da yanıma aldım. Liman başkanlıklarına ve tekne sahiplerine telefon ediyor. Şimdilik bir şey yok.

– Peki, nehir polisi? Katil hakkında ne düşünüyorlar?

– Bir profesyonel. Kıyıya bağlanmış ve cesedi yukarı çekmiş;

kız tüy kadar hafif, kırk beş kilo. Herif sonra geldiği gibi gitmiş. Neredeyse bir askeri operasyon.

– Gemicinin dışında başka görgü tanığı yok mu?

– Dolu, ama hepsi palavra. Basın sağ olsun. Herkes bir şeyler görmüş. Herkes Anne Simoni'yi öldürmüş. Tüm bunları değerlendirmek için özel bir telefon hattı oluşturdum.

– Merkeze geliyorum. Daha kesin bir durum saptaması yaparız.

– Bunun en hızlı bir şekilde yapılması gerekiyor.

Porte d'Orléans'da trafik bir anda yavaşladı. Şoföre sirenlerini açmasını söyleyecekti ki, takside olduğunu hatırladı.

Sırada Sardalye vardı. Erwan bir an için ağları topladığını düşündü.

– Telefon dökümleri, Anne Simoni'nin bazı çevrelerle, daha ziyade şüpheli çevrelerle temasını kesmediğini söylüyor.

– Ne tür?

– Bir liste oluşturmaya çalışıyoruz: Varoş insanları, uyuşturucu müptelaları, torbacılar, eski mahkûmlar...

– Adreslerini belirledin mi?

– Henüz belirlemedim. Bu heriflerin çoğunun yasal bir ikametgâhı yok.

– Bu konuyu araştır. Bir şeyler hissediyorum.

– Umarım, sırtını duvara vererek yürüyorsundur.

Erwan bu laf sokmanın üstünde durmadı, polis kültüründe böyle şeyleri hoş karşılamak gerekiyordu.

– Ya babam?

– Topladığımız bilgilere göre sürekli bir ilişki söz konusu değil. Ara sıra yenen öğle yemekleri, hepsi bu. Ama kızın babanı salı günü neden altı kez aradığını hâlâ bilmiyoruz. Ona bunu sorabildin mi?

Erwan, Kongo'nun çamurunda bata çıka yürümek zorunda kalan İhtiyar'ı düşündü.

– Seyahatte. Yarın kesinlikle soracağım.

Maine Caddesi tıkalıydı. Birkaç blok ötedeki merkez karakolda inse miydi? Bir araba isteyip sirenleri açarak yola devam edebilirdi Hayır, bu yöntem daha fazla zaman kaybına yol açardı.

– Bir saniye... (Şoföre hitap etti.) Öndeki araçları sollayabilirsin, değil mi?

– Ama nasıl, sorabilir miyim? Puanlarımı korumam lazım!

– Eğer onları korumak istiyorsan, dediğimi hemen yapman senin çıkarına. Acele et.

Adam homurdanarak, caddenin ortasına geçti ve ters yönde ilerlemeye başladı. Açıklanamaz bir mucizeyle, bu yöndeki trafik akıcıydı.

Erwan yeniden Favini'ye döndü.

– Büroda mısın?

– Vahşet bölgesine gitmek için birazdan çıkacağım.

– Beni bekle. Beş dakika içinde oradayım.

– Öyle mi!

Şoför sırıttı.

Erwan telefonu kapattı. Şimdi Vaugirard Sokağı'nda ilerliyorlardı, hâlâ ağır ağır.

– Işıkta durma.

– Ama...

– Bir daha tekrarlamayacağım, kahretsin!

Çalan klaksonlar arasında, şoför Rennes Sokağı'nı geçti. Erwan, Kripo'nun numarasını tuşladı. Bu gidişle, oraya vardığında adamlarının ona söyleyecek bir şeyleri kalmayacaktı.

– Elimde çok da önemli olmayan bir şey var, ama ilginç, dedi Alsace'lı.

– Nedir?

– Sana bahsettiğim heykeltıraşı hatırlıyor musun, Lartigues, *no limit* uygulayan bir grubun akıl hocası?

– Az biraz.

– İnternette profilini araştırdım ve heykellere rastladım. Bakmanı tavsiye ederim.

– Neden?

– Sana internetteki linkleri yolladım, sen...

– Arabadayım, sen bana özetle.

– Bana bahsettiğin fetişlerin daha büyük versiyonları.

– *Minkondi*'ler mi?

– Evet. Çivilerle ve cam kırıklarıyla kalbura dönmüş kocaman insan heykelleri, çok pahalıya satılan korkunç şeyler.

Erwan bu herifin, "seçimini insan bedeninden yana yapmış heykeltıraş"la doğrudan bir bağlantısı olduğunu sanmıyordu, ama bu, tahmin ettiği ilişki yumağını doğruluyordu: *No limit*'ler, sado-mazo toplulukları, Çivi Adam, bugünkü cinayetler...

– Benim için resimlerin çıktısını al, büroya geliyorum. Lartigues hakkında başka ne buldun?

– Paris ve Roma'daki eğitimlerinin ardından, 80'li yıllarda ortaya çıkmış. Dönemin sanat hareketlerine sırt çevirmiş; kendini Afrika sanatlarından esinlenen ilkel bir heykel tarzına vakfetmek için serbest figüratif sanat, transavangard gibi akımlara yönelmiş. Herif bayağı ünlü.

– Adli sicili?

– Tek bir tutanak bile yok. Yirmi beş yaşından itibaren büyük paralar kazanmış. Paris'te, Roma'da, New York'ta atölyeleri var. Yankı uyandıran sergiler. Lüks bir yaşam sürüyor, ancak bohem tarzda. Şoförün Jaguar'ı cilalarken, senin bisiklete binmen gibi.

– *No limit*'lerde, başı kızlarla hiç belaya girmemiş mi?

– Çok ileri gitmemiş olmalı, üstelik aksi kanıtlanıncaya dek, kıçını kırbaçlatmak kınanacak bir şey değil. Ya sen, Charcot'da durum ne?

– Elle tutulur bir şey yok. Anlatırım.

Araba Quai des Orfèvres'e girerken Erwan saatine baktı: 19.10. Genel bilgilendirme toplantısından sonra herkes işine dönecekti... onun dışında.

Sofia'yla, Blanche Sokağı'ndaki küçük bir İtalyan restoranı olan Mimmo'da 20.30'da randevusu vardı. *Zengin gibi davranamıyorsan, alçakgönüllü davran.*

## 82

36'nın merdivenlerini çıkarken genç bir kadın üstüne atladı: Cinayet bürosu amiri Fitoussi'nin sekreteri.

– Acilen sizi görmek istiyor. Hemen!

– Hiç değilse eşyalarımı odama bırakabilir miyim?

– Hayır. Bekleyemez. Çok öfkeli.

Cinayet bürosunun katındaydılar. Merdiven sahanlığının alacakaranlığında, kız panik halindeydi.

– Sizi takip ediyorum.

Amirin odası, bölümün en büyük ofisiydi ve efsane polisleri ağırlamıştı, ama bu Erwan'ı hiç etkilemiyordu. Oda ne kadar şatafatlı olursa olsun, Fitoussi aptalın tekiydi. Kariyerini, onu destekleyen siyasilere borçlu olan ve her şeyde bir komplo olduğunu sanan bir herifti.

– Kahretsin, neredeydiniz?

– Bretanya'da. Gerçekle ilişkisi olan unsurları araştırmak için.

– Saçmalamanın sırası değil. Bu yolculuk da neyin nesi?

– Anne Simoni'nin katili, bir zamanlar Finistère'deki Charcot Enstitüsü'ne kapatılmış bir katilden esinleniyor. Olayın bu yönünü araştırmam gerekiyordu.

– Yani?

– Hiç. Adam üç yıl önce ölmüş. Diğer hastalarla hiç teması olmamış. Son zamanlarda, bu kurumdan tahliye veya taburcu edilen ya da kaçan olmamış.

Fitoussi ayağa kalktı ve ellerini ceplerine soktu. Koca bir göbeği vardı: "Bir vücut nasıl bu derece deforme olabilir?" diye sormaktan kendini alamıyordu insan.

– Savcı beni arıyor. Emniyet müdürü beni arıyor. Valls beni arıyor. Ve siz, siz yeniden Bretanya'ya gidiyorsunuz, öyle mi? Bana oradaki olayın çaylak deneyimiyle bir ilişkisi olduğu söylendi, bu doğru mu?

– Her şey olabilir. Pilot okulundaki kurban Wissa Sawiris, hiç şüphe yok ki, Anne Simoni'yle aynı şekilde öldürüldü. Ancak füzenin isabet etmesiyle ceset parçalandığı için, her şeyden kesin olarak emin olmamızın imkânı yok. Emin olabildiğimiz tek şey, katilin, pilot adayının karnına rıhtımdaki kurbana ait tırnak parçaları ile saç tutamlarını yerleştirmiş olduğu.

– Berbat bir şey.

– Hayır, dinsel.

– Nasıl?

– Boş verin.

– Bana ukalalık yapmayın Morvan! Bunlar bizi katile ulaştırabilecek mi?

– Hayır. Ancak adli tabip Anne Simoni'nin karnında yenilerini buldu. Bunlar bizi bir sonraki kurbana götürebilir.

Fitoussi pencereye doğru yürüdü. Pencere, 36'nın en güzel manzarasına bakıyordu: Seine Nehri, rıhtımlar, XVIII. yüzyıldan kalma binalar. Maalesef bu manzara şimdi, önceki gün rıhtımda bulunan cesedi hatırlatıyordu.

– Başka ne var?

– Pek önemli bir şey yok. Bizim katil hiç iz bırakmıyor. Çiviler ve cam kırıkları inceleniyor; büyük ihtimalle Afrika'dan geliyorlar. Diğer sonuçları da bekliyoruz. Çiviler, içinde organik maddeler veya başka bir şey bulunan sandıkları kapatmada kullanılmış olabilir...

Şişko polis ani bir hareketle Erwan'a doğru döndü. Ona Côte d'Azur'lü mafyavari bir işadamı havası veren, füme renkli, camları numaralı gözlüğünü takmıştı.

– Durumu anlamamış gibisiniz Morvan. Öküz altında buzağı arayacak zamanımız yok. Bu tür şeyler televizyon dizilerinde olur. Daha somut bir şeyiniz yok mu? Tanıklar? Şüpheliler? Acil durum, kahretsin.

– Röportajlar telefonların artmasına neden oldu, ama hepsi boş. Çatlaklar, gayretkeşler, ama işe yarar hiçbir şey yok.

– Ne boktan iş...

Fitoussi minik kafesindeki şişko bir ayı gibi odasını arşınlıyordu. Erwan, saniyelerin geçtiğini somut olarak hissediyordu. Bir an önce ekibinin yanına gitmeliydi.

– Sayın amirim, size söz veriyorum, yarın sabah sonuçlar elinizde olacak, diye salladı, konuşmayı bir an önce sonlandırmak için.

– Umarım. Medyaya verecek bir şeyler lazım bana.

Erwan aptallıklar musluğunu iyice açmaya karar verdi.

– Ekibi genişlettik, olayla ondan fazla kişi ilgileniyor. Kriminal laboratuvar tam kadro çalışıyor. Anne Simoni'nin geçmişi ve çevresi inceleniyor ve...

– O konuda bir sorun yok mu yani?

– Ne tür bir sorun?

– Biliyorsunuz...

Erwan, Fitoussi'nin neyi ima ettiğini anlamıştı.

– Babam kurbanın şartlı tahliyesini destekledi ve topluma kazandırılması için yardımcı oldu, hepsi bu.

Fitoussi gözlüğünün üstünden ona baktı.

– Bu dava Grégoire'ın geçmişte yürüttüğü bir soruşturmayla ilgili olabilir mi?

– Evet. Bizim katilin esinlendiği caniyi tutuklayan o.

– Şu Bretanya'da kapalı tutulan mı?

– Çivi Adam. Babam, meslek hayatının ilk yıllarında, 1971'de Zaire'de onu yakalamış.

Amir, beynini sıkıştıran bu can sıkıcı yükten bir an evvel kurtulmak istercesine alnını ovuşturdu.

– Hikâyeyi biliyorum. Tanrım, bu...

– Affedersiniz.

Erwan'ın cep telefonu ötmüştü. Bir SMS. Herhangi bir SMS değildi; ekibinin sesli sinyaliydi.

Mesaj Kripo'dan geliyordu:

"Çabuk gel. Acil."

# 83

Sirenlerini öttürerek 12. Bölge'ye doğru son hızla ilerleyen arabanın içinde Erwan, Ludovic Pernaud'yla ilgili ilk bilgileri okuyordu. Gizemli tırnak parçaları ve saçlar dile gelmişti: Genetik izi, UGB kayıtlarında bulunmuştu; iki defa mahkûmiyet almış, otuz iki yaşındaki aşırılık yanlısı bir sağcıya aitti.

Şimdilik, Pernaud'yla ilgili bilgiler tutarsız bir portre çiziyordu. Aşırı sağcı bir militan. 2002 yılında Nanterre Fakültesi kampüsünde dört solcu öğrenciye yapılan saldırıya katıldığı için bir yıla mahkûm olmuş, ancak cezası tecil edilerek iki yıl boyunca adli gözetim şartıyla serbest bırakılmıştı. Sonra, ertesi yıl, İsrail yanlısı bir gösteri sırasında YSL (Yahudi Savunma Ligi) ve Betar (Radikal Yahudi Gençlik Hareketi) militanlarının olumune sebep olmaktan üç yıl ağır hapis cezasına çarptırılmıştı. Cezasının bir bolumunün kısmı affa tabi tutulmasından sonra, neşeli asker, 2006'da Avrupa kökenli militanların Cayenne Havalimanı'nda gerçekleştirdiği ve başarısızlıkla sonuçlanan bir rehin alma eylemi sırasında, Fransız Guyanası'nda yeniden ortaya çıkmıştı. Bu kez bariyerin doğru tarafında olduğu söylenebilirdi: Müdahale sırasında yaralanan paraşütçülerden biriydi. Yeniden ortadan kaybolmuştu. Bugün, Paris'te, Porte de Vincennes yakınlarında, Voûte Sokağı 45 numarada oturuyordu, savaş gazisi maaşı dışında, görünüşe göre ne bir işi ne de geliri vardı. Arabası yoktu. Telefonu yoktu. Bankada ne hesabı vardı ne de kredi kartı.

İşte Anne Simoni'nin cesedinin içinde parçaları bulunan adam buydu. Erwan adamın ölmüş olduğundan neredeyse emindi ve bu konuda ne düşüneceğini bilmiyordu.

Porte de Bercy'ye varınca, 36'da kalan Kripo'dan yeni haberler aldı. Pernaud'nun fotoğrafı onunla ilgili ilk izlenimleri doğruluyordu: Fırça gibi kısa saçlı bir faşo. Sert, ifadesiz, bir hücum planı gibi dümdüz yüz hatları. Giyim tarzına gelince, hafta içi haki renkler, pazar günleri kamuflaj desenleri.

Erwan müdahale için, takviye güç olarak Tomasi'yi ve Arama ve Müdahale Birimi'nin (AMB) iri pazılı adamlarını çağırmıştı. Onlardan hoşlandığı söylenemezdi, ama ani baskınlar için gerekli niteliklere sahiptiler. Pernaud belki hâlâ hayattaydı ve şu veya bu şekilde cinayetlere bulaşmış olabilirdi. Zaten profili de ihtiyatlı olmayı gerektiriyordu. Kripo'ya göre, herifin Fransız Atış Federasyonu kartı ve en az beş ateşli silahı vardı.

Soult Bulvarı'na vardıklarında, Voûte Sokağı'nın tek yönlü olduğunu fark ettiler. GPS'leri artık yanıp sönerek yön göstermiyordu. Geri döndüler, büyük bir tur atarak ana arterin diğer ucuna geldiklerinde yeni bir taşıt giremez levhasıyla karşılaştılar. *Kahretsin.*

Ne sirenlerini çalıştırabilirler ne de sokağa ters yönden girebilirlerdi. Birçok manevradan ve telsiz konuşmasından sonra, Cours de Vincennes'de, Voûte Geçidi'nin önünde durdular. Basit bir merdiven, aynı adı taşıyan sokağa iniyordu.

*Vamos.* Kollarında polis bantları olmadan, yürüyerek basamakları inmeye başladılar.

Gece oluyordu. Kaldırımlar boştu. Maymuncuk. Erwan ekip üyelerinin içeri girmesini belirgin bir güven duygusuyla izledi: Tonfa güçlü kuvvetliydi, Sardalye rakipsiz bir nişancı, Audrey ise tam bir Sandinista'ydı...

Kapıcı yoktu, ancak oturanların isimleri camlı bir çerçeve içinde yazılıydı, listenin başında da Ludovic Pernaud vardı; üçüncü kat, sol taraf. AMB takviye güçleri iç avludan ikinci bir giriş bulmuşlardı. Küf, cila ve çöp kokan karanlık holde alçak sesle bir bilgilendirme toplantısı yaptılar.

– Tomasi, sen...

– Operasyon sırasında isim kullanmayın.

Erwan sabırla iç çekti.

– Ben ekibimle yukarı çıkıyorum, sen zemin katın, iç avluya bakan pencerelerin ve çatıların güvenliğini sağla.

Tomasi kendisine emir verilmesinden hoşlanmıyordu, ama bu planda hemfikir gibi gözüküyordu. Tek kelime etmeden, Erwan'a kulak içine yerleştirilen bir kulaklık uzattı, Erwan kulaklığı zorlukla kulağının içine yerleştirdi.

– Aynı frekanstayız, diye fısıldadı kovboy.

Bir süt domuzu gibi pembe ve tıraşlıydı, 36'daki polislerden ziyade, Kaerverec pilotlarını andırıyordu.

– Yukarı varınca size haber veririm, dedi Erwan. Sesi koridorda yankılanmıştı.

Hepsi aynı anda silahlarını kılıflarından çıkarırken, cırt cırt fermuarlardan çıkan güçlü bir ses holde yankılandı. AMB'nin adamları avluya, Erwan ve ekibi ise mümkün olduğunca sessizce merdiven boşluğuna yöneldiler.

Üçüncü katın sahanlığında, Erwan yeniden ekibinin önüne geçti. Işıkları yakmamışlardı. Zemindeki ahşap parkeler gıcırdıyordu. Karanlığın içinde, solda belli belirsiz iki kapı fark ediliyordu.

Erwan el fenerini yaktı ve bir an, lamba enerjisini ondan alıyormuş gibi bir hisse kapıldı. İçerisi çok sıcaktı ve kalbi bir gonk gibi vuruyordu. Işık huzmesinde, bir zilin üstünde tanımadığı bir isim gördü. Diğerinde ise isim yoktu. Kulağını kapıya dayadı, ses gelmiyordu. Ekibine bir işaret yaptı ve kulaklığına konuşmak için geri çekildi.

– Biz yerimizdeyiz. Ya siz?

– Bizden de okey. İçeride hareket var mı?

– Hiçbir şey yok. Kapıyı çalıyoruz.

Erwan ateş açısında kalmamak için sağa doğru kayarak ilerledi. Parmakları ile silahının kabzasının arasından akan teri hissedebiliyordu.

– Polis, diye bağırdı, kapıya vurduktan sonra. Açın!

Cevap veren olmadı. Her zaman olduğu gibi, daha ziyade diğer kapıların açılmasını bekliyordu. Elinde koçbaşıyla kapıya yaklaşan Tonfa'ya gerekeni yapması için işaret verdi. İlk darbede kilit mukavemet gösterdi. Bir darbe, arkasından bir darbe daha... Kapı zırh gibiydi.

Erwan her darbede, Pernaud'nun ruhsatlı silahlarını yeniden hatırlıyordu: 22 kalibrelik iki tüfek, 12 kalibrelik Remington pompalı tüfek, 9 mm'lik Glock otomatik tabanca, altı mermi alan Smith & Wesson 357 Magnum...

Zıvanalarından kurtulan kapı nihayet içeri doğru devrildi. O hızla tüm metal aksam yerinden fırladı; Tonfa az kalsın yaralanıyordu. Erwan onu omzundan tutup çekti ve ateş pozisyonu alarak içeri daldı.

– POLİS! PO...

İhtarını tamamlayamadı. Stüdyo dairenin duvarları kan içindeydi. Çizgiler, motifler, Yombe tanrılarını çağrıştıran kan lekeleri. Naif hatlı masklar. Penis biçiminde mızraklar. Yılan görünümlü hilaller.

Bir zamanlar bu oda, silah tutkunu, aşırı sağcı ve futbol taraftarlığı bahanesiyle şiddet içeren eylemlere katılmış –duvara yapıştırılmış yazılar da bunu ispatlıyordu– bir tetikçinin iniydi. Şimdi ise, her anlamda altüst edilmiş, dağıtılmış, karıştırılmış bir savaş alanıydı. Bir vahşet sahnesi. Yerler bir mezbahanın zeminini andırıyordu. Ağır, metalimsi kan kokusu neredeyse yok olmak üzereydi. Ludovic Pernaud'nun katledilmesinin üstünden en az on iki saat geçmişti.

Tek kelime konuşmadan, polis okulunda öğrendikleri gibi, içgüdüsel olarak, en önde elinde silahıyla Erwan, tek sıra halinde odanın içinde ilerlediler. Bir ses Erwan'ın kulağının içinde yankılandı:

– Neredesiniz, Tanrı aşkına?

– Güvenli. Burada canlı kimse yok.

– Nasıl yani?

– Gelip kendiniz görün.

Tam ortada (yatak havaya dikilmiş ve duvarlardan birine yaslanmıştı), Ludovic Pernaud'nun cesedi, kuruyan kanlardan katılaşmış halde, yaklaşık bir metre yüksekliğindeki, yuvarlak hasır bir sepetin içinde çömelmiş vaziyetteydi. Sadece başı sepettin dışındaydı. Alnında, bir yanağında, çenesinde çivi kümeleri göze çarpıyordu. Bu yaralara rağmen dazlak kafalı paraşütçü yine de tanınıyordu. Can çekişirken attığı çığlıkla ağzı açık kalmıştı. Göz çukurlarına yerleştirilmiş ayna parçaları tabloyu tamamlıyordu. Şimdi nerede olursa olsun, Pernaud artık ruhlar dünyasını görebilirdi.

Polisler cesedin etrafını dolandılar. Kararmış et parçaları sepetten dışarı sarkmıştı. Ne olduklarını tahmin etmek kolaydı: Kanlı deri parçaları. Erwan cesedin, babasının çalışma odasındaki, büyüyü ve hastalıkları emen bir heykelciğe benzediğini fark etti. Ve aynı zamanda da, Pharabot'nun kâğıttan heykellerinden birine.

Tabancasını kılıfına soktuktan sonra diğerlerine dönüp fısıldar gibi konuştu.

– Savcıya, kriminal büroya ve adli tıbba haber verin.

Herkes, deri kalıntılarının üstüne basmaktan korkuyordu. Erwan, adamlarının bu korku banyosu içinde apneye tutulmuş gibi nefes alamadıklarını tahmin edebiliyordu. Her şey, sanki gerçek dışı bir ortamda, ağır çekim olarak cereyan ediyordu.

Bununla birlikte Erwan farklı bir durumdaydı. Geri çekilmiş, arasına her şeyle mesafe koymuş gibi her olguyu saptıyor, her ayrıntıyı belleğine kaydediyordu. Nefes alışı bile –et kokusunu solumamak için kısa, tutuk– ona bedeninin dışında gerçekleşiyormuş gibi geliyordu.

AMB'nin adamları gelince daha da kötü oldu: Kan kırmızısı bir odada şaşkına dönmüş sekiz adam.

Erwan kulaklığını çıkardı, sonra cep telefonunu aldı. Ağır hareketlerle –her hareketi kesik kesikti– Sofia'ya bir SMS yazdı: "Üzgünüm. Gecikeceğim."

# 84

Siyahlar Loïc'i serbest bıraktığında kollarını neredeyse hiç hareket ettiremiyordu. Yaklaşık yirmi dört saat boyunca bir arabanın içinde, kolları arkadan bağlı olarak dizlerinin üstünde oturmuştu. Sadece iki defa ellerini çözmüşlerdi: Bir kere çişe giderken, bir kere de yemek yerken. Birçok kez yer değiştirmişlerdi; her seferinde de kafasına bir çuval geçirmişler, vardıkları yerde çuvalı bazen çıkarmışlar, bazen çıkarmamışlardı. Yine de dekor biraz değişiyordu: Kullanılmayan park alanları, ıssız yerler, terk edilmiş sanayi bölgeleri...

Hep var olan bu tehdit ortamına rağmen, Loïc korkusunun azaldığını hissetmişti. Babasının, kendisinin durumuyla ilgilendiğini tahmin ediyordu ve buradaki durumunda da belli belirsiz bir iyileşme vardı.

Tek sorun kokaindi; yoksunluk onu korkudan çok daha fazla etkiliyordu. Nefes alamıyor, bedeninde kırıklık hissediyordu. Uyuşturucu ihtiyacı, kısa kısa nefes almalarla veya nefesinin kesilmesiyle kendini gösteriyordu. Bazen, bir ağırlık göğsüne baskı yapıyor, öleceğini hissediyordu. Ya da fiziksel etkilerin saldırısına uğruyordu: Üşüme, karnına giren kramplar, titremeler... Bazen de, karşısında şekiller, yaklaşamadığı güzel beyaz hatlar görüyordu. Sonra hepsi geçiyor ve bir sonraki krizi beklerken dişlerini gıcırdatıyordu.

Şimdi bir otoparkta yalnızdı.

Adamlar kafasındaki çuvalı çıkarmışlar, plastik kelepçesini kesmişler ve ardından onu arabadan dışarı atmışlardı. Kullandıkları son arabanın diplomatik plakası vardı, sanki ona, "Plakayı kaydedebilirsin, biz dokunulmazız" diyorlardı. Her halükârda, o anda gördüğünü kaydedecek bir hafızaya sahip değildi. Sadece arabanın kapısından fırlattıkları cep telefonu ile cüzdanını yerden almış, sonra da bileklerini ovuşturmuştu.

Yere oturarak (giysilerinin üstünde yağ lekeleri vardı, iki gün içinde boku yemiş ikinci giysi) cep telefonunu kontrol etti; mucize eseri bataryası az da olsa doluydu, ama bu delikte çekmesi imkânsızdı. Açlık, yoksunluk, uyuşma nedeniyle hafifçe sendeleyerek çıkışa ulaştı. Ayak sesleri boş mekânda yankılanıyordu. *Neredeyim?* diye düşündü. Öncelikleri arasında bir seçim yaptı. İlk önce nerede olduğunu belirlemeliydi. Paris'in kapılarından birinde ya da Île-de-France'ın diğer ucunda olabilirdi. Ardından bir ATM bulmalıydı; cüzdanında sadece kredi kartlarını bırakmışlardı.

Dışarıda, bir sanayi banliyösünün iç karartıcı manzarasıyla karşılaştı. Sokak lambalarının, kapkara blokların, fabrika bacalarının arasından gözüken uzun bir cadde. Nanterre, Gennevilliers ya da Ivry-sur-Seine olabilirdi. Bir tabela görme umuduyla yürümeye başladığında, asli sorunu bir kez daha su yüzüne çıktı: Milla ile Lorenzo. Krizlerinin arasında hep onları düşünmüştü. Günlerden cumaydı ve hafta sonu çocuklar onda kalacaktı. Onları okuldan almaya kim gitmişti? Annelerine haber vermişler miydi? İhtiyar bu işle meşgul olmuş muydu? Evet, olmuştu; bundan emindi.

Gaëlle'i aradı, çünkü kendisi müsait olmadığında çocuklarla ilgilenmek onun göreviydi. Birkaç kelimeyle Gaëlle onu rahatlattı: Loïc'in evindeydi ve çocuklar çoktan yatmıştı. Buna karşılık kız kardeşi ondan bazı açıklamalar istedi, Loïc ise muğlak cevaplar verdi. Gaëlle, evinde yaptırdığı tamiratla ilgili sorular da sordu, onu da kaçamak cevaplarla geçiştirdi.

– Yarım saat içinde oradayım.

Bir tabela görmüştü: "Stains." Mesajlarını kontrol etti: Yirmi dört saat içinde, otuzdan fazla mesaj almıştı. Onu bir tek babasından gelenler ilgilendiriyordu. Ayrıca Morvan onu daha önce iki kez aramıştı. Kuşkusuz serbest bırakılacağını biliyordu ve serbest bırakıldığını "onun ağzından" duymak istiyordu.

Bir tuşa basarak babasını aradı. Tuhaf bir zil sesi.

– Dışarıda mısın? diye sordu İhtiyar, kaygı dolu o kalın sesiyle.

– Beni bıraktılar, evet. Sen ne yaptın?

– Anlatırım. Uçağa binmek üzereyim.

– Nereye gidiyorsun?

– Paris'e. Ben Kinşasa'dayım. Yukarıdakilerle görüşmem gerekti.

– Para... para ödedin mi?

– Hayır. Ama iyi niyetimizi ispatlamak için çok az zamanımız var.

– Ne iyi niyeti? Bizi mi suçluyorlar?

Morvan duymazdan geldi.

– Kabongo bana hisseleri toplayan *trader*'ın ismini verdi.

– Nasıl öğrenmiş ki?

– Senden daha az aptal. Serano adında biri.

Loïc bir küfür savuracaktı ki, sustu. Dün gece ağzından laf almayı başaramamıştı.

– Onu tanıyorum.

– Ona gideceksin ve onu konuşturacaksın.

– Bana cevap vermesi için hiçbir neden yok.

– Bu işi hallet. Alıcıları bulmamız gerekiyor. Zencileri ikna etmek için bu tek şansımız!

Loïc yüzünü sıvazladı. Kendini sanki bir kadavraya dokunmuş gibi hissetti.

– Ben... ben bunu yapamam.

– Öyleyse Erwan'ı çağır.

Ağabeyinin hatırlatılması Loïc'i harekete geçirdi.

– O gelip adamın dişlerini dökecek, ben de bilgi toplayacağım, öyle mi?

– Bu ikna edici olabilir.

– Hangi dünyada yaşıyorsun, bilmiyorum baba. Bu işler yumrukla halledilmez. Borsadan söz ediyoruz, kovboy salonundan değil!

Birkaç saniye geçti. Loïc iletişimin kesildiğini düşündü, ama babasının sesini, dipten gelen bir dalga gibi yeniden duydu:

– Ben uçağa biniyorum. Evine git ve banyo yap. Gaëlle çocuklarla ilgilenmiş. Yarın sabah, Serano'ya gideceksin.

– Sana söyledim, ben...

– Ve ben sana, dünyanın büyük bir salon olduğunu söylüyorum. Senin finansçılarının benim çizmelerimin altındaki dışkı kadar değerleri yok. Ağabeyin seninle gelecektir ve inan bana, Serano dişlerinin onda kalmasına izin verdiğiniz için size teşekkür edecektir.

# 85

Kareli örtü, su sürahisi, ucuz mumlar... Erwan, Sofia'yı böyle niteliksiz bir restorana davet ettiği için utanmıştı. Anılarında burası küçük bir İtalyan lokantası olarak kalmıştı, ama berbat bir pizzacıdan başka bir şey değildi. Zaten, safkan bir Floransalıyı buraya getirmek, neredeyse bir lorda "fish & chips"[1] teklif etmek kadar akıllıcaydı.

Kriminal büro ekibi ile soğuk et kamyonu geldiği sırada, Voûte Sokağı'nda adamlarından kurtulmayı başarmıştı. Sofia'yı masada sabırla gülümseyerek beklerken bulmuştu. Giriş olarak, yüzündeki yaralar hakkında şaka yapma gafletinde bulunmuş, sonra da yaraların nedenini açıklamak zorunda kalmıştı.

Bunun üzerine de sıkıntılar başlamıştı.

Dikkatini toplaması imkânsızdı. İki günde iki ölü. Wissa da sayılırsa, bir hafta içinde üç. Şüphesiz bu onun hayatının davasıydı. Bu bir şanstı, başarılı olursa birkaç yıl içinde bölümün başına geçebilirdi; tersi durumunda ise Emniyet Müdürlüğü'nün ara katlarında çürüyüp gidecekti. Erwan, Sofia'nın söylediklerini duyuyor, ama anlamıyordu. Sanki işittiği yabancı bir dildi.

– Sen beni dinlemiyor musun?

– Elbette, dinliyorum.

Sepetin içinde korkunç taçyapraklarıyla, iki büklüm Pernaud. İblislerin ve gizli güçlerin dolanıp durduğu ikinci bir dünyada yaşayan katil. Eski katil ile yeni katil arasındaki tek fark anal tecavüzdü ve Pernaud'da da bunun doğrulanması gerekiyordu. Katil belki de homoseksüel ya da nekrofil dürtülerine karşı mücadele veriyordu. Kendi *minkondi*'lerine tecavüz ederek, arzularını tatmin etmiyor, ama bedenine girmiş olan iblislerden kurtuluyordu.

**1.** Balık ve patates kızartması, İngilizlerin geleneksel yemeği. (ç.n.)

– Sen bu konuda ne düşünüyorsun?

– Efendim? diye irkildi, Erwan.

– Çocukların babada kalma düzeni hakkında fikrini sormuştum. İki haftada bir hafta mı, yoksa on beş günde bir hafta sonu ve her çarşamba mı?

– Bu konuda hâlâ hemfikir değil misiniz? diye kıvırdı Erwan. (Bu sorun hakkında en ufak bir fikri yoktu.) Şu an için, çocukların sorumluluğu sende.

– Sonuçta benim amacım bu değil. Milla ile Lorenzo'nun babalarına da ihtiyaçları var.

– Bunu uzlaşarak, birlikte halletmeniz lazım.

– Bu, mümkün değil.

– Aranızdaki bütün duyguların öldüğünden emin misin?

Sofia pizzasından bir parça kesti ve tamamen ifadesiz bir yüzle çiğnedi.

– Nixon'ın aşk konusunda ne söylediğini biliyor musun?

– ABD başkanı mı?

– "Aşk, puro gibidir. Söndü mü, tekrar yakılabilir. Ama hiçbir zaman aynı tat alınmaz." Parçaları birleştirmeye çalışmak neye yarar? Hâlâ genciz. Başka hikâyeler bizi bekliyor. Ve sonra, uyuşturucu var. Loïc bundan kurtulamadığı sürece, çocuklarımı korumak zorundayım.

Güneşin altında yeni bir şey yoktu. Bu akşam yeni olan tek şey, Sofia'nın ilgisiz ses tonuydu. Sakinleşmiş ve daha serinkanlı gibiydi. Bütün savaşlarda olduğu gibi, boşanmalarda da ateşkes olurdu.

– Ya sen? diye sordu Sofia. Hep erkek kardeşinin sorunlarından, kız kardeşinin çılgınlıklarından söz ettik, ama sen, sen ne durumdasın?

– İşe boğulmuş durumda. (Bunu desteklemek ister gibi saatine baktı.) Bir dava üstünde çalışıyoruz...

Genç kadın elini onun elinin üstüne koydu; Erwan ürperdi.

– Hayır, senin özel hayatından söz ediyorum. Evlenmek için ne bekliyorsun? Çocuk yapmak için?

– Bu bir zorunluluk değil.

– Bir felaket de değil. Ciddi olduğun biri var mı?

Bunu daha önce ona Luxembourg Bahçeleri'nde de sormuştu.

– Hayır. Gelip geçici ilişkiler.

– Çok hoş.

Erwan kızarmaktan korktu.

– Söylemek istediğim bu değil, ben...

– Peki, onlarla nerede karşılaşıyorsun?

Sofia'nın gözleri parlıyordu; nihayet ciddi konulara gelmişlerdi.

– İş esnasında, soruşturmalar sırasında...

– Nasıl tiplerden hoşlanıyorsun?

Erwan tereddüt etmeden cevapladı. Bu akşam, olduğundan farklı görünecek hali yoktu.

– Garson kızlar, tezgâhtarlar.

– Büyüklük kompleksini tatmin etmek için mi?

– Onları hiçbir zaman kendimden aşağı görmedim.

– Sohbetleri için mi?

– Böyle yapma, diye itiraz etti. Onları seviyorum... çünkü güzeller.

– Tuhaf.

– Sordun, ben de cevap verdim.

– Hepsi güzel değildir.

– Neredeyse hepsi güzel; meslekleri bunu gerektiriyor.

Sofia garsonu çağırmak için elini kaldırdı.

– Şarap içeceğim. Bana eşlik etmek zorunda değilsin.

Erwan içmeyeceğini söylemişti. 36'ya salim kafayla dönmek istiyordu.

– Sana eşlik edeceğim, dedi.

Masaya yeni bir karaf geldi, kırmızı şarap. Erwan iki kadehi de doldururken Sofia saldırısına kaldığı yerden devam etti.

Demek sevimli, çıtı pıtı kızlar. Ama bundan başka şeyler de var, öyle değil mi?

– Ayrıca beni duygulandıran kayıp bir yanları da var.

– Hangi anlamda? diye sordu Sofia, şarabından büyük bir yudum alırken.

Erwan gözlerini hiç dokunmadığı pizzasına çevirdi. Bir lokma bile yiyemiyordu. Sofia'nın yakınlığı. Voûte Sokağı'ndaki ceset...

– Kadın güzelliği üstüne bir teorim var.

– Ha ha, bak bu ilgimi çekti.

Sofia yeniden bardağını uzattı, çoktan bitirmişti.

– Güzel kadınlara çok anlam yükleniyor; bu, onların üzerine yapışan bir yalan. Küçükken onlara prenses olacakları söylenir. Biraz büyüyünce geleceğin mankeni olarak görülürler. Ve daha sonra oyuncu. Bu kızlar yavaş yavaş, hayallerinin içinde bitkin düşerler. Tüm kararlılıklarını yitirirler.

– Ben daha çok, çömez bir oyuncudan daha kararlı olmadıklarını düşünüyorum. Kız kardeşine bak.

– Boş ver onu. Sadece hayaller var. Bu kızların gerçek hayata meydan okumak için hiçbir güçleri yok: Boktan bir iş, sadist bir servis amiri, çok düşük maaş...

– Sana katılmıyorum. İşe yeni başlamış birçok model ya da aktris restoranlarda çalışıyor, küçük işlerden para kazanıyor. New York'ta...

– Bunların hepsi, gerçek bir sözleşme yapmayı umut ederken çalışılan, sürekliliği olmayan işler.

– Nereye gelmek istiyorsun?

– Geçici iş, sürekli işe dönüşüyor. Bu sözüm ona geçiş süreci, kendini zorla kabul ettiren gerçeğin ta kendisi. Bu zaman zarfında, gerçek bir eğitim almıyorlar. Okul yok. Fakülte yok. Staj yok... Var olma savaşında çıplak ve silahsızlar.

Sofia kadehindeki şarabı yine bitirmişti, bu kez şarabını kendi doldurdu. Üstünde çok ince ilmekli, lacivert V yaka bir kazak vardı. Sofia şarap karafını masaya bırakırken, Erwan istemeden onun sutyeninin askısını gördü. Kabahat işlemiş yaramaz bir çocuk gibi gözlerini kaçırdı. Aslında, Sofia'nın memelerinin de, cinsiyetinin de olmadığını düşünmüştü her zaman. O somut bir varlık değildi.

– Demek onları kurtarmak istiyorsun?

Erwan yüzünü ekşitti. Ona açılmakla hata etmişti. Tutku ve duygular konusunda, akıl yaşı en fazla on üçtü. Bir yeniyetmeden daha fazla deneyim sahibi değildi.

– Boş ver.

Sofia gırtlaktan gelen bir kahkaha attı. Hafiften sarhoş olmaya başlamıştı ve çok çekiciydi. Genç kadın kollarını masanın üstünde birleştirerek Erwan'a yaklaştı.

– En çok hangisinden etkilendin?

– Champs-Élysées'de Sephora mağazasında çalışan parfüm satıcısından, diye itiraf etti Erwan. Çok gururlu, çok güzel, sevişmeyi sevmeyen ufak tefek bir kızdı.

– Kutsal bir handikap.

– Bu beni rahatsız etmiyordu.

– Sen de mi sevişmekten hoşlanmıyorsun?

– Çok fazla hoşlanmıyorum, evet.

Sofia kikirdedi. Çakırkeyifken daha yakın, daha gerçek gibiydi. Şarap yanaklarını pembeleştirmişti. Badem gözleri nemlenmişti.

– Birkaç yıl önce, dedi Erwan, bir depresyon geçirdim.

– Bilmiyordum. Biraz daha şarap isteyelim mi?

– Hayır. Senin de yeterince içtiğini düşünüyorum.

Tutucu adam geri dönmüştü. Sofia buna verilecek tek cevapmış gibi yeniden bir kahkaha attı. Hikâyenin devamını bekliyordu.

– Anksiyolitikler, antidepresanlar sayesinde depresyondan çıktım. Bu ilaçlar mucizeviydi, ama libidom için öyle değildi.

– Söylediklerin doğru mu? Bu ilaçlar seni iktidarsız mı yaptı?

– Öyle olması için buna inanmam yetti. O zamandan beri, sevişmek benim için bir stres, bir sıkıntı kaynağı.

– Sanatçı korkusu.

Erwan sonunda şarabından bir yudum aldı.

– Ne kadar mütevazı gidersen, dönüşün o kadar hoş bir sürpriz olur.

– Tüm bunlar insanda istek uyandırıyor...

Erwan burada kesmenin daha iyi olacağını hissetti. Hesabı ödedi. Akşam yemeği tam bir fiyasko olmuştu. Ama en azından, yeni hiçbir şey yoktu. Polis ile kontes. Herkes kendi rolünü oynamıştı. *Önemi yok*, diye düşündü tam bir korkaklıkla, *yarım saat sonra 36'da olacağım.*

Sofia'nın ceketini giymesine yardım ettikten sonra onu çıkışa yönlendirdi. Kapıyı itti ve bir pusuya karşı önlem alıyormuş gibi, ilk olarak kendi dışarı çıktı.

– Arabayla mı geldin? Sen...

Cümlesini tamamlayamadı. Sofia'nın dudakları onunkilere yapışmıştı. Erwan hiçbir şey hissetmedi. Sadece tüm bedeniyle algıladığı bir baş dönmesi. Beyni tutukluk yapmıştı. Ansızın meydana gelen bu şeyin ne olduğunu çözememişti.

Anlamaya çalıştı, ama gözünün önüne Pernaud'nun meyve gibi soyulmuş bedeni, Anne Simoni'nin yarılmış gövdesi, Wissa Sawiris'in parçalanmış cesedi geldi. Büroya dönmeli, soruşturmaya devam etmeliydi...

Genç kadının dudaklarından kurtuldu, ama bir anda vazgeçti ve kollarının arasında iyice gevşemiş olan Sofia'ya sımsıkı sarıldı. Hiçbir zaman kaybetmediği o duyguyu serbest bırakarak genç kadını hırsla öptü, onu ilk gördüğü andan beri bunu yapmak istediğini şimdi anlıyordu.

Erwan kollarını gevşetip onu öpmeyi bırakınca, Sofia rahatsız olmuş gibi gülümsedi, ama bir arabanın kaportasına yığılan Erwan oldu; bacaklarının dermanı kesilmiş, ağzı onun şarap kokusuyla dolmuştu.

Sofia derhal soğukkanlılığını kazandı. Yüzyılların Floransa asaleti de bunu gerektiriyordu.

– Bir keşiş için hiç de fena öpüşmüyorsun.

# 86

Gaëlle balkonda sigara içiyordu.

Loïc eve döndüğünde, onu yıkamış, sonra bir pijama giydirmiş, saçını taramış, kokular sürmüştü. Bir bebek gibi yatağına yatırmadan önce de ona makarna pişirmişti. Hiçbir şey sormamıştı; Loïc'in bu gizemli ortadan kaybolmaları alışılmış bir şeydi.

Bir cuma akşamı, telefonu mesajlar, SMS'ler, davetlerle doluyken, o enayi dümbeleği erkek kardeşinin evinde dadılık yapıyordu.

Hava hâlâ sıcaktı ve çıplak ayaklarının aşağısındaki caddeden her şeyi bastıran bir uğultu yükseliyordu. Gaëlle dirseklerini korkuluğa dayamış, 30'lu yıllarda inşa edilmiş Fransız Anıtsal Heykel ve Mimari Müzesi ile Ulusal Denizcilik Müzesi'nin iki blokuyla çevrili Chaillot Sarayı'nın iç avlusunu görüyordu. Uzakta, Eiffel Kulesi'nin ışıkları, saatin tam 23.00 olduğunu göstermek için yanıp sönüyordu. *Fena değil.*

Tüm akşamı, bir önceki gecenin utancını hatırlayarak geçirmişti. Uyduruk bir âlem, komik bir tören, sapık önemli şahsiyetler... Onu mahveden, ağabeyinin o bakışıydı. Gaëlle'in en çok sevdiği, ama aynı zamanda en çok nefret ettiği kişi.

Aynı sebeplerle.

Kahraman ve ulaşılmaz Erwan.

Babası bir canavardı, Maggie bir kaçık, Loïc ise bir enkaz. En azından onlarla, işler daha kolaydı. Ama ağabeyi... Yeniden düşündü ve parçaları başka bir şekilde düzenlenmeyi başardı – beş yıllık felsefe eğitimi de buna yardımcı olmuştu. Ailesini küçük düşürmek, onların ikiyüzlü değerlerini çiğnemek istiyordu. Bu nedenle ağabeyinin gelmesi iyi olmuştu: İnançlı kişi duymadıktan sonra, küfür neye yarardı?

Arkasını dönerek sırtını taş korkuluğa dayadı. Salon olarak

kullanılan büyük oda, Ingo Maurer tasarımı MaMo Nouchies lambalarından yayılan kırık ışıkla aydınlanıyordu. Tam karşıdaki duvarda, Anselm Kiefer'in, değeri birkaç milyon avro olan üç kanatlı tablosu asılıydı. Kanepe, sehpa ve diğer mobilyaların toplam değeri de yüz binlerce avroydu.

Bu çizgilerin sade güzelliği onu altüst ediyordu; Gaëlle, yerle bir etmeden önce Roma şehirlerinin mükemmelliğini hayranlıkla seyreden barbarlar gibiydi. Bu hayranlık onun öfkesini gemlemiyor, tersine besliyordu. Bu daire, bu mobilyalar, bu sanat eserleri yakında yok olup gidecekti.

Para istemiyordu. Kariyerinin bile o kadar önemi yoktu.

Onları yerin dibine göndermek istiyordu.

Keyfi bir anda geri geldi.

Onu gözlerinin önünde tuttuklarını, kontrol ettiklerini ve koruduklarını düşünüyorlardı. Ama Gaëlle, tahmin bile edemeyecekleri bir stratejiyle onları yok ediyordu.

# 87

Gözlerini açtı. Hava henüz aydınlanmamıştı. Bir an nerede olduğunu hatırlayamadı. Oda beyazdı. İçeride parfüm kokusu vardı. Tam karşısındaki duvarda, mavi bir adam, kırmızı köpüklü bir denizde kürek çekiyordu.

"İtalyan trans-avangardı" diye kulağına fısıldamıştı Sofia, yatağın üstünde devrilirlerken. "Bu akımın bütün ressamlarıyla yattım..." Erwan karanlıkta, Madonna rüyasının, tablonun kırmızı dalgalarıyla silinip giden kumdan bir şato gibi yok olduğunu görmüştü. Bundan sonrası karışıyordu. Heyecan, zevk, korku, haz ve vicdan azabıyla karışık duygular...

Saatine baktı. Altı olmuştu. O denli öfkelenmişti ki, uyuduğundan bile emin değildi. Yataktan çıktı, külotunu ve gömleğini giydi, sonra ceketinin cebinden telefonunu aldı ve gürültü yapmadan odadan çıktı. Bu ev "Sofia ile Loïc'in eviyken" buraya çok sık gelmişti. O zamanlar, her şeyi en ufak ayrıntısına kadar şatafatlı ve kaba bulurdu.

Bu sabah ise, başka bir hikâyeydi.

Sarayı muzaffer bir savaşçı gibi ziyaret ediyordu. Her şey ona asil ve göz kamaştırıcı geliyordu. Salona kadar yürüdü. Solda, açık mutfak. Fütürist bir kahve makinesini çalıştırmayı başardı, ardından oturma odasının balkon kapısının önünde durdu. Iéna Meydanı'nın yükseltileri. Ortada, Washington heykeli. Solda, Seine Nehri ve Tokyo Sarayı. Sağda, Passy Sarnıcı'na kadar uzanan gri damlardan oluşan bir orman. İmparatorlara layık bir manzara.

Kahvesinden bir yudum aldı – sert ve sade. İçi hayvani bir kibir duygusuyla dolup taşıyordu. Hep cinsellik ile aşk, arzu ile duygu arasında net bir ayrım yapmakla övünmüş olan Erwan, kendini ilkelerin adamı olarak gören o, Sofia'yla, ulaşılması güç peri kızıyla, erkek kardeşinin karısıyla yatmıştı. Ve bu işten alnının akıyla çıkmıştı. Ne bir ereksiyon sorunu ne de beceriksizlik yaşamıştı.

O coşku içinde ağrıları neredeyse yok olmuştu. Bu aşk gecesi, onda kurtarıcı merhem etkisi yapmıştı. Bu sevişmenin hoşuna gittiğini söyleyemiyordu bile; ayrıca bu işin devamını düşünmek de istemiyordu. Şimdilik önemli olan, hissettiği güvendi ve...

Aklına soruşturması geldi. Kendini cinsel hayatına kaptırmış bir vaziyette Paris'in tepesinde şişinerek ne halt ediyordu? Zaten Gaëlle'in peşinde bir gecesini, Bretanya'da da bir gününü harcamıştı, şimdi de bir başka geceyi yengesinin kollarında geçirmişti.

Derhal cep telefonunu açtı, şebekeyi bulmasını bekledi, sonra şifresini girdi. Yeniden bekledi. Sonunda mesajlarına ulaşabildi.

İlk mesaj 21.30'daydı, ironik bir uyarı gibiydi. Loïc: "Beni ara." Bir an, kardeşinin her şeyi bildiğini düşündü. Ama hayır, kaygılanacak bir şey yoktu. Ardından alışıldık patırtı: Morvan, Fitoussi, Kripo, Audrey... Bütün gece onu aramışlardı. Yeni bir cinayet işlenmişti ve gemide kaptan yoktu: 36'da bir ilk.

Öncelikle Alsace'lıyı aradı. Kripo ağzı dolu bir halde cevap verdi:

– Neredesin?

– Anlatırım. Sen neredesin?

– Mastürbasyonla mücadele ediyorum.

Kripo'nun ses tonu neşeliydi.

– Ne?

– Bürodayım ve Kellogg's yiyorum. Mısır gevreğinin, gençlerin mastürbatif faaliyetlerini azaltmak için Doktor Kellogg tarafından bulunduğunu biliyor muydun?

Erwan derin bir iç çekti, yeterince zaman kaybetmişti.

– Kripo, lütfen.

– Otopsi devam ediyor. Riboise işin başında.

– Bir şey buldu mu?

– Kurbanın epigastrik bölgesinde saçlar. Bu kez, nerede arayacağını biliyordu. Sabah saatlerinde DNA sonuçlarını alacağız.

Dördüncü cesedin bulunması yakındı. Fransa daha önce, birbirine bu kadar yakın seri cinayetlere tanık olmamıştı. Ve İhtiyar'ın da bu işe dahil olması gerekiyordu artık.

– Adli tabip ayrıca toksikoloji analizlerinin ilk sonuçlarını da aldı, diye devam etti yardımcısı.

– Evet?

– Genç kızın bağırsaklarında, manyok yumrularında bulunan özel bir siyanürün kalıntılarına rastladı.

– Kızı öldüren bu mu?

– Hayır. Riboise bunun sadece kızı kusturduğunu düşünüyor; anlık etkisi var.

Babası ritüelden önce bedenin arındırılması gerektiğinden söz etmişti. Bu yeni katil bu ayrıntıları nasıl biliyordu?

– Başka?

– Kriminal büro odayı altüst etti, kıyı köşe her yeri didik didik aradı, sifonların içlerine bile baktı. Audrey ile Favini mahalleyi dolaşıyor. Şimdilik, her şey Grands-Augustins'deki gibi; ne tanık var ne de ipucu. Adamımız bir gölgeden farksız.

– Pernaud hakkında yeni bir bilgi var mı?

– Onun hakkında da bir şey yok. Ne bir abonelik ne adına kayıtlı bir kart ne de işi konusunda en ufak bir iz var. Bir soruşturma yürütmüyoruz da, *Hayalet Avcıları* filmini çekiyoruz sanki.

– Sen ne düşünüyorsun?

– Terörist ve paraşütçü olduktan sonra, Pernaud "gücün karanlık tarafı"na katılmış gibi geliyor bana.

– Anlamadım.

– Bir ajan.

Erwan bu kelimeyi işitince ürpermeden edemiyordu.

– Düşün, diye ısrar etti Kripo. 2005 yılında herifin cezası tuhaf bir şekilde affediliyor. Ertesi yıl onu Guyana'daki paraşütçülerin arasında görüyoruz. Ardından savaş gazisi ödeneğini aldığı adresin dışında resmi hiçbir mevcudiyeti yok. Araştırdım, Guyana'da aldığı yaralar hayatı için herhangi bir engel oluşturmuyor. Herife aylık ödemek için bu bir bahane. Faşo hem görev başına para ödenen hem de düzenli bir aylık geliri olan, uykudaki bir ajan.

Sıradan bir polis de bunu anlayabilirdi: Adam Morvan için çalışıyordu. Çivi Adam bu yüzden onu seçmişti. İntikam teorisini güçlendiren bir nokta daha.

– Bu konu, babanla konuşma zahmetine değer, dedi Kripo, onun aklından geçenleri okumuş gibi. Belki de onu tanıyordu...

– Bununla ilgilenirim.

– Küçük Simoni'den sonra, bu...

– Sana ilgileneceğimi söyledim! (Çok sert bağırmıştı. Yeniden mutfağa gitti ve kendine bir kahve daha hazırladı.) Tutanağı kim yazıyor?

– Sardalye ile Audrey oradalar, ama stüdyonun halini hatırlıyorsundur... Katil her yeri altüst etmiş. Ya onu ilgilendiren bir şeyi arıyordu ya da kurbanı tanıyordu ve ilişkilerini ispatlayacak her türlü izi sildi.

Sert ve sade kahveyi yine bir dikişte bitirdi.

– Gözünden kaçmış bir şey olabilir.

– Ben şüpheliyim, diye mırıldandı Kripo, karşımızda üstün bir zekâ var.

– Şaka yapıyorsun, değil mi? Hepsi bu kadar mı?

– Hayır. Levantin saat dokuzda 36'ya geliyor. Bize Anne Simoni'yle ilgili bir şey göstermek istiyor.

– Nedir?

– Söylemedi.

Erwan yeniden balkon kapısına doğru gitti, kapıyı açarak balkona çıktı. Hava serin ve temizdi, manzara insanın nefesini kesiyordu. Manzara, doğan günün ışığında, kimyasal banyosundaki gümüşi bir fotoğraf gibi yavaş yavaş beliriyordu. Hâlâ flu olan ayrıntılar, ağaran günün sıvı kıvrımlarıyla usul usul dans ederek ortaya çıkıyordu.

– Sana yolladığım linklere baktın mı? diye sordu Kripo.

– Hangileri?

– Ivo Lartigues'in heykelleri.

– Zamanım olmadı.

– Sen dün gece ne halt ettin?

Tam cevap veriyordu ki, ensesinde bir gıdıklanma hissetti. Sanki akrep dokunmuş gibi kenara sıçradı. Sofia kapının pervazında duruyordu: Chloé tişört ve kenarları dantel işlemeli, yarı saydam, *magic form* külot. Bu sözcüklerin, yeniyetmelik çağında mastürbasyon yapmak için büyük mağazalardan arakladığı iç çamaşırı kataloglarından aklında kaldığını hatırladı.

Utangaçlık ile günaha teşvik karışımı: En sevdiği her şey.

– Saat dokuzda büroda olacağım, dedi boğuk bir sesle.

Telefonu kapattı ve ereksiyon halinde olduğunu fark etti.

# 88

Sofia hemen parkenin üstünde sevişmek istedi, ama Erwan, anlaşılmaz bir utanma duygusu ya da saygı veya neden olduğunu bilemediği bir nedenle bunu reddetti. Odaya gittiler. Bu kez, daha bilinçli, daha sakin oldu – ve yine çok ateşli. Başının üstünde fırtına gürültüsü, kutsal uyarılar, büyük cezalar beklerken, her şey gürültüsüzce, sessizce olup bitti...

Yarım saat sonra, tam olarak Sofia'nın Erwan'ı telefonla konuşurken yakaladığı yerdeydiler.

– Bir kahve daha? diye sordu genç kadın, mutfak tezgâhının arkasına geçerken.

– Hayır, sağ ol. Daha önce iki tane içtim. (Saatine baktı.) Gitmem lazım.

– Bana asık suratlı, büyük polis ayakları yapma! diyerek güldü Sofia.

– Hayır, hiç de öyle değil. Ben...

Genç kadın elinde kahve kupasıyla Erwan'a doğru geldi. Parfümü kahvenin kokusunu bastırıyordu. Daima büyüleyici ve tatlımsı bir koku yayan kadının gizemli metabolizması.

– İkimiz hakkında, diye kekeledi Erwan, ben...

– Dur. Sen saçmalamadan önce ben konuşayım.

Erwan utangaç bir tavırla kollarını açtı. Gömleği sarkıyordu. Hâlâ külotluydu, parkenin üstünde yalınayak duruyordu.

– Sana dün çok içtiğimi ve pişman olduğumu söyleyebilirim. Ama kesinlikle tam tersi. Uzun bir süredir yapmadığım için pişmanlık duyduğum şeyi yapma cesaretini bulmak için içtim. Beni anlıyor musun?

– Sanırım, evet.

– Şimdi evine git ve düşün. Benim için, ciddi bir şeydi bu. Ve umarım senin için de öyledir, ben bir gecelik kız değilim.

Erwan gülmesine engel olamadı.

– Gerçekten de *one-night stand* tarzı değilsin.

– Öyleyse öp beni.

Sofia bunu söylerken kahve kupasını bıraktı ve Erwan'ı gömleğinin iki yanından yakaladı. Erwan çarpan yüreğini, bala bulandıktan sonra ateşin üstünde şişe geçirilmiş bir organ olarak hayal etti.

Bayılmanın eşiğindeki bir apne hastası gibi yeniden nefes aldı.

– Benim için, dedi her şeyi göze alarak, sen bütün gecelerin kızısın.

Sofia, İtalyan şansonlarındaki gibi, gırtlaktan gelen bir sesle yeniden kahkahayla güldü.

– Yine de fazla abartma.

– Sana söylemek istediğim...

– Daha sonra. Şimdi, güle güle. Git katillerini yakala.

Erwan boyun eğdi. Oda. Pantolon. Ceket. Sofia kollarını göğsünde kavuşturmuş, arkasında duruyordu. Genç adam bir şeyler söyleme ihtiyacı duydu.

Eve gidip bir duş yapacağım. Normalleşmem... gerekiyor.

Sofia elini penisinin üstüne koydu.

– Birleşme anımızı hiç unutma.

Aristokrasinin doyum olmaz cazibesi: Her türlü edepsizce sözü söyleyebilir, her türlü hareketi yapabilirdi, ama davranışları hep zarif ve kibardı. Kaynar suyun içindeki çay yapraklarının yavaş yavaş demlenmesi gibiydi.

– Ya Loïc?

Soru, Erwan'ın ağzından bir anda, cep telefonunu cebine koyarken ve tabanca kılıfını yerine yerleştirirken çıkmıştı. Henüz kardeşini aramamıştı.

– Loïc, benim işim.

– Benim de kardeşim.

– Sanırım sen ve ben şimdilik bir şey söylememe konusunda hemfikiriz.

Erwan ceketini giyerken başını salladı.

– Bu konuda senden daha fazla risk altındayım, diye ekledi Sofia. Dün gece olanları öğrenirse, mahkemede çok daha güçlü olur.

– Gözaltına karşı zina, top santrada.

– Kesinlikle.

Erwan odadan çıkarak koridora doğru yürüdü. Sofia, biyolojik ortamına tamamen uyum sağlamış bir kedi gibi sessiz adımlarla onu takip ediyordu.

– Seninle bir şey konuşmak istiyordum, dedi holde. Dün akşam fırsat bulamadım.

– Nedir?

– Avukatım şu anki ortak malvarlığımızla ilgili bir değer tahmininde bulundu, boşanma için.

– Malvarlıklarını ayıracaksınız, değil mi?

– Hayır. Evliliğimizin başında, bu...

– Büyük aşk mı?

– Evet... Sahip olduğumuz her şeyi birleştirmek istedik. Özellikle de babalarımızın canını sıkmak için.

Erwan midesinde bir sancı hissetti. Hep erkek kardeşini kıskanmıştı, ama bugün buna hakkı olduğunu düşünüyordu. Bu duygu şimdi ona, biraz daha şiddetli, aynı zamanda daha da hakkaniyetli geliyordu.

– Loïc'in malvarlığının değerini belirlemek için bazı belgelere ulaşmış. Tuhaf bir şey yakalamış: Baban vasiyetini şimdiden hazırlamış.

– Bunda şaşırtıcı bir şey yok.

– Coltano'daki hisselerinin tamamını Loïc'e bırakmayı düşünüyor. Kız kardeşinle sen diğer varlıkları paylaşıyorsunuz.

– Bunları nasıl bilebiliyorsun?

– Sana avukatımın, kendisini alakadar etmeyen işlere de bulaşan bir tip olduğunu söylüyorum. Ayrıntıları bilmiyorum.

– Seni vasiyetin dışında bırakan ciddi bir bağış yapmış sanırım.

– Kesinlikle, hayır. Belgelerde, evlilik sonrası edinilmiş mallar kuralı gereğince tüm bunlarda benim de hakkım olduğu açıkça belirtiliyor.

– Sen bu kâğıtları gördün mü?

– Henüz görmedim. Bu tuhaf değil mi?

Erwan elini, çelik kapının koluna koydu.

– Araştıracağım. Seni ararım.

Şakacı bir söz, bu vedaların ciddiyetini yumuşatabilirdi, ama Erwan'ın aklına hiçbir şey gelmiyordu. Sofia sözsüz şeklini tercih etti – öpücük, çok daha iyiydi.

# 89

Morvan şafak vakti eve döndüğünde aklında tek bir düşünce vardı: Yeniden yola çıkmak.

Durumun ciddiyeti, Floransa'da üst düzey bir toplantı yapmayı gerektiriyordu. Sabahın sekizinde, yorgun, her yeri tutulmuş halde inine ulaşmış ve yeni yolculuk için eşyalarını hazırlamaya başlamıştı. Duş almış, tıraş olmuştu; kafasında plan yaparken kahvesini içiyordu.

Yeni maden yataklarıyla ilgili henüz taslak halindeki planı çoktan sızdırılmıştı. Bu sızıntının nereden olduğunu hâlâ anlayamıyordu. Sahada çalışan hiçbir ücretlinin bundan haberi yoktu. Yaptığı hiçbir yatırım da onu ele veremezdi. Morvan'ın yıldırım savaşı, Lubumbashi'nin yüzlerce kilometre uzağında, güvenliksiz bir bölgede gerçekleşiyordu. Alanı kendi şirketine devretmeden ve konvansiyonel çıkarma evresine geçmeden önce gerçekleşen çok hızlı bir zenginleşme. Bunu yapabilirdi.

Afrika'da her şey mümkündü.

Ama şimdi, sonuçta çok önemli olmasa da, Kabongo'yu da hesaba katması gerekiyordu. Afrikalının suç ortaklığı, sahadaki operasyonu daha güvenli kılıyordu. Ortak bir anlaşmayla, hükümetin payından tırtıklayacaklar ve ganimeti paylaşacaklardı. Onun kafasını kurcalayan, başlangıçtaki planın *neden* altüst olduğuydu.

Loïc jeologlardan şüpheleniyordu, ama yanılıyordu. Clau ölmüştü ve ölümünün şüpheli olduğuna dair hiçbir şey bulunamamıştı. Diğer ikisine gelince, Morvan dün gece Kinşasa'dan onlarla temas kurmayı başarmıştı; dikkat çekici bir şey yoktu. Bilgi başka bir yerden sızmıştı.

*Trader* Serano'nun alıcıların isimlerini vermesi gerekiyordu.

Ardından kaynaklarını öğrenmek için alıcılar sorgulanacaktı. Morvan köstebeğin ismini öğrenince, nasıl davranacağına karar verecekti.

Cep telefonu titreşti: Erwan, nihayet.

– Seni kaç kez aradım!

– Özür dilerim. Soruşturma tüm zamanımı alıyor ve...

– Seni bunun için aramadım. Kardeşine yardım etmen gerekiyor.

– Ne?

– Bu sabah, bir *trader*'i sorgulamaya gidecek. Onunla gitmeni istiyorum.

– Başka işim yok mu sanıyorsun?

– Bu çok önemli. Coltano'da kaçaklar var ve sadece bu adam...

– Beni ilgilendirmiyor. Kız kardeşimi bulmak için zaten bir gece kaybettim, bir de bunun için vakit kaybedemem...

– Bu sadece bir saatini alır. Loïc ona sorular soracak. Senin varlığın herifin gözünün korkması için yeterli olacaktır.

Erwan zoraki bir kahkaha attı.

– Hiç konuşmayan belalı herif, ha?

– Eğer bunu yapmazsan, Loïc açısından her şey kötüye gidebilir.

– Bu kaçakla onun alakası var mı?

– Hayır, ama Afrikalı dostlarımız ondan şüpheleniyor. Ona yardım et. Bunu ona borçlusun.

– Ne demek istiyorsun?

Hattın diğer ucundan bile Morvan oğlunun ses tınısının değiştiğini anlamıştı: Oğlunun vicdanı rahat değildi. Bir neden bulmaya karar verdi.

– Sen ağabeysin, diye cevap verdi, acele etmeden. Ailenin en güçlü halkası. İstesen de istemesen de, kardeşinden sen sorumlusun.

– Onu birazdan ararım, diye teslim oldu Erwan.

– Soruşturmada ne durumdasın?

– Yeni bir ceset daha bulundu.

– Ne? Bana herhangi bir bilgi gelmedi!

– Henüz resmi yazı yazılmadı.

– Cesedi siz mi buldunuz?

– Anne Simoni'nin bedeninde bulunan organik parçalar sayesinde.

– Kurban kim?

– Ludovic Pernaud adında biri.

Morvan yumruk yemiş gibi oldu. Her şeyi yapan adamı. Jean-Philippe Marot'yu da öldüren oydu. Demek bu nedenle artık ondan hiç haber almıyordu.

– Onu tanıyor musun? diye sordu Erwan.

– İsim bana bir şeyler söylüyor.

– Saçmalamayı kes baba. Herif bir ajandı.

– Teyit etmem lazım.

– Kırk yıldan beri devletin gizli operasyonlarını kontrol ediyorsun. Bu herif senin için mi çalışıyordu? Evet ya da hayır!

Yalan söylemek neye yarardı? Her ikisi de zaman kazanacaksa.

– Evet.

– Ne yapıyordu?

– Ufak tefek işler.

– Bu konuda tanıklık yapar mısın?

– Hayır.

– Son günlerde neyle meşgul olduğunu biliyor musun?

– Hayır.

– Seninle en son ne zaman temas kurdu?

– Randevu defterime bakayım, sana söylerim.

– Beni aptal yerine koyma baba. Anne'la ilgili olarak 36'ya çağrılmanı engelledim. Bu kez, oraya çağrılma tehlikesiyle karşı karşıyasın.

– Hiçbir şey söyleyemem. Devlet sırrı.

Erwan alaycı alaycı güldü.

– Sorununun vahametini anlamamış gibi bir halin var. Katil ilk cinayet mahalline senin yüzüğünü bıraktı. İkinci kurban senin koruman altındaydı. Şimdi, senin cehennem köpeklerinden biri öldürüldü. Senin intikam teorin gerçeğe dönüştü. O halde, benimle açık oyna.

– Bu sabah sesin çok yüksek çıkıyor. Kardeşinle ilgilen ve beni ara.

Telefonu sertçe kapattı ve birkaç saniye hareketsiz kaldı. Oğlu haklıydı. Yüzükten ve Anne'dan sonra Pernaud. Mayombe inancına göre *minkondi*'ler intikam fetişleriydi. Büyücülere karşı koymak veya onları cezalandırmak için kullanılırlardı. Aslında katil, Morvan'ı savaşılması gereken bir iblis olarak görüyordu.

Valizini kapattı. Bu yeni felaket, Floransa'ya gitme konusunda onu cesaretlendirmişti. Kendisi için en önemli meseleleri –çocuklarının işleri– yoluna koymak için orada kalması gerekebilirdi.

Servis merdiveninden inerken aklına Pernaud geldi. Ölümü tüyler ürpertici olabilirdi, ama Anne'dan farklı olarak, o bu tür bir sona hazırlanmıştı. Morvan onu hiç sevmemişti, ama faşo, gözünü budaktan sakınmayan biriydi. Yalnız, cani, yarı deli – faydalı bir savaşçı.

Pernaud'nun onun için çalıştığını ortaya çıkarmaları dramatik bir sonuca neden olmazdı; devlet onu koruyacaktı. Ama Erwan, Jean-Philippe Marot'nun ölümüne kadar gidebilirdi. Zira bu "intihar" emrini başka birileri vermemişti. *Kişisel işler...*

Kaldırımda bir taksiye el etti ve içeri daldı.

– Roissy. Terminal 2G.

Erwan 36'ya saat tam dokuzda geldi. İyice keselenmiş, sonuçta da bir ıstakoz gibi kıpkırmızı halde banyodan çıkmıştı. Tıraş olmuş, parfüm sürmüş, yeni bir takım giymişti; eve bir daha ne zaman dönerdi bilmiyordu. Fırına uğramış ve büroya doğru giderken arabada üç kruvasanı yutmuştu. Babasıyla yaptığı ve onu öfkelendiren telefon konuşmasına rağmen, kendini keyifli hissediyordu – işe gitmeden önce sevişmeyeli ne kadar olmuştu?

Toplantı salonunda, şampiyonları onu bekliyordu. Tonfa hâlâ adli tıptaydı, ama ekip yeni bir üyeyle zenginleşmişti: Neşeli tavırlarıyla, Kriminal Büro Koordinatörü Levantın. Apaçi gibi saçları ve sert görünümlü kaşlarının altında açık renk gözleriyle, tarladan dönen gururlu bir köylü gibi yürüyen, boylu poslu güleç yüzlü biriydi. Herkes tarafından seviliyordu, onu kıskanan Sardalye dışında. Favini şakalarla, davetlerle, hediyelerle kadınları elde ederken, Levantin bir gülümsemesiyle onların kalbini fethediyordu.

Levantin masanın üstüne, metalik ses çıkaran bir kanıt torbası bıraktı.

– Anne Simoni'nin çivileri konusu sonuca ulaştı, dedi lateks eldivenlerini takarken.

Özenle torbayı açtı, çivilerden birini aldı ve ışığa tuttu. Erwan bir baş hareketiyle, kendisine eldiven vermesi için Audrey'ye işaret etti.

– Metalin bileşimi Orta Afrika'ya özgü, ama dahası var. Burada çivi başında bir damga görüyoruz. Bu çiviler, elli yılı aşkın bir süre önce, günümüzde artık olmayan bir şirket tarafından kullanılmış: BABO, özellikle Zaire'de faaliyet gösteren Batı Afrika-Belçika Ortaklığı. Bunlar bir tür... koleksiyon objesi.

– Fransa'ya nasıl gelmişler?

– Yapılan analiz sonucunda, pasın üstünde tuz ve diğer deniz mikroorganizmaları bulundu. Bir kargo gemisiyle nakledilmişler.

Erwan çivilerden birini aldı. Eğrilmiş ve aşınmıştı.

– Sana göre, bunlar DKC'den geliyor ve katil bunları, şu veya bu şekilde bir Fransız limanından mı almış?

– Bu en olası açıklama. Tabii Afrika'dan kendisi de getirmiş olabilir.

Erwan içgüdüsel olarak Kongolu katil fikrini devre dışı bırakıyordu.

– Bu tür yükler nereye iniyor?

– Marsilya'ya. Birkaç telefon görüşmesi yaptım.

Levantin çok fazla *CSI* izlemişti. Onların yetki alanlarında kesinlikle bu şekilde bir soruşturma yürütmek yoktu. Yakışıklı esmer, onların söylenmesine fırsat vermedi.

– Fos Liman İşletmeleri'ne göre, ara sıra DKC menşeli hurda demir taşıyan konteynerler Lüksemburg kökenli uluslararası bir şirket olan Heemecht tarafından yollanıyormuş. (Bir defterdeki notlarını kontrol ediyordu.) Bir sürü konteyner, Aşağı Kongo Limanı Matadi'den yola çıkmış, bugün öğleden sonra Fos'un doğu havzasına ulaşıyor.

– Konteynerlerde çivi mi var?

– Hiçbir fikrim yok. Ancak kontrol etmeye değer. Bizim cani ya bunları, yük indirilirken, kaynağından alıyor ya da Avrupalı bir aracı üstünden. Görünen o ki, bu metallerin bir pazarı var.

– İsim öğrenebildin mi?

– Bu işi siz yapabilirsiniz diye düşünüyorum, diye cevapladı Levantin, onlara göz kırparak.

– İlgileniriz. İyi iş çıkardın. Ya cam kırıkları, ayna parçaları?

– Hiçbir şey yok. Herhangi bir yerden gelmiş olabilirler.

– Elyaf?

– Rafya. Kökenini araştırıyoruz.

– Tükürük kalıntıları?

– Şimdilik bir şey bulamadık.

– Peki, sana bahsettiğim kanla ilgili mevzu?

Ekip üyeleri şaşkınlıkla bakıştılar. Bu kan hikâyesi de neyin nesiydi? Erwan onlara böyle bir konudan hiç bahsetmemişti.

– Cesedin hemen her yerinden kırka yakın örnek aldık. Şu ana kadar da hep Anne Simoni'nin kan grubuna rastladık.

– Devam et. Bana Pernaud'nun cesediyle ilgili bir rapor sunacak mısın?

– Yakında.

Erwan, malların Fos Limanı'na varış saatini düşündü. Katilin, modeliyle uyum kaygısı veya başka bir boş inanç nedeniyle Afrika'ya ait bu çivilere çok önem verdiği düşünüldüğünde, kesinlikle bu akşam onları almaya gideceği öngörülebilirdi...

Ufak da olsa, böyle bir ihtimal göz ardı edilemezdi.

– Kripo, bana Marsilya için bir bilet ayarla.

– Oraya sen mi gideceksin?

– Öğleden sonra giderim. Bu gece veya yarın sabah dönerim.

Ekip üyeleri yine bakıştılar; soruşturma başladığından beri Erwan 36'ya neredeyse hiç ayak basmamıştı.

– Ya Voûte Sokağı? diye sordu Erwan, Levantin'e.

– Pernaud'nunkiler dışında hiç parmak izi yok. Organik kalıntı bile. Katil bütün önlemlerini almış.

– Cesedin içinde bulunan saçların analizi?

– Beyaz bir kadın, sarışın, ancak UGB'de kaydı yok. Genetikçiler analizlerine devam ediyorlar. DNA'dan işimize yarayacak özel bir şeyler çıkabilir; hastalık, kromozomlarla ilgili bir özellik gibi... Ama bu da düşük bir ihtimal.

Erwan, Audrey'ye döndü.

– Ya komşuları? Onlarda bir şey var mı?

– O akşam ne olduğunu gören duyan yok. Pernaud'nun komşularının çoğu adamın yüzünü bile hatırlamıyor. Herif yeryüzündeki en gizemli adam.

– Elinizde bir fotoğrafı var mı?

– Cesedine bakarak yeniden oluşturulmuş dijital bir fotoğraf.

– Ya adli sicil kaydı?

– Sadece bir sosyal güvenlik numarası, o kadar. Paraşüt birliğinden itibaren, sanki tüm geçmişi silinmiş.

– İGGM'yle irtibata geçtin mi?

– Her zamanki gibi, geri geri giden eşekler kadar inatçılar. Aslında, herifi tanıyorlar, ancak bir şey söylemek istemiyorlar.

*Şahsen Tanrı'ya başvurmak varken, neden azizlerle konuşulsun?* Babasının ağzından ustalıkla laf almaya çalışacağına dair kendine söz verdi.

– Tutanağı hazırladınız mı?

– Hemen hazırlıyoruz. Bir ayrıntı: Anne Simoni, Avron Sokağı'nda oturuyordu, Pernaud ise Voûte Sokağı'nda. İki adres arasında bir kilometreden az mesafe var. Bunun bir anlamı olduğunu düşünüyor musun?

– "12. Bölge Katili" tarzında bir şey mi? Hayır. Cinayetleri işleme nedeninin altında, kaçık olması dışında, başka bir şey var. Bunun mahalleyle bir alakası yok. (Yeniden Kripo'ya döndü.) Anne'ın telefon dökümleri?

– Sorgulanması gereken bir iki adam daha var. Ancak hiçbiri belalı tipler değil. En azından o kadar belalı değiller. Bilgisayarı için de aynı şey geçerli; e-postalarında ve sosyal ağlarda ilginç bir şey yok. Geriye bir tek kilitli dosya kaldı, bilişim büro uğraşıyor.

Erwan, Wissa ile Di Greco arasındaki karanlık yazışmalar gibi bir şey bulmayı beklemiyordu.

– Tonfa size otopsinin ne zaman biteceğini söyledi mi?

– Gün ortası gibi.

– Toksikoloji analizlerini başlatmış mı, kontrol et.

Kripo başıyla onayladı ve Erwan'a bir zarf uzattı.

– Bu ne?

– Ivo Lartigues'in heykelleri.

Kâtip, bu sanatçıyı saplantı haline getirmişti. Zarfı açtı ve fotoğraflara göz atınca, yardımcısının neden bu kadar ısrarcı olduğunu anladı: Lartigues, devasa ölçekte, bronzdan ve demirden heykeller yontuyordu, gerçek *minkondi*'ler.

İlk fotoğraf, iki metre boyunda dev gibi bir adamı tasvir ediyordu, vücudu boyunca uzanan kolu elyafla kaplıydı. Omuzlarının üstünde, insanı görünce rahatsız eden çiviler vardı. Ferforje suratı her türlü ifadeden yoksundu – kocaman gözler, kuyu gibi açık burun delikleri, kalın dudaklar.

Diğer fotoğrafları da karıştırdı. Her heykel, Aşağı Kongo'ya ait bir heykelin, stilize edilmiş, modern versiyonuydu. Etrafı ayla halinde çivilerle çevrili bir kalkan-kadın. Ayakları demirden bir ütüyü andıran bir adam. Çok sayıda dişi olan, kirpi şeklinde bir heykel. Tuhaf bir şekilde, stüdyo dairesindeki Pernaud'nun cesedini çağrıştıran bir çiçek-adam Erwan'ın dikkatini çekti: Bükülmüş taçyaprakların arasından fışkıran bir çiçek gibiydi heykel.

– Onu sorgulayacak mıyız? diye sordu Alsace'lı.

– Önce onun grubunu, *no limit*'leri ve diğer şeyleri kurcala. Elimizde yeterince kanıt olunca onu görmeye gideriz.

– Bununla ben ilgilenebilirim...

– Hayır. Bunu ben yapmak istiyorum. Sen damarı ortaya çıkar. Yarın ben döndükten sonra, ilk iş ona gideriz.

Kripo onunla hemfikir olmadığını göstermek için yüzünü buruşturdu, ama fotoğrafları toplayıp zarfına yerleştirmekten başka çaresi yoktu. Erwan cebindeki telefonunun titreştiğini hissetti. Loïc'ten SMS: "34, Courcelles Bulvarı. 75017."

Babasıyla konuştuktan sonra kardeşini aramış, *trader*'ın evinde ona bir saat eşlik etmeye söz vermişti. Loïc'ten adres bekliyordu. Saat ona randevu verdi ve telefonu ceketine koydu.

– Herkes işbaşına, dedi ayağa kalkarken. Maksimum bir buçuk saat sonra geri dönerim.

– Bir buçuk saat içinde mi? Kripo şaşırmıştı.

– Halletmem gereken acil bir iş var.

– Acil bir iş mi?

– Söylediklerimi tekrar edeceğine, bana Marsilya için bir bilet al, Orly çıkışlı.

Ne cevap ne de yorum bekledi. Salondan çıktı ve merdivene yöneldi. Yeniden cep telefonunu kontrol ederken Sofia'dan mesaj beklediğinin farkına vardı.

Gerçekten de aklı işte değildi.

# 91

Grégoire Morvan şanslıydı. Rüzgâra rağmen uçağı, sık sık olduğu gibi Pisa'ya değil, Floransa'ya inmişti. Aslında çok kötü bir yolculuk yapmıştı. Morvan uzun yolculukların *business-class*'ına veya birinci sınıfına alışkındı, böyle sallantılı kısa mesafe uçuşlarına değil.

Omzunda çantası, küçük havalimanını baştan sona kat etti ve bir taksi buldu. Altın rengi ışık, dingin ve ılıman hava. *Bu gerçek cennetin tadını çıkar ve her şeyi unut.*

Saat henüz on olmamıştı. Öğle vakti Via degli Strozzi'deki bir restoranda randevusu vardı. Bu da, geçmiş yılların güzelliklerini yeniden hatırlaması için ona zaman veriyordu.

Floransa'da iki saat zaman öldürmek, iki saat yaşamak demekti.

Piazza della Signoria yakınında taksiden indi, ama yan yana duran anıtsal heykellerin yanında vakit kaybetmedi. Sağ taraftaki Galleria degli Uffizi'yle de ilgilenmedi ve doğruca şehrin dar sokaklarına daldı. İnsanoğlunun tanrısal yanına iyice yakın, sıcakta ve güvende olmak. Floransa Rönesansı bu ışıltının en saf tezahürüydü – ve tabii şeytanın da. İnsanoğlu ellerini kanla yıkarken, bütün sanat alanlarında kendini aşmıştı. Morvan, Harry Lime'ın *Üçüncü Adam* filminde söylediği o ünlü cümleye hayranlık duyuyordu: "Otuz yıl boyunca İtalya'da Borgia'lar vardı, iç savaş ve terör vardı. Tüm bunlardan Michelangelo, Leonardo da Vinci ve Rönesans çıktı. İsviçre'de, beş yüzyıl boyunca barış ve kardeşlik vardı ve bunun sonunda ne çıktı? Guguklu saat!"

Spedale degli Innocenti'nin[1] muhteşem tonozlu galerisine açılan Piazza della Santissima Annunziata'ya ulaştı. Mimar Brunelleschi, üzerinde kundağa sarılı bebeklerin tasvir edildiği piş-

**1.** Avrupa'nın ilk öksüzler yurdu. (ç.n.)

miş topraktan armaların bulunduğu güzel tonozları olan bu kusursuz galeriyi XV. yüzyılda tasarlamıştı. 1987'den beri Morvan, UNICEF'in katkılarıyla hâlâ faaliyette olan Spedale degli Innocenti'ye mali destek sağlıyordu. Kimse bu Fransız bağışçının neden buraya bu denli ilgi duyduğunu bilmiyordu. Bu ilgisinin, kendisinin de söylediği gibi, çok küçük yaşlarda anne babasını kaybetmiş olmasından kaynaklandığını düşünüyorlardı. Ayrıca bu cömertliğini, yapının ihtişamına da atfediyorlardı: Quattrocento'nun doruk noktası.

Gerçek sebep *ruota*'ydı.[2]

Sol tarafta, ön cephenin bitiminde, ancak yeni doğmuş bir bebeğin gireceği genişlikte, yatay konumda tasarlanmış bir döner kapı vardı. Yüzyıllar boyunca, gayrimeşru çocuk sahibi olan genç anneler bu küçük kapıyı açmışlar, rahibelere haber vermek için çanı çalmadan önce bebeklerini buraya koymuşlardı. Böylece kapı dönüyor, rahibeler de diğer taraftan, günahkâr annenin yüzünü görmeden bebeği alıyorlardı.

Sabah güneşi şimdiden meydanı pişirir ve taşlar da bu ışıkla beslenirken, Morvan, basit bir kapı oyunuyla kaos ortamından dini huzur ortamına geçen bebekleri düşünüyordu. Hayat ruletini –ve kendi lanetini– simgeleyen bu mekanizmaya hayranlık duyuyordu. Annesi olacak kadın da, onu, Ortaçağ'da söylendiği gibi bu "terk etme çarkları"ndan birine bırakmış olsaydı, hayatı tamamen farklı olacaktı...

– *Va bene, signore?*[3]

Morvan başını kaldırdı ve sanki bir kilisede sunak önündeymiş gibi, ahşap tezgâhın önünde, dizlerinin üstünde durduğunu fark etti. Elleriyle parmaklıklara sıkı sıkı tutunmuştu. Bir rahibe ona doğru eğilmişti; siyah entarisi galeriden gelen cereyanla şaklıyordu. Morvan ayağa kalktı, gözleri yaşla dolmuştu. Kahretsin, yaşla birlikte zırhı yumuşuyordu. Çocukluğunu hatırlamaya bile dayanamıyordu. En yakındaki gazete bayiinden kâğıt mendil satın aldı ve burnunu sildi. Sonra adımlarını hızlandırdı. Az sonra nefesi tıkandı.

Anılarından kaçmak için yeterince hızlı koşamıyordu artık. Paketten yeni bir mendil çıkardı ve ter içinde kalan alnını kuruladı, kalbinin gömleğinin altında çılgınca çarptığını hissediyordu.

– Çekip giden benim kanım, diye mırıldandı.

**2.** Çark, tekerlek. (ç.n.)

**3.** "İyi misiniz, bayım?" (ç.n.)

# 92

– Loïc? Anlayamıyorum, burada...

Serano evinin sahanlığında ayakta duruyordu, üstünde tanınmış bir markanın altlı üstlü eşofmanı vardı. Arkasında, kocaman odalar, parlak parkeler, renkli tablolar. Sofia'nın dairesinden sonra Loïc'inki ve şimdi de burası. Erwan 9. Bölge'deki iki odalı mütevazı eviyle kendini çok yoksul hissediyordu.

– Konuşmamız lazım, bir arkadaşımla geldim.

Serano adlı herif, sanki bu iki yüz arasında bir bağlantı kuracakmış gibi ziyaretçilerine bakmaya devam ediyordu. Geniş omuzları ve kısa gövdesiyle, Temel Reis'e benziyordu, ama onun bronzlaştırıcı krem sürmüş, sevimsiz versiyonuna.

– Bekleyemez miydi?

– Müsaade et, içeri girelim, dedi Loïc.

Yukarı çıkmadan önce burnuna bir çizgi çekmişti, cesaret verecek kadar. Geri plandaki belalı adam rolünün dışına çıkmayacağını uman Erwan, bu maskaralığın ne kadar süreceğini düşünüyordu.

Hâlâ kuşkulu görünen Serano geçmeleri için kenara çekildi. Gövdesi o denli basıktı ki, kolları çok uzunmuş gibi duruyordu.

Loïc içeri girdi, Erwan da onu izledi, kapıyı sırtıyla kapattı.

– Yalnız mısın?

– Bu ses tonu da neyin nesi? diye isyan etti *trader*. Kendini ne sanıyorsun?

Erwan iki adamın arasına girerek Serano'yu duvara yapıştırdı. Kaynaşmayı olabildiğince hızlandırmalıydı. Finansçı ulur gibi bağırdı. Loïc'in ağzı kulaklarına varmış gibiydi..

– Coltano için alım emirlerinin senden geçtiğini biliyorum, dedi Loïc, sert bir ses tonuyla.

– Yani?

– Alıcıların adlarını istiyorum.

– İmkânsız, ben...

Erwan onu kendine doğru çekti ve daha şiddetli şekilde yeniden itti. Aslında, sessiz adamı oynamak onu dinlendiriyordu.

– İsimler! diye bağırdı Loïc.

O anda, çok güzel genç bir kadın –Ukraynalı model– salona girdi; o da külotunu kapayan bir eşofman üstü giymişti. Erwan, Serano'yu bırakmadan, ona gülümsedi. Belli meslek gruplarında hoş olan şey, klişelerinin her zaman doğrulanmasıydı. Manken, revaçtaki finansçının duvara asılı silah takımına gidemiyordu.

– *What's going on, here*?[1]

Sabah vakti bu şiddet ortamı onu şoke etmiş gibi değildi. Ülkesinde de başka tür şiddetlere tanık olmuş olmalıydı. Serano cevap vermedi; soluk almaya çalışıyordu. Loïc asabi bir tebessümle omuzlarını oynatıyordu.

– *Don't worry*, dedi, sonunda Erwan. *If this guy is behaving well, we will be gone in ten minutes.*[2]

Kadın omzunu silkti ve salondan çıktı, kuşkusuz ya duş alacaktı ya da yüzünün güzelliğini veya teninin yumuşaklığını korumak amacıyla bakım yapacaktı.

Erwan birkaç saniye boyunca silueti hayranlıkla seyretti. Neden en güzel kadınlar hep en zengin adamlara gidiyordu? Neden en değer verilen şey –doğal güzellik– en çok küçümsenen şeyle –para kazanma yarışı– bir araya geliyordu? Sofia'yı düşündü. Erwan'ın hiç şansı yoktu.

– Hadi Serano, yeniden fıstığına kavuşmak istemiyor musun? diye sordu Loïc.

– Bir şey söyleyemem...

Erwan yumruğunu kaldırdı. *Trader* bir çığlık attı ve yüzünü ellerinin arasına sakladı.

Normal hayatta şiddet asla ya da neredeyse asla bir işe yaramaz. Erwan bu tür dokunaklı sahnelerin önüne geçebilmek için okullara fiziksel acıya hazırlık dersleri konulmasını savunuyordu.

– İlki, Richard Masson'du, diye zırladı finansçı. İspanyol bankası Diaz'ın yöneticisi. Beni görevlendirdi...

– Bankası namına mı?

– Hayır. Kendi namına.

– Onu tanıyorum. Madencilik hakkında hiçbir şey bilmez. Senden hangi hisseleri istedi?

**1.** "Burada neler oluyor?" (ç.n.)

**2.** "Merak etmeyin... Eğer bu adam iyi davranırsa, on dakika içinde gideriz." (ç.n.)

– Coltano hisselerini. Sadece onu istiyordu. Toplayabildiğim kadar topladım.

– Neden olduğunu söyledi mi?

– Hayır. Ama ciddi... bir bilgi aldığı ortada.

Loïc ile Morvan bakıştılar.

– Bu ne zamandı?

– Ağustos ortası.

– Ne kadar hisse aldın?

– Ne kadar bulduysam. Binlerce hisse. Zor olmadı; senin hisselerin değeri çok düşüktü.

Hâlâ duvara yapışık olan Serano, kaybettiği gücünü yeniden kazanmak için cılız bir girişimde bulunmuştu.

– Tamam. Sonra?

– Sergey Borgisnov. Bir Rus yatırım fonunda yönetici. Kendi maden kaynaklarıyla servet yaptı. Bir anda, nedendir bilinmez, Afrika madenlerini istedi. Yani Coltano'yu. Çok yükseleceğini söylüyordu.

– Sana daha fazlasını söylemedi mi?

– Hayır, ama bu bile fazla. Borgisnov ketum bir heriftir.

– Sana eksper raporlarından söz etti mi?

– Hayır.

– Tüyonun nereden geldiğini söyledi mi?

– HAYIR! Sadece bir şaka yaptı: "Kaynaktan" bilgi aldığını söyledi.

İki kardeş yeniden bakıştı: Afrika kaçağı belirginleşiyordu.

– Ne kadar satın aldın?

– Hatırlamıyorum. Yüzen hisselerin tamamını. Daha pahalıya satın alıyordum, ama ona binlerce hisse sağladım.

– Ne zaman?

– Eylül başında.

Erwan hiçbir şey anlamıyordu, ama bu tür gizli alımlarla hisse değerlerinin hızla yükseldiğini tahmin edebiliyordu. İşleri hiç takip etmemişti ve buna aldırmıyordu da. Yine de çok yönlü bir sorun olduğunu sanıyordu: Öncelikle bu alımlar Morvan'ı hassas bir duruma sokuyordu (Afrikalılar bu işi finanse edenin o olduğundan şüpheleniyor olmalıydılar); sonra bu pozisyon değişiklikleri Morvan'ın gizli tutmaya çalıştığı bilgilere dayanıyordu. Padre'nin dalaverelerinden biri daha.

– Jean-Pierre Clau diye birinin ölümünden söz edildiğini duydun mu? Loïc gitgide kendini Tony Montana sanmaya başlıyordu.

– Onun kim olduğunu bilmiyorum!

– Başka alıcılar da var mı?

– Bir diğeri geçen pazartesi alım yaptı.

– Kim?

– Yıllardan beri tanıdığım bir Çinli. Johnny Leung.

Hong Kong yapımı kung-fu filmlerinde oynayan aktör adlarına benziyordu. Tüm bunların üstünde tuhaf bir koku vardı.

– Tanımıyorum, dedi Loïc.

– Hong Kong Securities'de çalışıyor, satın alma bölümü.

– Ne kadar hisse satın aldı?

– Yaklaşık yirmi bin.

– Bilginin kaynağı hakkında sana bir şey söylemedi mi?

– Ne olduğunu söylemek onun tarzı değildir. Ama ben onun, müşterilerini şaşırtmak istediğini anladım. Onlara neler yapabileceğini göstermek istiyordu.

– Neden bir anda herkesin Coltano hisselerine hücum ettiğini kendine sormadın mı?

– O tür hisselerden çok gördüm...

– Sen hisse alma girişiminde de bulunmadın mı?

– O üç aklı evvel balıklama dalmaya karar verdiği için mi?

– Üçünün tanışmadığından emin misin?

– Evet. Zaten, asla bir tüyoyu birbirlerine söylemezler.

– Ama hepsi Paris'te oturuyor.

– Hiç de öyle değil. Masson, Paris ile Madrid arasında mekik dokuyor. Borgisnov arada sırada geliyor. Leung'un Paris'te büroları var, ama buraya hiç gelmiyor.

Erwan bir senaryo hayal etmeye çalışıyordu. Loïc'in ona bahsettiği, raporu hazırlayan şu jeologların ellerinde raporlarıyla Paris salonlarında boy gösterdiklerini sanmıyordu. Kendi bakış açısıyla, Afrika kaynaklı bir kaçak olması da tutarsızdı. Bir Belçikalı, bir Fransız ya da bir Kongolu, sahadaki yeni yatakları öğrenmiş olsa bile, aralarında rekabet olan bu üç yatırımcıyla neden temasa geçsindi?

– Güzel. Hadi gidelim, dedi Erwan, Loïc'in omzuna vurarak.

Serano'nun yuvarlak gözleri fal taşı gibi açıldı. Özel koruma sandığı kişinin aslında patron olduğunu anlıyordu.

Dışarıda, Loïc kısa boksör adımlarıyla ilerlerken hâlâ coşkuluydu.

– Sevinecek bir şey yok, diye uyardı Erwan, hâlâ sızıntının kaynağını bulamadık.

– Ama alıcıların isimlerini öğrendik! Yerlerini tespit etmemiz yeterli ve sonra...

Erwan kolundan tutup onu durdurdu.

– Sen ne istersen yap, ben işe dönüyorum.

– Babam dedi ki...

– Kapa çeneni.

Loïc'in boynunun zayıflığı onu şaşırttı. Anılarında, fazla kilolarından kurtulmuş, binlerce avro değerindeki giysilerinin içinde, yetmiş beş kilo ağırlığında bir kardeş kalmıştı. Ama şimdi, gömleğinin içinde kayboluyordu. Uyuşturucu yeniden onu kemirmeye başlamıştı.

– Yataklarla ilgili şu rapor kimde?

– Sadece iki kopyası var. Biri bende, diğeri babamda.

– Evin soyuldu mu?

Loïc tereddüt etti, ama sessizliğini korudu.

– Evine giren oldu mu, evet veya hayır?

– Hayır. Ben kontrol ettim, rapor hâlâ kasada.

– Peki Katanga'da? diye sordu Erwan, onu bırakırken.

– Kimse bilmiyor. Hatta bölgenin haritası bile yok. Babam, helikopterlerin jeologları bölgenin birkaç kilometre uzağına bıraktığını söyledi. Ardından, ne aradıklarını bile bilmeyen hamallarla birlikte günlerce süren bir yürüyüş.

– Babam madeni işletmeye başladı mı?

– Hiç bilmiyorum, ama bu durumda, Paris'le hiçbir ilişkisi olmayan yerlilerle çalışmak zorunda.

– O halde, başının çaresine bak. İsimleri alman için sana yardım edeceğime söz verdim ve sen üç isim öğrendin. Beni mazur gör, ama ilgilenmem gereken bir cinayet soruşturması var.

Beklemediği bu yanıtla afallayan kardeşini Courcelles metro istasyonu yakınlarında bıraktı ve arabasına bindi. Saat 12.00 olmuştu. 14.00'teki Marsilya uçağına yetişmek için ancak Orly'ye gidecek kadar zamanı vardı.

# 93

Aradığı dar sokak öğlen ışığıyla yol yol olmuştu. Morvan elbisesini silkeledi ve gömlek yakasını düzeltti – kravat takmamıştı. Buzlucamdan vitrini, grimsi tülleri ve kibar mönü levhasıyla restoran ona kollarını uzatıyordu. Restorana oldukça yakın bir yerde iki koruma mekik dokuyordu. Montefiori kendini hep bir mafya babası ya da mafya karşıtı bir yargıç olarak görmüştü – Morvan hangisi olduğunu hiç anlayamamıştı.

Her zamanki direnci hissederek kapı kolunu çevirdi, burada zıvanaları yağlamak veya eşiği rendelemek mümkün değildi. Alçak tavanlı salonu, siyah-beyaz zemini, bej masa örtülerini dışa vurmadığı bir memnuniyetle seyretti. Mırıltılar, çatal bıçak sesleri... Fazla müşteri yoktu. İçeride eski ahşap kaplamalardan ve buğday unundan gelen hafif bir koku vardı.

Yarı aydınlıkta ilerledi; perdeler güneş ışınlarını yumuşatıyordu. Burada her şey parıltısını yitirmiş gibi görünüyordu; Morvan, bunun da atalara özgü bir bilgeliği yansıttığını hissediyordu. Sepetlerin içinde, yıllanmış bu mekâna tat veren küçük ekmekleri fark etti – tıpkı kiliselere tat veren mayasız ayin ekmekleri gibi.

Montefiori salonun dip tarafında oturmuştu. Dakiklik konusunda onu alt etmek imkânsızdı. Eğer erken gelmeye karar vermişseniz o bunu anlar ve daha erken orada olurdu. Sonuçta, oturur oturmaz, ondan özür dilemek zorunda kalırdınız.

Morvan gülümsemekle yetindi ve sandalyesini iki eliyle tutarak oturdu.

– Merak etme, dedi İtalyan, kusursuz bir Fransızcayla, sağlam.

Hurdacının neredeyse okuma yazması yoktu, ama birçok dili çok güzel konuşuyordu. "Müzikal kulağım var" diyordu. Özellikle de ticaret kulağı vardı; sadece işleri için gerekli olan dilleri öğrenmişti.

– Biliyorum, dedi Morvan, ceketini çıkarırken (sadece gömlekle yemek, ritüelin bir parçasıydı). Beni öğle yemeğine davet ettiğin için teşekkür ederim.

– Benim için bir zevk.

– Birkaç gün önce kızını gördüm.

– Şanslısın.

– Loïc'e boşanma anlaşmasını imzalatmayı başardı. Onun deyişiyle "bitti."

Montefiori gülümsedi. Yunanlar gibi sert bir profili ve bir mağaranın dibindeki soğuk iki küçük göl gibi mavi gözlerinin belirginleştirdiği daima bronz, düzgün yüz hatları vardı. Condottiere, her şeye sıfırdan başlamıştı, ama her zaman bu prens yüzüne sahip olmuştu.

– Sofia'nın karşısında, sana göre bir avantajım var, dedi, bir grisiniyi ısırırken.

Morvan gözlüğünü takarak mönüyü inceledi. Burada yemek yemek onun için bir şölendi. Kalbi normal ritmini buluyordu. Bedeni sakinleşiyordu. *Ruota* artık uzakta kalmıştı.

– Otuz altı yıldan beri onu tanıyorum. Onu büyürken, olgunlaşırken, bir metal gibi soğurken gördüm. Artık asla bozulmayacak bir alaşımdan yontuldu.

– Tam bir hurdacı gibi konuşuyorsun.

– *Sono ferrovecchio!*[1] diye bağırdı Montefiori, hafifçe ayağa kalkıp hayali seyircileri selamlayarak.

Morvan'ın gözünün önüne 90'lı yılların ortasında, makilik alandaki bir kampta Montefiori'nin ona geleceğin ne kobaltta ne manganezde, hatta ne altında ne de elmasta olduğunu söylemesi geldi. Gelecek koltandaydı. Morvan bu cevherin ne olduğunu bilmiyordu. Condottiere ona bu cevherin tantal içerdiğini, üç bin derecenin üstünde ergimeye giren, sıklıkla elektronik sanayiinde süperalaşımlarda kullanılan kimyasal bir element olduğunu açıklamıştı. Morvan hâlâ anlamıyordu. Bunun üzerine beriki, onun gözünün önünde kendi cep telefonunu (o yıllarda üretilen kocaman bir alet) bir topuk darbesiyle parçalamış ve içinden, üzerinde devrelerin ve çiplerin bulunduğu bir plaka çıkarmıştı. Bunların hepsi birbirlerine küçük bir gümüş damlasıyla bağlanmıştı. Montefiori bu gümüş damlalardan birini kazımış, altından siyah renkli başka bir metal çıkarmış ve "Birkaç yıl içinde bütün elektronik ve uzay havacılığı sanayileri bu metali çıkarmanın peşine düşecek. Oysa, en büyük rezervler burada, Kongo'da" demişti. Mor-

**1.** "Ben hurdacıyım!" (ç.n.)

van ne cevherler konusunda ne de finans alanında iyiydi, ama insanları tanıyordu: Koltan yüzyılın sonunda altına dönüşecekti. Yaşlı Mobutu'yla anlaşmayı yapmış ve İtalyan da gerekli sermayeyi sağlamıştı. Coltano faaliyete başlıyordu.

– Ben sardalyeli makarna alacağım, dedi, yeniden bugüne dönerek.

– Tamam, sardalye olsun, diyerek misafirini onayladı Montefiori. Sofia'yı özlüyorum.

– O gayet iyi. Çocuklar da.

– Ama bu iki salak boşanıyorlar.

– Bu konuda şüphe yok.

– Öyleyse planlarımız suya düşüyor.

– Bu alanda, evet.

Garson geldi. Montefiori siparişleri verdi. İkisi de şarap istemedi; İtalyan *frizzante*'si[2] çok iyi giderdi.

– Fikrimizin kusursuz olduğundan emin değildim, diye itiraf etti Morvan.

– Birkaç yıl mutlu oldular. Milla ile Lorenzo çok güzel çocuklar. Bir papa başka ne ister?

– Halk.

– Ne demek istediğini anlıyorum. Bunlar şımarık çocuklar, öncelikleri bizimkiyle aynı değil...

Kırk yıldan beri dosttular ve en güçlü noktaları ortak sırlarıydı. Zaire'de 1970'te, tanışmalarının sırrı. Önce manganez, ardından da koltan madenleri konusunda yaptıkları anlaşmanın sırrı. Sofia ve Loïc'le soylarını kaynaştırma isteklerinin sırrı...

Morvan ile Montefiori iki kraldı. Eski zaman hükümdarları gibi çocuklarını evlendirerek krallıklarını birleştirmişlerdi. Çocukların birbirlerini yeterince sevmemesi –veya birbirleriyle anlaşamaması– dışında, hiçbir şey planlarının önüne geçemezdi.

*Bucatini*'ler –geniş ve içi boş spagettiler– geldi. Morvan bu yemeğin reçetesini ezbere biliyordu. Rezene, soğan, ançüez, kuru üzüm ve çamfıstığı. Ve tabii, beyaz şarap buharlaşana kadar pişirilen taze sardalyeler...

Montefiori gibi o da peçetesini yakasının içine soktu – doğal olmaktan ziyade köylü tarzı. Bir süre, bir başyapıta benzeyen bu yemeğin tadını çıkararak, hiç konuşmadılar. *Rezene*, diye düşündü Morvan, *işin sırrı rezenede*. Önce bir miktar tuzlu suda rezeneyi pişirmek, ardından da *bucatini*'ler için bu suyu muhafaza etmek gerekiyordu. Tüm bunlar, aynı anda gerçekleşiyordu; ilk pi-

**2.** *Acqua frizzante:* Bir tür İtalyan maden suyu. (ç.n.)

şirme, ikinci pişirmeyle destekleniyordu. Paris'te, Morvan hiçbir zaman bu rayihayı elde edemiyordu.

– Bir sızıntı var, dedi sonunda Morvan.

– Hisse değerlerinin yükseldiğini gördüm.

– Pislik herifler var güçleriyle satın alıyorlar.

– Umarım benden şüphelenmiyorsundur.

Morvan cevap vermedi; rakibini tartıyordu. Yeni damarları sadece oğlunun ve kendisinin bildiğini söylese de, bu doğru değildi; Montefiori de bu sırra ortaktı. Sessizlik uzadı. Çok az insan Morvan'ın saygısını kazanabilmişti; İtalyan da bu kulübün üyesiydi.

– Elbette hayır.

– Onları nasıl durduracaksın?

– Bir fikrim var. Ama gerçek sorun bu değil. Bu yükseliş, canımı sıkmaya başlayan Kabongo'da kuşkuya neden oldu. Safra atmam gerekiyor.

Condottiere yemeyi kesti.

– Bir anlaşma yaptım, diyerek onu rahatlattı Morvan. Ocakları gizlice işleteceğiz ve ona komisyonunu vereceğiz. Bir şekilde, bu daha güvenli. Bizim arkamızı kollayacak.

İtalyan yeniden yemeğinden bir lokma aldı, kabullenmiş gibi bir hali vardı.

– Sen beni dinlemiyor musun?

– Dinliyorum. Orada durumlar nasıl?

– Yeni bir şey yok. Normal olarak, ocak çalışmaya başladı, ama öncelikle şu hisse senedi meselesini halletmem ve alıcıları bulmam gerekiyor.

– Peki, ya kaynak?

– Çok yakında kim olduğunu öğreneceğim.

– O zaman ne yapacaksın?

– Onu sözünden caymaya zorlayacağım. Alıcılar onu dinleyecek ve paylarını geri satacaklar. Ona bir kere inanmışlar, yeniden inanacaklardır.

– Piyasadaki hisseleri kim geri satın alacak?

– Kabongo ve diğerleri her şeyi toplamak istiyor; ancak çok hızlı olmalıyız.

– Onların belli bir rakamın üstüne çıkmasına izin veremeyiz.

– Sonra geri satacaklar. Bizim en iyi kozumuz, hisseleri serpiştirmek. Daha hâkim konuma gelmek için hisseleri dağıtmak.

Montefiori tabağındakileri bitirmişti. Dirseklerini masaya dayadı. İri cüssesiyle, mobilyalara, diğer eşyalara ucuz bir hava veriyordu.

– Bu tür saçmalıklar için yaşımız geçmedi mi?

– Bunu bizim onur mücadelemiz olarak adlandıralım. Bu operasyondan hâlâ birkaç milyon kazanabiliriz. Ve biz öldükten sonra, çocuklar Afrika'da daha güçlü olur. Var mısın, yok musun?

İtalyan beyaz ekmekle tabağını sıyırıyordu.

– Varım. Hepsi bu kadar mı?

İkinci konu da çözüme kavuşturulmuştu. Geriye son haberi vermek kalıyordu. En sona en kötüsü...

– Hayır. Çivi Adam geri döndü.

Hurdacının kırışıkları ilk kez gerildi.

– Ne demek istiyorsun?

– Fransız gazetelerini oku. Bir haftadan beri, bir herif aynı şekilde öldürüyor.

– Nerede?

– Bretanya'da. Paris'te.

Montefiori bardağını aldı; üzerinde yer yer beneklerin göze çarptığı eli, dikiş izleriyle doluydu. Bir elden çok bir fresk gibiydi. Bu izlerde bir öncünün öfkesi, mücadelesi, zaferi okunuyordu.

– Pharabot hâlâ hayatta mı? diye sordu, suyundan büyük bir yudum aldıktan sonra.

– Hayır, ama onu taklit eden bir katil. Üç kurban var. Yakında dördüncüsü olacak.

– Ne düşünüyorsun?

– Tanrı'nın intikamı ile bir *Belle Époque*[3] kaçığı arasında tereddüt yaşıyorum.

– Daha... akla yatkın bir üçüncü yol olmalı.

Morvan ona doğru eğilerek, alçak sesle devam etti:

– Beni bu işe bulaştırmak istiyor. Beni töhmet altına sokacak ipuçları bırakıyor, tanıdığım kişileri kurban olarak seçiyor. Efendisinden intikam alıyor. Çevrende şüpheli bir şeyler fark ettin mi?

– Hayır.

Bu soruyu laf olsun diye sormuştu. Hurdacının bu hikâyeyle en ufak bir ilgisi yoktu. Bakışlarıyla "*Arrangiati come cazzo vuoi*" (dikkatli ol) demek istiyordu.

– Olayı kim soruşturuyor? diye yine de sordu Montefiori.

– Oğlum. Her şeyi biliyor ve onu bulacak.

**3.** "Güzel Dönem" anlamına gelen ve Fransa'da XIX. yüzyıl sonları ile XX. yüzyılın ilk yılları için kullanılan ifade. Telefon, telgraf, otomobil, sinema makinesi, X ışınları, radyoaktivite, gramofon gibi buluşlarla Batı'nın toplum yapısı değişmiş; ticari, askeri, teknik ve bilimsel alanda rekabet başlamıştır. Bu, gam ve kasvetten uzak, keyif unsurunun ön planda olduğu bir dönemdir. Burjuvazi yükselmiş, giyim kuşamda, âdetlerde, zevklerde, eğlence anlayışında ve düşüncelerde büyük değişiklikler gerçekleşmiştir. (ç.n.)

Montefiori bardağını kaldırdı.

– Aradığından daha fazlasını bulmaması için dua et.

Morvan, kaygıdan boğazının düğümlendiğini hissetti. En kötü intikam, çocuklarının bu konudaki gerçeği öğrenmesi olurdu.

– Tatlı?

– Hayır. Saat 16.00'da uçağım var.

– Rüzgâr yumuşak; uçak Floransa'dan kalkacaktır. Beni haberdar et. Torunlarımı görmeye Paris'e gelmek isterim, ama zaman bulabileceğimden emin değilim.

Morvan ayağa kalktı ve Montefiori'nin, kırk yıl önce bir kilo demir çaldığı için bir işçinin elini öğütücüye sokmasını hatırladı.

Ona verecek son bir haber daha vardı:

– Di Greco öldü.

– Hepimiz öleceğiz.

– İntihar etti.

– Hep kaçık herifin biriydi.

– Bu olayla bağlantısı olduğunu düşünüyorum.

– Ne şekilde?

– Henüz bilmiyorum.

Morvan ceketini giydi ve hesabı paylaşmayı teklif etmedi. Ne de olsa, Floransalının davetlisiydi.

– Biraz dolaşmak için vaktin oldu mu? diye sordu Montefiori, ayağa kalkarken.

– Az çok.

– *Ruota*, ha?

Tokalaştılar.

– Bunu söylemek üzücü, diye gülümsedi Morvan, ama beni en iyi tanıyan sensin.

– Geminin adı Apnea Gaillard. (Deniz ve Nehir Bölgesi Müfettişliği'nden gelen adamın elinde dokunmatik ekranlı bir tablet vardı.) Afrika ile Fos-sur-Mer arasında gidip gelen, on bin ünitelik kapasiteye sahip bir konteyner gemisi. Yeni yanaştı, sancak iskele konumunda.

Marsilya-Fos Özerk Limanı'nın batı doklarının terminalindeydiler. Liman görevlisinin üstünde önden yarım fermuarlı, devrik yakalı lacivert bir kazak vardı. Sanki Kaerverec'ten gelmiş ya da Charles-de-Gaulle uçak gemisinden inmiş gibiydi.

Marsilya'ya inince, Noailles Merkez Karakolu'ndan iki adli polis memuru onu doğrudan limana götürmüştü. Uçuş boyunca uyumuştu; şimdi de kafasının içi suyla doluymuş gibiydi. Bu yolculuğu neden yaptığını bile zorlukla hatırlıyordu. Yarım saat sonra, renkli konteynerlerden oluşan iki duvarıyla uçsuz bucaksız bir alana ulaşmışlardı. Bir tarafta, hâlâ konteyner yüklü kargo gemileri. Diğer tarafta, domino taşları gibi rıhtıma dizilmiş başka konteynerler. Raylar üstünde gidip gelen portal vinçler bu iki cephe arasında bağlantıyı sağlıyor, şaşırtıcı bir hızla konteynerleri boşaltıyorlardı. Tekerlekli gezici vinçler, devasa forkliftler onları alıyor ve konteyner gemisindeymiş gibi aynı özenle istifliyorlardı.

– Genel olarak, diye sordu Erwan, ne taşıyor?

Kusursuz siyah takım elbisesiyle kendini gemide düzenlenen bir eğlenceye katılmış gibi hissediyordu; kıyafeti, Erwan'ı, rüzgârla ve kalamarla beslenen liman görevlisi ile futbol maçlarına geri dönmek için sabırsızlanan kendini beğenmiş iki polisten ayırıyordu.

– Katı dökme yük. Ahşap. Bakır. Baharat. Her halükârda, kuru olması lazım, yani herhangi bir tehlike yaratmayacak mallar.

– Başka bir şey?

– Afrika'dan çok fazla ileri teknoloji ürünü ithal edilmez.

Erwan bu laf sokmaya karşılık vermeyerek başka bir soru sordu:

– Heemecht konteynerlerinin izini bulabildiniz mi?

Görevli elektronik kalemini aldı ve tabletinin üstüne tıkladı.

– Numara 89AHD34 ve numara 89AHD35.

– Edindiğim bilgilere göre, diye blöf yaptı Erwan, iki konteynerin birinde yeniden işleme tabi tutulacak hurda varmış.

– Manifestoyu, yani her konteynerin içinde ne olduğunu yazan belgeyi incelemeye zamanım olmadı. Binlerce sayfadan oluşan bir rehber.

– Konteynerler, rıhtımda mı?

– Bunu lojistikle görüşmem lazım.

Dikey kollarının arasında altı metre uzunluğunda, küçük bir evle aynı büyüklükte ve kuşkusuz yirmi ila otuz ton ağırlığındaki bir konteyneri taşıyan tekerlekli bir vinç onların bulunduğu tarafa doğru geliyordu. Sürücüsü, yerden on metre yükseğe asılı bir kabinin içindeydi. Kenara kaçıldılar ve yüklenmek için bekleyen vagonların arkasına saklandılar. Buradaki her şey, insanı parazit konumuna indirgeyen olağandışı bir ölçekte cereyan ediyordu.

Planı bir anda Erwan'a saçma göründü. Her şeyden önce temelsiz varsayımlara dayanıyordu: Birincisi, caninin çivi stokunu yenilemeye ihtiyacı olacaktı. İkincisi, mallarını almaya bir kamyonun arkasında gelecekti. Üçüncüsü, konteynerler sadece bu hurdayı içerecekti ve her şey bu akşam olup bitecekti.

– Konteynerler burada açılıyor mu?

– Şüpheli durumlarda. Bazıları olduğu gibi trenle gidiyor. Bazıları kamyonla. Bazıları da depolarda açılıyor ve ilgisiz parçalar ayrılıyor.

Köpek havlamaları duyuldu. Gümrük memurları köpekleriyle beraber, şüpheli yük olup olmadığını kontrol etmek için konteynerler arasında yürüyorlardı. Ellerinde telsizleriyle, portal vinç ve tekerlekli gezici vinç operatörlerini yönlendiren görevliler daha da yüksek sesle bağırıyorlardı.

– Konteynerler rıhtıma inince bana haber verebilir misiniz?

– Elbette, ama onlara dokunamazsınız.

Erwan, Marsilyalı meslektaşlarına doğru döndü.

– Gerekli izin belgeleri olacak.

Liman memuru bir sigara yaktı. Çakmağın alevi adamın suratını iki kat daha kırmızı gösterdi.

– Bu o kadar basit değil. Açık denizde, seyir emniyeti ve deniz güvenliğine bağlıyız. Karada, valiliğe. Ama burada, gümrük müdürlüğüne...

Erwan dinlemiyordu – idari işlerle alakalı boş sözler. Buna karşılık, bir resim netleşiyordu: Bu gece çivileri almaya gelen çivi hırsızı.

– Bu konteynerleri açmak kolay mı?

– Kaynak makinesini yanında getirmesi akıllıca olur. Zaten burada hiç hırsızlık olmadı. Konteynerlere saldırı olursa da, daha ziyade içinden olur.

– Anlamadım.

– Afrika'dayken, insanlar yanlarına bir demir testeresi alarak, kendilerini konteynerlerin içlerine kapatıyorlar. Kıyıdan yeterince uzaklaştıklarında da konteynerin sacını kesmeye başlıyorlar. Bazen de buraya gelmeyi bekliyorlar. Bu gibi durumlarda, onları perişan bir halde buluyoruz...

Erwan konteyner gemisinin lombozsuz bordasına bakıyordu. Akdeniz'in güneşiyle ısınmış ve denizden esen rüzgârla tuzlanmış, rengârenk bir sürü kutudan oluşan, dalgalı metalden bir falez olduğu söylenebilirdi.

– Apnea'nın rıhtımda ne kadar kalacağını biliyor musunuz?

– Yaklaşık on iki saat. Yarın sabah burada olmayacak. Denize açılmayan bir konteyner gemisi, para kaybeden işe yaramaz bir gemidir.

– Binlerce konteyneri boşaltmak için bir gece yeter mi?

– Bir portal vinç saatte altmış konteyner indiriyor, hesabı siz yapın. Aynı zamanda da başka konteynerleri gemiye yüklüyorlar, mazot dolduruyorlar ve hareket zamanı!

Erwan iki meslektaşına baktı. Bu gece burada olmalarının nedeni, evrak işlerini ayarlamak, Apnea'nın Paris'teki bir cinayet soruşturmasıyla bağlantısı *olabileceğine* gümrük yetkililerini ve Marsilya savcılığını ikna etmekti. Aksi takdirde bu görev imkânsız bir hal alırdı. Diğer bir sorun da geminin Antigua bandıralı olmasıydı.

– Heemecht'in adamlarıyla görüşebilir miyim?

– Elbette, dedi liman memuru, ancak Heemecht bir Lüksemburg şirketi. Sizin sorularınızı cevaplamak zorunda değiller. Yarın sabah için size bir buluşma ayarlayacağım. Benim dönmem gerekiyor. (Marsilyalı polislere doğru döndü.) Raporunuzu yazmanız için birkaç saatiniz var çocuklar.

Erwan, Apnea Gaillard'ı daha iyi görmek için geri çekildi. Vincin kaldırma kollarının altında istiflenmiş bu çok renkli konteynerlerin oluşturduğu manzara ona, Gerhard Richter'in sadece küçük dikdörtgenlerden oluşan ünlü tablosu *1024 Renk*'i hatırlatıyordu.

Katilin çivileri bu renk cümbüşünün içinde bir yerlerde miydi?

Bir B planı düşündü ve sadece bir tane buldu: Bütün gece konteynerlerin yakınında nöbet tutmak.

– Cep numaram sizde var, dedi. Konteynerler rıhtıma inince beni ararsınız.

## 95

Saat 22.00. Apnea Gaillard'ın yükü tamamen boşaltılmıştı.

"Onun" konteyneri –numara 89AHD34– yaklaşık olarak 19.30'da indirilmiş, liman memuru da ona hemen haber vermişti. Yapılan denetimde, bu konteyner, diğer birçok şeyin yanı sıra "kullanılmış demir parçaları" da içeriyordu. İlk doğrulama. Erwan, Marsilyalı meslektaşlarına haber vermemişti, gece nöbetini tek başına da tutabilirdi. Beylik tabancasını, polis kimliğini almış ve liman terminalinin hemen yanındaki otelinden ayrılmıştı. Kontrol noktasından geçtikten sonra, depo boyunca uzanan nöbetçi kulübelerinin yakınında bir yere yerleşmişti. Bulunduğu yerden, hem konteynerini gözetim altında tutabiliyor hem de sıkışık konteyner sıralarını, devam eden çalışmaları görebiliyordu.

Her şey güçlü projektör ışıklarının altında oluyordu. Gece manzarası, yer yer duyulan demir tangırtıları, kablo gıcırtıları, telsiz cızırtılarıyla gürüldüyor, uğulduyor, deviniyordu. Görünürde hiç insan yoktu – sadece parlak ışıkların altında çalışan makineler. Konteynerler gemi güvertesinden rıhtımlara, rıhtımlardan istif alanlarına taşınıyordu. Tekerlekli gezici vinçler, kocaman tabaklar taşıyan dev garsonlar gibi gidip geliyordu. İstif vinçleri devasa şeker maşaları gibi, konteynerleri tutup kaldırıyordu. İnsan kendini, tüm parçaları dağılmış bir Lego kentte gibi hissediyordu.

Başlarda, Erwan bu operasyonları ilgiyle takip etmişti. Şimdi, gürültü patırtıyla sağırlaşmış, ışık huzmelerinden yorulmuş halde düşüncelere dalmıştı. Çivi Adam, manyakça ritüeli ve kurbanları. Bir kez daha, aynı çifte varsayıma dönüyordu: Katil, Morvan'dan intikam alıyor, aynı zamanda da kendi iblislerinden –homoseksüelliğinden ve nekrofilisinden– kurtulmaya çalışıyordu.

Bunları düşünürken, genel resme bir şey daha eklemişti: Cinsel yetersizlik. Bu nedenle katil kurbanlarına erkeklik organının yerine topuzla ya da ona benzer bir şeyle tecavüz ediyordu. Belki de başka türlü yapamıyordu. Ama neden Çivi Adam'ı taklit ediyordu? Bu hikâyeyi nereden biliyordu? Rol modelini yakaladığı için mi Morvan'ı hedef alıyordu? Ya da Morvan, onun kaderinde ölümcül bir rol üstlendiği için mi?

Bir projektör onun bulunduğu tarafa doğru döndü, ışık gözlerini kamaştırdı. Gayriihtiyari arkasını döndü ve bir konteyner sırasına doğru uzamış olan kendi gölgesini gördü. Cep telefonu çaldı. *Sofia*, diye düşündü (yola çıktığından beri ondan haber bekliyordu, ama gurur yaparak onu aramak istememişti). Kripo'ydu.

– Orada mısın? Hiçbir şey duymuyorum!

Erwan iki konteynerin arasına girdi.

– Buradayım, dedi sesini yükselterek.

– Önemli bir şey buldum.

– Ne?

– Anne Simoni'nin bir grupla... özel bir grupla bağlantısı varmış.

– Ne tür bir grup?

– Sado-mazoşist. Fetiş.

– *No limit* mi?

– Bunu söylemek için çok erken, ama kaynaklarıma göre, işkence ve diğer şeylerin yapıldığı, insanların tanınmamak için farklı kılıklara girdiği özel gecelere katılıyormuş.

Bu marazi zevk, genç kadını, uzaktan da olsa, Di Greco'yla ilişkilendiriyordu. Acı kültürü, acıdan zevk alma... Amiral ile *punk*'çı kızın, belki de birbirlerinden habersiz olarak, yeni Çivi Adam'la bir bağlantısı vardı...

– Bu bilgiye nasıl ulaştın?

– Telefon dökümleri. Bir aydan daha uzun bir süre önce bir numarayı aramış. Les Halles'deki bir fetiş mağazasının numarasını. Telefon ettim. Lateks kombinezonlar, hemşire kostümleri, Nazi üniformaları satıyorlar.

– Simoni'yi hatırlıyorlar mı?

– Hayır. Ama aklıma bir ayrıntı geldi. Audrey ile Sardalye onun evinde arama yaparken tuhaf şeyler bulmuşlar: Tıbbi maskeler, cerrah önlükleri, deri kayışlar, turuncu tulumlar...

– Audrey bana bahsetti.

– Mağazadaki herife göre, bu fetiş dünyasından ayrı bir eğilim. Turuncuya dayalı, tıp âlemi takıntısı.

– Neden turuncu?

– Betadine'in[1] rengi. Ve turnike lastikleri ile deri kayışların da. Bu fetişizm, enjeksiyonlardan, kıça parmak sokmaktan, kolonoskopiden ve benzeri tarzda bir sürü şeyden zevk almaya kadar gidiyor. Zaten kızın evinde, sabitleme bantları, spekulumlar, sondalar, kanüller, küretler gibi garip aletler de bulundu.

Erwan düşündü. Turnike lastiği, işemeyi engelleyen aletler kullanan ya da hayali çocuk düşürmeler uygulayan genç bir kadın... Bu tamamen kendine özgü bir profil oluşturuyor ve çok özel bir dünyayı yansıtıyordu.

– Bu şeyler başka bir bulguyla da örtüşüyor, diye devam etti Lavtacı. Bilişim bürodaki çocuklar, sonunda kızın bilgisayarındaki gizemli dosyayı açmayı başardılar. Binlerce film, teknik film diyelim, buldular: Bağırsak temizleme, mesane genişletme, anüse sonda yerleştirme... Ayrıntıları geçiyorum.

Hard diskler, hastalıklı bir ruhun kara kutuları...

– Yarın, ben dönünce, Lartigues'e gideriz. Onunla bir bağlantısı olması yüksek ihtimal.

– Bunu senden duymak, beni memnun etti.

– Beni beklerken, bu yönde araştırma yap. Bu grupla kimlerin sıkıntı yaşadığını araştır.

– Bana stajyer muamelesi mi yapıyorsun?

– Seni sonra ararım, diye sertçe bitirdi Erwan, telefonu kapatmadan önce.

Konteyner sıralarının ucunda bir gölge görmüştü. Hızla o tarafa doğru yöneldi ve vagonların bulunduğu platformlara ulaştı. Kimse yoktu. Bir bekçi? Hayır, bekçi olsa elinde bir fener ya da yanında bir köpek veya her ikisi birden olurdu.

Orada dolanan biri vardı. Belki katil değildi, ama kimseye görünmeden geçmeye çalışan biriydi. Erwan sol tarafa geçti ve konteynerler boyunca ilerledi. Silahını kılıfından çıkarmıştı. İlk dikey aralıkta kimse yoktu. İkincisinde de. Üçüncü aralık... Hayal gördüğünü düşünmeye başlıyordu.

Tam vazgeçecekti ki, dördüncü aralığın dip tarafında bir siluet gördü. Depara kalktı. Döndü, koştu, yeniden döndü. Uzaktan gelen metal seslerinin dışında hiçbir şey duymuyordu. İçgüdüsel olarak sola saptı, ardından sağ taraftaki başka bir aralığa daldı.

Bu renk labirentinin içinde kaybolmuştu, nerede olduğunu bilmiyordu. Tepesinde, şantiye alanının projektörleri etrafı tarıyor, vinç kolları dönüyordu. Görme alanı, dalgalı duvarlarla sınırlanıyordu. Aklına liman memurunun söylediği şey geldi: Ellerinde

1. Bir tür antiseptik solüsyonun ticari adı. (ç.n.)

demir kesme testeresiyle kendilerini konteynere kapatan Afrikalı kaçaklar. Bu da onlardan biri miydi? İlerledikçe iyice yolunu şaşırıyordu. Kendini, kımıldadıkça bağları iyice sıkılaşan bir tutsak gibi hissediyordu. İmdat diye bağırmalı mıydı? Gece vakti, sahadaki robotların sesi onun sesinden daha yüksekti.

Öfkeyle, bir konteynerin kapısına vurdu ve konteynerlerin içinde ne olduğunu hayal etmeye çalıştı. Afrika mobilyaları. Baharatlar. Deriden yapılma ıvır zıvır. Meyveler... Muzlarla ve tahıllarla hapsolmuş bir polis! İnsanlar gülmekten ölürlerdi herhalde.

Birden kendini yerde buldu. Başını çevirene kadar, kaçağın sağ taraftan tüydüğünü gördü. Erwan dizlerinin üstündeydi, avuçları da yerde; tabancası elinden fırlamıştı. Ayağa kalkarak, bir atlet gibi hızlandı ve geçerken yerden silahını aldı.

Yeniden karşılaşmışlardı. Avı, sol tarafında, yüz metre uzağında, gölgesiyle duvarları kamçılayarak koşuyordu. Erwan'a yeniden bir güven gelmişti. Labirent yeniden anlam kazanıyordu. Elli metre. Şantiyenin gürültüsü daha da artmıştı. Otuz metre. Siluet kapkara görünüyordu, kafası da aynı şekilde. Bir Siyah mıydı? Yoksa kar maskeli bir Beyaz mı?

Nasıl olduğunu bilmeden, Erwan boşaltma rıhtımına girdi. Adam iki istif vincinin arasında yeniden ortaya çıktı. Geçen her saniye, Erwan'ın onu gördüğünü doğruluyordu. Kaçak çok hızlı koşuyordu. Antrenmanlı bir sporcu. Erwan da öyleydi. Hızlandı. Beriki, tren katarının diğer tarafından geçip, vagonların gölgesinden yararlanarak şantiyenin çevresini dolandı. Kimse onu fark etmemiş gibiydi. Ne sepetlerindeki portal vinç operatörleri, ne gezici vinç sürücüleri, ne de ışığın içinde hareketli cisimler gibi süzülerek uçan konteynerlerle ilgilenen telsiz görevlisi.

Erwan hedefinin yerini saptayabilmek ve çalışmaların arasından kestirme bir yol bulabilmek için durdu. Birden onu fark etti. Yaklaşık üç yüz metre uzakta, ışıkların ötesinde, konteynerleri indiren vinçlerin ayaklarının arasında. Doklara doğru, kelimenin tam anlamıyla dörtnala koşuyordu.

Hiç düşünmeden, Erwan da vinç kollarının ve onlarca metre yukarıda yolculuk eden konteynerlerin altına hızla daldı. Düdük sesleri, fren cayırtıları, küfürler... Telsiz görevlisi, operatörlere durmalarını emrediyor, dok işçileri böğürüyor, alarmlar deli gibi ötüyordu. Erwan aldırmıyordu. Beriki şimdi, Apnea Gaillard'ın iskele kapısından aşağı sarkan ve güverteye çıkmayı sağlayan borda merdivenine tırmanıyordu.

Erwan, gezici vinçlerden ve onların devasa tekerleklerinden

sakınmak için zikzaklar yaparak hâlâ koşuyordu, sonunda konteyner gemisine ulaştı. Kaçak, borda merdiveninin tepesine varmak üzereydi. Erwan onu daha iyi görebiliyordu. Bir seksenden biraz daha uzun, geniş omuzlu biriydi; üstünde dalgıç kıyafetine benzeyen gri bir giysi vardı. Ancak yüzü siyah mıydı ya da sadece maske mi takıyordu, bunu anlamanın imkânı yoktu.

Erwan birkaç işçiyi itekledi ve birkaç saniye kazandı. Rampaya tırmandığında, beriki çoktan gemiye girmişti. *Kapana kısıldı.*

Ama kapan, üç yüz metre uzunluğundaydı.

Güvertede, istiflenmiş konteynerler küpeştenin ucuna kadar sıralanmıştı. Sadece konteynerlerin altında oluşturulmuş dapdaracık bir koridor, geçit görevi görüyordu. Erwan artık koşmuyordu; bir ip cambazı gibi, bir ayağını atıp sonra diğerini onun önüne koyarak ilerliyordu. Nefes nefese kalmıştı, ağrıları tekrar başlamıştı.

Bir boşluk gördü: Altı veya yedi kat derinliğinde, çoktan boşaltılmış devasa ambarlar. Kaçaktan hiç iz yoktu. Omzunun üstünden etrafına bir göz attı ve geminin diğer ucunda, korkunç bir hızla havalanıp gözden kaybolan konteynerleri gördü, ardından metal bir merdivenle aşağı indi.

Yeni bir dar geçit daha. Aralıksız olarak dizilmiş paletler. Rampayı tırmanırken, daha altta, boş bir ambarı verevine kat eden bir sürü kat olduğunu fark etti. Erwan başka bir merdiven buldu, iki yanındaki korkuluklara tutundu ve basamakları birer birer –daha hızlı olmasının imkânı yoktu– indi.

Aşağı indiğinde, yine kimseyi göremedi. Sağda, bir kapı kanadı çarpıyordu. İçeride başka bir ambar daha vardı ve tavandaki delikten yukarı çekilmeyi, sonra da yere ulaşmayı bekleyen konteynerlerle tıka basa doluydu.

Bir çarpma sesi! Başka bir kapı açılmış, sonra kapanmıştı. Eğer önü kuzeyse, gürültü kuzeybatıdan geliyordu. Soldaki başka bir aralığa saptı, sonra sağdakine. Demir mapalarla birbirine tutturulmuş, demir çerçevelerle sıkıca istiflenmiş konteynerlerle çevrili köprü güverteleri oldukça dardı.

Kapıyı buldu, açtı ve yarısına kadar dolu, kaçıncı olduğunu hatırlayamadığı başka bir yaya köprüsüyle karşılaştı. Bir güvenlik kapısına ulaşıncaya kadar, duvar boyunca bir cambaz gibi ilerledi. Bu kez kendini, duvarları perçinli ve tamamen kapalı, kırmızı ışıkla aydınlatılmış bir odada buldu. Yangın söndürücüler. Bir yangın baltası. Alarmlar.

O buradaydı; Erwan hissediyordu. Demir, makine yağı ve deniz kokan bu gemi bodrumunda düşmanıyla baş başaydı – ya yetersiz beslenmiş bir kaçağı ya da katili bulacaktı.

Ayaklarının altında bir kapak vardı. Kötü bir önseziyle sürgüsünü çekti. Yeni bir ambar ağzından içeri süzülürken, nedensiz yere Di Greco'yu, onun dağılmış kafasını ve giderayak yazdığı kelimeyi düşündü. "Lontano." Kapkara bir kurum birikintisinin içine indi. Koridor sadece tek bir yöne ilerlemeye izin veriyordu: Dümdüz ileri. Bu devasa ambarlarda ilerlemek, çöle tükürmek gibiydi. Boşuna ve saçma.

Kaçak, gemiyi tanıyordu. Onu kendi alanına çekiyordu – üstüne kapanacak bir kapanın içine. Artık ayak sesi duyulmuyordu. Erwan ya beşinci ya da altıncı ambar güvertesindeydi – en ufak bir fikri yoktu.

Yeni bir kapı. Kırmızı lambalarla aydınlatılmış, kocaman ve tamamen boş bir yer daha. Olimpik havuz ebadında bir çelik kasa. Kımıldamadan durdu ve nefesini tutarak kulak kabarttı. Aslında artık kımıldayamıyordu. İleri bir adım atsa yeri belli olacaktı.

Beriki uzakta değildi; onu hissediyordu. Köşeler karanlıkta kalıyordu. Erwan elinde silahı, duvara sürünerek ilerledi. Burası bir ambar değildi; üst katlardaki ambarları boşaltmadan önce burayı boşaltmak imkânsızdı. Neden boştu? Apnea Gaillard'ın tam kapasite yüklü olmaması akla yatkın değildi. Başka ne olabilirdi?

Elli metre ilerlememişti ki, biraz önce geçtiği kapının çarptığını duydu. Dönen kapı volanını bulmak için hızla koştu. Sistem can sıkıcı bir "trank" sesiyle kilitlendi.

Az kalsın kahkahayı basıyordu: Bir çaylak gibi oyuna gelmek için polislikte yirmi yıl. Tabancasını kılıfına soktu, volanı tuttu, çevirmeye çalıştı; boşuna. Zıvanaları, pervazı inceledi. Su sızdırmaz kapıydı. Duvar boyunca, başka bir çıkış bulma umuduyla koştu.

Birden, bir çağlayan sesi duydu. Başını kaldırdı ve şaşkınlıktan kalakaldı. On metre yukarıdan, vanalardan Iguazú Şelalesi gibi gürül gürül sular akıyordu. Bir balast tankının içindeydi. Geminin dengesini yeniden sağlamak ve yük boşaltılırken gemiyi rıhtımla aynı seviyede tutmak için suyla doldurulan şu tanklardan biri.

Erwan panik yapmadan, kaçış fikrine odaklandı. Açabileceği bir kapı bulabilirdi. Suyun içinde bata çıka yürümeye başladı.

Birbiri ardına açılan savaklardan, sağır edici bir gürültüyle binlerce metreküp su boşalıyordu.

Ama boşalan sadece su değildi. Daha ziyade, mazotu ya da, bazı kimya fabrikalarının boşaltım borularından püskürtülen sarımsı köpükleri andıran, güçlü ve koyu renkli bir magmaydı.

Açılması imkânsız bir başka kapı daha. Erwan geri döndü. Sular sel gibi üstüne boşalıyordu. Suyun seviyesi şimdiden beline kadar yükselmişti. Soğuk muydu? Kovalamacadan dolayı vücudu hâlâ ateş gibi olduğundan fazla hissetmiyordu. Kendisini sürükleyen akıntıya karşı koymak için volana tutundu. Tıkacı açılmış kocaman bir lavabodaydı sanki. Aslında tam tersiydi; suyun seviyesi sürekli yükseliyordu. Kapkara su hattı şimdi göğsüne kadar çıkmıştı. Sular, sağır edici gürültüler çıkaran çığ döküntüleri gibi üstüne çullanıyordu.

Sonunda gücü tükendi, volanı bıraktı ve anında tankın ortasına –fırtınanın kalbine– sürüklendi. Dudaklarında tuz tadı vardı, boğazında ise ölüm tadı. Beceriksizce sırtüstü dönmeye çalıştı, ama sırtüstü yüzmeyi hiçbir zaman becerememişti zaten. Sonunda bu düşüncesinden vazgeçti. Tuhaf bir duyguydu: Kendi etrafında dönüyor, kendi sonuna doğru ilerleyerek ölümcül bir vals yapıyordu.

Birden, bir yerlerde alarmı devreye sokacak bir cihaz olması gerektiğini düşündü. Güvenlik kameraları aranmaya başladı. Görünürde yoktu. Yangın algılayıcılar? Böyle havuzlarda buna ihtiyaç olmazdı ki. Erwan yüzeyde kalmaya çabalarken, dalgalar şimdi onu tavana doğru savuruyordu. Gözlerini kapattı, yenik düşmüştü. Karanlık sulara gömülüyordu, o...

Ölçüm göstergeleri. Havuzda, sadece su seviyesini izlemek için değil, suyun bileşimini kontrol etmek için de bu göstergelerden bulunması zorunluydu. Bunu bir yerlerde okumuştu: Balast depolarının boşaltılması, kirlilik sorununa neden oluyordu. Gemiler, limanların binlerce metreküplük kirli suyunu açık denize boşaltarak, okyanusların ekosistemlerini bozuyorlardı. Yasalar, bu suyu denize vermeden önce gemileri bu suyu analiz etmeye mecbur tutuyordu.

Erwan çalkantılı suya daldı. Kırmızı lambalar hâlâ yanıyor, sıvı karanlığın içinde gizemli bir görüntü oluşturuyordu. En dipten yüzerek, anafordan kurtuldu ve ilk lambaya ulaştı. El yordamıyla bir sonda veya ona benzer bir şey aramaya koyuldu.

Buldu – bu zımbırtının neye yaradığını bilmiyordu, ama kuvars imleçler ve kablolar bunun insana dış dünyayla bağlantı sağlayan bir cihaz olduğunu düşündürüyordu. Silahı hâlâ elindeydi. Biraz geri gitmek için ayaklarıyla arkaya doğru hamle yaptı, namluya mermi sürdü ve ateş etti.

Nefes almak için ağzını açma refleksine direnerek biraz daha yüzdü. Ciğerleri karbondioksitle dolmuştu. Otuz metre ileride, bir başka lamba karanlık suyun içinde parlıyordu. Bir kez daha duvardan uzaklaştı ve ateş etti. Bir yerlerdeki bir alarmı çalıştırmayı umut ediyordu. Ya da suların çekilmesini sağlayacak bir sistemi.

Yeniden sağ tarafa doğru yüzdü. Zaman geçmiyordu, boğuluyordu. Tam önünde, aşağı doğru inen siyah bir kol gördü. Artık yüzeye çıkamayacağı biliyordu –artık yüzey diye bir şey yoktu. Artık nefes alamayacağını biliyordu. Biliyordu...

Tetiğe basmak istiyordu, ama ağzını açtı.

# 97

Erwan kendine geldiğinde, cehennemde olduğunu düşündü. Halbuki gecenin bir yarısı, Timone Hastanesi'nin acil servisindeydi. Bir sedyenin üstünde, özel bir bölmedeydi (onu soymuşlar ve kâğıttan bir önlük giydirmişlerdi), aralık perdeden, hastalıkla ve ölümle farklı şekillerde flört eden acil servis hastalarını görebiliyordu. Ev kazası geçirmiş veya akciğer iltihabına yakalanmış çocuklar. Sokak kavgasına karışmış veya araba kazası yapmış sarhoş gençler. Kalp krizi geçirmiş, düşmüş ve felç geçirmiş yaşlılar. Bu iç karartıcı örneklerin yanı sıra soğukkanlı ve beyaz önlüklü bir başka grup, yardımcı olmak için peş peşe sorular soruyordu: Sosyal güvenlik numarası, en son ne yedin, kaza nasıl oldu...

Erwan bir süre bu gösteriyi izledi. Kendine geldikten sonra ilk on beş dakikayı kusarak, ikinci on beş dakikayı tükürerek, üçüncü on beş dakikayı ise gırtlağındaki, ciğerlerindeki, midesindeki tuz acılığını gidermek için ağzını tatlı suyla çalkalayarak geçirmişti. İçinin yandığını hissediyordu. Bu deniz kazasının sembolü olan, kaskatı kesilmiş ve beyaz lekelerle kaplanmış takım elbisesi ile gömleği bir askıya asılmıştı. Hasta önlüğünün altında, kurumuş cildinin, eski bir tablonun üstündeki vernik gibi çatladığını hissediyordu.

Acil servisteki doktorlar bir sürü röntgen istemişler (dalgaların şiddetiyle ensesine ve kalçasına birçok darbe almıştı) ve Kaerverec yaraları karşısında yüzlerini buruşturmuşlardı. Bununla birlikte, kırık yoktu. Sadece koleksiyonu için yeni morluklar, yeni yaralar vardı.

Erwan gözlerini kapattı. Gözkapakları bir fırının üzerine kapanıyordu sanki. Bağırışların, koşuşturmaların anlaşılmaz bir gürültü halinde birbirine karıştığı bu serviste bulunmaktan tuhaf bir şekilde zevk duyuyordu. Balast tankındaki o çılgınca yaşam mücadelesinden sonra, Erwan kendini şaşkın kuşların cıvıldadığı bir gölde dolaşıyormuş gibi hissediyordu.

Şimdilik, onu bu kapanın içine çekmiş olan adamı ve uğradığı saldırıyı –düşmanı balast sistemini biliyordu– bir kenara bırakmıştı. Neredeyse ölüyordu ve onu kurtaran itfaiyecilere minnet duyuyordu.

Perdesi açıldı. Karşısında liman memuruyla birlikte Noailles Karakolu'nda iki polisi duruyordu. Her üçünün de suratları bir karıştı. Birincisi, Erwan bu gece gezintisi için kimseye haber vermemişti. İkincisi, hiçbiri bu gece nöbetçi değildi; Erwan'ın bu şekilde ortadan kaybolması, onların bu gece ailelerinden uzak kalmasına veya kafa çekememelerine neden olmuştu.

Erwan sedyesinin üstünde doğruldu; kendisine sitem edilmesini bekliyordu. İzinsiz olarak yükleme-boşaltma sahasına girmişti. Görevli personel dışındakilere yasak olan şantiye bölgesinden geçmişti. Antigua bandıralı bir konteyner gemisine gizlice sızmıştı. Konteyner gemisinin kaptanı ve mürettebatı, gemiyi kiralamış olan denizcilik şirketi, Fos'un batı doklarının idarecileri ve karşısında duran bu üç herif için çok büyük bir sıkıntı olmuştu.

Bununla birlikte, onu bu şekilde, yosun yaprağına sarılmış bir *makizuşi* gibi, yeşil önlüğünün içinde görünce sanki yumuşamışlardı.

– Bütün doklara bakıldı, dedi polislerden biri. Sizin adamdan eser yok.

– Şantiye işçileri?

– Sorgulanıyorlar. Şimdilik bir şey gören yok.

– Bana saldıran herif mi vanaları açmış?

– Hayır, dedi, liman görevlisi. Balast tanklarına su otomatik olarak boşalır. Şansınız yokmuş, tabii sizin adamın bunu biliyor olması yüksek ihtimal. Yük boşaltma işlemi devam ederken, su hattını korumak için balast tanklarına su basılır.

Erwan birkaç saniye suskunluğunu korudu. Beyni sanki tuzlu su dolu bir kabın içinde benmari usulü pişiyordu.

– Apnea mürettebatı?

– Onlar da sorgulanıyor, dedi adli polislerden biri. Ama fazla bir şey beklememek lazım. Mürettebatın yarısı karadaydı, diğer yarısı da uyuyordu.

– Mürettebat kaç kişi?

– Sekiz.

– Üç yüz metre uzunluğunda bir gemi için sekiz kişi mi?

– Günümüzde, diye araya girdi liman memuru, her şey elektronik olarak kumanda ediliyor.

– Sizce adamlar temiz mi?

– Sıradan gemiciler. Filipinliler, Nijeryalılar, Hırvatlar... Gemi yarın limandan ayrılıyor.

– Bu geceki olaya rağmen mi?

– Kaptan olayı uzatmayacaktır. O, sizin saçmalıklarınızın kurbanı durumunda ve şikâyetçi olup üç gün daha limanda oyalanmak istemeyecektir.

– Ya ben şikâyetçi olursam?

– Bunu size tavsiye etmem.

– Gümrük görevlileri onun gitmesine izin verecek mi?

– Eğer siz bu karmaşık olayı büyütmezseniz, onu alıkoymaları için herhangi bir sebep yok.

– Peki, Heemecht şirketinin konteynerleri?

– Onlar açılacak. Sizin adamın aradığı ne, biliyor musunuz?

– Hurda demir, size daha önce de söyledim.

Liman memuru, kuşkusunu belirtmek ister gibi başını salladı.

– Kimse kullanılmış metal ithal etmez. Özellikle de Afrika'dan.

– Neden?

– Çünkü orada, eğrilmiş ve başsız çiviler bile yeniden kullanılabilir.

Erwan onunla hemfikirdi, ama kendini ifade edecek gücü yoktu.

– Apnea'nın kaptanıyla konuştunuz mu? Gümrük idaresiyle? Liman başkanlığıyla?

– Herkesle konuştum ve her seferinde azarlandım. Sizin bu olayınız en ufak bir gecikmeye neden olsaydı, isyan çıkardı. Yarın sabah güvenlik talimatlarına uyulup uyulmadığını denetlemeye gelecek olan denizcilik müfettişliğinden bahsetmiyorum bile. Sizin kaçak olarak yükleme-boşaltma sahasına girmeniz yüz binlerce avroya mal olabilirdi.

Erwan'ın da ayrıntılı bir tutanak hazırlaması gerekiyordu – ve kâtiplik yapmak için Kripo burada değildi. Bir an önce tutanağı hazırlasa iyi olurdu. Ayağını yere indirmek istedi, ama dengesini bulmak için dönmeye çalışırken kalçasındaki ağrı ona engel oldu. Önlüğünün sırt kısmı açıldı ve kıçı açıkta kaldı. Herkes güldü; kendisi de. Bu gerçekten de cinayet bürosu için büyük bozgun demekti.

– Kuru giysileriniz yok mu?

Polislerden biri, gülümseyerek ona bir naylon torba uzattı.

– Umarım OM'ye[1] itirazınız yoktur?

Naylon torbada, üzerinde üst üste binmiş iki harfin olduğu siyah bit tişört, OM'nin renklerinde kapüşonlu bir *sweat-shirt* ve gri renkli bir jogging pantolonu vardı. Vieux-Port yakınlarındaki oteline gitmek için bunlar mükemmeldi. Orada takımını temizlettirirdi.

Adamlar, onun giyinmesi için perdenin diğer tarafına geçtiler. Giyinirken Erwan kafasında saldırganının bir portresini çıkardı: Bir metre seksen beş santim boyunda, atletik, koşu deneyimi olan biriydi. Teninin rengine gelince, Erwan emin değildi. Ayrıca deniz taşımacılığı hakkında da bilgi sahibiydi; bu da, Zodyak sürücüsünün profiliyle örtüşüyordu. Çivi Adam?

Kapüşonlu *sweat-shirt*'ünü giydi ve hemşirelerin içine anahtarlarını, cep telefonunu ve kimliğini –hepsi ıslanmıştı– koyduğu zarfı aldı. Cep telefonunu açmaya çalıştı, olmadı. Kuşkusuz boku yemişti. Hepsini naylon torbanın içine koydu, sonra bir kez daha takımının ceplerini karıştırdı.

Ceketinin cebinde, dörde katlanmış bir kâğıt parçası buldu. Deniz suyuyla yapışıp katılaşmıştı. Erwan kâğıdı özenle açtı. Üstünde yazılı isimleri görünce hatırladı: Babasının adamları tarafından saptanmış, Gaëlle'in, "müşterileri." Her seferinde, adres ve son randevunun saati belirtilmişti. Kâğıdı atıyordu ki bir isim dikkatini çekti. Richard Masson. Bu ismi bir yerlerde görmüş veya işitmişti. Listeyi okumaya başladı. Bir diğer isim jetonun düşmesini sağladı: Sergey Borgisnov. Hafızası canlanıyordu. Devam etti. Üçüncü isim de tanıdık gibiydi: Johnny Leung.

Bunlar, Coltano hisselerini ele geçirmeye çalışan heriflerdi.

Erwan yüzüne yumruk yemiş gibi oldu. Sarsılmıştı, sedyeye tutundu.

Bunlar Gaëlle'in para karşılığı yattığı heriflerdi. Bankerlerin kaynağı kız kardeşiydi.

Gaëlle şu veya bu şekilde, bilgi sahibi olmuştu; ya bir telefon konuşmasına şahit olmuştu ya da –bu daha güçlü bir ihtimaldi– Loïc'in kasasının şifresini biliyordu. Devamı da gün gibi ortadaydı: Gaëlle tüyoyu banker müşterilerine vermişti. Bir ayrıntı, Erwan'ın şüphelerini doğrulamaya yetiyordu: Serano'nun söylediğine göre, son hisse senedi alımının tarihi 10 Eylül Pazartesi'ydi ve alım emrini bizzat Leung vermişti; zaten İGGM'deki adamların verdiği bilgiye göre, Gaëlle'in Leung'la son randevusu da bundan bir gün önceydi.

**1.** Fransız futbol takımı Olympique Marseille'in baş harfleri. (ç.n.)

Erwan, kız kardeşini çok iyi tanıyordu, onlara bilgi sattığını düşünmemek saflık olurdu. Çok daha kötüsü, babasına ve Loïc'e zarar vermek amacıyla bilgiyi onlara bilerek *vermişti*. Kuşkusuz bu bilgilerin öneminin bilincinde değildi, ama sıkıntıya yol açacağını tahmin etmişti. Ve bir piroman gibi kendi evini, içinde ailesiyle birlikte ateşe vermişti.

Borgisnov "kaynağından" beslenmekle övünmüştü. Afrika'dan değil, Morvan klanından söz ediyordu.

– Geliyor musunuz?

Erwan kâğıdı cebine tıktı ve perdenin arkasından çıktı.

– Telefon etmem gerekiyor.

# 98

– Nerede o? Onu geberteceğim!

Morvan kükreyerek daireye girdi. Bu ziyaretten hiçbir şey anlamayan Loïc'i kenara itti. Erwan, Loïc'e haber vermemişti, İhtiyar bunu istememişti. Koşar adımlarla koridoru geçti. Görüş alanı, öfkesi yüzünden azalmış gibi geliyordu. Oğlunun telefonu, onu kendi sıkıntılarıyla boğuşurken yatakta yakalamıştı. Erwan'ın anlattıkları, uykusuzluğunu bir anda unutturmuştu.

Aslında, şaşırmamıştı. Bu, birçok defa yaşadığı şeyi teyit ediyordu: En kötüsü hep gerçeğin altında gizli olurdu. Gaëlle, sevgili kızı, bir fahişe olan meleği onu mahvetmek için her şeyi yapmıştı – ve belki de bunda başarılı da olacaktı.

Onu salonda, Morvan'ın Loïc ile Sofia'ya evlilik hediyesi olarak verdiği, Paola Lenti tasarımı bir örtünün altında bulmuştu. Budala ağabeyiyle birlikte oturmuş, boş boş televizyon seyrediyordu. Zaten Gaëlle'in hayatı böyleydi: Loïc'in çocuklarına göz kulak oluyor, önüne gelenle yatıyor, babasını sırtından hançerliyordu.

Kız bir sıçrayışta ayağa kalktı, darbeleri karşılamaya şimdiden kendini hazırlamıştı.

– O bankerlerle ne haltlar karıştırdın?

Kız cevap vermedi.

– Bizi mahvetmek mi istiyorsun?

Yine cevap yoktu.

Morvan yumruklarını sıkarak yaklaştı. Çevresinde yarattığı korku çemberi manyetik dalgalar gibi genişliyordu. Gaëlle geri geri gitti. Loïc taş kesti. Terör, çocuklarında yaratmayı başardığı tek gerçek duyguydu.

– Bu bilgileri kaç paraya sattın?

Gaëlle kanepenin yanında duruyordu, hâlâ suskundu. Bedeniyle karşı koyuyor, ancak gözlerindeki panik, onun bu tavrını yalanlıyordu.

– Kahrolası aptal, onları satmadın, değil mi? Bunu sadece beni bitirmek için yaptın, öyle mi?

Morvan ona doğru hamle yaptı. Gaëlle bu hamleden ustaca kurtuldu, balkon kapısına doğru koştu, kapıyı açtı ve atladı. Boşluğa.

Morvan'ın homurtusu, bir anda gırtlaktan çıkan bir çığlığa döndü:

– HAYIR!

Hızla balkona koştu ve kopmuş yaprakların, kırılmış dalların arasından, sadece üç kat aşağıdaki asfaltı ve arabaları gördü. Caddeden fren sesleri ve bağırtılar geliyordu. Sanki balkon korkuluğu ellerini yakmış gibi Morvan geriye doğru sıçradı ve daire kapısına doğru koştu. O esnada, içi doldurulmuş bir hayvan gibi taş kesmiş Loïc'i fark etti.

Morvan soluk almadan hızla merdiveni indi. Basamakların üstündeki kırmızı halıda kendi ayak seslerinin tok gürültüsünü duyuyordu. Elinin altında ferforje tırabzanı hissediyordu. Her merdiven sahanlığında, parmaklıklardan ve vernikli ahşaptan oluşan, eski usul asansör kafesini görüyordu. Sanki nefes almayınca zaman da duracakmış gibi, hâlâ soluk almıyordu. Sanki ona acı veren bu sahneyi durduracakmış gibi.

Az kalsın ilk camlı kapıya çarpıyordu; holü geçti, ikinci kapıyı arkasında bıraktı ve dışarı fırladı. Hiçbir beklentisi yoktu, ama hareketsiz yatan bir bedenle, kanla, ölümle karşılaşacağını biliyordu. Oysa Gaëlle iki arabanın arasında sendeliyordu. Ayakları çıplaktı, ne babasını ne de başka birini görüyor, darmadağınık saçlarıyla sendeleyerek kaldırıma ulaşmaya çalışıyordu.

Bir mucizeydi; ama istisnai bir durum değildi. Morvan kırk yıllık meslek hayatında, başarısız olmuş en az yirmi pencereden atlama vakası duymuştu. Düşüşü, ağ görevi gören yapraklar ve dallar tarafından yavaşlatılmış, sonra da bir arabanın tavanına çarpmıştı. Kaportanın üstünde, şimdi kurtulmaya çalıştığı iki tamponun arasına düşene kadar yuvarlanmıştı, ancak yüz ifadesi bir canlıdan çok ölüyü andırıyordu.

Morvan ona doğru hareketlendi, ama iki metre kala durdu. Şimdi patlama sırası Gaëlle'deydi – şok, öfke, delilik. Kızının gelmesi için kenara çekildi. Yürüyüşü, her ne kadar dengesiz olsa da, Morvan herhangi bir yarasının ya da ciddi bir kırığının olmadığını birkaç saniye içinde fark etti

Çevresinde, o ilerledikçe geri çekilen, aylaklardan oluşan bir çember meydana gelmişti. Sonunda Morvan, tam olarak kime hitap ettiğini bilmeden, "Teşekkürler" diye mırıldanarak rahat bir nefes aldı. Son günlerde onu bunaltan tüm sıkıntılar silinmişti. Hatta kendini her şeye yeniden meydan okumaya hazır bile hissediyordu: İflas, cinayetler, hapishane; yeter ki Gaëlle bu işten paçasını sıyırsın.

O sırada, Gaëlle gerçekten sallandı ve düştü. Asfalta çarpmadan önce, Morvan onu tuttu, kollarının arasına aldı.

– Benim küçük kızım, benim küçük...

Loïc yanında belirdi. Yüz ifadesi bu dünyadaki yerini özetliyordu: Zamanın ve diğer her şeyin dışında kalmış bir adam. Morvan gözlerini yeniden Gaëlle'e çevirdi. Gaëlle bayılmak üzereydi, ama bilincini açık tutmak için çaba gösteriyordu. Solgun yüzünde, küçük bir gölün yüzeyinde açan bir su çiçeği gibi, sağ şakağında boydan boya, bir morluk belirmeye başlamıştı.

Morvan onun alnına bir öpücük kondurmak istedi, ama kız onu itme gücünü kendinde buldu.

– Öldürmem gereken sendin, diye Morvan'ın kulağına fısıldadı.

# 99

Sabah altıya doğru Fos Limanı'nın üstünde bir fırtına patladı. Erwan, otel odasında pencerenin önüne oturmuş, sokak lambalarına şiddetle çarpan, çalkantılı denizi bir mitralyöz gibi tarayan ve yüklenmeyi bekleyen konteynerleri parlatan gri yağmur damlalarını seyrediyordu.

Uyumamıştı – ya da çamurun içine yuvarlandıktan sonra hemen kalkan biri gibi, sadece kısa sürelerle uyumuştu. Çamur ailesiydi, geçmişiydi; genç bir kadını, ailesini yok etmeye iten bütün nedenlerdi. Gece ikiye kadar, babasının uyguladığı şiddeti, annesinin kaderine boyun eğişini, erkek kardeşi ile kız kardeşinin korkusunu, "aile hayatını" oluşturan bu sonsuz çirkefi düşünüp durmuştu.

Belki de tüm bunlara rağmen, bıkkınlık ve umutsuzluk içinde uyuyabilirdi, ama Morvan, Gaëlle'in intihara kalkıştığını söylemek için onu aramıştı.

– Yine mi? demişti, anında bu sarkastik ironiden rahatsızlık duyarak.

Babası, boğuk bir sesle olanları anlatmıştı. Bu, gençlik yıllarındaki intihar girişimlerinden, aşırı dozda ilaç almalardan, mide yıkamalardan ve diğer şeylerden farklıydı. Gaëlle, bu kez gerçekten bu dünyaya elveda demek istemişti. Bütün Morvan'ları Tanrı'yla yeniden barıştıran bir mucize neticesinde sağ salim kurtulmuştu.

– Şimdi nerede?

– Amerikan Hastanesi'nde. Tetkik yapıyorlar.

Paris'te, kısacası Neuilly-sur-Seine'de, hastalığın bile kendi VIP'i vardı. Eğer kuyruğa girmeden ölmek ya da sadece çok yüksek fiyata tedavi olmak istiyorsanız, Amerikan aksanlı ve duvarlarında 40'lı yılların hemşirelerinin fotoğraflarının bulunduğu bu tuhaf kurum sizin içindi.

– Durumu nasıl?

Morvan kendi tarzında cevapladı:

– Tetkiklerden sonra onu Sainte-Anne'a götüreceğim.

Birçok defa karsını oraya yatıran ve kendisi de orada tedavi olan İhtiyar'ın spesiyalitesi. Erwan ısrarcı olmamıştı. Mümkün olduğunca çabuk Paris'e dönmeliydi. Yüzüne tükürecek olan kız kardeşine sarılmak için. Onu parmağı tetikte dinleyecek olan babasını sakinleştirmek için. Hep patlama sınırındaki kaçıklardan oluşan ailede, arabulucu rolünü oynamak için.

Gecenin son saatlerini Fos Limanı'nı seyrederek ve pişmanlıklarını düşünerek geçirmişti. Gaëlle'in çevirdiği dümeni öğrendiğinde önce ona ulaşmaya çalışmıştı. Genç kadının telefonu cevap vermemişti. Loïc'i aramaktan vazgeçmişti, çünkü kanındaki kokain oranına göre o da aşağı yukarı aynı şekilde davranacaktı. Geriye bir tek Padre kalıyordu. Erwan, durumu hafifletmeye çalışarak şüphelerini ona iletmişti. Boşuna! Babası, yüzleşme sırasında ona eşlik etmesi için Erwan'ın dönmesini beklemeyecekti.

Hâsılı, klanın sorunları bir kez daha diğer olayların önüne geçmişti. Erwan kovalamacadan yeni çıkmıştı, ölümden dönmüştü, katile (belki de) yaklaşmıştı, ama kafası hâlâ aile işleriyle meşguldü.

Pencereden, meslektaşlarının geldiğini gördü. Manzara, eski bir polisiye filmin büyülü bir sahnesini andırıyordu: Yağmurun altında parlayan terminal ile binaları; rıhtımın üstündeki, kırmızı ve sarı renklerle yol yol olmuş su birikintileri; polislerin eski Saab'ı. Bu görüntü hoşuna gitti ve belki de bu sabah saatlerinin hoş sürprizlere gebe olduğunu düşündü.

Arabanın içinde, Marsilyalılar durum saptaması yaptılar. Onlar da hiç uyumamışlardı. Buna karşılık, verimli bir çalışma yapmışlardı: Birkaç saat içinde tutanakları hazırlamışlar, 89AHD34 numaralı konteyneri açmak için gerekli yazışmaları yapmışlar, arama izni almışlardı. Savcılıkla, emniyet müdürlüğüyle ve yüksek kademedeki gümrük yetkilileriyle temas kurmuşlardı. Her şey usulüne uygundu. Konteynerde şu paslı meşhur çiviler var mıydı, gidip göreceklerdi.

Ancak ipucu ve tanık konusuna gelince, hiçbir şey yoktu. Mürettebatın tamamı ve Apnea'nın çevresindeki dok işçilerinin çoğu sorgulanmıştı. Kimse hiçbir şey görmemişti. Bir olay yeri inceleme ekibi, parmak izi almak ve olası organik kalıntılar aramak için gemiye girmişti. Konteyner gemisini tamamen aramak için birkaç güne ihtiyaç vardı; ayrıca bunu ne bulmak için yapacaklardı? Zaten bir saatin sonunda gemiden kapı dışarı edilmişlerdi. Yolcu koltuğunda oturan polis derin bir iç çekti.

– Gemi bu sabah limandan ayrılıyor ve hâlâ içine giremiyoruz. Bize kalan tek şey, bu konteyner.

– Yükünü açtılar mı?

– Açıyorlar.

Erwan, tamamen boş olan rıhtımları görerek sustu. Batı doklarına ulaştıklarında ise, gördüklerine inanmak için gözlerini ovuşturma ihtiyacı hissetti: Apnea Gaillard'ın güvertesine yeni konteynerler yüklenmekle kalmamış, bütün depo boşalmıştı da. Konteynerler sonsuz uzunluktaymış gibi gözüken trene yüklenmişti. Diğerleri de kuşkusuz kamyonlarla yollanmış ya da lojistik alanındaki depolara kaldırılmıştı.

Sadece Heemecht'in konteyneri, kapısı açık, ters çevrilmiş bir çöp tenekesi gibi duruyordu; yükü boşaltılmıştı. Gümrük memurları içini arıyordu. Daha küçük kutuları dışarı çıkarıyorlardı; o kutuların içinde de daha küçük başka kutular vardı. Navlunun Rus matruşkaları.

Yaklaştılar. Yağmur durmaksızın yağıyordu. Gümrükçülerin yağmurluklarına çarpan damlalar, bir ölüm marşını çağrıştıran kaygı verici notalar oluşturuyordu.

– Bu karmaşayı size mi borçluyum?

Erwan döndü. Kafasında kulaklıklı bir şapka bulunan, kayakçı anorağı giymiş bir adam, bacakları açık bir şekilde ayakta duruyordu.

– Üzgünüm.

– Boş verin. Siz işinizi yapıyorsunuz, hepsi bu. O halde elimizi çabuk tutalım ki, ben de işimi yapabileyim.

Tanışma faslı. Tokalaşmalar. Heemecht'in sorumlusunun adı Xavier Schneider'di. Anorağının altına kurşungeçirmez yelek giymiş gibi yapılıydı.

Erwan genel bir soruyla başladı:

– Kongo'dan hurdayı siz mi satın alıyorsunuz?

Schneider bir kahkaha attı.

– Navlun konusunda hiçbir şey bilmiyorsunuz anlaşılan. Kendi Afrika ürünlerini yollayan satıcılar vardır ve bir de onları teslim alan alıcılar. Bu iki nokta arasında da, gemiyi donatan armatör, gemi sahibi, ki bu her zaman armatör değildir, başka firmalar tarafından da kullanılan konteyner taşıma personeli ve limanda armatörü temsil eden denizcilik acentesi vardır... Tüm bu karmaşık işler bir koordinatör tarafından denetlenir, ona da "kiralayıcı" denir...

– Bu siz mi oluyorsunuz?

– Hayır. Heemecht sadece kendi konteynerlerinin sorumluluğunu üstlenir, ardından yükü alıcısına kadar ulaştırır. Hepsi o kadar.

– Bazılarını burada, terminalde teslim ettiğiniz oluyor mu?

– Asla.

Lafı ağzında geveleyip durmanın manası yoktu.

– Hurda demir sandığı var mı?

Schneider yana doğru bir adım attı ve yaklaşık iki metre uzunluğundaki ahşap bir kutuya bir tekme savurdu. Erwan'ın aklına tabut geldi. Kapak aralanmıştı. Ayağının ucuyla kapağı açtı. Sandık ağzına kadar paslı çiviyle doluydu. Farklı modeller. Farklı boylar. Bir avuç çivi aldı: Çoğunda BABO mührü vardı.

Sonunda kaydedilen bir gelişme.

– Teslimat adresini biliyor musunuz?

– Gizli.

Erwan bakışlarıyla, Marsilyalı adli polisleri yardıma çağırdı, ama Schneider, fikrini değiştirerek, anorağının içinden dokunmatik bir tablet çıkardı.

– Şaka yapıyorum. Sandık Villa du Bel-Air, no 19, Paris 75012 adresine teslim edilecek. Alıcının adı Ivo Lartigues.

Kaydedilen ikinci aşama. Erwan, Heemecht'in adamına baktı. Arkasında, yağmurun hırpaladığı doklar ve yüzeyleri, yağmur damlalarıyla pütür pütür olan su birikintileri görülüyordu. Çivileri, eserlerini kalbura çevirmekte kullanan bir heykeltıraşın dışında bunları kim satın alırdı ki?

Erwan, kendisine saldıran adamın Lartigues olmadığını biliyordu. Adresine kadar teslim edilecek bir şeyi çalmak için neden buraya gelsindi ki? Ama katile yaklaşıyordu.

– Onunla daha önce de iş yaptınız mı?

– İsim bana tanıdık geliyor. Düzenli bir müşteri olabilir.

– Siparişlerin genellikle neler içerdiğini biliyor musunuz?

– Hayır. Arşiv kayıtlarına bakmam gerekiyor.

Marsilyalı polislerden biri yaklaştı, ikna olmamış bir hali vardı.

– Dün akşamki adamın bu çivileri almak için geldiğine gerçekten inanıyor musunuz?

– Hiç şüphem yok.

– Bunları özel yapan ne?

Erwan elindeki demir parçasına baktı. Avucu pastan kıpkırmızı olmuştu.

– Bunlar büyülü.

# 100

Dönüşte uçuş boyunca Erwan, Kripo'nun Ivo Lartigues hakkında hazırladığı dosyayı okudu. Her satır Alsace'lıya özür borçlu olduğunu teyit ediyordu; en baştan beri, en ilginç ipucunun üstünde çalışan o, sadece o olmuştu.

Lartigues bir sanatçı ismiydi. Adam 1952'de, İtalya ile Almanya sınırında, Bolzano yakınlarındaki Franciolini'de doğmuştu. Bir metalürji işçisinin oğluydu; çocukluğu, alkolik babasının dayaklarına ve sofu annesinin dualarına katlanmakla geçmişti. On yedi yaşında Paris Güzel Sanatlar Fakültesi'ne yazılmıştı. Fransız Yeni Gerçekçiliği (Yves Klein ve onun ateş yakma yöntemiyle yaptığı resimleri) ile Fluxus Hareketi'nden (sanayi malzemeleri kullanılarak yapılan sanat) etkilenmiş, 1980'de çivilerle, vidalarla, kancalarla metal artıklarını birleştirerek kendi yöntemini oluşturmuştu. Daha sonra, Afrika geleneksel sanatlarını –özellikle de Mayombe sanatını– keşfetmiş ve üzerlerine sivri uçlar, cam, elyaf yerleştirdiği sacdan bu dev heykelleri yaratmaya başlamıştı. Ayrıca üzeri keskin bıçaklarla kaplı erkeklik organları, bir sürü cam kırığıyla kaplanmış beden parçaları da yontuyordu. Eserlerini sadece numaralarla ya da bazen de kullandığı çiviyi referans alarak adlandırıyordu – *Kongo nº 6, op.13*.

Özel hayatına gelince, ne karısı ne çocuğu ne de ciddi bir ilişkisi vardı. Bir sado-mazo gurusu olarak etkinlikleri hakkında da, Kripo sıradan dedikodular dışında bir şey bulamamıştı. Kolları sıvaması gerekecekti.

Erwan bununla birlikte, bir sürü olguyu da belleğinde tutuyordu. Öncelikle, Lartigues zengindi; bazı eserleri bir milyon avroya satın alınmıştı, özellikle de Amerikalı koleksiyoncular tarafından. Özellikle Aşağı Kongo'dan gelen Afrika çivileriyle çalışıyordu. Bir diğer ayrıntı, daha dikkat çekiciydi: Üzerinde çiviler ya da keskin bıçaklar bulunan erkeklik organına benzeyen heykelleri ister istemez, son kurbanlarda makat yaralanmalarına neden olan aleti çağrıştırıyordu.

Lartigues ile cinayetler arasında kuşkusuz bir ilişki vardı, ama Erwan bu bağı kurmanın son derece karmaşık olacağını şimdiden anlamıştı; zaten katilin kimliğini bile henüz saptayamamıştı.

Saat 11.00'de, yere iner inmez cep telefonunu yeniden açmaya çalıştı. Mucize! Ekran yaşam belirtisi verdi. Heyecanla mesajlarını kontrol etti. İşle alakalı SMS yağmurunun altında beklediği inciyi buldu: Sinüslerinde kokain patlaması etkisi yaratan Sofia'nın SMS'i.

İtalyan kadın sadece "Tavır mı yapıyorsun?" yazmıştı.

İnsanı hem aptallaştıran, hem dağıtan hem de canlandıran aşkın ilk zamanlarına ait çocukça davranışlar. Erwan kendini büyük soruşturma günü için dinç hissediyordu. Diğer herkesten bir baş daha uzun babasını Orly'nin gelen yolcu kapısında beklerken görünce, coşkusu anında yok oldu.

Ama bu buluşma önceden kararlaştırılmıştı. Her şeyden önce, Erwan'ın Sainte-Anne'a uğraması gerekiyordu. Ona Gaëlle'i sordu, ama Morvan'ın suratından her şey anlaşılıyordu. Sanki bir gecede on kilo zayıflamıştı, bu da Erwan'la benzerliğini daha da belirgin hale getiriyordu. Yüzündeki kaslar seğiriyor, kırmızı ve kuru derisi pul pul dökülüyordu.

Konuşmaları hızla, can sıkıcı olandan kaçmak amacıyla borsa konusunun teknik yönlerine doğru kaydı.

– Herhangi bir kadın, bankerlerin kulaklarına bir tüyo fısıldıyor ve onlar da buna hemen inanıyorlar, öyle mi?

– Kız kardeşin herhangi biri değil. O benim kızım ve Loïc'in kız kardeşi. Bir Coltano çocuğu. Bir aptallık yaparak onlara bilgi vermek zorunda kaldı. Adamlar da bu bilgiyi araştırdılar ve doğru olduğunu anladılar.

– Bu yeni yataklarla ne yapmayı düşünüyordun?

– Geçmiş dilde konuşma. Onları gizlice ve hızla işletmeye başlayacağım.

– Afrikalıların arkasından mı?

– Eğer hisseler yükselmemiş olsaydı bu sorun yaratmayacaktı.

– Peki şimdi?

– Halledeceğim.

Morvan arabayı sakin bir şekilde sürüyordu. Bir cumartesi öğle vakti, Paris banliyösünde bir yerlerde, betonun hayatla olan savaşını kesin olarak kazandığını gösteren bir manzara. Siyah Mercedes'in içinde, birbirlerine tıpatıp benzeyen, koyu renk takım elbiseli iki adam – mezarlık yolunda iki cenaze levazımatçısı.

– Bu yaşta, hâlâ neyin peşinde koştuğunu anlamıyorum. Daha fazla paranın mı?

– Paran olmayınca paraya önem vermemek kolay. Ayrıca bu doğru değil. Aslında içten içe sen de biliyorsun ki, mezarımın üstündeki çiçeklerle birlikte, para da seni bekleyecek.

– Tabii çiçekler olursa.

Bir elini direksiyondan çeken İhtiyar, Erwan'ın ensesine dostça bir şaplak attı.

– Aile sıcaklığı!

Erwan cevap vermedi.

– Gaëlle'le konuşman gerekiyor, dedi yeniden Morvan. Hepimizin yanında olduğunu ve onu sevdiğini ona anlatman gerekiyor.

– Sorun, sevilip sevilmediğini bilmesi değil. Sorun, onun bizden tiksiniyor olması.

– Büyüyecek. Ve sonunda anlayacak.

– Peki sen? Sen ne zaman anlayacaksın?

Sessizlik. Porte d'Orléans. Erwan öfkesinin arttığını hissetti...

– Karına nasıl vurabilirsin? diye patladı.

– Bu ikimizin arasındaki sorun.

– *Bir* kadına nasıl vurabilirsin?

– Maggie bir kadın değil. Yani senin anladığın manada. O benden daha güçlü.

– Onun senden üstün olduğunu hiç fark etmedim.

– Onun gücü farklı.

Erwan sertçe kapıya vurdu.

– Bizim hayatımızı ne hale getirdiğinin farkında mısın? (İşaretparmağını şakağının üstüne koydu.) Atılmış her yumruk burada, hafızamın derinliklerinde.

– Gösteriyi bırak! Sende kendimi görüyorum.

– Ben asla sen olmayacağım. Bizi mahvettin. Loïc uyuşturucusuyla, Gaëlle kiniyle, ben ise, başkalarının cinayetleriyle besleniyorum; sadece seninkileri unutmak için.

Morvan birden direksiyonu kırdı ve güvenlik şeridinin üstünde sertçe frene bastı. Erwan tam önündeki ceviz kaplama konsola çarptı. Öyle ki bir an hava yastıklarının açılacağını sandı.

– İyi misin?

Padre kontağı kapattı.

– Sana durumu izah edeceğim.

– Aleluya, diye bağırarak sırıttı Erwan. (Burnu kanıyordu.) Kırk iki yıldan beri bunu bekliyordum!

– Annenle tanıştığımız zaman aramızda bazı şeyler geçti. İlişkimiz... şiddetle ve korkuyla beslenmişti. Ayrıca...

Tereddüt eder bir hali vardı. Erwan onu hiç bu denli huzursuz görmemişti.

– Sana daha fazlasını söyleyemem, diyerek konuşmaktan vazgeçti Morvan.

– Bu, Çivi Adam'la mı ilgili?

– Boş ver, dedi, oğluna kâğıt mendil uzatırken.

Erwan daha önce de bu duvara toslamıştı; artık daha fazla zaman kaybedemezdi. *İşimize bakalım.*

– Onu nasıl yakaladın?

– Bunu sana daha önce de anlattım.

– Hayır, bana sadece onun kimliğini nasıl tespit ettiğini anlattın.

Morvan yeniden hareket etti ve usulca trafiğin içine karıştı. Sanki yaptığı –ya da yapmadığı itiraflar– içini kemiriyordu.

– Şüphelerim Pharabot üstünde yoğunlaşınca onu sorguladım. Bir şey çıkmadı. Son derece sempatik ve hayalperest biriydi. Uzmanların hep söylediği gibi "öldürme tutkusu onun psişik hayatının gizli yanını oluşturuyordu." Üstelik, cinayet anlarında nerede olduğunu ispatlayan bir tanığı da vardı.

– Bu nasıl mümkün olabilir?

– Ormanda çalışıyordu. Ne söylerse, işçileri onu teyit ediyordu. Onu tedirgin etmeye çalıştım, hata yapmaya zorladım. Olmadı. Sonunda onu öldürmeye karar verdim. Bunu sana daha önce de anlattım. Kaçtı. Onu ormanda takip ettim.

– Onu yeniden nasıl buldun? Neden öldürmedin?

– Üzgünüm evlat, bu konu bir tabu.

– Kimin için?

– Benim için. Yeniden alevlendirilmemesi gereken bazı korkular vardır... Bu av sırasında perişan oldum. Bir Siyah gibi ormanı tanıyordu ve ben, sadece onu kovalayan küçük bir Beyaz adamdım. Bütün ruhlar onunlaydı ve ben çıplaktım...

– Ruhlar, diye kesti Erwan, onlara inanıyor musun?

– Bu konuda senin şüphen mi var?

En azından bunu öğrenebilmişti: Babası için ikinci dünya ne bir illüzyon ne de batıl itikattı. Bu tür soruşturmalarda bir kozdu. Belki de Erwan bu yeni katile asla bu şekilde yaklaşamayacaktı, çünkü babasından farklı olarak onun için böyle bir boyut yoktu.

Morvan, Gentilly Sacré-Coeur Kilisesi'ni geçtikten sonra çevre yolundan ayrıldı. Porte d'Orléans'ı kuşatan dar sokaklara girdi.

Bir kez daha, Erwan her şeyi kafasında netleştirecek kadar zamanı olmadığını anladı. Daha acil olan başka bir konuya geçti.

– Pernaud'nun bir casus olduğundan artık eminiz.

– Yani?

– Senin için ne yapıyordu?

– Tekrar söylüyorum, benim için çalışmıyordu.

– Onun hakkında ne biliyorsun?

– Bir streç film uzmanıydı.

– O ne demek?

– Mutfaklarda kullanılan streç filmler. Kurbanlarını bu tür şeffaf yapışkan filmle boğuyordu. Kullandıktan sonra da çıkarıp yanında götürüyordu, kimseye çaktırmadan.

Sainte-Anne'ın duvarları göründü. Tam tahkimli bir şehir gibiydi. Erwan babasını Pernaud konusunda köşeye sıkıştırabileceğini biliyordu – bir ipucuna ulaşması gerekiyordu, ikisinden biri mutlaka bir hata yapmıştı...

Aklına bir ayrıntı geldi. Bir anda bütün iltihabı boşaltıyordu.

– Anne Simoni'nin telefon dökümlerine göre, öldüğü gün seni birkaç kez aramış.

– Doğru.

– Neden?

– Bilmiyorum. Onu geri arayacak zamanım olmadı. Belki de tehlikede olduğunu hissetti, belki de...

Cümlesini tamamlamadı, ama Erwan onun doğru söylediğine karar verdi, çünkü bağlantılar her seferinde sadece birkaç saniye sürmüştü.

– Ivo Lartigues adı bu sana bir şey ifade ediyor mu?

– Bir sanatçı, değil mi?

– Hadi baba... İki metre boyunda *minkondi*'ler yontan bir herif, senin gözünden kaçmış olamaz.

– Kim olduğunu biliyorum. Ondan mı şüpheleniyorsun?

– Onu bugün sorgulayacağım.

– Tam olarak ne durumdasın? Bu Marsilya saçmalığı da neyin nesiydi?

Erwan gülümsedi.

– Adım adım ilerliyorum.

– İkinci cinayetle ilgilensen çok iyi olur. Gazeteler Pernaud cinayetini manşete taşımış. Herkes beni arıyor, sen...

– Ne yapacağımı bana bırak.

Hastanenin ana kapısına ulaştılar. Morvan'ın bir işaretiyle bariyer kalktı. Hep aynı gizemli etki...

– Kız kardeşin Broca binasında.

# 101

Kelimenin tam anlamıyla, av sonrası köpeklerin önüne atılan et parçasıydı.

Yatağının etrafına toplananlara bakıyordu ve atlarından yeni inmiş, kırmızı üniformaları içinde, omuzlarında av borusu, dişi bir geyiğin –onun– iç organlarını boşaltmakla meşgul avcılar görüyordu. Kocaman açılmış karnından bağırsaklarını söküyorlar ve kan kokusuyla kendilerinden geçmiş köpeklere atıyorlardı.

Amerikan Hastanesi'nde fazla kalmamıştı; herhangi bir kırık, en ufak bir yara yoktu – bir mucize. Ama şeytanın bir mucizesi. Onu zorla Sainte-Anne'a getirmişlerdi. Karşı koyacak gücü bile bulamamıştı kendinde. Şimdi sakinleştiricilerin etkisi altındaydı... kullanılmaya hazırdı.

– Nasılsın tatlım?

Maggie üstüne eğilmişti. Saçlarının kararsız kızıllığı, kırışıkların çokluğu... Yuvalarından fırlamış gözleri, onu bir gece yırtıcısına benzetiyordu.

Annesinin seri katili, hayattı.

Gaëlle, annesinin elinde California haşhaş tohumları (anksiyolitik etkisinden dolayı onları balkonunda kendisi yetiştiriyordu) olduğunu fark etti. Konuşurken, açgözlülükle onları kemiriyordu. Paris Botanik Bahçesi'ndeki şu tüysüz hayvanlardan birine benziyordu.

– İyiyim Maggie, diye fısıldadı. Ben... ben dinlenmek istiyorum.

– Elbette.

Kızına ıslak bir öpücük kondurdu. Büyük Bohem Burjuvazisi gelecek pazar yemeğiyle ilgili üzüntülerini mırıldanarak, onun suçsuzluğunu kabul ediyordu. Ne matrak!

Annesi uzaklaştı ve Gaëlle diğerlerini inceleme fırsatı buldu:

Erwan ile İhtiyar, ikisi de polis copu gibi sertti; elbiseleri gibi kara gözlerle onu inceliyorlardı; geride, Loïc, şaşkın bir halde, iştahlı gözlerle odadaki boş yatağa bakıyordu. Kuşkusuz, buraya, onun yanına yerleşmek ve uyku ilaçlarını kendine şırınga etmek istiyordu...

Bu görüntüden kurtulmak için gözlerini kapattı.

Blues Brother'lar alçak sesle konuşuyorlardı:

– Onlara güvenmiyorum. Ona göz kulak olması için bir adam yolla.

– Ekibimde yeni biri var.

– Çok iyi.

– Ama sadece bu gece için.

– Elbette. Yarın bakarız.

Gaëlle gülümsedi, hâlâ gözleri kapalıydı. Ona göz kulak olmak istiyorlardı; daha iyi. Ona bir uyku küründen bahsetmişlerdi; daha da iyi. Bütün bu antidepresanları biliyordu: Uyku tek sığınağıydı.

Planının başarısız olmasının fazla önemi yoktu. Bir şekilde kimliği ortaya çıkmıştı. Önemli olan, bir kez daha yanılmış olmasıydı. Haftalar, aylar boyunca bu plan onu ayakta tutmuştu. Ama kin, bir açmaz, bir seraptı. Başarılı olsun veya olmasın, tadı hep aynıydı: Acı...

Yeniden gözlerini açtı ve hoş bir sürprizle karşılaştı. Uyuması gerektiği için herkes gitmişti. Yorgunluğun ve kimyasalların kokusuyla yüklü sessizliğin tadını çıkardı – akıl hastanesinin, içeri kapanıp kalmış, fısıltılı, neredeyse avutan sessizliği.

Sabahın erken saatlerinde buraya geldiğinde, yapılan klinik muayenenin ve çekilen elektroansefalogramın ardından, Rumen bir nöbetçi psikiyatr, ona bulunduğu katı gezdirmişti. Odalar, yemek salonu, içecek otomatı... Buradan çıkmasının imkânsız olması dışında, her şey yolundaydı. Duyduğu ilk şey, bir kilit sesiydi. Son duyduğu da.

İlaçların etkisinin azalmasıyla, balkon sahnesi yeniden gözünün önüne geldi. Önünde açılan boşluğu, onu içine çekişini hissetmiş ve öldüğünü görmüştü. Bu, en kötüsü değildi. En kötüsü, sebepti. Ölmeyi istememişti. Sadece babasından korkmuştu – bu, hep içinde olan o denli gizli bir korkuydu ki, tam anlamıyla yüreğinde patlamaya neden olmuştu. Yirmi dokuz yaşında, hâlâ bu durumdaydı. Tıpkı kabuklular gibi sert bir dış iskeletle kaplıydı, ama içindeki eti hep yumuşaktı.

Ona gerekli olan bir psikiyatr değil, bir şeytan çıkarıcıydı.

Gayriihtiyari saatine baktı, onu almış olduklarını hatırladı, diğer her şeyi gibi. Giysileri, takıları, cep telefonu mühürlü bir torba içinde, odasındaki çelik dolaba kaldırılmıştı. Bu her şeyden yoksun bırakma, zaman kavramını yitirmeye yardımcı oluyordu. Öğle saatleri olması lazımdı, ama o gece yarısıymış gibi hissediyordu. Ya da sabahın altısı. Ne bir zaman kavramı ne de acı kavramı vardı. Teşekkürler kimya.

Bilincinin üstüne siyah perde indi. Yeniden uyku: İnsan sevince, saymıyordu...

# 102

Erwan, Gaëlle'in kapısının önünde nöbet tutması için Sergent'a telefon etmişti. Polis hiçbir şey anlamamıştı; patronun kız kardeşini koruması gerekiyordu... bizzat kendinden.

Erwan'ın Sainte-Anne'da durup Sergent'ı bekleyecek zamanı yoktu. Uyandığında Gaëlle'in onu nasıl karşılayacağını gözünde canlandırıyordu.

Nation Meydanı tüm hüznüyle göründü. Çok geniş, çok boştu, büyük bir sevinç uyandırmayan yerlere kollarını açıyordu: Père-Lachaise Mezarlığı, Bastille'in pis mahalleleri, Daumesnil Caddesi'ndeki Viaduc des Arts'ın berbat görüntüsü...

Kripo, Cours de Vincennes ile Paris'in kenar mahallelerinde karar kıldı. Erwan'ı Sainte-Anne'dan almaya gelmişti. Lartigues'in atölyesi La Petite Ceinture'ün –artık kimsenin, hatta yakınında oturanların bile kullanmadığı bir demiryolu– kenarındaydı.

Erwan sessizliğini koruyordu. Anne Simoni'nin cesedinin bulunmasının üstünden yetmiş iki saatten fazla zaman geçmişti; Ludovic Pernaud'nunki ise kırk sekiz saat önce bulunmuştu ve Erwan'ın elinde hâlâ ciddi bir ipucu yoktu. Marsilya doklarında sahte bir çivi hırsızı, kimliği bilinmeyen bir kadının saçları, Kongo'dan paslı çiviler satın alan bir heykeltıraş; hepsi bu kadardı.

Paris'in üstünde bir panik rüzgârı eserken, araştırma kanalları birbiri ardına aniden yön değiştirmişti. Medya Çivili Katil'den söz etmeye başlamıştı bile, saçma sapan tanıklar ve kendiliğinden itiraflar çoğalıyor, üst mevkilerin baskısı artıyordu. Bu sabahtan beri Fitoussi beş kez aramıştı – haklı sebeplerle: Kimse Erwan'ın yöntemini anlamıyordu. Sürekli ortadan kayboluyordu, dört günden beri ne bir şüpheli tutuklamış ne de bir tanık dinlemişti. Kahretsin, ne halt ediyordu?

Erwan pazartesiden itibaren ekibini bu dava üstünde yoğunlaştıracağına söz verdi – ve Roissy jandarmasının yanı sıra profilcilerden yardım isteyeceğine de. Mümkün olduğunca az gürültü çıkarmak, heyecan yapmamak ve çok konuşmamak gerekiyordu. Elbette gazetecilere söyleyecek bir şey bulmak da!

Bu düşüncelerinden kurtulunca, Kripo'nun Soult Bulvarı ile Courteline Caddesi'nin kesiştiği yerde bir yarım tur atmakta olduğunu fark etti. Bir kez daha, 12. Bölge'de, Voûte Sokağı ile Avron Sokağı'na birkaç metre uzaktaydılar. Hep bir rastlantı mı?

Alsace'lı sağ tarafa, dik inen bir sokağa girdi.

– Taşıt giremez levhası vardı, ters yönde ilerliyorsun.

– Başarıya ulaşmak için her yol mubahtır.

Kripo yeniden direksiyonu kırdı. Villa du Bel-Air, yukarıdan geçen bir demiryolunun dibinde yer alan çıkmaz bir sokaktı. Yol bir Walt Disney çizgi filmindeki gibi kaldırım taşlarıyla döşenmişti. İngiliz tarzı küçük bahçeleriyle küçük evlerden oluşan bir cephe, rayların aşağısında omuz omuza vermişti. Göründüğü kadarıyla etrafta kimse yoktu.

Erwan arabadan çıktı ve çevreyi inceledi. Rayların altındaki ağaçlar ve yabani otlar, Paris'in gizemlerinden birinin kapağı kaldırılmış gibi, büyüleyici bir yeşil alan sunuyordu. Hem Henri-Pierre Roché'nin romanlarını hem de Japonların orman resimlerini çağrıştıran bir terk edilmişlik ve melankoli karışımı. Demiryolunun diğer tarafındaki sırtları dönük binalar grafitilerle kaplıydı.

Lartigues'in atölyesi yolun dibindeydi. Burada hüküm süren sükûnet Erwan'a iyi geldi. Sabırsızlığını bastırdı ve bu ziyareti tatlılıkla halletmeye karar verdi. 19 numara eski bir gar binasıydı – bir zamanlar tren bekleyen yolcuları barındırmış, tek katlı yüksek bir yapı.

Plastik konteynerleri gördü ve görevlerini Kripo'ya bir kez daha hatırlattı:

– Çöp tenekeleri.

Kutuları ters çevirdiler ve alışıldık ayıklama işine giriştiler. Lartigues yoğurttan ve kinoadan başka bir şey yemiyordu. Ayrıca cinsel faaliyet için gerekli ürünler de kullanıyordu: Popper'lar,[1] Viagra, Cialis, ginseng hapları ve damar genişletici alkaloitler.

– Ev tarzı eğlence, diye sırıttı Kripo.

Başka bir tenekede, hâlâ ateş kokan metal parçaları, kimyasal madde artıkları (şüphesiz yapıştırıcılar) ve kalıplarda kullanılan elastomer parçaları buldular...

**1.** Bir tür damar genişletici. (ç.n.)

– Bir şey mi arıyorsunuz?

Arkalarına döndüler.

– Ivo Lartigues, dedi, dar kaldırımda duran adam. Sanırım beni görmeye geldiniz.

Erwan, onun çivi hırsızının eşkâliyle alakası olmadığını görüyordu, zaten heykeltıraş bütün şüphelerden kurtuluyordu: Adam tekerlekli sandalyedeydi.

Erwan ona kimliğini uzatırken şaşkınlığını gizlemeye çalıştı ve soğukkanlılığını yeniden kazanmak derin bir soluk aldı. Sakat adam üç renkli kimliğe dikkatle baktı, sonra uzun inceleyici bir bakışla kimliği Erwan'a geri verdi.

– Multipl skleroz, başkomiser. Benim hakkımda eksik bilgi sahibi olduğunuzu gözlerinizden okuyorum. Beni izleyin, sıcak kahvem var.

Altı metre yüksekliğinde tavan, birkaç yüz metrekarelik bir alan. Atölye geniş bir asma katın üstündeydi. Daha da yüksekte, çelik kirişler, donuk gri bir ışığın yansıdığı çelik strüktürlü bir cam çatıyı taşıyordu.

– Burası eski Bel-Air Garı, dedi sanatçı sade bir tavırla, üç kahve kupasını yanık izleri ve boya lekeleriyle kaplı küçük yuvarlak bir masanın üstüne bırakırken.

Erwan ile Kripo, mekânı dolaşırken şaşkın gözlerle atölyenin sakinlerini seyrediyorlardı: Afrika heykellerinin hüzünlü naifliğini yansıtan birkaç metre yüksekliğinde dev heykeller. Dik açı oluşturan kollar, başsız kolsuz gövdeler, bir obüs topu kadar yuvarlak gözler, her şey pas rengindeydi. Bu, bir renkten daha öte bir şeydi: İnsanın yüreğini sıkıştıran bir korku tozu.

– Sanırım son günlerdeki cinayetler için geldiniz, diye ekledi Lartigues, dolu kahve kupalarını işaret ederken.

– Nasıl anladınız? diye sordu Erwan.

– Gazeteleri okuyorum. Katilin *modus operandi*'si benim eserlerimi çağrıştırıyor...

Ev sahipleri aptal değildi; zaman kazanacaklardı.

– Kaynaklarımıza göre, kurbanlardan biri, Anne Simoni, sizin... grubunuzla ilgileniyormuş.

– Siz neden bahsediyorsunuz?

– *No limit*'lerden.

Lartigues başını salladı.

– Herkesi tanımıyorum. Ve hatta, kimseyi tanımadığımı bile söyleyebilirim.

– Nerede toplanıyorsunuz?

– Bu değişiyor. Kullanılmayan sanayi tesislerinde, kapalı otoparklarda, hatta burada bile...

– Ve siz konuk ettiğiniz kişileri tanımıyorsunuz?

– Bu gecelerde isimlerin gizli tutulması esastır.

– Peki ya davetiyeler?

Lartigues kıkırdadı. İki büklüm olmasa, zarif sayılabilecek uzun, çok ince bir vücudu vardı. Ama koltuğunda, tam tersine güçsüz görünüyordu. Çok yukarıda bir omuz, dizleri bitişik bacaklar, bükülmüş bilekler. Onu çarpıtan ve bir daha asla düzelmemek üzere bu şekilde kalmasına sebep olan bu hastalığa özgü atakların sonucu.

– Davetiye yok. Teröristler gibi hareket ediyoruz. Yazılı en ufak bir şey yok. Ve özellikle de internet üstünde.

Erwan kahvesinden bir yudum aldı, tadı nefisti.

– Kendinizi terörist olarak mı değerlendiriyorsunuz?

– Eğer söz konusu olan burjuva düzenini ve toplumun hoşgörüsüzlüğünü terörize etmekse, evet.

*Şimdilik boş ver.* Erwan duvarda siyah-beyaz fotoğraflar gördü. Ayrıntıları dikkatini çekti: Deri geçirilmiş bir kafa, yakın çekim ağızlar, ayak parmakları ya da kelebekler, morfin ampullerinin arasına yerleştirilmiş bir tabanca...

– Jacques-André Boiffard, diye açıkladı Lartigues yaklaşarak. Doktor ve fotoğraf sanatçısı, gerçeküstücü grubun değeri bilinmemiş bir dehası. Hatta uzmanlar onu Man Ray'den üstün tutarlar.

Gerçek bir tedirginlik yaratan bu eserler tuhaf bir şekilde Lartigues'in eserleriyle –ve biçimsiz bedeniyle– benzerlik gösteriyordu.

– Dün gece, dedi Erwan, Marsilya'daydım.

– Haberim var. Heemecht bana telefon etti. Sayenizde, teslimat en az bir hafta gecikecek.

– Eserlerinizin fotoğrafını çekebilir miyim, diye sordu Kripo; iPhone'u elindeydi.

– Sorun olmaz, tabii internette yayınlamayacaksanız.

– Bu çivileri neden satın alıyorsunuz Bay Lartigues?

Sakat adam, muhatabının tam karşısına geçmek için yarım bir tur attı. Heybetli yüz hatları bir bıçak gibi keskindi. Erwan, ustaca bir ayarla önce ısıtılıp, ardından aniden soğutularak üretilen Japon kılıçlarına su verme işlemini düşündü. Sanki Lartigues'in suratı da böyle bir işleme tabi tutulmuştu.

– Cevabı biliyorsunuz: Yombe büyüsünden ilham alıyorum, Kongo'da üretilmiş çivileri kullanmak bana daha... otantik geliyor.

– Bunların *nganga*'larda kullanıldığını mı düşünüyorsunuz?

Heykeltıraş gülümsedi. Engeline rağmen, insana tepeden bakıyormuş gibi özel bir tarzı vardı. Açık gri gözleri, düşük gözkapakları tarafından usturayla kesilmiş gibiydi. Bu ona uyuklayan bir ifade vermek yerine, pusuya yatmış bir yırtıcı görüntüsü kazandırıyordu.

– Buraya gelmeden önce çalıştığınızı görüyorum...

Erwan sesini yükseltti:

– Sizin çivilerin Aşağı Kongo büyüsüyle bir ilgisi olduğunu mu düşünüyorsunuz?

– Elbette hayır. Şifacılar tarafından fetişlerine çakılan çiviler asla çıkarılmaz. Üstelik Yombe ritüelleri artık neredeyse hiç uygulanmıyor. Benim satın aldıklarım bir Belçika şirketinin eski stoklarına ait.

İşte iyi bir nokta.

– Son zamanlarda, çivileriniz çalındı mı?

– Evet. Geçen ay, bir sandığın tamamı.

– Şikâyetçi oldunuz mu?

– Bu benim tarzım değil. Ve aslında bir sandık dolusu paslı çiviyi arayacaklarını düşünmüyordum.

– Atölyenize zorla girilme oldu mu?

– Hayır. Bu da çok tuhaf.

Erwan şaşırmamıştı. Zodyak katili, görünmez bir adamdı, şüphesiz kapıların altından bile geçebilirdi.

– Bu çivilerin katilin kullandığı çiviler olduğunu mu düşünüyorsunuz?

Erwan soruyu duymamış gibi yaptı. Dev heykeller arasında gezinmeye başladı. Bronzdan titanlar yontan; ateş, demircilik sanatı ve volkan tanrısı Hephaistos'un atölyesindeydi.

– Eserlerinizle, Kongo animist kültüne göndermede bulunuyorsunuz. Siz de bu külte inanıyor musunuz?

– Benim sanatım, payen ifade ile mistik büyü arasında gidip geliyor diyebiliriz. Bu dili anlayabiliyor musunuz Başkomiser.

– Bir cevap almadığımda anlayacak kadar. Heykellerinize büyü gücü veriyor musunuz?

– Hayır. Ben bir sanatçıyım, büyücü değil.

Lartigues cilalı zeminde bir tür 8 çizerek hareket etti. Koltuğundaki bu iki büklüm sakat adam ile dev heykeller arasındaki ebat çelişkisi oldukça belirgindi.

– Bu parçaları nasıl biçimlendiriyorsunuz?

– Sanırım bu engelli halimi kastediyorsunuz?

– Diğer şeylerin yanı sıra.

– Çok basit. Asistanlarım var. Planları çiziyorum, malzemeyi seçiyorum, kaynak işlemlerini yönetiyorum. Ekibim, eserin ham halini oluşturuyor. Sonra bir tür forklift üstünde esere son halini veriyorum.

Erwan bu kişilerin de dinlenmesi gerektiğini düşündü.

– Bana asistanlarınızın adlarını, adreslerini ve telefon numaralarını verebilir misiniz?

– Tabii, sorun değil.

– Peki çivileri bizzat siz mi çakıyorsunuz?

– Daima. Bu bir sanatçı elinden başka bir elin yapamayacağı çok hassas bir aşama. Aleijadinho diye birinden söz edildiğini duydunuz mu?

– Hayır.

– Bir XVIII. yüzyıl heykeltıraşı. Brezilya baroğunun üstadı. Aslında adı Antonio Francisco Lisboa, ama ciddi bir hastalığa yakalanıyor, sanırım cüzam; ona "sakat adamcık" anlamına gelen Aleijadinho gibi gülünç bir ad takıyorlar. Biçimsiz bedeniyle, çirkin yüzüyle, başkalarının bakışlarından kurtulmak için sadece geceleri çalışıyordu. Asistanları onu kapalı bir tahtırevanla taşıyordu. Aletleri güdük kalmış kollarına bağlıyorlardı ve o da dizlerinin üstünde bir merdivene çıkıyordu. Congonhas Tapınağı'nın ünlü peygamberlerini bu şekilde yonttu. Neden ondan bahsettiğimi anladınız mı?

Erwan başını salladı: Lartigues 12. Bölge'nin Aleijadinho'suydu.

– Daha açık olalım, diye karşılık verdi Erwan. Çivi Adam, size bir şey ifade ediyor mu?

– Yombe kültürüyle ilgileniyorsanız, bu isimle karşılaşmamanız imkânsız.

– Onun hakkında ne biliyorsunuz?

– 70'lerin başında, Katanga'nın yeni bir şehri olan Lontano'da ortalığı kırıp geçirmiş bir seri katil.

– Onun *modus operandi*'sini biliyor musunuz?

– Genç kadınlara işkence ediyor, sonra yüzlerce çivi ve cam kırığı saplayarak öldürüyordu. Kendi tarzıyla Yombe ritüellerini yeniden uyguluyordu.

– Sizin gibi.

– Benim gibi, evet. Sadece ben metaller üstünde çalışıyorum, bildiğim kadarıyla hiçbir insan hayatını sanat adına yok etmedim.

– Hayranlarınız arasında, Çivi Adam'la ilgilenen birini tanıyor musunuz?

– Hayır. Zaten alıcılarımla fazla bir temasım olmaz.

– *No limit*'lere katılanları kastediyordum.

– Bir kez daha kendimi tekrarlamayı göze alarak, toplantılarımızın gizlilik kurallarına son derece saygılı olduğunu söylüyorum.

Erwan, bir kolu yukarıda, diğer kolu jüt bezinden yapılma bir pelerinin altına gizlenmiş dev bir heykelin fotoğrafını çeken Kripo'nun yanına gitti. Heykeltıraş eserine ayna kırıkları yerleştirmişti. Çıplak omzu, tıpkı çiçek hastalığının kırmızı noktaları gibi çivilerle ve jiletlerle kaplıydı.

Bir üst vitese geçmenin zamanı gelmişti.

– Geçtiğimiz hafta sonu neredeydiniz?

– Martigny'de, İsviçre'de. Bir vakıf bazı eserlerimin retrospektif sergisini düzenledi. Kontrol edebilirsiniz.

– Peki 11 Eylül, saat 18.00'de?

– Burada, atölyemde.

– Yalnız mıydınız?

– Evet. Biraz önce incelediğiniz heykeli temizliyordum.

– Ya çarşambayı perşembeye bağlayan gece?

– Tokyo Sarayı'na, sadece özel davetlilerin katıldığı bir geceye iştirak ettim. Ve oradan da arkadaşlarla akşam yemeği. Siz ciddi misiniz? Benden mi şüpheleniyorsunuz?

– Yalnız mı eve döndünüz?

– Hayır. Bilmem fark ettiniz mi, tek başıma hareket etmekte zorlanıyorum. Reuben adında genç bir Filipinli delikanlı her akşam bana yardımcı oluyor. İsterseniz bu konuda tanıklık edebilir.

– Burada mı yaşıyorsunuz?

Lartigues atölyenin dip tarafını işaret etti.

– Diğer tarafta bir dairem var.

– Peki, dün gece neredeydiniz?

– Burada, dostlarla birlikte.

Sakat adam birden yorulmuştu sanki. Erwan birkaç sorunun onu bu şekilde yormuş olduğuna ihtimal vermiyordu. Belki de bu sadece, dar kafalı bir polis karşısındaki bezginlik ifadesiydi. Heykeltıraşın gözünde Erwan, küçük memurun, burjuvanın ve dar görüşün mükemmel bir örneğini oluşturuyor olmalıydı.

– Bunların hepsi kontrol edilecek, dedi Erwan, rolünü daha iyi oynamak ister gibi. *No limit*'e geri dönelim. Bu olay neye dayanıyor?

– Bunlar son derece özgür davranılan geceler, herkes kendi duyarlılığına göre hareket ediyor.

– Perşembe akşamı, Bièvres'de bu gecelerden birine katıldım.

– Hiç duymadım.

– Belki de bir taklittir, öyle değil mi?

– Başarının bedeli...

– Ciddi olarak soruyorum, grubunuzun kaç üyesi var?

– Ben de size onların hepsini tanımadığımı söylüyorum ve "üye" kelimesi de...

– Yaklaşık olarak bir sayı vermeniz gerekse?

– Yüzlerce.

– Varlık biçimi ne?

– Tam olarak grup diye bir şey yok. Yani toplanmak istediğimiz zamanlar dışında. Bir anda arzularımızın peşine takılıyoruz ve açığa çıkan... enerji muhteşem oluyor.

– Bu gecelerde tam olarak ne yapıyorsunuz?

– Yeniden kendimiz oluyoruz. Giyiniyoruz, derinlerimizde saklı olan doğamıza göre davranıyoruz.

– Sado-mazoşist faaliyetlerde de bulunuyor musunuz?

– Bu tür kelimeleri asla kullanmayız. Ama doğru; bu tür gecelerde, acı ve zevk birbirlerine zıt kavramlar değildir.

– Bu tür etkinlikler ne kadar ileri gidebilir?

– Ne demek istiyorsunuz?

– Bazen kan aktığı da oluyor mu?

Lartigues yeniden kibirli ve kurnaz tavrına bürünmüştü.

– Yeni Ahit'in söylediği gibi "sınamalara katlanan insan mutludur."

– Ne gibi sınamalar?

– Bunu görmek için bu akşam buraya gelmeniz yeterli. Burada bir *no limit* düzenliyorum.

Uzaktan, Kripo'nun flaşları atölyenin yarı karanlığını deliyordu. Saat henüz 16.00'ydı ve kapalı hava yüzünden atölyenin içi şimdiden kararmıştı.

– *Dress-code*[1] var mı?

– *Dress-code* gecenin olmazsa olmazı. Olduğunuz gibi gelin. Böyle mükemmel olacaksınız.

– Benimle alay etmeyin.

– Alay etmiyorum, bizim topluluğun en güçlü akımlarından biri de üniforma.

Erwan'ın gözünün önünde bir manzara canlandı: Lartigues, tekerlekli sandalyesinde, Nazi subayı üniformaları ve lateks atletler giymiş bir topluluğa hükmediyordu. Aklına Di Greco ile askerleri geldi. İki guru, iki topluluk. Sıcak bastığını hissediyor, ancak ısı kaynağının yerini tam olarak belirleyemiyordu.

Rastgele bir sondaj daha yaptı:

– Ludovic Pernaud adını biliyor musunuz?

– İkinci kurban, öyle değil mi?

1. Kıyafet zorunluluğu. (ç.n.)

– Doğru.

– Gazetede okumadan önce, bu adı bilmiyordum.

Kripo, daha uygun çekim pozisyonu arar gibi bir ayı-kadının etrafında dönüyordu.

– Grubunuz içinde icraatını daha ileri götürebilecek üyeler olabilir mi?

– Soruyu anlamadım.

– Sizin basit oyunlarınızdan daha ileri gidebilecek biri. Uyguladığı şiddetle kendinden geçen, işi işkence etmeye, öldürmeye kadar götürebilecek biri.

– Bizim eylemlerimiz tam tersini, doyuma ulaşarak huzur bulmayı amaçlar.

– Peki, öldürme arzusu olursa?

– Bu akşam gelin, kendiniz bir fikre varacaksınız.

Erwan, cihazını cebine koyan Kripo'ya işaret etti. Giderken, üstadın asistanlarının isimlerini ve telefon numaralarını aldı. *Gerekirse diye.*

– Bu akşam görüşmek üzere, dedi Lartigues'e.

– Sizi geçiremiyorum.

Dışarıda, doğrudan yola boşalttıkları çöplerle karşılaştılar.

– Gel yardım et, diye emretti Erwan, yardımcısına.

Steril eldivenlerini giyerek, şehrin etrafında dolanan aç kemirgenler gibi yeniden çöpleri karıştırmaya başladılar. Ne aradıklarını biliyorlardı. İlaçla ilgili en ufak bir şey yoktu. Multipl sklerozunu nasıl tedavi ediyorlardı? Bir tedavisi var mıydı? Yoksa Lartigues'in hastalığı düzmece miydi?

Eldivenlerini çöp kutusuna attılar, sonra arabaya doğru yürüdüler.

– Mümkün olduğunca çabuk tıbbi dosyasını ele geçirmeye çalış.

– Tamam şef.

– Ne düşünüyorsun, herif ibne mi, değil mi?

Her tanığı dinledikten sonra, bu aptalca oyunu oynamaktan hoşlanıyorlardı: Sorguladıkları adamın cinsel eğilimlerini tahmin etmek. Bunu da "pembe rulet" olarak adlandırmışlardı. İçler acısı!

– Bu evreyi çoktan geçtiğini düşünüyorum.

– Ne demek istiyorsun?

– Ne demek istediğimi ben biliyorum.

Erwan ısrar etmedi. Kripo'nun eğiliminden bile emin değildi. Bugüne kadar Kripo'nun bir sevgilisiyle tanışmamıştı.

– Bu akşam benimle geliyor musun? diye sordu.

– Ne soru ama! Büyük bir zevkle!

# 104

– Bir şeyler var, dedi Audrey, heyecanlı bir sesle.

Erwan'ı ofisine çekerek kapıyı kapadı. Zeytin yeşili asker ceketiyle, tam bir kadın gerillaya benziyordu, ancak daha soluk ve cinsiyetsiz versiyonuydu. Bir karton dosyanın içinden, üst kısmında bir yıldız bulunan bir leopar kafası resmi çıkardı.

– Bunun ne olduğunu biliyor musun?

Erwan orman savaşında uzmanlaşmış, Brezilya'nın ünlü savaş okulunun amblemini tanıdı. Yıldızlı leopar başının üstünde CIGS harflerinin yazdığı kırmızı ve mavi, iki şerit vardı: Centro de Instruçao de Guerra na Selva.

– Bu Manaus okulunun arması, değil mi?

– Zekice müdürüm.

Audrey başka bir resim gösterdi. Yaralı bir kolun fotoğrafıydı, kolun üstünde aynı kedigilin suratı vardı.

– Pernaud'nun kolunda bu armadan vardı.

– Fransız Guyanası'nda paraşütçü olduğunu biliyoruz. CIGS'de eğitim almış olması şaşırtıcı değil.

– Bunu, bu sabah diğer dava dosyalarında taradım ve beklenmedik bir dönüş aldım. Bu çizim, bizim olayla hiç ilgisi olmayan bir soruşturmada da geçiyor: Serbest çalışan bir gazetecinin, Jean-Philippe Marot'nun ölümü. Bir intihar.

Audrey ona bir dosya uzattı. Marot, geçen pazar dokuzuncu kattan atlamıştı. Hiç tanık yoktu. Bu intihara kuşkuyla yaklaşılmasını gerektirecek bir neden de. Parası yoktu ve görünürde işi de yoktu.

– Leopar başı nasıl ortaya çıktı?

– Louis-Blanc'dan bir ekip, teyit etmek için incelemiş. Parmak izi almışlar, konu komşu sorgulamışlar; rutin işler anlayacağın.

Birçok tanık, Marot'nun son günlerde bir adam tarafından izlendiğini belirtmiş. Kolunda bu dövmenin olduğunu söylemişler.

– Eşkâl Pernaud'ya uyuyor mu?

– Tamı tamına.

Erwan, babasını düşünerek tutanak dosyasını biraz daha karıştırdı. Pernaud öldürülmeden hemen önce bir anlaşmayı yerine getirmiş olabilir miydi? İhtiyar için?

– Louis-Blanc'daki meslektaşlarla konuştum, diye devam etti Audrey. Onlar için sorun yok; intihar temiz. Ama İGGM, bu konuda kesin değil. Onlara göre, Marot bir yerleri ateşe verecek bir kitap üstünde çalışıyor olabilirmiş.

– Onları böyle düşündüren ne?

– Dokuzuncu kattan düşmesi.

– Şakayı bırak.

– Adam tanınmış bir gazeteciydi. Zehir zemberek bir sürü kitap yazmış, eski bir AFP[1] ve *Nouvel Observateur* muhabiriydi. Bir Fransız Afrikası uzmanı. Ne ellerini kavuşturup bekleyecek ne de pencereden atlayacak tarzda bir adamdı.

– Editörleriyle temasa geçtin mi?

– Bir şeyler hazırlıyormuş, ama kimse konunun ne olduğunu bilmiyor. Avans bile almamış.

– Hepsi bu mu?

– Bir intihar için bu bile fazla. İki farklı kadından olan çocuklarını söylemiyorum bile, ki onlara çok bağlıymış. Karılarına göre, bu intiharın anlaşılır bir yanı yok.

Erwan en kötüyü düşünmek istemiyordu: Babası, bir kez daha, çirkefin tam ortasındaydı.

– Eşelemeye devam et. Belli olmaz.

Audrey dosyasını topladı. Bakıştılar. Söylemelerine gerek yoktu, Paris'teki bütün casusluk işlerinin altından Morvan adı çıkıyordu, özellikle de Kara Kıta'yla ilgili olanların.

– Bu işi hallet, diye üsteledi Erwan.

Saat 18.00. Odadan çıktı, Favini'ye görmeye gidecekken, Levantin'le, Bay Kriminal Büro'yla karşılaştı. Teknisyen 36'ya asla eli boş gelmezdi.

– Bu bizim Beyaz kadının saçlarının raporu...

– Yeni bir şey var mı?

– Evet ve hayır.

– Levantin, rica ederim, bunun için zamanımız yok...

– Rezerv ayrım dosyaları aklıma geldi.

1. Agence France-Presse'in (Fransız Basın Ajansı) kısaltması. (ç.n.)

Bir suç mahallinden her parmak izi ya da DNA kalıntısı alındığında, yanlış ipuçlarıyla zaman kaybetmemek için, organik kalıntı bırakmış olabilecekleri göz önüne alınarak, oradaki polislerin ve diğer masum insanların da DNA'sı alınırdı. Buna da "rezerv ayrımlama" işlemi denirdi. Bu biyometrik örnekler –ve karyotipleri–,gizli bir bilgisayar dosyasında yer alırdı. UGB'de ise sadece suçlular ve şüphelilerle ilgili kayıtlar bulunurdu.

– Bu dosyada bir çakışmaya rastladım.

– Dosya şifreli değil mi?

– Hayır, ama her şey anonim. Benim bilgisayara göre, bir sonraki kurbanın, rezerv ayrım dosyasında bulunan biriyle yakınlık bağı var. Örneklere giriş yaptım, ama karşılık gelen isimlere ulaşmak için...

– İzin gerekiyor, değil mi?

– Doğru. Ve savcılığın bu izni vereceğinden emin değilim.

– Gel benimle, dedi Erwan, onu kolundan tutarak.

Kripo'nun inine daldı ve ona durumu izah etti. Alsace'lı birkaç telefon görüşmesi ve formla sorunu halledecekti.

Tam odadan çıkarken, Erwan'ın dikkatini masanın bir köşesine bırakılmış bir kitap çekti: *Aşağı Kongo'da Kara Büyü*, Sébastien Redlich. Kuşkusuz bu konudaki bilgisini artırmak için Kripo'nun edindiği bir kitaptı. Uzun süre önce onun da aynısını yapması gerekirdi. Kitabı aldı ve arka kapağına göz gezdirdi. Redlich, Paris-Diderot Üniversitesi'nde etnoloji profesörüydü, Yombe uzmanıydı, bu kitabında on yıllık seyahatlerini ve araştırmalarını bir araya toplamıştı. Erwan önemli bir şeyi hesaba katmamıştı: Paris'te insanlar sadece Çivi Adam'ı tanımakla kalmamıştı; ayrıca bu kendine özgü kültün ritüellerine de ilgi gösteriyordu.

Düşünceli bir şekilde, 2002'de yayımlanmış kitabın sayfalarını hızla karıştırdı. *Nganga*'lar, *minkondi*'ler ve Mayombe animizmi hakkında bu denli kapsamlı bir bilgiye rastlayacağını hayal edemezdi. Üstelik Redlich, Çivi Adam'a da tam bir bölüm ayırmıştı. Erwan etnoloğun bu konuda son derece bilgili olduğuna kanaat getirdi. Babasıyla da bir görüşme yapmış mıydı? Olay patlak verdiğinde Katanga'da mıydı? Arka kapak fotoğrafında adam altmışlarının üstünde görünüyordu.

Erwan, Kripo'nun masasının karşısındaki masaya yerleşti (yardımcısı ile teknisyen, savcılıktan izin almak için savaş veriyorlardı) ve bilgisayarı açtı. Lartigues'in gece toplantısına katılmadan önce, bu uzmanı ziyaret etmenin iyi olacağını düşünüyordu. Birkaç tıklamayla, adamın adresini buldu. Sébastien Redlich, Nogent-sur- Marne'da yaşıyordu... bir mavnada. *Belki hiçbir şey, belki çok şey.* Genellikle bu tip teknelerde, daha küçük bir tekne daha bulunurdu, ona da "yedek" denirdi. Neden bir Zodyak olmasın?

Erwan hemen yandaki ofise geçti. Audrey.

– Senin ETRACO listende, Sébastien Redlich diye biri var mı?

Zaten ekranı açık olan kadın polis, parmaklarını klavyede gezdirdi.

– Var ama henüz aramadım, biz...

– Ben ilgilenirim.

Koridor. Aklına başka bir ayrıntı geldi: Denizci, teknenin Bercy yönüne doğru gittiğini fark etmişti, yani Marne yönüne doğru.

Kripo telefonu kapatıyordu, görünüşe göre istediğini elde etmişti. Geriye sadece Levantin'in gerekli belgeleri hazırlaması kalıyordu.

– Bana neden daha önce bundan bahsetmedin? diye sordu Erwan, kitabı işaret ederek.

Alsace'lı başını kaldırdı.

– Kişisel kültür. Dün Harmattan kitaplığında buldum, ama daha kapağını bile açmadım ve...

– Adam bir mavnada yaşıyor, Nogent'da ve bir ETRACO'su var.

– Yani?

– Yani, oraya gidiyoruz. Hemen.

## 105

Soruşturmanın cilvesi! Birkaç saat önce geldikleri yolu geri gidiyorlardı. Rıhtımlar. Adli Tıp Enstitüsü. Bercy.

A4'e çıkmaları gerekirdi, ama Kripo yeniden Nation Meydanı'na saptı.

– Otoyola çıkmıyor musun?

– Hayır, Vincennes Ormanı'ndan gidiyorum

– Neden?

– Daha sevimli.

Erwan üstelemedi. Yola çıktıklarından beri, aklını bir başka sorun kurcalıyordu, işle alakası olmayan bir mesele. Sofia'ya hâlâ cevap vermemişti. Oysa iki gün içinde aklı başına gelmişti: Bu hikâye kesinlikle imkânsızdı. Bunu ona SMS'le mi söylemeliydi? Durumu izah etmek için bir randevu mu vermeliydi? Böyle bir ilişkiden vazgeçebilecek miydi? Yoksa sonrasından mı korkuyordu?

Mesaj yazmaya karar verdi, ama mesajı hangi tonda yazacaktı? Ciddi? Yumuşak? Nükteli? Ona hâlâ bir erteleme imkânı tanıyan gerçeği söylemekte karar kıldı: "Bu sessizlik için üzgünüm. İş. Seni düşünüyorum." Gönder tuşuna bastı ve sanki araba bir şeyle çarpışmak üzereymiş gibi koltuğuna tutunduğunu fark etti.

Kripo haklıydı, alacakaranlıkta ormandan geçmek çok keyifliydi. Güneş, tamamen kaybolmadan önce çok kısa bir süre, yeniden sahneye davet edilen bir sanatçı gibi, kendini göstermeye razı olmuştu. Trafik akıcıydı. Ağaçlar, bir gizemin üstüne kapanan kitap sayfaları gibi arabalarının üstüne kapanıyordu. Erwan camını açtı, yeşil ve altın sarısı kokular arabanın içini doldurdu. Bir saniyeliğine kendinden geçmişti. Düşüncelerinin böylece akmasını tercih ederdi, ama silkindi ve sorgulayacakları yeni adama odaklandı.

Yola çıkmadan önce, Wikipedia sayfasından çıktı almıştı. 1961'de doğmuş olan Sébastien Redlich, Paris'te antropoloji okumuş, her fırsat bulduğunda da Orta Afrika'ya gitmişti. 1989'da, Aşağı Kongo şifacıları hakkında bir tez yazmış, ardından da araştırmacı olmuştu. O tarihten itibaren de, 2000'li yıllarda Paris-VII Üniversitesi'nde başasistan olana kadar, bir sürü bilimsel makale, anlaşılması zor eserler kaleme almış, konferanslar vermişti. O dönemde, halkın anlayabileceği bir dilde yazdığı, ancak hiçbir başarı kazanmamış olan *Aşağı Kongo'da Kara Büyü* kitabını yayımlamıştı. Wikipedia'da yazdığına göre, adam 2003 yılından sonra bir daha Afrika'ya ayak basmamıştı, ama gençliğini Tanrı'nın bile uğramadığı bu yerlerde heba etmiş, ekvator ormanında görülen, amiplerden geçen malaryadan uyku hastalığına kadar neredeyse her hastalığa yakalanmıştı. Bir çetin ceviz.

Nogent-sur-Marne. Bol ağaçları ve çiçekli yollarıyla şehir, Marne'ın kıyısında uyuşup kalmış gibiydi.

– Gezi teknelerinin bağlandığı limana git.

Gece çökerken nehre ulaştılar. Sarmaşıklarla kaplı evler, salkımsöğütler, soluğan dalganın etkisiyle sallanan tekneler. Kır meyhanelerinin, kürek sporlarının, sakin balıkçıların bölgesine giriyorlardı. Kır yaşamına özenen banliyönün yapay görüntüsü: Her haliyle yeni olduğu anlaşılan çardaklar, betonla güçlendirilmiş kıyılar, bir dekorun maketlerini andıran motorlu tekneler ve sandallar... Yol boyunca uzanan nehir, porsukağaçlarının ve servilerin altına giriyor, sonra da gözden kayboluyordu. Levhalardaki numaralara göre varmışlardı. Mavnalar aşağıda bağlıydı.

– Şuraya park et. Yürüyerek gideriz.

Marne kıyısına inen dar yoldan ilerlediler. Her teknenin posta kutusu vardı. Etnoloğun mavnası bir savaş gemisine benziyordu. Tamamen siyaha boyalıydı, gövdesi ve güvertesi karanlıkta kayboluyordu. Yombé'nin (bu, teknenin adıydı) pupasına ulaştılar, ETRACO'yu gördüler.

Kripo fotoğraf çekti. Bir havlama duyuldu. İki polis irkildi. Bej renkli ve raşitik bir köpek kulaklarını dikmiş, güvertenin üstünden hırlıyordu.

– Beyler.

Yukarıda, yaşlı bir deniz kurdunu andıran, uzun boylu bir adam pompalı tüfekle onlara nişan alıyordu. Erwan tüfeğin modelini –Amerikan ordusunun kullandığı ünlü Remington 11-87– ve fotoğraftaki adamı tanıdı.

– Sébastien Redlich? diye sordu, soğukkanlılığını yitirmeden.

Cinayet bürosu. Bu alet için taşıma ruhsatınız var mı?

– Sizce? diyerek güldü etnolog, silahını indirirken. Evimdeyim ve kimseye hesap vermek zorunda değilim. Ama tekneye çıkmak isterseniz, tutumumu değiştirmem gerekir.

Bu kez polis gülümsedi ve kimliğini gösterdi.

– Başkomiser Erwan Morvan. Yardımcım Komiser Kriesler. Size bazı sorular sormaya geldik.

Redlich kimliği almak için suyun üstünden kolunu uzattı ve dikkatle inceledi. Tüfeğini kolunun altına yerleştirmiş ve asker pantolonunun cebinden bir fener çıkarmıştı. Sanki Afrika'da yaşıyordu; ne elektrik ne de en ufak bir konfor vardı.

Erwan bunu onu incelemek için bir fırsat olarak gördü. Lartigues onda şaşkınlık yaratmış olsa da, Redlich tam düşündüğü gibi biriydi: Kir pas içindeydi, sakalı birkaç günlüktü. Bir Afrika birasının logosunun bulunduğu tişörtün üstüne, önü açık, rüzgârda dalgalanan kareli bir oduncu gömleği giymişti. Zayıf yüzünün en güçlü yanı, ona, yağmura yakalanmadan önceki Wolverine havası veren uzun favorileriydi.

– Morvan, dedi, biraz şüpheli bir tavırla. Grégoire Morvan gibi mi?

– Kendisi babam olur.

– Binin, dedi Redlich kimliği iade ederken. Sıcak kahvem var.

Dört saat önce Lartigues de aynı sözcükleri söylemişti. Onları birbirine benzeten bir başka ayrıntıyı daha tespit etti: Redlich aksıyordu. Bir yana eğik duruyor ve sanki bacağı tahtadanmış gibi ayağını sürüyordu.

Fos koşucusu rolü için bir aday daha elenmişti. Mavnanın iskele kapısından girerken, Erwan hiç ilerleme kaydedemediklerini, tersine hep geriye gittiklerini düşündü.

– Oturun, dedi Redlich, kendisi kamaranın dip tarafına doğru ilerlerken.

Koyu renk ahşap bir masanın altında, üzeri yağ lekeleriyle kaplı tabureler buldular. Buradaki her şey yanmış gibiydi; duvarlar, mobilyalar, perdeler... Her şey simsiyahtı. Raflara dizili Afrika objelerinin dışında. Elbette Yombe fetişleri, deniz kabuklarıyla bezeli küçük heykeller, deri masklar ya da gerçek bir ölüm estetiğini çağrıştıran mızraklar. Ayrıca her yerde kitaplar vardı. Sanki delikleri kapatmak ister gibi, duvarlar boyunca sıralanmış, köşelere yerleştirilmiş, yerde üst üste yığılmış kitaplar.

– Ben de tam Cadılar Bayramı için bir yer arıyordum, diye fısıldadı Kripo.

En kötüsü de kokuydu; yosun, ıslak karton, hayvan dışkısından bir karışım.

– Kahveye şeker isteyen? diye sordu etnolog.

– Benimkinde kedi sidiği olmasın, dedi Kripo alçak sesle.

– Kapa çeneni. (Erwan Redlich'e doğru döndü.) Böyle bizim için uygundur, teşekkürler.

Etnolog bir İtalyan kafetiyeri ve çiziklerle dolu kupalarla gelip hepsini masaya koydu. Lombozlardan sızan alacakaranlık, topallayan bir adam ve kapkara su: Atmosfer kesinlikle *Hazine Adası* kitabındaki Amiral Benbow Hanı'nı çağrıştırıyordu.

– Gazetelerin bahsettiği cinayetler için mi geldiniz?

Kahveleri koydu. İçerideki kokuya bir de yanmış toprak kokusu eklendi.

– Siz bu konuda ne düşünüyorsunuz? diye sordu Erwan, ev sahibinin canlılığı dikkatini çekmişti.

– Katil, Çivi Adam'ı taklit ediyor gibi, ancak görünen o ki gazeteciler bu olayı bilmiyorlar.

– Edindiğimiz bilgilere göre, sizin kitabınız, *Aşağı Kongo'da Kara Büyü* bu eski hikâyeyi anlatan tek kitap.

– Bu da beni şüpheli mi yapıyor?

Sesinde en ufak bir endişe izi yoktu. Daha ziyade polis karşıtı, düzen karşıtı, her şeyin karşıtı yaşlı bir huysuzun tipik saldırganlığı.

– Dengesiz biri sizi okumuş ve bundan etkilenmiş olabilir.

– Bu durumda, diyerek güldü Redlich, elinizde çok fazla şüpheli yok demektir. On yılda sadece üç yüz adet sattı.

– Okurlarınız arasında, sizinle temasa geçen oldu mu?

– Hayır.

Etnolog hâlâ ayakta duruyordu, göğüs cebini karıştırdı ve bir Gitane Maïs[1] çıkardı. Erwan bu sigaraların uzun zamandır satışta olmadığını sanıyordu.

– Thierry Pharabot hakkında sizi sorgulamaya hiç kimse gelmedi mi?

– Bununla ilgili bir şey hatırlamıyorum, dedi beriki, sigarasını yakarken.

– Çivi Adam'la ilgili bölümü yazarken kimlerle konuştunuz?

– 90'lı yıllarda, Katanga'ya gittim. Orada olayı yaşamış ve hatta Pharabot'yu tanımış adamlarla karşılaştım. Onların tanıklıklarını topladım.

– Aralarından bazılarıyla temasınızı sürdürdünüz mü?

– Özellikle Belçika'ya dönmüş misyonerlerle.

Redlich masanın çevresini dolandı ve bir konsola kadar yürüdü. Her işi ağırdan alan yapısıyla kendine has bir topallama tarzı vardı. Bir çekmeceyi açtı, kâğıtları karıştırdı, kartvizit ve küçük not kâğıtlarına yazılmış bir sürü isimle geri geldi.

– Bu adamlar bugün Flaman bölgesinde yaşıyorlar.

Erwan kartları Kripo'ya verdi, o da fotoğraflarını çekti.

– Ya babam? Onunla temasa geçtiniz mi?

– Elbette, ama cevap vermeyi reddetti.

– Sizce neden?

– Bunu ona sormalısınız.

Redlich, zorlukla kaskatı bacağını yerleştirerek, sonunda masanın ucuna oturdu. Tam bir Long John Silver'dı.

– Peki, Pharabot? Onunla karşılaştınız mı?

– 80'lerin sonunda. Batı Flandre'da, Courtrai yakınlarında bir akıl hastanesine kapatılmıştı.

– Onunla konuşmanıza izin verdiler mi?

**1.** Tütününün mısır kâğıdına sarıldığı, sert içimli bir Fransız sigarası. (ç.n.)

– Hiç sorun olmadı. Çok sakin, ancak tutarsızdı. Her halükârda, cinayetleri ve tutuklanışını anlatmayı reddetti. Bana daha çok gençliğinden bahsetti.

– Kitabınızda bununla ilgili bir şey okumadım.

– Benim kitabım Yombe büyücülüğüyle ilgili, bir katilin biyografisi değil.

Erwan merakının üstünde fazla durmadı.

– Yaşamının ilk yıllarında, onu cinayet işlemeye iten nedenleri açıklayabilecek olaylar, travmalar geçmiş mi başından?

– Bir anlamda, evet. Pharabot, Lukaya Vadisi'nde Belçika kolonisinden her şeyini yitirmiş bir ailede dünyaya gelmiş. Baba içiyormuş, anne önüne gelen herkesle yatıyormuş, Siyahlar da dahil olmak üzere. Çok erken yaşta, Pharabot da dağıtmış ve bölgedeki, çoğunluğunu Yombelerin oluşturduğu tarım işçilerinin arasında yaşamaya başlamış. On iki yaşında, birkaç ay süren bir *khimba* törenine kabul edilmiş.

– Bu tören neye dayanıyor?

– Kitabımda var. İlgili bölümü okumanız...

– Şu an buradayız, siz bize bir özet geçin.

Redlich gırtlağını temizledi; metal bir fırça, paslı bir demir parmaklığına sürtülüyordu sanki.

– İlk aşama, uyuşturmadan sünnet. Acı, deneyimin bir parçası. Ardından çocuğa onu uyuşturarak uyutan bir zehir içiriyorlar. Sembolik olarak ölüyor. Uyandığında kafasını tıraş ediyorlar ve tüm bedenini beyaz kille kaplıyorlar. İşte o zaman eğitim başlıyor. Ona ruhlarla konuşmayı, avlanmayı, tahammül etmeyi öğretiyorlar. *Khimba*, "dayanmak", "karşı durmak" anlamına geliyor... Çocuk kamçılanıyor, yılanlarla dolu bir deliğe atılıyor, geceler boyu ormanda yalnız bırakılıyor...

Erwan, yalnız ve bir yol göstereni olmayan Batılı bir çocuk üzerinde böyle bir kabul töreninin yarattığı etkileri hayal edebiliyordu.

– O dönemde, ortadan kaybolması kimsenin dikkatini çekmemiş mi?

– Bilmiyorum. Ama bir daha söylüyorum, ailesi raydan çıkmıştı ve çocuk da şantiyelerde ve plantasyonlarda Siyahlarla yaşamayı alışkanlık haline getirmişti.

– Size göre, bu deneyimler mi onu delirtti?

– Hayır, ama bazı şeyleri de düzeltmedi. Daha sonra, Katanga'da Cizvitlerin himayesine girmiş.

– Lontano'da mı?

– Önce Lubumbashi'de. Bakaloryasını vermiş, ardından Lontano'ya gönderilmiş, orada mühendislik okumuş. İşte o dönemde, herkesin gözüne bir *nganga* olarak görünmüş.

– Diğer Beyazları mı kastediyorsunuz?

– Kesinlikle hayır. Fakültede bile hep Siyah arkadaşlar edinmiş, ki bu da o yıllar için oldukça tuhaf. Çok etkili bir şifacı olarak kabul ediliyormuş. Öncelikle Merkez Kongo'dan geldiği için – eskiden oraya Aşağı Kongo deniyordu. Sonra Beyaz olduğu için. En korkunç ruhlarla ilişki kurmakla ünlenmiş: Mbola Mvungu, hırsızları cüzamla cezalandıran kambur; Nzazi, bir şimşek gibi gökyüzünden inen ve üzerlerine işeyerek insanları öldürebilen köpek yavrusu...

Erwan ile Kripo bakıştılar. Bu bilgiler onların dosyasında kesinlikle yoktu.

– Bir şeyi iyi anlamak gerekiyor, dedi Redlich, iyice canlanmıştı. *Nganga* gizemlerin efendisidir, büyücülerin ve adaletsizliğin düşmanıdır. Öteki dünyanın polisi, düzenin güvencesidir. "Tükenmiş" aileler onu görmeye gelir, hastalar ona danışır, kabile şefleri ondan yardım ister... Pharabot ikinci dünyadan korkmuyordu, orası onun faaliyet alanıydı.

– Madem bu denli ünlüydü, cinayetler için ondan şüphelenmeleri gerekirdi, değil mi?

– Siyahlar açısından doğru. Ama Belçikalılar için bu söz konusu olamaz. Ruhları çağırmak için Beyaz kanı akıtmak, işte bu çok ağır bir davranıştır.

Erwan mavnanın sallandığını fark etti. Çok hafif bir sallantıydı ama içkulağın dengesini bozmaya yeterliydi. İçerideki kokuların da yardımıyla midesi bulanmaya başladı.

– Size göre, ilk cinayetini ne tetiklemiş olabilir?

– Hiçbir fikrim yok. *Nganga* statüsü yüzünden, kıskançlıklara, düşmanlıklara maruz kalmış olabilir. Büyücülerin ona saldırdığına, iblislerin ruhunu kemirdiğine kendini inandırmış olmalı. Çok güçlü *minkondi*'ler yapması gerekiyordu. (Redlich sabit gözlerle kupasının dibine bakıyordu. Favorileri ve keçe gibi saçlarıyla, işi gerçekten bilen birine benziyordu.) Sonunda, Pharabot iğneleri kendine batırdı. Bizzat kendisi *nkondi*'ye dönüştü! Kahve?

Erwan istemedi; kusmak üzereydi. Kripo, karanlıkta ya uyumuştu ya da çaktırmadan not alıyordu.

– Bugünkü katil, diye devam etti Erwan, Çivi Adam'ı nasıl duymuş olabilir, ne düşünüyorsunuz?

– Benim kitabım var. Katanga var. Orada, bu olay çok meşhur.

– Gazeteleri okuduğunuzda, şaşırdınız mı?

– Hem evet, hem hayır. Pharabot'nun hikâyesini çok az insan biliyor, ama büyüleyici bir şey. Çekingen ve hayalperest bu genç adam, aslında süper güçlere sahip bir büyücüydü. Gerçek bir süper kahraman.

– Daha ziyade olağanüstü kötü biri.

– Siz ne söylemek istediğimi anladınız.

Erwan sidik, nemli ahşap, mazot kokuları ve boğazındaki yanık kahve tadı yüzünden gitgide kendini kötü hissediyordu.

– Anne Simoni ismini daha önce duydunuz mu?

– Hiç. Herkes gibi gazetede okudum.

– Ludovic Pernaud?

– Aynen.

– Wissa Sawiris?

– Bu şekilde kaç kişi var?

Erwan bu soruları âdet yerini bulsun diye sormuştu. Redlich'in büyü konusundaki uzmanlığı ve bir Zodyak'a sahip olması onu şüpheli yapmazdı. Sakat ayağına gelince; bu, katil olmadığına dair çok daha kesin bir kanıttı.

– Pencereyi açabilir miyim? diye sordu Erwan, ayağa kalkarak.

– Hayır. Su seviyesinin altındayız. Gelin dışarı çıkalım.

Erwan serin havayı soluyunca rahatladı. Kripo da peşlerinden geldi, çaktırmadan elinde telefonunu tutuyordu. Not almıyordu; röportaj yapan bir muhabir gibi tanıklığı kaydediyordu.

– Kıçta bağlı ETRACO, uzun zamandan beri mi size ait?

Etnolog güldü, rahatsız olmamıştı, sönmüş Gitane'ını denize fırlattı.

– Demek bunun için benden şüpheleniyorsunuz.

– Neden Zodyak'ınız ile cinayetler arasında bağ kuruyorsunuz ki?

– Gazete yazılarında katilin teknesinden söz ediliyor. Bir Hurrican modeli.

Erwan gazetecilere böyle bir bilgi verildiğini hatırlamıyordu, ama 36'nın, dedikoduları en iyi şekilde yayan bir yer olduğunu biliyordu.

– Onu sık kullanır mısınız?

– Hiç kullanmıyorum. O bir ölü. Onu çalıştırmayı başarırsanız size bir içki ısmarlarım.

– Hafta sonu, 8 Eylül'de neredeydiniz?

– Burada, mavnamda. Komşularım var, onlara sorabilirsiniz. O tarihte bir cinayet mi işlendi?

– Ya 11 Eylül Salı günü, saat 18.00'de?

– Paris-Diderot'da dersim vardı. Üç yüz tanık. Bu yeterli olur sanırım.

Kripo biraz uzakta duruyordu; kafası bir çöl tilkisinin kafasını andıran, ürkütücü köpekle artık dost olmuştu.

– 12'sini 13'üne bağlayan gece?

– Mavnada uyuyordum. Yalnız, maalesef.

– Peki dün gece?

– Aynı düzen.

Erwan saatine baktı, sekizi geçmişti. Boşuna bir ziyaret daha. Kıyıdaki ağaçların kokularıyla yüklü nemli havayı derin derin soludu.

– Ivo Lartigues'i tanıyor musunuz? diye sordu son olarak.

– Elbette. Kitabımı okumuş nadir kişilerden biri. Yombe büyüsüyle ve Çivi Adam'la ilgileniyor. Birçok kez fakülteye beni görmeye geldi. Dost olduk.

– Onu nasıl tanımlarsınız?

– Özel biri. Lartigues'in sanatçı kafasında, kurban edilen o iyi kadınlar, insan bedenine yontulan o heykeller, onun paslı şeylerinden çok daha önemli.

Erwan da aynı fikirdeydi.

Kripo'ya seslendi ve iskele kapısına doğru yürümek için korkuluğu tuttu.

– Size teşekkür ederim Bay Redlich.

– Bana bir şeyi sormayı unuttunuz.

– Neyi?

Beriki topuğuyla güverteye vurdu.

– Bacağımın hikâyesini!

– Çivi Adam'la bir ilgisi var mı?

– Hayır. 90'lı yıllarda, Kongo Nehri ağzında, Muanda kıyısında bir uçak kazası geçirdim. Hızla ilerleyen bir enfeksiyon. Bir *nganga* beni tedavi etti. (Kasvetli bir neşeyle yeniden topuğuyla güverteye vurdu.) Bu da, Yombe büyüsünün ne denli etkili olduğunu gösteriyor!

# 107

Emniyet müdürlüğüne geri dönüş.

Yolda birkaç telefon görüşmesi. Tonfa adli tıpta kök salmıştı. Favini bir hayaletin –Pernaud– peşinde koşuyordu. Audrey de bir leoparın –La Guerra na Selva'nın– ve intihar etmiş birinin –Jean-Patrick Marot'nun– peşindeydi.

Levantin daha fazla ilerleme kaydedememişti. Hâlâ, bir sonraki kurbanın ya da çoktan kurban edilmiş olan kadının akraba olduğu kişiyi belirlemelerini sağlayacak rezerv ayrım dosyasını açmak için gereken şifreyi bekliyordu. Cesetlerden alınan kan örneklerinden bir sonuç çıkmamıştı. Kırkıncı analizdeydiler, Erwan devam etmelerini söyledi. Farklı bir kan grubunun –katilin kan grubu– çıkacağı kesindi.

Sofia'dan da bir haber yoktu.

– Seni burada bırakırsam sorun olur mu? diye sordu Kripo. Eve uğramak istiyorum.

– Yok, olmaz.

Belki Erwan da aynısını yapmalıydı; ter ve kedi sidiği kokuyordu. Ama dört duvar arasında tek başına oturup İtalyan kadından telefon beklemek istemiyordu. 36'da yalnız kalmayı tercih ediyordu. Ana kapıdan girdi, A merdivenine yöneldi, karanlıkta basamakları tırmanmaya başladı.

– Biri seni bekliyor, dedi Audrey, dördüncü katta karşılaştıklarında.

– Kim?

– Cesur polisi bekleyen uzun boylu bir burjuva kadını. Bir klasik. Onu toplantı salonuna aldım.

Audrey'ye hiyerarşiyi öğretememişti bir türlü. Aldırmamaya karar verdi. Genç kadının kötü tavırları, sonuç almadaki başarılarıyla at başı gidiyordu.

Salona girdi, bu saatte boştu. Sofia bir köşeye oturmuş, kuralları çiğneyerek sigara içiyordu. Titriyordu, ağlamak üzereydi; elektrikli sandalyeye bağlanmış gibi bir hali vardı.

Erwan ona yaklaştı. Kalbi bir boks torbası gibi sağır edici bir sesle çarpıyordu.

– Ne oldu?

– Kapıyı kapat, diye emretti genç kadın, izmaritini yerde ezerken.

Erwan söyleneni yaptı. Genç kadın Balenciaga'sından A4 boyutunda bir zarf çıkardı. Bir felaketin alışıldık başlangıcı.

– Avukatım ekonomik faaliyetleri araştıran bir ajansa başvurdu.

– O ne ki?

– Özel bir dedektif. Mali işlerde uzman. Babanın, Coltano hisselerinin yüzde 16'sına sahip olduğunu belirlemiş.

– Bu zaten bilinen bir şey.

– Bir Lüksemburg şirketi de yüzde 18'ine.

– Bu şirketin adı ne?

– Heemecht.

Yeni bir bağlantı daha: Afrika'dan çivileri getiren şirket *aynı zamanda* Coltano'nun da ortağıydı.

Sofia, bir sigara daha yaktı, dudakları filtrenin üstünde titriyordu. Erwan onu hiç bu kadar gergin görmemişti.

– Bunlar herkesin bildiği rakamlar, öyle değil mi? diye sordu, onu sakinleştirmek için.

– Burada söz konusu olan herkes değil, Heemecht'in arkasındaki kişi.

– Kim?

– Babam.

Erwan soğukkanlı polis rolünde boşuna ısrar ediyordu, kafası karışmıştı.

– Nasıl yani?

– Şirket kurulduğundan beri babam Coltano'nun yüzde 18'ine sahip. Ve bundan önce de, babanın manganez çıkaran şirketinde de hissedarmış.

– Bizim ihtiyarların aynı şirketler bünyesinde birbirlerine rakip olduklarını mı söylemek istiyorsun?

– Hayır. Ezelden beri Afrika'da birlikte çalıştıklarını söylemek istiyorum. Afrikalıların maden işletme şirketlerinden onlara verdikleri payları bölüşmüşler ve yüzümüze baka baka bizimle alay etmişler.

Erwan başını salladı. Bu hiç tutarlı değildi.

– Sen hikâyeyi bilmiyorsun, diye karşılık verdi genç kadına. Bir cinayet soruşturmasını başarıyla sonuçlandırdığı için babamın, dönemin başkanı Mobutu'yla özel ilişkileri vardı. Zaire Floransa'ya çok uzak ve...

– Babamın oralarda hep bir işleri vardı. Etiyopya gibi, eski İtalyan sömürgeleriyle çalıştığını iddia ediyordu, ama yalan söylüyordu: Uzmanlık alanı Kongo'ydu.

– Bize numara mı yaptılar? Neden?

– Bizi kullanmak için, Loïc ile beni. Bizim karşılaşmamızı ve evlenmemizi sağlamak için.

Artık bu paranoya olmaktan çıkmıştı. Sofia kontrolünü kaybediyordu.

– Ne gibi çıkarları var?

– Öldüklerinde, Afrika'daki paylarının birleşmesi.

Ağzında sigara, zarfı açtı ve Erwan'a bir tomar kâğıt uzattı. Öfke onu gençleştiriyor, daha da güzelleştiriyordu.

– Hepsi burada. Araştırmayı yapan dedektife göre, ne senin baban ne de benimki Coltano'da asla daha fazla hisse sahibi olamazlarmış. Afrikalı generallerle yapılan zımni anlaşma böyle. Ne birinin ne de diğerinin yüzde 33'ten fazla pay sahibi olması söz konusu değil.

– Neden?

– Çünkü bu, azınlık hisselerinin blokajı demek ve gerçek patron haline gelmek demek. Ve istedikleri her konuda gıyaben karar almaları demek.

– Sizin evlenmenizin onlara yararı ne, hâlâ anlamış değilim.

– Evlendikten sonra edinilmiş mallarda ortak pay sahibi olma koşulu var. İhtiyarlar ölünce, onların hisseleri ortak sepete düşecek ve Loïc ile ben Coltano hisselerinin yüzde 33'ünden daha fazlasına sahip olacağız. Böylelikle de, azınlık hisselerinin blokajı ortak yönetim olarak bize geçecek. Kongolular buna karşı hiçbir şey yapamazlar, çünkü Coltano, bir Fransız şirketi.

– Mademki ölecekler, dedi Erwan, iyiden iyiye afallamıştı, zafer bunun neresinde olacak?

– Çocuklarını evlendirerek krallıklarını birleştirmiş oldular. Bizim üstümüzden de, gücü ele geçirecekler.

– Coltano hisseleri konusunda tek mirasçı sizler değilsiniz. Senin kız kardeşlerin var. Ben varım, Gaëlle var.

Sofia bir tür zafer dolu öfkeyle, zarftan başka bir belge çıkardı.

– Babanın vasiyetinin bir sureti. Sana daha önce de söylemiştim: Coltano'daki hisselerinin tamamını Loïc'e bırakıyor.

Sanki okuması yasak bir tabu, kutsal bir metinmiş gibi Erwan gayriihtiyari gözlerini kaçırdı. Ölümünün öncesinde babasının planlarını okuyacak olmasında edebe aykırı bir şeyler vardı. Aynı zamanda da, Sofia'nın dedektifinin ulaştığı bu belgeleri düşünüyordu. Böyle bir belgeyi bulmak Fransa nükleer vuruş gücünün şifrelerine ulaşmakla aynı şeydi.

– Babamın vasiyetini de ele geçirdim. Aynı plan. İnan bana, her şey çok iyi hazırlanmış.

– O dönemde, sizin evleneceğinizin garantisi yoktu, diye bahane bulmaya çalıştı Erwan, laf olsun diye.

– Sen öyle san! Bizim tanışmamızı sağlamak yeterliydi. Loïc bir yarı tanrıydı ve ben de hiç fena sayılmazdım.

Erwan yumruk yemiş gibiydi.

– Bir evlilik anlaşması yapabilirdiniz.

– Babam da, tıpkı senin baban gibi, malların ayrılmasını istiyordu. Biz tersini yapmakta ısrarcı olduk. Gençlerin sorunları ve isyanı! Bunda tahmin edilmeyecek bir şey yoktu.

Erwan bir şey söylemeden belgeyi ona geri verdi.

– Bu kan yoluyla bir HAS, dedi Sofia. Bana her şeyi vermek isterken, benden her şeyi aldı...

Sofia'nın her zaman düz ve parlak olan saçı darmadağınıktı. Terliyordu, sanki derisinin gözenekleri daha da genişlemişti.

– Unutuyordum; en sona en iyisi!

Erwan, genç kadının ona uzattığı fotoğrafa bakmak için başını öne eğdi. Fotoğrafta, uzun ve gür saçlı, ponza taşını andıran güçlü yüz ifadesiyle bir adam gülümsüyordu; çocukluğundan hatırladığı kadarıyla babasıydı. Dizlerinde, İtalyan aristokrasi tarihini sanki tek başına temsil ediyormuş gibi görünen uslu bir kız çocuğu oturuyordu. Yine de uzun siyah saçları ve hafif çekik gözleriyle, bir Avrasyalıyı veya Kızılderili'yi andırıyordu: Sofia.

– Bunu nereden buldun?

– Kendi fotoğraf kutumda. Bu resim buraya tesadüfen girmiş olmalı. Evimde onların yalanlarının kanıtlarını saklıyormuşum! Baban benim doğumumu görmüş!

Sonuç olarak, Erwan ne şoke olmuş ne de şaşırmıştı. Sofia'dan farklı olarak, kendi doğumuna sebep olmuş hayvanı uzun zamandan beri tanıyordu.

– Loïc'e bundan söz ettin mi?

– Henüz etmedim. Zaten kız kardeşinin... o aptallığından sonra, ne yaptığını bilmez halde. Sürekli mantralar tekrarlıyor, meditasyon yapıyor ve ölesiye kokain çekiyor.

– Ne yapmayı düşünüyorsun?

– Daha önce düşündüğüm şeyi: Boşanmayı. Hiç istemediğim kadar!

Erwan hiç düşünmeden onun elini tuttu, Sofia çekti. Gerçekten de romantik davranmanın sırası değildi. Üstelik parmakları da buz gibiydi.

– Kız kardeşin haklı, diye mırıldadı Sofia. Onları alt etmek gerekiyor. Onları mahvetmek gerekiyor.

– Babama dikkat et...

– Sen beni ne sanıyorsun? Yatılı kız okulundan çıkmış aptal küçük bir kız mı?

Erwan az kalsın "evet" diyecekti ki, Sofia devam etti:

– Senin ihtiyardan hiçbir eksiği olmayan Condottiere'nin yanında büyüdüm.

Erwan artık dinlemiyordu. Önceki geceyi düşünüyordu. Hayır, düşünmüyor, yeniden yaşıyordu. Neredeyse acı verecek kadar dokunaklı mutluluk tanecikleri halinde içine akan karanlık ve sıcak bir güçtü bu... Sofia'nın kollarının –bacaklarının– arasında ne hissettiğini anlatmak, hatta anlamak için kelimeler, düşünceler yetersiz kalıyordu. Bu duygu, muhteşem bir armağandı. Hiçbir zaman bunu itiraf edememişti, ama bir kadının onu içine kabul etmesine her zaman şaşırmıştı – şaşırmaya da devam edecekti. Bu tıpkı bir tapınağa, ölümlülere yasak olan kutsal bir yere girmek gibiydi.

Kapı vuruldu.

Erwan cevap verene kadar ziyaretçisi içeri dalmıştı bile. XVIII. yüzyıldan fırlayıp gelmiş gibiydi. Yüzüne pudra sürmüş, gri saçlarını atkuyruğu yapmış, manşetleri dantelli lal rengi bir redingot, dize kadar bir pantolon ile beyaz çoraplar ve tokalı ayakkabılar giymişti.

Erwan'ın, bir eliyle bastonundan destek alan, diğer eli kalçasında, hafifçe eğik duran Kripo'yu tanıması için birkaç saniye geçmesi gerekti.

– Bu ne hal?

– Geceki toplantımız için...

– Ne, geceki toplantımız mı?

– Marquis de Sade kılığına girdim. Köklerimize geri dönüş, arkadaş!

# 108

Coltano'nun geleceğiyle ilgilenmeli, Pernaud'nun etrafında yoğunlaşan şüpheler için endişelenmeli ya da onun katillerine sataşan, geçmişe ait bu hortlağın kim olduğunu her zamanki gibi kendisi araştırmalıydı.

Yapacak başka bir şey yoktu.

Yatağına uzanmıştı. Kafası, *joint* içmiş ya da yüksek dozda ilaç almış gibi dumanlıydı. Gaëlle hayattaydı; önemli olan tek şey de buydu. Gerisi önemsizdi. Sıradan boktanlıklar.

Cumartesi gecesiydi, saat 21.30'du ve gözleri tavana dikili bir şekilde, sesini sonuna kadara açtığı radyoyu dinliyordu. Sarhoşluğu engin, derin, aynı zamanda da hafifti. Sanki yatağında sallanıyordu. Kendini kırk yıl önce Lualaba Nehri'ndeki bir mavnada pusuya yatmış, transistorlu radyosunu dinleyip, bir yandan da Thierry Pharabot'yu beklerken görüyordu.

Aslında, ana hatlarıyla bakıldığında pek bir şey değişmemişti. Suların yalpası hep vardı. İlk soruşturmasının heyecanı da. Ve elbette, Afrika tadı da... Bu kırmızı toprakları, yüreğinize işleyen ve retinanızı yakan o manzaraları, değerli hazinelerini, sanatçı duygusallıklarını, şaşırtıcı batıl itikatlarını ortaya koyan o neşeli, kaba ve nahif kadınlar ile erkekleri tanıyınca insanın başka bir şeye güveni kalmıyordu. Afrika kronik sıtma gibiydi; insan iyileştiğini sanıyordu, çünkü parazitler görünürde yok oluyor, ancak karaciğerde varlığını sürdürüyor ve birdenbire yeniden ortaya çıkacaları anı kolluyordu.

Kapı vuruldu.

Morvan bir hamlede doğruldu, komodinde duran tabancaya uzandı, sonra vazgeçti. Kapının bu şekilde vurulması üç şeyin göstergesiydi: Ziyaretçi aşağı kapıdaki şifreyi biliyordu, interfonun yer aldığı ikinci kapıyı geçmek için kartı vardı ve cumartesi akşamı olduğundan, servis merdiveninden çıkması ve kapıyı çalması gerektiğini biliyordu.

Erwan olmalıydı.

Gidip kapıyı açtı.

– Beş dakikan var mı? diye sordu oğlu, bozuk bir tavırla.

Morvan kıyafetini göstermek için kollarını açtı: Eşofman üstü ve pantolonu, kürk astarlı terlikler. Erwan'ı içeri alarak içecek bir şeyler teklif etti. Erwan başını sertçe sallayarak teklifi reddetti. Bu hareketi Morvan'ı duygulandırdı: Kırk yılı aşkın bir süredir hep aynı inatçılık, sadece ona has, daima bir ayağı frende ilerlemekte ısrar eden aynı dik kafalılık.

Radyoyu kapattı ve ortamı yumuşatmaya çalıştı.

– Bir cumartesi gecesini birlikte geçirmeyeli uzun zaman oldu. Televizyon izlediğimiz geceleri hatırlıyor musun? Biz...

– Sana bir hatıra getirdim.

Erwan yatağın üstüne bir fotoğraf bıraktı. Morvan fotoğrafı alınca yüz ifadesi anında değişti. Libreville, 1978. Montefiori onu birkaç günlüğüne villasına davet etmişti – yeni bir demiryolu hattının raylarıyla ilgili olarak Omar Bongo'yla olağanüstü şartlarda bir sözleşme imzalıyordu.

Bu fotoğrafta onun yüreğini burkan, ne Sofia'ydı –kaprisli o küçük kıza hiçbir zaman tahammül edememişti– ne de kendisinin ve hurdacının geride bıraktıkları gençlikleriydi. Yüreğini burkan, bu fotoğrafa hâkim olan o büyük kurtuluş hayaliydi. O yıllarda, iki köle tüccarı, çocuklarının yazgılarının onların günahlarını affettireceğini –ya da en azından haklı göstereceğini– düşünüyorlardı. Ama hiç de öyle olmamıştı; pis işlerini sürdürmüşler, çocukları da suçlarla beslendiklerini için için hissederek, varlık içinde büyümüşlerdi. Masumiyet, gözyaşlarını döküp giden geçici bir bulut misali, hepsinden uzaklaşmıştı.

– Bunu sana kim verdi?

– Sofia. Kendi araştırmasını yaptı ve tuhaf şeyler buldu.

– Cevabımı biliyorsun, bana her seferinde tekrarlatma. Her ne yaptıysam...

– Bizim iyiliğimiz için yaptın, bunu anladım. Ama umurumda değil. Sizin yalanlarınız, entrikalarınız, hepsi sizi bağlar.

– Loïc'in haberi var mı?

– Henüz yok.

– Sofia babasıyla konuştu mu?

– Bilmiyorum. Sizi gebertmek istiyor.

– Ya sen?

– Sadece her şeyi aydınlığa kavuşturmak istiyorum.

İhtiyar gözlerini fotoğraftan ayırmamıştı. O yıllarda, Gaëlle henüz doğmamıştı ve Erwan, Montefiori'nin küçük kızını görünce, bir gün onun da böyle güzel bir kızı olması için gizlice dua etmişti. Mucize gerçekleşmişti, ama bu, şeytanın bir hediyesi olmuştu.

– Sofia evliliğinin, sizin Coltano'daki hisselerinizi birleştirmek için bir bahane olduğunu düşünüyor.

– Doğru.

– Ve onların karşılaşmalarını siz ayarladınız.

– Bu da doğru. Bu seni şaşırttı mı?

– Hayır. Ama aklıma takılan bir şey var. Eğer doğru anladıysam, yeni yatakları Coltano'dan habersiz işletmek istiyorsun.

– Doğru anlamışsın.

– Neden çocuklarına bırakmayı düşündüğün bir imparatorluğu soymaya çalışıyorsun?

– Çünkü kısa vade ve uzun vade var. Bugün en iyi fikir, ortadaki parayı son kuruşuna kadar, mümkün olan en hızlı şekilde toplamak. Sonra, bunun bizi nereye götüreceğini, savaştan ve bizim ölümümüzden sonra, senin deyişinle "imparatorluk"tan geriye ne kalacağını göreceğiz...

– Böyle bir şirketi Loïc ile Sofia'ya nasıl bırakabiliyorsun? Orayla ilgili hiçbir şey bilmiyorlar.

– Her zaman Zencilerden daha iyi olacaklardır.

– Bir gün, Afrika'yı sevdiğini mi, yoksa oradan nefret mi ettiğini bana söylemek zorunda kalacaksın.

– Cevabı sorunun içinde: Kalbim her zaman ikisinin arasında bir denge kuruyor. Hepsi bu mu?

Oğlu anormal derecede kendinden emin görünüyordu. Morvan'dan bir şeyler saklıyor olmalıydı. Soruşturmayla ilgili olabilir miydi? Ya da Loïc'le veya Sofia'yla? Morvan sessizliğini korudu. En sevdiği yöntemdi bu: Karanlıkta pusuya yatmak ve avını gözlemek.

– Buraya, seninle Jean-Philippe Marot'yu konuşmaya geldim.

Pernaud cinayetinin zincirleme bir reaksiyon başlatacağını biliyordu. Ve katil de bunu biliyordu.

– Şu intihar eden gazeteci mi?

– Haberin yokmuş gibi yapmandan korkuyordum.

– Benim her şeyden haberim var. Bana neden ondan bahsediyorsun?

– Ölümünden birkaç gün önce Ludovic Pernaud onun evinin çevresinde görülmüş.

– Yani?

– Pernaud bir tür ajandı. Özellikle senin emirlerinle bayağı bir insanı "intihar etmek" zorunda bırakmış bir herif.

– Dikkat et, bir polis elinde kanıt olmadan böyle suçlamalar yapamaz.

– Marot'yu sen mi öldürttün?

– Neden onun infazını emretmiş olayım ki?

– Her şeye burnunu sokan biriydi. Belki de gizli kalması gereken bir şey bulmuştu, onu yayınlayacaktı.

Morvan, sırtı oğluna dönük vaziyette pencerenin önünde durdu. Bu şekilde, elleri ceplerinde dikilmeyi seviyordu – gemi güvertesindeki kaptan. Tam karşısında, her zamanki mesafeli, kibirli ve kibar görüntüsüyle Messine Caddesi vardı.

– Sen zamanı şaşırdın evlat. Artık insanlar bu şekilde öldürülmüyor. Yumuşak bir konsensüs veya doğru bir siyaset izleniyor. Artık kimse para eden davalar dışında bir şeyle ilgilenmiyor: Ekoloji, küresellik karşıtlığı... Senin söylediklerin çok uzakta kaldı ve zamanımızda, ücretler Colette'te[1] belirleniyor.

– Lafı ağzında geveleyip durma. Bana cevap ver.

Morvan derin bir iç çekti ve üstünde bir su ısıtıcısı ile seramik fincanların durduğu masaya doğru yürüdü. Döküm çaydanlık çoktan ısınmıştı. Çaydanlığın içine kaynamış suyu boşalttı.

– Bir ayurvedik içecek istemediğine emin misin? Bunlar Loïc'in Tibet'ten getirdikleri.

Erwan cevap verme zahmetinde bulunmadı. Morvan baharatlı kokusunu içine çekerek, kendine bir fincan doldurdu. Bu karışımı her akşam yatmadan önce içiyordu.

– Soruşturmayı sen mi aldın?

– Bir soruşturma yok, bunu sen de biliyorsun.

– Marot türünün en rezil araştırmacısıydı, diye kabullendi Morvan sonunda. Yaptığı analizlerin çoğu yanlıştı ve neden olduğu skandalların en ufak bir değeri yoktu.

– Onu öldürttün mü, evet ya da hayır?

– Bütün ölümleri benim sırtıma yükleyemezsin.

– Eğer Marot rahatsız edici bir şeyi eşelediyse, seni yardıma çağırmış olmalılar.

– İktidar ile gazeteciler arasında enayice bir oyun vardır. Gazetecilerin ufak tefek skandalları ortaya çıkarmalarına izin verirler. Kendilerini kızdıracak esas konulara ilişmemeleri karşılığında.

– Marot ne üstünde çalışıyordu?

**1.** 11. Bölge'de ünlü Fransız restoranı. (ç.n.)

– Kimin umurunda? Bu eskide kalmış bir hikâye.

– O herifin neyi araştırdığını öğrenmeden onu öldürttüğüne inanmıyorum.

Morvan, oğlunun oturduğu kanepenin yanındaki koltuğa oturdu.

– Vietnamlı General Lê Duc Tho'nun ne dediğini biliyor musun? "Her saniye dünya üstünde bir insan ölüyor. Zaman zaman bu ölenlerden biri iyi bir sebepten ölüyorsa ne mutlu."

– Lê Duc Tho bir fanatikti.

– Yine de Nobel Barış Ödülü'nü aldı.

– Ödülü reddetti.

Morvan fincanını kaldırdı.

– Zekice evlat.

– Marot'nun ölümü kimin yararına olmuştur?

– Tek bir şeyin: Ülke düzeninin. Sorman gereken tek bir soru var, o da: Yeni Çivi Adam bunları nasıl ve nereden biliyor?

– Aynı anda iki soruşturmayı yürütecek kadar büyüğüm. Eğer bu olayda senin suçlu olduğunu gösteren herhangi bir şey bulursam, bitersin. Sana yemin ediyorum, cinayetlerinin bedelini ödersin.

– Ben her gün kendi tarzımda ödüyorum, inan bana. Çivi Adam'da ne durumdasın?

– Bir tanıkla konuşmak için hiçbir sebebim yok. Aslında şüpheli demem gerekirdi. Bu olayda atılan her yeni adımda, senin bu işe bulaşmış olduğun belirginleşiyor.

Oğlu, acı verecek şekilde yarasına basmaya başlıyordu. Kızıyla ilgili duyduğu rahatlama hissi, çayın dumanı gibi dağılıyordu.

– Öyleyse burada canımı sıkacağına git çalış, dedi öfkeyle.

– Somut olaylara, çivilerin ve diğer şeylerin kaynağına odaklanmamı bana sen söyledin.

– Yani?

– Bu çiviler bir Lüksemburg şirketi tarafından ithal edilmiş: Heemecht. Biliyor musun?

Morvan, Heemecht'in bu eski hurdaları taşıdığını bilmiyordu. Katil, İtalyan'ı da mı bu işe bulaştırmaya çalışıyordu? Kesin olan bir şey vardı: Bu olayların başlangıç noktası Orta Afrika'ydı.

– Cevabımı biliyorsun. Bu çivileri kim satın alıyor?

– Lartigues.

Demek onun da gözünden kaçan önemli olaylar vardı. Her şeye muktedir olduğuna inanan bir adam için iyi bir alçakgönüllülük dersi.

– Montefiori, diye devam etti oğlu, o da Lontano'da mıydı?

– Evet.

– Di Greco gibi?

– Nereye gelmeye çalışıyorsun?

– Afrika'da bu kadar öfkeye yol açacak ne yaptınız?

Morvan sıcak içeceğinden bir yudum aldı ve muğlak bir ses tonuyla yanıtladı:

– Bu o kadar eskide kaldı ki...

Erwan hiçbir şey söylemeden kapıya doğru yöneldi.

– Dikkat et Erwan. Bu kadar fazla ipucu sana bir yol göstermez, sadece bir labirent sunar.

– Günün cümlesi, ha?

Erwan babasını koltuğunda bırakarak, merdivende gözden kayboldu.

Morvan güçlükle ayağa kalktı ve kapıyı kilitledi. Komodinin çekmecesi hâlâ açıktı. Kapatmadan önce, tabancasını aldı – namluda bir, şarjörde on beş adet 9 mm'lik Parabellum mermisi olan, çelik gövdeli bir Beretta 92FS.

– *Si vis pacem, para bellum*, diye mırıldandı.

"Barış istiyorsan, savaşa hazırlan." Silahı yerine bıraktı.

O, tüm hayatı boyunca hep savaşa hazırlanmıştı, barışı asla bulamamıştı.

# 109

– Metro istasyonunun adı, Jacques-*Bon*sergent!

Genç polis bu açıklamayı yaparken kızarıyordu; şüphesiz bu isim benzerliğinden dolayı maruz kaldığı şakalardan usanmıştı. Gaëlle onu sevimli buluyordu. Sakinleştiricilerin etkisi altında, kendini yarı rüyada hissediyor ve bu bakir adamın varlığı ona tatlı bir beşik etkisi yapıyordu.

Gaëlle bir eşofman takımı giymiş, omzuna bir kaban almıştı, ama bu, cazibesinde bir farklılık yaratmamıştı, bunu hissediyordu. Genç polise koridorun sonuna kadar yürümeyi teklif etmişti. İçecek otomatının yanındaki vasistas aralanabiliyordu. Gaëlle'in canı sigara çekmişti. Polisin de. Fakültenin bir köşesinde yarenlik eden öğrenciler gibi, hemşireyi kollayarak, sigara içiyorlardı.

– İkimizin burada kapalı kalması çok seksi, öyle değil mi?

Genç adam yeniden kızardı. Sigarasından, bir idam mahkûmu gibi derin nefesler çekiyordu.

– Ne yaptığımı sana söylediler mi? diye yeniden üsteledi Gaëlle.

– Bana bahsettiler, tereddütle karşılık verdi Sergent, yani Président-Wilson Caddesi'nde olanlardan.

– Büyük atlayış, Jacquot'cuğum, böyle söyleyebilirsin...

Gaëlle karşısında küçük bir çocuk varmış gibi konuşuyordu, yumuşak ve samimi –hatta alaycı– bir ses tonuyla. Sergent yirmi beş yaşında olmalıydı, ama ucuz takım elbisesinin altında ezilmiş gibi, daha yaşlı gösteriyordu.

Genç adam sigarasını dışarı attı, sonra belli etmeden Gaëlle'e baktı.

– Neden bu kadar ileri gittiniz?

– Ters giden planlar.

– Ama sonuçta... siz...

Cümlesini tamamlamadı, onun yerine gözleri konuşuyordu: Mutlu olmak için her şeye sahip olan bu kız bu duruma nasıl gelmişti? Zenginlerin her şeyi vardı, umut dışında.

– En azından ne yaptığımı biliyor musun, iş olarak?

– Sinemacı değil misiniz?

– O benim kılıfım. Aslında ben bir fahişeyim.

– Ne?

Sergent pancar gibi oldu. Ne söyleyeceğini, hatta ne düşüneceğini bilemiyordu. Gaëlle, Fransa'nın en korkunç polislerinden birinin kızı, patronunun da kız kardeşiydi.

– Başlarda, diye devam etti Gaëlle, uyuşuk bir ses tonuyla, bunun kariyerime yardımcı olacağını düşünüyordum, ama sonuçta bundan zevk almaya başladım. Gecede üç bin avro, anlıyorsun, değil mi?

Aslında vizitesi bin avrodan fazla değildi, ama genç adamın kafasını karıştırarak eğleniyordu. Sergent, cinayet soruşturmaları hakkında anlatacaklarıyla kızları şaşırtmanın hayalini kuruyor olmalıydı. Oysa Gaëlle böyle, hatta daha üst düzey bir dünyaya gözlerini açmıştı ve şimdi Deccal'i oynuyordu.

– Ben... Aslında, evet, diye kem küm etti Sergent. İlginç.

– Söz konusu sadece para değil. Zevk de var.

– Çünkü... yani, bu hoş... olabilir mi?

Sergent söyleyecek bir şey bulamıyor, her seferinde biraz daha çuvallıyordu.

– En kötüsü, tamamen kayıtsız kalmak, diye devam etti Gaëlle, yalandan bir edepsizlikle. En iyisi, çok zevk almak. Bu ne acı veren ne de insanı alçaltan bir şey. Ben...

Koridorda bir gürültü duyuldu. Aynı anda başlarını çevirdiler, bir hemşireyle karşılaşmayı bekliyorlardı. Ama etrafta kimse yoktu. Sessizlik, bu kilit altındaki katta, eli kulağında bir felaket duygusu yaratarak genleşiyordu...

– Ben bir kontrol edeyim, dedi Sergent. Bu konuşmadan uzaklaşacağı için çok mutlu olmuş gibiydi..

– Bana göz kulak olman gerekiyor, başkalarına değil.

– Yine de bir göz atmam lazım. Yerinizden kımıldamayın.

Polis, otoritesini geri kazanmıştı; uzaklaştı. Gaëlle kabanını yeniden omuzlarına aldı. Üşüyordu. Sıcaklıyordu. Boğazında ilaçların tadı vardı. Başka bir hayatta, böyle bir genç adam hoşuna gidebilirdi: Hoş, kibar, günün ve gecenin her saati okşanacak, üstüne titrenecek bir varlık...

Sakinleştiriciler hayâsızca hayal kurmasına izin veriyordu. Antidepresan tedavisinin etkisini göstermesi için en az on gün gerekiyordu. Bunu beklerken de, atlara verilen dozda sakinleştiriciler yutuyordu.

Yıllardan beri bir psikiyatri kliniğine ayak basmamıştı. Tuhaf bir şekilde de, Sainte-Anne'a hiç gelmemişti – Fransa'da akıl hastaları semptomlarına göre değil, posta adreslerine göre yönlendirilirdi. Sonunda kendini burada bulmaktan ahlaksızca bir gurur duyuyordu: Çatlakların başkenti.

Bu Sergent ne halt ediyordu? Alacakaranlık tarafından emilmiş gibi, ayak sesleri de duyulmuyordu artık. Sıkılmamak için bir sigara daha yaktı.

Henüz tedavisiyle ilgilenen doktoru görmemişti, ama gün içinde kattaki diğer hastalarla karşılaşmıştı. Psikiyatrının yumurtalıklarına zarar verici dalgalar yolladığından şüphelenen bir paranoyak, hastanedeki yollardan birinin kendi adını taşıdığını iddia eden saplantılı yaşlı bir adam, beynindeki kıvrımların sayısını öğrenebilmek için tomografi çekilmesini isteyen bir başkası... Alışıldık şeyler.

Birden tavan lambaları söndü. Gaëlle gayriihtiyari bileğine baktı. Saat yoktu. Işıkları söndürme vakti gelmiş olmalıydı. Gözleri karanlığa alıştı. Hiç gürültü yoktu, görünürde kimse de.

Ama Sergent neredeydi?

Sigarasını attı ve onu aramaya karar verdi.

# 110

Erwan, Kripo'ya gidip üstünü değiştirmesini emretmişti. Kripo bozulmuş, Erwan'ın lafını ağzına tıkadıktan sonra Lartigues'in gecesine tek başına katılmasını söylemişti. Keyfi bilirdi: Alsace'lı gün ağarana kadar oyalanacak bir şeyler bulurdu; telefon dökümleriyle veya başka işlerle (Erwan ona Redlich'in tıbbi dosyasını bulma görevi vermişti) uğraşabilirdi. Şimdi, Villa du Bel-Air'de, demiryolu boyunca uzanan kuyrukta sıradaydı, yardımcısını komik duruma düşmekten kurtardığını düşünüyordu; geceki *dress-code*'un marki maskaralıklarıyla alakası yoktu.

Yüzüne kadar siyaha boyanmış çıplak bir adam Zorro maskesiyle kıyafetini tamamlamıştı. Bir diğeri lateksten bir pelerin giymiş, çivili kocaman bir köpek tasması takmıştı. Ayağında platform tabanlı ayakkabılar bulunan bir kadın, lal rengi bir badinin üstüne pembe bir tütü giymişti. La Petite Ceinture'ün çınarları altında kaybolan geçit töreni bu şekilde devam ediyordu. Tüm bu fauna, sanki öteki dünyaya gidecek bir treni bekliyordu.

En etkileyici olan da sessizlikti. Bu gece yaratıkları tek kelime konuşmuyor, gülmüyordu. Kuşkusuz talimatlara uyuyorlardı: Kimse yanındakini rahatsız etmemeliydi.

Sıra ona gelmişti.

– Yanlış bilgilendirilmişsin, bu kıyafetle içeri giremezsin.

Ağzı ve burnu kafesle kapatılmış, sol gözünde bir bant olan kapı görevlisi kel ve obezdi. Titanyumla veya karbonla desteklenmiş bir korse giymişti. Hem zırh hem de büstiyer yerine geçen bu göğüslüğün her tarafına serum hortumları sıkıştırılmıştı.

– Ben kılık değiştirdim, diye karşılık verdi Erwan.

– Ne kılığı?

– Polis.

– Çok komik.

Erwan silahını göstermek için ceketinin eteğini kenara çekti; silah, kılıfın içindeydi.

– Kimliğimi göstermemi ister misin?

Adam tereddüt etti. Erwan biraz daha ileri gitti.

– Ben Ivo'nun arkadaşıyım. Kontrol edebilirsin.

Onun Lartigues'in arkadaşı, polis ya da yakuza olması kapı görevlisinin umurunda değildi. Sadece kostümü onu ilgilendiriyordu. Sonuçta, bu alabros saçlı, suratsız, iriyarı herifin işe yarayabileceğini düşündü. Giriş bedava. Ev sahibinin keyfi bilirdi.

Atölye tamamen değişmişti. Heykeller ortadan yok olmuş ya da üstleri koyu renkli bir örtüyle kapatılmıştı. Onların yerini müthiş bir kalabalık, stroboskopik flaşların ritmiyle tepinip duran, *delirium tremens*'in son evresinden fırlamış bir insan topluluğu almıştı. Dışarıdan duyulan sağır edici gürültü, burada yoğun bir ateş ve demir sesine, makine-cihaz karışımı tuhaf aletlerle çalınan bir endüstriyel müziğe dönüşüyordu.

Latekse kendiliğinden bir eğilim vardı. Bazıları lateksi sadece aksesuar olarak kullanmakla yetinmiş, bazıları ise sanki doğal epilasyon gibi başları da dahil olmak üzere tamamen lateks kıyafetler giymişti. Cinsiyetleri ve kimlikleri belli olmayan bu insanlar büyük bir zarafetle bellerini kıra kıra yürüyorlar, yakıcı organlar gibi müziğin içine akıyorlardı. Askerler de vardı: Naziler, Fidel Castro'lar, Kızıl Khmerler. Soykırım, işkence, toplu katliam sembolleri, insanı iliklerine kadar titreten tiz ve bas sesler püskürten hoparlörlerin altında dans ediyorlardı.

Erwan hemen, Anne Simoni'nin de mensubu olduğu tıbbi fetişizm meraklılarını fark etti. Az sayıda hemşire, yerlerini tellerle bağlanmış engellilere, çıplak ve tepeden tırnağa aşıboyasıyla kaplanmış Bay Betadine'lere, kauçuk kayışlarla rozbif gibi bağlanmış Bayan Turnikeler'e bırakıyordu. Azınlıktaki sado-mazolar hâkimiyet ve itaat etme sahneleri canlandırıyorlardı: Ellerinde ağızlığa takılı sigaralarıyla, siyah takım elbiseli kerliferli, ciddi adamlar, XIX. yüzyılın robdöşambrlı, afyonkeş züppeleri, bir hayvan gösterisinden fırlamış gibi duran kızlar tarafından kırbaçlanıyor ya da tasmalarından çekilerek dört ayak üzerinde dolaştırılıyorlardı – saçları diken diken dişi köpekler, uzun kuyruklu dişi leoparlar, ipek gibi yumuşak tüylü panterler...

Kendine bir yol açarak ilerleyen Erwan yeni tarzlar, yeni çılgınlıklar gördü: Sargılara sarılmış mumyalar, deli gömlekleri giymiş insanlar, Jean Genet'nin *Denizci* adlı romanındaki gibi giyinmiş gemiciler, vinil kıyafetli rahibeler... Tabii bir de *percing*'li diller, memeler, suratlar, yaralı omuzlar ya da kalçalar vardı. Dövmelere gelince, gecenin alt metni boyunlara, bellere, kollara, boğazlara yazılmıştı...

Bu bir sado-mazoşizm değildi. Bir âlem de. Hatta bir eğlence bile değildi – alkol ve uyuşturucu yasaktı, her tarafa asılmış panolarda bu açıkça belirtilmişti ve büfe de vejetaryendi. Erwan'ın da kabul etmek zorunda olduğu gibi, bu dünya dışı toplantının tuhaf bir güzelliği vardı.

İkinci salon da yine oldukça kalabalıktı, tavandan kasap çengelleri sarkıyordu. Bu çengellere de bedenler asılmıştı. Yatay pozisyonda canlı insan bedenleri, genel kaos ortamının üstünde büyük bir rahatlıkla süzülüyorlardı – dev olta iğnelerine asılı etler. İnsanlar pistte dans ediyorlar, çığlıklar atıyorlar, kudurmuş gibi pogo yapıyorlardı. Elektrogitardan yükselen cayırtılar, kulak delici ıslıklara ve basgitarlardan yayılan tok seslere karışıyordu. Ateş püskürtücüler ise, her püskürtmeleri oley nidalarıyla ödüllendirilerek aslan payını alıyordu.

Erwan, korkunç şeyler gösteren video ekranlarıyla aydınlanmış karanlık bir koridor buldu. Genç bir kadın kerpetenle diş söküyordu. Oğlan kılıklı bir yeniyetmenin canlı canlı derisi yüzülmüştü. Çiğ bir ışığın altında cerrahi operasyonlar devam ediyordu. Bu canavarca görüntülerin gerçek mi, düzmece mi olduğunu söylemek imkânsızdı.

Yeni bir salon. Ortam değişikliği. Ne müzik ne de yanıp sönen ışıklar. Salon, Japon mimarisinin temel ilkelerine göre düzenlenmişti – ahşap, sadece ahşap, ne çivi ne de çimento. Erwan, Lartigues'in kendi dairesini de davetlilere açtığını düşündü.

Gösteriyi görmek için safları yardı. Çıplak ve tombul bir Japon kadın, ipek kozası içine hapsolmuş bir tırtılı taklit ederek kıvranıyordu; bir efendi onu büyük bir özenle bağlıyordu. Erwan ereksiyon olmaya başladığını hissedince hemen uzaklaştı. Standart dışı bu geceden etkilenmeye başlıyordu. Terlemişti, uyarılmıştı; bir çocuğun elindeki dolu bir silah gibiydi. Her an bir kaza meydana gelebilirdi.

Soruşturma bakımından burada zaman kaybediyordu. Ne umuyordu ki? Çivi Adam'ı bu kaçıkların arasında bulmayı mı?

Sonraki oda. Gürültülü bataklığa geri dönüş. 70'li yılların Funk'ı. Duvarlarda ışıklı svastikalar. Karanlık bir köşede, kalabalık bir grup gördü. İriyarı bir kadın –boyu yaklaşık iki metre olmalıydı– kollarından asılmıştı. Bacakları kayışlarla gerilerek iyice açılmıştı. Yerden bir metre yukarı çekilmişti. Çıplak ve tıraşlı bacak arasının dışında tamamen lateks bir giysi giymişti. Vulvasının dudakları bir orkidenin taçyaprakları gibi açılmıştı. Genel çılgınlığa kendini kaptıran Erwan'ın aklına, bir midyenin hatları ve DNA'nın ikili sarmalı geldi. Kadının açık bacaklarının karşısında, çıplak gövdeli, bir gladyatör gibi alnına deri bir bandaj bağlamış bir cüce omuzlarını çevirerek dans ediyor, kısa kollarını değirmen kolları gibi çeviriyor ve sanki boynunda olağanüstü bir mekanizma varmış gibi durmadan kafasını döndürüyordu. Kadının organı sanki onu yutmaya hazırdı...

Erwan'a daha önce de *fist-fucking*'den söz etmişlerdi, ama bu akşam başka bir aşamaya geçilmişti. Gözlerini kaçırdı ve kalabalığın içinden çıkmak için kendine yol açarken lal rengi tulum giymiş, bir yürüteçten destek alan biriyle karşılaştı. Kırmızı şeytan başlığını çıkardı: Redlich'ti. Boynunda, sanki yaralarıyla eğleniyormuş gibi gülümseyen kocaman bir İsa vardı.

– Burada ne yapıyorsunuz? diye sordu Erwan, şaşkınlığını belli etmemeye çalışarak.

– Sizin gibi, dikizliyorum.

– Siz de mi bu topluluğa aitsiniz?

– Topluluk diye bir şey yok. Toplanıyoruz, topluluk var. Dağılıyoruz, topluluk yok.

Redlich gruptan uzaklaştı. Erwan da onu izledi. Adamın yürütecine jiletlerin takılı olduğunu fark etti.

– Bunlar hoşunuza gitti mi? diye sordu etnolog.

– Fena değil, kostümlü balo gibi.

– Yanılıyorsunuz. Bu akşam kimse kılık değiştirmedi. İnsanlar hafta içinde, kravatları ve omuzlarında çantalarıyla işe giderken kılık değiştirirler, işte asıl karnaval odur. Toplum bizi başka kılığa girmeye zorluyor, burada yeniden kendimiz oluyoruz.

Mekân felsefi bir konuşma için uygun değildi.

– Peki kan? diye bağırdı Erwan. Ekranlardaki o korkunç görüntüler?

– Beden sadece bir geçiştir.

– Ya çengellere asılı erkekler, bağlanmış kızlar?

– Acı bizi eğitir. Bakınız İsa... Hepimiz mutantız.

– Bu maskaralığın Yombe büyüsüyle bir bağı var mı? diye sordu Erwan, didişmekten bıkmış halde.

Yürütecini bırakan Redlich onun koluna tutundu.

– Bana yardım edin. Şu tarafa gidelim.

Erwan, sanki yaşlılar yurdunun bahçesinde karşılaşmışlar gibi ona destek oldu. İlerledikçe Funk müzik azalıyor ve yerini elektronun yeni sarsıntıları alıyordu. Redlich kolunu Erwan'ın boynuna atmıştı – genç adam, lateksin yakıcılığını ensesinde hissediyordu.

Yeni salon da öncekiler gibiydi: Dönen projektörler, beton zemin, Almanların yıldırım savaşını andıran bir gürültü. Tek fark, kalabalığın iki gruba ayrılmış olmasıydı. Korseliler, ağızları ile burunlarına kafes geçirmiş olanlar, protezliler, koşum takımlılar beşer metre arayla karşılıklı duruyorlardı. Birbirlerini değerlendiriyorlar, hayranlıkla bakışıyorlar ve sanki eski tarz bir dansa, menüete veya kadrile başlamayı bekliyorlardı.

Bu kez başka bir şey oldu: Duman bulutlarının arasından, kel kafalı, uzun deri paltolar giymiş, omuzlarında siyah kumaş kaplı ahşap bir tahtırevan taşıyan adamlar belirdi. Bütün salondan, bir anda müziğin sesini bastıran bir uğultu yükseldi. Fantomalar, sakallı dansözler, kaytan bıyıklı askerler, yarısaydam tülün ardındaki kutsal varlığı görebilmek için yaklaştılar. Erwan gözleriyle hareketleri takip ediyordu – bir tarikatın merkezindeydi ve sonunda guru geliyordu.

Perdeler açılınca, kalabalık çığlık atarak geri çekildi. Tahtırevanın içinde, rıhtımda bulunan Anne Simoni'nin pozisyonunda duran çıplak bir kadın vardı; dizleri çenesinin altında toplanmış, kolları bacaklarının etrafına dolanmış bir şekilde oturur vaziyetteydi. Vücudunun tamamı bir kirpi gibi çivilerle, cam kırıklarıyla ve keskin metal parçalarıyla kaplıydı.

Tahtırevan kalabalığın arasında salınarak dolaştırılıyordu. Kadın, insan boyutlarında, reçineden yapılma, sıradan bir teşhir mankeniydi. Çiviler, ayna kırıkları ve ip kuşkusuz normal bir hırdavatçıdan satın alınmıştı. Tüm bunlar hem gülünç hem de tiksindiriciydi, ama orada bulunanların hayranlığı son derece gerçekti. Kollar havaya kalkıyor, acı çeken "Bakire"nin çevresinde mırıltılar artıyordu.

Erwan uzaklaşmak için döndü. Sağ bacağında bir darbe hissetti. Başını aşağı eğdi. Ivo Lartigues tekerlekli sandalyesinde, aşağıdan ona bakıyordu. Bir mumya gibi sargı bezleriyle sıkı sıkı sarılmıştı. Ona yanmış bir hortlak görüntüsü veren yüzüne gri külle makyaj yapılmıştı.

– Bir şüpheli arıyordunuz? diyerek sırıttı. Ben size üç yüz şüpheli sunuyorum!

# 111

Bütün katı aramıştı; Sergent yoktu.

Yapacak başka bir şey olmadığı için, onu beklemek üzere odasına dönmüştü. Kendisini bırakıp gittiğini düşünemiyordu bile. Birincisi, asla emirlere itaatsizlik etmezdi. İkincisi, küçük polis, Gaëlle'in arkadaşlığından hoşlanmışa benziyordu. En azından Gaëlle öyle olduğunu umuyordu.

Bir tur daha atmaya karar verdi. Yeniden koridora çıktı. Sadece sokak lambalarının pencerelerden sızan ölgün ışığıyla yönünü bulabiliyordu. Birden durdu. Bir odadan gürültü gelmişti. Kulak kabarttı. Sanki bir sulama borusundan su fışkırıyordu. Kapı aralıktı. İçeriden ani ışık patlamaları geliyordu.

İçeriye bir göz attı ve birkaç saniye boyunca gördüğünü anlamaya çalıştı. Bir yatağın etrafına bir perde çekilmişti. Yatakta bir adam uzanıyordu. Düzenli bir atımla gırtlağından kan fışkırıyordu. Dalgıçlarınkine benzeyen siyah bir tulum giymiş bir siluet yatağın başucunda hareketsiz duruyordu. Dehşete kapılan Gaëlle, zaman zaman çakan ışıkların, bir cep telefonunun flaşları olduğunu anladı; ayaktaki adam can çekişmekte olan kişinin fotoğraflarını çekiyordu.

Gaëlle sonunda tablonun öğelerini birleştirmeyi başardı. Kurban kuşkusuz Jacques Sergent'dı. Fotoğrafçı da katil. Fetiş gecesindeki soytarılardan biri gibi giyinmişti. Gaëlle beyninin derinliklerinde, adamın üstündeki Japon kökenli giysinin adını hatırladı: "*Zentai.*"

O anda, katil onun bulunduğu tarafa doğru başını çevirdi. Gaëlle hiç düşünmeden, koridora doğru hızlı bir koşuya kalktı.

İki yüz metre sonra katın kapısıyla karşılaştı; elbette kapalıydı. Arkasına baktı, yüreği ağzındaydı, peşindeki canavarı görmeyi bekliyordu. Kimse yoktu. Kendisini fark etmemiş olabilir miydi? Aynı anda, açık bir kapı gördü. İçeri daldı ve boş bir odayla karşılaştı. Şiltesiz iki yatak. Çelik dolaplar. Bir banyo.

Banyoya girdi. Naylon duş perdesinin arkasına çömelir çömelmez bu kararından pişmanlık duydu. İçeri girer girmez katilin bakacağı ilk yer burası olurdu. Ama düşünmek için gizlenmesi gereken kapalı bir yere ihtiyacı vardı. Yardım çağırmak? Bu onun yerinin belli olmasına neden olurdu. Diğer hastaları uyandırmak? İlaçların etkisi altında yarı ölü gibiydiler, hiçbir yardımları olmazdı. Borulara, radyatörlere de vurabilirdi. Akıl hastanelerinde bir temel kural vardı: Bir metalin başka bir metale teması alarmı başlatırdı ve hemşireler de anahtarlarını kullanarak genel alarmı devreye sokarlardı. Ancak üstünde hiç metal yoktu, hepsini almışlardı.

Kendi fare kapanına kısılıp kalmıştı. Saniyeler karanlığın içinde uzayıp gidiyordu. Bütün bedeni spazmlarla titriyordu. Korkunç ironi: Önceki gün kendini öldürmeye kalkışan o, şimdi ölmek istemiyordu.

Aklına başka bir şey gelmişti: Jacques Sergent'ın her kapıyı açan bir anahtarı olmalıydı. Gaëlle'in deliğinden çıkması gerekiyordu. Odaya geri dönmesi. Sergent'ın ceplerini karıştırması.

En kötü olasılıkla cep telefonunu bulur ve Erwan'ı arardı.

Elinde bıçağıyla *zentai*'li adamla karşılaşmaktan korkarak, perdeyi araladı. Kimse yoktu. Banyodan çıktı ve koridora bir göz attı. *Kimse yok.*

Gitmiş olabilir miydi? Kimdi o? Başka bir servisten kaçmış bir deli mi? Hayır. Kıyafeti ve kilit altındaki bu servise kolaylıkla girmesi, onun hastanedeki tutsaklardan biri olmadığını gösteriyordu. Hastane, özellikle de Gaëlle onun tutsağı olmuştu. Hedef kendisiydi. Sergent'la karşılaşmış ve onu öldürmüştü, hepsi bu.

Sanki görünmez olacakmış gibi duvar boyunca ilerleyerek cinayet odasına doğru kısa ve sık adımlarla yürüdü. Koridorda hiçbir hareket yoktu. Gaëlle zorlukla nefes alıyordu. Sanki havadaki basınç artmış, oksijen azalmıştı.

Arkasında ayak sesleri duydu.

Çığlığına hâkim oldu ve karanlığın içinde kaybolmayı umarak yere çömeldi. Ayak sesleri yaklaşıyordu. Linolyum zemin üstünde kauçuk tabanlar.

Birden onu gördü.

Bir hastabakıcı. Ya da beyaz önlüğü ve elinde feneriyle bir gece bekçisi. Korku, eriyen bir mum misali üzerinden akıp gitti. Ayaklarının üstünde sıçrayıp doğruldu ve ona doğru koştu. Bağırıyor, ancak ağzından hiç ses çıkmıyordu. Karanlık ona henüz tüm yeteneklerini geri vermemişti.

Yirmi metre kalmıştı ki yaratık, adamın arkasında belirdi.

Gaëlle bu görüntüyü kavrayıncaya dek, başka bir görüntü daha eklendi: Siyah parlak kol, eldivenli el, gırtlağa giren bıçak. Bir sonraki görüntü, hastabakıcının şahdamarından fışkıran kan oldu.

Gaëlle duvara yapıştı. Kurban dizlerinin üstüne çöktü, sonra hemen ardından yere devrildi, şiddetli spazmlarla kasılıyordu. Katil gözlerini Gaëlle'den ayırmıyordu. En azından ona öyle geliyordu, çünkü adamın başlığında görünür tek bir delik yoktu. Şimşek hızıyla hatırladı, bu tür maskeler nefes alışını bozuyordu. Sonuç: Orgazm anında on katına çıkan zevk.

Gaëlle kaçmak istedi. Ama bunu yapacağına yerde kaskatı kesildi, en ufak bir harekette bulunamıyordu. Sanki şakakları mengeneye sıkıştırılmış, kolları ve bacakları felç olmuştu; görüşü bulanıklaşıyordu...

Adam hâlâ ona bakıyordu. Tamamen simsiyah olan yüzü, deri kaplı bir kütük parçasını andırıyordu. Gaëlle adamın üzerine atlamasını bekliyordu. Ama o eğildi ve acele etmeden, öldürdüğü adamın kana bulanmış beyaz önlüğünü çıkardı. Büyük bir keyifle sırtına geçirdi. Gaëlle bu yeni kıyafetten adamın zevk aldığını anladı. Fetişizm. Ahlaksızlık. İnsanlıktan uzak bir ruhun çarpık zevk duygusu.

Kaçmak neye yarardı? Hiçbir çıkış yoktu. Birisi söylemişti: "Eğer bütün olasılıklar ortadan kalkmışsa, geriye ne kalır? İmkânsızlık." Aklına katilin ayaklarının dibinde yatan hastabakıcının cebindeki anahtarlar geldi.

Fazla düşünmeden, başlıklı adama doğru hamle yaptı. Onun tepki göstermesine fırsat vermeden, cesedin üstüne çıkmıştı bile ve ceplerini yokluyordu. Anahtar yoktu. Beriki vurmak için kolunu kaldırdı. Gaëlle kendini yana atarak darbeden kurtuldu, bir daha denedi. Kemerden bir şıngırtı sesi geldi, anahtar demeti parmaklarının arasındaydı, ancak esnek bir anahtarlıkla pantolona bağlıydı.

Bir el onu yerden kaldırdı. Kanlı bıçak üzerine doğru geldi. Gaëlle geriye doğru sıçradı. Bu hareket saldırganın dengesini bozdu. Gaëlle kıç üstü yere oturdu, anahtarlar elinden fırlamıştı, ama adam da onu bırakmıştı. Adamın dizine vurmak için bacağını uzattı – boşuna bir çaba.

Eldivenli el onu saçlarından yakaladı. Gaëlle hâlâ mücadele ediyordu ve adamın kasıklarına isabet eden yeni bir tekme savurdu – aslında taşaklarını hedef almıştı. Bu kez herif geriledi. Bu da Gaëlle'in doğrularak kaçmasına yeterli oldu.

Hâlâ kapandaydı ve anahtarları almayı başaramamıştı. Yemek salonuna daldı. Burası yatakların yerine masaların bulunduğu alelade bir odaydı. Pencereye doğru koştu, tabii ki kolu yoktu.

Kapana kısılmıştı, ama yaşadığı paniğe rağmen gözüne başka bir şey çarptı: Sol tarafta, giyotin kapılı bir tabak asansörü vardı. Bu düzenek bir sürü kaçma-kovalamaca filminde işe yarıyordu, sadık bir gizlenme yeri. Kapağı açtı ve içine sığabileceğini tahmin etti.

Katil kapıda göründüğünde –beyaz önlüğünden kurtulmuştu– Gaëlle bölmenin içine girmişti bile ve mekanizmayı çalıştırmak üzere elini uzatıyordu.

Gördüğü son şey, kapanan iki kanat arasından uzanan siyah el oldu. Platform karanlığa doğru inerken aklına saçma sapan bir cümle geldi: *Akşam yemeği hazır!*

# 112

Atölyenin asma katı cam bir bölmeyle ayrılmıştı; kuşkusuz bir zamanlar gar şefinin odasıydı. Kafalarında kulaklıkları olan keşiş kıyafetli iki herif tarafından müzik miksajı yapmak için DJ kabini olarak kullanılıyordu. Bölme ses geçirmez olmalıydı; aşağıdaki ses curcunası kesinlikle duyulmuyordu. Erwan bir an için kendini bir bombardıman uçağının kokpitindeymiş gibi hissetti; uçaktan atılan bombaların etkisinden uzak bir şekilde aşağıyı seyrediyordu.

Çivi kadın gösterisinden sonra Lartigues onu bir asansöre götürerek, bu sığınağa çıkarmıştı.

– Çivi Adam sizin için kült bir konu mu? diye sordu Erwan.

– Kullandığınız kelime biraz aşırı, bir tür efsane diyelim.

– Dokuz kadını öldürmüş olması sizi rahatsız etmiyor mu? Demek istediğim, *gerçek* hayatta *gerçek* dokuz kadın.

Sakat adam tekerlekli sandalyesini sürdü ve beyaz kafatasları, parıltılı kukuletalar, altın işlemeli kasketler yığınına bakan geniş camın önünde durdu.

– *No limit* ruhundan hiçbir şey anlamadığınız kanısına kapıldım.

– Bir süreden beri beni iğrendirdiğini söylemek zorundayım.

Sakat adam başını çevirdi ve Erwan'a baktı. Bu gece kral, gözlerinin çevresi siyaha boyanmış bir firavundu.

– Yaklaşın ve bakın.

Polis istemeden söyleneni yaptı.

– Bütün eğilimler burada temsil ediliyor: Tıbbi, askeri, sadomazoşist... Her seferinde bir güç illüstrasyonu söz konusu. Aslında bu adamlar ve kadınlar, çocukluklarını arıyorlar.

– Anlayamadım.

– Gençlik yıllarına damga vurmuş travmadan söz ediyorum. Doktorun elindeki iğne, asker kostümüyle canlandırılan yasa otoritesi, babanın hâkimiyeti veya hadım olma korkusu...

Erwan bir psikanaliz seansına katılması gerektiğini anladı.

– Fetişizm dünyası geçmişle hesaplaşmak ister. Başlangıçtan gelen yaraları yeniden yaşamak ister; ama tabii heyecanını kontrol ederek, korkunun ötesine geçerek yetişkin bedeninde yaşamak ister. Her kostümün ardında, bir öç alma yatar. Doktor olunur, otorite olunur... Ve eğer hastayı, mahkûmu, hizmetçiyi oynuyorsanız, bu tamamen kendinizle alakalıdır. Bu geceler arınma geceleridir.

Erwan, çocukluk korkularından kurtulmak için kendisinin hangi kostümü seçeceğini düşündü. Ama ne yazık ki, zaten hep üstündeydi: Polis kostümü, babasının kostümü.

– Ya lateks?

– Lateks, diye yineledi Lartigues, keyifli bir iç çekişle. Bedensel duyumları artırır. Bir hava akımı ve tir tir titrersiniz. Birkaç hareket ve yanarsınız. Bu dansçılar tulumlarını çıkardıklarında birkaç bardağı terle doldurabilirler.

İğrenç.

– Hayır, bu yüce bir yaşam tarzı. Hem çıplaksınız hem gizli. Üzerinize deri geçirilmiş saf bir organa dönüşüyorsunuz.

– Benim de söylediğim bu. İğrenç!

Lartigues başını salladı. Sargılar içindeki bedeni, kâğıt havluya sarılı ölü bir ağacı andırıyordu. Erwan gülmek ile kaygılanmak arasında kararsız kalmıştı.

– Vorarefiliadan söz edildiğini işittiniz mi?

Kelime bir şey ifade etmiyordu.

– Canlı canlı yutulma hayali, diye devam etti sanatçı. Isırılmadan, hiç yara almadan. Bir anda kendini yılanın midesinde buluyorsun. Lateks, işte bu: Rahmin karanlığına geri dönüş. Bedenin hissettiği baskıdan zevk almak da var tabii.

– Ah, neredeyse unutuyordum.

– Alaycı olmayın. Arzu hep bir engele, bir yasağa dayanır. Burada çok sayıda kolan, kayış, protez gördünüz değil mi? Beden yaşanan andan daha fazla zevk almak için zorlanmalıdır.

Erwan saatine baktı; gece yarısına geliyordu. Bu saçmalıklar yeterince sürmüştü. Vücutlarını iyice saran giysileri içinde sosisleri andıran veya plastik madalyalarla süslenmiş bu kaçıkları izleyerek bir kez daha değerli saatlerini boşa harcamıştı.

– Çivi Adam ile kurbanları arasındaki ilişkiyi hâlâ anlamış değilim.

– Çivi Adam bir fetişistti. Travmalarını yeniden yaşayarak kendini korumaya çalışıyordu.

– Patlıcan kılığına girmiyordu, kadınları öldürüyordu.

– Onu korkutan canavarlar karşısında, çektiği acı tahammül edilmezdi.

– Ona mazeretler mi buluyorsunuz?

– Onu yargılamıyorum. Eğer bugün katilinizi yakalamak istiyorsanız onun ruh halini anlamanız ve küçümseyici akılcılığınızı unutmanız yararınıza olur.

– Tavsiye için teşekkür ederim. Edindiğimiz bilgilere göre, Anne Simoni'nin çok daha... özel merakları varmış. Cerrahi invaziv tekniklerini seviyormuş. Onun bu eğilimini paylaştığı insanları tanıyor musunuz?

– Size söyledim: Ben kimseyi tanımıyorum.

– Bu tiplerin birbirleriyle temas kurduğu bir forum, bir yer var mı?

– Hayır. Bir kez daha tekrarlıyorum: Asla izi sürülebilir teknikler kullanmıyoruz. İsim yok, bağlantı yok.

Kısa bir an, Erwan bir manga polis çağırıp buradaki herkesi toplamayı düşündü, ama hemen vazgeçti; gereksizdi. Zaten gece yarısı gürültü çıkarmak dışında ortada bir suç yoktu,.

Anne Simoni'nin giysilerini özel bir mağazadan aldığını hatırladı. Yarın oraya birini yollamalı, müşteri fişlerini –tabii varsa– taratmalıydı.

– Sébastien Redlich hakkında ne düşünüyorsunuz? diye sordu, konuyu artık kapatmak için.

– Redlich bir dosttur. Onun sayesinde, Yombe büyüsünün çarklarını daha iyi anladım ve sanatımı bu gizil enerjilere dayandırabildim.

– Jean-Patrick di Greco adı size bir şey ifade ediyor mu?

– Di Greco... Zavallı... İşte bütün sorunları halletmiş biri.

Erwan bu soruyu laf olsun diye sormuştu.

– Onu tanır mıydınız?

– Elbette. Bizdendi, yıllardır.

– Sizden mi? Topluluğun üyeleri olmadığını sanıyordum.

– Sadece Çivi Adam'la ve Yombe büyüsüyle ilgilenen bir arkadaş grubundan söz ediyorum.

– Redlich de bu fan kulübün üyesi miydi?

– Evet.

– Başka kimler var?

– Söyleyebileceklerimin hepsi bu.

Bir yalan daha, ama belki de burada zaman kaybetmemişti. Şimdilik, seri cinayetlerle ister istemez alakası olan lanetli üçlünün görüntüsünü belleğinde tutuyordu. Mumyadan izin istedi ve çıkışa doğru yürüdü.

Villa Bel-Air'e dönerken cep telefonu titreşti. Ekrana baktı, Levantin arıyordu.

– Sonunda rezerv ayrım dosyalarına giriş iznini aldım, dedi teknisyen, doğrudan lafa girerek.

– Gelecek kurbanın yakını kim?

– Sen.

– Neden bahsediyorsun?

Her koşulda ağırbaşlılığını koruyan Levantin'in bu kez sesi titriyordu.

– Hiç şüphe yok. Senin DNA'n. Web üstünden sorgulama yapan sitelerden ayrımlanması için birçok kez arşivlenmiş. Kadın saçları büyük bir kromozom benzerliği arz ediyor. Bir kız kardeşin var, değil mi?

– Seni ararım.

Erwan telefonu kapattı ve hemen Kripo'yla temas kurdu.

– En yakındaki polisleri Sainte-Anne Hastanesi'ne yönlendir. Sen de diğerleriyle birlikte oraya git. Ben yoldayım.

– Neler oluyor?

– Broca Binası. Gaëlle orada yatıyor. Süvarileri [1] de yolla!

1. Fransız polis jargonunda, resmi polis arabasıyla devriye görevi yapan üniformalı polisler. (ç.n.)

# 113

Olay yerine ilk Kripo geldi. Audrey ile Tonfa, ondan on dakika sonra. Erwan geldiğinde, üç adli polis operasyonu yönetiyordu, üniformalı polisler Maupassant yolu boyunca çevre güvenliğini sağlamıştı. Maskeli ve beyaz tulumlu kriminal büro polisleri, sanki karantinaya alınması gereken bir bölge söz konusuymuş gibi binaya giriyorlardı.

Adli tabiplerin olay yerine gitmesi yasak olmasına rağmen Kripo, Riboise'ı çağırmıştı. Hastaları ve personeli sorgulanmayı beklemek üzere diğer bloklara yollamışlardı.

Geriye bir tek cesetler kalmıştı.

İlk belirlemelere göre iki ceset vardı: Jacques Sergent ve Philippe Battesti adındaki bir hastabakıcı.

İkisi de otuz yaşını geçmemişti. Avcı ya da komando bıçağı tarzında ağzı tırtıklı bir bıçakla boğazları kesilmişti. Katil her seferinde, yaptığından emin bir şekilde, tek darbede kurbanların şahdamarlarını kesmişti; kalbin yaptığı basınç, vücuttaki tüm kanın birkaç saniyede boşalması için yeterli olmuştu. Kurbanlar aldıkları bıçak darbesiyle donup kalmışlardı. Bu binde bir rastlanan bir durumdu; çoğunlukla, kalp yaralanmalarında bile, ölmekte olan kişi birkaç metre hareket ederdi.

Tam bir infaz. Teknik olarak kusursuz.

Erwan, araçların arada bir çakan beyaz ve mavi ışıkları arasında Riboise'ı dinliyordu.

– Pernaud'nun otopsi raporu yarın sabah masanda olur.

– Sağ ol. Bu ikisiyle de ilgilenecek misin?

– Hayır. Ben yatmaya gidiyorum. Şu senin çivi saçmalıkların yüzünden yetmiş iki saatten beri uyumuyorum. Kendimi üç gün boyunca bir kaktüse epilasyon yapmış gibi hissediyorum. Bu bokluğa ne zaman son vereceksin?

Emekliliği yaklaşmış olan Riboise, Erwan'la bir çocukla konuşur gibi konuşuyordu. O, elinde çantasıyla uzaklaşırken, Erwan Kripo'ya döndü.

– Gaëlle nerede?

– Pinel Binası'na götürmüşler, buradan yüz metre ötede.

– Onu nerede bulmuşlar?

– Bu binanın hemen yanındaki çalılıkların içinde.

– Durumu nasıl?

– Yaşadıkları göz önünde bulundurulursa, çok kötü değil.

– Onu sorguladılar mı?

– Hayır. Seni beklediler.

– Kurtulmayı nasıl başarmış?

– Tabak asansörüyle, filmlerdeki gibi.

Sesinde en ufak bir alaycılık yoktu. Kripo buna cesaret edemezdi. Erwan sağa sola bakıyordu. Araçların tepe lambalarının ışıkları arasında babasını görmekten korkuyordu.

– Her şeyin ayrıntılı olarak yer aldığı eksiksiz bir rapor istiyorum. İşlerin planlamasını diğerleriyle birlikte yapar mısın?

– Yapıldı bile.

– Mahalle kordon altına alındı mı?

– Sağ yakadaki tüm polisler görev başında.

– İlk durum saptamasını kim yaptı?

– Köşedeki karakoldan, Hôpital Bulvarı Karakolu'ndan bir adli polis memuru. Rémy Amarson.

– Burada mı?

– Bayrağı bize devretti. Karakolda tutanağını hazırlıyor.

– Savcı?

– Nöbetçi savcı bir kadın. Geliyor.

Erwan adını bile sormadı; önemi yoktu. Kripo'nun anlayacağı bir işaret yaptı: Kâtip, bir kez daha onun yerine kırtasiye işleriyle ilgilenecekti.

– Gaëlle'i görmeye gidiyorum.

Erwan başka bir şey söylemeden binaya doğru yürüdü. Tepe lambalarının ara ara çakan ışığı altında hastane yerleşkesi dehşete düşmüş bir köye benziyordu. Bir çan kulesi, belediye binası olabilecek kesme taştan bir yapı, kırmızı kiremitli evler görülüyordu. Pencerelerden sanrılı yüzler bakıyordu – hastaların hepsi uyanmıştı. Aklına çocuklar geldi. Onların evine, onlara saldırmaya gelmişlerdi. Genel inanışın aksine, deliler çoğunlukla en güçsüz, en kırılgan insanlardı. Sokakta saldırıya uğrayan kişiler listesinde en başta yer alıyorlardı.

Bu gece, çok daha korkunç bir başka deli onların bölgesine saygısızlık etmişti. Kız kardeşini öldürmeye gelmiş –bu konuda hiç şüphesi yoktu– bir kurt adam, yolunun üstündeki tüm engelleri ortadan kaldırmıştı.

Bölümün kapısında bekleyen üniformalılar Erwan'a yolu tarif ettiler. Gaëlle'i üçüncü kata yerleştirmişlerdi. Erwan merdivene yöneldi. Tüm binaya bir uğultu hâkimdi. Deliler fısıldaşıyorlardı. Hastabakıcılar onların yanlarında bekliyorlardı. Yüzlerinden, korku ve üzüntü okunuyordu. Meslektaşlarından biri ölmüştü, buradan olmayan bir kaçık tarafından öldürülmüştü. Sainte-Anne, bu uykusuz geceyi uzun süre unutmayacaktı.

Üçüncü kat. Bir başka kontrol noktası. Birileri Erwan'a eşlik etti. Tavan ışıkları yakılmıştı; soluk renkli duvarlar ayna gibi parlıyordu. Her yere saldırgan, müstehcen bir hüzün egemendi. Erwan henüz Jacques Sergent'ı düşünmemişti. Bunu da üstlenmesi gerekecekti: En ufak bir meşruiyeti olmadan, genç bir polisi kız kardeşinin kapısının önünde dikmişti. Pernaud'nun bedeninde bulunan saç ve tırnak analizlerine göre, Gaëlle'in korunması gerektiğini ileri sürebilirdi, tabii bunun için sonuç saatlerini değiştirmesi gerekirdi. Her halükârda, yirmi yedi yaşındaki bir adamın ölümünden sorumluydu. Cenaze törenini, anne babasını, ölümünden sonra takılan madalyayı düşündü...

322 numaralı odanın kapısını vurdu, cevabı beklemeden içeri girdi ve çarşafsız bir yatağın üstünde sigara içen kız kardeşini gördü. Ayaklarında, kırılganlığını daha da belirginleştiren babetler olduğunu fark etti. İçinden ona sımsıkı sarılmak geldi, ama Morvan'larda böyle bir şey yapılmazdı. Eğer bir intihar girişimi veya ölümcül bir saldırıdan sonra çok sevdiği kız kardeşine şefkatini gösteremiyorsa, bu lanetli klanda ne zaman sevgi tomurcukları yeşerirdi?

Son derece gergin bir halde yaklaştı ve sanki "Kimlikleriniz!" der gibi emredici bir tonda sadece "Nasılsın?" diye sormakla yetindi.

Gaëlle başını kaldırdı; iki gözü iki çeşme ağlıyordu.

– Sarıl bana, diye mırıldandı.

Erwan diz çöktü ve yavaşça ona sarıldı – en ufak bir baskıda kırılacak çatlak bir porselenmiş gibi. Bu şekilde kaç saniye geçti bilmiyordu. Tek bildiği, ilk kez, tenlerinin artık bir zırh gibi olmadığıydı.

Uzun bir sürenin sonunda, Erwan ayağa kalktı ve pencerenin önünde dikildi; yeniden bir sopa gibi katıydı. Sert polisin geri dönüşü. Ya böyle yapacaktı ya da sabaha kadar ağlayacaklardı.

– Nasıl oldu?

– Bilmiyorum, dedi Gaëlle, bir öncekinin ateşiyle yeni bir sigara yakarken.

İzmariti yere attı ve ayağıyla ezdi. Linolyum yer döşemesi sigara izmaritleriyle dolmuştu. Sonunda, hikâyesini anlattı: Lateks tulumlu bir katilin gerçek bir katliama giriştiği, uyanıkken gördüğü bir tür kâbus. Kendisi Villa du Bel-Air'de vampirler balosundayken, bu olayın meydana gelmesine inanamıyordu Erwan. Akıl almaz bir eşzamanlılık!

İfadesiz bir ses tonuyla Gaëlle, gerçeküstü bir açıklamada bulundu:

– Bu tulumlara "*zentai*" deniyor. Başlığın görünür hiçbir deliği yok. İlmikler görmeyi ve nefes almayı sağlıyor, ama bozuk bir şekilde.

Erwan'ın gözünün önüne Lartigues'in evindeki insan-organlar geldi. *Vorarefilia*. Atölyenin duvarlarında birkaç saat önce gördüğü fotoğrafları hatırladı. Resimlerden birinde, bir surata tamamen deri giydirilmişti. *Her şey bağlantılı*.

– Sen daha önce bu tür şeyler giydin mi?

– Sus. Bunu öğrenmek için biraz dışarı çıkman yeterli.

Gaëlle hikâyesini, tabak asansörüyle kaçışını anlatarak bitirdi. Erwan dikkatini toplamakta zorlanıyordu. Her şey ona tersten işliyormuş gibi geliyordu. Kız kardeşi sigaranın dumanını dışarı üflemiyor, sanki onu yutuyordu. Sözcükler ağzından çıkmıyor, boğazının derinliklerine iniyordu.

Eliyle gözlerini ovaladı ve bu halüsinasyonu uzaklaştırdı. Sigarasından çektiği iki nefes arasında Gaëlle sırıttı. İnsan kendini bir garın sigara odasında sanabilirdi. Erwan, kız kardeşinin ne kadar şanslı olduğunun farkına vardığından emin değildi. Tam bir mucizeydi. Yirmi dört saat içinde ikinci mucize.

– Bu herif, kim? diye sordu Gaëlle, birden ciddi bir tavır takınarak.

– Bunu söylemek için çok erken...

– Bana öfkeliydi.

Ona gerçeği söyleme konusunda tereddüt etti:

– Bütün medyanın bahsettiği katil olduğunu düşünüyorum.

– Şu çivili katil mi?

– Evet, o.

– Bunun babamın Afrika'da yakaladığı o katille bir ilgisi var mı?

– Aynısı.

– O ölmedi mi?

– Öldü, ama bu herif de onunla aynı yöntemi kullanarak öldürüyor. Bir tür... reenkarnasyon gibi. Soruşturmayı ben yürütüyorum.

– Elinde ipucu var mı?

– Kahretsin, yok. Dava ellerimin arasından kayıp gidiyor.

– Öfkesini neden benden çıkarıyor?

– Babamdan intikam almaya çalışıyor.

– İlk katil yüzünden mi?

– Onun gibi bir şey, evet.

– Peki babam bu konuda ne diyor?

– Herifin çok daha büyük bir intikamın parçası olduğunu düşünüyor. Tanrı'nın kırbacı misali... Babamı bilirsin.

Gaëlle sigarasının korlaşmış ucuna bakarak gülümsedi.

– Demek nihayet günahlarının bedelini ödeyecek, ha?

Erwan onu yanağından öptü. Gaëlle'in yanakları cayır cayır yanıyordu.

– Öder veya ödemez, hiç umurumda değil. Ama senin gibi bir masumun bunun ceremesini çekmesini istemiyorum.

– Ben masum değilim.

Erwan kız kardeşini yeniden öptü, sanki bir daha asla vazgeçemeyeceği, unutulmuş bir zevki yeniden hatırlıyordu.

– Yarın sabah gelirim.

– Buradan çekip gitmek istiyorum.

– Ne yapabileceğimize bakarız. Şimdilik, sen biraz uyumaya çalış.

Koridorda cep telefonu titreşti.

– Hôpital Bulvarı'ndaki adli polisle konuştum, diye açıkladı Kripo. Bizim adam olma ihtimali yüksek tuhaf bir herif yakalamışlar. İnanılmaz bir rastlantı: Sainte-Anne'a dönerlerken, Auguste-Blanqui Bulvarı'nda herifle karşılaşmışlar.

– Neden bizim adam olduğunu düşünüyorlar?

– Adamın üstünde lateks bir tulum varmış, her yeri delikmiş ve...

– On saniye içinde aşağıdayım. Senin arabanı alırız.

114

– İzin verirseniz size Doktor Hervé Balaga'yı tanıştırayım, diye lafa girdi Başkomiser Amarson.

Pilot montu giymiş, ortalama bir polis olan Amarson, şüpheliyle yüzleşmeden önce, onları odasında konuk etmek istemişti. Yanında sarsak bir punk'çıyı andıran, kare çerçeveli gözlük takmış ve eski bir motosikletçi ceketi giymiş, ellili yaşlarda biri vardı.

– Sorgulanacak adamın bazı özelliklerini... göz önünde bulundurarak, acilen bu vücut sanatı uzmanını çağırdım.

Erwan ile Kripo birbirlerine baktılar. Gece başka güzel sürprizler de vaat ediyordu anlaşılan.

– Daha önce de bir davada onunla çalıştım ve kendi uzmanlık alanındaki bilgilerini değerlendirme şansı buldum, diye devam etti adli polis. Şüpheliyi gördü ve...

– Bizden önce mi?

– Onunla konuşmadı. Sadece sıradan bir... tıbbi muayeneydi. (Punk'çıya döndü.) Buyurun, doktor.

Balaga'nın elinde, üstüne bir şeyler karaladığı bir kâğıt vardı. Gözlüğünü düzeltti ve yaşlanmaya başlamış bir rock eleştirmeninin monoton sesiyle konuşmaya başladı:

– Adam bir metre seksen yedi santim boyunda. Yaklaşık yüz kilo. Bana sorarsanız bir okul vakası.

– Ne okulu?

Balaga sustu ve Erwan'ı da bakışlarıyla susturdu; sözünü kesmemeleri gerekiyordu.

– Vücut sanatı. Vücut hack'leme. Transhümanizm. Fetiş-sadomazo sanat. Burada amaç, hem vücudu süslemek hem de değiştirmektir. Onun vücudunda her boyda, her şekilde otuz yedi tane *piercing* saydım, ayrıca alnının tam ortasına düşey bir çizgi halinde çakılmış bir dizi çivi ve sırtta da metal bir çıkıntı var.

– Bir dakika, diye kesti yeniden Erwan. Onu çıplak mı gördünüz?

– Onu gözaltına aldık, diye cevap verdi Amarson. Bunlar üst araması sırasında saptandı.

Tüm bunlar yasadışıydı. Polis üst araması yapmak için "uzman"ını beklemişti. Neden?

– Adamda ayrıca, şakak altlarında tuhaf kabartılar oluşturan deri altı implantlar da var, diye devam etti Balaga. Bunun yanı sıra, kızgın demirle "damgalama" yöntemi kullanılarak yapılmış kırk kadar damga ve desen de. Kırmızı ve beyaz lensler takıyor ve dişleri de sivriltilmiş alaşımdan. Kulakmemeleri, titanyumdan silindirlerle deforme olmuş. En tuhafı da çatallı dili. Buna "*tongue splitting*" deniyor. Vücut değiştirmelerde kullanılan bir tür süs. Erkeklik organı boyunca bir yarık görsem de şaşırmazdım, ama şüpheli tamamen soyunmayı reddetti.

Gözaltına alınan bu herif doğrudan Lartigues'in gecesinden çıkmış gibiydi. Bu adam gerçekten de Sainte-Anne'a giren davetsiz misafir miydi? Gaëlle sadece *zentai* tulum içinde atletik yapılı bir adam görmüştü.

– Dövmeler?

– Yok. Ancak bunun geçerli bir sebebi var.

– Nedir?

– Adam siyah. Hem de çok siyah.

Erwan, Amarson'a sitem eder gibi baktı; bu önemli olgudan ona bahsetmemişlerdi.

– Uyruğu ne? diye sordu başkomisere.

– Nijeryalı.

– Alkol testi yaptınız mı? Kan aldınız mı?

– Sadece alkol testi. Temiz. Başka bir şey yapamadık; *habeas corpus*[1] başvurusu yaptı.

– Gözaltında mı, değil mi?

– Durum bundan daha karmaşık.

Polis masaya, üstünde altın sarısı harflerle "Diplomatik Pasaport" yazan kırmızı bir pasaport koydu.

– Adam Paris'teki Nijerya Büyükelçiliği'nde kültür ataşesi. Joseph Irisuanga, kırk sekiz yaşında, 16. Bölge'de Raymond-Poincaré Caddesi'nde oturuyor. Bekâr, en azından Fransa'da. Her

**1.** 1679 yılında İngiltere'de çıkarılmış bir yasa. Hukukçular tarafından insan haklarının gelişiminde önemli bir aşama olarak gösterilir. Kabul edilen bu belgeyle, idarenin tüm eylem ve işlemleri yargı denetimine tabi hale gelmiş, keyfi tutuklamalar yasaklanmış, tutuklanan kişinin 48 saat içerisinde yargıç önüne çıkarılması zorunluluğu getirilmiştir. (ç.n.)

şey kontrol edildi. Elimizde adamı suçlayacak hiçbir şey yok. Aslında, yasaların dışına çıkan biziz. Avukatı birkaç dakikaya burada olur. Onu derhal serbest bıraktıracaktır.

– Ya dokunulmazlığının kaldırılması?

– Hangi sebeple?

– Uyuşan bir sürü ipucu var ve...

– Elimizde hiçbir şey yok, bunu siz de biliyorsunuz. Yapabileceğimiz tek şey, avukatı buraya düşmeden onu bir kez daha sorgulamak. Bunu yapma hakkınız var. Sonuçta söz konusu olan sizin kız kardeşiniz. Size iyi şanslar diliyorum. Adam, geldiğinden beri ağzını açmadı.

Erwan ayağa kalktı.

– Yeterince bilgi sahibi değilim. Mesela, onu neden tutukladınız?

– Uyuşturucu almış gibi bir hali vardı. Suni deriden tulumunun içinde sendeleyerek yürüyordu.

– Bana lateks demişlerdi.

– Ben de öyle demek istiyordum.

– Daha fazlasını öğrenmeye çalışmadınız mı?

– Bu saatte pek kolay değil, ancak Nijerya'nın Paris'teki irtibat ajanını uyandırdık. Adam dehşete kapılmış gibiydi: Irisuanga ülkesinde çok önemli biriymiş.

– Gerçekten elçilikte çalışıyor mu?

– Özellikle de Seine Sokağı'ndaki bir sanat galerisinin sahibi.

Bir başka ortak nokta. Biraz şansı yaver giderse, Irisuanga, Lartigues ile Redlich'e Aşağı Kongo *minkondi*'lerini satan kişi de olabilirdi.

– Bir başka dikkat çekici olgu da, diye devam etti Amarson, kesinlikle göründüğünden daha uyanık birine benzemesi, adam ülkesinde bir yıldızmış. Olimpiyatlara katılmış eski bir atlet.

– Hangi disiplin?

– Koşu. Ama hangi yarış türü anlamadım. 1984 Los Angeles Oyunları'nda ülkesine altın veya gümüş madalya kazandırmış.

Marsilya'da konteyner gemisine doğru son hızla koşan atlet. *Belki de* Mayombe heykelleri satan bir galeri. Fetiş profili ve *zentai* tulumu. Gaëlle'e yapılan saldırının ardından yaklaşık birkaç dakika sonra Sainte-Anne yakınlarında görülmesi...

Erwan punk'çı doktora döndü.

– Fetiş gecelerini biliyor musunuz?

– Bu benim uzmanlık alanımın bir bölümü.

– *No limit*'lerden söz edildiğini duydunuz mu?

– Bu ortamda, çok revaçta. En çılgınlar bunun için bir araya gelirler...

– Bu gece bir *no limit* vardı, bunu biliyor musunuz?

Doktor ile başkomiser birbirlerine kaçamak bir bakış attılar.

– Gurularının evinde hâlâ devam eden bir *no limit* var: Ivo Lartigues, Porte de Vincennes yakınlarında.

– Bu durumda, Irisuanga belki de oraya gidiyordu, diye karşılık verdi Amarson. Onu durdurduğumuzda Place d'Italie'ye doğru yürüyordu.

Erwan gözlerini Balaga'dan ayırmıyordu.

– Lartigues. Bu ismi biliyor musunuz?

– Evet. Bir heykeltıraş. Ve sizin de dediğiniz gibi, bir "guru." Vücut değiştirme ortamında çok tanınmış biridir.

– Sébastien Redlich?

– Adını hiç duymadım.

– Adamın yanına gitmeniz gerekiyor, diye fısıldadı Amarson. Avukatı burada olunca, biz...

– Onu tek başıma sorgulayacağım, diye uyardı Erwan. Ben işimi bitirmeden kimse o kahrolası odaya girmeyecek.

## 115

Joseph Irisuanga dünya üzerindeki tanıdık hiçbir şeye benzemiyordu. Şakaklarının hizasından yükselen, deri altına yerleştirilmiş iki boynuz ve alnının tepesinden burun köküne kadar inen perçin çivilerinden oluşan bir çizgi. Kazınmış kaşlar. Kırmızı gözbebekleri. Silindirlerle genişletilmiş kulakmemeleri. Tüm bunlar, insanı tiksindiren veya güldüren yapay bir sonuç ortaya çıkarmıştı. Irisuanga burada göstermek istediğinin tam tersini, gerçek özelliğini sergiliyordu – et ile metal karışımı bir mutant.

Erwan onun karşısına oturdu ve doğal görünmeye çalıştı.

– Bu bir *zentai* mi? diye sordu, sakin bir tavırla.

Cevap yok.

– Bu nefes almanızı zorlaştırmıyor mu?

Cevap yok.

Erwan bir an adamın Fransızca anlamadığını düşündü. Aslında, şüphelinin konuşmak gibi bir niyeti yoktu. Avukatını beklemekle yetiniyor ve elleri ceplerinde, tabii tulumunda cep varsa, buradan çıkıp gitmeyi düşünüyordu.

Irisuanga kahve kupasını aldı –karşılama komitesinin bir ikramı– ve sanki Erwan'la tokuşturacakmış gibi havaya kaldırdı. Lateksin altından sivriltilmiş tırnakları hissedilebiliyordu. Sainte-Anne'daki yırtıcı rolü için mükemmel bir adaydı.

– Sizin kim olduğunuzu biliyorum, dedi sonunda Joseph Irisuanga.

Kuşkusuz bu, konuşmaya bir davetti.

– Tanışıyor muyuz?

– Ben sizi tanıyorum. Az önce siz de gecedeydiniz.

– Siz de orada mıydınız?

– Operadan gelir gibi bir halim mi, var?

Erwan böyle bir tipten bu vurdumduymazlığı, bu mizahı beklemiyordu. Joseph Irisuanga'nın hoş ve derinden gelen bir sesi vardı. Neredeyse aksansız, mükemmel bir Fransızca konuşuyordu. Heceleri sanki kadife kaplı gibiydi.

Erwan, adamın orada olduğunu ispatlamaya çalıştığını hissetti.

– Bu gece çok kostüm vardı.

– Onların farklı evrenlere ait olduklarını biliyor musunuz?

– Arkadaşlarım Lartigues ve Redlich bana açıkladılar, evet.

– Tören üstatları...

– Onları tanıyor musunuz?

– Kan kardeşiyiz.

– Lafın gelişi mi böyle söylediniz?

– Hayır.

Erwan yeniden polis tarzına döndü.

– Lartigues ile Redlich sizin saat 22.00 ile 01.00 arasında Villa du Bel-Air'de olduğunuza tanıklık edebilirler mi?

– Sadece onlar değil, otuz kadar insan da bunu teyit edecektir.

– Sorgulanmak üzere durdurulduğunuz sırada, tam ters yöne doğru yürüyormuşsunuz. Nereye gidiyordunuz?

Nijeryalı gülümsedi. Erwan gitgide mutanta alışıyordu.

– Beni neyle suçladığınızı tam olarak bilmiyorum, ama elinizdeki tek ipucu yürüme yönümse, yanlış yoldasınız.

– Cevap verin.

– Saat 01.00'de geceden ayrıldım, diye fısıldadı Irisuanga, bıkkın bir ses tonuyla. Soult Bulvarı'ndan bir taksiye bindim. Beni Glacière Sokağı'nın köşesinde bıraktı.

– Bana hâlâ nereye gittiğinizi söylemediniz. Kimliğinize göre 16. Bölge'de oturuyorsunuz.

– Bu cevapla yetinmeniz gerekecek. Bu olaya kimseyi bulaştırmayacağım.

– Hangi şirket, taksi?

– Hiçbir fikrim yok. Araştırın. Benim gibi bir müşteriyi, genellikle hatırlarlar.

– 7 Eylül Cuma'yı 8 Eylül'e bağlayan gece neredeydiniz?

– Lagos'ta, Nijerya'da.

– Paris'e ne zaman döndünüz?

– Cumartesi, saat 19.00'da.

– Buna tanıklık edecek birileri var mı?

– Ailem. Bir sürü bakan. Havayolu şirketini arayın. Vakit kaybettiğimizi düşünüyorum.

Erwan duymazdan geldi.

– Bir sanat galeriniz varmış.
– Daha ziyade hissedar ve yöneticiyim.
– Afrika sanatı konusunda uzman mısınız?
Beriki ölümcül köpekdişlerini sergileyerek, yeniden sırıttı. Kırmızı gözbebeklerinde bir lazer nişangâhının duyarlılığı vardı.
– Bir Zenci ülkesinden sadece heykelcikler getirebilir, öyle mi?
– Düşünüyordum da...
– Onyx Galerisi, bugünlerde çok beğenilen bazı ressam ve fotoğrafçıların eserlerini sergiliyor. Ve onlar da Afrikalı değil.
Irisuanga bir sabun gibi ellerinden kayıyordu. Görünüşüne rağmen, Redlich ve Lartigues'le olan bağına rağmen, suç mahallinin yakınlarında yakalanmasına rağmen onu suçlamak veya alıkoymak için ellerinde hiçbir şey yoktu.
– Hangi dine mensupsunuz?
– Lagos'ta bir pentekost kilisesine bağlıyım.
– Animist değil misiniz?
– Bir klişe daha. Siz bir büyücü mü arıyorsunuz yoksa?
– Lütfen.
Irisuanga'nın sabrı tükeniyordu.
– Afrika'da herkes animisttir. Bu inancınızı değiştirin, maki ormanı hep oradadır. Ve ruhlarla birlikte.
– Yombe kültü size bir şey ifade ediyor mu?
– Bu Kongo'yla alakalı değil mi?
Irisuanga alaycı bir şekilde bir anda Afrika aksanına döndü.
– Patron, orası gerçekten benim ülkeme çok uzak.
Irisuanga'nın dokunulmazlığı vardı, kendisi de bunu biliyordu.
– Ne eğitimi aldınız?
– Oxford'da okudum.
– Hangi bölüm?
– İngiliz edebiyatı ve sanat tarihi.
– Tıp okumadınız mı?
– Hayır.
– Hiç cerrahi deneyiminiz olmadı mı? Hiç fetişist arkadaşlarınızı kesip doğramadınız mı?
Erwan ayağa kalkmıştı, yüz ifadesi hiç de hayırlı değildi. Kaybedeceğini bile bile mücadele ediyordu. Kuşkusuz bu onu son sorgulayışıydı. Irisuanga sakince ona bakıyordu. Ellerini masanın üstüne koymuştu. İki deri altı bileziği, sanki kan dolaşımını sağlayan iki yuvarlak damar gibi cildinde kaygı verici kabartılar oluşturuyordu.
– Saçmalıklarınızdan bıktım, dedi adam bezgin bir sesle. Eğer

Çivi Adam cinayetlerini bana yıkmak istiyorsanız, başka bir şey bulmanız gerekecek.

– Size ne cinayetlerden ne de Çivi Adam'dan söz ettim.

Nijeryalı buz gibi bir kahkaha attı.

– Demek kendimi ele verdim, öyle mi? Basında çıkan yazılardan sonra? Lartigues'in atölyesindeki geceden sonra? Siz ne sanıyorsunuz? Düşünme kabiliyet olmayan bir Afrikalı mı?

Erwan kapıya doğru yürüdü ve sonuna kadar açtı.

– Serbestsiniz Bay Irisuanga.

– Ben zaten serbesttim.

Koridorda, Amarson kaygılı bir halde onu bekliyordu.

– Avukat burada, dedi alçak sesle.

Irisuanga kapının eşiğinde onlara katıldı. Küçümseyen bakışlarla iki polisi tepeden tırnağa süzdü. Erwan mekanik bir hareketle elini cebine soktu ve cep telefonunu çıkardı. Mesajlarını kontrol etti. Levantin aramıştı. Erwan onu geri aradı.

– Tamam, dedi uzman, damdan düşer gibi. Anne Simoni'den yetmiş ikinci örnek alındı, farklı bir kan bulundu.

– Tam olarak nerede?

– Sol kulağın arkasında, tıpkı şampanyayla yapıldığı gibi.[1] (Acı dolu bir kahkaha attı.) Kuşkusuz kendisine uğur getirsin diye.

– Hangi grup?

– 0 negatif. Şansımız var. 0 pozitif çıksaydı havamızı alırdık. Bu Anne Simoni ile Ludovic Pernaud'nun grubu.

– Bu grupla ilgili özel bir şey var mı?

– Nadir bir kan grubu, ama yine de bu milyonlarca şüpheli demek.

– Afrika kökenlilere özgü bir grup mu?

– Sanmıyorum, hayır. Kontrol ederim.

Koridorun sonunda Irisuanga, avukatıyla konuşuyordu; o da Afrika kökenliydi. Bu adam, müvekkillerini kurtarmak için karakola hırpani bir kılıkla gelen diğer avukatlara benzemiyordu. Herif *Vogues Hommes* derginden fırlamış gibiydi – sabahın üçünde.

– Bu örnekten bir karyotip çıkarabilir misin?

– Yolda.

– Ludovic Pernaud'yla ilgili analizlere devam.

– Şaka mı yapıyorsun?

O sırada, kırmızı gözbebekli adam başını çevirdi ve Erwan'a alaycı bir bakış attı. Üniformalı polisler geçip gittiler. Erwan emin değildi ama, sanki mutant ona göz kırpmıştı.

**1.** Bir tür batıl inanç. Uğur getirmesi için kulağın arkasına şampanya sürmeye dayanır. (ç.n.)

– Son bir şey daha, dedi Levantin. Önemli bir şey değil, ama elimizde bir 0 negatif kan var.

– Kimin?

– Bizzat Thierry Pharabot'nun.

Erwan akıldışı korkulara boyun eğmek istemiyordu: Ölüler arasından geri dönen Çivi Adam.

– Pharabot 2009'da yakıldı ve elimizde bu rolü üstlenecek milyonlarca aday var. Yeni bir şey bulursan beni ara.

Kripo'yu bulmak için dışarı çıktı. Lavtacı kaldırımda sigarasını sararken nöbetçilerle laflıyordu.

– Evet? diye sordu, dalgın bir şekilde.

Yorgunluk, her zamanki uyuşukluğunu iyice artırmış gibiydi.

– Bana sorma. Lartigues ile Redlich'in tıbbi dosyalarında ne durumdasın?

– Yarın elimizde olacağını düşünüyorum.

– Bana Joseph Irisuanga'nın da tıbbi dosyası gerekiyor. Karakoldan sana onunla ilgili bilgileri verecekler. Sana önceden haber vereyim, bu iş biraz belalı. Herif Nijeryalı ve diplomatik dokunulmazlığı var.

Kripo bu yeni zorluktan ürkmüşe benzemiyordu. Sarma sigarasını dudaklarının arasına sıkıştırdı ve not defterini çıkardı.

– Aşı olup olmadığını da öğrenmek istiyor musun?

– Diğer ikisiyle birlikte onun da kan grubunu da öğrenmek istiyorum. Doğumundan itibaren ne tür tedaviler görmüş, tamamını bilmek istiyorum.

Erwan aklından bir türlü çıkaramıyordu: Anne Simoni'nin cesedinde Pharabot'nun kanı vardı. Bunun basit bir rastlantı olduğuna inanmak imkânsızdı. Ama aynı zamanda mucize olarak da açıklanamazdı.

– Irisuanga'nın Sainte-Anne'daki herif olduğunu mu düşünüyorsun? diye sordu yardımcısı.

– Boş bir şeyin peşinden koşarken gerçeği gözden kaçırmamamız gerektiğini düşünüyorum.

– Yani?

– Bütün bu olayların arkasında Pharabot var ve sadece model olarak da değil.

– Ne diyorsun, hiçbir şey anlamıyorum.

– Ben de anlamıyorum, inan...

# 116

Gaëlle, fırtına anında veya kontak attığında elektrikler kesilse bile çalışan bilgisayarlar gibiydi. Dış dünyadan ne en ufak bir enerji ne de duyum alıyordu. Yine de yarı uyur halde olmasına rağmen, yavaşça açılan oda kapısının gürültüsünü duydu. Eşikteki silueti hemen tanıyamadı.

Kim olduğunu görmek için ışığı yakmak zorunda kaldı. Burada görmeyi beklediği en son kişiydi. Sofia Montefiori'nin ta kendisi.

– Girebilir miyim?

Saat sabahın dördüydü (saatini geri vermişlerdi) ve Sofia ışıldıyordu. Bozulmayan bir tazeliği, yükseklerdeki hiç erimeyen karlar gibi değişmez bir canlılığı vardı: Mevsimsiz, fasılasız, her daim güzel.

– Elbette, dedi Gaëlle, boğuk bir sesle, gayriihtiyari saçlarını düzeltirken.

İtalyan kadın bir iskemle aldı ve yatağın yanına oturdu.

– Loïc'le mi geldin?

– Beni onsuz görmeye alışman lazım.

– Elbette, diye yineledi cılız bir sesle. Polisler bu saatte... içeri girmene izin verdiler mi?

– Unutma, adım hâlâ Morvan.

Gaëlle gülümsedi. Her zamanki saldırgan tutumunun ardına sığınmak isterdi, ama buna mecali yoktu.

– Olanları duydun mu?

– Loïc telefon etti.

– Yani her şeyi mi?

Sofia, sigara paketini çıkarırken başıyla onu onayladı.

– Burada sigara içebiliyor muyuz?

Zaten odanın kokusu başlı başına bir cevaptı. Gaëlle Marlboro'sunu yakan yengesine baktı. Hep onun tenini kıskanmıştı, ama bugün farklıydı. Daha yakından bakınca İtalyan kadının göz altlarında morlukları ve cildinin fazla yağdan parladığını görebiliyordu. Ayrıca, büyük şaşkınlıkla, göz kenarlarındaki kırışıkları fark etti. Bunlara kazayağı denirdi, ama Sofia'nınkiler daha ziyade kartal pençesine benziyorlardı. Boşanma işlerinden dolayı mı?

– Sigara ister misin?

– Hayır, sağ ol. Yeterince içtim. Beni görmeye gelmen çok hoş.

– Seninle bir şey konuşmak istiyordum.

Gaëlle ne zaman gözlerini kapasa, başlıklı katil yeniden ortaya çıkıyordu. Genç kadın gözlerini açıyor, bu kez de daha beteriyle karşılaşıyordu: Bej duvarlarda Jacques Sergent ile hastabakıcının çırpınan bedenlerini görüyordu.

Sofia inanılmayacak hikâyesini anlatmaya başladı. Babalarının uzun yıllardan beri tanıştıklarını, Coltano'daki hisselerini birleştirmek için Sofia ile Loïc'in evliliğini gizlice tezgâhladıklarını söyledi. Yaptığı bu keşfe kafayı o denli takmıştı ki, bu akşam yaşanan vahşetle karşılaştırıldığında bunun gülünç kalabileceğini düşünemiyordu bile.

Gaëlle kahkahalarla gülmek istiyordu. İhtiyarların planları onu şaşırtmamıştı, ama mükemmel çiftin mirasını yok etme fikri çok eğlenceliydi.

– Bu konuda sen ne düşünüyorsun?

Gaëlle irkildi. Bir süreden beri onu dinlemiyordu. Yorgunluk. Sakinleştiriciler.

– Yani? diye mırıldandı.

– Birlikte hareket etme planım hakkında ne düşünüyorsun?

– Birlikte hareket etmek mi?

– Onları dize getirmek zorundayız. Bir yol bulmayız...

– Boş ver. Ben artık orada değilim.

– Bu nasıl olur? Neden?

– Belki de üçüncü kattan atladığım için. Ya da cinayete kurban gitmeme ramak kaldığı için. Karar veremiyorum, dedi, dalgın bir tavırla.

Sofia onun elini tuttu.

– Seni anlıyorum, dedi, tam tersini söyleyen suçlayıcı bir ses tonuyla. Ama bunu yapmalarına izin veremeyiz. Bu lanet herifler doğduğumuz günden beri bizi manipüle ediyorlar ve...

– Ne istiyorsun? Onları mahvetmek mi? Bunu yapacak imkânların yok ve sen kendini mahvedeceksin. Tam olarak neyi ispatlayabilirsin? Evliliğini tezgâhladıklarını mı? Bu Fransız kanunları nezdinde suç bile değil.

Kontes sandalyesinde geri çekildi, hayal kırıklığına uğramıştı.

– Seni tanıyamıyorum.

– Artık ben de kendimi tanıyamıyorum ve bu beni rahatsız etmiyor.

Sofia kırışan eteğini düzeltme gereği duymadan ayağa kalktı. Gaëlle'in Montaigne Caddesi'nde gördüğü bir Chloé modeliydi. *Makarnacı kadın için*, diye düşünmüştü, *benim için değil.*

Sofia kapıdan çıkmak üzereyken geri döndü. Yüz ifadesi değişmişti. Tüm öfkesi ya da hayal kırıklığı uçup gitmişti.

– Sana söyleyeceğim başka bir şey daha var...

*Nihayet...* Buraya geliş sebebinin sadece onun durumunu öğrenmek ve babalarına karşı birlikte hareket etmeyi önermek olmadığını en başından beri hissediyordu.

– Ağabeyinle yattım.

– Siz hâlâ evlisiniz, öyle değil mi?

– Loïc'le değil, Erwan'la.

Gaëlle kahkahayı bastı. Şaşırmamıştı. İtalyan Kadın ile Faşo, farkında olmasalar da –ve tartışma götürmez bir şekilde– hep birbirlerinden hoşlanmışlardı.

– Dikkatli ol, diye takıldı Gaëlle, hiç belli etmez, ama Loïc'ten çok daha kaçıktır.

# 117

– Tek çözüm bu.
– Emin misin?
– Onları başka türlü alt edemeyiz?
– Yap o halde.

Saat sabahın yedisiydi. Morvan, Loïc'in yarım ay biçimindeki ofisinde dolanıp duruyordu. Gaëlle'in uğradığı saldırıyı duyar duymaz hemen Sainte-Anne'a gitmişti. Kimseyi görmemişti: Küçük kızı yeniden uyumuştu, Erwan da gitmişti. Daha sonra da ne ondan ne de diğerinden haber almıştı.

Çelişkili düşüncelerle boğuşurken, en azından Coltano meselesini hale yola koymak için Loïc'i uyandırmıştı. İlk planından, yani Gaëlle'i yeniden üç bankerin yatağına yollamak ve bilginin yanlış olduğuna onları ikna etmekten vazgeçmişti. Artık kızını bu işe bulaştırmak söz konusu olamazdı, Gaëlle ağzının payını almıştı.

Öyleyse artık kendini uzmanlara teslim etmesi gerekiyordu. Loïc'e göre, amaçlarına ulaşmak için tek çare, hisse senetlerinin değerini düşürmekti. İlk başta, üç alıcı bunun büyük artıştan önceki bir çalkalanma olduğunu düşünecekler, sonra aldıkları tüyonun palavra olduğuna ikna olacaklardı – yeni yataklar yoktu. Bu durumda da senetleri ellerinden çıkarmak için acele edeceklerdi. Bu stratejinin tek sakıncası, Morvan'ın yapay bir düşüşe neden olmak için kendi hisselerini düşük değerden satmak zorunda olmasıydı. Bir başka deyişle, bu işten paçasını kurtarmak için kendi mahvını kendi hazırlayacaktı.

– Siyahlar bundan nasıl haberdar olacaklar? diye kaygılandı Grégoire.
– Her zamanki gibi; finans danışmanları vasıtasıyla.
– Panikleyecekler.

– Bizim hisselerimizi daha sonra, daha pahalı olarak yeniden satın alacaklar. Rayiç sabitlenecek.

Morvan gülümsedi – mali intihar.

– Kabongo taşaklarımı sökecek.

– Ona haber ver, onu da bu dümene dahil et. Tüm şüpheleri tamamen ortadan kalkınca da yeni yatakları gerçekten işletmeye başlarsınız.

İhtiyar başını salladı. Daha önce başlatılmış olan süreci itiraf etmedi. Hâlâ elleri cebinde, yürüyordu. İçgüdüsel olarak bu tür borsa oyunlarından hep sakınmıştı. İş hayatına atıldığı andan itibaren, hiçbir alanda tahminlerle hareket etmemişti. Hayat her zaman sürprizlerle doluydu.

Aslında çok daha önemli bir şey vardı: Ciddi işadamları gibi tartışıyorlardı, ama büyük bir şok yaşamışlardı. Yirmi dört saatten daha kısa bir süre içinde Gaëlle intihara teşebbüs etmiş ve bir cinayet girişiminden kurtulmuştu. Etrafta bir katil vardı ve artık doğrudan onun klanına saldırıyordu. Bu durumda bakkal hesaplarının pek önemi yoktu.

– Peki Lüksemburglular? diye sordu Loïc. Bizimle birlikte hareket edecekler mi?

– O işi ben hallediyorum.

Montefiori'yi aramıştı bile. İtalyan kabul ediyordu, herhangi bir sorun yoktu. Ayrıca ona Heemecht'in getirttiği şu ünlü çivileri de sormuştu. Haberi yoktu, öyle demişti. Normaldi. Sonuçta şirketi her yıl binlerce konteyner gönderiyordu.

– Bu herifler kim? diye ısrarla sordu Loïc.

– Onlar benim işim, sana söyledim.

Loïc tamam anlamında belli belirsiz bir hareket yaptı. Morvan göz ucuyla onu inceliyordu. Oğlu ona her zamankinden daha dinç görünüyordu. Kız kardeşinin intihar girişiminden sonra tuhaf bir uyuşukluğa kapılmıştı. İhtiyar bazı şeylerin –alkol veya eroin– depreşmesinden bile korkmuştu. Ama kok onu yeniden ayağa kaldırmaya yetmiş gibiydi. Morvan, Sofia'nın ona bir şey anlatmamış olmasını diliyordu. Tezgâh evliliklerini öğrenirse, oğlunun büyük bir öfke patlaması yaşanmasından korkuyordu.

*Her halükârda, Coltano meselesi halloluyor ve ben seninle ilgileniyorum evlat.* Bir kez daha onu, uyuşturucu tedavisinde uzmanlaşmış, doğru düzgün bir kliniğe göndermeye karar vermişti.

Gaëlle için de, depresyondaki zengin hastaların bakımıyla ilgilenen, Chatou'daki Feuillantines adlı bir enstitüde yer ayarlamayı başarmıştı. Orayı biliyordu; kendisinin de birkaç kez o enstitüde kalmışlığı vardı. Gaëlle'i korumak için, oraya adamlarını yerleştirecekti – polis ya da memur değil, hükümet darbeleri ve terörist saldırılar konusunda uzmanlığı olan adamlar.

Geriye bir tek Erwan kalıyordu. Onu henüz azarlamaya fırsat bulamamıştı, ama acele etmesine gerek yoktu. Katil ailesine yaklaşmaya devam ediyordu ve Erwan onu yakalama ya da kimliğini saptama konusunda yetersiz kalıyordu.

– Bu durumda sana güvenebilir miyim? diye sordu, çalışma masasının önünde dikilerek.

– Dikkat, dedi Loïc, ellerini havaya kaldırarak. Yüzde yüz kazanılacak diye bir şey yok! Bu işten hiçbir zarar görmeden kurtulamayız; belki de bütün hisselerimizi geri almayı başaramayacağım. Üstelik, rayicin çok fazla artmaması için geri alımlarda yavaş hareket etmemiz gerekecek. Eğer öngörülerim doğruysa, yıllık raporlama sırasında, hisse değeri normal rayicini bulmuş olacaktır. Suçüstü yakalanmazsak, risk de yok...

Morvan masanın üstünden eğildi.

– Tek gerçek risk, Siyahların yeni yatakları öğrenmesi. Onların dikkatlerini başka yöne çek, bunun bir borsa dümeni olduğuna onları inandır ve sahayı unutmalarını sağla. Ve özellikle de onları kazıklamak istediğimizi düşünmelerine engel ol. İş hayatında her şeyimizi kaybedebiliriz, bu önemli değil. Kaybettiğimiz parayı yeniden kazanırız.

Konuşurken bir yandan da kendi düşüncelerini netleştirmeye çalışıyordu. Aslında, oğlunun korkakça tavsiyeleri, Kabila klanının tehditleri ve Çivili Katil'in saldırıları arasında doğaçlama ilerliyordu.

Loïc bakışlarını babasına dikti. O denli mavi gözleri vardı ki, uzun süre bakmak imkânsızdı, hemen baş dönmesine neden olan gökyüzü gibi. Morvan, Sofia'nın henüz onunla konuşmadığını anladı.

– Pişman olmayacaksın, değil mi?

– Hisselerin rayici düşünce beni ara.

Loïc telefona uzandı.

– Bugün pazar, ama birkaç telefon görüşmesi yapmam gerekiyor.

# 118

Saat 08.30'da Erwan 36'ya gitti ve ekibini toplantıya çağırdı.

Sadece iki saat uyumuş, çok sıcak suyla bir duş almış ve üstünü değiştirmişti. Gün ağarırken şüphelilerin tıbbi dosyalarıyla ilgili ilk verileri almıştı. İçlerinden hiçbirinin kan grubu 0 negatif değildi. Suya düşen bir ipucu daha. Sabah saatlerinde daha ayrıntılı tıbbi dosyaları bekleniyordu.

Amarson'a, Irisuanga'yla ilgili tutanağı yazması için acele etmemesini söylemişti; yine de Nijeryalı diplomatın avukatı sayesinde bu boktan olay üst mevkilerin kulağına gidecekti. Dün geceki iki cinayetle ilgili olarak, sanki bu durum nadiren başına geliyormuş gibi bunu bir fırtınanın habercisi olarak görüyordu. Fitoussi onu altı kez aramıştı, savcılık durumdan rahatsızdı; medya güne, önceki cinayetlerle ilişkilendirmeden, –en azından Fitoussi öyle umuyordu– bu flaş haberle başlayacaktı.

Ama Erwan en beterinden kurtulmuştu: Babasından. Hastanede ondan ustaca sıyrılmış ve cep telefonunu kapatmıştı. Yüz yüze gelmek kuşkusuz daha kötü olacaktı. Bütün kötü niyetiyle, onu kız kardeşini korumak için gerekli önlemleri almamakla –ve soruşturmasında başarısız olmakla– suçlayacaktı.

Erwan masasına oturmuş, ekibini beklerken Ludovic Pernaud'nun otopsi raporuna göz atıyordu. Çivi Adam aynı teknikleri kullanmış, aynı saplantıları sergilemişti. Tek orijinallik, kurbanın derisini yüzerken gösterdiği özendi. Riboise'a göre cerrahi bilgisi tamdı: Zavallı Pernaud'nun derisi tıbbi yöntemlere uygun olarak yüzülmüştü.

Bir kez daha anal tecavüz meselesini düşündü: Ölüm içgüdüsü şeklinde ortaya çıkan homoseksüellik miydi? Cinsel iktidarsızlık mı? İntikam duygusuyla bağı var mıydı? Erwan bunun eski bir tecavüz olayıyla ya da benzer bir şeyle –özellikle de babasının bulaştığı bir cinsel saldırıyla– alakası olduğunu düşünmüyordu. Raporu diğer tutanakların durduğu sepete yerleştirdi ve toplantı salonuna doğru yürüdü. Tuhaf bir şekilde, düşünceleri netti ve tüm bedeninde coşkulu bir enerji hissediyordu.

Herkes oradaydı – yas kıyafetleri içinde. Sardalye siyah bir takım elbiseyle yetinmişti, Audrey soluk sarı saçlarına siyah bir bandana takmıştı, Tonfa Londralı bir cellada benzemişti ve Kripo koyu renkli bir deri yeleğin üstüne şişe yeşili kadife bir ceket giymişti. Onların bu görüntüsü bütün konuşmalardan daha değerliydi: genç Sergent'ın ölümünün sorumluluğunu paylaşıyorlardı. Kimse dün geceki saldırıyı öngörememişti; çaylak oraya Gaëlle'e göz kulak olmaya gitmişti, ama en zayıf halka olduğundan onu korumaları ve uyarmaları gerekirdi.

Odadaki havayı ağırlaştıran bir başka ayrıntı daha vardı: Pharabot'nun cinayetleriyle ilgili dosyalar kriminal daire başkanlığının laboratuvarından gelmişti. Her biri mühürlü saydam bir poşetin içinde bir köşede üst üste duruyordu.

Erwan, Sergent'ın ölümüyle ilgili bir yorumda bulunmama kararı aldı. Meslektaşlarına saygı göstermenin en iyi şekli, katilini yakalamaktı. Onun yerine Kripo'yla bakıştılar. Alsace'lı'nın bir görevi daha vardı, ailesine haber verme işini üstlenmişti.

Erwan kısa kesmeye çalışarak şüpheleriyle ilgili bir özet geçti. Lartigues, Redlich ve Irisuanga adları öncelik kazandı. Bu tablo içinde bu üç sapkının hangi rolü oynadığını açıklayamadan, gün ortasına kadar bunların her biri hakkında derinlemesine araştırma yapılmasını istedi.

Uyandığından beri, bir düşünce içini kemiriyordu, ama henüz bundan söz edemezdi: Bir katiller kulübü. Sırası geldiğinde aynı *modus operandi*'ye göre eyleme geçen, aynı üstattan, Çivi Adam'dan esinlenmiş üç adam. Yöntem, klasikti: Her katil, diğerleri nerede olduklarını ispatlayabilecek durumdayken, cinayet işleyerek arkadaşlarını temize çıkarıyordu. Bu senaryosunu desteklemek için elinde, bir olgu dışında hiçbir şey yoktu: Her şüphelinin, en az bir cinayet anında nerede olduğunu ispatlayacak bir tanığı yoktu. Lartigues, Anne Simoni'yi öldürmüş olabilirdi, Redlich de Ludovic Pernaud'yu ve Irisuanga da Sainte-Anne'da harekete geçmiş olabilirdi. Aynı şekilde, bunlara Wissa'nın katili olarak Di Greco da eklenebilirdi. Erwan kulübün başlangıçta bir dörtlü olduğunu düşünmeden edemiyordu.

Seri katil yerine katil serisi! Tarihte böyle bir vaka bilinmiyordu ve Erwan'ın referansı da oldukça muğlaktı: Henri-Georges Clouzot'nun eski bir filmi, *Katil 21 Numarada Oturuyor*. Filmde bir katil triosu birbirlerini temize çıkarıyorlardı. Öte yandan bu varsayıma çok sayıda itiraz yükselecekti: Katilin cerrahi bilgisi, denizcilik deneyimi. Ne Lartigues, ne Redlich, ne Di Greco, ne de Irisuanga bu profile uyuyordu. Ayrıca ilk ikisinin fiziksel engeli, üçüncüsünün de hastalığı vardı...

Bu yüzden susmayı tercih etti ve sözü adamlarına bıraktı. Bir kez daha aynı nakaratı dinleyecekti. Sainte-Anne Hastanesi'nden hiçbir netice alınamamıştı; ne bir iz ne de tanık vardı. Broca Binası'na zorla girildiğine dair bir belirti de yoktu. Tam bir büyücülük olayı.

Buna karşılık, Sardalye ile Kripo ilginç bir bilgiye ulaşmışlardı. Biri Pernaud'yu araştırmıştı, diğeri Redlich'i. Elde ettikleri sonuçları karşılaştırınca da, iki şüpheli arasında beklenmedik bir bağlantı bulmuşlardı.

– Pernaud'nun birçok ateşli silah ruhsatı var, diye açıkladı Favini. Her hafta sonu Redlich'in de atış talimine gittiği Yvelines'deki Galaney Kulübü'nün üyesi.

Erwan huysuz ihtiyarın onları bir tüfekle karşıladığını hatırladı.

– Redlich pratik atış tutkunu, diye teyit etti Kripo, en az beş silahı var. CNRS'teki meslektaşlarına göre de çok kötü bir ünü varmış. Gençliğinde, Afrika'da "hızlı silahşor" olarak biliniyormuş. Hatta her iki Kongo'ya girişi yasaklanmış.

– Kulübe gidiş saatlerini ve günlerini de karşılaştırdık. Bu iki kuş yıllar boyunca karşılaşmışlar. Bana göre, aynı hedef tahtasını da kullanıyorlardı.

Redlich böylece hiç kuşku uyandırmadan Pernaud'ya yaklaşabilmişti (ve belki de, bu sebeple, ilişkilerinin tüm izlerini silmek için, onun evini altüst etmişti). Öte yandan, Lartigues'in de Anne Simoni'yi tanıdığına emindi; ona akıl hocalığı yapmış olma ihtimali de yüksekti. Salı gecesi onu Zodyak'ına bindirebilecek kadar güçlü bir neden miydi? Geriye Sainte-Anne yakınlarında suçüstü yakalanan Irisuanga ile fundalık alanda yürüyüşe çıkan Di Greco kalıyordu...

Olgular belirginleşiyordu, ama hâlâ önemli bir engel vardı: Üç şüphelinin de bu eylemler için fiziksel durumları uygun değildi.

Kripo tam da bu konuya temas etti:

– Heykeltıraş ile etnoloğun tıbbi dosyalarını aldım. Lartigues'e MS'le ilgili herhangi bir tedavi uygulanmamış, Redlich'te ise enfeksiyonun zerresi yok. Son yirmi yıl içinde beyanda bulundukları tedavilerin çıktısını aldım: Lartigues neredeyse hiç hasta olmamış, Redlich ise eski Afrika ateşlerinden kaynaklı hastalıklarını tedavi ettirmiş; hepsi bu. Ya onların bu engelleri tamamen düzmece ya da gizlice tedavi oluyorlar. Sosyal güvenlik kurumundan da, kendi özel sigortalarından da herhangi bir geri ödeme almamışlar, ki bu da hiç tutarlı değil.

Erwan da aynı fikirdeydi: Fransa'da hiçbir hasta vezneye uğramayı unutmazdı. Tabii sanatçı ile etnolog kendilerini bir *nganga*'ya tedavi ettirmiyorlarsa... Ya da kendi hastalıklarını kendileri uyduruyordu. Aklanmak için mi? Sanmıyordu. İki adam da bundan çok daha kurnazdı.

– Eşelemeye devam et, dedi Kripo'ya. Gerçekten hasta olup olmadıklarını ve ilaç olarak ne kullandıklarını öğrenmek için her yola başvur.

– Arama izni çıkaralım mı?

– Hayır. Oyunu daha kurnazca oynayacağız.

Alsace'lı suratını buruşturdu. Bu, heykeltıraş ile etnoloğun yeniden çöplerini karıştırmak, hatta gizlice evlerini aramak anlamına geliyordu.

– Buna zamanımız olduğunu düşünüyor musun?

– Yapacak başka bir şeyimiz olduğunu da sanmıyorum.

– Onları dinlemeye alsak mı? diye önerdi Favini.

– Çok karmaşık. Ve zaten onları suçlamamızı sağlayacak bir şeyler varsa bile, bunu telefonda konuşmazlar.

– Onları takip altında tutabiliriz. Bilgisayarlarına gizlice girelim mi?

– Ne gizlice gireceğiz ne de *hack*'leyeceğiz. Sürekli peşlerinde biri olsun, ancak bu iş mümkün olduğunca gizli yapılsın. Bu herifler sürekli tetikte ve son derece zekiler. Irisuanga'yla kim ilgilendi?

Tonfa dosyasını açtı: Doğrudan internetten çıkmış sayfalar, Nijeryalının son sergisinin tanıtımı, çağdaş sanatın üretebileceği en karanlık ve grotesk resimler.

– Onyx tarafında her şey çok net. Burada yazılanlara göre çok revaçta bir galeri. Cinayetler sırasında nerede olduğunun teyidini bekliyorum, ama havayolu şirketi Lagos'a uçuş günlerini ve saatlerini doğruladı.

Sardalye elini kaldırdı.

– Benden Thierry Pharabot'nun dava dosyasının aslını bulmamı istemiştin; bir dosya var, ancak kayıp.

– Bu nasıl olur?

– Açıklaması yok. Arşivdeki adamlar, dosya kayıplarının çok sık olduğunu söylüyor.

Erwan'ın aklına babası geldi. Bir zamanlar ona Temizlikçi adını takmışlardı. Kendi yararı için temizlik mi yapmıştı?

– Ya Kongo'daki dosya?

– Lubumbashi Ağır Ceza Mahkemesi'yle temasa geçtim. Davayla ilgili bütün evrakın kendilerinde de olduğunu ve "en kısa sürede" bize yollayacaklarını ifade ettiler.

– Buna inanıyor musun?

– Tek kelimesine bile inanmadım.

– Ya Belçika?

– Bizim irtibat memuru bana bulacağına dair söz verdi.

– Sana güvenilir geldi mi?

– Kongolulardan bir gıdım daha fazla.

Saat sabahın dokuzuydu ve Erwan'ın önünde, yiyeceği fırçalar, yapacağı açıklamalar, kapatması imkânsız delikler duruyordu. Elinde ise sadece varsayımlar, gerçeklikten uzak düşünceler ve "kesin ipuçları" hanesinde büyük bir boşluk vardı.

– Peki, Anne Simoni'nin cesedi?

– Otopsiler sürüyor ama...

– Levantin?

– Yeni bir haber yok.

– Devam ediyoruz, diye toplantıyı bitirdi Erwan, ayağa kalkarken.

Polisler birbirlerine baktılar. Tam olarak neye devam edeceklerdi? Erwan bir baş hareketiyle onları selamladı ve odasına döndü.

Kendini kötü hissediyordu. Mide bulantısı, açlık, baş dönmesi... Ama bir şey yiyemiyordu. Küçük buzdolabını açtı, bir Cola Zero aldı ve Lartigues ile Redlich'in tıbbi dosyalarına gömüldü. Neredeyse bir *Vidal*[1] okumak kadar ilginç olacaktı.

Kapı vuruldu. Millet'nin *L'Angélus* tablosundaki, başı kutsal ışıkla çevrelenmiş neşeli çiftçi havasıyla Levantin göründü.

– Seninle telefonda da konuşabiliriz, biliyorsun değil mi? dedi Erwan, öfkeyle. Her seferinde buraya gelmek zorunda değilsin.

Koordinatör masanın üstüne bir tetkik dosyası fırlattı.

– Anne Simoni'nin cesedindeki yabancı kanın DNA'sı, Thierry Pharabot'ya ait.

**1.** Fransa'da her yıl basılan ilaç sözlüğü. (ç.n.)

# 119

İkisinden biri: Ya Pharabot hâlâ hayattaydı ya da –bu daha yüksek bir ihtimaldi– ölümünden önce onun kanını almışlar ve bugüne kadar saklamışlardı. Erwan konunun uzmanı değildi, ama bileşimini bozmadan kanı dondurmak mümkün olabilirdi.

Bu düşünce onu, Charcot'da Pharabot'yla yakınlık kurmuş bir fanatik varsayımına götürüyordu. Bir doktor? Bir hastabakıcı? Lassay, enstitünün patronu, bu olasılığı elemişti, ama bununla ilgili olarak ne biliyordu ki? Ya da sadece önemli bir olayı gizlemeye çalışmıştı.

Bir başka senaryo: Çivi Adam'ın hayranı veya hayranları, yakma işleminden önce katilin kanını alması için akıl hastanesindeki bir bekçiye ya da cenaze görevlilerinden birine rüşvet vermişti. Neden Lartigues veya diğer şüphelilerden biri olmasındı? Katiller kulübü, akıl hocalarından kusursuz bir hatıra saklamak istemişlerdi. Ya da daha kapsamlı olarak, Villa du Bel-Air'in hayranları, kültlerini bu noktaya kadar vardırmışlardı. "Alınız, ve hepiniz bu kupadan içiniz, çünkü bu benim kanımdır..."

Bu varsayım karşısında, Levantin ihtiyatlı davranmıştı. Ona göre kan asla bu şekilde dondurulmazdı; önce akyuvarları, alyuvarları, plazması ve diğer değişmez öğeleri ayrılırdı... Bu da öyle açıktan alınan bir kan örneğiyle yapılabilecek bir işlem değildi. Öte yandan, yine analizciye göre, saklanabilmeleri için yuvarların bir kriyoprotektör aracılıyla karıştırılması gerekiyordu, bunun sonucunda da mutlaka bir emare kalırdı. Kan sonradan alınmış olsa bile, bu işlemler gerçek bir laboratuvar gerektiriyordu. Levantin'e göre, Pharabot hâlâ hayattaydı. Erwan ise buna ihtimal vermiyordu. Bir başka katil de bu tür karmaşık işlemleri yapabilirdi. Her şeye rağmen katilin tıp bilgisi olduğu biliniyordu.

Her halükârda, en hızlı bir şekilde sorunun kaynağının araştırılması gerekiyordu.

– Kripo? dedi telefonda. İyi haber: Bretanya'ya dönüyoruz.

– Ne? Ama...

– En sevdiğim kâtibime ihtiyacım var. Ayrıntılı itiraflar almayı ümit ediyorum.

– Kimden?

– Açıklarım. Bize Brest'e kalkan ilk uçağa bilet bul.

– Erwan...

– Tartışma yok!

– Tartışmıyorum, sana, Cavale Blanche'ın adli tabibi Michel Clemente'ın az önce beni aradığını söylemek istiyordum.

– Beni neden aramamış?

– Senin hiçbir zaman cevap vermediğini söylüyor.

– Ne istiyormuş?

– Açıklamak istemedi.

Adamın telefonu Erwan'da kayıtlıydı. Tek tuşla ona ulaştı.

– Doktor? Başkomiser Morvan, cinayet bürosundan.

Beriki dostça onu selamladı. Sesinin tonundan, Erwan adamın günlük ritmini ve taşra adli tabibi özsaygısını yeniden bulmuş olduğunu tahmin etti. Parçalara ayrılmış cesetler dönemi çok uzakta kalmıştı.

Ama belki de o kadar uzakta kalmamıştı.

– Size gerçekten... şaşırtıcı bir ayrıntıdan bahsetmek istiyordum.

– Sizi dinliyorum.

– Kaerverec dosyasıyla ilgili belgeleri tasnif ediyorum. Sanırım hepsini size ulaştırmamız gerekiyor.

– Evet?

– Belgeler arasında, Jean-Patrick di Greco'nun sağlık dosyasının içinde bir rapor buldum. Otopsi sırasında bana yollamışlardı ve...

– Marfan sendromundan mustarip değil miymiş?

– Elbette bu hastalığı var. Neden böyle bir soru sordunuz ki?

– Öylesine. Devam edin.

– Bu dosya ile otopsi esnasında benim yaptığım saptamalar arasında önemli bir fark var. Kan grubu iki dosyada farklı. Bendeki belgelere göre, Di Greco A pozitif. Benim yaptığım analizlere göre ise 0 negatif.

– Kan grubu değiştirilebilir mi?

– Sadece tek bir durumda.

– Nedir?

– Bunu telefonda açıklamak oldukça zor, ben...

– Bunu bana yüz yüze konuşurken açıklarsınız. Saat 14.00 civarında Cavale Blanche'ta olacağım. Beni adli tıp enstitüsünde bekleyin.

– Bunun için mi buraya geleceksiniz? Bu o kadar önemli olmayabilir, ben...

– Görüşmek üzere.

Erwan telefonu kapattı ve sucuk gibi terlediğini fark etti. Bir soruşturmada bu tür hızlanmalara alışkındı. Birkaç günlük tıkanmanın ardından, olaylar bir anda tıpkı kanserli bir hücre gibi hızla çoğalmaya başlardı.

Saatine baktı. 10.00 olmuştu bile. Eve uğramaya zamanı yoktu. Kişisel eşya dolabında ne var diye baktı. Tuvalet malzemesi, temiz bir gömlek, şarjörler. Sokaklarda sürten küçük bir polisin şahsi eşyaları.

Kapı vuruldu.

– Girin.

Audrey odaya daldı, başında hâlâ siyah bandanası duruyordu.

– Ne var?

– Seninle Pernaud'yla ilgili bir şey konuşmak istiyordum. Bir numara saptadık.

Erwan seyahat çantasını bıraktı ve ona doğru yaklaştı. Pernaud demek casusluk demekti. Casusluk demek...

– Hep aynı numarayı aramak için özel bir telefon kullanıyormuş.

Erwan ellerini ceplerine sakladı, hemen anlamıştı.

– Babamın numarası mı?

Audrey tereddüt etti. Erwan onu hiç böyle kendine güvensiz görmemişti.

– Hayır, annenin numarası.

Paris-Brest uçağı saat 13.40'ta kalkıyordu. Maggie'yi görmeye gitmek için zamanı vardı. Fitoussi'nin çağrısına yanıt vermek ise zaman açısından imkânsızdı. Ona bir özür mesajı atmakla yetindi: "Acil bir durum var. Özür dilerim."

Yol boyunca (yardımcısı kullanıyordu) allak bullak olmuş aklı, saçma sapan varsayımları çoğaltıyordu. En çılgın varsayımların arasında, Ludovic Pernaud'nun Maggie'nin âşığı olması vardı. Ya da çok daha çılgını: Maggie, anlaşmaların organizasyonunda ve devlet namına gerçekleştirilen diğer gizli operasyonlarda kocasının suç ortağıydı.

Annesinin objektif bir portresini çıkarmak kolay değildi. Erwan onu düşündüğünde hep öfkeleniyordu. Elbette onu seviyordu, ama daima tepki duyarak. Ne zaman *gerçekten* onu düşünse, merhamet ve öfkeyle karışık sinir bozucu bir duyguya kapılıyordu.

Neden bu sadist kaçıkla yaşamaya devam etmişti?

Gizemli bir gururla yaşamayı sürdürüyordu. Bu onun çocukları adına ve burjuva düzeni adına çektiği büyük acısı, çıktığı haçlı seferiydi. Bir zamanların neşeli ve becerikli hippisi olan Maggie, gençliği boyunca tüm bu değerlerle dalga geçmişti, ama bugün utanmazca bir sabırla onlara saygı gösteriyordu.

Birçok kez kocasını terk etmişti. Boşanmayı talep etmişti. Bir daha asla birlikte olmayacaklarına yemin etmişti. Onu tekrar yuvaya getirmek için birkaç vaat yeterli olmuştu. Kaderleri, kahramanları ne yaparlarsa yapsınlar, asla kâhinin kehanetlerinden kurtulamayan Yunan tragedyalarına benziyordu.

Messine Caddesi, pazar, saat 11.10. Güzel semtlerin sessizliği. Ağaçların tepelerinde titreyen güneş. Bir nehir gibi buraya kadar uzanan ve kapı sundurmalarına kadar akan Monceau Parkı.

– Beni burada bekle, dedi Kripo'ya, uzun kalmayacağım.

Asansöre binmeyi istemedi. Basamakları çıkarken, aklına bir anı geldi: Gizemli bir kaza sonrasında annesi hastanedeydi; Erwan dokuz yaşındaydı, bekleme salonunda oturmuş, babasının ona aldığı dövüş sanatları dergisini okuyordu. Morvan, doktora karısının merdivenlerden nasıl düştüğünü açıklıyordu. Erwan hekimin cevaplarını duyuyordu: Çok sayıdaki kırığa rağmen kol kurtulacaktı.

Erwan okumaya devam ediyordu, ama kimsenin başka bir versiyonu –annesinin vücudundaki darbe izleri ve çığlıklarıyla, ardından da pislik herifin onu merdiven boşluğuna iterken ulur gibi bağırmasıyla örtüşen versiyonu– düşünmemesi onu şaşırtmıştı. Satırlar gözlerinin önünde dans ediyordu. Elleri sayfaların üstünde titriyordu; sanki alay eder gibi, dergi kung-fu sinemasının yıldızlarına ayrılmış özel bir sayıydı: Bruce Lee, Jackie Chan, Jet Li... Erwan kaçmak istiyordu. Ya da herkesi öldürmek. Ama kımıldayamıyordu. Babası hapse girmedikçe, annesi de her seferinde eve dönükçe bu savaş daima kaybedilmeye mahkûmdu.

Bir hafta sonra, Maggie kolu alçıda eve dönmüştü.

Erwan zili çaldı, sonra ter içindeki ellerini ceketine kuruladı. Annesi bir dakikanın sonunda kapıyı açtı, üstünde dönüştürülmüş kumaştan önlüğü vardı – bir yardımcı almayı hep reddetmişti.

– Erwan? dedi kadın şaşkınlıkla. Bir şey mi oldu?

– Her şey yolunda. Girebilir miyim? Fazla kalmayacağım.

Maggie, oğlunun geçmesi için geri çekildi. Güzelliği, yıpranmış bir hayalet gibi yüzünün etrafında dolanıp duruyordu. Bir yerlerden belli belirsiz bir radyo sesi geliyordu. Salon bir savaş alanını andırıyordu: Rulo yapılmış halılar, ters çevrilmiş yastıklar, üst üste istiflenmiş sandalyeler... İki gün içinde kızı intihara teşebbüs etmiş, bir cinayet girişiminden kurtulmuştu, ama görünen o ki, hiçbir şey Maggie'yi temizlik yapmaktan alıkoyamamıştı.

– Bu beni rahatlatıyor, diye savunmaya geçti. Mademki öğle yemeği için toplanmıyoruz, ben de temizlik yapayım dedim. Bir şey içmek ister misin?

– Sağ ol. Sadece birkaç dakika kalacağım. Uçağa yetişmem gerek.

Lafı dolandırmak, kalıp cümleler bulmak için zamanı yoktu.

– Soruşturmam çerçevesinde, senin telefon numarana ulaştım.

– Nasıl yani?

– Kurbanlardan biri ölümünden önce birkaç kez seni aramış.

Maggie'nin gözleri fal taşı gibi açıldı. Annesinin donuk beyaz yüzündeki her kılcal damar sanki daha belirginleşmiş gibiydi.

– Kim?
– Ludovic Pernaud.
– Hiç duymadım.
– Bunu nasıl açıklayacaksın?
– Babanla mı çalışıyordu?
– Bunu bana sen söyleyeceksin.

Erwan sandalyelerden birini çevirdi ve salonun ortasına oturdu. Maggie de ayağıyla elektrik süpürgesini iterek kadife bir kanepeye oturdu.

– Bazen benim telefonumu kullanıyor.
– Ne yapmak için?
– İşteki adamlar onu benim numaramdan arıyorlar. Sadece onun geri araması için bir sinyal.

Bu itiraf, telefon dökümlerinde gördükleriyle uyuşuyordu: Pernaud'nun yaptığı her çağrı birkaç saniyeyi geçmemişti. Bununla birlikte, annesinin yalan söylediğini hissediyordu.

– Babam Beauvau Meydanı'nda ne yapıyor, biliyor musun?
– Uzun zamandan beri ne yaptığını bilmek istemiyorum.
– Ne zaman onun işleriyle ilgilenmeyi... bıraktın?

Maggie "Unuttum" dercesine, elini salladı. Erwan onu inceliyordu ve bu sabah iki Maggie'den de eser yoktu: Ne daha iyi bir dünya hayal ederek Meksika tohumlarını kemiren uçarı Maggie ne de kocasının anahtarı kilidin içinde döndüğünde duvarlara yapışarak yürüyen paniklemiş Maggie vardı. Birden belki de bir üçüncü Maggie vardır, diye düşündü. Kırılgan görünümünün ardında güç ve sırlar saklayan buz gibi bir varlık.

– Lontano'da aranızda ne geçti?
– Eski hikâyelerinle yine aynı şeye dönüyorsun.
– Cevap ver.
– Soruşturması sırasında karşılaştık.
– 1970'te mi? Ben 1971'de doğdum.
– 69'da. Gerçek bir yıldırım aşkıydı.
– Yıldırım aşkı mı? Babam ile senin aranda?
– Bunu daha önce de konuştuk. Bizim... bugünkü ilişkimiz bu gerçeği değiştirmez.
– Bana ilişkinize şiddetin damga vurduğunu söyledi.
– Bizimki değil, Çivi Adam'ın şiddeti. Kurbanlar çoğalıyordu. Bu da babanı hasta ediyordu.

Morvan da aynı yalanları söylemişti. Adli polis dilinde buna "önceden planlanmış tanıklık" denirdi.

– Soruşturmasının dışında, entrikalara da mı battı?

– Baban katili arıyordu ve Lontano'da düzeni sağlamaya çalışıyordu. Başka hiçbir şeye karışmadı.

– Ta ki manganez ocakları ona verilene kadar.

– Bu çok daha sonra, olay çözüldükten sonra.

– Onun soruşturmaları hakkında sen ne biliyorsun?

– Hiç. Bundan asla söz etmezdi. Herkesten kuşkulanıyordu.

– Senden de mi?

– *Özellikle de* benden. Beyazların katili koruduğuna inanıyordu, çünkü katil de onlardan biriydi, kan emici bir sömürgeci. Bu saçma bir şeydi, ama o yıllarda sol ideolojiye gerçekten inanıyordu. Afrika'yı özgürleştirmek istiyordu.

– Soruşturma boyunca, hiç yasadışı bir şey yapmadı mı?

– Afrika'da hiçbir şey yasadışı değildir ve baban bütün haklara sahipti. Önemli olan tek bir şey vardı: Katili bulmak.

Erwan onu kışkırtmayı denedi.

– Seni arayan adam, yani benim katilin kurbanı, o da bir katildi.

Maggie hiç tepki vermedi. Erwan komik bir şekilde, Maggie'nin Ludovic Pernaud'yla ortak bir noktası olduğunu düşündü: Streç film tutkusu.

– Ölümünden birkaç gün önce bir anlaşma yapmış olmalı. Babamın emriyle hareket ettiğini sanıyorum.

– Ve baban da onun... öldürülmesini emretti, sırf bunun için?

– Belki de onunla ilgili bir sırrı biliyordu.

– Sen aklını kaçırmışsın.

Maggie bunu içten bir tonlamayla söylemişti, ama her şey yapmacıktı. Kocasının gizli kapaklı işlerinden haberdardı. Erwan bugün, onun bu işlere hiç de yabancı olmadığını bile düşünüyordu.

Saat 11.30 olmuştu. Gitmesi gerekiyordu. Ayağa kalktı ve hole doğru yöneldi.

– Bana bu soruları neden sordun anlamıyorum, dedi annesi, peşinden gelirken.

Erwan sertçe döndü.

– On günden beri, bir herif kendini Çivi Adam sanıyor. Üç, Sainte-Anne'dakileri de sayarsak beş kurban var. Kurbanların çoğu da babamla ilişkisi olan insanlar. Katil, Thierry Pharabot'nun intikamını alıyor, anladın mı? (Maggie'yi kolundan tuttu.) Bana söyleyecek hiçbir şeyin olmadığına emin misin? Katilin kimliğini saptamamı, başka cinayetleri önlememi sağlayacak bir şey?

– Hayır, yemin ederim...

Maggie bir anda sustu; gözleri sabit, yüzü gergindi. Bir saniye içinde, her şeyi sineye çekmeye hazır, durumu kabullenmiş kurban maskesini takmıştı. Erwan kendinden tiksinerek onun kolunu bıraktı; babası gibi davranmıştı.

Merdivenden inerken, Audrey'yi aradı ve ona, ne pahasına olursa olsun, babasının Marot olayına karıştığını gösteren bir şey bulmasını emretti.

– Diğer iş? diye sordu Audrey, Çivi Adam soruşturmasını kastederek.

– Diğer iş... Lanet olsun, onu boş ver!

Erwan apartmanın kapısından çıkarken, annesiyle yaptığı konuşmayı düşündü; kesinlikle Pharabot davasının dosyasına ulaşması gerekiyordu. Davayla ilgili daha fazla şey öğrenmenin tek yolu buydu.

Bir dakika sonra arabanın içindeydi.

– Nasıl, iyi geçti mi? diye sordu Kripo.

– Acele et. Zamanımı boşa harcamaktan gına geldi.

# 121

Zamana karşı yarışında, iyi bir seçim yaptığından emin değildi. Havalimanında bekleyiş, güvenlik kontrolleri, uçuş, iki saat daha kaybetmişti. Her şeyi taçlandırmak için de uçakta uyumuştu. Bölük pörçük bir uyku. Korkular, çırpınmalar, sıçrayarak uyanmalar, ardından bir sonraki krize kadar yeniden kendinden geçmeler... Tek satır bile okumamıştı.

Tekerleklerin piste teması Erwan'ı bu kez gerçekten uyandırdı. Yağmur pisti dövüyordu. Pistin ucunda, her zamanki siyah yağmurluklarıyla onu bekleyen favori ortakları: Archambault, Verny ve Le Guen.

Erwan onlara neden bu kadar çabuk geri geldiklerini açıklamamıştı. Bir jandarma aracının içinde, sıkış sıkış bir halde yeniden şehri geçtiler. Birkaç kelimeyle Erwan onlara durunu özetledi. Yeni cinayetler. Fetişist şüpheliler. Simoni'nin cesedinde Pharabot'nun DNA'sının bulunması.

Arabanın içindeki sessizliğin altında çok şey gizliydi. Ya anlamıyorlardı ya da anlıyorlardı ve bu, daha da kötüydü.

Sütunlar üstüne oturtulmuş kare binaları, ovayı andıran çimleri ve ziyarete gelmiş aileleriyle Cavale Blanche. İkinci bodrumda, beton duvarların kasvetli freskleriyle karşılaştılar.

Clemente onları toplantı salonuna aldı. Kırmızı balıklar ile kahve makinesi yerli yerinde duruyordu. Nedense tavan lambaları yanmıyordu, odayı sadece akvaryumun oynak mavimtırak ışığı aydınlatıyordu.

– Kahve? diye sordu, makinenin yanında duran adli tabip.

Önlüğünü çıkarmış, yeniden ellilik çapkın görüntüsüne kavuşmuştu: Gümüşi saçlar, şık ve rahat kıyafetler.

– Şu kan grubu değişikliği hikâyesi de neyin nesi? diye sordu

Erwan, kahve teklifine cevap bile vermeden.

Clemente onlara koltukları ve küçük kanepeyi işaret etti. Erwan'ın kabalığı hiç de hoş değildi. Yağmurluklarını çıkarmadan herkes oturdu.

– Bunun tek bir açıklaması var: Kemik iliği nakli.

– Hastalığını tedavi etmek için mi?

– Hayır. Bu tip nakiller genellikle lösemileri tedavi etmek için yapılır.

– Di Greco kan kanseri miydi?

– Sağlık dosyasında böyle bir kayıt yok. Başka nakillerden de söz edilmiyor. Bu da gerçekten çok garip...

– Gizli bir operasyon geçirmiş olamaz mı?

– Mutlaka öyle olması gerekli değil, belki de yurtdışında tedavi olmuştu.

– Hangi sebeple?

– Hiçbir fikrim yok.

Clemente sürekli kahve makinesine bakıyordu. Sonunda, kendini daha fazla tutamadı, ayağa kalktı ve kendine bir kahve aldı.

– Bir şey daha var, dedi, kaldığı yerden devam ederek. Bu tür nakiller, ilik çok iyi tolere edilse bile, ciddi bir tedavi, özellikle de bağışıklık baskılayıcı ilaçlar almayı gerektirir. Yeni tetkikler yaptım ve kanında önemli miktarda bu ilaçların izlerine rastladım. Di Greco kesinlikle nakil olmuş, bu son üç yıl içinde olduğunu da söyleyebilirim.

– Herhangi bir yara izi dikkatinizi çekti mi?

– Bu tür operasyonlar iz bırakmaz. İşlem enjeksiyon yoluyla yapılır. (Yerine oturdu ve kahvesinden birkaç yudum içti.) Tuhaf bir ayrıntı daha: Soruşturma raporuna göre, kamarasında hiç siklosporin –bağışıklık baskılayıcı ilaç– kutusu bulunmamış. Gizemli bir sebepten ötürü, tedavisini gizli tutuyormuş.

Erwan, başını sallayan Verny'ye baktı.

– Neden bu tip bir müdahale kan grubunun değişmesine sebep oluyor?

– Akyuvarları, alyuvarları ve trombositleri üreten kemik iliğidir. Başka bir deyişle, iliği değiştirirseniz, kan yapan fabrikayı da değiştirmiş olursunuz.

– Bu durumda kişinin DNA'sı da değişiyor mu?

– Kesinlikle. Kemik iliği, bütün hücrelerin üretiminde temel bir göreve sahiptir. Kişinin bütün sisteminin yerini alan bir sistem. Ama dikkat, bedenin iliği reddetmemesi gerekiyor.

Erwan Anne Simoni'nin kulağının arkasında bulunan kanı düşündü. Bu belki de bizzat Pharabot'nun DNA'sı değildi, katilin iliğini almış birine aitti.

*Yavaş ol...*

– Kemik iliği nakli? Bu işlem nasıl yürüyor?

– Size anlattım, genellikle lösemiyi tedavi etmek için yapılıyor. Hastanın iliği habis hücreli kan üretir. Kemoterapi veya radyoterapiyle habis hücreler yıkıma uğratılır, ardından da hastaya bir başkasının, –bu genellikle akrabalardan biri olur– sağlıklı kan üreten iliği nakledilir.

– Bu nakillerin her zaman hastanın ailesinden mi yapılması gerekir?

– Böyle bir zorunluluk yok. Birbirleriyle herhangi bir akrabalık bağı olmayan kişiler arasında da uygunluk olabilir. Ancak her iki durumda da, vücudun iliği reddetmemesi için siklosporin tedavisi gereklidir. Bu nedenle hasta yakından takip edilmelidir, çünkü antikor yetersizliği hastayı başka hastalıklara karşı güçsüz kılar.

Erwan karanlık bir ormana giriyordu, ama çok uzakta, iç içe geçmiş dalların arasından bir ışık parlıyordu.

– Bu karmaşık bir operasyon mudur?

– Teknik çok gelişti. Eskiden ilik transplantasyonları mekanikti. Vericiden ilik büyük bir şırıngayla alınır, sonra doğrudan nakil yapılacak kana enjekte edilirdi.

– Peki, şimdi?

– Hücre kültürü inanılmaz ilerlemeler kaydetti. Artık vericiden kök hücreler alınıyor, sonra bunlar kemik iliğine dönuşene kadar belli bir süre işleme tabi tutuluyor.

– Bu operasyon çok gelişmiş aletler mi gerektiriyor?

– Hastanelerde bulunan özel cihazlar.

– Somut olarak, bu olay nasıl gerçekleşiyor?

– Vücudun bazı yerlerinden, altderiden mesela, kök hücreler alınıyor, sonra gerektiğinde kullanılmak üzere eksi yüz seksen derecede donduruluyor. Günümüzde bu çok revaçta. Fantastik tedavi vaatleri veriliyor. Bugün artık, ciddi olarak doğan her çocuğun göbek bağının saklanması hedefleniyor.

– Neden göbek bağı?

– Kök hücrelerle dolu da ondan. Amaç, onları sıvı azota koymak ve herhangi bir sağlık sorunu olduğunda onları işleme tabi tutmak. Bir tür hayat sigortası. En büyük koz, bu hücrelerin ölümsüz olması. Bu hücreler soğukta saklanırsa, asla ölmüyor. Onlara "ölümsüz soy" deniyor.

Bunu duyan Erwan, soruşturmanın kilit taşını bulduğunu anladı.

Senaryo: Dört adam sapkın bir kültü, yaşlanan bir seri katile adamaya karar veriyorlar. Öldüğünde kök hücrelerini almak için harekete geçiyorlar. Kemik iliği elde etmek için hücreleri kültüre koymayı ve ardından da bu iliği onlara nakletmeyi kabul edecek bir uzman buluyorlar. Neden? Genetik olarak Çivi Adam'a dönüşmek için. Eğer bu senaryo doğruysa, söz konusu dört kişi Jean-Patrick di Greco, Ivo Lartigues, Sébastien Redlich ve Joseph Irisuanga'ydı. Önceki günden beri soruşturmanın üstünde bir "reenkarnasyon" sözcüğü dolanıp duruyordu. Bu varsayım gitgide doğrulanıyordu.

Ama Pharabot süper güçlere sahip bir *nganga*'ydı. Sadece ilik hücreleri yetmezdi. Onun gücünü miras olarak devralmak için insan fetişler de kurban etmek gerekiyordu. Her biri sırayla, onun *modus operandi*'sine bağlı kalarak öldürmüştü.

Anlaşmanın niteliği böyleydi.

Grégoire Morvan'ı suçlamak veya psikolojik olarak yıpratmak amacıyla kurbanların onun çevresinden seçilmesi de aynı mantığı ortaya koyuyordu. Her şeye rağmen, onların vasıtasıyla intikamını alan, Pharabot'nun ta kendisiydi.

Ama uymayan bir şey vardı: Eğer Di Greco baloyu başlatmak için Sawiris'i öldürdüyse, neden Morvan'la temas kurmuştu? Onu kışkırtmak için mi? Bu çağrı kuşkusuz bir savaş ilanıydı. Peki ama, neden intihar etmişti? Sonradan vicdan azabı duymuş olabilir miydi ya da Erwan'ın peşini bırakmayacağını mı anlamıştı? Ya da ilik nakli onda büyük ıstıraplara veya dayanılması güç yan etkilere mi neden olmuştu? Ne olursa olsun, "Lontano" kelimesi babasına bir uyarıydı: Pharabot dönüyordu.

Erwan tüm bunları kafasının bir köşesine kaldırdı ve yeniden, işine yarayacak sorulara döndü.

– Bir cesetten hücre almak mümkün mü?

– Ölümünden sonra birkaç saat içinde yapmak koşuluyla.

Erwan koltuklarında sıkışık bir vaziyette oturan arkadaşlarına baktı. Hepsi şaşkındı.

– Akrabalar arası nakillerden söz ettiniz. Tersi durum olduğunda, nakil daha riskli, öyle değil mi?

– Genellikle sonu hüsran olur, hatta ölümle sonuçlanır.

– Vücudun iliği reddettiği durumlarda, ne tür belirtiler ortaya çıkar?

– Ben uzman değilim, ama çoğunlukla cilt rahatsızlıkları olduğunu sanıyorum.

– Eklem sorunları görülmez mi?

– Hayır. Hiç işitmedim.

– Siklosporin kullanırken, insan bir kemik hastalığına yakalanabilir mi?

Clemente belli belirsiz bir el hareketi yaptı. Akvaryumun mavi ışığı ona, alacakaranlık bir sahnedeki bir tiyatro oyuncusu havası veriyordu.

– Araştırmam lazım. Aklınızda özel bir patoloji var mı?

– Alıcıyı tekerlekli sandalyeye mahkûm edebilecek ya da topal bırakabilecek bir şey.

– İlgileneceğim.

Ziyaretçiler plastik koltukları gıcırdatarak ayağa kalktılar.

– Umarım size yardımcı olabilmişimdir, diye ekledi adli tabip.

– Bana yardımcı olmadınız; benim soruşturmamı çözdünüz. Bana hem seri cinayetlerin amacını, mantığını gösterdiniz hem de katillerin kimliklerini açıkladınız.

Jandarmalar birbirlerine baktılar, trene yetişememişlerdi.

– Katiller mi? diye sorma cesareti gösterdi Verny.

– Tek kişiymiş gibi davranmaya çalışıyorlar.

# 122

Zaman artık diplomasi zamanı değildi. Erwan, her birinde iki manga jandarmanın bulunduğu iki zırhlı araçla, Charcot Enstitüsü'ne baskın yapmayı tercih etti. En az kırk adamın toplanması, bir pazar günü için rekordu. Saat 16.00'ydı, tabur binanın kapısındaydı.

Le Guen ile Archambault'yu operasyonu yönetmeleri için bıraktı. Enstitüde yatanları, sağlık personelini, güvenlik görevlilerini ve ziyaret için bekleyen aileleri zapturapt altına alacaklar ve bütün giriş çıkışları tutacaklardı. Akıl hastanesinin tek avantajı, herkesin *zaten* hücresinde olmasıydı.

Erwan'a gelince, kendisi ile Kripo'yu bir numaralı şüpheliye ayırmıştı: Jean-Louis Lassay, şef psikiyatr, enstitünün müdürü. Bretanya topraklarında düzenin ve meşruiyetin güvencesi olarak Verny'yi de yanlarına almışlardı.

Lassay yine kolejli bir İngiliz gibi giyinmişti; güvenlik güçleri yerleşkeyi kuşatırken, kararlı adımlarla onları karşılamaya geldi.

– Bu kanunsuz müdahale de neyin nesi? diye protesto etti, çenesini havaya dikerek.

Bir dakika sonra, üç gün önceki gibi toplantı salonundaydılar. Erwan bir itişte Lassay'yi koltuğuna oturturken aynı anda silahını da çıkardı. Takındığı bu tavırdan emin değildi, ama yine de, vidayı bir tur daha sıkarak devam etti:

– Konuşmamız gerekiyor; sen ve ben.

– Bana artık "sen" diye mi hitap ediyorsunuz? Ama bu...

– Kapa çeneni. Bana Pharabot'nun ölümünden bahset.

– Daha önce de her şeyi anlattım, ben...

– Tarih, saat, o güne ait tüm ayrıntıları istiyorum.

Lassay onları karşılayan gümüşi saçlı aynı yakışıklı adamdı, ama sanki ışın tedavisinden çıkmış gibi bir hali vardı. Cildi güneşte yanmış gibi kıpkırmızıydı, yüzü şişmişti. Eliyle suratını sıvazladı, ardından mırıldanır gibi konuştu:

– Anlamıyorum... Yaptığınız bu müdahale size pahalıya patlayacak, siz...

– Cevap ver, dedi Erwan tabancasını kılıfına sokarken.

Elinde silahla kendini aptal gibi hissediyordu.

– Thierry Pharabot 23 Kasım 2009 gecesi öldü, diye başladı psikiyatr.

– Ölüm belgesi nerede?

– Arşivimizde. Cavale Blanche'ın bir doktoru tarafından aynı gece hazırlandı.

– Neden sen değil?

– Kanun böyle. Ölümün kurum dışından bir doktor tarafından doğrulanması gerekiyor. Ertesi gün, Brest'ten bir komiser, ölümün ayrıntılarını teyit etmek için geldi. Her belgeyi saklıyoruz. Sizin için fotokopisini alabilirim.

Erwan bakışlarıyla Verny'ye sordu: Brest'te bir karakol olduğunu bilmiyordu. Jandarma bir baş hareketiyle onu teyit etti.

– Bunu biz de inceleyeceğiz, dedi yarbay.

Demek ki Pharabot kesinlikle ölmüştü; bu konuda bir hile olmadığı ortadaydı. Hücre alma işlemi ölümünden önce mi yapılmıştı? Yoksa öldükten hemen sonra mı?

Erwan, Lassay'yi inceliyordu. Hiç duyulmamış psikiyatrik tedaviler denemiş olabilirdi, ama kemik iliği alma olayı farklı bir uzmanlık gerektiriyordu. Üstelik, adamın gerçekten şaşkın olduğunu hissediyordu. Doktor olan biteni kesinlikle anlamamıştı.

– Sonra, cesedi ne yaptınız?

– Thierry Pharabot'nun ailesi yoktu, biz... biz onu yaktık.

– Nerede?

– Vern Faaliyet Bölgesi içinde yer alan Brest Krematoryumu'nda. Külleri Kaerverec mezarlığına serpiştirildi. Bir kez daha söylüyorum, hepsi dosyada var.

Erwan tekrar Verny'ye baktı, yeni bir onay aldı. Onun arkasında, Kripo çaktırmadan işaret etti. Şimdi anlıyordu; Alsace'lı bilgi toplamıştı bile.

Ama katilin belirlenen ölüm saati ile yakılması arasında bir boşluk olması mümkündü. Hücreler, yakma işleminden önce alınmış olabilirdi.

– Olayı netleştirelim, diye devam etti Erwan. Önce doktorun, ardından da komiserin ölümü doğrulaması arasında geçen süre boyunca ceset enstitüde miydi?

– Evet. Ama bu soruları neden soruyorsunuz?
– Cesedi nereye koydunuz?
– Hastanenin morguna.
– Orada dikkat çekici bir şey oldu mu?
– Ne gibi?
Erwan tüm cevapları süpürürcesine elini salladı.
– Cesedi krematoryuma kim götürdü? Siz mi yoksa cenaze görevlileri mi?
– Biz. Ambulansla.
– Onu götüren hastabakıcıların adlarını biliyor musun?
– Bakmam lazım. Ama bu ayrıntıların sebebi ne?
– Kemik iliği naklinin ne olduğunu biliyor musun?
– Ben doktorum.
– Burada bu operasyonu yapacak araç gerece sahip misiniz?
– Biz bir psikiyatri hastanesiyiz!
– Burayı ilk ziyaretimde, bana bir araştırma merkezinden bahsetmiştin.
– Beyinle ilgili araştırmalar! Hücre alımıyla alakası yok.
– Bazı cihazlar, asıl işlevleri dışında kullanılmak üzere değiştirilebilir mi?
– Sanırım ama... (Lassay kaşlarını çattı.) Ne demeye çalışıyorsunuz?
– Kemik iliği nakli, nakil yapılan kişinin kan grubunu, hatta DNA'sını bile değiştirebiliyor. Çivi Adam'ın cesedi, bazı fanatikler için kutsal bir fırsat.
– Neyin fırsatı? Pharabot hayatının üçte ikisini akıl hastanesinde geçirdi. Kim onun hücrelerini istesin ki? Siz iyice çıldırmışsınız.
Erwan –kötü polis– odanın içinde dolaşıyordu; Verny kapıyı tutuyor, Kripo da not alıyordu.
– Ölümsüz soy. Bu söz, size bir şey ifade ediyor mu?
– Moda bir yöntem. Gerektiğinde işlemden geçirmek için kök hücreleri dondurma.
– Burada bu hücreleri saklamak için soğutmalı bir yeriniz var mı?
Lassay ne korkmuşa ne de öfkelenmişe benziyordu, sadece üzülmüş gibiydi.
– Bunu size hangi lisanda söylemem gerek? Biz tehlikeli hastaların yatırıldığı bir hastaneyiz. Siz ne sanıyorsunuz? Burada Frankenstein tarzı deneyler yaptığımızı mı? Zaten onları sakinleştirme konusunda yeterince zorluk çekiyoruz. (Ayağa kalktı ve küçümsercesine Erwan'ı tepeden tırnağa süzdü.) Artık yeter, bıktım!

(Pencereye doğru baktı.) Bu kuşatma, bu silahlı adamlar, komik. Hem benim hem de kendinizin zamanını boşa harcıyorsunuz.

– Bana bütün söyleyeceğin bu mu?

– Ne haliniz varsa görün!

Erwan ona var gücüyle bir tokat attı. Lassay düşmemek için masaya tutundu. Yumruklarını sıktı ve ilerledi. Erwan'dan birkaç santim uzundu ve onun kadar iriydi.

İki tür insan vardır: Fiziksel şiddetten korkanlar ve diğerleri. Psikiyatr olsun veya olmasın, Lassay, Erwan'ın suratını dağıtmaya hazırdı.

Verny silahını çekerek araya girdi.

– Hemen şunu kesin. (Kolunu uzattı, Erwan'ı uzak tutmaya çalışırken doktora hitap ediyordu.) Bu... yersiz hareketi için Başkomiser Morvan'ı affedin.

Bu basit cümle tansiyonu düşürdü. Psikiyatr gerçeğe dönmüş gibiydi – uygar dünya ve onun uygar kuralları. Erwan homurdanarak geri çekildi.

Kapı bir anda açıldı: Le Guen.

– Bir hastabakıcı kayıp. Görünen o ki, biz gelince kaçmış.

– Adı ne? diye sordu Lassay.

– José Fernandez.

– Plug mı? dedi Lassay, karşılık olarak. Bizim en eski hastabakıcılarımızdan biri.

Bu lakap, Erwan'a punk'çı doktorla yaptığı konuşmayı hatırlattı.

– Neden ona böyle diyorsunuz?

– Kulakmemelerindeki silikon silindirler nedeniyle.

– Vücut sanatına mı düşkün?

Psikiyatr yanağını ovuştururken küçük bir kahkaha attı.

– Her yeri dövme ve *piercing*'lerle kaplı.

Erwan, Le Guen'in önüne geçti ve koridora çıktı. Verny ile Kripo peşinden koştular. Jandarmanın silahı hâlâ elindeydi.

– Şunu kılıfına sokun, diye emretti Erwan, kendi ayağınıza sıkacaksınız.

– Dolu değil, dedi beriki.

– Hastabakıcıyı bulmalıyız. Mutlak önceliğimiz bu.

# 123

Plug fazla uzağa gidemedi.

Charcot'nun yaklaşık yüz kilometre uzağında, Porspoder yakınlarında, saat 17.00'ye doğru yakalandı. Kuşkusuz tekneyle kaçmayı planlıyordu. Bir saat sonra, Erwan'ın adını bilmediği bir merkez jandarma kışlasının duvarları arasındaydı.

Operasyonu takip etmişlerdi. Şimdi, fazla ışık vermeyen tavan lambalarıyla donatılmış (hep aynı Bretanya sendromu. Öğleden sonraydı ve hava şimdiden kararmıştı), boş ve soğuk bir başka ofisteydiler.

José Fernandez, Joseph Irisuanga'ya benziyordu; onun daha küçük modeliydi. Kafasını bir balta darbesiyle ikiye bölünmüş gibi gösteren siyah bir ibik dışında başı tamamen tıraşlanmıştı; yüzünde *piercing*'ler, perçin çivileri, her boyda halkalar göze çarpıyordu. Herif boruya kelepçelenmiş bir manda gibi soluyordu.

Erwan diğerlerini odadan çıkardı. Hastabakıcıyla –ve sert davranmak gerektiğinde iyi bir ikinci adam olacağını düşündüğü Verny'yle– yalnız kalmak istiyordu. Kripo'yu bile kovalamıştı – *ayrımcılık yoktu.*

Erwan odanın içinde dolanırken, gardını almasına fırsat vermeden birden herifin üstüne atıldı.

– Pharabot'nun nakliyle sen mi ilgilendin?

– Ne?

Erwan'ın kuşkularını doğrulamaya zamanı yoktu, blöf yapmak zorundaydı.

– Vern'deki krematoryuma onu sen mi götürdün?

– Evet...

– Yolda ne oldu?

– Ama... hiçbir şey. Ne dediğinizi anlamıyorum...

Erwan herifin sol kulakmemesindeki silikon silindiri tuttu ve kopardı. Hastabakıcı kulağını tutarak ulur gibi bağırdı. Polis kopan parçayı yere attı.

– Hücreleri ne zaman aldın?

– Siz delisiniz!

İbikli herif inliyordu, ama Erwan onun iniltisinden büyük bir zevk aldığını hissediyordu.

– Cesetle ne oldu? diye bağırdı, herifin ikinci kulakmemesini yakalarken. Sana ondan hücreleri almanı kim söyledi? Onları nereye teslim ettin?

Doğaçlama yapıyordu, ama Plug'ın bakışlarından doğru damarı bulduğunu anladı. Kulağını biraz daha büktü. Fernandez hırıldayarak eğildi. Erwan görüşünü bulandıran kızıl bir perdenin ardından, Verny'nin yeniden müdahale etmeye hazırlandığını fark ediyordu.

– Cevap ver, lanet olası, yoksa bunu da koparırım!

Fernandez gülmeye başlayınca, Erwan ona acı vermenin doğru bir yol olmadığını anladı. Verny'ye silahını vermesini işaret etti – jandarma titreyerek söyleneni yaptı. Erwan silahı aldı ve namlusunu Plug'ın sağlam kulağına doğrulttu:

– Afgan ruletini biliyor musun? Rus ruleti gibi, ama otomatik silahla oynanıyor.

– Ne yapıyorsunuz? Deli misiniz? Benim... benim hiç şansım yok!

Erwan tek harekette, sürgüyü çekerek namluya mermi sürdü ve tetiğe bastı. Hastabakıcının bacaklarının arasında bir sidik lekesi belirdi.

Erwan silahı, taş kesmiş jandarmaya geri verdi. Hastabakıcı kelepçeli elleriyle yüzünü korudu ve hıçkırarak ağlamaya başladı.

– 23 Kasım 2009 gecesi, dedi Erwan, dinliyorum.

– Ertesi gün... ben... cesedi bir meslektaşımla birlikte Vern bölgesine götürdüm.

– İsmi?

– Michel Leroy. Artık burada çalışmıyor. Emekliye ayrıldı.

– O da bu işin içinde mi?

– Hayır. Sadece o sabah erkenden benimle birlikte gelmeyi kabul etti.

– Neden?

– Çünkü teknisyenler gelmeden önce, yakma salonunda operasyonu yapmak istiyordum.

– Sonra?

– Tan ağarırken krematoryumdaydık. Cesedi yerleştirdik, sonra Michel'den beni arabada beklemesini istedim.

– Hangi bahaneyle?

– Hiç. Leroy hiç nazlanmadan kabul etti. Yanımda getirdiğim aletleri çıkardım ve hücre örneklerini aldım.

– Vücudun hangi kısmından?

– Uyluklardan. Fibroblast almak için en elverişli bölge.

– Ne almak için?

– Altderide bulunan ve sonradan dediferansiyasyonu kolay hücreler.

– Anlayacağım şekilde anlat.

– Embriyonik hücre haline getirilebilen hücreler. Bunlar kök hücreye dönüştürülüyor, ardından da gerektiğinde kullanılacak hücreler elde edilmek için kültür işleminden geçiriliyor.

*Ölümsüz soylar*. Erwan, sıvı azot dumanları içinde kötülüğün sonsuz gücünü görüyordu.

– Yani ne yaptığını biliyordun?

– Hücrelerin söz konusu olduğunu biliyordum. Ve herhangi birinin değil, Çivi Adam'ın hücreleri!

Erwan dörtlü çetenin, bu küçük memura da patron kesesinden bir enjeksiyon vaat edip etmediğini düşündü.

– Devam et.

– Fibroblastları izotermik bir çantaya koydum ve yola çıktım.

– Cenaze görevlileri yaraları fark etmedi mi?

– Pharabot'yu hazırlamıştım. Ona en güzel takımını giydirmiştim. Hiçbir kusur bulamadılar. Sekiz yüz elli derecede, bir ceset çıplak ya da giyinik olsun, aynı şekilde yanar.

Erwan gözlerinin önünden alevlerin geçtiğini gördü. Hücrelerin dondurulmasıyla birlikte, hayatının en şiddetli sıcağı ve soğuğu. Ceset yaklaşık iki saat içinde –yasal süre– tamamen kül haline gelmiş olmalıydı, ama katil ölmemişti; hücreleri hâlâ yaşıyordu.

– Sonra?

– Hepsi bu kadar.

Erwan var gücüyle herifin ensesine bir tokat indirdi. Fernandez dizlerinin üstüne düştü.

– Hücreleri nereye teslim ettin?

– İsviçre'ye. İşten bir günlük izin almıştım. Kesin talimatlar vardı. Sınırı Vallorcine'den geçecektim, sonra da Verbier yakınlarında bir kliniğe gidecektim.

– Sana bu talimatları kim verdi?

– Kafama sıkabilirsiniz, size bir isim vermeyeceğim.

Erwan böyleleriyle çok karşılaşmıştı.

– Klinik nerede, söyle.

Tek harekette ikinci kulakmemesini de yırttı.

– Hangi klinik? diye bağırdı, herifin iniltilerini bastırmak için. Aksi takdirde, yemin ediyorum tüm *piercing*'lerini tek tek koparırım. Orayı ben her halükârda bulurum. Konuş. Zaman kazanayım, sen de şu rezil maskara suratını kurtar.

Hastabakıcı kelepçe tıngırtıları arasında hıçkırarak ağlıyordu. Verny korkulu gözlerle bakıyordu.

Erwan, Fernandez'i omzundan yakalayarak sarstı.

– İSİM, KAHROLASI HERİF!

– Vallée Kliniği... Kanserli hastalar için bir merkez...

Erwan leş gibi sidik ve kan kokan odadan çıktı. Peşinden de Verny. Erwan'la konuşmak istiyordu, ama korkudan, ancak tavuk gıdaklaması gibi sesler çıkarabiliyordu

– Onu içeri tıkın, diye emretti Erwan, tuvalete doğru yönelirken. Buz gibi suyu açtı, havlu kâğıtları kopardı ve kravatının üstündeki kanı temizlemeye çalıştı.

– Siz... sizin yöntemleriniz daha ziyade... diye geveledi jandarma.

– Tüm bunları unutun, diyerek konuyu sonlandırdı Erwan, musluğu kapatırken. İfadesini hazırlayıp imzalatın ve Rennes Savcılığı'na da haber verin. Hepsini Paris'e yollayın. Yarın, Bretanya yeniden huzurlu bir yer haline dönecek.

– Peki siz?

– Ben İsviçre'ye gidiyorum.

# 124

Morvan odasında, Loïc'in internet üstünden yaptığı operasyonları ekrandan izliyordu. Ağırlıklı olarak hisselerinin yaklaşık yarısı daha şimdiden alıcı bulmuştu. Rayiçlere bakmak istemiyordu; zaten hisselerinin tam değerini hiçbir zaman bilmemişti. Kesin olan tek bir şey vardı: Parası, savaş alanında akan kan gibi akıp gidiyordu. Coltano. Toprakları. Madeni...

Bir de tüm bunlara ilave olarak gözünün önüne kızının kaotik yaşantısından bölümler geliyordu. Yattığı iğrenç herifler. Onu mahvetmek için beceriksizce çevirdiği dolaplar. Ağaçların dallarının arasından düşüşü. Sainte-Anne'da uğradığı saldırı...

Bu duruma nasıl gelmişlerdi?

Bu hatayı telafi etmek için servetinin kalanını feda etmeye hazırdı. Suç dolu hayatının enkazı içinde onun için tek bir şey önemliydi: Baba sorumluluğu. Bugüne kadar bunu kimse anlamamıştı ve bundan da bir tür gurur duyuyordu. Onun bu misyonu gizli, görünmez ve etkili olmalıydı...

Bu tipte sadece bir adam tanıyordu – sadece ve sadece tek bir sebep için, kızlarının mutluluğu uğruna kendini defalarca tehlikeye atmış kaba saba bir adam: Condottiere. Montefiori de, Heemecht aracılığıyla hisselerini satıyor olmalıydı. İki yaşlı alçak, hayatlarının düşkünlük döneminde kendi kendilerini batırıyorlardı.

Birden kapı açıldı: Maggie.

– Konuşmamız gerekiyor.

Herkes Maggie'nin korku içinde yaşadığını sanıyordu. İkisi de bunun doğru olmadığını biliyordu. Dayak korkusu, evet. Ama gerçek tehdit, sanılanın tersine o taraftan değildi.

– Zaten yeterince derdim yok mu? diye homurdandı Morvan.

– Doğru. Ama bu iş oldukça uzadı.

Maggie yavaşça kapıyı kapadı. Yine gülünç kıyafetlerinden birini giymişti: Açık mor renkli bir tunik, şekilsiz bir kot pantolon, her türden incik boncuk.

– Erwan, Lontano hakkında bana sorular sormayı sürdürüyor. Sonunda bulacak.

– Katilin istediği de bu.

– Pernaud'yla ilgili sorular da sordu.

– Telefon görüşmeleri yüzünden mi?

– Sen ne sanıyordun? Sana bu defa çok ileri gittiğini söyledim.

– Aksi halde tüm geçmişimiz dergilerde tam sayfa yer alacaktı.

Maggie derin bir iç çekti. Ne ölenlere acıyor, ne ailesini tehdit eden katilden ya da onları şişe geçirmek isteyen Afrikalı generallerden korkuyordu. Sadece her ikisiyle ilgili gerçeğin ortaya çıkmasından kaygı duyuyordu.

– Katil kim? diye sordu.

– Hiçbir fikrim yok, diye karşılık verdi Morvan

– Neden Çivi Adam'ı taklit ediyor?

– Ona hayranlık duyuyor ve onun intikamını almak istiyor.

– Kimden onun intikamını almak istiyor?

– Benden. Senden.

Maggie takılarını şıngırtarak odanın içinde birkaç adım attı.

– Olay patlak vermeden önce Erwan onu bulacaktır, diye devam etti Morvan.

– Erwan nerede?

– Hiç bilmiyorum. Ellerimin arasından kaçıp gitti.

Kadın sert bir ifadeyle gülümsedi.

– Sen çok değiştin.

Morvan, karısının dikkatini başka yone kaydırmak için önünde parlayan ekranı işaret etti.

– Bütün varlığımız büyük zarara uğradı. Bunun için kızına teşekkür edebilirsin.

– Para umurumda değil.

– Çünkü her zaman paran vardı.

– Şeytanla bir anlaşma yaptık, diye fısıldadı kadın. Söz konusu olan ruhumuz, paramız değil.

Bu sefer gülümseme sırası Morvan'daydı.

– Aynı şey. Bizim ruhumuz çocuklarımız ve onlara gelecekleri için bir şeyler bırakmak istiyorum.

– Her şeyi önceden düşündün, değil mi?

– Sen ne dediğimi anlıyor musun? Bir daha söyleyeyim, paramız...

– Sen bu durumdan da kurtulursun. Her zaman olduğu gibi. Yeni yataklar var. (Yumuşak bir sesle Baudelaire'den alıntı yaptı.) "Çamuru yoğurdum ve ondan altın yaptım..."

Morvan'a karısı gitgide kafayı yiyormuş gibi geliyordu.

– Bir de Sofia meselesi var, dedi Morvan, karısını yeniden konuya çekmek için. Evliliğin tezgâh olduğunu anladı. Giovanni ile beni gebertmek istiyor.

– Sakinleşecektir. O akıllı bir kadın.

Anlaşılması güç bir sebepten, Maggie hep İtalyan kadına hak veriyordu.

– Onu hep kurnaz bulurdum, dedi Morvan.

– Sen öncelikle Erwan meselesini hallet. (Kapıya doğru yürüdü.) Aksi takdirde onunla ben konuşacağım.

– Bana söz vermiştin...

Maggie, eli kapı kolunun üstünde, Morvan'a küçümseyici gözlerle baktı.

– Birbirimize verdiğimiz sözlerden mi bahsediyorsun, sevgilim?

Morvan tam ona cevap vermeye hazırlanırken genelkurmayın teleksi çalışmaya başladı. Kurulmuş bir makine gibi, teleksin gönderilme saatine göz attı: 19.10. Hızla kâğıdı kopardı ve dikkatle okudu.

– Nedir o? diye sordu Maggie, ona doğru yürürken.

– Belki de sorunlarımızın çözümü.

# 125

Gün sonuna doğru iki polis Paris'e dönmüştü. Uçuş boyunca düşünmemişlerdi. Uyumamışlardı da. Erwan bakışlarını, çok daha hızlı bir şekilde İsviçre'ye gitmesini sağlayacakmış gibi uçağın lombozundan ayırmamıştı.

Yaklaşık saat 20.00'de, Cenevre uçağına yetişmeyi başarmıştı. Kripo, 36'ya dönüyordu. Görevi, üç şüpheliyi gözaltına almak, onlardan kan ve gen örnekleri aldırmaktı. Saat 22.00'de Erwan Cenevre'ye indi. Üç kuşun kafese konup konmadığını öğrenmek için hemen Alsace'lıyı aradı. Herifler ortadan yok olmuştu.

Kuşkusuz, Fernandez'in yakalanmadan önce onlara haber verecek zamanı olmuştu. Pharabot'nun çırakları da sırlarının ortaya çıktığını anlamışlardı. Paniklemişler ve kaçmışlardı.

Kripo'nun sesi düşüncelerini böldü:

– Audrey'nin yakın çevreden aldığı tanık ifadelerine göre, Lartigues ile Redlich'in engelleri bir yıldan daha kısa bir süre önce ortaya çıkmış. Ondan önce tavşanlar gibi zıplıyorlarmış.

Kronoloji. Kasım 2009'da, Thierry Pharabot ölüyor. José Fernandez hücreleri alıyor ve Vallée Kliniği'ne götürüyor. Dört fanatik için işlemler başlıyor. Kendi kemik iliklerinin tahrip edilmesi. Pharabot'nun hücrelerinin dediferansiyasyonu, kültür işlemi, sonra dönüşüm. Bu durumda enjeksiyonlar 2011'de başlamış olmalıydı. Dört adamın hepsi ilik nakli işlemini kaldıramamıştı. Siklosporin onları zayıflatmıştı. Lartigues ile Redlich eklemleri etkileyen bir virüse ya da o tarz bir şeye yakalanmışlardı. Di Greco için ise, daha beteri olamazdı. Bir tek Irisuanga mükemmel fiziğini korumuştu.

Artık cinayetlerin zamanı gelmişti.

Di Greco, hâlâ aydınlatılamayan koşullarda Wissa Sawiris'i öldürmüştü. Lartigues fetişizm bahanesiyle Anne Simoni'ye işkence etmiş ve onu doğramıştı. Pernaud'yu öldürme görevi Redlich'e verilmişti – onu atış kulübünden tanıyordu. Irisuanga ise Gaëlle'e saldırmıştı... Hepsi, gerçek hedefe –Grégoire Morvan'a– yaklaşmak için belli bir çevreyi hedef alan cinayetlerdi. Çivi Adam'ı yakalamış ve onu ömür boyu hapse mahkûm ettirmiş adama.

– Şu anda, dedi Kripo, çoktan Brezilya'nın ya da başka bir yerin yolunu tutmuş olmalılar.

– Hayır. Fransa'da veya İsviçre'de bir yerlerdeler. İçlerinden birinin bir evi olmalı. O evin yerini bul.

– Kaçış planı olarak pek akıllıca sayılmaz.

– Redlich'in cephaneliğine güveniyorlar.

Kısa bir sessizlik. Kripo, Erwan'ın ne düşündüğünü tahmin ediyordu: Bir tarikat gibi siperlerle tahkim edilmiş bir kamp – toplu intihar veya silahlı çatışma. 18 Kasım 1978'de, Guyana'da kıstırılan Rahip Jim Jones tüm topluluğuna –yaklaşık bin kişi– siyanürle intihar etmelerini emretmişti. 1993'te, David Koresh ve müritleri Amerikan silahlı güçlerinin saldırılarına yaklaşık iki ay boyunca direnmişti – bilanço: Yaklaşık yüz ölü. 1994 ile 1997 arasında, Güneş Tarikatı, kendisi için tehdit olarak gördüğü yetmişten fazla kurbanı öldürmüş ya da intiharlarını planlamıştı.

Erwan bu adamların durmayacağını düşünüyordu. Üstadın ruhu pes etmeyecekti. Ayrıca, artık Pharabot'nun güçlerine sahiptiler ve insanları kurban ederek daha da güçlenmişlerdi, kendilerini alt edilemez olarak görüyor olmalıydılar.

– Onları bul ve beni ara.

Bir araç kiralama şirketine daldı. Gece oluyordu. Hava soğuyordu. Erwan, gösterge tablosu bir uzay aracının paneli gibi parlayan aşırı donanımlı bir araca sığındı. Kontak. Işıklar. GPS.

Verbier Kayak İstasyonu'ndan fazla uzak olmayan Vallée Kliniği'nin koordinatlarını bulmakta bir zorluk yaşamadı. Kripo çoktan konuyu araştırmış ve ona SMS atmıştı: "Şüpheli bir şey yok." Klinik, hem kemik iliği nakillerinde ünlenmiş bir merkez hem de hastaların palyatif lüks tedavilerle son günlerini geçirdiği bir yerdi. Belirtilen adres yüksek kesimlerde bir yerdeydi. Birkaç sonsuzluk hücresiyle mucizeler yaratılan gizemli bir sığınak.

Yol, ara ara yerini çam ağaçlarıyla çevrili dar ve yılankavi boğazlara bırakıyor, sonra karanlık ve dümdüz uzanan ovalarda devam ediyordu. Zaman zaman, bir vadinin dibinde, sanki Noel'miş gibi aydınlatılmış pencereleriyle, dümdüz uzanan bir köy görülüyordu. Sokak lambaları, beyaz ve donuk bir hale yayan, soğuk balmumundan fanuslara benziyordu.

Bu yolculuğun sonunda ne elde edecekti? Uykudaki bir kliniğe gece yarısına doğru ulaşacaktı. Ne burada resmi bir görevi vardı ne de şüphelerini destekleyecek en ufak bir kanıtı. İsviçre polisiyle temas kurmayı da istememişti. Doktorların ofislerinde, hastaların ise bekleme salonlarında olacağı bir saatte gidebilirdi, ama yarına kadar beklemeye sabrı yoktu..

GPS ona gerçeği yeniden hatırlattı: Nerede olduğunu bilmiyordu, ama varacağı yere sadece birkaç kilometre kalmıştı. Vallée[1] Kliniği, isminden de anlaşıldığı gibi köknar ağaçlarıyla kaplı bir vadide yer alıyordu. Şu anda GPS'i arızalansa, yönünü bulmak için havanın aydınlanmasını beklemek zorunda kalacaktı.

Bir ışık halesi içinde binalar göründü: Alçak hatlar, düz çatılar, yan yana yerleştirilmiş tahta levhaları andıran ahşap duvarlar. Işıkları yanan bir sürü salon, vadinin koyu karanlığında titreşiyordu. Erwan buna bir anlam veremedi. Arabasını park alanına bırakırken, aklına bir alarm neticesinde boşaltılmış bir balo geldi; yanan ışıklara rağmen etrafta tek bir insan yoktu. Çift kanatlı cam kapıya yaklaşınca silahını çıkardı ve namluya mermi sürdü. Saçmalık.

Hol boştu. Duvarlar, zemin, tavan her yer bembeyazdı. Tavan lambalarının ışıkları yerdeki linolyumdan yansıyordu. Yeşil bitkiler farklı alanların sınırlarını belirliyordu. Bir santral memuresi –ya da bir hemşire– bir tezgâhın arkasında uyukluyordu. Yaklaştı. Kadın toparlandı.

– Acil bir durum mu var? diye, belli belirsiz bir kaygıyla sordu.

Erwan silahını gizledi ve üç bantlı kimliğini çıkardı.

– Patronunuzu görmek istiyorum.

– Fransız mısınız?

– Cinayet bürosu.

– Profesör Schlimé'yle mi konuşmak istiyorsunuz?

– Evet, öyle.

Erwan bu ismi incelediği internet sitelerinde görmüştü. Jean-Louis Schlimé. Uluslararası referanslar. Bilimsel dergilerde saygın makaleler. İsviçreli yatırımcılarla birlikte 1993'ten beri bu kliniğin sahibiydi.

– Buraya ne için geldiniz?

Erwan sese doğru döndü ve bir bakışta aradığı kişinin karşısında durduğunu anladı. *Basit bir rastlantı olamaz bu...*

Ellili yaşlardaki adam bodur, kızıl sarı saçlı ve güler yüzlüydü, özellikle en umutsuz olduğunuz anlarda bile güven telkin eden

1. *Vallée*: "Vadi" anlamında Fransızca sözlük. (ç.n.)

bir tipti. Üstünde polar bir kazak ve kayak pantolonu vardı.

– Ben Doktor Schlimé. Bu saatte ne istiyorsunuz?

Erwan yeniden kimliğini çıkardı.

– Sadece konuşmak.

Doktor yalnız değildi. Yanında anoraklı irikıyım bir herif, soğukkanlılığını bozmadan duruyordu; bir hastabakıcıdan çok, yakın korumaya benziyordu.

– Size yanlış bilgi vermiş olmalılar, diye dalga geçti Schlimé. Kimliğiniz burada geçmez.

– Bu dostça bir ziyaret.

– Gece yarısı mı?

– Gece yarısı, haklısınız. Fransa'da bile, polis olmama rağmen, böyle bir şey yapamazdım. Olaya bir de başka yönden bakın; ya şimdi burada konuşuruz ve yarım saat içinde sorun çözülür, ya da beni kapı dışarı edersiniz, ben de yarın veya ertesi gün jandarmalarla, bir sorgu yargıcıyla ve bu işe dahil olacak kahrolası her şeyle yeniden gelirim.

– Blöf yapıyorsunuz, diyerek gülümsedi Schlimé. Birkaç hafta sürecek prosedürler yerine getirilmeden, İsviçre asla size destek vermez. Avukatlarım da bu prosedür daha başlamadan engel olur. Ayrıca, konu ne? Benim saklayacak hiçbir şeyim yok.

Erwan özgüvenini tekrar kazanmıştı. Sert oynayacak, yılmadan ilerleyecek, dosyasından çok, kendisinin buradaki varlığına güvenecekti.

– Kasım 2009. Jean-Patrick di Greco. Ivo Lartigues. Sébastien Redlich. Joseph Irisuanga. Bu dördü hakkında size bir özet geçebilirim.

Schlimé küçük tombul ve pembe eliyle bir işaret yaptı.

– Beni izleyin. Bir bakıma, ilk günden beri ben de sizi bekliyordum.

– Ölümsüz soylar!

Salon, kutuplara özgü bir laboratuvara dönüştürülmüş bir kütüphaneyi andırıyordu. Üzerlerinde numaralar bulunan, çelikten soğuk hava dolapları. Yerden tavana kadar beyaz karolar. Eksi yüz seksen dereceye sabitlenmiş sıvı azot çekmecelerini kusursuz bir şekilde aydınlatan soğuk neon ışıkları.

– Yıllardan beri hücre topluyoruz.

– Kök hücreler mi?

– Başlangıçta hepsi her zaman öyle değildi, ama sonra dediferansiyasyon işlemini, yani onları nötrleştirmeyi öğrendik, ardından da onları genetik olarak yeniden programlamayı.

Kâğıttan astronotlar gibi giyinmişlerdi – tulumlar, başlarında fırfırlı boneler, galoşlar. Kâğıt hışırtıları arasında yürüyorlardı ve hepsini taçlandırmak için de cerrahi maske ile olası sıçramalardan –azot o denli soğuktu ki bir anda alev alabiliyordu– korunmak için gözlük takmışlardı.

– Bu hücreler kimlere ait?

– Zamanı geldiğinde onlarla hayatlarını kurtarabileceğimizi bilen öngörülü hastalara.

Parlak dolaplar boyunca ilerlediler. Tuhaf bir şekilde, sonsuz yaşam sunan bu mekân bir morga benziyordu.

– Bir gün, göbek bağları sistematik olarak saklanacak. (Doktor eldivenli elini krom bir kapının üstüne koydu.) Herkes kanının, kemik iliğinin, insan mekanizmasına ait ne varsa her şeyinin yenilenmesini sağlayan bir kök hücre stoku yapacak.

Erwan, büyük perhiz gününde inananların alnına haç işareti yaparken rahibin Tekvin'den söylediği sözleri hatırladı: "Tozdan geldin, toza döneceksin, unutma." Artık zaman değişmişti; insan artık toz değildi, ölümsüz hücrelerdi.

– Bana Di Greco'dan, Lartigues'den, Redlich'ten, Irisuanga'dan bahsedin.

Schlimé kendini naza çekmedi.

– Bana çılgınca bir proje önerisiyle geldiler, hemen kabul ettim.

– Neden?

– Öncelikle para için. Ardından da deneyim için. Fikirleri büyüleyiciydi: Bir ilik nakliyle başka biri olmak.

– Bu hücrelerin kime ait olduklarını biliyor muydunuz? Olmak istedikleri kişinin kim olduğunu?

– Hayır. Ama bunun, benim için bir önemi yoktu.

Adam, dört kopyası olan bir katili yeniden yaratmıştı ve bunu sıradan bir araştırma programıymış gibi anlatıyordu.

– Sizi yasadışı bir tıbbi uygulama yapmakla suçlayabileceğimi biliyor musunuz?

Cerrah maskesini indirdi ve canı yürekten bir kahkaha attı. Dudaklarının arasından bir buhar bulutu yükseldi.

– Çok hoşsunuz. Ne olursa olsun beni suçlayamazsınız, bunu siz de biliyorsunuz. Üstelik bunu burada yapamazsınız, çünkü burada hiçbir meşruiyetiniz yok.

– İsviçreli meslektaşlarımla temasa geçebilirim.

– Bu suçlamaları kim ispatlayacak? Siz mi? Bu adamların lösemi hastası olduğunu ispatlayan herhangi bir belge gösterebilirim. Işınlar onların hücrelerini tamamen tahrip etmişti ve ilik nakli, organizmalarını yeniledi. (Eldivenli küçük ellerini havaya kaldırdı.) Anlayacağınız bu imkânsız!

Erwan'ın bu "hücrelik"te dişleri takırdamaya başlamıştı.

– Bu projeyi benimsediğinize inanamıyorum.

– Kendilerine bir kan hastalığı enjekte edeceklerini, böylece onları tedavi etmek zorunda kalacağımı söyleyerek bana baskı yaptılar.

– Onların bu şantajına inandınız mı?

– Hayır, ama bu onların ne denli kararlı olduklarını gösteriyordu. Parayı cebe indirmenin yanı sıra bu tür bir deneyim de bana çekici geldi.

– Bu hücrelerin ölü bir adamdan alındığını biliyor muydunuz?

– Ayrıntıları sormadım.

– Siz o "gönüllüler"e, bir katilin genini enjekte ettiniz. Onların, katili taklit ederek en az beş kişiyi öldürdüklerine inanıyorum.

Schlimé kaşlarını kaldırdı, sonra hemen neşeli kızıl saçlı adam ifadesine büründü. Onunla ahlak ve sorumluluk üstüne tartışmanın gereği yoktu; dolapları kadar soğuk, reenkarne ettiği herifler kadar kaçıktı.

– Bana tarihleri, isimleri, ayrıntıları verin.

– Size neden cevap vereyim?

Erwan da maskesini indirdi.

– Bu konuda ne düşünürseniz düşünün, size yarın bir manga İsviçre polisi yollayabilirim. Benim gücümü küçümsemeyin.

Schlimé nefes verirken, çevresinde pembe bir hale meydana getiren kısa buhar bulutları çıkarmaya devam ediyordu.

– Benimle gelin, dedi sonunda. Burada donuyoruz.

Kâğıt kıyafetlerini çıkarıp bir kutuya attılar ve yeniden koridora çıktılar. İrikıyım herif ortadan yok olmuştu. Lassay'nin Charcot'daki odasını hatırlatan, kitaplarla ve dosyalarla dolu küçük bir ofise girdiler.

– Bu durumda siz katillerle örnekler gelmeden önce karşılaştınız, öyle mi?

Schlimé kendine yeşil çay doldurdu; görünen o ki, odasında dolu bir termos bulunduruyordu.

– Sizin için sakıncası yoksa, onlara "hastalar" diyelim. Her şey önceden organize edilmişti, elbette. Bunlar bir anda karar verilip yapılan tedaviler değildir.

– Hücrelerin size kesin bir tarihte mi ulaşması gerekiyordu?

– Hep 2009 sonu olarak konuşuldu. Hücreler elimize geçer geçmez onları dondurduk ve buna paralel olarak kendi kemik iliklerini tahrip etmek için gönüllülerime ışın vermeye başladık. Ardından, dediferansiyasyon ve kültüre koyma aşamalarına geçtik.

Demek ki Pharabot'nun ölümü planlanmıştı. José Fernandez sadece cesetten hücre almakla kalmamış, önce onu inme ya da kalp krizi intibaı verecek şekilde gece boğmuştu. Fanatikler onun bedeninde daha iyi reenkarne olmak için örnek aldıkları insanın ölüm emrini vermişlerdi.

– İlik ne zaman hazır oldu? diye sordu Erwan.

– Ekim 2010'da.

– Işın seansları o kadar uzun sürdü mü?

– Bu çok ağır bir protokoldür. Kemik iliğinin tamamen tahrip edilmesi söz konusu.

– Dördüne de aynı anda mı ışın verildi?

Schlimé, evet anlamında başını salladı. Seramik fincanını iki eliyle tutuyordu; bu adamın yapmacık tavırları Erwan'ın sinirlerini bozuyordu.

– Sonuçta, bir süre hastanede yatmak durumunda kaldılar, değil mi?

– Son evre çok tehlikelidir, evet. Hasta çok güçsüzdür, hayata eğreti olarak tutunmuş durumdadır. Ona yeni hücreler enjekte ederiz. Yavaş yavaş vücut kendini yeniler.

Erwan, bu dört adamı Çivi Adam'a dönüşürken hayal ediyordu. Bunun masrafını kim karşılamıştı? Kuşkusuz Lartigues ile Irisuanga, klanın zenginleri.

– Edindiğim bilgilere göre Di Greco'nun kan grubu değişmiş.

– Diğerlerinin de. Kemik iliği yuvarlar ve trombositler üretir.

– DNA'ları da değişti mi?

– Bu ikisi birlikte olur. Artık vericiyle aynı DNA'ya sahipler.

– Bu adamlar nakledilen hücrelere uyum sağlayabildiler mi?

– Hayır. Bütün sorun da bu. Onları uyardım, insan vericisini seçemez. Onlara yüksek dozda siklosporin vermek zorunda kaldım, bu da onları dayanıksız hale getirdi. Bunun sonucunda Lartigues ile Redlich'te iltihaplı artrit gelişti.

Erwan doğru düşünmüştü. Schlimé, bunu hoşnutsuz bir tavırla anlatıyordu; transplantasyon yaptığı bu adamlar onun başyapıtlarıydı, ama zayıflık göstermeye başlamışlardı.

– Hayatta kalma şansları?

– Ben iyimser değilim. Şu anda iki tehdit altında yaşıyorlar: Bir yanda nakledilen iliğin vücutları tarafından reddi, diğer yanda yakalanabilecekleri hastalıklar.

Erwan, Lartigues'in çöp kutusunu hatırladı.

– Onların evinde ne reçete ne de ilaç bulduk.

– Ben her şeyle ilgileniyorum. Satış sonrası hizmet, öyle de diyebiliriz.

– Buraya kadar geliyorlar mı?

– Bir şekilde hallediyorlar.

– Onları en son ne zaman gördünüz?

– Bir ay oluyor. Sadece üçü geldi. Di Greco yoktu.

Uçak gemisine kısılmış, hastalığının ve acımasız oyunlarının kemirdiği Yüce Hasta Beden.

– Ne durumdaydılar?

– Çok tedirgin. Lartigues ile Redlich'in bedenleri, nakledilen iliği reddediyordu. Bir üst aşamaya geçeceklerini, her şeyin düzeleceğini, birleşmenin gerçekleşeceğini tekrarlayıp duruyorlardı... Ben hiçbir şey anlamadım.

*Beni şaşırtıyorsun.* Akıllarınca, büyük simbiyozun gerçekleşmesi için insanları –fetişleri– kurban etmeleri gerektiğini düşünüyor olmalıydılar. Ya da tam tersine, transplantasyonun başarısızlığına rağmen, katilin ruhuyla kuşatıldıklarına inanıyor, onun kötülük dolu ruhunun bir kısmını damıtan hücreleri bedenlerinde hissediyorlardı.

Erwan ayağa kalktı ve polar kazaklı bodur herife dikkatle baktı. Bu büyücü yamağı hakkındaki düşüncelerini ifade edecek kelime bulamıyordu. Dişlerini eline mi vermeliydi, onu tutuklamalı mıydı, yoksa sadece açık sözlülüğü için ona teşekkür mü etmeliydi?

Sonunda, daha medeni olanda karar kıldı.

– Teşekkürler doktor.

– Demek tutuklamıyorsunuz? Karakolda sorgu da yok?

– Buna ülkenizin polisleri karar verecek.

– Siz Fransa'da nasıl diyorsunuz, "herkesin pisliği kendine" mi?

– Aynen.

Hiç kimseyle karşılaşmadan holü geçti. Dışarıda, buz gibi esen rüzgârın içinde yan yan ilerledi.

Yola çıkmadan önce mesajlarını kontrol etti. Kripo on dakika önce aramıştı. Erwan hemen onu geri aradı.

– Bir şey oldu, dedi Alsace'lı, kesik kesik soluyordu. Saat 18.00 civarında, N165 yolunda, Brest'e birkaç kilometre mesafede iki jandarma vurulmuş.

– Ne?

– Rutin bir yol kontrolü. Bir minivanın içinde iki herif varmış. Sürücü altı el ateş etmiş ve kaçmışlar. Ama plaka tespit edilmiş: Araç Ivo Lartigues'e ait. Tanıkların verdiği eşkâle göre, direksiyondaki Redlich; ateş eden de o, Lartigues yolcu koltuğundaymış.

– Ve bunu şimdi mi öğreniyoruz?

– Her zamanki karışıklık. Jandarmalar önce tüm bölgeyi kordon altına almış ve...

– Onları buldular mı?

– Evet. Plakadan Finistère'de bir adrese ulaşılmış. Ev, Lartigues'e ait, Locquirec yakınlarında.

Köy, Kaerverec'e birkaç kilometre mesafedeydi ve Charcot'ya daha yakındı. Bunu nasıl da atlamışlardı? Büyük ihtimalle Wissa Sawiris orada öldürülmüştü. Ayrıca Lartigues bu evi akıl hastanesine yakınlığı için satın almış olmalıydı. Heykeltıraş mümkün olduğunca akıl hocasının yakınında olmak istiyordu.

– Jandarmalar oraya gitmişler, diye devam etti Kripo, ve saldırı tüfeklerinin ateşiyle karşılaşmışlar. Fort Chabrol olayı gibi. Ayrıca diplomatik plakalı bir araç daha görmüşler; Nijerya Elçiliği'ne aitmiş. Irisuanga da kuşkusuz diğer ikisiyle beraber.

İki engelli ve boynuzlu bir yarma. Bir seri katilin ruhuna tutkun, ilik nakli olmuş üç herif. Sıçanlar gibi köşeye kıstırılmış üç umutsuz.

– Verny orada mı?

– Bütün ekibiyle beraber. Ulusal Jandarma Müdahale Grubu'nu bekliyorlar.

– Onlara kim haber vermiş?

– Emir yukarıdan. Paris'ten geliyor.

– Müdahaleyi kim yönetiyor?

Kripo öksürür gibi yaptı.

– Baban.

İhtiyar bir kez daha komutayı devralmıştı. Ama bu durumdan nasıl hemen haberdar olmuştu?

Kripo onun düşüncelerini okudu.

– Genelkurmay'dan bir teleks gelmiş. O da derhal ipleri eline almış. Ayrıntıları bilmiyorum, ama bizzat Valls idareyi ona vermiş.

Demek bu nedenle, ikindiden bu yana Morvan onu hiç aramamıştı. Oğlunun yardımı ve ortaklığı olmadan operasyonu tek başına yönetmek istiyordu.

– Sizinle temas kurdu mu? diye sordu Erwan, durumu sezmiş gibi.

– Evet, benimle. Biraz önce.

– Sana ne söyledi?

– Bizi sahada görmek istemediğini.

– Hepsi bu kadar mı?

Kripo yine tereddüt etti.

– Soruşturmayla ilgili ayrıntılı bilgi istedi.

– Verdin mi?

– Yani... evet. Ona her şeyi anlattım. Kemik iliği hikâyesini, José Fernandez'i, Vallée Kliniği'ni. Yani her şeyi, ne...

Erwan başını salladı. Bu sonun büyük bir tutarlılığı vardı: Çivi Adam dört kaçığın bedeninde yeniden dünyaya gelmiş ve ilk savaştan kırk yıl sonra, olayın baş aktörü bir kez daha Morvan olmuştu.

– Bir saat içinde Chamonix'te olabilirim. Jandarma karakoluna benim için bir helikopter yolla.

# 127

Gün ağarıyordu. Morvan elinde Ithaca pompalı tüfeği, üstünde göbeğini sıkan kurşungeçirmez yeleğiyle, bu tür saçmalıklar için artık yaşlandığını kendi kendine yineleyip duruyordu. Yine de, operasyonları uzaktan, resmi bir aracın içinden yönetmekle yetinemiyordu.

Gecenin son saatlerini bir delikte saklanarak, gözünü budaktan sakınmayan jandarmaların yanında, topladığı bilgileri kafasında değerlendirerek ve çılgınlıklarına, cesaretlerine gizlice hayranlık duyduğu adamları düşünerek geçirmişti: Thierry Pharabot fanatiği dört adam –biri de zavallı Di Greco–, bu kötü ruhta enkarne olmaya karar vermişti; çılgınlığa varan bir kararla kendi kemik iliklerini yıkıma uğratmışlar, ardından da onun ilik hücrelerini kendilerine naklettirmişlerdi. *Kimin aklına gelir?*

Geriye kalan üç adam, şimdi, Morvan'ın 1980'li yılların sonunda satın aldığı Bréhat'daki evin bir benzeri olan bu mavi panjurlu salaş eve tıkılıp kalmıştı. Bu durum, son derece ironikti.

En büyük şansı, Genelkurmay'dan gelen bir teleksle ikindi saatlerinin sonunda iki jandarmanın öldürüldüğünün ona haber verilmesiydi. Bu da, Erwan'ın bu durumdan birkaç saat sonra haberdar olacağı anlamına geliyordu; dolayısıyla operasyonun kontrolü Morvan'da olacaktı. Ayrıca, olay her açıdan felakete dönüşünce –çatışma yaşanarak kuşatılan ev, basının hemen olay yerine gelmesi–, bakan operasyonun yönetimini resmen ona vermişti. Gece yarısı Bourget'den bir helikopterle havalanmış ve iki buçuk saatten fazla bir süre uçmak zorunda kalmıştı; bu arada Rennes Cumhuriyet Savcılığı ve Quimper Emniyeti'yle telsiz irtibatını kesmemişti. Ulusal Jandarma Müdahale Grubu da onun peşinden Finistère'e uçuyordu.

Bölge jandarması harekete geçmek için onun gelmesini beklememişti. Komşu evler (tamamen turistik bölgeydi) boşaltılmış, bir kilometre çapında bir alan güvenlik altına alınmış, yollar kesilmişti. Jandarmalar evin çevresinin tuzaklanmamış olduğundan emindi –kimse katillerin ne derece tehlikeli olduklarını bilmiyordu. Jandarmaların ve malzemenin gizlenmesi için siperler kazılmıştı; evi çevreleyen dümdüz arazide, ardına gizlenecek ne bir engebe ne ağaç ne de kaya vardı. Şu an, sabahın yedisinde, hemen hemen herkes bir yere gizlenmiş durumdaydı. İl jandarmasından iki manga ve bir seyyar müfreze, bölgeyi kapatmak ve her türlü kaçışı engellemek için iki yarım daire oluşturmuştu.

Morvan belgeleri okuyordu. Ona ulaştırılan belgeler arasında, Redlich'in sahip olduğu silahların listesi de vardı. Etnolog ile heykeltıraş, jandarmalar onları durdurduğunda kuşkusuz bu cephaneyi taşıyorlardı. Topal paniklemiş ve hedef gözetmeden rastgele ateş etmişti. İkisinin psikolojik profilleri hakkında hiç şüphe yoktu: Ölüm fanatikleri, korku teröristleri.

Gün doğuyordu, gökyüzü masmaviydi. Çok güzel bir sabah olacaktı. Morvan başını siperden çıkardı ve sessizliğini koruyan, iki yüz metre ilerideki eve dikkatle baktı. Hiçbir hareket yoktu, panjurlar örtülü, kapılar kapalıydı. Çevresinde, alevli bir el bombası işareti bulunan kepler giymiş jandarma başları görüyordu. Fırsat kollayan bu adamların kızgınlığını tahmin ediyordu. Çünkü kimse, bu tımarhanelik katillerin Paris'te işledikleri cinayetler için başını belaya sokmak istemiyordu. Herkes Ulusal Jandarma Müdahale Grubu'nun gelmesini bekliyordu – en azından bu tür çatışmalara alışkın olan ve adrenalin sayesinde çükleri kalkan adamlardı.

Morvan yeniden siperin içine oturdu ve hendekteki arkadaşlarına dikkatle baktı. Beraberinde Şiddet Suçlarıyla Mücadele Bürosu'ndan, tarikatlar konusunda uzman bir polisi getirmeyi kabul etmişti. Bir uzmanın bulunmasında ısrar etmiş olan bakana verdiği bir ödündü bu.

Morvan'ın tanımadığı üç savaşçı daha vardı: Erwan'ın yanında Kaerverec soruşturmasını yürütmüş olan Yarbay Verny. Burada olmaması gereken diğer iki kişi ise askerdi: Kaerverec 76 Kurmay Başkanlığı'nda eğitimci yüzbaşı olarak görev yapan Simon Le Guen ile askeri üssün güvenliğinden sorumlu Hava Jandarma Teğmen Luc Archambault. Onlar da Erwan'ın soruşturmasına katkıda bulunmuşlardı ve bu son savaş, onların soruşturmalarının bir neticesiydi. Bir tek onlar, korkudan titremiyor ve gözlerini hedeften ayırmıyorlardı. Di Greco olayında başarısız olmuşlardı ve rövanşı kaybetmek istemiyorlardı.

Saat 07.20. Ulusal Jandarma Müdahale Grubu ne halt ediyordu? Paris'ten itibaren onları telsizle takip etmişti. Saldırı planları üzerinde çalışmak için Brest'te durmuşlardı. Genelkurmay'ın bölge haritası, kulübenin kadastrodan bulunan planları, şüphelilerin psikolojik profili, tüm bu veriler doğrultusunda yeniden bir harekât planı oluşturmuşlardı. Morvan da aynısını yapmıştı, ama bulunduğu bu delikte. Aynı sonuçlara ulaştıklarından emin değildi. Ulusal Jandarma Müdahale Grubu müzakereye öncelik verecekti. *Boşa zaman kaybı.* Evin içine kıstırıldıklarından beri üç kaçık kimseyle temas kurmamıştı. Rehineleri yoktu ve kesinlikle ellerinde silahlarıyla ölmek istiyorlardı.

Fort Chabrol olayı da polis eliyle bir tür intihardı.

Morvan keyifliydi. Bir servet kaybetmişti – Loïc gece saatlerinde bunu teyit etmişti. En kötü düşmanının birer reenkarnasyonu olan heriflerden kurşun da yiyebilirdi, ama elinde tüfeği, belinde tabancasıyla kendini dinç ve kuş kadar hafif hissediyordu. Bu karmaşaya neden olan heriflerin kimlikleri belirlenmişti; kendisiyle en ufak bir bağlantı kurulamazdı. Çatışma sırasında yaşanacak karmaşada onları öldürecekti. Böylece geri kalan birkaç yılı için her şeye yeniden başlayabilirdi.

Alçak sesle bir şarkı mırıldandığını fark etti.

– Geldiler.

Verny tüm dikkatini kulaklığına vermişti. Morvan başını kaldırdı ve uzakta, çiyden parlayan düzlük boyunca, dansçılar gibi çevik hareketlerle, mükemmel bir uyum içinde sessizce ilerleyen savaşçıları fark etti. Kurşungeçirmez yelek, siperlikli çelik miğfer, kemerlerinde Glock ve ellerinde saldırı tüfeği... Morvan bulunduğu yerden modelini seçemiyordu: Famas, Sig Sauer veya Heckler&Koch.

– Operasyonu kim yönetiyor?

– Ona "bir numara" diyoruz. Müdahale esnasında asla isim kullanmayız.

Saçmalıklar başlıyordu.

– Ona buraya gelmesini söyleyin.

Başındaki kar maskesine rağmen Philippe Gallois'yı hemen tanıdı. Versailles'daki bir müdahale sırasında onunla tanışmıştı. Gallois'nın atış şampiyonu bir köylü ve Sarkozy hayranı olduğunu hatırlıyordu. Kurşungeçirmez yeleğinin içine gömülü boynu, kulağında kulaklığı ve elinde tabancasıyla albayın önemli bir üstünlüğü vardı: Sakinlik.

Tanışma faslı. Karşılıklı saygı gösterileri ve burun kıvırmalardan oluşan tuhaf bir karışım.

– Durum hakkında ne düşünüyorsunuz? diye sordu Morvan, kibar bir şekilde.

– Korkunç değil. Gerçi nişancılarımın yerleşmesi için yüksek bir nokta yok. Görünmeden ilerlemek de imkânsız.

– Dekordan söz etmiyordum. Operasyonu nasıl planladınız?

– Öncelikle görüşme yapmak zorundayız.

– Size katılıyorum, diye yalan söyledi Morvan.

– Uzman psikologlarımız...

– Boş verin uzmanları. Bu pislikleri tanıyorum. Her halükârda ilham aldıkları katili tanıyorum. Büyülü güçler tarafından korunduklarına inanıyorlar. Onlarla, onların anlayacağı dilde konuşmak...

– Müzakerecimiz geliyor.

– Müzakereci benim.

– Şaka mı yapıyorsunuz? İçişleri bakanının özel temsilcisi olarak burada bulunuyorsunuz. Sahada bir şey yapamazsınız.

– Dosyayı biliyorum. Adamların psikolojisini biliyorum. Ben...

Gallois saatine baktı.

– Adamımızı bekliyoruz.

Kar maskesi onu daha da dar kafalı gösteriyordu. Morvan sanki Verdun Savaşı'nda bir siperde Fantoma'yla konuşuyormuş gibi bir izlenime kapılmıştı. *Süper*.

– Raporuma göre, diye devam etti Gallois, birkaç saatten beri ne bir gürültü duyulmuş ne de hareket olmuş. Belki de kafalarına birer mermi sıkarak intihar ettiler.

– Bütün bunları intihar etmek için yapmadılar.

– Öyleyse ne istiyorlar?

– Bırakın onlarla temas kurayım.

– Söz konusu bile olamaz.

– Siviller kurşunlansın diye bize maaş ödemiyorlar.

– Ben giderim, dedi Verny. Bu soruşturmada araştırma grubunu ben yönetiyorum. Ben daha inandırıcı olurum. Siz geride kalın.

Gallois bir an onu inceledi, Morvan kendi açısından bu öneriyi değerlendirdi: Düşünüp taşınmadan konuşmayan, kararlı bir köylü. Kaçıklar onu bir tavşan gibi avlardı. Böylece saldırı emri de verilirdi. O da yapması gereken şeyi yapardı.

Ama bu da jandarmanın hayatına mal olurdu.

– Eğer oraya tek başına ve silahsız yaklaşırsa, onun güvenliğini nasıl sağlayacaksınız? diye sordu Morvan, albaya.

– Evin arkası dikine inen bir falez. Onlara arka taraftan yaklaşmak imkânsız. Sadece yanlardan kuşatabiliriz. Sonra da onları etkisiz hale getirmek için sis bombaları, göz yaşartıcı bombalar ve ses bombaları kullanabiliriz.

Çok rağbet edilen yeni bir zımbırtı: Ses bombası. Bu bombalar parlaklık ve gaz yaymanın yanı sıra artık yüz seksen desibelin üstünde ses patlamaları meydana getiriyordu – düşmanı sağırlaştırarak şaşkına çevirmek için.

Gallois eve doğru baktı. Doğan gün, açık arazideki hedefin zorluğunu daha da belirginleştiriyordu.

– Duvar meselesi de var.

Bina yaklaşık bir metre yüksekliğinde bir bahçe duvarıyla çevriliydi. Verny duvarın öte tarafına geçince görüş alanlarından çıkacaktı. Onu korumak imkânsızdı.

– Kararınızdan emin misiniz? diye ısrarla sordu grup şefi.

Yarbay silahının takılı olduğu kemeri çözdü ve dizlerinin üstünde durdu, çukurdan çıkmaya hazırdı.

– Ceketimin altında kurşungeçirmez yelek var.

– Benim adamlara haber vereyim. Harekete geçmeniz için size telsizle işaret vereceğim.

Gallois cevabı beklemeden siperden çıktı ve bir sonraki çukura kadar koşarak gitti.

– Başka bir yol bulabiliriz, diye denemede bulundu Morvan, Verny anorağının önünü kapatırken.

– Başka bir yol yok, bunu siz de biliyorsunuz.

Morvan, Le Guen ile Archambault'ya döndü. Yüzleri gergindi, kasları ve kemikleri derilerinin altında oynuyordu. Onların arkasında, Ulusal Jandarma Müdahale Grubu'nun adamları, siyah yağmur damlaları gibi sürünerek düz araziye yayılıyorlardı.

Verny kendine güven vermek ister gibi bir hareket yaptı.

– Düşmanca en ufak bir şey hissettiğimde geri çekilirim.

Kulaklığından gelen sesi daha iyi duymak için eğildi. Operasyon başlıyordu. Oyalanmadan ayağa kalktı ve çukurdan çıktı. Aynı anda, başka bir hendekten iki gölge fırlayarak çalıların arasına gizlendi. Morvan kulaklığını takmaya karar verdi ve Bir Numara'nın direktiflerini duydu – artık mavi panjurlu eve doğru ilerleyen herkes onun emri altındaydı.

Verny binaya doğru yüz metre yaklaşmayı başarmıştı ki ilk ateşte yere düştü. İkinci atış havada kristal bir ok gibi ıslık çaldı. Hemen ardından yoğun ateş başladı. Pisliklerin makineli tüfekleri vardı.

Morvan subayı almak için siperden çıkmak istedi, ama Ulusal Jandarma Müdahale Grubu'nun adamları çoktan ona doğru hareketlenmişlerdi. Yeni patlamalar. Kaçık katillerin kullandıkları mermilerin, kurşungeçirmez yeleği delebilen tungsten karbür mermiler olmaması için dua ediyordu.

Jandarmalar başları eğik halde, Verny'yi yeleğinin omuz askılarından tutarak çekiyorlardı. Morvan bulunduğu yerden yarbayın bilincinin hâlâ açık olduğunu görüyordu. Herhangi bir kan izi de yoktu. Kurşungeçirmez yeleğin koruduğu göğüs kısmına nişan almışlardı. Bir iyi niyet göstergesi miydi?

İlkyardım ekibi hendeğe indi. Verny soluk almakta güçlük çekiyordu. Morvan yanlış görmüştü; jandarma vurulmuştu, boynunda kan vardı. Yarayı inceledi. Neyse ki mermi boynun sol tarafını sıyırıp geçmişti. Birkaç milimetre yana gelse şahdamarını parçalardı ve Verny çoktan ölmüş olurdu. Savaş ilan edilmişti.

Bunu teyit eder gibi, Gallois'nın emri kulaklığında duyuldu:

– Saldırıya geçiyoruz.

Sesi bir türbin gibi kulaklığında uğulduyordu.

– Bana hemen bir doktor yollayın! diye bağırdı Morvan, Le Guen, Verny'ye ilk müdahaleyi yapmaya çalışırken.

Jandarmalar sinek gibi ölecekti. Ölüler, yaptırımlar ve medyadaki eleştiriler. İçinden çıkılması zor, boktan bir durumdu.

Morvan doğruldu ve havada kolunu çeviren Gallois'yı –en azından Gallois olduğunu düşünüyordu– gördü. Sahanın dört bir yanından gölgeler harekete geçti. En az yirmi adam, ikişerli gruplar halinde ilerliyordu, öndeki kurşungeçirmez bir kalkan taşıyor, arkadaki ise saldırı tüfeğini doğrultuyordu.

Morvan artık hiçbir şey duymuyordu. İşaret diline geçilmişti. Bir zamanlar bu kodları öğrenmişti, ama hepsini unutmuştu artık. Operasyonu sıradan bir seyirci gibi takip etmeye mahkûmdu.

Yeni silah sesleri duyuldu. Görüntü sanki bir anlığına dondu, hemen ardından jandarmaların ateşle karşılık vermesiyle yeniden hareketlendi. Makineli silah sesleri yankılanıyordu. Çevredeki her şey parçalanıp ufalıyor, patlıyordu – komandoların bulunduğu tarafta toprak kesekleri, ev tarafında ise granit, ahşap ve arduvaz.

Morvan bir kez daha bakmayı göze aldı: Verny'yi tahliye ediyorlardı. Her yönden silah sesleri geliyordu. Archambault ile Le Guen askeri eğitimin verdiği güvenle ateş ediyorlardı. Tarikat uzmanı elinde 9 mm'liğiyle çukurun dibinde korkudan kıpırdamadan öylece duruyordu. Morvan bile şaşkınlık içindeydi. Yer aldığı son silahlı müdahale 1980'li yıllardaydı. Kahretsin, burada ne halt ediyordu?

*Hayır. Ceset hâlâ hareket ediyor generalim.* Ayağa kalktı, kulaklığını çıkardı, pompalı tüfeğinin namlusuna mermi sürdü ve ateş etmeye başladı. Bir saniye içinde, çatışmayla bütünleştiğini hissetti. Öldürecekti veya ölecekti; anlık tutukluk bir daha söz konusu olamazdı.

Yaylım ateşi kesilmiyordu. Gökyüzü mermi sesleriyle sanki yol yol olmuştu. Burun delikleri barut kokusuyla dolmuştu. Morvan silahını yeniden doldurdu. Yeniden yaylım ateşe başlayacaktı ki jandarmaların bahçe duvarına ulaştıklarını fark etti. Bahçe kapısının iki yanında iki ikili vardı, bir dizleri yerde nişan alıyorlardı. Geriye en zor kısım kalıyordu: Eve ulaşmak. Panjurların aralıklarından, ateş edenleri görmek imkânsız olsa da, ara ara silahların alevleri fark ediliyordu. Tüm bunların tekerlekli sandalyeye bağlı bir adamın, bir topalın ve metal ibikli bir mutantın işi olduğuna inanmak zordu.

Komandolar ikişer ikişer bahçeye sızdılar; ilk girenler sağa, sonra girenler ise sola konuşlandı. Bir saniye sonra, duvarın ardındaki bahçeden duman bulutları yükseldi. Göz yaşartıcı bombalar katilleri pencerelerden uzaklaştıracak, bu da jandarmaların kapı pervazı ile pencere çerçevelerine plastik patlayıcılar yerleştirmesini sağlayacaktı.

Birden bir patlama her şeyi görünmez kıldı. Devasa bir alev yükseldi. Bahçe duvarı moloz ve toz yığınına dönüştü. Morvan önce bunu adamların beceriksizliği olarak düşündü; plastik patlayıcı ellerinde infilak etmiş olmalıydı. Ama patlama çok güçlüydü. Gökten siyah taş parçaları ve cam kırıklarıyla beraber insan eti ve kurşungeçirmez yelek parçaları yağıyordu.

– Kahretsin! diye bağırdı Archambault, bir sıçrayışta ayağa kalkarken.

Bir saniye sonra da yüzüne bir mermi isabet etti. Hendeğin içine yuvarlandı. Ağzı kapkara bir oluktan farksızdı. Morvan tüfeğini bıraktı ve elleriyle yaraya bastırdı. Parmakları kıpkırmızı oldu. Jandarmanın gözlerinin akı göründü. Ölmüştü.

Morvan ellerini çekti; kan, kırık diş parçaları, sümük dolu avuçlarına baktı. Yavaş yavaş diğerlerini gördü: Le Guen dualar mırıldanarak cesedin üstüne atılmıştı. Parisli polis kusuyordu.

Ama hepsinin ötesinde, duman bulutlarının ve yanmış otların arasından Erwan ortaya çıkmıştı. Silahını iki eliyle tutmuş, hendeğin kenarında ayakta duruyordu, çukura atlamak üzereyken Archambault'nun parçalanmış suratı onu durdurmuştu. Hareket etmeden duruyordu; Concorde Meydanı'ndaki dikilitaş kadar ortadaydı.

– EĞİL! diye bağırdı Morvan, onu ceketinin eteğinden çekerek.

Erwan gözlerini Archambault'nun cesedinden ayırmadan çukurun içine düştü. Şoka girmiş gibiydi. Morvan onun kafasına bastırdı; mermiler ıslık çalarak geçmeye devam ediyordu.

Eve doğru bir göz attı – duvar yok olmuştu, sebze bahçesi alev almıştı, alevler sarmaşıkları ve ortancaları yutmaya başlamıştı. Bir adam, devamı olmayan uyluğunu tutarak dumanların içinde yerde sürünüyordu. Morvan, Erwan'ın yanında olmadığını fark etti.

Pompalı tüfeğini aldı, yerden şarjörleri topladı ve ceplerine doldurdu. Bir saniye sonra eve doğru koşan oğlunun yardımına gidiyordu.

# 129

Etraf toz ve duman karmaşasından ibaretti. Mermiler başlarının üstünde görünmez bir ağ dokuyarak, dört bir taraftan vınlayarak geliyordu. Erwan bir duvar yıkıntısının üstünden atlarken Morvan onu omzundan yakaladı.

– Burada ne arıyorsun? diye bağırdı oğlu dönerek.

Morvan tüfeğini sol koluna aldı, Beretta'sını çıkardı ve Erwan'ın kasık hizasına ateş etti; bu, oğlunu müdahale boyunca devre dışı bırakacaktı. Erwan molozların arasına yığılmadan önce iki elini yarasına bastırdı.

Gaëlle.

Loïc.

Milla.

Lorenzo.

Onları evde erkeksiz bırakamazdı.

Morvan tabancasını beline yerleştirdi ve Ithaca'sını alarak, dönüp Erwan'a bakmadan yoluna devam etti. Paramparça olmuş giriş kapısı, üzeri sivri dişlerle kaplı bir suratı andırıyordu. Görev bilinciyle içeri girdi; acımak yoktu.

Rüstik bir dekorla karşılaştı. Seramik yer karoları, kirişler, cilalı ahşaptan mobilyalar, hepsi paramparça olmuş ve üzerleri tavandan dökülen alçıyla kaplanmıştı. Herkesi öldürmek veya ölmek için, en az iki dakikası vardı. İçgüdüsel olarak başını sağa çevirdi: Siyah bir iblis, omzunda bir FIM-92 Stinger'la odanın köşesinde duruyordu.

Morvan kendini yere atarak ateş etti. Tüfeği seri ateşleme mekanizmasına sahipti; parmağını tetikte tutarak seri atış yapabiliyordu.

Yere düştüğünde şarjörün tamamını boşaltmıştı. Aynı anda Siyah adamın ateşlediği füze, arkasındaki duvara isabet etti. Büyük bir ışık ve taş patlaması oldu. Morvan bir sıçrayışta ayağa kalktı; alevler sırtını yakıyordu. Tüfeğini attı ve 9 mm'liğini çıkardı. Hiçbir şey görmüyordu. Önündeki dumanı sol koluyla yelpazeleyerek dağıttı ve ilerledi. Nijeryalı'nın kafası yoktu; yarılmış karnından görünen bağırsakları çoktan toza bulanmıştı.

Morvan namluya mermi sürdü.

– Neredesiniz pislik herifler! diye bağırdı, yan odaya doğru hareketlenirken. Çıkın ortaya!

Sözlerine biraz daha ağırlık kazandırmak için havaya ateş etti ve yukarıdan düşen tavan parçasının altında kalmaktan son anda kurtuldu. Bir kulağı artık hiçbir şey duymuyordu, ama tek kulakla da olsa ilerlemeye karar verdi.

– NEREDESİNİZ OROSPULAR!

Altüst olmuş odanın içinde sendeleyerek ilerliyordu; iki eliyle tabancasını sımsıkı kavramış ilerlerken, arkasında bir silah sesi duydu. Kollarını gergin bir şekilde ileri doğru uzatarak arkasına döndü. Kimse yoktu. Gözlerini kısıp baktı. Kurşun, Ithaca'sından çıkmıştı. Namluya bir fişek sıkışmıştı ve alevler silahı sarınca da silah ateş almıştı. Kendi tüfeğiyle vurulacaktı, işte mükemmel bir ölüm.

Aynı esnada, sağ tarafındaki beyazımsı örtü yarıldı ve Morvan kendisine bir 45'lik doğrultmuş Redlich'i gördü. Tabancanın namlu ağzı bir alev makinesi kadar geniş göründü gözüne. Adamın duruşu ve kolunu güvenle tutuşu işinin ehli bir nişancı izlenimi yaratıyordu.

Morvan yere yatmayı aklına bile getirmeden tetiğe bastı. Hareketleri gayriihtiyari, bir namludaki mermiler gibi birbirini izliyordu. Silahı geri tepince kapının eşiğine kadar savruldu, ama hiçbir şey görmeden ateş etmeye devam ediyordu. Duman dağılınca, Redlich'i uzakta, çok uzakta kan ve molozlarla kaplı halde yerde yatarken gördü.

*Ve ikide iki.* Bu büyücüler hiç de o kadar güçlü değildi.

Çevresinde bir ateş çemberi oluşuyordu. Redlich'in üstünden atladı ve mutfağı kontrol etmeye gitti. Kimse yoktu. Üçüncü herif yukarıdaydı. Merdivene yöneldi; ceketinin ceplerini yokladı, yeni bir şarjör buldu. Silah, fırından çıkmış bir tuğla kadar sıcaktı. Morvan da kurşungeçirmez yeleğinin içinde bunalıyordu.

Salonu yukarıdan çevreleyen dar bir balkon. Aşağıda silah sesleri devam ediyordu, ama şu an için mermilerin ulaşamayacağı bir yerdeydi. *Vamos.*

İlk oda boştu.

İkinci oda da.

Üçüncü oda banyoydu ve umulmadık şekilde serindi.

Katta bir tur attı. Lartigues neredeydi? Sakatı, bir saldırı tüfeğini ya da ona benzer bir savaş makinesini sımsıkı tutmuş olarak hayal ediyordu. Lartigues'le ve koltuğuyla birlikte alevlerin içine dalmak zorunda kalsa da onu öldürmeliydi.

Kırk yıl önce Çivi Adam'ı öldürmemişti ve işte, sonuç ortadaydı.

Geri döndü. Gözlerinden yaşlar akıyordu. Yüzüne yakıcı bir toz maskesi geçirilmişti sanki. Gözlerini kuruladı ve aniden durdu. Lartigues tam önündeydi; koridorun ucunda, koltuğunda büzülmüştü. Elleri, bir Remington tüfeği sımsıkı kavramış pençeleri andırıyordu. Üç veya dört atış yapabilen, elle doldurulması gereken bir tüfekti. Tüfeği kullanabilse bile ateş etmeden önce doldurması gerekecekti. Bu da Morvan'ın şansını artırıyordu.

Morvan ilerledi. Tüfekte av fişeği varsa, Lartigues'in onu vurmak için bir şansı olacaktı, ama sadece birkaç saçmayla. Yabandomuzu avlamakta kullanılan tekli fişekle doluysa, isabet ettirme olasılığı daha da azalıyordu; buna karşılık, başına isabet ettirirse, Morvan'ın kellesi uçardı.

Lartigues ateş etti ve arkaya doğru doğru savruldu. Grégoire'ın solundaki duvarda onlarca delik açıldı. Saçmalar. Morvan köşeye sıkışmış olan sakat herifin üstüne doğru hamle yaparken, adam silahını yeniden doldurdu ve ateş etti. Bir kez daha ıskalamıştı. Heykeltıraş hem sırıtıyor hem de ağlıyordu. Sanki öylesine nişan alıyor gibiydi. Kurma kolunu çekti ve bir daha tetiğe bastı. İhtiyar'la arasında en fazla üç metre vardı.

Saçmalar Morvan'ın sol omzuna isabet etti, ama İhtiyar yere düşmedi. Tam ateş edecekti ki aklına başka bir fikir geldi. Tabancasını attı ve Lartigues'in üstüne çullandı, sandalyesinin iki kolundan tuttu ve engelli herifi iyice kendine doğru çekti, ardından bir tekmeyle onu merdivenlerden aşağı alevlerin içine yuvarladı. Richard Widmark'ın bir sakatı merdivenden yuvarladığı *Ölüm Öpücüğü* adlı filmin ünlü sahnesinin farklı bir versiyonuydu; Morvan'ın filminde ayrıca alevler de vardı. Lartigues ulur gibi bağırdı, ama Morvan sadece onu yutan alevlerin çığlığını duydu.

Bir kahkaha atmak istedi. Ama ayaklarının altındaki zemin bir anda çökünce aşağı yuvarlandı.

Tamamen yanmış bir yere düştü, kordan ziyade kül vardı; bir yerlerden serin ve taze havanın esintisini hissetti. Dizlerinin üstündeydi, neredeyse hiç zarar görmemişti. Ona sabahın temiz ve mavi gülümsemesini sunan çökmüş bir duvarın karşısında ayağa kalkmayı becerdi. Nasıl olduğunu bilmeden, evin arka tarafına uzanan çakıllı patikadan aşağı inerken buldu kendini. Gri otlar, yeşil kayalar, açık mor renkli çakıllar...

Uçurumdan hemen önce, son anda durdu.

Evin diğer tarafındaki, yardıma ihtiyacı olan oğlunu düşünüyordu. Chatou'daki klinikte, silahlı polisler tarafından korunan Gaëlle'i düşünüyordu. Aile servetini zararına satan ve şu anda büyük ihtimalle uyumakta olan Loïc'i düşünüyordu. Annelerinin, Buzlar Bakiresi'nin yanındaki iki torununu, Milla ile Lorenzo'yu düşünüyordu.

İşte o anda, yanmakta olduğunu fark etti; daha doğrusu yanan, böğrünü ve omuzlarını saran kurşungeçirmez yeleğiydi. Elini kıvılcımların arasına soktu ve korsenin yapışkan bantlarını sökmeyi başardı. Ürünün yanmaz olduğunu belirten etiketi hatırlayarak yeleği boşluğa fırlattı. *Kıçımın kenarı.*

Kahkahalarla güldü. İnsan sadece kendisine güvenebilirdi.

# III

# Diğeri

Gaëlle'in anladığına göre, tüm medyanın sabahtan beri sözünü ettiği silahlı çatışmada, Erwan kimin tarafından ateşlendiği bilinmeyen bir silahla yaralanmıştı. Paris'e, Salpêtrière'e helikopterle nakledilmişti. Yarasının ağır olmadığı saptanmıştı. Mermi sadece kalça kemiğinin üstünden, sol kasığını sıyırmıştı.

Babası, operasyonun gerçek kahramanı da ucuz atlamıştı. Bilançosu ağır olan –Gaëlle iki taraftan ne kadar ölü olduğunu hatırlamıyordu, ama kaçık katillerin hepsi ölmüştü– operasyonla ilgili açıklama yapma işini cumhuriyet savcısı ile bölge valisine bırakarak, bir ilkyardım helikopterine binip gizlice sıvışmıştı.

En eğlenceli kısım, tüm klanı bir hastane odasında bir arada görmekti, tıpkı iki gün önce olduğu gibi, ama bu kez ihtimam gösterilmesi gereken hasta rolünde Erwan vardı. Ağabeyine geçmiş olsun demek ve ona sarılmak için Feuillantines Kliniği'nden izinli ayrılmıştı *–sağ ol baba–* ve burada, Jacques Brel'in bir şarkısında olduğu gibi, sadece kendilerine sadık olan ailesiyle karşılaşmıştı. Morvan, sol kolunun çevresinde bir atel, telefonda konuşuyordu. Loïc koltuğunda asık suratla telefon mesajlarını okuyordu. Annesi, hiç olmadığı kadar ışıl ışıl parlıyordu; yatağın kenarına ilişmiş, yatağında bir halife gibi kasılan yaralıyla fısır fısır konuşuyordu.

Gaëlle ağabeyine doğru eğildi ve yanağına bir öpücük kondurdu.

– Kendini nasıl hissediyorsun?

– Maç sonrası gibi.

– Tribündeyken mi demek istiyorsun?

Erwan'ın saldırı başlamadan önce yaralandığını okumuştu, babası tek başına devam etmişti.

– Çok komik.

Anne babasını öldürme planlarından, intihardan ve diğer eğlenceli şeylerden vazgeçmiş olsa da, bir anda örnek bir kız kardeşe dönüşemezdi. Ağabeyinin kolunu sıktı ve gereksiz yere laf soktuğu için özür diledi.

– Adamlarım seninle değil mi? diye sordu babası, günaydın demek yerine.

– Aşağıdalar. Sigara içiyorlar. Ama artık bir tehlike kalmadı, öyle değil mi?

Morvan ona ters ters baktı ve telefon konuşmasına devam etti.

– Haklısın, dedi konuştuğu kişiye. Bu iş benim açımdan bitti.

Gergindi, sanki içinden çıkılması güç bir batakta debeleniyordu, oysa Gaëlle daha ziyade onun tebriklerden bunalacağını düşünmüştü. Şüphesiz durum, Gaëlle'in tahmin edemeyeceği kadar karmaşıktı. Ne olursa olsun, Büyük Morvan kötü yöntemleri sayesinde en iyisini yapabilen bir kahraman olduğunu bir kez daha ispatlamıştı.

Suçluların cezasını veren bir baba, yaralı bir ağabey.

Gaëlle yatağın kenarına oturarak en aptalca soruyu sordu:

– Tamam mı, her şey yolunda mı?

– Öldüler, eğer sorduğun buysa.

– Kaç kişiydiler?

Erwan ona küçük bir özet yaptı. Çivi Adam'ın aslında dört hayranı olduğunu (medya organlarında sadece üçünden söz ediliyordu, Di Greco'nun adı piyangodan çıkarılmıştı) söyledi, kara büyüden, ritüel cinayetlerinden, intikamdan bahsetti... Takip etmesi biraz zordu, ama ağabeyi gayet formunda gözüküyordu, yeniden sokaklarda mücadeleye hazırdı. Gaëlle yirmi dokuz yaşında, yavaş yavaş kendine itiraf ediyordu: Ona çok ihtiyacı vardı.

– Öyleyse her şey bitti mi? diye ısrarla sordu.

– Benim için bitmedi. Kıçımdaki kazığı çıkarmam gerekiyor.

– Kibar ol.

– Yani bütün tutanakları, gerekli evrakı hazırlamam gerektiğini söylüyorum.

– Dalga geçiyordum.

Erwan her zaman olduğu gibi, yine gecikmeli olarak gülümsedi.

– Onu yorma.

Gaëlle başını annesine doğru çevirdi, bir anda bütün neşesi kaçmıştı. Erwan'ı öptü ve diğerlerine bakmadan odadan çıktı. Koridorda, bir kez daha Sainte-Anne'ı düşündü. Kilitli kattaki kovalamacayı, tabak asansörüyle kaçışını... Gülsün mü, ağlasın mı bilmiyordu.

Asansörün düğmesine basınca kapılar açıldı. Bu bir yük asansörüydü. Bir hastabakıcı ona yer açmak için sedyesini kenara çekti. Neyse ki sedyede kimse yoktu. (Gaëlle binaya gelirken yolda karşılaştığı yarı baygın yaşlı adamın görüntüsüne bile tahammül edememişti.) Ama hastabakıcı cerrahi maske takıyordu ve bu ayrıntı onun tedirgin olması için yeterliydi.

İniş süresince bu tedirginliği devam etti. Birkaç saniye boyunca kesik kesik nefes aldığını hissetti. *Neyim var benim, lanet olsun!* Belki de bir daha asla bir hastaneye ayak basamayacaktı.

Zemin katta, kendini dışarı attı ve bahçeye açılan camlı kapıya yöneldi. Koruması –Karl adında bir Siyah– şimdiden gölgelenmiş açık havada sakince sigarasını tüttürüyordu.

– Her şey yolunda mı? diye sordu gülümseyerek.

Gaëlle başını evet anlamında salladı. Kalbi, bir kramp yüzünden kasılıp kalmış gibiydi. Boğazında da bir düğüm vardı.

– Bana bir sigara ver, diye emretti soluk soluğa.

# 131

Ailesiyle geçirdiği iki saat Erwan'da korkunç bir baş ağrısına neden olmuştu; tıpkı polisliğe başladığı ilk yıllarda, sidik ve McDonald's kokan kapalı kasa bir minibüste kulaklıkla dinleme yaptığı günlerdeki gibi. Annesi ve onun Şaman reçeteleri; babası ve onun "Adam olacaksın oğlum" tarzındaki bakışları; herkesi Fransa Bisiklet Turu'ndaki doping meseleleriyle ilgili bir televizyon programını izlemeye mecbur eden erkek kardeşi...

Bir tek Gaëlle'in gözlerinde sevgiyi bulmuştu. Aptallıklarına rağmen, her şeye rağmen, Erwan'a son derece saf –ve karmaşık– görünmüştü. Karanlıklar ülkesindeki sarı saçlı küçük kız.

Sonra felaketler art arda sıralanmıştı: Bölüm amiri Fitoussi, emniyet müdürü ve Erwan'ın isimlerini anında unuttuğu birkaç siyasetçiyle birlikte onu tebrik etmeye gelmişti. Boş konuşmalar, iltifatlar, terfi vaatleri... Onun durumu babasından daha iyiydi: Saldırı başlamadan önce yaralanmıştı, kimse ona bu olayla ilgili bir suçlamada bulunamazdı.

Artık odasında yalnızdı, yatağında oturuyordu ve üstündeki kıyafetlerle kâğıttan bir tuzluğu andırıyordu; iğrenç yemeğine neredeyse hiç dokunmamıştı. Sesi kapalı olan televizyon, Locquirec'teki evin görüntülerini ve ölenleri gösterip duruyordu.

Soruşturmanın korkunç bilançosunun ikide bir anımsamak için ideal bir yöntem. "Ameliyat başarılı geçti. Hasta öldü."

Her ne kadar bir sürü soru cevapsız kalmış olsa da, ilik nakli yaptırmış kaçıkların ölümüne üzülmüyordu. Daha çok yanında can çekişen, suratı paramparça olmuş Archambault'yu düşünüyordu. Şaşkın haliyle, denizci yeteneğiyle, soruşturmada ona yardımcı olmak isteyen tutumuyla, uzun boylu, gözlüklü Archambault'yu. K76'nın duşlarında kendisinin hayatını kurtarmış olan adamı. Kuşkusuz ölümü nedeniyle madalya almaya hak kazanacaktı, hüzünlü bir cenaze töreni düzenlenecek ve meslektaşları tarafından hızla unutulacaktı – Kaerverec günlük yaşamına dönmek zorundaydı.

Erwan, haberlerde söylendiğine göre "hayati tehlikesi olmayan" Verny'yi, arkadaşının cesedine kapanmış ağlayan Le Guen'i de düşünüyordu. Düşünmekten kendini alamadığı savaş anıları. O bir polisti; dava çözüme kavuştuğu ve katiller etkisiz hale getirildiği için mutlu olması gerekiyordu.

Saat 19.00'da yorulmak nedir bilmeyen Verny'den bir e-posta almıştı. Verny, Beg an Fry Operasyonu'nun (operasyona civardaki bir tepenin adı verilmişti) bilançosunu veriyordu. Ekte Ivo Lartigues'in, Sébastien Redlich'in, Joseph Irisuanga'nın ölüm raporlarının da bulunduğu bir sürü belge vardı; otopsiler devam ediyordu. Tüm bunlara ölen jandarmaların listesi de eklenmişti: Arnaud Savec, otuz iki yaşında; Nicolas Granaudet, yirmi dokuz yaşında; Philippe Astier, otuz yaşında. Ayrıca jandarmalar arasında, ikisi ağır olmak üzere, beş de yaralı vardı. Kimse bu denli korkunç bir operasyona tanık olmamıştı.

Verny ayrıca durumla ilgili bir özet de yapmıştı. Yanmış evin kalıntılarında aramalar devam ediyordu. Daha şimdiden, bir cephanelik bulunmuştu: Colt 45, altı mermi atan 357 Magnum, saldırı tüfekleri... Bunların yanı sıra patlayıcılar, fünyeler, el bombaları... Balistik uzmanlarının işi.

Prosedür kısmına gelince, iş birçok yetkili birim arasında pay edilmişti: Brest jandarmasından bir araştırma ekibi, Rennes adli polisi, tarikatlarla mücadelede uzmanlaşmış Şiddet Suçlarıyla Mücadele Bürosu polisleri. Quimper cumhuriyet savcısı, olayı yerinde araştırması için bir yargıç atamıştı. Paris savcılığı da üç "Locquirec katili" tarafından işlendiğini düşünülen seri cinayetlerin ilk soruşturmasını yapması için bir sorgu yargıcı görevlendirmişti – *Le Monde*'un akşam baskısındaki makalenin başlığı bu yöndeydi.

Erwan başını arkaya yasladı ve gözlerini kapadı. Bu soruşturmayı hayatının davası olarak görmüştü –babasının Afrika'daki Çivi Adam davasına eşdeğer– ama dosya çok net değildi, ayrıca onun bu olaydaki rolünün de anlaşılır olduğu söylenemezdi. Suçluların maskesini düşürmüştü, yaptıkları dönüşümleri ortaya çıkarmıştı –şimdilik kimse bunları bilmiyordu–, ama bunların hepsi, babasının tek başına yaptığı silahlı müdahaleyle yok olup gitmişti. Altmış yedi yaşındaki Grégoire Morvan üç katili de öldürmüştü.

Evraka karşı silah. O bir memurdu, babası ise bir kahraman.

Hayatını kurtarmak için yaşlı polisin onu yaralamasını bir kez bile düşünmemişti. Baba hâkimiyetinin aşırılığa kaçan yeni bir göstergesi. Morvan başka türlü davranmayı bilmiyordu.

Kapı vuruldu.

Erwan gözlerini açtı ve başucu lambasını yaktı. Audrey, Sardalye ve Tonfa tek sıra halinde odaya girdiler. Her biri koca bir karton klasör taşıyordu.

– Bunlar ne?

– Belçikalı avukatlar tarafından özetlenmiş Thierry Pharabot davasının tutanakları, diye açıkladı Favini.

– Özeti mi? diye şaşkınlığını ifade etti Erwan, dosyalara bakarken.

– Mahkeme birkaç hafta sürmüş. Hepsi Namur'de arşivlenmiş, ama neden diye sorma. Bizim irtibat polisi bunlara dün ulaşmış. Hepsini arabasına attığı gibi bugün öğleden sonra 36'ya şahsen teslim etti. Polise alkış!

Her biri elindeki klasörü odadaki tek iskemlenin üstüne, tehlikeli bir Pisa Kulesi oluşturacak şekilde koydu.

– Bunları okumak istersin diye düşündük, dedi Audrey gülümseyerek.

– Sağ ol. Kripo nerede?

– Raporları hazırlıyor. Bir sorgu yargıcı atanacak. Ödevlerimizi bitirirsek yararımıza olur diye düşündük.

İsimleri, tarihleri, yerleri, dolaylı veya dolaysız kanıtlardan oluşan, herhangi bir dosyası olmayan şüphelilerle örtüştürmek zor işti.

– Her birimiz bir şüpheli seçtik, diye devam etti Audrey. Mesela ben, bana düşen şüphelinin cinayet saatinde bulunduğu yer konusunda yalan söylediğini ispatlamaya çalışacağım.

– Ben Di Greco'yla ilgileniyorum, dedi Tonfa.

– Lartigues de bende, diye ekledi Audrey. Redlich'le Nico, Irisuanga'yla da Kripo meşgul oluyor.

Nijeryalı, Kripo için son derece uygundu; adamın diplomatik dokunulmazlığı vardı ve Nijerya Elçiliği'yle araları gergin olduğu için, prosedür açısından ele alınıp araştırılması en zor adamdı. Kâtip için tam bir meydan okuma olacaktı bu.

Polisler bunların dışında ne söyleyeceklerini bilmiyorlardı. Gece lambası, dağılmış yatak, soğumuş püre ve balık pane artıkları... Saat 19.00'du, Erwan'ın odası yeni söndürülmüş bir yangın yerini andırıyordu.

– İyi. Biz artık gidelim, diye bitirdi Audrey. Sen ne zaman çıkıyorsun?

– Yarın, umarım.

Hepsi birbirlerine baktı. Hiçbiri buna inanmıyordu, ama patronun canını sıkmak da istemiyorlardı.

Bir dakika sonra, Erwan yine yalnızdı; gözkapakları ağırlaşmış, zihni bulanmıştı. Elini uzattı ve bir dosya aldı. Dosyanın ağırlığı acıyla çığlık atmasına neden oldu. Elinden bıraktığı dosya yere düştü. Onu yerden alacak takati yoktu.

Ayrıca, geçmişi kurcalamanın gereği var mıydı? Sorun bugündeydi. Çözüme kavuşmamış birçok nokta vardı: Bu fanatikler nasıl tanışmıştı? Nasıl organize olmuşlardı? Kimse tarafından görülmeden bu cinayetleri nasıl işlemişlerdi? Tekerlekli sandalyeye bağlı bir adam ile bir topal, bu işlerin altından nasıl kalkmıştı? Di Greco bu denli güçsüzken, Wissa Sawiris'i nasıl öldürmüştü? Hep birlikte mi yapmışlardı? İnsanların kurban edildiği dehşet odası neredeydi? Çıkarılan organlardan geriye ne kalmıştı?

Cevap bulması gereken başka sorular da vardı: Özel, kişisel bir takıntıya işaret eden bu tecavüzlerin sebebi neydi? Her şey henüz yeni başlamışken neden Di Greco intihar etmişti? Erwan'ı Fos'ta kim öldürmeye kalkışmıştı? Bu dengesiz herifler tam olarak neyin peşindeydi? Sonuç olarak bu adamlar tüm Morvan klanını ortadan kaldırmayı mı hedeflemişti?

Saat çizelgeleri, DNA analizleri, tanıklıklar... Her şey gözünde büyüyor, yazması gereken rapora şimdiden lanet okuyordu; ayrıca şuphelilerin hepsi öldüğünden bir dava da olmayacaktı – bir polisin doğum sonrası depresyonu.

Aklına başka bir şey takıldı. Cep telefonunu aldı ve Audrey'ye bir SMS yolladı: "Marot'yu unutma." Babası onun hayatını kurtarmış ve yeni Çivi Adam olayını kendi yöntemiyle çözmüştü. Yine de Erwan onu köşeye sıkıştırmak –bedelini ödetmek– istiyordu. Kısa bir tereddütten sonra "gönder" tuşuna bastı. Ağzının içinde pis bir tat vardı.

Işığı söndürecekken kapı vuruldu. Cevap vermeye fırsat bulamadan, eşikte Sofia belirdi; sakin ve kendinden emindi. Morarmış göz altları, terli ve yorgun yüzüyle Sofia'nın berbat bir versiyonuydu, ama her zaman Carrara mermerinden yontulmuş gibiydi.

– Buna inanmıyorum, dedi Erwan gülümseyerek.

– Korkunç insanları görmek istemedim.

– Kimleri?

– Ailenin geri kalan kısmını meleğim.

Erwan gülümsedi ve hasta önlüğünün üstündeki örtüyü yavaşça kaldırdı.

Saat 23.00, Matignon Caddesi. Loïc uyuyor, Morvan da hayal kuruyordu. Kongo'da küçük bir hükümet darbesi.

Coltano hisse sahiplerini korkutacak ve Morvan'a, onların hisselerini düşük fiyattan satın alma imkânı verecek bir olay. *Trader*'lar ve *broker*'lar, gerçekleşen pozisyon değişikliklerini teyit emek için Serano'yu yeniden hatırlamışlardı. Hisse fiyatları düşüyor ve Morvan'ın portföyü boşalıyordu. Heemecht'ten hâlâ haber bekleniyordu, ama İhtiyar kaygılanmıyordu – Montefiori işin peşindeydi.

Eline korkunç miktarda sıcak para geçmişti, ama maden ocaklarının potansiyeli ve pazarın uygun rayiciyle mukayese edildiğinde bu yoğun satış, mali açıdan bir intihara benziyordu. Hayatının eseri olan bir işte bu bir tasfiyeydi.

Hiç pişman değildi. Generaller bu düşüşü fark edecekler ve ondan bir açıklama isteyeceklerdi. Morvan masumu oynayacak, piyasanın değişkenliğinden bahsedecekti. Tuhaf bir şekilde, bu kaygılandırıcı durum karşısında kendini daha iyi savunabilecekti; kendi kendini batırdığından kuşkulanılmazdı.

Bu arada, durumdan kaygı duyan üç banker hisselerini satacaktı. Kabongo onları geri alacaktı. Montefiori de. Morvan da toplayabildiği kadarını alacaktı ve hisse rayici de normal seyir düzeyine yeniden ulaşacaktı. O kadar. Kongolular bu olayı unutacaklar, Morvan da yeni yatakları hızlı bir şekilde işletebilecekti. Yeniden ceplerini dolduracak ve hepsini vasiyetnamesine aktaracaktı. Onun yaşında biri, artık öteki dünya için çalışmazdı.

Ayağa kalktı (atelini çoktan çıkarmıştı) ve çalışma masasının koltuğunda horuldayan Loïc'in saçlarını usulca okşadı. Gün boyu Firefly Capital salonlarında, tıpkı pörsümüş salatalıklarını sokuşturmaya çalışan bir zerzevatçı gibi, bu zararına satışlar üstünde çalışmışlardı, ama bu mali intihara rağmen, bu saatleri oğluyla paylaşmaktan mutluydu. Aralarında yeniden, tıpkı yelkenliler döneminde olduğu gibi suç ortaklığına benzer bir şey oluşmuştu.

Morvan pencereye doğru yürüdü ve gecenin içinde rengârenk ışık oyunları meydana getiren trafiğe baktı. Locquirec olayıyla ilgili olarak üstlerinin sorularını düzenli duraklamalarla cevaplandırmıştı. Eve kahramanca girişi için eleştiriden çok övgü almıştı. Her zaman olduğu gibi.

Hayatı, yaptığı eylemleri yedek kulübesinde oturan kapasitesizler güruhuna haklı göstermekle geçmişti. Üç adamı –katildiler, ama aynı zamanda da engelli adamlardı– soğukkanlılıkla öldürmüştü. Başka türlü davranabileceğini (ve davranması gerektiğini) söyleyecek gazeteciler, siyasetçiler ve ikiyüzlüler her zaman olacaktı. Gençken bu yorumlar onu incitirdi. Daha sonra bunlara alışmıştı. Bugün ise bu yorumlara tamamen kayıtsızdı. Bu, eylem dolu bir hayatın karşılığında ödenen bir bedeldi.

Hayır, her zaman olduğu gibi, gerçek darbe *içeridendi*.

Kişi insani davranışların –yani toplumun– dışına çıkınca, kelimenin tam anlamıyla bir yaratığa dönüşürdü. Nietzsche'nin söylediği gibi: "Basit bir hayatın mı olsun istiyorsun? O zaman hep sürüye yakın dur ve orada kendini unut." Morvan bir kez daha, alışkın olduğu soğuk derinliklere dalmıştı. Farklılığını kanıtlamıştı. Yaşam ile ölüm arasındaki o tehlikeli sınırda durmuştu.

Bu kez ölen, onlar olmuştu. Ölen, kendisi de olabilirdi. Zafer sarhoşu olmamak için bunu kafasının bir köşesine iyice yerleştirmeliydi.

Geriye son bir sorun kalıyordu: Loïc'in sessizliği. Önceki günden beri, bir kere bile, bu planlı evlilik olayından bahsetmemişti. Morvan arkasında hafif bir hışırtı duydu. Omzunun üstünden geriye doğru bir göz attı.

*Zamanla ve sabırla her şeyin üstesinden gelinir...*

Oğlu oturduğu koltuktan ona bir silah doğrultuyordu.

# 133

Salpêtrière'den döndüğünden beri huzursuzluk yakasını bırakmamıştı. Aslında asansörden beri. Şu pis kabin ve arkasında ayakta duran maskeli hastabakıcı. O anda bu sıkıntısının sebebini anlayamamıştı. Şimdi biliyordu: Yük asansöründeki adam, ona Sainte-Anne'daki katili hatırlatmıştı. Katilin de, hastabakıcının da yüzünü görmemiş olmasına rağmen. Belki de kokuları. Ya da sadece varlıkları...

Hastaneden sonra, hep Karl'ın koruması altında, Chatou'daki kliniğe değil, evine gelmek istemişti. Siyah adam Morvan'ı aramıştı, o da kabul etmişti. Sahanlığa gelince, Karl'dan daireyi kontrol etmesini istemiş, ardından, ikisini de "güvenli bölge"ye hapseden kapıyı kilitlemişti. Şüphesiz Karl onun hakkında olmayacak şeyler düşünmüştü (Gaëlle'in ünü ister istemez ona kadar gelmişti), ama Gaëlle tamamen farklı biri çıkmıştı. Kadın korkudan ölüyordu.

Gaëlle'in yaptığı ikinci şey, haber kanallarını açmak olmuştu. Saatler boyunca, her şeyin yolunda olduğuna ikna olmak için Locquirec çatışmasıyla –bazıları "Côte de Granit Rose katliamı" olarak adlandırıyordu– ilgili bütün haberleri ve özel yayınları izlemişti. Sedyeleri, üstleri örtülmüş ölüleri, kömürleşmiş yıkıntıları görmüştü. Olayların kronolojisini takip etmişti. Her seferinde, Ivo Lartigues'in, Sébastien Redlich'in ve Joseph Irisuanga'nın çatışma sırasında öldürüldüğü –tek bir kişi tarafından: babası– doğrulanıyordu.

Ama soruşturmada kesin olarak bir sonuca ulaşılmış mıydı? Katiller aslında dört kişiydi (Erwan ona öyle söylemişti), ama daha fazla olmadıklarını kim söyleyebilirdi? Ağabeyine ulaşmaya çalıştı, başaramadı. Babasına da ulaşamadı. *Pislikler.* Hastaneden kaçmaya ya da onları elâleme rezil etmeye kalkışsa hemen ortaya çıkarlardı, ama şimdi onlara ihtiyacı olduğunda...

Kendine bir Cola Zero almaya gitti. Haksızlık ediyordu. Baba ve oğul Morvan'lar şimdiye kadar ona hep cevap vermişlerdi – hatta onları aramadığında bile.

Mutfağa gitmek için, holle iç içe olan minik salonundan geçmek zorundaydı – nöbetçi olarak Karl'ın oturduğu hol. Karl bir koltuğa oturmuş, *Candy Crush* oynuyordu. Sanki bir karar almıştı: Bu gece Kevin Costner ile Whitney Houston'ın filmi *Bodyguard*'ı oynamayacaktı.

Gaëlle kutu kolasını aldı ve odasına döndü. Göz ucuyla irikıyım korumasına bakarak soğuk kolasından bir yudum aldı. Bir sokak lambasının ışığında, apartmanının dibinde bir gölge gördüğünü sandı. Hızla camı açtı ve yarı beline kadar sarktı. Birden iki el onu tutup içeri çekti ve odasındaki küçük kanepenin üstüne fırlattı.

– Salak mısın nesin? diye sinirle bağırdı Gaëlle.

Karl'ın her şeyden önce onu kendisinden koruduğunu hatırlamıştı. Adam cevap vermeden, ağır hareketlerle camı kapattı.

– Dışarıda bir adam var, sanki apartmanı gözlüyor.

Karl ona kuşkulu gözlerle baktı.

– Sana yemin ediyorum! diye bağırdı Gaëlle. İçim rahat değil. Hastaneden beri takip edildiğimizi hissediyorum.

Karl yavaşça ona doğru döndü. Kaslı yapısıyla orantılı olarak hareket ediyor ve nefes alıyordu.

– Aşağı inip bakmayacak mısın?

– Söz konusu bile olamaz. Sizin yanınızda kalmam gerekiyor.

Kelimeler ağzından, yamaçtan yuvarlanan iri kayalar gibi gürültüyle çıkıyordu.

– Ya aşağıda bir herif varsa? Bu senin işin değil mi?

Karl başını salladı. Gaëlle, onun emirleri doğrudan babasından aldığını biliyordu. Kararların anında alınması faydalıydı; "patron"u rahatsız etmeden önce iki kez düşünülmesi ise sakıncalıydı.

Karl sonunda, tereddüt ederek elini ceketine daldırdı ve cep telefonunu çıkardı.

Cep telefonu çalınca Morvan ceketinin cebini işaret etti.

– Müsaade var mı?

Oğlu hâlâ ona nişan alır vaziyetteydi. Yaklaşık on dakikadır ne başı ne de sonu olan bir konuşmayı sürdürüyorlardı; arabulucu olarak da nereden çıktığı bilinmeyen bir 9 mm'lik vardı.

Doğrulanmıştı: Sofia Loïc'e durumdan bahsetmişti, ama Loïc ya bir strateji olarak ya da tuhaflığından, öfkesini bu ana kadar gizlemişti. Babasıyla yan yana, onun hisse senedi portföyünü yok pahasına satmışlardı ve şimdi, beyninde buharlaşan kokainin etkisiyle babasını öldürmekle tehdit ediyordu.

Telefon hâlâ çalıyordu.

Morvan, Loïc'ten hiç korkmuyordu. Hiçbir eksiği olmayan bütün çocuklar gibi, oğlu da karıncayı bile incitmezdi. Özellikle de şimdi, Budizm'in temel ilkelerine gömülmüşken. Ayrıca, bir insana ateş etmek için, Loïc'in çok uzağında olduğu belli bir çizgiyi aşmış olmak gerekiyordu.

– Cevap verebilir miyim?

Sonunda Loïc çenesiyle onayladı.

Karl. Gaëlle'i emanet ettiği adam.

– Bir sorun mu var?

– Yok. Yani... kızınız bir şeyler gördüğünü sanıyor.

– Ne?

– Bir adam... apartmanı gözleyen... (Tereddüt etti.) Çok net değil...

– Sen neredesin?

– Dairede. Kızınızla birlikte.

Morvan sahneyi, neredeyse eğlenerek gözünde canlandırıyordu: Yarı korkmuş, yarı öfkelenmiş Gaëlle, kollarını kavuşturmuş, buz gibi gözlerle Karl'a bakıyor; eski lejyoner Karl ise, sarışın kız ile korkunç patronu arasında bocalıyor olmalıydı.

– Aşağıda bir meslektaşın yok mu?

– Ben yalnızım. Bana demiştiniz ki...

– Biliyorum. Sen bir şey gördün mü?

– Pencereden hiçbir şey görmedim ve aşağıya inmek ve onu yalnız bırakmak istemiyorum.

– Başka kim müsait olabilir?

– Ortiz.

– Ona gelmesini söyle. Biriniz yukarıda kalsın, diğeri çevreyi kontrol etsin.

– Kızınızla konuşmak istiyor musunuz?

– Hayır. Gerekli tertibat alınınca beni ararsın.

Telefonu kapattı ve hâlâ kımıldamadan duran Loïc'e baktı. Gözleri hafifçe kapanırken, yüzü tiklerle kasılıyordu. Asabiyetin ve uyuşukluğun tuhaf karışımı.

– Eğer beni öldürmek isteseydin, bunu çoktan yapmış olurdun, öyle değil mi?

– Kapa çeneni. Anlamak istiyorum sadece.

– Neyi?

– Kendi çocuklarını dalaverelerine nasıl alet ettiğini.

Morvan yaklaştı. Loïc'in parmağı tetiğin üstünde gerilmişti. İhtiyar durdu; her an bir kaza olabilirdi.

– Dinle, dedi, sakin bir şekilde. Herkesin ilk sigarasını içtiği yaşta sen alkoliktin. Herkes ilk *joint*'ini içerken sen eroin müptelasıydın. Rüştünü ispat ettiğinde, çoktan ölüydün.

– Tibet'e yaptığım yolculuğu unutuyorsun.

– O yaşlı ibne senin hayatını kurtarmadı.

– Ondan bu şekilde bahsetme!

Morvan özür diler gibi bir hareket yaptı.

– Çok kırılgan bir hale gelmiştin demek istiyorum. Bu evlilik, senin arkanı sağlama almak, malvarlığımı sana devredebilmek içindi.

– Benim yerime benim hayatıma karar vererek mi?

– Seni Sofia'yla tanıştırmak iyi bir fikirdi. İspatı ortada, birbirinize âşık oldunuz. O ideal bir kızdı.

– Bunu sen mi söylüyorsun?

– Onunla mutlu olmuştun.

– Sen ve onun babası, siz kendinizi ne sanıyorsunuz? Tanrı mı?

– Şimdi artık ne yapabiliriz ki? Boşanıyorsunuz, değil mi? Ve benim de hiç Coltano hissem kalmadı.

Loïc'in eli titriyordu. Her an bir kaza olabilirdi.

– Bu durumdan bu şekilde sıyrılamazsın. Bu kez olmaz!

Morvan çaktırmadan biraz daha yaklaştı. Elinin keskin tarafıyla Loïc'in silahı tutan koluna vurdu. Loïc acıyla bağırdı. Morvan onun karpal tünelini ve medyan sinirini hedef almıştı; oğlan birkaç gün yazı yazmakta zorlanacaktı. 9 mm'lik, döne döne odanın öbür ucuna kadar gitti. Morvan, Loïc'i boynundan yakaladı ve onu doğrulttu.

– Beni iyi dinle evladım. Doğduğundan beri seni koruyorum, hatta kendinden bile. Sofia'ya gelince, o hayatı hep bir Mercedes'in camından gördü. Hiçbir şey bilmiyorsunuz, ne olursa olsun bir şeye sahip olmak için hiç mücadele etmediniz. Anlayacağın, bana ders vermek veya sert adamı oynamak için biraz geç kaldın.

– Sofia'yı ve çocukları öldürüp ben de intihar edebilirdim.

– Önce bir silahı kullanmayı öğren. (Tabancayı yerden almıştı. Emniyet mandalı hâlâ kapalıydı ve namluya mermi sürülmemişti.) Tüm bunları unutmaya çalışalım, dedi Morvan, uzlaşmacı bir ses tonuyla. Yarından itibaren, yeniden satın almalara başlamak gerekiyor. Alıcılar arasında yerini almalısın ve...

– Anlamadın galiba! diye bağırdı Loïc. Senin kahrolası hisselerin beni zerre kadar alakadar etmiyor! Bir saatte, senin bütün madenlerinden bir günde kazandığından daha fazla kazanıyorum. Senin köleci anlayışının artık hükmü kalmadı! Kan akıtmadan da, insanları yerin yedi kat dibinde çalıştırmadan da para kazanılıyor. Kahrolası sömürgeci faşist!

Morvan bu çok sert saldırıyı sineye çekti. Belki de oğlu haklıydı. Belki de başka bir çağa aitti. Ama Loïc, borsanın ve mali operasyonların ardında, hep ter, kan ve gözyaşı olduğunu bilmeyecek kadar aptal değildi.

– Sakin ol, dedi, sanki bir çocuğa yaşına uygun davranmasını söyler gibi. Coltano konusu kapandı. Mademki ayrılıyorsunuz, mirasınızın birleşmesi artık imkânsız. Kötü biten her şey kötüdür.

Loïc ayağa kalktı ve gerindi. Öfkesini, silahını, tehditlerini unutmuş gibiydi. Bütün tutarsızlık rekorlarını kıran zavallı çocuk.

– Bu senin mezar taşı yazın olabilir, dedi Loïc, alaycı bir tavırla.

– Sadece bir gün olsun, beni yargılamayın.

Loïc çalışma masasının üstündeki *Le Monde*'un akşam baskısını aldı ve babasının suratına fırlattı. Birinci sayfanın manşeti, Locquirec çatışması ve Grégoire Morvan'ın kahramanlığıyla ilgiliydi.

– Her şeyi bunun için yaptın, değil mi?

Morvan ona yeniden vuracakken, gözünün önüne Erwan'a ateş etmesi geldi ve şiddetli bir bulantı hissetti.

Silahı belinin arkasına yerleştirerek ceketini giydi.

– Git yat ve yarın sabah hesaplarımızı gözden geçir. Seni ararım.

– Siktir git.

Morvan dışarıda Paris havasını soludu – egzoz gazları, nemli asfaltın kokusu, benzin buharı. Temiz havanın bir başka versiyonu. Gaëlle tarafında her şeyin yolunda olup olmadığını öğrenmek için Karl'ın numarasını tuşladı.

Uyumak ve bir daha uyanmamak istiyordu.

# 135

Erwan'ın hastaneyle tek ortak noktası vardı: Saat çizelgesi. Kahvaltı sabah altıda, pansuman değiştirme saat yedideydi. Onun için bir sorun yoktu. Çıktıktan sonraki tüm sorumluluğun kendisine ait olduğunu beyan eden bir formu imzalamak için idari ofisin açılmasını beklemişti.

Dün gece, bir polis memuru arabasını getirmişti. Bandajlarına rağmen hiç zorluk çekmeden kullanabiliyordu arabayı. Saat 08.30'da, Hôpital Bulvarı'ndan Austerlitz Garı'na doğru iniyordu.

Sağlığının düzelmesi için dinlenmeye değil, Sofia'ya ihtiyacı vardı. Dün gece paylaştıkları saatler, elmas satıcılarının dediği gibi *flawless*'ti – "kusursuz." Onun yatağında sevişmişlerdi ve her hareket Erwan'ın acıyla inlemesine sebep olmuştu. Belki de ömrü boyunca beklediği yoğun zevki duymuştu.

Gece yarısı civarında Sofia gittikten sonra uyuyamamıştı. Mahkeme tutanaklarına gömülmüş ve bütün gece onları okumuştu. Hemen hemen elle tutulur hiçbir şey yoktu. Ama artık, yaşadığı coşkulu bir tür uyarılmayla kendini arınmış hissediyordu.

Montebello Rıhtımı'nda yol alırken Kripo aradı.

– Ne durumdasınız? diye sordu Erwan, onun konuşmasına fırsat vermeden.

– Hiçbir şey bulamadık. Bizim adamlar ile cinayetler arasında hiçbir bağlantı, hiçbir somut ilişki yok.

– Daha açık anlat.

– Her bir cinayet için, şüphelilerden biri katil olabilir; o sırada nerede olduğuna tanıklık edecek biri yok. Ama o kadar. Di Greco 7 Eylül gecesi Wissa Sawiris'i öldürmek için karaya çıkmış olabilir, ama balık avlamaya da gitmiş olabilir. Lartigues 11 Eylül akşamı evde yalnızmış, ama bu, onun Arcole Köprüsü'nün altında olduğunu göstermez. Redlich, Pernaud'yu tanıyordu, ama kimse onu Voûte Sokağı'nda görmemiş.

– Somut deliller?

– Lartigues'in atölyesindeki ve Redlich'in mavnasındaki aramalarda hiçbir şey bulunamadı.

Grands-Augustins Rıhtımı. Conti Rıhtımı. Malaquais Rıhtımı. Geçerken Kripo'nun onunla konuştuğu 36'ya –Seine Nehri'nin diğer yakasına– dönüp bakmamıştı.

– Peki senin Irisuanga meselesi?

– Çin Seddi. Dairesinin, galerisinin diplomatik dokunulmazlığı var. Kuşkusuz pazar akşamı Lartigues'in gecesindeydi, ama oradan saat kaçta ayrıldı? Bilemiyoruz.

– Hepsi bu kadar mı?

Kripo hiç âdeti olmadığı halde sesini yükseltti.

– "Hepsi bu kadar mı?" Sana belki yanıldığımızı, babanın Çivi Adam'la hiçbir ilgisi olmayan üç herifi tepelediğini, gerçek katilin hâlâ etrafta dolaştığını açıklamaya çalışıyorum ve sen bana "Hepsi bu kadar mı?" diye soruyorsun. Sıkıntılı olaylar konusunda tatmin edilmesi zor bir adam oldun.

Erwan cevap vermedi. Bu yeni olgu, tuhaf bir şekilde mahkeme tutanaklarında okuduklarını destekliyordu. Özetlenmiş tanık ifadelerini, Pharabot'nun sanrılı cevaplarını, savunmaların özetlerini okumak zorunda kalmıştı. Tüm bunların neticesinde de önemli bir şey öğrenememişti.

Mahkeme tutanaklarında, okuduğu satırlardan çok, karanlıkta kalmış noktalar önem taşıyordu. *Bir şeyler uymuyordu.* Bir ayrıntı gözünden kaçmıştı ve bu ayrıntı kırk yıl önceki cinayetlerle ilgili olsa da, bugünkü olayı daha iyi anlamasına yardımcı olabilirdi.

– Beni dinliyor musun? Ne yapıyoruz?

– Biraz daha araştırın, geçmişlerini eşeleyin, bu cinayetler için kahrolası bir neden bulun.

– Bu bizim doğrudan kanıtlar bulmamızı sağlamaz.

– Zaten bunun için artık çok geç. Dosyayı dolaylı kanıtlarla kapatırız.

– Seni tanıyamıyorum.

– Buna "gerçeklik ilkesi" deniyor.

– Tamam. Diğerlerine iletirim.

Kripo telefonu kapattı. Erwan Pyramides Sokağı yönünde Royal Köprüsü'nü geçti. Opéra semtinde ortam değişti. Polis okulunda, Haussmann'ın eseri olan, geniş ve dümdüz uzanan ana arterlerin halk isyanlarını bastırmak, rahat top atışı yapmak ve süvarilerin kolayca geçişini sağlamak için düzenlendiği öğretilmişti. "Bunun kanıtı da, 68 Mayıs olaylarının Seine Nehri'nin diğer yakasında patlamasıdır!" diye bu bilgiyi doğrulamıştı babası.

İhtiyar'ı sarsmanın zamanıydı.

– Hâlâ hastanede misin? diye sordu Morvan, kaygılı bir sesle.

– Eve dönüyorum.

– Çıkmana izin verdiler mi?

– Sıktığın kurşun sadece sıyırmış.

– Konuşmamız lazım. Bu...

– Konu ne olursa olsun sana kızacak takatim yok.

– Terk etmeyle galibiyet![1] diye güldü Morvan. Dinlenmen gerekiyor.

– Seyahate çıkıyorum.

– Sana Bréhat'nın anahtarlarını verebilirim.

– Belçika'ya gidiyorum.

Kısa bir sessizlik.

– Neden Belçika?

– Dün akşam Lubumbashi Davası'nın tutanaklarını okumak zorunda kaldım. Her biri dört kilo ağırlığında üç klasör.

Yeniden sessizlik. Erwan yaldızlı süslemeleriyle görkemli Palais Garnier'nin çevresini dolandı, sonra Lafayette Sokağı'na saptı. Hafif süvari alayı için düzenlenmiş bir ana arter daha.

– Onları nereden buldun?

– Namur'den. Avukatların transkripsiyonları orada saklanıyormuş.

– Tam olarak ne arıyorsun?

– Bazı bilgiler bana yetersiz geldi. Tuhaf dememek için "yetersiz" diyorum.

– E, yani? Senin soruşturman kapandı ve suçluların hepsi öldü.

– Belki de ölmedi. Hâlâ cevapsız bir sürü soru var. Neticede, bu kaçıklar bir ölünün kemik iliğini kendilerine naklettirdikleri için katil olarak kabul ediliyorlar.

– İki jandarmayı öldürdüler.

– Evet, doğru. Ve Locquirec'te de silaha sarıldılar. Ama onların Wissa Sawiris ile diğerlerinin katili olduklarından emin olmak istiyorum.

– Bu hâlâ benim ilk sorumun cevabı değil. Neden Belçika?

– İlk olayın tanıklarını sorgulamak istiyorum.

– Hangilerini?

1. Teniste, rakibin sakatlanarak veya başka bir nedenle korttan çekilmesiyle kazanılan galibiyet. (ç.n.)

– Bilmiyorum.

İsim vermek istemiyordu.

– Aklını kaçırmak üzeresin evladım. Dikkat et! Bu hikâye yüzünden az kalsın aklımı oynatıyordum.

Erwan, İhtiyar'ı biraz kışkırtmaya karar verdi.

– Yine de mahkeme süresince aklın gayet yerindeymiş gibi bir izlenim edindim.

– Ne demek istiyorsun?

– Senin tanıklığını okurken, hitabet yeteneğin sayesinde bazı eklemeler yaptığın izlenimine kapıldım.

– Sen de mi Pharabot'nun suçluluğundan şüphe ediyorsun?

– Hayır. *Gerçek* kanıtların ve itirafların vardı. Ama olaylar ve koşullar bakımından bir hayli boşluk var.

– Neden canımı sıkıyorsun? Ben işimi yapmadım mı?

– Aklıma takılan bir soru var. Çivi Adam dokuz cinayet işledi...

– Eğer onu yakalamasaydım, Lontano'daki bütün kız öğrenciler ölecekti.

– Kesinlikle, ama böyle bir paranoya ortamında katil kızlara nasıl yaklaşabildi? İki milyonun üstünde nüfusu olan Paris'te bir katil dolaşıyor olsa, hiçbir kadın evinden dışarı çıkmaz. Lontano'da ise sadece yirmi veya otuz bin kişi yaşıyordu...

– Onun resmini gördün mü?

– Hayır. Herhangi bir antropometrik belge bulamadım.

– Pharabot fotoğraf makinelerinden korkuyordu. Bir Afrika batıl inancı. Dağınık saçlı ve melek yüzlü, sarışın genç bir adamdı. Ürkek ve yumuşak görünümlü biri. Kim böyle birinden çekinir ki?

Bu cevabın hiçbir önemi yoktu. Erwan, o dönemde kız öğrencilerin ve sekreterlerin yaşadığı paniği hayal edebiliyordu. Tek bacaklı bir moruk bile onları korkutabilirdi.

Cadet Sokağı'nda ilerliyordu. Sağa kıvrılınca da Bellefond Sokağı. Kafasında daha şimdiden valizini hazırlamaya başlamıştı bile.

– Belki Belçika'da sorularıma cevaplar bulabilirim. Eğer yeterli olmazsa Afrika'ya gideceğim.

– Hangi cevaplar? Hasta mısın nesin?

– Sadece yaralıyım. Pharabot ve cinayetleri, ormanı görmemizi engelleyen bir ağaç.

– Ne ormanı? Saat kaçta...

Erwan kapalı otoparka giriyordu. Hattın kesildiğini bildiren sinyal kulağında yankılandı.

Beton iyi bir şeydi. En azından İhtiyar'ın sesini kesmek için gerekliydi.

# 136

Thalys'le[1] bir buçuk saat. Erwan yeniden okumak için mahkeme tutanaklarının en ilginç bölümlerinin fotokopisini almıştı. Tüm Lontano –anne babalar, dedektifler, misyonerler, işçiler... – mahkemede tanık olarak dinlenmişti. Kimse bir şey bilmiyordu ya da dava transkripsiyonları eksikti. Tek kanıt korkuydu; bulunan her ceset bir tür inanılmaz dehşet sahnesiydi. Sanki tüm topluluk, iblisin etkisiz hale getirilmesini beklerken neredeyse yaşamayı durdurmuştu.

Buna karşılık, Pharabot'nun patronları, sorunsuz, çok dikkatli, sürekli makilik alana giden bir çalışan portresi çiziyordu. Mühendis katıksız bir psikopat, tamamen iki farklı yüzü olan, duygusuz bir canavardı. Korkuları ile cinayetleri arasında bir tür denge kurmuştu. Organize, titiz, dikkatli bir katilin "eseri" ona, kişisel korkularının etkisi altında parçalanmasını engelleyen tehlikeli ve ölümcül bir güç veriyordu.

Sorulan sorular ve verdiği cevaplardan bazıları şöyleydi:

"Bu kadınları neden öldürdünüz?"

– Üst düzey bir saldırı üst düzey bir cevap gerektirir."

"Kurbanın cesedini Ankoro yoluna bıraktınız mı?

– Ben sadece ruhun yollarında dolaşırım. Ben ikinci dünyada dönüp duruyorum."

"Öldürdüğünüz kadınlar fetişler miydi?

– Bedenin içinde, *bilongo* sıcaktır. *Bilongo* daha güçlüdür."

Edinilen bilgilere göre, bilongo, ona çivi çakılarak, üstüne tükürülerek ya da kendi kanını akıtarak heykelde canlandırılan ruhtu.

Belçikalı ve Fransız psikiyatrlar –bugün hiçbiri yaşamıyordu– Kongo'ya gitmişlerdi. Mühendisin eylemlerinden sorumlu tutu-

**1.** Fransa-Belçika ortalığı demiryolu şirketi. (ç.n.)

labileceğine dair kesin bir karar verememişlerdi. Psikiyatrik anlamda hasta olduğuna da – bir Vaftizci Yahya'yı ya da bir Kobo-Daişi'yi gerçek akıl hastaları olarak değerlendiremedikleri gibi. Onlara göre, inanç ile delilik arasında ince bir çizgi vardı.

Erwan'ı ilgilendiren şey, mahkemenin büyücülükle ilgili kısmıydı. Bu konudaki en iyi uzman bir Beyaz rahip çıkmıştı. Félix Krauss, aynı zamanda psikiyatrdı, Aşağı Kongo'da yaşamıştı ve şans eseri 1969'dan beri de Lubumbashi'de oturmaktaydı. Genç misyoner, *nganga*'nın büyü yapan, hastalıkları yayan, insanların ihtiraslarını azdıran büyücülere karşı mücadelede bir adalet savaşçısı, bir büyü bozucu olduğunu açıklamıştı. Siyah ailelerin hizmetinde bir "Beyaz *nganga*" olarak Pharabot'nun portresi herkesi şaşırtmıştı, ama Krauss doğru söylüyordu: Mühendis, Lontano işçi topluluğunda hep saygı görmüştü.

Erwan, Krauss'un izini internette aramıştı. Adam artık Leuven Katolik Üniversitesi'nde etnoloji ve din bilimleri dersleri veriyordu. Erwan trene binmeden önce, onu ziyarete geleceğini haber vermişti: Beyaz rahip Fransızcayı Gent'liler veya Brugge'liler gibi kaba bir aksanla konuşuyordu; ona yardımcı olabilirse eğer –öyle demişti– mutlu olacaktı. Bu, gerçeği öğrenmek için Erwan'ın tek şansıydı. Erwan kurbanların ailelerini de araştırmıştı, ama Belçika'da adları De Vos, De Momper, Verhoeven olan çok sayıda aile vardı ve Afrika'yla ilgileri olup olmadığı öğrenmek için tüm ailelerle temasa geçmeye ne zamanı ne de imkânı vardı.

Erwan, bir klasörün en arkasında bulduğu Thierry Pharabot'nun bir resmini –tutuklandıktan birkaç sonra çekilmiş antropometrik bir fotoğraf– inceleyerek yolculuğunu bitirdi. Babası doğru söylüyordu. Dar yüzlü, düzgün yüz hatlarına sahip ve cılız görünüşlü, yakışıklı bir genç adamdı. Saçları ve kaşları sarıydı, şaşkın bir yüz ifadesi vardı. Bu fotoğrafta insanın, belki de hâlâ açık olan bir cehennemin efendisini gördüğüne inanması çok zordu...

Brüksel, saat 18.00. Taksi. Leuven yarım saatlik mesafedeydi. Erwan hep Flandre'ın hayalini kurmuştu, ama ziyaret etmeye hiç fırsat bulamamıştı. Bu bölge onun için, Rönesans öncesi Flaman ressamlar ile Rembrandt veya Rubens gibi XVII. yüzyılın ustalarını barındıran bir hazine sandığıydı.

Şimdilik gördükleri onu hayal kırıklığına uğratmamıştı. Son derece düz ufuk çizgisi, bakır rengi alacakaranlık, süzgün uzun gölgeler. Ayrıca hepsi aynı kırmızımtırak malzemeden yontulmuş gibi görünen evler ve kiliseler. Altın ile kanın düğünü...

– Leuven yönüne gitmiyor musunuz?

Şoför "Leuven" çıkışını doğuya doğru geçmişti ve güneye doğru N3 yolunda ilerliyordu.

– Siz bana Louvain[2] demediniz mi?

– Ben size...

– Siz bana Louvain-la-Neuve dediniz.

– İkisi aynı şey değil mi?

– Hayır. Orası Fransızca konuşan bölgede.

Erwan kızgınlığını gizlemekte zorluk çekti.

– Nasıl yani?

– Belçika ikiye ayrılmıştır, Fransızca konuşulan Wallon bölgesi, Hollandaca konuşulan Flaman bölgesi. Aslında tam da öyle değil ama...

– Bunları ben de biliyorum, elbette.

– 1960'lı yılların sonuna kadar Leuven Katolik Üniversitesi Leuven'de, yani Hollandaca konuşulan bölgedeydi, ama öğrencilerin yarısı Fransızca konuşuyordu. "Her dil kendi ülkesinde konuşulur" görüşündeki fanatikler bunu kabul edilemez buldu. Gösteriler, kavgalar oldu. Bizde bu olay bir "dil krizi" olarak adlandırılır, ama amaç farklıydı: *Walen buiten!*, yani "Wallonlar dışarı!"

Erwan dilin bahane edildiği bir din savaşını düşündü.

– Sonra?

– İki üniversite olarak ayrılması için oylama yapıldı ve Brabant Fransız bölgesinde son derece çirkin yeni bir şehir inşa edildi.

– Louvain-la-Neuve mü?

– Evet. Bu oldukça özel bir durumdu. Her şey birkaç yıl içinde yapıldı.

Erwan gotik binalar, gotik üçgen çatılar, bölmeli pencere çerçeveleri görmeyi bekliyordu. Öbek halinde ham betondan binalarla, güven telkin etmeyen bloklarla dolu, yayalara ayrılmış bir alanla karşılaştı. Bu tür baştan savma mahalleler, banliyölerde olurdu ve iki site arasında da kafeteryalar, kuru temizlemeciler, süpermarketler yer alırdı.

– Felsefe fakültesinde randevum var.

– Orası Erasmus Koleji'nde. Arabayla giremem.

Erwan modern bir çan kulesinin dibinde, gri bir meydanın girişinde taksiden indi. İç avluda yürürken ayak sesleri yankı yapıyordu. Gittiği bina, az çok eski hatlarla inşa edilmiş yeni bir binaydı: Sivri çerçeveli pencereler, V biçiminde sütun başlıkları olan direkler. Ortaya çıkan sonuç tuhaftı: Sanki eski bir kalıbın içine yeni beton dökülmüştü.

**2.** Fransızlar Belçika'daki Leuven şehrini Louvain olarak adlandırır. (ç.n.)

– Rahip Krauss lütfen.

Danışma bankosunun arkasındaki bitkin görünümlü erkek öğrenci işaretparmağıyla tavanı gösterdi. Erwan başını kaldırdı. Kütüphane birkaç kata yayılmıştı. Raflar bir orta avlunun etrafında döner balkonlar oluşturuyordu. Yapının mimarisi –beyaz direkler, açık renk ahşaptan korkuluklar– iki renkli, yinelenen motiflerden oluşuyordu.

Erwan merdiveni buldu. Rahip Krauss, psikiyatri ya da etnoloji bölümünde bir yerlerde olmalıydı.

Yetmiş yaşlarında olmalıydı, ama alabros kesilmiş beyaz saçları ona çok zinde bir hava veriyordu. Ufak tefekti, üstünde kötü kesimli siyah bir takım elbise vardı. Beyaz yakasını görmek için yaklaşmak gerekiyordu. İki kitap sırasının arasında, bir tıbbi etnoloji kitabının üstüne eğilmiş olan Rahip Krauss'un görüntüsü, doğal biyotopu içinde yaşatılmaya çalışılan koruma altındaki bir hayvanı andırıyordu.

Yolculuk, geçirdiği uykusuz gece ve diğer şeyler Erwan'ı yorgun düşürmüştü. Aşırı nezaket gösterecek enerjisi yoktu. Kendini tanıttı ve sorularını sorabilmek için sakin bir köşeye çekilmeyi talep etti.

– Elbette, dedi misyoner, kitabı rafına yerleştirirken. Telefonunuzdan sonra, o döneme ait notlarımı yeniden okudum.

Aksanında, Almancaya kaçan hoş bir tını vardı.

– Onları görebilir miyim?

– Hayır, tıbbi mahremiyet nedeniyle size gösteremem. Beni takip edin lütfen.

İyi başlamışlardı. Erwan peşinden gitti. Bu saatte kütüphane boştu. Ahşap hatları canlanıyor ve dans ediyor gibiydi.

– Önce size bir şey göstermek istiyorum.

Korkuluk boyunca ilerlediler, sonra Krauss manyetik kartıyla bir kapıyı açtı. Beyaz badanalı, penceresiz küçük odaların sıralandığı bir alana girdiler. Her bölmede, üzerleri çivilerle, bitkisel elyafla, iplerle kaplı topraktan ya da ahşaptan Afrika heykelcikleri vardı.

– Bu sergi Leo Bittremieux'ye adandı. Kendisi XX. yüzyıl başında Yombe kültürünü incelemiş ve bu kutsal cisimleri Belçika'ya göndermek için büyük gayret sarf etmiş Meryem Ana'nın Temiz

Kalbi Tarikatı'nın bir misyoneridir. "Kralın önünde bile" Fransızca konuşmayı reddeden ve sömürgecilerden tiksinen gerçek bir Flaman. Beyaz adamın "uygarlaştırmak için değil, frengi bulaştırmak için" Afrika'ya geldiğini söylüyordu.

Erwan bu sergi gezme işini bir bahaneyle geçiştirebilirdi, ama bir anlamda bu kültürü öğrenmek için buraya gelmiş olduğunu düşündü. Göğsüne çiviler, küçük sivri dişler çakılmış, jüt bezinden kolsuz bir pelerin giydirilmiş ve baklava şeklinde kafası olan bir fetişin önünde durdu.

– En korkunç parçalarımızdan biri, dedi Krauss, vahşi bir hayvan terbiyecisi gibi elini heykelin başına koyarak. Bu *nkondi*, toprak yiyen cinlenmiş çocukları kurtarıyordu.

– Soruşturmam için, bu inançları bayağı bir inceledim ve...

– Bu inançların ötesinde bir şey! Bir metafizik. Hatta varoluşun temeli. Siyahlarda ne rastlantı vardır ne de açıklanamaz bir şey. Tanrı ile insanlar arasında bir ara kat vardır: Ruhların, gizil güçlerin katı. Batılılara göre bir Kongolu AIDS'ten ölür. Bunun Afrika gerçeği ise farklıdır: Oğullarından biri büyücüdür ve hastalık göndererek onu öldürmüştür.

Odalar boyunca, *minkondi*'ler yeni yontulmuş ahşap parçalarına, çıngıraklarla süslenmiş bez torbalara, iplerle bağlanmış taşlara dönüşerek görüntü değiştiriyordu.

– Ayrıca, diye devam etti Krauss, babanızın size bu dünyayı açıklaması gerekirdi.

– Babamı tanıyor musunuz?

– İnternette teyit ettim; isminiz bir rastlantı olamazdı.

– O dönemde onunla karşılaştınız mı?

– Tuhaf, ama hayır. Onu çok sonra tanıdım, 2000'li yıllarda, bize bir sergi için koleksiyonunu geçici bir süre için verdiğinde.

Erwan babasının *minkondi*'lerinin seyahat ettiğini bilmiyordu.

– Onu en son gördüğümde, diye itiraf etti Krauss, sevinçli bir yüz ifadesiyle, *minkondi*'lerini üniversitemize bağışlayacağı gibi bir izlenim edindim.

Bu iyi haberdi: Kötü dalgalar yüklü bu korkunç zımbırtılar ne ona ne de kardeşlerine miras kalacaktı. Erwan, yarı bitkisel yarı mineral bir tür hançeri betimleyen, dip tarafına deniz kabuklusu bağlanmış bir palmiye dalının önünde yeniden durdu.

– Delilik ile inanç arasında ne fark vardır? diye devam etti, Krauss. İsa'nın suyun üstünde yürüdüğüne inanmak, psikiyatrik bir bakış açısıyla değerlendirilemez...

– Pharabot inancı adına dokuz kişiyi öldürdü.

– Hıristiyanlarda, Müslümanlarda, Budistlerde din adına kaç katliam oldu? Geldik.

Krauss salonun sürgüsünü açtı ve Erwan'ın geçmesi için kenara çekildi.

Tavan lambaları fasılalarla yandı, bir dizi okuma maşası ortaya çıktı.

– Oturun.

Erwan masalardan birinin arkasına geçip oturdu. Rahip de onun karşısına yerleşti. Bu vesileyle, Erwan küçük bir teyp çıkardı.

– Kaydetmemin bir sakıncası var mı?

– Hayır, yok, ama önce size bir sorum var.

– Lütfen, buyurun.

Suskun polisi oynamanın sırası değildi.

– Bana Paris'teki bir dizi cinayeti soruşturduğunuzu söylediniz.

– Kesinlikle.

– Bu sabah gazetelerde, Bretanya'daki bir silahlı çatışmada katil zanlılarınızın öldürüldüğünü okudum...

Erwan pembe yalanda karar kıldı:

– Evet doğru, ama raporumu tamamlayabilmek için katillerin ilham aldığı kişinin, Thierry Pharabot'nun, mümkün olduğunca eksiksiz bir portresini çıkarmak zorundayım.

– Bugünle ilgili ipuçlarını bulmak için Çivi Adam'ın geçmişini araştırdığınızı mı söylemek istiyorsunuz? Her şeyi tam olarak anlamamış olabilir misiniz?

Erwan gülümsedi. Ona göre, din adamları aptallığı teğet geçen bir saflıktaydı. Krauss ise bu kategoriye dahil değildi.

– Olaylar tahmin edilenden çok daha karmaşık, bu doğru. Finistère'de öldürülen üç adam Çivi Adam'a büyük bir saygı duyuyorlardı ve biz son iki hafta içinde işlenen cinayetlerin faillerinin onlar olduğuna karar verdik. Ama elimizde somut kanıtlar yok. Onların örnek aldığı kişiyi araştırarak yeni ipuçları bulabileceğimizi düşünüyoruz.

Belçikalı hâlâ gülümsemeye devam ediyordu.

– Teybinizi çalıştırabilirsiniz.

İlk soru:

– Pharabot'yla karşılaşmanızı hatırlıyor musunuz?

– Elbette. Yakalandığında, Lubumbashi'de bir dispanserde yöneticiydim. Beni çağırdılar ve onun ilk psikiyatri raporunu düzenlemek için Lontano'ya kadar yolculuk yaptım. Tam o işin adamıydım: Doktor ve rahip, ayrıca Yombe inançlarını da biliyordum.

– Durumu nasıldı?

– Şoktaydı.

– İşlediği cinayetler yüzünden mi?

– Babanızın onu yakalamak için sürdürdüğü sürek avı yüzünden.

Erwan midesinin kasıldığını hissetti.

– Bana bu konuda ne... ne söyleyebilirsiniz?

– Pek fazla bir şey bilmiyorum. Bu av haftalarca sürmüş, son derece... zorlu bir arazide.

Erwan hiçbir zarar görmemiş Pharabot'nun fotoğrafını düşündü:

– Babamın yakaladıktan sonra Pharabot'ya işkence yaptığını mı düşünüyorsunuz?

– Bu kovalamacanın kendisinin işkence... zihinsel bir işkence olduğunu düşünüyorum. İkisi için de. Pharabot makilik alanı tanıyordu. Grégoire Morvan'ın ise, tam tersine bu arazide hiçbir deneyimi yoktu. Yine de, asla vazgeçmedi. Pharabot'yu takip etti. Onu yakaladı ve Lontano'ya götürünceye kadar onu aç bıraktı, pes ettirmeye çalıştı.

Yaşlı misyonerin sesinde az da olsa bir hayranlık ifadesi vardı. Kaba yöntemlere karşı durması (psikiyatrdı) ve merhametten yana olması (rahipti) gereken bu adam, yine de avcının yürekliliğine ve gösterdiği sebata saygı duyuyordu.

– Bu sadece fiziksel cesaret meselesi değildi, diye daha da ileri gitti. Ormanın derinliklerinde, Pharabot kendi sahasında oynuyordu – gizil güçlerin sahası. Babanız ise yabancısı olduğu güçlü bir dünyaya karşı tek başınaydı.

– Buna inanıyor musunuz?

– Çok kötü bir durumda olduğuna inanıyorum ve onun, tabirim için özür dilerim, taşaklı biri olduğunu düşünüyorum.

Buraya İhtiyar hakkındaki övgüleri dinlemeye gelmemişti.

– Pharabot'yu tedavi ettiniz mi?

– Eldeki imkânlarla. Son derece bitkindi. Bir tür katalepsi söz konusuydu. Onu hem gevşetecek hem de gerçeğe dönmesini sağlayacak sakinleştiriciler vermek zorunda kaldım. Ayrıca tanıklarla konuşma imkânı buldum.

– Tanık olmadığını sanıyordum.

– Cinayetlerin tanığı yoktu, ama şehrin genel atmosferinin tanıkları vardı. Lontano sakinleri iki yıl sürmüş gerçek bir korkudan kurtuluyordu.

Erwan bir kez daha aynı soruyu kendine sordu: Katil kurbanların güvenini nasıl kazanabilmişti? Belki de aradığı ipucu buydu. *Daha sonra.*

– Mahkeme tutanaklarında okuduğuma göre Pharabot *nganga* olarak tanınıyormuş. En başta, insanların ondan şüphelenmesi gerekmez miydi?

– Siyahlar için, hiç kuşkusuz evet, ama kimse konuşmak istemiyordu. Önce korkudan, sonra saygıdan. Onunla ilgili efsaneler dolaşıyordu. Geceleri, bütün vücudunu kille kaplayıp çırılçıplak ormanda dolaştığı, iblislerle konuştuğu söyleniyordu. Bir sürü hayvana dönüşebildiği anlatılıyordu, Afrika mavalları.

– Onu ihbar edebilirlerdi.

– Hayır. Beyaz bir bedende *minkondi*'ler yontan bir *nganga* ne yaptığını biliyordur ve büyük güçlerle donatılmıştır.

– Sizin bu versiyonu desteklediğiniz söylenebilir. Pharabot sadece bir deli değil miydi?

– Kendini her yönden tehdit altında hissediyordu; büyücüler, korkunç güçler. Psikiyatr olarak, ona paranoid şizofreni teşhisi koydum. Ama diğer meslektaşlar bu fikirde değildi. Onlara göre sıradan bir dini coşku söz konusuydu.

Rahibin aksanı gitgide daha sevimli oluyordu – cümlelerini dalgalandıran bir rubato.

– Onu sorgulamayı başardınız mı?

– Onun güvenini kazandım. Bana hikâyesini anlattı. Yani çocukluğunu. Siz biliyor musunuz?

– Ana hatlarıyla. Kendi isteğiyle gitmiş, Aşağı Kongolu tarım işçilerinin arasında yaşamış ve Yombe büyücülüğünün sırrına ermiş.

– Doğru. Daha on iki ya da on üç yaşlarındayken, büyücülere yedikleri ruhları kusturmayı, onların görünmez çenelerini ezmeyi başarabilen şifacı olarak ünlenmiş.

– Size göre, ne zaman dengesini yitirdi? Yani ne zaman delirmeye başladı?

– Söylemesi zor. Ruhlara meydan okuya okuya, gitgide kendini tehdit altında ve kuşatılmış hissetti. Sesler duyuyordu, gördüğü halüsinasyonlar ona ıstırap veriyordu. Öldürmek zorundaydı, seçme şansı yoktu.

Erwan konunun en can alıcı noktasına girmeye karar verdi:

– Bu olayda, dört katilim var ve epeyce de kurban.

– Gazeteler üç katilden bahsediyor...

– Gazeteler polis değil. Benim sorunum, bu katillerin cinayetleri işlerken kimse tarafından fark edilmemiş olmaları. Ne bir iz ne de tanık var. Üstelik, sanki kurbanlar da onlara en ufak bir direnç göstermemişler.

– Yani?

– Lontano'da da aynı şekilde olmuştu. Kimse bir şey görmemiş ve özellikle, panik halindeki bir şehirde, kadınların hiç kuşku duymadan Pharabot'nun peşinden gitmesi, anlaşılmaz bir şey.

Félix Krauss cevap vermedi. Dudaklarında hâlâ gülümseme vardı. Etraf o denli sessizleşmişti ki Erwan havalandırma motorunun gürültüsünü duydu ya da duyduğunu sandı.

– Pharabot'nun sırrını biliyor musunuz? diye ısrarla sordu. Avlarına nasıl yaklaştığını ve onları nasıl ikna ettiğini biliyor musunuz? Neden hiçbir şekilde kimse onu fark etmedi?

– Cevap çok basit: Bir suç ortağı vardı.

– Ne?

– Tam olarak bir suç ortağı değil, daha ziyade bir asistan.

– Siz neden bahsediyorsunuz? Lanet olsun!

Krauss bu küfre alınmadı. Tam tersine, filmin sonunu anlatan biri gibi, Erwan'ın yaşadığı sürpriz onu eğlendiriyordu.

– Bir sokak çocuğu. On yaşlarında bir öksüz.

– Bir Siyah mı?

– Bir Beyaz.

– Hâlâ hayatta mı?

– Bilmiyorum.

Erwan sandalyesinin arkalığına yaslandı. Bütün öfkesi yok olmuştu. Kendisini büyük ikramiyeyi kazanmış gibi hissediyordu.

– Bana anlatın.

– Bir *nganga*'nın bilgisi tilmizden tilmize aktarılır. Pharabot'nun da, hapishanede ölmeden ya da Beyaz toplum tarafından linç edilmeden önce bir çırağa, bir mirasçıya ihtiyacı vardı. Nono'yu buldu. Ona kendi çocukluğunu hatırlatan bir çocuk.

Erwan transkripsiyonlarda bununla ilgili tek bir satır bile okumamıştı.

– Olayın bu yönünü tam olarak takip etmedim, diye devam etti rahip. Nono hemen Lubumbashi'deki bir dispansere nakledilmişti. Onunla konuşmayı talep ettim; isteğim reddedildi. Dosyasını görmek istedim; yine aynı cevap. Dava süresince, onun varlığından hiç söz edilmedi.

Erwan, bu çocuğun ortadan kaybolmasının sorumlusunun babası olduğunu hemen anlamıştı. "Cezalandırmasını bilen sevmesini de bilir" diyen ikinci şans havarisi. Babasını affederken, borçları silerken, hayata yeniden başlamaya izin verirken hep görmüştü. Ve aynı şeyi suçlulara yaparken de.

– Onun etrafında bir konsensüs oluşmuştu: Polisler, avukatlar, yargıçlar onu davanın dışında bırakmıştı, diye devam etti Krauss. Yeterince acı çekmişti; travmalarını yeniden canlandırmak gereksizdi.

– Hangi anlamda acı çekmişti?

– Öncelikle, *khimba* inisiyasyonuna tabi tutulmuştu. Ne olduğunu biliyor musunuz?

Erwan, Redlich'in açıklamalarını hatırlıyordu: Uyuşturmadan sünnet, çiğ et, kimi zaman insan eti yeme, ormanda vahşi yaşam, bedensel acılar...

– Bana bahsetmişlerdi, evet.

– Bir de bunlara büyü... ayinleri ekleniyordu.

– Yani?

– Her şey onu cinayetlere katıldığına ikna etmeye dayalıydı.

Erwan'ın başı dönüyordu. Eğer hâlâ hayattaysa bu çocuk ellili yaşlarda olmalıydı, iki numaralı Çivi Adam için mükemmel bir adaydı. Babası ona neden bu çocuktan hiç bahsetmemişti?

– Size göre, Pharabot, bu çocuğu kurbanlarını tuzağa düşürmek için mi kullanıyordu?

– Elbette. Bir çocuktan daha savunmasız ne olabilir? Onun görevi belki avı ıssız bir köşeye çekmekti, belki Pharabot hep onun yanındaydı –ağabey ile küçük kardeşi–, belki de başka bir şey...

– Onun hakkında başka ne biliyorsunuz?

Krauss cebini karıştırdı ve masanın üstüne dörde katlanmış bir kâğıt çıkardı.

– Bunun sizi ilgilendireceğine eminim. Tedavi gördüğü dispanser Rahibe Marcelle adında biri tarafından yönetiliyordu. Bir Wallon. Araştırdım, buradan birkaç kilometre uzaktaki Courtrai'de yaşıyor.

Erwan kalp atışlarının hızlandığını hissetti. Gerçek olamayacak kadar güzeldi – yani çok çılgınca. Çivi Adam'ın suç ortağı, hayatı travmalarla dolu bir çocuk, bugün artık erişilebilecek koca bir adamdı.

Erwan kâğıdı açtı ve okudu: "Rahibe Marcelle, Courtrai Beginajı, 14."

– *Beginaj* mı, o ne?

– Eski bir Belçika geleneği. Ortaçağ'dan beri, ülkemizde, bekâr veya dul dindar kadınlar kilisenin çevresine inşa edilmiş lojmanlarda birlikte yaşarlar. Bir tür, şehir içinde köy.

– Hepsi rahibe mi?

– Tam olarak değil. Laik ve hiçbir dine bağlı olmayan kadınlar da var. Günümüzde hiçbiri kalmadı. Sanıyorum son *begin* de yakınlarda öldü. Ama köyler hâlâ Marcelle gibi emekli olmuş rahibeleri kabul etmeye devam ediyor.

Erwan ayağa kalktı. Heyecanını bastırmakta zorlanıyordu. Krauss saatine baktı.

– Bu saatte size kapıyı kimse açmaz. Nerede kalacaksınız?

– Hiçbir fikrim yok.

– Burada kalın. Odalarımız var.

Erwan'ın itiraz edecek gücü yoktu. Ayrıca, geceyi bir Katolik üniversitesinde geçirmek ona hayırlı bir iş gibi geliyordu. Olayın çözümü belki de Tanrı'nın gölgesindeydi – biraz çelişkili olsa da.

İç avluyu geçtiler. Uzaktan çan sesleri geliyordu.

– Marcelle'e kibar davranın, çok hassastır.

– Yaşlı hanımlara kaba davranmak gibi bir âdetim yoktur.

– *Gerçekten* kibar olun demek istiyorum. Courtrai'de nekahet döneminde. Amipli dizanteriden mustarip.

Erwan, Afrika'da geçirdiği onlarca yılın sonunda kadının yıpranmış bağırsaklarının içinde kaynaşan solucanları düşünüyordu. Kuşkusuz, bu düşünceden kurtulamayacaktı da.

# 139

Gaëlle'i korumak için artık iki kişiydiler: İrikıyım Siyah Karl ve dazlak kafalı, kare çeneli, Beyaz Ortiz. Bu ikisi bir çizgi romandan fırlamışa benziyorlardı; yalnız ve tehlikeli bir caninin karşısında en ufak bir şansları yok gibiydi.

Aklından hiç çıkmayan katil. *Zentai* tulum giymiş adam. Lateks giysisinin içinde kılıfına girmiş bir bıçak gibi bekleyen biri. İnsan etini delen gerçek bir ölüm makinesi.

Gözlerini açınca her yerde onu görüyordu: Sokakta, merdivenlerde, dairesinin en ücra köşesinde.

Gözlerini kapatınca daha da kötü oluyordu. Oradaydı, gözkapağının kıvrımı ile retinasının titremesi arasında. Onun etrafında, hatta derisinin altında dolaşıyordu. Onu elektrik çarpmışa döndüren ve dış dünyayı algılamasını bozan belirsiz varlık.

Berbat bir gün geçirmişti, boğazı kurumuştu, kesik kesik nefes alıyordu. Hâlâ ilaçlarını içmeye devam ediyordu, ama ilaçlar beyindeki hastalıkları, bozuklukları tedavi etmek içindi... Oysa tehlike bu kez gerçekti. Oradaydı, öldürmeye hazırdı. Birden ortaya çıkacak ve her şey bitecekti.

Taş yerine kendi yüreğiyle seksek oynayan bir kız çocuğu gibi hep aynı sözleri yineleyip duruyordu.

Bir, iki, üç: Bir saat geçiyordu.

Dört, beş, altı: Gökyüzüne ulaşıyordu.

Aslında, cehennem.

Bir sonraki saat bu karanlıktan kurtulmaya ve yeni bir oyuna başlamaya adanmıştı.

– Her şey yolunda mı küçükhanım?

İki çam yarması, küçük salona sıkışmış halde iskambil oynamaya devam ediyorlardı. Gaëlle stüdyonun diğer ucundaydı.

– Erwan, diye hafifçe fısıldadı, neden yeniden aramıyorsun?

Kahverengi, siyah, kırmızı.

Erwan kütük gibi uyumuştu. Kuşkusuz rüya da görmüştü, ama aklında hiçbiri kalmamıştı. Gün ağarırken –dua saati– serin bir duş, ardından da kötü bir kahvaltı: Sade kahve, kauçuk gibi ekmek, çelik sürahi. Uzak bir manastırdaki keşiş sofralarını andıran yemekhane ve mobilyalara kadar, her ayrıntıda papaz okulunun kokusu vardı.

Şimdi Courtrai'ye doğru yol alıyordu. Ekilmemiş toprakların yerini, tuğladan evleriyle köyler alıyordu. Kahverengi, siyah, kırmızı.

"Bulması çok kolay" demişti Krauss. "Eski Courtrai yönüne devam edin. Beginaj, Saint-Martin Kilisesi'nin hemen yanında." Şehre girdikten sonra, Lys Nehri'ni geçerken, kentin üstünde yükselen çan kulesini fark etti. Ne zaman dil sınırını geçmişti bilmiyordu, ama Saint-Martin bir anda Sint-Maartenskerk olmuştu. Artık etrafı *straat*[1] ve *steenweg*'lerle[2] çevriliydi. Tam GPS'i çalıştıracaktı ki, rastlantı eseri beginajın ana kapısıyla karşılaştı. Kapının üstünde "Begijnhof Sint-Elisabeth" yazıyordu.

Köye araç girmesi yasaktı. Arabayı sundurmanın yakınına park etti ve kireç badanalı evler boyunca uzanan dar sokaklara daldı. Bir çatının üstündeki donmuş bir kar kütlesi gibi, üstüne bir yalnızlık duygusu çöktü.

Yürürken, birbirleriyle uyuşmayan ayrıntılara dikkat ediyordu: Bir İspanyol *pueblo*'sunu[3] çağrıştıran beyaz duvarlar, Montmartre'ın dar sokaklarını anımsatan taş döşeli yollar,

**1.** *Straat* (Hol. sözcük): Sokak. (ç.n.)

**2.** *Steenweg* (Hol. sözcük): Taş döşeli yol, şose. (ç.n.)

**3.** *Pueblo* (İsp. sözcük): Köy. (ç.n.)

Londra'dan ithal edilmiş gibi görünen koyu renk ahşap kapıların üzerindeki siyah rakamlar... Bununla birlikte, köyün tamamı Flaman'dı. Bu semtte, bu dümdüz ülkeyi ve onun imalatçı geçmişini gözler önüne seren bir ciddiyet, bir kabalık ve zanaatkârane bir şeyler vardı. Gotik üçgen çatılı evlerin bulunduğu bir meydana ulaştı; kesinlikle Flandre'daydı.

Numaralar onu başka bir dar sokağa götürdü. Hava soğuktu ve başını omuzlarının arasına çekmiş, yakasını kaldırmış yürüyordu. Etraf ıssızdı, ama bir zamanlar burada yaşamış olan kadınların –Ortaçağ'daki haçlıların karıları, daha sonraki yüzyıllarda yaşamış, kendilerini dine vermiş dullar– hayaletleri tarafından izlendiği hissine kapılıyordu.

17 numara, interfon. Kapı sorgu sualsiz açıldı. Krauss, Rahibe Marcelle'e haber vermiş olmalıydı. Erwan, bir sürü mantonun, kauçuk botun, şemsiyenin olduğu bir hole girdi.

– Ayakkabılarınızı çıkarabilir misiniz?

Titrek bir ses, tiz ve sevimsiz bir tını – Erwan bir Perrault masalına giriyordu. Buraya gelirken giymek için seçtiği –sanki bir yürüyüşe çıkacaktı– yüksek konçlu Timberland'larını çıkardı. Terlikleri ve patikleri fark etti, ama giymeye cesaret edemedi. Çoraplarıyla başka bir yüzyıla ait salona girdi: Damalı yer döşemesi, dip tarafta seramik kaplı yüksek bir şömine, üzerleri bakır kap kacakla dolu raflar. İçeriye kahve kokusu hâkimdi. Ayaklarının altında yer döşemesinin soğukluğunu hissederken, ateşin sıcaklığıyla yüzüne kan hücum ediyordu.

Ocağın yanında oturan Rahibe Marcelle'in sırtı ona dönüktü. Artık bir Perrault masalında değil, Grimm Kardeşler'in bir masalındaydı. Hänsel ile Gretel'in büyücü kadını ziyareti.

– Kahve ister misiniz?

– Evet, lütfen.

Kadın ona doğru dönünce, Erwan hiç şaşırmadı. Rahibe, son yüzyılın kadın misyonerler grubunun bir resminden çıkmış gibiydi. Beyaz polo üstünde gri bir rahibe elbisesi. Koyu gri-mavi başörtüsü, basit gözlükler. Eski bir deri gibi koyu, erkeksi yüz; hâlâ siyah kaşlar ve başörtüsünün altından görünen beyaz saçlar. "Var olmak, dünyadan el çekmektir" temalı bir defilede boy gösterebilirdi.

– Sizinle çok eski bir olayı konuşmaya geldim rahibe.

– Benimle Nono hakkında konuşmaya geldiniz, dedi kadın, ona bir tas uzatırken. Peder Krauss bana telefon etti.

– Bu olayla ilgili bazı ayrıntıları hatırlıyor musunuz?

– Her şeyi hatırlıyorum.

Rahibe, Erwan'a muşamba kaplı bir masanın yanındaki sandalyeyi işaret etti. Erwan çocukluğunu yeniden yaşıyordu, anne babasının kiraladığı yazlık evin yanındaki çiftliği ziyaret edişini hatırlıyordu. Her ayrıntı biraz hoyrat ve hüzünlüydü, ama bir doğallığı da vardı, küçük bir Parisli için alışılmadık bir durumdu.

– Onu... Nono'yu ne zaman tanıdınız? diye sordu, baloyu başlatmak için.

– Thierry Pharabot babanız tarafından yakalandığında.

– Bu olayı da biliyorsunuz.

Kadın gülümsedi. Bir anda yüzünde sürüyle kırışık belirdi; kahverengi maske bir örümcek ağına dönüştü. Bağış toplar gibi tasını iki eliyle tutuyordu.

– Fransız basınını okuyorum. Bir gün kapımı çalacağınızı biliyordum.

Erwan sıcak kahvesinden bir yudum aldı. Gırtlağı uyuştu. Teybini çıkardı ve masanın üstüne koydu.

– Kaydedebilir miyim?

– Buyurun, rica ederim.

Erwan düğmeye bastı. İkinci sorgu.

– Lontano'dan iki kilometre uzakta Pharabot'nun ıssız bir kulübesi vardı, diye konuşmaya başladı rahibe. Zaire askerleri bu kulübede onun malzemelerini, büyü yapmakta kullandığı objeleri, notlarını buldular. Ve ayrıca kulübede on bir yaşında bir çocuk da vardı; acınacak haldeydi. Askerler Afrika tarzı tepki verdiler. Kulübeyi yaktılar, bölgeyi giriş çıkışlara kapattılar ve çocuğu rezil bir hapishaneye tıktılar. Az kalsın onu da yakacaklardı.

Aksanı Krauss'unkinden farklıydı. Bir Parisliye komik gelen, tam bir Wallon aksanı.

– Herkesin Pharabot'dan korktuğunu ve ona saygı duyduğunu sanıyordum.

– Yakalanmadığı sürece. Beyaz güç etkisini kaybetmişti. Bu durumda, suç ortağı bir çocuk her açıdan çok kötüydü. Linç edilecek küçük bir büyücü. Ayinler sırasında onu ortaya çıkarıp teşhir etmeye başladılar. Şeytan çıkarma ayinleri düzenliyorlardı. Ona rastladığımda, boynunun çevresine geçirdiği yanmakta olan bir lastikle kendini öldürmek üzereydi.

– Babam neredeydi?

– Pharabot'yla ve onun Kinşasa'ya nakliyle ilgileniyordu. Bu olaydan haberi yoktu.

– Emin misiniz?

– Kesinlikle. Onu ben aradım.

– Nasıl tepki gösterdi?

– Benim gibi. Çocuğun masum olduğuna inanmıştı. O, bu olayda basit bir halkaydı. Onunla aynı fikirdeydik. Gerekli evrakı hazırladı; çocuğu yanımda alıkoyacaktım.

– Bunu nasıl yapabildi? Yani teknik olarak demek istiyorum.

– Zaire, ne Fransa ne de Belçika'dır. Ayrıca, onunla ilgili en ufak bir suçlama da yoktu. Genç kızları tuzağa çekmede yardımcı olmuş olsa bile, kızlar bunu söylemek için orada değildi. Pharabot da çocuk konusunda tek kelime etmedi.

Erwan gözlerini indirdi; teybin ışıklı göstergesi kızgın demire benziyordu.

– Bana çocuktan bahsedin. Onu tarif edin.

– Adı Arno'ydu. Arno Loyens. Sarışın ve inceydi. O da öksüzdü ve Mons'tan geliyordu. Lontano'ya nasıl geldiğini kimse öğrenemedi. Pharabot onu evine aldı. Herkes onu Pharabot'nun ailesinden biri sanıyordu; biraz benziyorlardı.

Erwan tecavüzleri hatırladı.

– Pharabot'nun onu iğfal ettiğini düşünüyor musunuz?

– Kesinlikle düşünmüyorum. Nono asla cinsel istismara maruz kalmadı. Onunla konuştum. Olay başkaydı. Pharabot yakalanmadan önce sahip olduğu güçleri aktarmak istiyordu. Bu sebeple Nono'ya öğretti...

– Peder Krauss bana anlattı.

Kadın, “Bunun üstünde biraz daha durmaya değer” der gibi, kafasını salladı.

– Nono günlerce bir ormanda tek başına yaşadı. Her gün, daha çok da her gece, Pharabot onu ziyaret ediyor ve besliyordu. Onun yanına giderken *nganga* kıyafeti giyiyordu.

Rahibe masanın üstünden metal bir bisküvi kutusu alarak açtı ve içinden siyah-beyaz eski fotoğraflar çıkardı. Büyücülerin ya da şifacıların resimleri – acemi bir göz için bu ikisinin hiç farkı yoktu. Tüylü başlıklar, ahşaptan yontulmuş masklar takan, ellerinde işlemeli asalar veya süslü çanlar taşıyan adamlar. Fotoğraflar korkunçlukla rekabet ediyordu.

– Nono'nun söylediğine göre, dedi Rahibe Marcelle, bir fotoğrafı seçerek, Pharabot bu tür bir mask takıyormuş.

Gergin tenli, tombul yanaklı bir bebeğin yüz hatlarına sahip, rengi atmış ahşaptan oval bir maskeyi gösteriyordu. İri siyah gözler, bir yara kadar çarpıcı küçük bir ağız ve ürpertici, acımasız bir yüz ifadesi.

– Nono korkmuştu elbette, ama çok az rastlanan güçlü bir karaktere sahipti. Çocuklarda, bir sürü iğrençliğe göğüs germelerini sağlayan bir masumiyet hep vardır.

Rahibe Marcelle fotoğrafları kaldırdı. Kopçalarla imal edilmiş gibi gözüken gözlüğünün üstünden biraz şaşıca bakıyordu. *İnsan neyi istemezse, Tanrı onu verir*, diye düşündü Erwan, elinde olmadan.

– Kinşasa'da onun yanında kaldım, diye devam etti rahibe. Altı ayın sonunda, çatal kaşık kullanarak normal besleniyordu ve haftada bir kez o korkunç yılları hakkında konuşmayı başarıyordu. Neredeyse bir psikanaliz gibi. İşte o zaman en kötüyü anlatmıştı.

– En kötü neyi?

– Cinayetleri. Kurban etmeler sırasında ustasına aletleri getiren, kanı temizleyen, kurbanı ormana yerleştirmeye yardım eden oydu.

– Cinayetler hakkında, size ne anlattı?

– Hatırlamamayı tercih ederim.

Erwan, işkence görmüş cesetlerin etrafında ayin yapan, beyaz kile ve kırmızı ağaç tozuna bulanmış adam ile çocuğu gözünde canlandırıyordu.

– Sizde onun bir fotoğrafı var mı?

– Hayır. Fotoğraf çektirmeyi hep reddetmişti. O... (Sustu ve kendinden emin bir ses tonuyla devam etti.) Bugünkü cinayetleri o işlemedi.

– Bunu nasıl iddia edebiliyorsunuz?

– Arno'dan ayrıldığımda tamamen iyileşmişti. İki yıl boyunca tedavi gördü, sakin bir yaşam sürdü, eğitim aldı. Yetenekliydi, zekiydi, çok kibardı. O sadece içinde bulunduğu koşulların kurbanıydı.

– Koşulların asla gerçeği yok etmediğini bildiğim için bana maaş ödüyorlar.

– Size katılıyorum, ama biz Afrika'dan, büyücülükten, şiddetten uzaklaşmıştık. Mahkeme sürecine tanıklık etmedi.

– "Biz" derken, kimleri kastediyorsunuz?

– Babanızı ve beni. Grégoire'ın Brüksel'de nüfuzlu bir arkadaşı vardı, Arno'nun Belçika'nın Fransızca konuşulan bölgesindeki bir çocuk yurduna yerleştirilmesiyle ilgilendi. Babanız onun adını değiştirdi ve onun için sahte kimlik belgeleri hazırladı.

– Neden?

– Çünkü babanız, şu ya da bu şekilde, ona kadar ulaşmalarını ve onu olayla ilişkilendirmelerini istemiyordu. "Hayatta yeni bir şans, ancak geçmişin tamamen yok edilmesiyle başlar" diyordu.

– Öyleyse onun yeni adını bilmiyorsunuz?

– Bilmiyorum. Babanız da öyle. Onun gözünde önemli olan, Arno'nun yeni bir kıyıya ulaşmasıydı. Arno asla ne geriye dönüp bakmalı ne de bizimle temas kurmalıydı. Biz de onu bulmaya çalışmamalıydık.

Erwan böyle bir hikâyeye inanmakta zorlanıyordu. Kimsenin adını ve adresini bilmediği bir katil yamağı doğaya mı bırakılmıştı? Bu, denizdeki bir şişe değil, patlamaya hazır bir torpildi. Ancak babasını çok iyi tanıyordu, böyle bir tehlikeyi pekâlâ arkasında bırakmış olabilirdi. Bağışlayıcı Temizlikçi...

– Teşekkür ederim rahibe.

Ayağa kalktığında yaşlı kadın Erwan'ın kolunu tuttu.

– Onu aramayın. Onu rahat bırakın. Tüm bu olaylarda onun hiçbir sorumluluğu yok. Son zamanlarda, "Ben bir *nganga*'yım. Bir yerfıstığı kabuğu üstünde uçup gidebilirim. Yağmurdan sonraki rüzgârla ortadan kaybolabilirim" diyordu. Bugün doktor, hatta rahip, herkese iyilik yapan bir adam olduğuna eminim.

– Hüzünlü bir hikâye.

– Benimle dalga mı geçiyorsun? diye karşılık verdi Erwan.

Morvan bir sundurmanın altında durdu. Danielle-Casanova Sokağı ile Vendôme Meydanı'nın köşesindeydi, biraz ötede ise Paix Sokağı başlıyordu. Gömlek satın aldığı Charvet'den çıkmıştı. Yıllar boyunca, gün ortasında alışveriş yapma fikrine hep uzak durmuştu. Şimdi ise bir terapi şekliydi; yapacak bir şeyi kalmadığında, tek çare bu oluyordu.

Oğlu telefonda böğürüyordu.

– Böyle bir hikâyeyi susarak nasıl geçiştirirsin?

– Sana bahsetmedim, çünkü bahsetmeye değer bir şey değildi.

– Çivi Adam'ın, bugün ellili yaşlarda olan bir suç ortağı bahsedilmeye değmez bir şey mi? Hem de günlerden beri onun *modus operandi*'sini bilen bir şüpheli ararken? Yoksa sen Alzheimer mı oldun?

Morvan derin bir iç çekti. Erwan'ın Belçika'da çocuğun izini bulacağını biliyordu.

– Senin katil Arno Loyens olamaz.

– Neden?

– Çünkü 1973'te öldü.

Hattın diğer ucunda bir sessizlik oldu. Belki de oğluna bundan bahsetmesi gerekiyordu. Ama onun kafasını karıştırmak neye yarardı? Fazla ipucu, izlenecek yolu karıştırırdı...

– Anlat, diye emretti Erwan.

– Rahibe Marcelle her şeyi bilmiyor. Aslında onun adını değiştirmedim. Onun için sahte kimlikler de düzenletmedim. Sadece onu Belçika'nın Fransızca konuşulan Hainut bölgesinde bir öksüzler yurduna yerleştirdim. O dönemde, oldukça tanınmış bir dini enstitüydü...

– Orada mı öldü?

– Kasım 1973'te, Azizler Günü Yortusu'nda. Bir yangın olmuş. Bir sürü gözetmenle birlikte bir grup çocuk da yanmış.

– Bu hikâye de neyin nesi?

– Gerçek. Dönemin gazetelerinde okuyabilirsin. Olayın yankısı büyük oldu, çünkü enstitünün yangın çıkan bölümü prefabrik bir yatakhaneydi.

Erwan'ın suskunluğu, ne pahasına olursa olsun basılan bir fren pedalından farksızdı. Kuşkusunun titreşimi sanki telefondan bile hissediliyordu.

– Arno Loyens ölenler arasında mıydı?

– Cenaze törenine gittim. Sadece üzücü hatıraları canlandırıyorsun.

O zamanlar Morvan, Çivi Adam'ın yaptığı işkencelerden sonra, çocuğun kaderinde, böyle zamansız ölmenin olduğunu düşünmüştü. Bu hikâyeden bir şey çıkacağını *ummak* gereksizdi.

– Bu çocuk dokuz cinayete ortak olmuş, diye devam etti Erwan, soğukkanlı bir şekilde. Yombe büyüsü onu çok sarsmıştı. Pharabot'ya çekici uzatıyor, onun için çivileri hazır ediyordu... Bugünkü cinayetler için mükemmel bir katil adayıydı...

Morvan, Vendôme Meydanı'nı geçiyordu. Erwan aptalca şüpheleriyle onu yormaya başlamıştı.

– Daha dün senin dosya kapatıldı, diye oğlunun sözünü kesti. Şimdiye kadar her şeyi yargıca devretmiş olman gerekirdi.

– Arno Loyens'in kesin olarak öldüğünden emin olmam lazım.

– Kahretsin Erwan, otopsi raporlarını okudum, morgda cesetleri gördüm, soruşturmayı yürüten polislerle konuştum!

– Bana ölüm belgesini, tutanakları, tanık ifadelerini bul. Bu konuda şüpheye yer olmadığına inanmam için bana kanıt sun. Aksi takdirde, soruşturmayı engellemekten seni deliğe tıkarım!

Babası bu küçük polis numarasını umursamadı. Rivoli Sokağı'na yaklaşıyordu. Araçların uğultusu burada şaşırtıcı bir yoğunluğa ulaşıyordu.

– Bana formunda değilmişsin gibi geliyor, diye işi alaya aldı. Sen neredesin?

– Gare du Nord'da. Thalys'ten iniyorum.

– Kız kardeşine uğraman gerekiyor.

– Yine ne var? Bana üç mesaj bırakmış, ama onu aramadım.

– Ona uğra. Bu olay onu sarstı. Yanında iki adamım var, ama o hâlâ kaygılanıyor.

– Tam olarak neden kaygılanıyor?

Cevap verip vermeme konusunda tereddüt etti; oğlunun paranoyasını artırmak istemiyordu.

– Takip edildiğini düşünüyor. Tam bir saplantı.

– Bu akşam uğrarım.

Erwan başka bir şey demeden telefonu kapattı.

Morvan Tuileries yakınlarına gelmişti. Birkaç adım sonra, Rivoli Sokağı'nın gürültüsünden uzaklaştı ve parkın boğucu sessizliğine kavuştu. Birden sonbaharın geldiğini anladı – serin hava, pas rengi yapraklar, taşlaşmış damarları andıran çıplak dallar.

Oğluna her şeyi anlatmamıştı – ne Rahibe Marcelle ne de o dönem hakkında. Pharabot'nun kulübesine Zaire askerlerini o götürmüştü. Fetişlerin ve işkence aletlerinin altına saklanmış, korkudan titreyen çocuğu bulan da oydu... Bir melek gördüğünü sanmıştı. Beyaza yakın saçlar, yüksek alın, muhteşem gözler. Bu fizik ona özel bir duruluk veriyordu; o adamın günahkârlığından sonra, kaynağında tertemiz bir suydu. En şaşırtıcı olan, Pharabot'yla olan benzerliğiydi.

Nono.

Soruşturmanın kazandırdığı saygınlığın yanı sıra Mobutu ona, başına dert açan bir maden sözleşmesi hediye etmişti. Morvan çocuğun güven altında olacağı bir yer arıyordu. Belçika'da, Honnelles şehri yakınlarında aradığı yeri bulmuştu: Malapanse Enstitüsü. O yıllarda, kimse orayı bilmiyordu. Bir çocuğu iblisin pençelerinden –ve bütün adli süreçlerden– kurtarmak, Morvan'ın en büyük başarısı olmuştu.

Ertesi yıl Arno'yu görmemişti; yapacağı bir ziyaretin ona Lontano kâbusunu hatırlatmasından korkuyordu. Yangın haberini alınca allak bullak olmuştu, ama bir kez daha şaşırmamıştı: Çivi Adam ve onun suç ortaklarıyla ilgili hiçbir şet iyi olamazdı. Yangın bu hikâyeye yaraşır bir sondu.

Şimdi ölü yapraklardan oluşan bir halının üstünde yürüyor ve çocuğun ellerini tutuyormuş gibi bir hisse kapılıyordu. Morgdaki kömürleşmiş cesetler, otopsi raporları, ölüm belgeleri yeniden gözünün önüne geliyordu. Her şeyi incelemişti; kesinlikle bir kazaydı. Ya da kasıtsız bir cinayet. Elektrik devreleri diğer her şey gibi baştan savma tasarlanmıştı. Elektrik kablolarının aşırı ısınması, yatakhanenin alevler içinde kalmasına yetmişti...

Şu anda oğlundan nefret ediyordu. Bu kahrolası araştırma, Morvan'ın o trajik dönemi yeniden yaşamasına sebep olmuştu. Şimdi parkın diğer tarafını, devasa saatiyle Orsay Müzesi'nin binalarını ayırt ediyordu. Sol yakanın ona sunacak hiçbir şeyi yoktu. Sanatçıların, burjuva bohemlerin, tembellerin yakası. Geri dönmeli ve bir an önce 8. Bölge'deki mahallesine kavuşmalıydı.

Gözlerinin önünde bir flaş çaktığında Concorde Meydanı'na doğru yürüyordu. Katilin ininin dip tarafına büzülmüş, kafası iğrenç olaylarla, anlatılamayacak eylemlerle dolu cılız çocuk yeniden gözünün önüne geldi. Ardından da hemen, soğuk çekmecelerin içinde kömürleşmiş çocukların cesetleri. Bir karışıklık olmuş olabilir miydi? Bir dümen? Bir yanlışlık?

Adımlarını hızlandırdı. Oğlunun içgüdüsel tepkisi yerinde olabilirdi. Her halükârda bu gece, ölü listesini bir kez daha kontrol etmesi gerekiyordu – ve tabii hayatta kalanların listesini de. Yurttaki birçok çocuğun yangından kurtulduğunu oğluna söylememişti.

Arno Loyens de bu kurtulan çocuklar arasında olabilir miydi?

Hâlâ öğreneceği şeyler vardı. Concorde Meydanı'na gelince, bir taksiyi durdurmak için polis kimliğini kullandı.

Katına çıkan basamaklarda gördüğü ilk şey, oturmuş iriyarı Siyah'tı. Arkasında, merdiven sahanlığının duvarına yaslanmış bir başka çam yarması vardı – takım elbiseli, dazlak kafalı ve paraşütçüye benzeyen bir Beyaz. Her ikisi de hık demiş Morvan'ın burnundan düşmüş gibiydi. En şaşırtıcı olan da iki çam yarmasının arasındaki kadındı: Gaëlle yarı yarıya ufalmış ve on yaş küçülmüş gibiydi. Elinde, gerektiğinde valiz görevi gören Louis Vuitton çantasıyla, dizleri bitişik oturmuş küçük bir kız.

– Burada ne halt ediyorsunuz? diye sordu Erwan, sakin bir şekilde.

– Sana taşınıyorum.

– Ne sebeple?

– Mesajlarımı okumadın mı?

– Bana gayet iyi korunuyormuşsun gibi geldi.

Erwan onların durduğu yere çıktı. Siyah olan, bir sıçrayışta ayağa kalktı, babasının tembihlediği gibi ona da saygı gösteriyordu. Erwan onu selamlarken, ikinci adam da hazır olda duruyordu. Bu iki adama hemen sempati duymuştu: Günlük hayatta İhtiyar'a tahammül etmeleri yetmiyormuş gibi, şimdi de kızına katlanıyorlardı.

Gaëlle yerinden kımıldamıyordu. Çenesini kaldırmıştı, gözlerinde kışkırtıcı bir tavır vardı. Hayata ve başkalarına müşkülpesent gözlerle bakan, küstah küçük kıza kavuşmuştu.

– Apartmana nasıl girdiniz? diye sordu, cehennem zebanilerine.

– Eldeki olanaklarla, diye cevap verdi Siyah olan. Bu kahramanlığıyla övünmeli miydi, yoksa azar mı işitmeliydi bilmiyordu.

Erwan anahtarlarını çıkardı.

– Bunu yaptıysanız, eve de girebilirdiniz.

– Ben de onlara bunu söyledim, dedi kaprisli kız.

– Evinize dönebilirsiniz, dedi onlara Erwan, kapının kilidini açarken.

Korumalar birbirlerine baktılar, kararsız kalmışlardı.

– Babamı aradım, dert etmeyin. Gaëlle artık benim korumam altında.

Adamlar birkaç saniye daha tereddüt ettiler, sonra tahtın ikinci vârisiymiş gibi Gaëlle'i selamladılar. Rahatladıklarını gizleme gereği duymadan, hızlı adımlarla merdivende kayboldular.

Gaëlle daireye girdi ve çantasını Erwan'ın odasına fırlattı. En ufak bir tereddüt yaşamadan doğruca mutfağa gitti ve buzdolabını açtı. Bir bira alarak Erwan'a uzattı.

– İster misin?

Erwan başıyla "evet" işareti yaptı. Gaëlle kutuyu, bir kovboy gibi ona doğru fırlattı. Kız kardeşinin rahat davranmaya çalıştığını hissediyordu. Aslında korkudan ölüyordu; bu açıkça belliydi.

– Tam olarak ne oldu?

Gaëlle kutunun alüminyum dilini şaklatarak açtı.

– Bilmiyorum. Korktum, hepsi bu.

– Neden korktun?

Genç kadın kanepeye oturdu ve cevap vermeden, birasından bir yudum aldı. Mobilyalara, evde kalmış orta yaşlı Erwan'ı ve onun kötü zevkini küçümsercesine bakıyordu.

– Bir şey mi gördün? diye ısrar etti Erwan, bir sandalye alıp onun karşısına otururken.

Gaëlle omuzlarını silkti, sabit gözlerle önüne bakıyordu.

– Hayır. Bilmiyorum. Salpêtrière'den ayrıldıktan sonra, asansörde cerrahi maske takmış bir hastabakıcıyla karşılaştım; içimde kötü bir his oluştu.

– Adam neye benziyordu?

– İriyarı. Bir seksen boylarında. Beyaz bir önlük giymişti.

– Seninle konuştu mu?

– Hayır.

– Bir hareket, herhangi bir şey yaptı mı?

– Hayır.

– Hepsi bu mu?

– Sonra, benim evin aşağısında dolaşan bir adam gördüğümü sandım. Ama benim koruyucu meleklerim hiçbir şey görmedi.

– Sana göre, kim olabilir?

– Bilmiyorum. Sainte-Anne'da peşime düşen adam. Ya da sözüm ona öldürüldüğü söylenen çivili katillerden biri.

– Sana onların öldüğünü söyledim.

– Hiçbir şeyin çözüme ulaşmadığını anlamak için sana ve babama bakmak yeterli.

Erwan da birasından içti ve kız kardeşini inceledi. Sarı kaşları kaş kemerlerini belirginleştirmiyordu. Güzelliği her şeyden önce, kemik yapısının inceliğine dayanıyordu. Heykelin resme karşı zaferi.

– Bana söyleyecek daha net bir şeyin yok mu?

– Hayır. Ya senin?

– Nasıl yani?

– Artık tehlike kalmadığına dair bana yemin edebilir misin?

– Dosya kapandı.

– Devlet memuru cevabı. Ben sana senin kişisel kanaatini soruyorum.

Erwan yine kaçamak cevap verdi:

– Locquirec'teki kaçıklar suçluydu.

– Tam olarak neyin suçlusu? Onların katil olduklarına emin misin?

– Bize güvenmen gerekiyor. İleride haklı olduğumuz anlaşılacak.

– Yani?

– Başka cinayet olmayacak.

– Çok güven verici.

Erwan'ın aklına bir de Sofia geldi. Önceki günden beri haber yoktu. Küs müydü? İlgisini mi kaybetmişti? Öfkeli miydi?

– Bir şeyler yemek ister misin?

– Hayır. Sadece burada uyumak istiyorum. Senin yanında kendimi güvende hissediyorum.

– Teşekkürler.

– Bir şey değil.

Erwan gülümseyerek bir dolaptan çarşaf ve örtü çıkardı.

– Sen benim odama geç, dedi, onları Gaëlle'e uzatırken. Ben kanepede yatarım.

– Banyoyu kullanabilir miyim?

– Burada evindesin.

Kız gözden kayboldu. Erwan Kripo'yu –soruşmanın musluklarını kapatması ve elektriklerini söndürmesi gereken adamı– aradı.

– Dosyayı sorgu yargıcına yolladın mı?

– Bazı boşluklar olduğunu düşünüyorum ve...

– Kripo sana önemli bir şey söyleyeyim: Bir talimat, soruşturmanın sonu değil başlangıcıdır.

– Sorgu yargıcı surat asacak...
– Dosya kapandı mı, kapanmadı mı?
– Senin imzan eksik.

Erwan bir an kendini, imzalaması için önüne gelir-gider defteri konulan şirket patronu gibi hissetti; Erwan'ın çekleri ve ödemeleri kanıtlar, ipuçları ve itiraflardı.

– Yarın hepsini imzalarım ve başımızdan savarız.
– Belçika?
– Yarın anlatırım.
– Kaygılanmayı gerektirecek bir şeyler var mı?

Erwan'ın gözünün önüne *nganga*'nın kül rengi maskı geldi. Morgdaki kömürleşmiş çocukların cesetlerini düşünüyordu. Cevap vermek imkânsızdı.

– Diğerlerine haber ver. Yarın sabah dokuzda toplantı var.
– Bu ne şimdi?

Erwan telefonu kapattı ve arkasına döndü. Gaëlle önünde duruyordu, saçlarını bir havluya sarmış, bir jogging kıyafeti giymişti. Bir raftan, sapı ve keskin kısmı aynı metalden yapılmış bir savaş bıçağı almıştı.

– Çok sevdiğim bir bıçak, dedi Erwan.
– Bir ganimet mi?
– Öyle sayılır. Ulusal Jandarma Müdahale Grubu'ndan bir subay çok hareketli... bir operasyondan sonra onu bana verdi.
– Onun hayatını mı kurtardın? diyerek alaycı bir ifadeyle gülümsedi Gaëlle.
– Kesinlikle, dedi Erwan, bıçağı kız kardeşinin elinden alırken.
– Onu bu kadar özel yapan ne?
– Dünya Ticaret Merkezi'nin çeliğinden dövülmüş.
– İç karartıcı.

Erwan parmaklarının arasında hafifçe parlayan bıçağa baktı.

– Hafıza çeliği.
– Bir intikam silahı, diye mırıldandı Gaëlle, alaycı bir ses tonuyla.
– Sadece bir hatıra. Kimse 11 Eylül'ü unutmamalı.

Gaëlle oynamaktan birden sıkılmış küçük bir kız gibi Erwan'dan uzaklaştı.

– Film seyredelim mi?

Erwan film konusunda onunla aynı zevklere sahip olduklarından emin değildi. Herkesin tahmininin tersine, onu çok rahatlattığı için hayatını polisiye diziler izleyerek geçiriyordu. Saçmalığa varacak derecede gerçeklikten uzaklardı, mesleğine hiç de doğal bulmadığı bir fantezi katıyorlardı. Ayrıca, zaman zaman bir *grand cru*[1] gibi ortaya çıkarıp izlediği 70'li ve 80'li yılların polisiye filmlerinden oluşan bir koleksiyonu da vardı: *Gangsterin Kaderi, Kirli Harry, Kanunun Kuvveti, Marathon Man, Ejderin Yılı*...

Gaëlle onu bu sıkıntıdan kurtardı. Yaptığı son korsan indirmeleri kontrol etmek için çoktan bilgisayarının klavyesine tıklamıştı.

– *Skyfall*'u izledin mi? En iyi James Bond filmi.

**1.** Fransa'daki farklı bölgelerde uygulanan, bir anlamda şarap kalitesini yansıtan sınıflandırmanın üst düzeyindeki örneklerini belirten Fransızca terim. (ç.n.)

Yüz, Erwan'ın üzerine eğilmişti.

Ponza taşını andıran bir ahşaptan oyulmuş, porselen kadar sert, bir bebek cesedinin yüzü. Genel görünüşüyle bir Afrika maskıydı, ama alnının solgunluğu, çekik gözleri, küçük ağzındaki testere gibi dişleri bir Japon maskını andırıyordu. Gelişmesini tamamlayamamış bir yaşamı ifade ediyordu. Hiçbir zaman doğmamış, ölümün belirsizliği içinde gelişmiş bir embriyon artığı. Karanlıkta soğuk bir ay gibi parlıyordu.

Erwan rüya gördüğünü biliyordu ama bu, onun korkusunu yok etmiyordu. Onu dikkatle inceleyen katilin karşısında kendini güçsüz hissediyordu. Ne bağırabiliyordu ne de kaçabiliyordu. O denli derin uyuyordu ki uykusu, kollarına ve bacaklarına, gözkapaklarına baskı yapan kurşun bir tabuttan farksızdı.

Şimdi Nono'ydu, *nganga* çocuk. İkinci dünyada yolculuk ediyordu, Pharabot ona rehberlik ediyordu, bir sonraki inisiyasyon için hazırdı. Elinde paslanmış aletleri tutuyordu – çekiç, testere, kerpeten...

Şimdi çıplaktı ve külle kaplıydı, trans durumundaydı, çevresindeki gürültüleri algılıyordu (ve aynı zamanda reddediyordu): Bir kadının kafatasını delen çiviler, gözlerine yerleştirilen ayna kırıkları, göğsünü açan küçük testerenin sesi, çığlıklar, ulumalar... Titreyen elleriyle Pharabot'ya tırnakları, saçları –belki de Erwan'ınkiler– uzatıyordu, Pharabot da onları göğsün içindeki yaraya koymak için özenle alıyordu.

Birden beyaz mask ıslık çalmaya başladı. Ya da bu, kurbanın çığlığıydı.

Erwan uyandı. Cep telefonu kulağının birkaç santimetre uzağında çalıyordu. Karanlıkta el yordamıyla kanepenin ayakucuna ulaştı.

Telefonu açmadan önce ışıklı ekrana baktı.

Babası. Sabahın üçünde.
– Alo?
– Gaëlle seninle mi?
Bağlantıyı kurmak için birkaç saniye geçmesi gerekti.
– Evet.
– Senin evde misiniz?
– Evet.
– Her yer kilitli mi?
– Elbette. Neler oluyor?
– Arno Loyens konusunu yeniden araştırdım. Yangın olayını soruşturan polisleri, olayın tanıklarını buldum. Ayrıca yangından kurtulmuş çocukların listesini aldım.
– Yangından kurtulan var mı?
– Birkaç kişi, evet...
Erwan kafasını toparlıyordu. Şimdi *nganga*'nın görüntüsünden uzaklaşmış, öksüzler yurdunun hâlâ dumanı tüten enkazına dönmüştü.
– Yani?
– Bu listede, dikkatimi çeken bir isim var: Philippe Kriesler.
– Ne?
– Ne dediğimi duydun. Bu adda bir ekip arkadaşının var, değil mi? Sizin Kripo dediğiniz kişi?
Erwan hâlâ uykuda olduğunu düşündü. Karmaşık şeyler hissediyordu. Sarsıntılar... Bir merdiveni sanki sırtüstü iniyordu. Philippe Kriesler. Bunun bir rastlantı olması imkânsızdı.
Alsace'lı. Kâtip. Lavtacı.
Babası hâlâ konuşuyordu, ama Erwan şimdi üstünde başka bir duygunun baskısını hissediyordu. Karanlık odadaki hava daha yoğun, daha ağırdı.
Birden anladı.
– Seni ararım, diye mırıldandı ve telefonu kapattı.
Önünde bir siluet duruyordu. Binlerce insanın arasından, bu yorgun atletik yapıyı, eski görünümlü kadife ceketi tanıyabilirdi.
Kripo kanepenin karşısında, elinde silahıyla kıpırdamadan duruyordu. Bu, sözüm ona 36'da kaybettiği ve yine *sözüm ona* kullanmayı pek de iyi bilmediği tabancaydı.
Erwan bu hayalperest ve müzisyen polis profilinin, polisiye romanlara çok uygun olduğunu düşündü. Buna karşılık, bir büyücü olarak çifte yaşam süren ve mahvetmeye ant içtiği bir aileyi yok etmek için uygun zamanı kollayan, kafadan çatlak bir polis profili de akla çok yatkındı.

Polislik bir deli mesleğiydi. Delilik de bir polis mesleği olabilirdi.

– Belçika'ya gittiğinde, dedi Kâtip, alçak sesle, her şeyin sarpa saracağını biliyordum.

Erwan yan odada uyuyan Gaëlle'i düşündü. Evi aramış mıydı? Onu çoktan öldürmüş müydü? Örtüyü, yastığı, salonda hazırlanmış derme çatma yatağı fark etmiş miydi?

– Düşündüğünden daha fazla sarpa sardı, diye hemen cevap verdi Erwan. Babam senin kimliğini öğrendi. Beni öldürebilirsin. Ama yarın, her halükârda senin için her şey bitmiş olacak.

– Belki, ama sen ölmüş olacaksın.

Erwan onu tahrik etmeyi sürdürdü.

– Babam hâlâ hayatta olacak.

– Yeni kurbanların kanı büyük güçleri uyandırdı Erwan. Sana bu konuda anlatacağım çok fazla şey var. Yayılan enerji olağanüstü; ölene kadar babanın hayatını mahvetmeye yetecek. Asla huzur bulmayacak.

Erwan'ın gözleri karanlığa alışmıştı; 9 mm'liği tutan eli ayırt edebiliyordu. Kripo'nun onu kullanacak yeteneğe sahip olduğundan en ufak kuşkusu yoktu.

*Zaman kazanmalıyım.*

– Kendini ölmüş olarak göstermeyi nasıl başardın?

– Öksüzler, kimin umurunda ki? Bizi tanıyabilecek gözetmenler yangında ölmüştü. Hastanede bana adımı sorduklarında, onlara, gözlerimin önünde yanan bir arkadaşımın adını verdim. Beni, Fransa sınırındaki başka bir yurda naklettiler. Bir daha da asla gerçek kimliğimi açıklamadım...

– Ama... neden?

– Planlarımı yapmıştım bile: Yeniden doğmak için ölmek. Tamamen görünmez olarak ikinci dünyada yolculuk etmek. (Yavaşça mırıldanmaya başladı.) Bir yerfıstığı kabuğu üstünde uçup gidebilirim. Yağmurdan sonra rüzgârla ortadan kaybolabilirim...

Erwan tabancasını nereye bıraktığını hatırlamaya çalıştı. Erişemeyeceği bir yerdeydi. En ufak hareketinde Kripo ateş edecekti.

– Neden polis oldun?

– Sizin yanınızda olmam gerekiyordu; Morvan klanının. Bir şekilde, siz benim tek ailemdiniz...

Sesi sanki uzaktan geliyordu – başka bir kıyıdan.

– Bu kadar yıl gerçeği nasıl gizleyebildin? Planlarını? Neden...

Kripo bir anda ses tonunu değiştirdi:

– İtiraflar, polisler içindir. Günah çıkarmalar ise rahipler için.

İkimizin arasında bu türden ilişkilerin olduğunu düşünmüyorum. İkinci dünyada görüşeceğiz ve o zaman anlayacaksın.

Erwan, işaretparmağının tetiğe bastığını gördü. Tüm hayatı boyunca, böyle bir şey olduğunda gözlerini açık tutacağına yemin etmişti. Buna rağmen kapattı.

Güçlü bir çarpma sesi duyuldu, bunu tıkırtılar, kaygı verici gürültüler, kumaş hışırtıları izledi. Erwan yeniden gözlerini açtı ve karanlıktan başka bir şey görmedi. Bu yeni ortama alışmak için birkaç saniye bekledi. Kripo ortada yoktu. Onun yerine, zayıf ve çok solgun, hayaleti andıran bir varlık vardı.

Erwan bir sıçrayışta ayağa kalktı ve elektrik düğmesini buldu. Gaëlle sehpanın diğer tarafında duruyordu, gözleri yuvalarından fırlamıştı, kan içindeydi. Özellikle de sarı saçları kan içinde kalmıştı.

Ayaklarının dibinde, son çırpınışlarıyla Kripo iki büklüm yatıyordu. Gırtlağındaki, tam olarak şahdamarının üstündeki yaradan kan fışkırıyordu. Pişmiş toprak rengi bir kan birikintisinin içinde yatıyordu.

Gaëlle, Lavtacı'dan daha hızlı davranmıştı. Dünya Ticaret Merkezi'nin çeliğinden dövülmüş bıçak. Çivi Adam'ın Sainte-Anne'da bıçağı nasıl kullandığını görmüş, onun tekniğini kullanmıştı. Küçük kız kardeşi çabuk öğreniyordu.

Kardeşi ile kendisi arasında genişleyerek yayılan kanın sıcaklığına rağmen, bu düşünce Erwan'ın sırtını ürpertti.

145

Arno Loyens 18 Nisan 1960'ta, Belçika'da, Mons'ta doğdu. O tarihte yirmi altı yaşında olan ve Fransa sınırına yakın bir yerde, Maubeuge civarında zaman zaman fahişelik yapan annesi Léonie Stutzmann, yeniden işe dönmek için çocuğu terk etti. Kuaför, pezevenk ve Tournai yakınlarında bir barda yönetici olan, yirmi sekiz yaşındaki babası Gérard Loyens şansını Zaire'de denemeye karar verdi. Düşüncesi, eğlence hayatının çok kısıtlı olduğu bir sömürge şehrinde bir striptiz kulübü açmaktı. Orijinalliği, kızların Beyaz olmasıydı. Loyens 1965'te Zaire'ye ayak bastı. Ama gelişinden altı ay sonra malaryaya yakalandı ve öldü. Arno, etrafı ateşin yıprattığı, sıcağın bunalttığı hasta dansçı kızlarla çevrilmiş bir halde ailesiz kaldı. Siyahlarla birlikte okula giderken dansçı kızların öldüğünü ya da teker teker ülkeden ayrıldıklarını görüyordu. Yedi yaşında, onu iğfal eden Flaman misyonerlerin himayesi altına girdi. Bu eski olaylarla ilgili kanıtlar yoktu, ama haftalar boyunca Erwan yardımcısının hüzünlü hikâyesini araştırmış, tanıklıklarla doğrulamıştı. O yıllarda, Arno raşitikti, anemisi vardı, hastaydı. Fransızcayı kötü konuşuyor, Flamancayı konuşurken kekeliyor, her işini Lingala diliyle hallediyordu.

1968'de ortadan kayboldu. Kuşkusuz madencilerle, maden işletmelerinin işçileriyle, çiftçilerle yaşadı – kara dünya. İşte o sırada Pharabot onu buldu. Onu besledi, tedavi etti, ona evini açtı, onu eğitti. Erwan hayatının bu kısmının üstünde durmamıştı, zaten en iyi tanıklarla konuşmuştu: Félix Krauss ve Rahibe Marcelle. Onu asıl ilgilendiren, cinayetlerden ve Çivi Adam'ın tutuklanmasından *sonra* neler olduğuydu.

1971. Yeniden eğitim. Kelimeler. Nezaket. Marcelle onun hikâyesini öğrendi ve duyulmaması için çaba gösterdi. Öte yandan,

Grégoire Morvan onu gizlilik içinde Belçika'ya göndermek için dümenler çevirdi.

Yeni bir başlangıç. Arno, Hainut eyaletinde, Honnelles yakınlarındaki Malapanse Enstitüsü'ne gitti. Bir yıl sonra öksüzler yurdunda yangın çıktı. Sekiz çocuk öldü, üçü kurtuldu; kurtulanlardan biri de Philippe Kriesler'di. Aslında Arno Loyens. Erwan, bu yangının Nono'nun eseri olduğunu düşünmüştü. Honnelles'e gitmişti. O döneme ait yazıları okumuş, hâlâ hayatta olan rahiplerle konuşmuştu. Kasıtlı bir yangın olduğuna dair en ufak bir iz yoktu. Bundan da, bir kez daha şansın iblise gülmüş olduğu sonucunu çıkarmıştı.

Birkaç hafta hastanede kaldıktan sonra, Philippe, Flaman bölgesinde, Overijse şehri yakınında bulunan ve Fransızca konuşulan Notre-Dame-de-Sion Pansiyonu'na kabul edildi. Burada da yeni cinsel tacizlere maruz kalmışa benziyordu. O dönemde yaşanan dil savaşları neticesinde buradan kurtuldu. Leuven Üniversitesi'nin ikiye ayrılmasından sonra, Hollandaca bağnazları merkezin kapatılmasını istedi – *Walen buiten!* Öğrenciler başka kurumlara dağıtıldı: Philippe sınırı geçti ve Saint-Omer'deki bir okula kabul edildi. Artık kimse onunla kavga etmek istemiyordu; on üç yaşındaki yeniyetme, artık bir doksan boyunda bir çam yarmasıydı.

1980. Kriesler iyi dereceyle bakaloryasını verdi. Afrika kâbusundan ve Katolik tacizcilerinden sonra ritmini buldu: Fakülte, burs, Fransız vatandaşlığı. Amiens Üniversitesi'nde edebiyat ve felsefe mastırı yaptı. Müzikle ilgilenmeye başladı, kendi kendine. Önce gitar, ardından lavta. Birçok kez insani yardım amacıyla Afrika'ya gitti, eskiden yaşadığı yerleri ziyaret etti. Görünüşe göre tıp eğitimiyle ilgili temel bilgileri burada edindi.

Erwan Fransa'nın kuzeyine, sonra da Amiens'e gitmişti. Arşivleri araştırmış; hocaları, öğrencileri, kampüs sorumlularını bulmuştu. Hepsi aynı portreyi çizmişti: Sempatik, hayalperest, barok müzik ve geleneksel enstrüman tutkunu. Ama tuhaf olaylar meydana gelmişti. Saint-Omer'de keçiler parçalanmış, bir köpek öldürülmüştü, hayvanın göz çukurlarına saplanmış ayna kırıkları vardı. Amiens Üniversitesi'nin yakında koyunlar boğazlanmış, karınlarına çiviler çakılmıştı. Suçlu bulunamamıştı. Parlak, yalnızlığı seven, sakin öğrenci Kriesler'le herhangi bir bağ kurulmamıştı. Sadece bir kez kendini ele vermişti. Erginlik döneminde, genç sanatçılardan –ressamlar, heykeltıraşlar, *videaste*'lar–[1] oluşan bir topluluğa katılmıştı. Bir kan ve sakatat performansında

1. Video kullanarak profesyonel olarak sinema filmi çeken kişi. (ç.n.)

soğukkanlılığını kaybetmiş ve mizansene katılan çıplak bir kadını öldürmeye kalkmıştı. Hemen kendini toparlamış ve etkisini bilmediği bir uyuşturucu kullandığını söylemişti. Ve bir daha sanat gecelerine davet edilmemişti.

Tüm bu yıllar boyunca kimse onun cinsel ya da duygusal herhangi bir ilişkisine şahit olmadı. Onun bilinçsiz bir homoseksüel olduğunu düşündüler. Sevimliydi, kibardı, güler yüzlüydü; kimseye takılmadı, kimseyle ilişki kurmadı. Sadece belli saatlerde, amatörce barok müzik yapan bir grubun provalarına katıldı.

1987'de iki dalda mastır diploması aldı, ardından polis okuluna kaydoldu. 90'lı yıllar boyunca, 2001'de Quai des Orfèvres'e gelene kadar, ağırbaşlı ve dürüst bir polis olarak kariyer yaptı. Kaderin bir cilvesi olarak, Kriesler cinayet bürosuna, henüz arama ve müdahale birimindeki Erwan'dan önce girdi. Ama kuşkusuz, gözü hep gelecekteki şefinin üstündeydi; iki bölümü sadece aradaki birkaç kapı ayırıyordu.

Erwan, Kripo'nun fotoğraflarını, Thierry Pharabot'nun, özellikle Belçika'da, ardından da Fransa'da kapatıldığı yerlerdeki hastabakıcılara ve gardiyanlara da göstermişti. İçlerinden çoğu onu tanımıştı. Öğrencisi, hep akıl hocasının yakınında olmuştu. Pharabot'nun yakınında olması ve gençlik dönemindeki o yoldan çıkmalar dışında, Kriesler'in gerçek kişiliğini ele verecek herhangi bir şey bulamamıştı Erwan. İyi polis, tutkulu lavtacı, sorunsuz meslektaş, çocuk *nganga*, seri katillerin temel sorununu aşmıştı: Kalabalığın içine karışmak.

Buna karşılık, dairesi –on yıl önce satın aldığı, hâlâ kredi borcunu ödediği, Bagnolet Sokağı'nda bir stüdyo daire– itirafçı rolünü üstlenmişti. Redlich usulü, siyaha boyanmış bir mekân. Üzerinde çiviler, camlar ve metaller bulunan heykeller –bizzat polis tarafından, elle yapılmıştı–, büyülü güçlere "sahip" tuhaf objeler köşelere istiflenmiş, odayı doldurmuştu. Yeni Çivi Adam'ın icraatlarıyla ilgili basında çıkmış yorumların tamamı – gurur duyduğu manşetler... Ayrıca dolaylı kanıtlar: Kendi bedeni. Kripo'nun otopsisinde, derisinin altına yerleştirilmiş elli kadar iğne –dikiş iğnesi, cerrahi iğne, akupunktur iğnesi– bulunmuştu; bazıları o kadar derindeydi ve o kadar uzun zamandan beri oradaydı ki, adli tabip onları çıkarmaktan vazgeçmişti.

Erwan ve ekibi, Kripo'nun Anne Simoni'yi doğradığı yeri bulamamıştı. Ayrıca ne işkence aletlerini ne de ölümlerle en ufak bir ilişkisini bulmuşlardı. Kurbanların tırnaklarını ve saç tutamlarını ne zaman almıştı? Alınan organlardan da hiç iz yoktu. Dehşet odası, bir yerlerde olmalıydı, ama nerede? Polisler katilin kullandığı ETRACO'nun da izini bulamamışlardı; edinilen bilgiye göre Kripto'nun her türlü tekne için ehliyeti vardı.

Suçlayıcı tek DNA, 36'nın toplantı odasında, kanıt torbalarının içinde duran, Pharabot'nun yaptığı heykelciklerde bulunmuştu. Aslında, kâğıt hamurundan yapılma bu bebeklerin içine tırnaklarını ve saçlarını Kripo'nun kendisi yerleştirmişti – hem de bebekler toplantı odasına konduğu sırada. Kendini korumaya mı çalışıyordu? Kendini ele vermeye mi?

Cinayetler sırasında Kriesler'in nerede olduğuna tanıklık edecek kimse yoktu. Wissa Sawiris'i öldürmüş olabilirdi: O sırada hâlâ tatildeydi. Anne Simoni'yi öldürmek için ise Paris'teydi: Emniyet Müfettişliği'yle görüşmesi vardı; Erwan bunu teyit etmişti. Pernaud konusunda da bir sorun yoktu: Kripo soruşturmalarını serbest elektron olarak sürdürüyordu; telefon ediyor, cevap veriyor, bilgilendiriyordu, ama kimse onun nerede olduğunu tam olarak bilmiyordu. Erwan onun zamanını nasıl kullandığıyla ilgili birkaç ayrıntıyı yeniden oluşturmuştu. Yardımcısı onu Marsilya'da takip etmişti; üstelik alay eder gibi, hiç kuşkusuz aynı anda iki bilet almıştı, kendine ve Erwan'a. Bir sonraki kurbanın kız kardeşi olacağını Erwan'a bildirmesi için Levantin'e rezerv ayrım dosyalarına giriş iznini büyük bir zevkle almıştı. Erwan'ın onu evine geri yollaması için o gülünç Marquis de Sade kılığına girmişti ve çok daha büyük bir olasılıkla, aynı gece, Sainte-Anne'da *zentai* tulumu içinde, ağaçların arasına gizlenmiş Gaëlle'in peşinden giderken Erwan'la telefonda konuşmuştu.

Önemli bir soru daha vardı: Kriesler dörtlü çetenin üyelerini tanıyor muydu? Kuşkusuz. Yakılmadan önce Pharabot'nun cesedinden kök hücre aldıklarını da biliyor muydu? Elbette. Anne Simoni'nin cesedinde ilk Çivi Adam'ın DNA'sının bulunmasının tek açıklaması buydu: Şu ya da bu şekilde, Kriesler, fanatiklerden birinin kanını ele geçirmiş ve kan örneklerini kurbanların üstüne bırakmıştı. İpuçlarını bulandırmak için mi? İlk ritüele benzemesi için mi? Kemik iliği yaptırmış olanları bu işin içine dahil etmek için mi? Sırrını mezara götürmüştü...

Erwan onun gömülmesi için Saint-Mandé Mezarlığı'nı seçmişti, uygun mezar yerini burada bulmuştu. Tuhaf bir şekilde, Kriesler, vasiyetnamesinde stüdyo dairesini ona bırakmıştı. Yöntem yasaldı; Kripo'nun bilinen hiçbir akrabası yoktu. Bu davranış mirası kabul eden Erwan'ı rahatsız etmişti, ama bir noteri mülkü satmakla ve parasını (cenaze masrafları ödendikten sonra) Saint-

Omer Öksüzler Yurdu'na vermekle görevlendirmişti; burası belki de çocuk *nganga*'nın daha az mutsuz olduğu yerdi.

Katillere genellikle hiçbir empati duymayan Erwan, Kripo'yla ilgili karmaşık şeyler hissediyordu; onu çok yakından tanımıştı, onunla binlerce saat geçirmişti, onu dostu olarak görmüştü. Bu ihanet onu hasta ediyordu, ama aynı zamanda da Kripo'nun aklını kaçırmış olmasına hak veriyordu; mahvolmuş bir çocukluğun hafifletici neden olduğuna inanıyordu. Bu korkunç geçmiş, Kripo'nun tek devindirici gücüydü. Yetişkinliği boyunca hep direnmişti, ama Pharabot'nun ölümü onu altüst etmişti. İşte o zaman kendini ruhların, iblislerin karşısında yalnız, çaresiz hissetmişti. Düşmanlarından korunmak için eyleme geçmesi, güçlü fetişler yapması gerekmişti. Efendisinin intikamını almalıydı.

Neden Finistère'de, Wissa Sawiris'i öldürerek başlamıştı? Erwan rastlantılara inanmazdı, ama başka açıklaması yoktu. Kripo bir kurban bulmak için Kaerverec –ya da daha ziyade Charcot– yakınlarında dolaşıyordu; çıplak ve gücü tükenmiş Wissa'yla karşılaşmıştı. İdeal bir avdı. Onu Sirling Adası'na götürmüş ve kurban etmişti, ardından da Morvan'ın yüzüğünü ve suçlayıcı başka ipuçları bırakmıştı. Morvan'a ait bir işkence odası bulacaklardı. Füze hem bütün kanıtları yok etmiş hem de olayların hızlanmasını sağlamıştı. Lavtacı tobruk koruganın bombalanacağını bilemezdi, ama Di Greco ile Morvan arasındaki ilişkiyi biliyordu (Lontano olayı onun için bir sır değildi). Amiralin Sawiris'in ölümünden sonra İhtiyar'ı yardıma çağıracağını tahmin ediyordu. Eğer şansı yaver giderse, Padre geçmişin hatırına en iyi polisi –kendi oğlunu yollayacaktı. Ve Erwan da Kripo'dan kendisine eşlik etmesini isteyecekti...

Elbette, patlama konusunda hazırlıksız yakalanmıştı, ama hemen karşı hamlede bulunmayı da bilmişti. Her kurbanın bedenine bir sonraki kurbanın tırnaklarını ve saçlarını koyarak, baş düşman Grégoire Morvan'ı bu işe bulaştırmanın ya da ezmenin yollarını arayarak planını harfi harfine uygulamıştı. Öldürme yeteneği, kronolojinin belirginliği, katilin görünmezliği, hepsi her şeyi önceden planladığını gösteriyordu. Polis statüsü de ona, kurbanların güvenini kazanma, güvenlik kameralarından kurtulma, Gaëlle'in yerini bulma imkânı sağlamıştı...

Erwan, suçlunun çifte yaşamıyla ilgili dosyasını, hiçbir şeyden şüphelenmeden bu katilin yanında yaklaşık on yıl geçirmiş olduğunu da belirterek, imzalayıp kapatmıştı.

Dosyasında karanlıkta kalmış yerler vardı: Bu şaşkınlık uyandıran vahşice tecavüzlerin sebebi neydi? Kriesler cinsel duygularını bastırmış bir homoseksüel miydi, kendi iğrenç dürtülerinden rahatsız olduğundan, bu güdülerini tatmin etmek için keskin aletler mi kullanıyordu? İktidarsız mıydı? Nihai amacı neydi? Tüm Morvan'ları öldürmek mi? Erwan artık cevaplar aramıyordu. Sadece olabildiğince pürüzsüz bir şekilde dosyayı kapatmak ve bu soruları diğer bütün olaylarla birlikte unutmak istemişti. Ne yazık ki artık bu işlerin ustası adamından yoksundu, tutanağı tek başına hazırlamak zorunda kalmıştı; ekibinden birinin (Kriesler'in ölümüyle ilgili olarak onun ve Gaëlle'in ifadelerini alan Audrey dışında) bu işe burnunu sokmasını istememişti. Olayın girdi çıktılarını düzenlemek, boşlukları az çok doldurmak ve olaylarla tarihleri örtüştürmek için Erwan'a üç hafta gerekmişti. Ekim ortasında da tüm dava dosyasını atanmış sorgu yargıcına teslim etmişti.

Aslında sanığın ölümü kamu davasıyla kapatılacaktı ve ceza uygulanacak kişi olmadığından kovuşturma da olmayacaktı. Başka bir deyişle hiçbir zaman Kriesler davası görülmeyecek ve bu koca dosya da unutulmuşlar arasında arşivdeki yerini alacaktı. Bu arada cinayet bürosu müdürlüğü ile savcılık bir noktada mutabık kalmışlardı: Gerçek Çivi Adam'ın kimliğini medyaya açıklamak söz konusu değildi. Köpekler zaten kemikleri kapmışlardı: Locquirec üçlüsü. Adli polis teşkilatında kimse gerçek katilin, üstlerinden hep övgüler almış ve emekliliği yaklaşmış bir polis olduğunun bilinmesini istemiyordu.

Olay örtbas edilmişti. Ama Erwan'ın böyle bir hikâyeyi aklından çıkarması imkânsızdı. Faal bir katille yıllarca yan yana çalışmış olmayı hazmedemiyordu. Dost mu, düşman mı, artık bilmiyordu. Ve cenazesi –sadece Erwan ve mezarcılar vardı– onu çok kötü yapmıştı.

Aklını kurcalayan son bir soru vardı: Kripo gerçekten elli yaşından önce kimseyi öldürmemiş miydi? Erwan ekimin son gecelerini, Île-de-France'ta son on yıl içinde meydana gelmiş şüpheli ölümleri araştırarak geçirmişti. Aynı şeyi Bretanya için de yapmıştı.

Ekim sonunda, artık davanın peşini bırakmıştı. Azizler Günü Yortusu'nun arifesinde Erwan, Bréhat Adası'ndaki ailesinin yanına gitmek için valizi hazırladı.

Ölüler Günü. Ancak bu kadar denk düşerdi.

Donuk ve mavi deniz, parlak mimozalar, güneşin altında sıcak taşlar... Erwan, Bréhat'dan hep nefret etmişti. Klanın sahte Bröton soyunun bir parçası olarak, kumlu patikaların, granit tepelerin, güzel küçük evlerin olduğu adaya bakıyordu. Tüm bunlar ona yalan geliyordu.

Haksızdı, bunu biliyordu ama elinde değildi; bu durum, babasıyla arasındaki ezeli ve ebedi savaştan kaynaklanıyordu. Soruşturma, işleri yoluna koymamıştı. Çivi Adam'ın hikâyesini eşelemekle, Morvan'ın daha da karanlık bir resmine ulaşmıştı.

Kripo'nun ölümünden bu yana, Erwan, Pharabot davası tutanaklarını birçok kez okumuştu. Hatta onları yanında adaya bile getirmişti. Bu olayları son bir kez, destanın ana kahramanının yanında yeniden yaşamak için buradan daha iyi bir yer olamazdı. Tıpkı *Odysseia*'yı Odysseus'un yanına oturup okumak gibi.

Hâlâ bir boşluk arıyordu. Audrey de, Erwan da, Morvan'ı Marot'nun ölümüyle ilişkilendiren herhangi bir ipucu –hatta bunun bir intihar olmadığını ispatlayacak bir şey bile– bulamamışlardı. Geriye bir tek, adamın geçmişi ve yaptığı çok eski bir hata olasılığı kalıyordu...

Herkes, görevine sadık bir şekilde Bréhat'daydı. Erwan onlara bakmıyordu; onları soluyordu. Her birini bir kokuyla bağdaştırıyordu.

Öğle güneşinde ısınmış kayanın kokusu Loïc'ti. Denizci parkasının içinde, başını yuvasından dışarı çıkarmış bir kuşa benziyordu. Uyuşturucuyla hırpalamış, parayla tükenmiş gibiydi. Sözüm ona klanın malvarlığıyla ilgili sorunları halletmişti – İhtiyar ise kendilerini mahvettiğini iddia ediyordu– ve bunu dert eder gibi bir hali de yoktu. Boşanma konusunda da kaygılı değildi sanki. Denize bakıyordu. Günlerin art arda geçmesine bakıyordu. Ve odasında burnuna birkaç çizgi daha çekmesi gerekiyordu.

Gaëlle'in kokusu, geceleri biten ıslak ot kokusunu andırıyordu. Siyah balıkçı yaka kazak, kirpi gibi diken diken sarı saçlar. Hafifçe esmerleşmişti ve muhteşem görünüyordu. Verdiği mücadeleler yüz hatlarını inceltmiş, güzelliğini daha da belirginleştirmişti. Havadaki tuzla arınmıştı, Paris'e gitmek için inat eden şirret kızla hiç ilgisi yoktu. Bunun sebebi de antidepresanlardı. Gaëlle sakinleşmiş, yeniden dengesini bulmuş gibiydi.

Bir sabah Erwan onunla deniz kıyısında bir gezinti yapmıştı.

– Sana söylediğim şeyi hatırlıyor musun? "Cinsel açıdan zevk aldığını düşünen kadın, kendi ayağına sıkan kadındır."

– Bunu nasıl unutabilirim? diyerek gülümsedi Erwan.

– Ben hiç zevk almadım, ama birçok kez kendi ayağıma sıktım.

– Benim hayatımı kurtardın.

– Bundan bahsetme.

Gitgide daha fazla sigara içiyordu ve bu, ona çok yakışıyordu. Bu yakıcı nefes ona, güzelliğinden de üstün olan bir miktar sertlik katıyordu. Erwan onun neye gönderme yaptığını bilmiyordu: Yok olmuş sinema hayallerine mi, cinsel tahriklerine mi, ailesini mahvetme isteğiyle geçirdiği yıllarına mı? Bildiği tek şey vardı; o da, soğukkanlılıkla işlediği cinayetin, hem onun hem de Erwan'ın hayatını kurtardığı ve Gaëlle'i özgürleştirdiğiydi. Katilin ölümü bir arınma gibiydi; hem zaten kimse Kripo'nun ölümüyle ilgili gerçeği bilmiyordu. Resmi olarak, Erwan meşru müdafaa hakkını kullanmıştı.

Maggie'nin kokusu, Bröton sekilerinin nemli taşlarının kokusuydu: Evinden çıkardın, ayağın basamaklarda kayardı ve seninle alay eden bir evin dibine düşerdin. Erwan, soruşturma sırasında, annesinin masum bir kurban olmadığını ve kocasıyla ilişkisinin tahmin edemeyeceği kadar karmaşık olduğunu anlamıştı. Bir akşam onunla konuşmuştu. Annesi, hasırdan örülmüş bir mutfak paspasının üstünde ayakta durmuş, eski tarz salata süzgecini –su damlalarını etrafa sıçratan bir tür tel kafes– sallıyordu.

– Hiç pişman değil misin?

– Neden söz ediyorsun?

– Bilmiyorum, diye cevaplamıştı Erwan. Mesela soruşturmam boyunca bana yardımcı olmamandan, aileyle veya Kongo'yla ilgili bazı gerçekleri öğrenmem için bana yol göstermemiş olmandan, sessizliğinle babamın yalanlarına destek vermiş olmandan...

– Saçma sapan konuşmayı kes.

Ev tamamen gölgelerle çevriliydi ve çöken karanlık, kayaların iç karartıcı şekillerine daha koyu gölgeler ekliyordu. Erwan bir an, havada dönen salata süzgecine bakmış, sonra da Maggie'yi kendi karanlığına terk etmişti. Bu konuda yapacak hiçbir şey yoktu.

Aynı akşam, yemekten sonra, dışarıda sanki şahsi donanmasının gelmesini bekliyormuş gibi dikilen babasının yanına gitmişti. Morvan "çok daha ilkel, çok daha taşaklı" olan –bu onun kelimeleriydi– kuzey adasında Korsika tarzı bir ev satın almıştı. Kulübe kıyıdan uzaktaydı, ama yerinden sökülmüş bir göz gibi geceyi tarayan deniz feneri görülebiliyordu. Rüzgâr, insanın burun deliklerini gıdıklayan ve ciğerlerini temizleyen tuz ve yosun kokuları taşıyordu. Erwan hiçbir zaman İhtiyar'ın Bröton kökenlerine inanmamıştı, ama bu iyot kokusu ona iyi geliyordu.

– Bu pis olaydan sonra kendini nasıl hissediyorsun?

– Mutlu.

Erwan onun ne demek istediğini anlıyordu: Klanın bireyleri hayatta kalmıştı, bir kahramandı ve gazeteci Jean-Philippe Marot'nun ölümüyle bir şekilde ilişkilendirilmekten kurtulmuştu. Görev tamamlandı.

1 Kasım perşembeye rastlıyordu. Fransızlar 5'ine kadar tatil yapacaktı.

Sofia cumartesi sabahı Milla ve Lorenzo'yla geldi. Loïc ve onun ailesiyle olmak için Bréhat'ya geldiği düşünülebilirdi. Ya da gizli ve neredeyse ensest bir ilişki yaşadığı ağabeyi görmeye geldiği. Ama Erwan, ne kendisi ne Loïc için geldiğini sanıyordu. Sofia, Büyük Şövalye'yi görmeye gelmişti. Avını incelemeye, saldırı açısını seçmeye, stratejisini olgunlaştırmaya gelmişti.

Öğle yemeğinden sonra, Erwan en azından suç ortaklıklarını hatırlatacak bir hareket görmeyi umut ederek onun yanına gitti; hastanedeki o ateşli geceyi unutmamıştı. Sadece öfkeli bir tavırla karşılaştı.

– Henüz farkında değilsin, diye fısıldadı Sofia, ama sen de onlar gibisin.

Bir şekilde rahatlamıştı. Sofia onun Madonnası olarak kalacaktı. O bir aşk objesiydi ve bu nedenle de ulaşılmaz, dokunulmaz olmayı sürdürecekti. Üstelik, kokusu yeraltı mezarlarındaki mermerlerin kokusuydu. Ölümü ve kaçınılmazı çağrıştıran bir buhur kokusu.

Erwan yeniden Pharabot davasının klasörlerine döndü. Her

öğleden sonra dönüp dolaşıp kutsal bir kitap gibi yeniden bunlara dönüyordu, kutsal kara kitap.

Bir ayrıntı gözünden kaçmıştı. Bir tutarsızlık vardı ve o ne olduğunu bulamıyordu. Bir cevap değil, bir soru arıyordu.

Sonunda, pazar günü adadan ayrılmadan birkaç saat önce o soruyu buldu.

Babası, Bréhat'daki yegâne yük taşıma aracı olan iki tekerlekli çekçek arabasını (adada motorlu araç yasaktı) yüklüyordu. Bostandan toplanmış enginarlar, pancarlar, yaban havuçları, şalgamlar.

– Benimle mi geliyorsunuz? diye sordu Erwan; şaşırmıştı.

– Hayır, ama bunları önceden kıtaya yolluyorum. Sen hazır mısın? Çantanı yaptın mı?

– Her şey hazır.

– Acele et. Deniz motorunu kaçırma.

– Seninle bir şey konuşmak istiyordum.

Morvan eldivenli ellerini iki yana açtı.

– Seni dinliyorum.

– Catherine Fontana ismi sana bir şey söylüyor mu?

İhtiyar arabaya yerleştireceği midye dolu sepeti almak için eğildi. Deniz suyundan ve yosunlardan yayılan koku burun deliklerine doluyordu.

– Şunu yerleştirecek misin? diye homurdandı babası.

– Catherine Fontana'nın kim olduğunu biliyor musun?

– Elbette. Çivi Adam'ın yedinci kurbanı.

– Dava tutanaklarına göre, 1971 yılında 29 Nisan'ı 30'una bağlayan gece öldürülmüş. Cesedi, Lontano'nun güneyinden iki kilometre uzakta, o dönemde Pharabot'nun çalıştığı SICA Bıçkı Fabrikası'nın yakınında bulunmuş.

Morvan, Erwan'ın karşısına dikildi, elleri belindeydi.

– Bu benim soruşturmam, sana hatırlatırım.

– Birkaç telefon görüşmesi yaptım. Fabrikanın bugün hâlâ faaliyette olduğunu biliyor muydun?

– Orası Katanga'nın en büyük bıçkı fabrikalarından biri. Nereye varmaya çalışıyorsun?

– Nisan 1971'de, Pharabot, Mwanziga bölgesine gönderilmişti, Lontano'nun güneyinden yüz kilometre uzaktaki bir köye.

– Görevi 28 Nisan'da bitmişti. Ertesi gün Lontano'ya dönmüş olabilir.

Erwan gülümsedi.

– Kumsalda biraz yürüyelim mi?

– Bana biraz yardım etsen.

İkisi birlikte, içinde kabakların, birkaç sukabağı ile bir balkabağının bulunduğu karton kutuları arabaya yerleştirdiler. Morvan üstlerine de Maggie'nin topladığı kasımpatı ve zambak demetlerini koydu. Sonra eldivenlerini çıkardı ve saatine baktı.

– Motoru kaçıracaksın.

– Bir sonrakine bineceğim.

Siyah çakıllarla dolu bir kıyıya indiler. Uzakta, bulutların arasından güneşin parlak ışınları süzülüyordu.

– SICA'yla konuştum.

– Bana o döneme ait kayıtları sakladıklarını söyleme.

– Elbette saklamamışlar, ama çalışma alanı bu kırk yıl içinde fazla değişikliğe uğramamış.

– Yani?

– Pharabot, Mwanziga'nın yukarısında saptama yapıyordu. Bu durumda, malzemeleri götürmek için yollar açmaya başladılar.

Morvan öfkelendiğini belli etti.

– Kahretsin, bana ormanı mı anlatıyorsun? Sadede gel.

– Pharabot'nun bir ay içinde, Lontano'ya doğru yirmi kilometre kadar ilerlemesi gerekirdi. Bu durumda görevinin sonunda hâlâ şehre seksen kilometre mesafedeydi.

– İyi. Yani?

– Bir haftadan önce şehre dönmüş olması imkânsız.

– Uçağa binmiş olabilir.

– O bölgede hiçbir zaman bir uçak pisti olmamış.

– Arabayla iki günden fazla sürmez.

– Doğru. Ama yağmur mevsimiydi. Bugün asfaltlanmış bir yol var, ama o dönemde sadece laterit kaplı yollar vardı.

– Nereye gelmeye çalışıyorsun?

Erwan onu kışkırtmaya devam etti.

– Sana "ormanı anlatacak" değilim. Böyle bir yolda, yağmur mevsiminde günde yirmi kilometreden fazla yol almak imkânsız; aracın arızalanma, ağaçların yola devrilme ve çamura saplanma ihtimallerinden bahsetmiyorum bile. Pharabot, 1 Mayıs'tan önce Lontano'da olamazdı.

Morvan başını salladı ve bulutların altına giren güneşe bakarak durdu.

– Catherine Fontana'yı o öldürmedi, dedi Erwan.

– Sen ne anlatıyorsun, anlamıyorum.

– Tam tersine çok iyi anladığını düşünüyorum. Pharabot'nun bu kadını öldürmediğini ilk anlayan sendin. Hatta gerçek katili bildiğini ve onu gizlediğini bile düşünüyorum.

Babası gözlerini denize, ufuk çizgine çevirdi. Kayalara ve rüzgârla kıyıya vurup çatlayan dalgalara baktı.

– Kırk yıl önceki olaylardan söz ediyorsun. Zamanaşımına uğradı.

Erwan, Vallée Kliniği'nin soğuk hava odasında öğrendiği şeyi hatırladı. *Ölümsüz soylar.* Onun, kendi soyunu korumak için sıvı azota ihtiyacı yoktu. Babasının kanı damarlarında dolaşıyordu; onun azotu, kiniydi.

– İzin aldım, diye devam etti Erwan. Fontana olayını açıklığa kavuşturmak için Afrika'ya gidiyorum.

– Eğer bunu yaparsan, bizi ebediyen kaybedersin.

– Siz kim?

– Beni, anneni, erkek kardeşini ve kız kardeşini.

– Eğer bunu yapmazsam, ben kendimi sonsuza dek kaybedeceğim.